COLAPSO

JARED DIAMOND

COLAPSO

COMO AS SOCIEDADES ESCOLHEM O FRACASSO OU O SUCESSO

TRADUÇÃO

Alexandre Raposo

REVISÃO TÉCNICA

Waldeck Dié Maia

17ª edição

EDITORA RECORD
RIO DE JANEIRO • SÃO PAULO
2025

CIP-BRASIL. CATALOGAÇÃO NA FONTE
SINDICATO NACIONAL DOS EDITORES DE LIVROS, RJ

Diamond, Jared M.
D528c   Colapso / Jared Diamond; tradução de Alexandre Raposo. – 17ª ed.
17ª ed. Rio de Janeiro: Record, 2025.

Tradução de: Collapse
ISBN 978-85-01-06594-0

1. História social – Estudo de casos. 2. Mudança social – Estudo de casos. 3. Política ambiental – Estudo de casos. I. Título.

CDD – 304.28
05-1277   CDU – 504.06

Título em inglês: Collapse

Copyright © by Jared Diamond, 2005
Foto de capa: Templo das Cinco Histórias, Campeche, México © Stock Photos/Corbis

Projeto gráfico de miolo: Regina Ferraz
Mapas: Luiz Baltar

Texto revisado segundo o novo Acordo Ortográfico da Língua Portuguesa.

Todos os direitos reservados. Proibida a reprodução, armazenamento ou transmissão de partes deste livro, através de quaisquer meios, sem prévia autorização por escrito.

Direitos exclusivos de publicação em língua portuguesa para o Brasil adquiridos pela
EDITORA RECORD LTDA.
Rua Argentina, 171 – Rio de Janeiro, RJ – 20921-380 – Tel.: (21) 2585-2000, que se reserva a propriedade literária desta tradução.

Impresso no Brasil

ISBN 978-85-01-06594-0

Seja um leitor preferencial Record.
Cadastre-se em www.record.com.br e receba informações sobre nossos lançamentos e nossas promoções.

Atendimento e venda direta ao leitor:
sac@record.com.br

EDITORA AFILIADA

Para
Jack e Ann Hirschy,
Jill Hirschy Eliel e John Eliel,
Joyce Hirschy McDowell,
Dick (1929-2003) e Margy Hirschy,
e seus pares de Montana:
guardiões do grande céu daquele estado.

Conheci um viajante de uma terra antiga
Que disse: "Duas imensas pernas de pedra, sem tronco,
Jazem no deserto. Junto a elas,
Parcialmente afundado na areia, um rosto despedaçado, com o lábio
Franzido e enrugado em um sorriso escarnecedor de frio poder,
Demonstra que o escultor bem intuiu tais paixões,
Que ainda sobrevivem, estampadas naquelas coisas sem vida,
A mão que as forjou e o coração que as alimentou;
No pedestal há a seguinte inscrição:
'Meu nome é Ozimandias, rei dos reis:
Olhem para os meus feitos pujantes e desesperem-se!'
Nada resta além disso. Ao redor daquela ruína
Colossal, ilimitada e desnuda
As areias solitárias e planas espalham-se ao longe."

"Ozimandias", por Percy Bysshe Shelley (1817)

SUMÁRIO

Lista de mapas   13

Prólogo: Uma história de duas fazendas   15

Duas fazendas • Colapsos, passado e presente • Edens
desaparecidos? • Uma estrutura de cinco pontos • Empresas
e meio ambiente • O método comparativo • Plano do livro

PARTE 1: MONTANA CONTEMPORÂNEA

Capítulo 1: Sob o grande céu de Montana   45

A história de Stan Falkow • Montana e eu • Por que começar com
Montana? • História econômica de Montana • Mineração • Florestas
• Solo • Água • Espécies nativas e não nativas • Visões divergentes
• Atitudes em relação à regulamentação • A história de Rick Laible
• A história de Chip Pigman • A história de Tim Huls • A história
de John Cook • Montana, modelo do mundo

PARTE 2: SOCIEDADES DO PASSADO

Capítulo 2: Crepúsculo em Páscoa   105

Os mistérios da pedreira • História e geografia de Páscoa • Gente
e alimentação • Chefes, clãs e plebeus • Plataformas e estátuas
• Esculpindo, transportando e erguendo • A floresta desaparecida
• Consequências para a sociedade • Europeus e explicações
• Por que Páscoa era frágil? • Páscoa como metáfora

Capítulo 3: As últimas pessoas vivas: ilhas de Pitcairn e Henderson   153

Pitcairn antes do *Bounty* • Três ilhas diferentes
• Comércio • O fim do filme

Capítulo 4: Os antigos: os anasazis e seus vizinhos 171

Fazendeiros do deserto • Anéis de crescimento das árvores • Estratégias de agricultura • Problemas e ratos silvestres do Chaco • Integração regional • Declínio e morte do Chaco • A mensagem do Chaco

Capítulo 5: Os colapsos maias 195

Os mistérios das cidades perdidas • O ambiente maia • Agricultura maia • História maia • Copán • Complexidade de colapsos • Guerras e secas • Colapso nas terras baixas do sul • A mensagem maia

Capítulo 6: Prelúdio e fugas *vikings* 219

Experimentos no Atlântico • A explosão *viking* • Autocatálise • Agricultura *viking* • Ferro • Chefes *vikings* • Religião *viking* • Orkneys, Shetlands, Faroe • Meio ambiente da Islândia • História da Islândia • Islândia em contexto • Vinlândia

Capítulo 7: O florescer da Groenlândia Nórdica 259

Entreposto europeu • Clima atual da Groenlândia • Clima no passado • Plantas e animais nativos • Colonização nórdica • Agricultura • Caça e pesca • Uma economia integrada • Sociedade • Comércio com a Europa • Autoimagem

Capítulo 8: O fim da Groenlândia Nórdica 303

O começo do fim • Desmatamento • Dano ao solo e às pastagens • Os antecessores dos *inuits* • Subsistência *inuit* • Relações entre *inuits* e nórdicos • O fim • Causas inéditas do fim

Capítulo 9: Caminhos opostos para o sucesso 337

De baixo para cima, de cima para baixo • Terras altas da Nova Guiné • Tikopia • Problemas da era Tokugawa • Soluções para a era Tokugawa • Por que o Japão foi bem-sucedido • Outros sucessos

PARTE 3: SOCIEDADES MODERNAS

Capítulo 10: Malthus na África: o genocídio em Ruanda 377

Um dilema • Eventos em Ruanda • Mais do que ódio racial
• Preparação em Kanama • Explosão em Kanama
• Por que aconteceu

Capítulo 11: Uma ilha, dois povos, duas histórias:
A República Dominicana e o Haiti 397

Diferenças • Histórias • Causas de divergência • Impactos
ambientais dominicanos • Balaguer • O meio ambiente
dominicano hoje • O futuro

Capítulo 12: China: gigante cambaleante 429

Importância da China • Antecedentes • Ar, água e solo • Hábitat,
espécies e megaprojetos • Consequências • Conexões • O futuro

Capítulo 13: "Minando" a Austrália 453

Importância da Austrália • Solos • Água • Distância • História
antiga • Valores importados • Comércio e imigração • Degradação
da terra • Outros problemas ambientais • Sinais de esperança
e mudança

PARTE 4: LIÇÕES PRÁTICAS

Capítulo 14: Por que algumas sociedades tomam decisões
desastrosas? 501

Mapa rodoviário do sucesso • Falta de previsão • Falta de
percepção • Mau comportamento racional • Valores desastrosos
• Outros fracassos irracionais • Soluções malsucedidas • Sinais
de esperança

Capítulo 15: Grandes empresas e meio ambiente:
Condições diferentes, resultados diferentes 527

Extração de recursos • Dois campos de petróleo • As questões
das empresas de petróleo • Empresas de mineração de metais

• As questões das empresas de mineração • Diferenças entre empresas de mineração • A indústria madeireira • Forest Stewardship Council • A indústria pesqueira • As empresas e o público

Capítulo 16: O mundo como um *polder*: o que isso representa para nós atualmente? 581

Introdução • Os problemas mais sérios • Se não os solucionarmos... • A vida em Los Angeles • Chavões simplistas • O passado e o presente • Razões para ter esperança

Posfácio: Ascensão e queda de Angkor 629

Perguntas sobre Angkor • O meio ambiente de Angkor • A Ascensão de Angkor • A grande cidade • O esplendor de sua engenharia • A decadência de Angkor

Agradecimentos 647
Leituras complementares 651
Índice 685
Créditos das ilustrações 699

LISTA DE MAPAS

O mundo: pré-histórico, histórico e sociedades modernas	20-21
Montana contemporânea	48
Oceano Pacífico: ilhas Pitcairn e ilha de Páscoa	108-109
Ilhas Pitcairn	155
Sítios anasazis	178
Sítios maias	198
A expansão *viking*	224-225
Hispaniola contemporânea	398
China contemporânea	432
Austrália contemporânea	462
Focos de problemas políticos do mundo moderno; Focos de problemas ambientais do mundo moderno	594

PRÓLOGO

UMA HISTÓRIA DE DUAS FAZENDAS

Duas fazendas • Colapsos, passado e presente • Edens
desaparecidos? • Uma estrutura de cinco pontos • Empresas
e meio ambiente • O método comparativo • Plano do livro

Há alguns verões visitei duas fazendas de laticínios: a fazenda Huls e a
fazenda Gardar, que apesar de estarem a milhares de quilômetros uma da
outra ainda assim são muito similares em suas virtudes e vulnerabilidades.
Ambas as fazendas eram, de longe, as maiores, mais prósperas e tecnologicamente mais desenvolvidas de suas respectivas regiões. Em particular,
as duas giravam em torno de um magnífico e moderníssimo estábulo para
abrigar e ordenhar suas vacas. Tais estruturas, divididas em fileiras opostas de cocheiras, superavam todos os outros estábulos de suas respectivas
regiões. Em ambas as fazendas, as vacas pastavam ao ar livre em pastos
viçosos durante o verão. Do mesmo modo, as duas fazendas produziam
sua própria forragem, armazenada no fim do verão para alimentar o rebanho durante o inverno. A produçao de pastagens de verão e forragens de
inverno era garantida pela irrigação dos campos. As duas fazendas eram
semelhantes em área (alguns quilômetros quadrados) e em tamanho de
estábulo, sendo que o estábulo da fazenda Huls abrigava mais vacas do
que o da fazenda Gardar (200 e 165 vacas, respectivamente). Os proprietários das duas fazendas eram líderes de suas respectivas comunidades.
Eles eram profundamente religiosos. As duas fazendas localizavam-se em
encantadores cenários naturais que atraíam turistas de lugares distantes,
com montanhas cobertas de neve ao fundo, cortadas por rios repletos de
peixes que corriam em direção a um famoso rio (no caso da fazenda Huls)
ou fiorde (no caso da fazenda Gardar).

Estas eram as virtudes destas fazendas. Quanto às vulnerabilidades
que compartilhavam, as duas estavam localizadas em regiões economicamente inapropriadas para a produção de laticínios, devido ao fato de se

localizarem muito ao norte, o que significava verões menores para produzir pastagens e forragem. Pelo fato de, mesmo em anos bons, o clima não ser ideal se comparado ao de fazendas de laticínios localizadas em latitudes mais baixas, as duas fazendas podiam ser afetadas por mudanças climáticas — secas, no caso da fazenda Huls, e frio, no caso da fazenda Gardar. As duas regiões ficavam longe de centros consumidores onde comercializar os seus produtos, de forma que os custos com transporte e perdas impunham desvantagens competitivas em relação a regiões localizadas próximas dos grandes centros. As economias das fazendas eram reféns de forças fora do controle de seus proprietários, como a prosperidade e os gostos sazonais de seus clientes e vizinhos. Em uma escala maior, os países em que as duas fazendas estavam localizadas sofriam altos e baixos em suas economias devido ao alívio ou ao recrudescimento de ameaças de distantes sociedades inimigas.

A maior diferença entre as fazendas Huls e Gardar está em sua situação atual. A fazenda Huls, localizada no vale Bitterroot, no estado de Montana, oeste dos EUA, um empreendimento familiar de propriedade de cinco irmãos e de suas respectivas esposas, é próspera, e o condado de Ravalli, no qual a fazenda Huls está instalada, orgulha-se de possuir o maior crescimento populacional entre os condados dos EUA. Tim, Trudy e Dan Huls, três dos proprietários da fazenda Huls, levaram-me em um passeio por seu estábulo *high-tech*, e pacientemente explicaram os prós e os contras da produção de laticínios em Montana. É inconcebível que os EUA em geral, e a fazenda Huls em particular, venham a entrar em colapso em um futuro previsível. Mas a fazenda Gardar, uma antiga fazenda arrendada pelo bispo nórdico no sudoeste da Groenlândia, foi abandonada há mais de 500 anos. A sociedade nórdica na Groenlândia ruiu completamente: seus milhares de habitantes morreram de fome, em guerras civis ou contra inimigos, ou emigraram, até não sobrar ninguém. Apesar de as sólidas paredes de pedra do estábulo e da catedral da fazenda Gardar ainda estarem de pé — de modo que me foi possível contar quantas cocheiras individuais possuía —, não havia qualquer proprietário ali para me falar dos prós e contras de Gardar. Contudo, quando a fazenda Gardar e a Groenlândia Nórdica estavam no auge, seu declínio parecia tão inconcebível quanto o declínio da fazenda Huls e dos EUA hoje.

Deixe-me esclarecer uma coisa: ao traçar tais paralelos entre as fazendas Huls e Gardar, não pretendo dizer que a fazenda Huls e a sociedade americana estejam fadadas ao declínio. No momento, a verdade é bem diferente: a fazenda Huls está em processo de expansão, sua nova e avançada tecnologia vem sendo estudada para ser implantada em fazendas vizinhas, e os EUA são o país mais poderoso do mundo. Também não estou dizendo que fazendas ou sociedades em geral tendam ao colapso. Embora algumas fazendas tenham de fato entrado em colapso, como a Gardar, outras sobreviveram ininterruptamente durante milhares de anos. Em vez disso, minhas viagens para as fazendas Huls e Gardar, localizadas a milhares de quilômetros uma da outra mas visitadas no mesmo verão, fizeram-me chegar à conclusão de que até mesmo as sociedades mais ricas e tecnologicamente mais avançadas de hoje em dia enfrentam problemas ambientais e econômicos crescentes que não devem ser subestimados. Muitos de nossos problemas são similares àqueles que minaram a fazenda Gardar e a Groenlândia Nórdica e que muitas outras sociedades do passado lutaram para resolver. Algumas dessas sociedades do passado falharam (como a Groenlândia Nórdica), e outras foram bem-sucedidas (como os japoneses e os insulares de Tikopia). O passado nos oferece um rico banco de dados com o qual podemos aprender, e continuar a ser bem-sucedidos.

A Groenlândia Nórdica é apenas uma de muitas sociedades do passado que entraram em colapso ou desapareceram, deixando para trás ruínas monumentais como as imaginadas por Shelley em seu poema "Ozimandias". Como colapso, refiro-me a uma drástica redução da população e/ou complexidade política, econômica e social, numa área considerável, durante um longo tempo. O fenômeno do colapso é, portanto, uma forma extrema de diversos tipos mais brandos de declínio, e torna-se arbitrário decidir quão drástico deve ser o declínio de uma sociedade antes que se possa qualificá-lo como colapso. Alguns desses tipos mais brandos de declínio incluem pequenos altos e baixos normais do acaso; pequenas reestruturações políticas, econômicas e sociais características de qualquer sociedade; a conquista de uma sociedade por um vizinho ou o seu declínio ligado à ascensão de um vizinho, sem mudança no tamanho total da população ou na complexidade de toda a região; e a queda ou substituição de uma elite de governo por outra. De acordo com tais padrões, a maioria das pessoas concorda que as seguintes sociedades do passado foram vítimas ilustres de verdadeiros colapsos, mais do que de pequenos declínios: as sociedades anasazi e cahokia, dentro das fronteiras dos EUA contemporâneos; as cidades maias na América Central; as sociedades mochica e Tiahuanaco, na América do Sul; a Grécia Miceniana e Creta Minoica, na Europa; o Grande Zimbábue, na África; as cidades asiáticas de Angkor Wat, da cultura harapa, no vale do Indo; e a ilha de Páscoa no oceano Pacífico (mapa, p. 20-21).

As ruínas monumentais deixadas por tais sociedades do passado inspiram um fascínio romântico em todos nós. Quando crianças, nos maravilhamos ao ver as primeiras fotografias de tais ruínas. Ao crescermos, planejamos viagens de férias para conhecê-las como turistas. Sentimo-nos atraídos por sua beleza espetacular e perturbadora, e também pelos mistérios que propõem. A dimensão das ruínas fala em favor da antiga prosperidade e do poder de seus construtores — como se gritassem: "Olhem para os meus feitos pujantes e desesperem-se!", nas palavras de Shelley. Contudo, os construtores desapareceram, abandonando as grandes estruturas que criaram com tanto esforço. Como pode uma sociedade outrora tão pujante acabar entrando em colapso? Qual foi o destino de seus indivíduos? Foram embora, e (neste caso) por quê? Ou será que morreram ali mesmo, de modo miserável? Por trás deste mistério romântico oculta-se um pensamento perturbador: será que nossa próspera sociedade acabará tendo o mesmo destino? Será que, algum dia, os turistas olharão fascinados para as torres enferrujadas dos arranha-céus de Nova York do mesmo modo que hoje olhamos para as ruínas das cidades maias cobertas pela vegetação?

Há muito se suspeita que a maior parte desses misteriosos abandonos tenha sido provocada por problemas ecológicos, pelo fato de as pessoas terem destruído inadvertidamente os recursos ambientais dos quais as suas sociedades dependiam. A suspeita de suicídio ecológico não intencional — ecocídio — vem sendo confirmada por descobertas em décadas recentes feitas por arqueólogos, climatologistas, historiadores, paleontólogos e palinologistas (cientistas especialistas em pólen). Os processos através dos quais as sociedades do passado minaram a si mesmas danificando o meio ambiente dividem-se em oito categorias, cuja importância relativa difere de caso para caso: desmatamento e destruição do hábitat, problemas com o solo (erosão, salinização e perda de fertilidade), problemas com o controle da água, sobrecaça, sobrepesca, efeitos da introdução de outras espécies sobre as espécies nativas e aumento *per capita* do impacto do crescimento demográfico.

Tais colapsos do passado tendem a seguir cursos similares, verdadeiras variações sobre um mesmo tema. O crescimento populacional força as pessoas a adotarem meios de produção agrícola intensificados (como irrigação, safras duplas ou cultivo em terraços), e a expandir a agricultura das terras inicialmente escolhidas para áreas marginais, de modo a alimentar o número crescente de bocas famintas. Práticas não sustentáveis levam a um ou mais dos oito tipos de dano ambiental listados anteriormente, resultando em terras marginais de cultivo novamente abandonadas. Para a sociedade, as consequências incluem escassez de comida, fome, guerras onde muita gente luta por poucos recursos, e derrubada de elites governantes pelas massas desiludidas. Afinal, a população diminui por causa da fome, da guerra, ou das doenças, e a sociedade perde algo da complexidade política, econômica e cultural que desenvolveu em seu auge. Os escritores sentem-se tentados a fazer analogias entre as trajetórias dessas sociedades e as trajetórias de vidas individuais — para falar sobre o nascimento, o crescimento, o auge, o envelhecimento e a morte das sociedades — e para dizer que o longo período de envelhecimento que a maioria de nós atravessa entre nossos melhores anos e nossas mortes também se aplica às sociedades. Mas a metáfora se mostra errônea para diversas sociedades do passado (e para a moderna União Soviética) que declinaram rapidamente após atingirem o auge de prosperidade e poder. Esses rápidos declínios devem ter sido recebidos com choque e surpresa por seus cidadãos. Nos piores casos de colapso total, todos os membros de uma sociedade emigram ou morrem. Obviamente, porém, esta sombria trajetória não é invariável para todas as sociedades do passado: diferentes sociedades ruíram em diferentes graus e de modos diferentes, enquanto outras sociedades simplesmente não entraram em colapso.

Atualmente, o risco de tais colapsos é motivo de preocupação crescente. De fato, os colapsos já se materializaram para países como a Somália, Ruanda e outras nações do Terceiro Mundo. Muitos temem que o ecocídio tenha superado a guerra nuclear e as novas doenças como uma ameaça à população mundial. Os problemas ambientais que enfrentamos hoje em

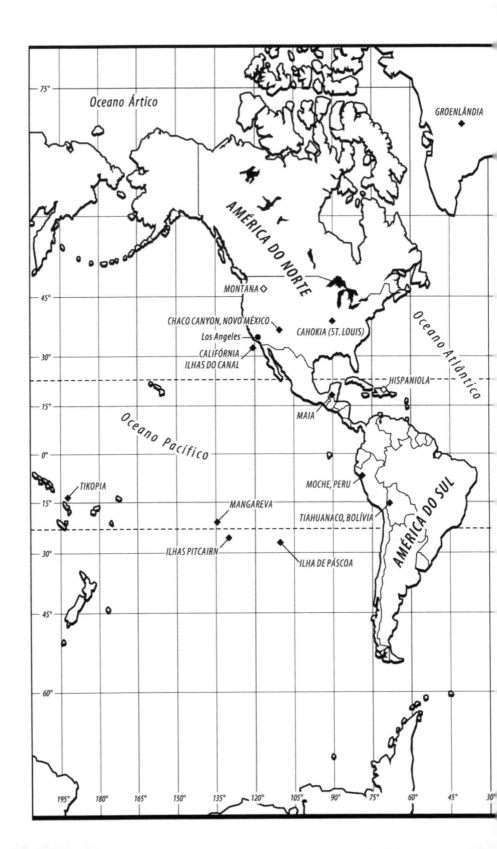

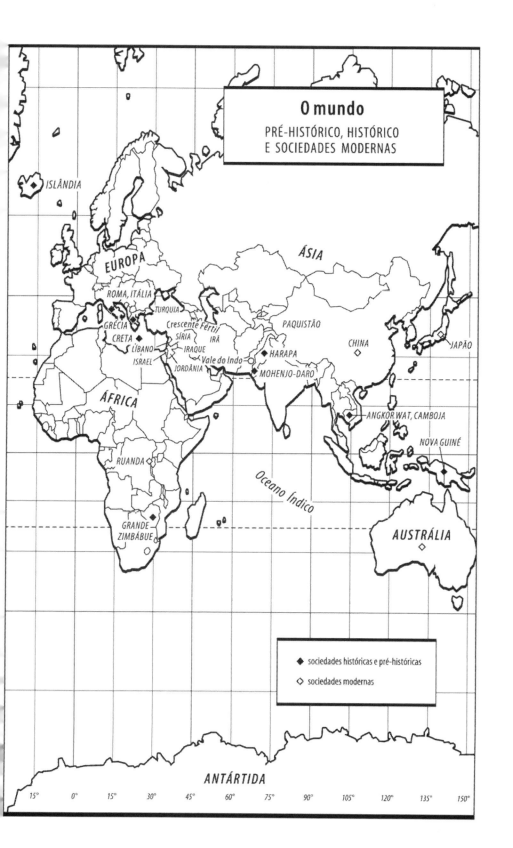

dia incluem as mesmas oito ameaças que minaram as sociedades do passado e quatro novas ameaças: mudanças climáticas provocadas pelo homem, acúmulo de produtos químicos tóxicos no ambiente, carência de energia e utilização total da capacidade fotossintética do planeta. A maioria dessas 12 ameaças, acredita-se, se tornará crítica em âmbito mundial nas próximas décadas: ou resolvemos os problemas até lá, ou os problemas irão minar não apenas a Somália, como também as sociedades do Primeiro Mundo. Em vez de um cenário de Dia do Juízo Final envolvendo a extinção da humanidade, ou de um apocalíptico colapso da civilização industrial, é mais provável que tenhamos de enfrentar "apenas" um futuro com um padrão de vida consideravelmente inferior, riscos maiores e crônicos, e o declínio daqueles que consideramos alguns de nossos valores mais fundamentais. Tal colapso pode assumir diversas formas, como a disseminação mundial de doenças ou de guerras provocadas pela escassez de recursos naturais. Se tal raciocínio é correto, então os nossos esforços de hoje determinarão o estado em que estará o mundo quando nossas crianças e jovens chegarem à meia-idade e velhice.

Mas a seriedade de nossos problemas ambientais é vigorosamente debatida. Seriam os riscos exagerados ou, ao contrário, subestimados? É razoável pensar que, com nossa potente tecnologia moderna, uma população mundial de quase sete bilhões de indivíduos está destruindo o meio ambiente mundial em um ritmo muito mais acelerado do que alguns milhões de pessoas com instrumentos de pedra e madeira já o destruíram localmente no passado? Será que a tecnologia moderna irá resolver os nossos problemas, ou será que está criando novos mais rapidamente do que resolve os problemas antigos? Quando esgotamos um recurso (p.ex., madeira, petróleo ou peixes oceânicos), poderemos contar com a possibilidade de substituí-lo por algum novo recurso (p.ex., plásticos, energia eólica ou solar, ou piscicultura)? Será que o crescimento populacional mundial está diminuindo? Não estamos a caminho de equilibrar a população mundial em um patamar administrável de pessoas?

Tais perguntas ilustram por que os colapsos de famosas civilizações do passado têm mais importância do que um simples mistério romântico. Talvez existam algumas lições práticas a serem aprendidas com os colapsos do passado. Sabemos que algumas sociedades do passado entraram em colapso e outras não. Então, o que torna certas sociedades especialmente vulneráveis? Quais, exatamente, foram os processos pelos quais as sociedades do passado cometeram ecocídio? Por que algumas sociedades do passado não conseguiram ver os erros que estavam cometendo, e que (pensando em retrospecto) deviam ser óbvios? Que soluções foram bem-sucedidas no passado? Se formos capazes de responder a tais perguntas, talvez possamos identificar quais sociedades estão correndo mais risco atualmente, e que medidas poderiam ser tomadas para ajudá-las, sem esperar por mais colapsos como o que ocorreu na Somália.

Contudo, também há diferenças entre o mundo moderno e seus problemas, e as sociedades do passado e seus problemas. Não devemos ser tão ingênuos a ponto de pensar que o estudo do passado permitirá soluções simples, diretamente transferíveis para as sociedades de hoje. Diferimos das sociedades do passado em alguns aspectos que nos põem em menor risco do que elas. Alguns desses aspectos, que são frequentemente mencionados, incluem nossa poderosa tecnologia (i.e., seus efeitos benéficos), globalização, medicina moderna e maior conhecimento de sociedades do passado e de sociedades modernas distantes. Também diferimos das sociedades do passado em alguns aspectos que nos colocam em maior risco: neste contexto, novamente, nossa potente tecnologia (i.e., seus efeitos destrutivos não intencionais), globalização (de modo que um colapso na remota Somália afeta também os EUA e a Europa), a dependência que milhões (e, logo, bilhões) de nós têm da medicina moderna para a sua sobrevivência, e uma população mundial ainda maior. Talvez ainda possamos aprender com o passado, mas apenas se avaliarmos cuidadosamente as suas lições.

Os esforços para entender os colapsos do passado têm de se confrontar com uma grande controvérsia e quatro complicações. A controvérsia envolve a resistência à ideia de que os povos do passado (alguns sabidamente ancestrais de gente ainda viva e que ainda fala a mesma língua) fizeram algo que contribuísse para o seu próprio declínio. Hoje, somos muito mais conscientes a respeito de dano ambiental do que há algumas décadas. Atualmente, até mesmo as placas nos quartos de hotel invocam o respeito ao meio ambiente para fazer com que nos sintamos culpados sempre que pedirmos toalhas novas ou deixarmos a torneira aberta. Danificar o meio ambiente é considerado algo moralmente condenável.

Não é de surpreender, portanto, que nativos havaianos e maoris não gostem que os paleontólogos digam que seus ancestrais exterminaram metade das espécies de aves nativas do Havaí e da Nova Zelândia, e nem os povos nativos americanos gostam que os arqueólogos digam que os anasazis desmataram partes do sudeste dos EUA. Para alguns, as supostas descobertas de paleontólogos e arqueólogos soam apenas como mais um pretexto racista dos brancos para espoliar os povos indígenas. É como se os cientistas lhes dissessem: "Seus ancestrais eram maus administradores das próprias terras, portanto mereciam ser espoliados." Atualmente, alguns brancos americanos e australianos, ressentidos com os pagamentos de pensões e com a distribuição de terras para os nativos americanos e para os aborígines australianos feitos pelo governo, se apegam a tais descobertas para levantar tal argumento. Não apenas os povos indígenas, mas também alguns antropólogos e arqueólogos que estudaram e se identificaram com esses povos, veem as recentes descobertas como mentiras racistas.

Alguns povos indígenas, bem como os antropólogos que com eles se identificam, alegam o oposto. Insistem que os povos indígenas do passado eram (e que os modernos ainda são) administradores capazes, ecologicamente cônscios de seu meio ambiente, que conheciam e respeitavam a natureza intimamente, que viviam em um Jardim do Éden virtual e jamais poderiam ter feito coisas tão ruins. Como me disse certa vez um caçador da Nova Guiné: "Se um dia eu conseguir abater um grande pombo de um lado de nossa aldeia, espero uma semana antes de voltar a caçar pombos. Mesmo assim, sigo na direção oposta. Os habitantes do Primeiro Mundo moderno são maus, ignorantes da natureza, não respeitam o meio ambiente e o destroem."

Na verdade, os dois extremos desta controvérsia — os racistas e os defensores do Éden do passado — estão cometendo o erro de encarar os antigos povos indígenas como criaturas fundamentalmente diferentes (sejam inferiores ou superiores) dos povos modernos do Primeiro Mundo. O manejo de recursos ambientais de modo sustentado *sempre* foi difícil, desde que o *Homo sapiens* desenvolveu a inventividade, a eficiência e as habilidades de caçador há uns 50 mil anos. Desde a primeira colonização humana do continente australiano, há cerca de 46 mil anos, e a rápida extinção posterior da maioria dos antigos marsupiais gigantes e de outros animais de grande porte da Austrália, cada colonização humana de uma grande extensão de terra virgem — seja a Austrália, América do Norte, América do Sul, Madagáscar, ilhas do Mediterrâneo, Havaí, Nova Zelândia e dezenas de outras ilhas do Pacífico — sempre foi seguida de uma onda de extinções de grandes animais que evoluíram sem temer os seres humanos e foram facilmente abatidos, ou que sucumbiram a mudanças de hábitat, introdução de espécies daninhas e doenças trazidas pelo homem. Qualquer povo pode cair na armadilha de sobre-explorar recursos ambientais, devido a problemas universais que iremos considerar neste livro: que os recursos a princípio pareciam inesgotavelmente abundantes; que os sinais iniciais de sua extinção foram mascarados por variações normais nos níveis daquele recurso ao longo dos anos ou das décadas; que foi difícil fazer as pessoas concordarem em ser parcimoniosas na coleta de um recurso compartilhado (a chamada tragédia do bem comum, a ser discutida nos próximos capítulos); e que a complexidade dos ecossistemas frequentemente torna as consequências de alguma perturbação causada pelo homem virtualmente impossíveis de serem previstas mesmo por um ecologista profissional. Os problemas ambientais que hoje são difíceis de administrar certamente eram ainda mais difíceis no passado. Para povos ágrafos do passado, que não podiam ler estudos sobre colapso social, o dano ecológico constituía uma tragédia inesperada e não intencional, uma consequência de seus melhores esforços, mais do que de culpa moral ou egoísmo consciente. As sociedades que acabaram entrando em colapso (como os maias) estavam entre as mais criativas (durante um período) e as mais avançadas de seus tempos, e nada tinham de estúpidas ou primitivas.

Os povos do passado não eram maus administradores ignorantes que merecessem ser exterminados ou espoliados, nem ambientalistas conscientes que resolviam problemas que não podemos resolver hoje em dia. Eram pessoas como nós, enfrentando problemas em muito semelhantes àqueles que encaramos hoje. Tendiam ao sucesso ou ao fracasso, dependendo de circunstâncias similares àquelas que atualmente nos fazem tender ao sucesso ou ao fracasso. Sim, há diferenças entre a situação que enfrentamos hoje e a enfrentada pelos povos antigos, mas ainda há semelhanças bastantes para que possamos aprender com eles.

Acima de tudo, parece-me errôneo e perigoso invocar pressupostos históricos sobre práticas ambientais de povos nativos de modo a justificar trata-los com justiça. Em muitos (ou na maioria) dos casos, os historiadores e arqueólogos vêm descobrindo provas cabais de que tal pressuposto (o dos ambientalistas do Éden) é falso. Ao invocá-los para justificar tratamento justo aos povos nativos, deixamos implícito que seria correto maltratá-los caso tal pressuposto pudesse ser refutado. Na verdade, esta questão não se baseia em qualquer pressuposto histórico sobre práticas ambientais e, sim, em um princípio moral, ou seja: o de que é moralmente errado espoliar, subjugar ou exterminar o semelhante.

Esta é a controvérsia sobre colapsos ecológicos do passado. Quanto às complicações, é claro que não é verdade que todas as sociedades estão fadadas ao colapso devido a dano ambiental: no passado, algumas sociedades entraram em colapso, outras não; a verdadeira questão é por que algumas sociedades tornam-se frágeis, e o que distingue as que entram em colapso das que não entram. Algumas sociedades que irei discutir, como a dos islandeses e dos habitantes de Tikopia, conseguiram resolver problemas ambientais muito complexos e puderam, assim, persistir durante um longo tempo, e ainda estão fortes atualmente. Por exemplo, quando os colonizadores noruegueses da Islândia encontraram um ambiente superficialmente semelhante ao da Noruega mas que, em realidade, era muito diferente, inadvertidamente destruíram grande parte do solo da Islândia e a maioria de suas florestas. Durante um longo tempo a Islândia foi o país mais pobre e mais ecologicamente devastado da Europa. Contudo, os islandeses acabaram aprendendo com a experiência, adotaram medidas rigorosas de proteção ambiental, e agora desfrutam de uma das rendas nacionais *per capita* mais altas do mundo. Os habitantes de Tikopia vivem numa ilhota tão longe de seu vizinho mais próximo que foram forçados a se tornarem autossuficientes em quase tudo. Porém, microadministraram os seus recursos e controlaram o seu crescimento populacional tão cuidadosamente que a sua ilha ainda é produtiva após mais de três mil anos de ocupação humana. Portanto, este livro não é uma série ininterrupta de histórias deprimentes de fracassos, mas também inclui histórias de sucesso que inspiram otimismo e a vontade de serem imitadas.

Além disso, não conheço nenhum caso em que o colapso de uma sociedade possa ser atribuído integralmente a dano ambiental: sempre há outros fatores que contribuem. Quando comecei a planejar este livro, não gostei de tais complicações e ingenuamente pensei que o livro seria apenas sobre dano ambiental. Finalmente, cheguei a uma estrutura de cinco pontos de possíveis fatores que podem contribuir e que agora considero ao tentar entender qualquer suposto colapso ambiental. Quatro desses fatores — dano ambiental, mudança climática, vizinhança hostil e parceiros comerciais amistosos — podem ou não se mostrar significativos para uma sociedade em particular. O quinto fator — as respostas da sociedade aos seus problemas ambientais — sempre se mostrou significativo. Consideremos estes cinco fatores um por um, em uma sequência que não implica qualquer primazia de causa, apenas conveniência de apresentação.

O primeiro conjunto de fatores envolve os danos que as pessoas inadvertidamente infligem ao meio ambiente, como já foi discutido. A extensão e a reversibilidade de tal dano dependem em parte de propriedades inerentes às pessoas (p.ex., quantas árvores cortam por hectare a cada ano) e, em parte, de propriedades inerentes ao meio ambiente (p.ex., quantas sementes germinam por hectare e quão rapidamente as árvores crescem por ano). Tais propriedades ambientais referem-se tanto à fragilidade (suscetibilidade a dano) quanto à resiliência (o potencial para se recuperar dos danos sofridos), de modo que é possível falar separadamente de fragilidade ou resiliência de uma área florestal, de seu solo, de suas populações de peixes, e daí por diante. Portanto, o porquê de apenas certas sociedades sofrerem colapsos ambientais pode em princípio envolver tanto a excepcional imprudência de seus povos, a fragilidade excepcional de alguns aspectos de seu meio ambiente, ou ambas as coisas ao mesmo tempo.

A próxima consideração em minha estrutura de cinco pontos é a mudança climática, um termo que hoje tendemos a associar com o aquecimento global provocado pelo homem. Na verdade, o clima pode ficar mais quente ou mais frio, mais úmido ou mais seco, ou mais ou menos variável entre meses ou anos devido a alterações de forças naturais que influenciam o clima e que nada têm a ver com os seres humanos. Exemplos de tais forças incluem mudanças de temperatura produzidas pelo sol, erupções vulcânicas que lançam poeira na atmosfera, mudanças na orientação do eixo da Terra em relação à sua órbita, e mudanças na distribuição de terra e do mar sobre o planeta. Os casos de mudança de clima natural frequentemente incluem o avanço e o recuo das placas de gelo continentais durante as Idades do Gelo, que começaram há mais de dois milhões de anos, a chamada Pequena Idade do Gelo, que durou de 1400 a 1800 d.C., e o esfriamento global posterior à enorme erupção do vulcão Tambora, na Indonésia, em 5 de abril de 1815. Tal erupção lançou tanta poeira na atmosfera superior, que a quantidade de luz do sol que chegava ao solo diminuiu até que a poeira voltasse a se acomodar, espalhando a fome até mesmo na América do Norte e na Europa devido às temperaturas muito frias e às colheitas reduzidas de 1816 ("o ano sem verão").

As mudanças climáticas eram um problema ainda maior para as sociedades ágrafas cujos membros tinham um tempo médio de vida menor do que o que temos atualmente, porque em muitas partes do mundo o clima tende a variar não apenas de ano a ano, como também em uma escala de tempo que envolve várias décadas; p.ex., diversas décadas úmidas seguidas de uma seca de meio século. Em muitas sociedades pré-históricas o tempo médio de uma geração — o número médio de anos entre o nascimento dos pais e o de seus filhos — era de apenas poucas décadas. Assim, ao fim de uma série de décadas úmidas, a maioria das pessoas vivas não se lembrava de um período prévio de clima seco. Mesmo hoje em dia, há uma tendência humana de aumentar a produção e a população durante décadas boas, esquecendo-se (ou, no passado, jamais se dando conta) de que tais décadas não iriam durar para sempre. Quando as boas décadas acabam, a sociedade se vê com mais população do que pode suportar, ou hábitos arraigados inadequados às novas condições climáticas. (Basta pensar no oeste dos EUA, atualmente seco, e de suas políticas urbanas ou rurais de uso indiscriminado de água, frequentemente estabelecidas em décadas úmidas, com o pressuposto tácito de que eram típicas.) Para agravar tais problemas de mudança climática, muitas sociedades do passado não tinham mecanismos de emergência para importar alimentos excedentes de áreas com um clima diferente para aquelas onde havia escassez de comida. Tudo isso expunha as sociedades do passado a um risco maior durante as mudanças climáticas.

As mudanças climáticas naturais tanto podem melhorar quanto piorar as condições de uma sociedade em particular, e podem beneficiar uma sociedade enquanto prejudica outra. (Por exemplo, vemos que a Pequena Idade do Gelo foi ruim para a Groenlândia Nórdica mas foi boa para a Groenlândia *inuit*.) Em muitos casos históricos, uma sociedade que estava exaurindo os seus recursos ambientais podia absorver as perdas desde que o clima fosse benigno, mas seria levada ao limiar do colapso quando o clima se tornasse mais seco, mais frio, mais quente, mais úmido, ou mais variável. Podemos dizer, então, que o colapso foi causado pelo impacto ambiental humano ou por mudanças climáticas naturais? Nenhuma destas alternativas simples é correta. Na verdade, se a sociedade já não tivesse exaurido parte de seus recursos naturais, poderia ter sobrevivido à falta de recursos causada pela mudança climática. Em vez disso, só foi capaz de sobreviver à exaustão de recursos que se autoinfligiu até que as mudanças climáticas produzissem uma maior falta de recursos. O que demonstrou ser fatal não foi nenhum dos fatores isoladamente e, sim, a combinação de impacto ambiental com mudança climática.

Uma terceira combinação são vizinhos hostis. Apenas algumas sociedades históricas eram geograficamente próximas o bastante de outras sociedades para terem algum contato entre si. As relações com sociedades vizinhas podiam ser intermitentes ou cronicamente hostis. Uma sociedade podia se proteger de seus inimigos desde que fosse forte, e sucumbir a eles quando enfraquecesse por qualquer motivo, incluindo dano ambiental. A causa imediata do colapso neste caso seria conquista militar, mas a causa definitiva — o fator cuja mudança levou ao colapso — teria sido o fator que provocou o enfraquecimento. Deste modo, colapsos causados por motivos ecológicos ou por outros motivos são mascarados por derrotas militares.

O exemplo mais comum desta situação é o da queda do Império Romano do Ocidente. Roma tornou-se cada vez mais assediada por invasões bárbaras, e a data convencional para a queda do império foi arbitrariamente estabelecida em 476 d.C., ano em que o último imperador do Ocidente foi deposto. Contudo, antes mesmo da ascensão do Império Romano, havia tribos "bárbaras" do norte da Europa e da Ásia Central, além das fronteiras da Europa Mediterrânea "civilizada", que periodicamente atacavam a Europa civilizada (assim como a China e a Índia civilizadas). Durante mais de mil anos, Roma conseguiu manter os bárbaros a distância, como, por exemplo, em 101 a.C., na Batalha de Campi Raudii, quando exterminou uma grande força invasora de cimbros e teutões que pretendia conquistar o norte da Itália.

Contudo, foram os bárbaros que acabaram ganhando a batalha. Qual a fundamental razão para tal mudança? Teria sido porque os bárbaros mudaram, tornando-se mais numerosos ou mais bem organizados, adquirindo armas melhores, mais cavalos, ou se beneficiando de mudanças climáticas nas estepes da Ásia Central? Neste caso, poderíamos dizer que os bárbaros realmente podem ser identificados como a causa fundamental da queda de Roma? Ou será que, em vez disso, os mesmos bárbaros de sempre esperaram nas fronteiras do Império Romano, e não puderam prevalecer até Roma começar a enfraquecer devido a alguma combinação de problemas econômicos, políticos e ambientais, entre outros? Neste caso poderíamos creditar a queda de Roma aos seus próprios problemas, com os bárbaros sendo responsáveis apenas pelo golpe de misericórdia. Tal questão ainda é debatida. Essencialmente, a mesma questão tem sido discutida a respeito da queda do Império Khmer, centralizado em Angkor Wat, em relação às invasões dos vizinhos *thai*, do declínio da civilização harapa no vale do Indo em relação às invasões arianas, e da queda da Grécia Miceniana e outras sociedades mediterrâneas da Idade do Bronze em relação às invasões dos povos do mar.

O quarto conjunto de fatores opõe-se ao terceiro: diminuição do apoio de vizinhos amistosos e aumento de ataques de vizinhos hostis. Poucas sociedades históricas tiveram parceiros comerciais amistosos ou inimigos em sua vizinhança. Frequentemente, o parceiro e o inimigo eram o mesmo vizinho, e seu comportamento variava entre amistoso e hostil. Muitas sociedades dependem até certo ponto de vizinhos amistosos, seja para importar bens essenciais (como as importações de petróleo feitas pelos EUA, e as importações de petróleo, madeira e frutos do mar feitas pelo Japão), seja para manter laços culturais que emprestem coesão à sociedade (como a identidade cultural da Austrália, até recentemente importada da Inglaterra). Daí o risco de que, caso o seu parceiro comercial venha a se enfraquecer por algum motivo (incluindo dano ambiental) e não possa mais fornecer a importação essencial ou o laço cultural, a sua própria sociedade possa acabar se enfraquecendo. Este é um problema comum hoje em dia, devido à dependência do Primeiro Mundo do petróleo importado de países do Terceiro Mundo, ecologicamente frágeis e com problemas políticos, que impuseram o embargo do petróleo em 1973. Problemas semelhantes aconteceram na Groenlândia Nórdica, nas ilhas Pitcairn e em outras sociedades do passado.

O último conjunto de fatores em minha estrutura de cinco pontos envolve a ubíqua questão da resposta da sociedade aos seus problemas, sejam ambientais ou não. Sociedades diferentes respondem de modo diferente a problemas semelhantes. Por exemplo, muitas sociedades do passado tiveram problemas de desmatamento. Entre estas, as sociedades das terras altas da Nova Guiné, Japão, Tikopia e Tonga desenvolveram um manejo florestal bem-sucedido e continuaram a prosperar, enquanto a ilha de Páscoa, Mangareva e a Groenlândia Nórdica não conseguiram um bom manejo florestal e, por isso, entraram em colapso. Como compreender resultados tão diferentes? A resposta da sociedade a um problema depende de instituições políticas, econômicas e sociais e de seus valores culturais. Tais instituições e valores afetam o modo como as sociedades resolvem (ou tentam resolver) seus problemas. Neste livro, aplicaremos esta estrutura de cinco pontos a cada sociedade do passado cujo colapso ou persistência for discutido.

Devo acrescentar, é claro, que assim como as mudanças climáticas, os vizinhos hostis e os sócios comerciais podem ou não contribuir para o colapso de uma sociedade em particular, o dano ambiental também pode contribuir ou não. Seria absurdo alegar que o dano ambiental é um fator preponderante em todos os colapsos: o colapso da União Soviética é um contraponto moderno, e a destruição de Cartago por Roma em 146 a.C. é um antigo. Obviamente é verdade que fatores militares ou econômicos são suficientes. Portanto, o título completo deste livro deveria ser: "Colapsos sociais envolvendo um componente ambiental e, em alguns casos, as contribuições das mudanças climáticas, de vizinhos hostis, parceiros comerciais e também a questão das respostas da sociedade a tudo isso." Tal restrição ainda nos deixa um amplo material, moderno e antigo, a ser considerado.

As questões sobre impactos ambientais causados por seres humanos tendem a ser controvertidas, e as opiniões a esse respeito a cair em um espectro entre dois campos opostos. Um campo, geralmente mencionado como "ambientalista" ou "pró-ambiente", afirma que os problemas ambientais atuais são sérios e precisam ser urgentemente discutidos, e que as taxas atuais de crescimento econômico e populacional não podem ser sustentadas. O outro campo afirma que as preocupações dos ambientalistas são exageradas e não comprovadas, e que o crescimento econômico e populacional contínuo tanto é possível quanto desejável. O último campo não está associado a nenhum rótulo comum, de modo que vou me referir a ele simplesmente como "não ambientalista". Geralmente, seus adeptos são oriundos do mundo das grandes empresas e da economia, mas a equação "não ambientalista" = "voltado para os negócios" é imperfeita; muitos homens de negócios consideram-se ambientalistas, e muitas pessoas que se mostram céticas em relação às alegações ambientalistas não estão no mundo dos grandes negócios. Ao escrever este livro, onde me localizar em relação a estes dois lados?

Por um lado, sou observador de pássaros desde os sete anos de idade. Tenho treinamento profissional como biólogo, e venho fazendo pesquisas sobre os pássaros da Nova Guiné nos últimos 40 anos. Amo os pássaros, gosto de observá-los, e gosto de estar na floresta. Também gosto de plantas, animais, hábitats, e os valorizo pelo que são. Participei de diversos esforços de preservar espécies e hábitats naturais na Nova Guiné e em outros lugares do mundo.

Nos últimos 12 anos fui diretor da sucursal do World Wildlife Fund (WWF) nos EUA, uma das maiores organizações ambientalistas internacionais e a que tem os maiores interesses cosmopolitas. Essas atividades renderam-me críticas de não ambientalistas, que usam expressões como: "alarmista", "Diamond prega o fim do mundo", "exagera riscos" e "preocupa-se mais com espécies de plantas ameaçadas como a 'piolheira roxa' do que com as necessidades das pessoas". Mas, embora eu adore os pássaros da Nova Guiné, amo muito mais meus filhos, minha mulher, meus amigos da Nova Guiné e de outros lugares do mundo. Estou interessado em assuntos ambientais mais por causa de suas consequências para as pessoas do que para os pássaros.

Por outro lado, tenho muita experiência, interesse e envolvimento continuado com o mundo dos grandes negócios e outras forças em nossa sociedade que exploram recursos naturais e são frequentemente vistas como antiambientalistas. Quando adolescente, trabalhei em grandes fazendas de gado em Montana. Hoje, já adulto e pai de família, levo minha esposa e filhos regularmente a estas fazendas nas férias. Trabalhei com uma equipe de mineradores de cobre em Montana durante um verão. Adoro Montana e meus amigos fazendeiros. Compreendo, admiro e simpatizo com seus negócios e seus estilos de vida, e dediquei este livro a eles. Nos últimos anos, também tive a oportunidade de observar e de me familiarizar com outras grandes empresas nos setores de mineração, madeira, pesca, petróleo e gás natural. Há sete anos, venho monitorando impactos ambientais no maior campo de petróleo e gás natural de Papua-Nova Guiné, onde as empresas de petróleo chamaram o World Wildlife Fund para fornecer pareceres independentes sobre as condições do meio ambiente. Frequentemente sou convidado pelos donos de alguma empresa ligada à extração de recursos naturais para visitar suas propriedades. Nestas oportunidades, converso muito com seus diretores e empregados e acabo compreendendo seus pontos de vista e seus problemas.

Embora minhas relações com o mundo dos grandes negócios tenham permitido que eu acompanhasse de perto o dano ambiental devastador que frequentemente provocam, também pude acompanhar muitas situações nas quais grandes empresas descobriram ser de seu interesse adotar salvaguardas ambientais mais severas e efetivas do que aquelas que encontrei em parques nacionais. Estou interessado no que motiva políticas ambientais tão diversas em diferentes empresas. Meu envolvimento com grandes empresas de petróleo é censurado por muitos ambientalistas, que usam frases como: "Diamond vendeu-se para as grandes empresas", "Ele dorme com as grandes empresas" ou "Ele se prostituiu para as empresas de petróleo".

Não sou contratado de nenhuma grande empresa e falo francamente sobre o que vejo acontecer em suas propriedades, mesmo quando ali estou como convidado.

Em algumas situações, vi empresas de petróleo e de madeira sendo destrutivas, e tive de dizer isso; em outras, vi que eram cuidadosas, e foi isso o que falei. Minha opinião é que, se os ambientalistas não quiserem se envolver com as grandes empresas, que estão entre as forças mais poderosas do mundo moderno, não será possível resolver os problemas ambientais mundiais. Portanto, escrevo este livro de um ponto de vista intermediário, com experiência tanto dos problemas ambientais quanto da realidade das grandes empresas.

Como estudar "cientificamente" o colapso de sociedades? Frequentemente a ciência é mal definida como um "corpo de conhecimentos adquiridos através da reprodução de experimentos controlados em laboratório".

Na verdade, a ciência é algo muito mais amplo: a aquisição de conhecimento confiável sobre o mundo. Em alguns campos, como o da química e o da biologia molecular, experimentos controlados reproduzidos em laboratório são viáveis e fornecem os meios mais confiáveis para se adquirir conhecimento. Tive treinamento formal nos dois campos da biologia de laboratório e da bioquímica, no bacharelado e no da fisiologia no Ph.D. De 1955 a 2002 desenvolvi pesquisas experimentais de laboratório no ramo da fisiologia, na Universidade de Harvard e, depois, na Universidade da Califórnia, em Los Angeles.

Quando comecei a estudar pássaros nas florestas da Nova Guiné em 1964, fui imediatamente confrontado com o problema de adquirir conhecimento confiável sem poder recorrer à reprodução de experimentos controlados, fosse em laboratório ou ao ar livre. Geralmente não é exequível, legal ou ético adquirir conhecimento sobre pássaros exterminando ou manipulando experimentalmente as suas populações em um lugar e mantendo-as intactas em outro. Tive de usar métodos diferentes. Problemas metodológicos semelhantes aparecem em muitas outras áreas da biologia populacional, assim como na astronomia, na epidemiologia, na geologia e na paleontologia.

Uma solução é aplicar aquilo que chamam de "método comparativo" ou "experimento natural" — i.e., comparar situações naturais que difiram no que diz respeito às variáveis que interessam. Por exemplo, quando eu era ornitologista, interessei-me pelo impacto de um pássaro da Nova Guiné, o melidecto de sobrolho marrom, sobre populações de outras espécies comedoras de mel. Comparei comunidades de pássaros nas montanhas que são muito semelhantes, com a exceção de que umas suportam e outras não a convivência com populações de melidecto de sobrolho marrom. Do mesmo modo, meus livros *O terceiro chimpanzé: A evolução e o futuro do ser humano* e *Por que o sexo é divertido? A evolução da sexualidade humana* comparavam diversas espécies animais, especialmente diferentes espécies de primatas, em um esforço para descobrir por que as mulheres (ao contrário das fêmeas da maioria das outras espécies animais) entram na menopausa e não dão sinais óbvios de estarem ovulando; porque o homem tem um pênis relativamente grande em relação aos outros animais; e por que os humanos geralmente fazem sexo com privacidade (em vez de fazê-lo abertamente, como quase todas as outras espécies animais). Há uma extensa literatura científica a respeito das óbvias armadilhas do método comparativo, e como evitá-las. Especialmente nas ciências históricas (como biologia evolutiva e geologia histórica), onde é impossível manipular o passado experimentalmente, não resta alternativa senão renunciar aos experimentos de laboratório em favor dos experimentos naturais.

Este livro emprega o método comparativo para compreender colapsos sociais que tiveram a contribuição de problemas ambientais. Meu livro anterior (*Armas, germes e aço: os destinos das sociedades humanas*) utilizou o método comparativo para o problema oposto: a taxa desigual em que as sociedades humanas se desenvolveram em diferentes continentes nos últimos 13 mil anos. Neste livro, concentrado mais em colapsos do que na evolução de sociedades, comparo muitas sociedades do passado e do presente que diferem em termos de fragilidade ambiental, relações com os vizinhos, instituições políticas e outras variáveis externas que influenciam a estabilidade de uma sociedade. As variáveis "internas" que examino são colapso ou sobrevivência, e a forma do colapso, caso este ocorra. Relacionando variáveis externas com variáveis internas, pretendo destacar a influência de possíveis variáveis externas nos colapsos.

Uma aplicação rigorosa, abrangente e quantitativa deste método foi possível no problema dos colapsos induzidos pelo desmatamento de ilhas do Pacífico. Os povos pré-históricos do Pacífico desmataram suas ilhas em graus diferentes, indo desde o desmatamento superficial ao total, com consequências sociais que variaram desde a sobrevivência das sociedades até colapsos completos que mataram todos os seus membros. Eu e meu colega Barry Rolett graduamos em escala numérica a extensão do desmatamento de 81 ilhas do Pacífico, e também os valores de nove variáveis externas (como índice pluviométrico, isolamento e capacidade de restauração da fertilidade do solo) que, ao que se admite, influenciam o desmatamento. Através de uma análise estatística, pudemos calcular a força relativa com que cada variável externa predispõe o desmatamento. Outro experimento comparativo foi possível no Atlântico Norte, onde *vikings* medievais da Noruega colonizaram seis ilhas ou extensões de terra que difeririam em adequação para a agricultura, facilidade de contato comercial com a Noruega e outras variáveis externas, e também difeririam em resultado final (do rápido abandono à morte de todos os seus membros após 500 anos à sua sobrevivência ainda hoje, após 1.200 anos). Outras comparações também são possíveis entre sociedades de diferentes partes do mundo.

Todas essas comparações se apoiam em informações detalhadas sobre sociedades individuais, pacientemente acumuladas por arqueólogos, historiadores e outros eruditos. Ao fim do volume, forneço referências de excelentes livros e documentos sobre os antigos maias e anasazis, sobre Ruanda e a China moderna, e outras sociedades do passado e do presente que comparo. Tais estudos individuais constituem o banco de dados indispensável de meu livro. Mas há conclusões adicionais que podem ser tiradas através das comparações entre essas tantas sociedades, e que não podem ser tiradas através de um estudo detalhado de uma única sociedade. Por exemplo, para compreender o famoso colapso maia é necessário não apenas conhecimento profundo da história maia e do seu meio ambiente; podemos posicionar os maias em um contexto mais amplo e compará-los com outras sociedades que entraram ou não em colapso, e que lembram os maias em certos aspectos e diferem deles em outros. Esta visão mais ampla requer o método comparativo.

Tenho ressaltado a necessidade tanto de bons estudos individuais quanto de boas comparações, porque os eruditos que praticam uma abordagem costumam subestimar as contribuições daqueles que praticam a outra. Especialistas na história de uma sociedade tendem a desprezar as comparações como superficiais, enquanto aqueles que fazem comparações tendem a desprezar estudo de sociedades individuais como abordagens míopes, de limitado valor para a compreensão de outras sociedades. Mas precisamos de ambos os tipos de estudos se quisermos adquirir conhecimento confiável. Seria perigoso generalizar sobre uma sociedade, ou confiar na interpretação de um único colapso. Apenas através do peso da evidência fornecido por um estudo comparativo de muitas sociedades com diferentes resultados é possível esperar chegar a conclusões convincentes.

Para que o leitor tenha uma ideia antecipada de para onde está indo, segue adiante uma descrição de como este livro é organizado. Seu plano lembra uma jiboia que engoliu duas grandes ovelhas. Ou seja, minhas discussões sobre o mundo moderno e também do passado consistem em um relato desproporcionalmente longo a respeito de uma sociedade, seguido de relatos menores sobre quatro outras sociedades.

Começaremos com a primeira grande ovelha. A Parte 1 compreende um único e extenso capítulo (o capítulo 1) sobre os problemas ambientais do sudoeste de Montana, onde se localizam a fazenda Huls e os ranchos de meus amigos, os Hirschys (a quem este livro é dedicado). Montana tem a vantagem de ser uma sociedade moderna de Primeiro Mundo, cujos problemas ambientais e populacionais são reais mas ainda relativamente brandos se comparados àqueles da maioria do restante do Primeiro Mundo. Acima de tudo, conheço muitos nativos de Montana, de modo que posso relacionar as políticas da sociedade de Montana às motivações frequentemente conflitantes de seus indivíduos. Desta perspectiva familiar de Montana, podemos imaginar mais facilmente o que acontecia em sociedades do passado remoto, que a princípio nos parecem exóticas, e sobre as quais apenas podemos imaginar o que motivou seus indivíduos.

A Parte 2 começa com quatro capítulos mais breves sobre sociedades do passado que entraram em colapso, apresentados em uma sequência de complexidade crescente de acordo com a minha estrutura de cinco pontos. A maioria das sociedades do passado que discutirei em detalhe eram pequenas e periféricas, e algumas eram geograficamente fechadas, ou socialmente isoladas, ou desenvolveram-se em meios ambientes frágeis. A fim de que o leitor não seja com isso enganosamente levado a concluir que são modelos pobres para as grandes sociedades modernas, devo explicar que os selecionei justamente porque, nestas pequenas sociedades, os processos se desenvolveram mais rapidamente e chegaram a resultados mais extremos, tornando-as ilustrações especialmente claras. Isso não quer dizer que grandes sociedades que negociavam com os seus vizinhos e se desenvolveram em ambientes saudáveis não tenham entrado em colapso no passado e não venham a entrar em colapso hoje em dia. Uma das sociedades do passado que discutirei em detalhes, a dos maias, tinha uma população de muitos milhões ou de dezenas de milhões de indivíduos, localizava-se em uma das duas áreas culturais mais avançadas do Novo Mundo antes da chegada dos Europeus (a Mesoamérica) e comerciava com e eram decisivamente influenciadas por outras sociedades avançadas daquela área. Na seção Leituras Complementares do capítulo 9 sumario rapidamente algumas das mais famosas sociedades do passado — as sociedades do Crescente Fértil, Angkor Wat, as sociedades harapa do vale do

Indo e outras sociedades semelhantes aos maias nestes aspectos, para as quais os fatores ambientais em declínio contribuíram pesadamente.

Nosso primeiro objeto de estudo do passado, a história da ilha de Páscoa (capítulo 2), é o mais próximo que podemos chegar de um colapso ecológico "puro", neste caso devido ao total desmatamento que levou à guerra, queda da elite e das famosas estátuas de pedra e mortandade maciça da população. Até onde sabemos, a sociedade polinésia de Páscoa permaneceu isolada após a sua descoberta inicial, de modo que sua trajetória não foi influenciada nem por inimigos nem por amigos externos. Também não temos prova de mudanças climáticas em Páscoa, embora isso ainda possa emergir de estudos futuros. As análises comparativas feitas por mim e por Barry Rolett nos ajudaram a compreender por que Páscoa, de todas as ilhas do Pacífico, sofreu um colapso tão grave.

As ilhas de Pitcairn e Henderson (capítulo 3), também povoadas por polinésios, oferecem exemplos do efeito do item quatro de minha estrutura de cinco pontos: perda do apoio de sociedades vizinhas amistosas. Tanto as ilhas Pitcairn quando as ilhas Henderson sofreram dano ambiental local, mas o golpe fatal veio por causa do colapso de seu maior parceiro comercial. Não houve efeitos complicadores de vizinhos hostis ou de mudanças climáticas.

Graças a um registro climático excepcionalmente detalhado tirado de anéis dos troncos de árvores, a sociedade nativa americana dos anasazis, no sudoeste dos EUA (capítulo 4) ilustra claramente a intersecção entre crescimento populacional, dano ambiental e mudança climática (neste caso, seca). Vizinhos, fossem hostis ou amistosos, e guerras (a não ser perto do fim), parecem não ter pesado no colapso anasazi.

Nenhum livro sobre colapsos sociais poderia ser completo sem um relato (capítulo 5) sobre os maias, a sociedade nativa americana mais avançada e que encarna o mistério romântico quintessencial das cidades tomadas pela floresta. Assim como no caso dos anasazis, os maias ilustram efeitos combinados de dano ambiental, crescimento populacional e mudanças climáticas, sem o papel essencial de vizinhos amistosos. Diferentemente do caso do colapso anasazi, vizinhos hostis eram uma grande preocupação das cidades maias desde um estágio inicial. Entre as sociedades discutidas nos capítulos 2 a 5, apenas os maias nos oferecem a vantagem de um código de escrita decifrado.

A Groenlândia Nórdica (capítulos 6 a 8) oferece nosso mais complexo caso de um colapso pré-histórico, aquele que nos forneceu mais informação (porque era uma sociedade europeia letrada e esclarecida), e que garante a discussão mais extensa: é a segunda ovelha dentro da jiboia. Os itens de minha estrutura de cinco pontos estão bem documentados: dano ambiental, mudança climática, perda de contato amistoso com a Noruega, contatos hostis com os *inuits* e a estrutura política, econômica, social e cultural da Groenlândia Nórdica. A Groenlândia fornece a maior aproximação de um experimento controlado sobre colapsos: duas sociedades (nórdica e *inuit*) compartilhando a mesma ilha, mas com culturas muito diferentes, de tal modo que uma dessas sociedades sobreviveu enquanto a outra morria. Assim, a história da Groenlândia nos transmite a mensagem de que, mesmo em ambiente hostil, o colapso não é inevitável, mas depende das escolhas da sociedade. É possível fazer comparações entre a Groenlândia Nórdica e cinco outras sociedades do Atlântico Norte fundadas por colonizadores escandinavos, para nos ajudar a compreender por que a sociedade nórdica de Orkney prosperou enquanto os seus primos da Groenlândia sucumbiam.

Uma dessas cinco sociedades nórdicas, a Islândia, destaca-se como uma história de triunfo sobre um ambiente frágil para adquirir um alto nível de prosperidade moderna.

A Parte 2 termina (capítulo 9) com três outras sociedades (como a Islândia) que foram bem-sucedidas, um contraste para a compreensão das sociedades que fracassaram. Embora essas três sociedades tenham sofrido problemas ambientais menos graves que a Islândia ou da maioria das que fracassaram, devemos ver que há dois caminhos diferentes para o sucesso: uma abordagem de baixo para cima exemplificada por Tikopia e pelas terras altas da Nova Guiné, e uma abordagem de cima para baixo exemplificada pelo Japão da era Tokugawa.

A Parte 3 nos traz de volta ao mundo moderno. Já tendo falado da Montana atual no capítulo 2, escolhemos agora quatro países modernos notavelmente diferentes, os dois primeiros pequenos e os dois últimos grandes ou imensos: um desastre do Terceiro Mundo (Ruanda), e um sobrevivente (até agora) do Terceiro Mundo (a República Dominicana), um gigante do Terceiro Mundo correndo para alcançar o Primeiro Mundo (China), e uma sociedade do Primeiro Mundo (Austrália). O capítulo

10, sobre Ruanda, trata de uma catástrofe malthusiana que aconteceu sob os nossos olhos, uma terra superpovoada que entrou em colapso através de uma terrível carnificina, como os maias no passado. Ruanda e o vizinho Burundi são países conhecidos por sua violência racial entre hutus e tutsis, mas veremos que o crescimento populacional, o dano ambiental e as mudanças climáticas forneceram a dinamite cujo pavio foi a violência racial.

A República Dominicana e o Haiti (capítulo 11), que compartilham a mesma ilha de Hispaniola, nos oferecem um contraste abrupto, como as sociedades nórdica e *inuit* na Groenlândia. Após décadas de ditaduras nefastas, o Haiti emergiu como o mais triste cesto de roupa suja do Novo Mundo, enquanto há sinais de esperança na República Dominicana. Para que não se suponha que este livro prega o determinismo ambiental, este último país demonstra a grande diferença que uma pessoa pode fazer, especialmente se for dirigente do país.

A China (capítulo 12) sofre de doses pesadas de todos os 12 tipos de problemas ambientais modernos. Pelo fato de ter uma economia, população e área tão grandes, seu impacto ambiental é importante não apenas para o próprio povo chinês como também para o resto do mundo.

A Austrália (capítulo 13) está no extremo oposto de Montana, como sociedade do Primeiro Mundo que ocupa o ambiente mais frágil e experimenta os problemas ambientais mais graves. Como resultado disso, está também entre os países que agora consideram a mais radical reestruturação de sua sociedade, de modo a resolver tais problemas.

A última seção deste livro (Parte 4) traz lições práticas para nós hoje em dia. O capítulo 14 levanta a mesma pergunta perplexa que fazemos a respeito de toda sociedade do passado que acabou destruindo a si mesma, e que deixará perplexos os futuros habitantes do planeta Terra caso nós também acabemos nos destruindo: como uma sociedade não percebe perigos que, analisados em retrospecto, parecem tão evidentes? Podemos dizer que acabaram por culpa de seus indivíduos, ou que, em vez disso, foram vítimas trágicas de problemas insolúveis? Quanto do dano ambiental do passado foi não intencional e imperceptível, e quanto foi perversamente perpetrado por gente que agia com plena consciência das consequências do que estava fazendo? Por exemplo, o que disseram os pascoenses ao derrubarem a última árvore de sua ilha? A tomada de decisão em grupo pode ser alterada por toda uma série de fatores, a começar pela incapacidade de prever um problema, e continuando com conflitos de interesse que permitem que alguns membros persigam objetivos bons para si mesmos mas ruins para o restante.

O capítulo 15 considera o papel das grandes empresas no mundo moderno, algumas incluídas entre as forças mais ambientalmente destrutivas da atualidade, enquanto outras fornecem algumas das mais efetivas proteções ambientais atualmente existentes. Devemos examinar por que alguns (mas apenas alguns) homens de negócio acham que é de seu interesse proteger o meio ambiente, e que mudanças seriam necessárias antes que outros homens de negócio achem interessante imitá-los.

Finalmente, o capítulo 16 resume os tipos de perigos ambientais enfrentados pelo mundo moderno, as objeções mais comuns levantadas contra a sua seriedade, e diferenças entre os perigos ambientais de hoje em dia e aqueles enfrentados pelas sociedades do passado. Uma grande diferença tem a ver com a globalização, que tanto é motivo para pessimismo quanto para otimismo a respeito de nossa habilidade de solucionar os problemas ambientais atuais. A globalização torna impossível às sociedades modernas entrarem em colapso isoladamente, como a ilha de Páscoa ou a Groenlândia Nórdica do passado. Hoje, qualquer sociedade em crise, não importa quão remota — pensem na Somália e no Afeganistão como exemplos —, pode causar problemas para sociedades prósperas de outros continentes, e também estão sujeitas à sua influência (seja para ajudá-la ou para desestabilizá-la). Pela primeira vez na história, enfrentamos o risco de um colapso global. Mas também somos os primeiros a desfrutar da oportunidade de aprender com o que ocorre com sociedades em toda parte do mundo atual, bem como com o que ocorreu em sociedades do passado. Foi por isso que escrevi este livro.

PARTE 1

MONTANA CONTEMPORÂNEA

CAPÍTULO 1

SOB O GRANDE CÉU DE MONTANA

A história de Stan Falkow • Montana e eu • Por que começar com
Montana? • História econômica de Montana • Mineração • Florestas
• Solo • Água • Espécies nativas e não nativas • Visões divergentes
• Atitudes em relação à regulamentação • A história de Rick Laible
• A história de Chip Pigman • A história de Tim Huls • A história
de John Cook • Montana, modelo do mundo

Quando perguntei ao meu amigo Stan Falkow, um professor de micro-
biologia de 70 anos de idade da Universidade de Stanford, perto de São
Francisco, por que ele havia comprado uma segunda casa no vale Bitterroot, em Montana, ele me contou como aquilo se encaixava na história de
sua vida:

"Nasci no estado de Nova York e então me mudei para Rhode Island.
Isso quer dizer que, quando criança, eu nada sabia sobre estas montanhas.
Quando tinha vinte e poucos anos, logo após terminar a faculdade, sepa-
rei alguns anos da minha formação para trabalhar na sala de autópsia de
um hospital no turno da noite. Para um jovem como eu, sem experiência
prévia da morte, foi muito estressante. Um amigo que acabara de voltar da
guerra da Coreia e sofrera muito estresse olhou para mim e disse: 'Stan,
você parece nervoso; tem de reduzir o seu nível de estresse. Por que não
vai pescar?'

"Então, comecei a pescar percas. Aprendi a preparar minhas próprias
iscas, realmente me envolvi, e passei a pescar todos os dias após o trabalho.
Meu amigo estava certo: aquilo reduziu meu estresse. Mas então entrei em
uma escola de graduação em Rhode Island e me meti em outra situação
de trabalho estressante. Um colega me disse que as percas não eram os
únicos peixes que se podia fisgar: também era possível pescar trutas perto
de Massachusetts. Então, comecei a pescar trutas. Meu orientador de tese
adorava comer peixe, e encorajou-me a pescar: eram as únicas ocasiões em
que ele não fazia cara feia quando eu faltava ao trabalho no laboratório.

"Quando fiz 50 anos, passei por outro período estressante em minha vida, devido a um divórcio difícil e outras coisas. Àquela altura, eu só saía para pescar três vezes por ano. Aniversários de 50 anos nos fazem refletir sobre o que queremos fazer de nossas vidas. Pensei na de meu pai, e lembrei-me que ele morrera com 58 anos. Subitamente dei-me conta de que, se fosse viver tanto quanto ele, só teria mais 24 viagens de pesca antes de morrer. Parecia pouco para fazer algo de que eu gostava tanto. Isso me fez começar a pensar em como poderia passar mais tempo fazendo aquilo que eu realmente gostava durante o tempo que me restava, incluindo a pesca.

"Nesse ponto, pediram que eu fizesse a avaliação de um laboratório de pesquisa no vale Bitterroot, no sudoeste de Montana. Nunca estivera em Montana; na verdade, nunca estivera a oeste do rio Mississippi antes dos meus 40 anos de idade. Desembarquei no aeroporto de Missoula, aluguei um carro, e dirigi para o sul, até a cidade de Hamilton, onde ficava o laboratório. A uns 20 quilômetros ao sul de Missoula há um trecho longo de estrada onde o terreno é plano e repleto de fazendas, e onde as montanhas Bitterroot cobertas de neve, a oeste, e as montanhas Sapphire, a leste, erguem-se abruptamente do vale. Fiquei impressionado com a beleza e a grandeza da paisagem; nunca vira algo assim antes. Aquilo me deu uma sensação de paz e uma extraordinária sensação de que aquele era o meu lugar no mundo.

"Quando cheguei ao laboratório, encontrei um ex-aluno meu que trabalhava ali e que sabia do meu interesse pela pesca. Ele sugeriu que eu voltasse no ano seguinte para fazer algumas experiências no laboratório, e também pescar trutas, pelas quais o rio Bitterroot é famoso. Então, voltei no verão seguinte com a intenção de passar duas semanas, e acabei passando um mês. No outro verão, vim com a intenção de passar um mês e acabei ficando o verão inteiro, ao fim do qual eu e minha mulher acabamos comprando uma casa no vale. Desde então, voltamos frequentemente e passamos uma grande parte do ano em Montana. Toda vez que volto a Bitterroot, ao passar por aquele trecho de estrada ao sul de Missoula, aquela primeira visão do vale me dá novamente a mesma sensação de tranquilidade e grandeza, e a mesma perspectiva de minha relação com o universo. É mais fácil se sentir assim em Montana do que em qualquer outro lugar."

* * *

É isso que a beleza de Montana faz com as pessoas: tanto aqueles que cresceram em lugares completamente diferentes, como Stan Falkow e eu, quanto outros amigos, como John Cook, que cresceram em outras áreas montanhosas do oeste dos EUA mas que ainda assim sentem-se atraídos por Montana; e para ainda outros amigos, como os da família Hirschy, que nasceram em Montana e escolheram ficar ali.

Como Stan Falkow, nasci no noroeste dos EUA (Boston) e nunca estivera a oeste do Mississippi até fazer 15 anos, quando meus pais me levaram para passar algumas semanas de verão na bacia do Big Hole, ao sul do vale Bitterroot (mapa, p. 48). Meu pai era pediatra e tinha como paciente um dos filhos de um fazendeiro, Johnny Fliel, que sofria de uma doença rara, motivo pelo qual seu pediatra em Montana recomendou que ele fosse a Boston para tratamento especial. Johnny era bisneto de Fred Hirschy Sr., um imigrante suíço que se tornara um dos fazendeiros pioneiros do Big Hole na década de 1890. Seu filho, Fred Jr., que tinha 69 anos à época de minha visita, ainda administrava a fazenda da família, com seus filhos Dick e Jack Hirschy e suas filhas Jill Hirschy Eliel (mãe de Johnny) e Joyce Hirschy McDowell. Johnny respondeu bem ao tratamento de meu pai, de modo que seus pais e avós nos convidaram para visitá-los.

Assim como Stan Falkow, fiquei imediatamente maravilhado com o Big Hole: um vale largo e plano coberto de prados e riachos sinuosos, mas cercado por um muro de montanhas sazonalmente cobertas de neve, que se erguem abruptamente ao redor. Montana é conhecido como o "Estado do Grande Céu". E é verdade. Na maioria dos outros lugares onde vivi, ou a minha visão das partes mais inferiores do céu estava obstruída por edifícios, como ocorre nas cidades; ou havia montanhas mas o terreno era acidentado e os vales estreitos, de modo que só se podia ver um pedaço de céu, como na Nova Guiné ou nos Alpes; ou então, havia uma grande extensão de céu mas não era tão bonita, porque não havia uma cadeia de montanhas no horizonte — como nas planícies de Iowa e Nebraska. Três anos depois, quando eu já estava na faculdade, voltei para passar o verão na fazenda de Dick Hirschy com minha irmã e dois colegas de faculdade, e todos trabalhamos na colheita de feno, eu dirigindo uma colheitadeira, minha irmã um trator, e meus dois amigos empilhando o feno.

Após aquele verão de 1956, demorou um bom tempo até eu voltar a Montana. Passei meus verões em outros lugares que eram belos ao seu

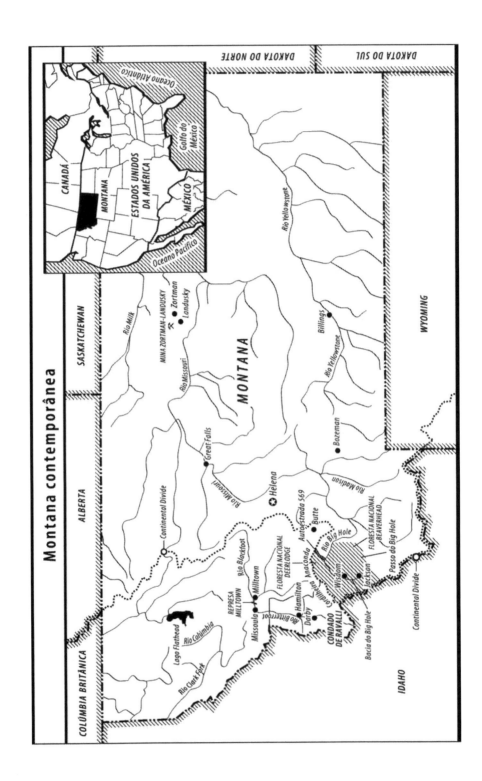

modo, como a Nova Guiné e os Andes, mas não conseguia esquecer Montana ou os Hirschys. Finalmente, em 1998 recebi um convite de uma fundação particular sem fins lucrativos chamada Teller Wildlife Refuge, no vale de Bitterroot. Era uma oportunidade para levar meus filhos gêmeos, que então eram apenas alguns anos mais novos do que eu na época em que visitei pela primeira vez aquele estado, e para introduzi-los na pesca de trutas. Os meninos gostaram daquilo; um deles está estudando para se tornar instrutor de pesca. Eu me reencontrei com Montana e revisitei Dick Hirschy e seus irmãos e irmãs, que agora estavam na faixa dos 70 a 80 anos de idade, ainda trabalhando duro o ano inteiro, exatamente como faziam havia 45 anos. Desde este reencontro, minha mulher, meus filhos e eu visitamos Montana todos os anos — atraídos pela mesma inesquecível beleza de seu céu que atraiu ou manteve meus outros amigos ali (fotos 1 a 3).

O amplo céu de Montana valorizou-se na minha apreciação. Após viver tanto tempo em outros lugares, percebi que precisaria de várias visitas até me habituar ao panorama daquele céu e do anel de montanhas ao redor do vale — para compreender que desfrutaria daquilo como um panorama diário de minha vida — e para descobrir que poderia me afastar dali e ainda assim saber que voltaria. Los Angeles tem as suas vantagens práticas para mim e para minha família como uma base de trabalho, escola e residência, mas Montana é infinitamente mais bonito e (como disse Stan Falkow) tranquilo. Para mim, a mais bela paisagem do mundo é o panorama dos prados do Big Hole e das montanhas cobertas de neve do Continental Divide, vistos da varanda da casa da fazenda de Jill e John Eliel.

Montana em geral, e o vale Bitterroot em sua parte sudoeste, é uma terra de paradoxos. Dos 48 estados continentais, Montana é o terceiro maior em área, embora o sexto menor em população, portanto o segundo menor em densidade populacional. Hoje, o vale Bitterroot parece luxuriante, ao contrário de sua vegetação natural original de simples artemísias. O condado de Ravalli, onde o vale está localizado, é tão belo e atrai tantos imigrantes de toda parte nos EUA (incluindo gente de outras partes de Montana), que é um dos condados que mais crescem no país, embora 70% de seus formandos de ensino médio deixem o vale, e a maioria desses formandos deixe o estado de Montana. Embora a população esteja crescendo no vale Bitterroot, está caindo no leste de Montana, de modo que, no geral, a tendência populacional de Montana é permanecer estável. Nas últimas décadas, o número de residentes do vale Ravalli na faixa dos 50 anos de idade aumentou, mas o número de residentes na faixa dos 30 diminuiu. Algumas das pessoas que estabeleceram residência no vale são extremamente prósperas, como o fundador da corretora Charles Schwab e o presidente da Intel, Craig Barrett, mas o condado de Ravalli é um dos mais pobres do estado que, por seu turno, é um dos mais pobres dos EUA. Muitos habitantes do condado precisam ter dois ou três empregos para obterem uma renda acima do nível de pobreza dos EUA.

Associamos Montana à beleza natural. De fato, ambientalmente, Montana é talvez o menos prejudicado dos 48 estados continentais; e essa é a principal razão de tanta gente estar se mudando para o condado de Ravalli. O governo federal possui um quarto da terra do estado e três quartos da terra do condado, a maior parte desta classificada como floresta nacional. Contudo, o vale Bitterroot apresenta um microcosmo dos problemas ambientais que afetam o restante dos EUA: população crescente, imigração, escassez crescente e qualidade decrescente da água, baixa qualidade do ar local e sazonal, rejeitos tóxicos, risco aumentado de incêndios florestais, deterioração florestal, perda de solo ou de seus nutrientes, perda de biodiversidade, dano causado por espécies daninhas introduzidas e efeitos de mudanças climáticas.

Montana é um objeto de estudo ideal para começar este livro sobre problemas ambientais do passado e do presente. No caso das sociedades do passado que discutirei — polinésios, anasazis, maias, Groenlândia Nórdica e outras — sabemos o resultado final das decisões de administração ambiental tomadas por seus habitantes, mas, na maioria das vezes, não sabemos seus nomes nem suas histórias pessoais, de modo que podemos apenas intuir os motivos que os levaram a agir como agiram. Em contraste, na Montana moderna sabemos nomes, histórias de vida e motivos. Algumas das pessoas envolvidas foram meus amigos durante mais de 50 anos. Compreendendo os motivos dos habitantes de Montana, podemos ter uma melhor ideia dos motivos de povos do passado. Este capítulo dará um sentido pessoal a um assunto que, de outro modo, pareceria abstrato.

Além disso, Montana fornece um saudável equilíbrio para as discussões dos próximos capítulos sobre sociedades pequenas, pobres, periféricas, em ambientes frágeis do passado. Escolhi intencionalmente discutir tais sociedades porque foram as que sofreram as maiores consequências de seu dano ambiental, e, portanto, ilustram claramente os processos que constituem o assunto deste livro. Mas estas não são o único tipo de sociedades expostas a sérios problemas ambientais, como ilustrado pelo caso contrastante de Montana — um estado do país mais rico do mundo moderno, em uma das partes mais puras e menos populosas deste país, aparentemente com menos problemas ambientais e populacionais do que o restante dos EUA. Certamente, os problemas de Montana são menos graves do que os que afligem os habitantes de Los Angeles, cidade onde moro, e de outras áreas urbanas onde vive a maioria dos norte-americanos: superpopulação, trânsito, poluição, qualidade e quantidade de água e rejeitos tóxicos. Se, apesar disso, até mesmo Montana tem problemas ambientais e populacionais, torna-se mais fácil compreender quão mais sérios são esses problemas no restante dos EUA. Montana irá ilustrar os cinco temas principais deste livro: impacto ambiental causado por seres humanos; mudança climática; relação social com sociedades vizinhas amistosas (no caso de Montana, sociedades em outros estados dos EUA); exposição dessa sociedade aos atos de outras sociedades hostis (como os atuais terroristas e produtores de petróleo de outros países); e a importância de uma resposta da sociedade aos seus problemas.

As mesmas desvantagens ambientais que afetam a produção de alimentos em todos os estados montanhosos do Oeste americano também limitam a capacidade de Montana para a agricultura e a pecuária. São elas: a relativamente baixa incidência de chuvas, resultando em baixas taxas de crescimento vegetal; sua alta latitude e altitude, ambas resultando em uma estação de crescimento mais breve, o que limita as colheitas a uma por ano em vez das duas colheitas anuais possíveis em áreas com um verão mais longo; e sua distância dos mercados nas áreas mais populosas dos EUA. Essas desvantagens significam que qualquer coisa plantada em Montana pode ser produzida a um custo menor, com maior produtividade, e transportada para qualquer lugar da América do Norte mais rapidamente, e a um custo menor. Portanto, a história de Montana consiste em tentativas de resposta à questão fundamental de como sobreviver nesta terra belíssima mas com uma agricultura e uma pecuária não competitivas.

A ocupação humana em Montana teve diversas fases econômicas. A primeira fase foi a dos nativos americanos, que ali chegaram há pelo menos 13 mil anos. Em contraste com as sociedades agrárias que se desenvolveram no leste e no sul da América do Norte antes da chegada dos europeus, os nativos americanos de Montana continuaram caçadores-coletores, até mesmo em áreas onde a agricultura e a pecuária são praticadas atualmente. Uma razão para isso é o fato de Montana ter poucas espécies de plantas e animais selvagens a serem domesticados, de modo que não houve uma origem independente para a agricultura, em contraste com a situação no leste da América do Norte e do México. Outra razão é que Montana fica longe dos dois centros de agricultura independentes da América Nativa, de modo que as plantas ali cultivadas ainda não haviam se espalhado até Montana quando da chegada dos europeus. Hoje, cerca de três quartos dos nativos americanos de Montana vivem em sete reservas, a maioria das quais é pobre em recursos naturais, com exceção das pastagens.

Os primeiros europeus a visitarem Montana entre 1804-1806 eram membros da expedição transcontinental de Lewis e Clark, que passaram mais tempo naquele território que viria a ser Montana do que em qualquer outro estado que visitaram. Foram seguidos pela segunda fase econômica de Montana, que envolveu os "homens das montanhas", caçadores de peles e comerciantes vindos do Canadá e, também, dos EUA. A fase seguinte teve início em 1860 e baseou-se em três pilares econômicos que vigoram até hoje em Montana, embora com importância reduzida: mineração, principalmente de cobre e ouro; exploração de madeira; e produção de alimentos, envolvendo criação de gado bovino e ovino e o cultivo de grãos, frutas e vegetais. A afluência de mineiros para a grande mina de cobre de Butte estimulou outros setores da economia a atender as necessidades daquele mercado interno dentro do estado. Em particular, foi tirada muita madeira do vale Bitterroot para fornecer energia, construir casas de mineiros e escorar os poços das minas; também foram cultivados muitos alimentos no vale, cuja localização meridional e clima ameno (para os padrões de Montana) garantiram-lhe o apelido de "Cinturão da Banana de Montana". Embora o índice de chuvas do vale seja baixo (330 mm por ano) e a vegetação natural seja de artemísia, os primeiros colonos europeus na década de 1860 já haviam começado a superar tal desvantagem construindo pequenas valas de irrigação alimentadas por rios que corriam das montanhas Bitterroot, no lado oeste do vale; posteriormente, através de dois grandes e dispendiosos conjuntos de sistemas de irrigação, um (chamado de Grande Canal) construído entre 1908-1910 para trazer água do lago Como, no lado oeste do vale, e o outro consistindo em diversos canais de irrigação que tiram água do próprio rio Bitterroot. Entre outras coisas, a irrigação permitiu o florescimento de pomares de maçã no vale Bitterroot nos anos 1880 e que atingiu o seu auge nas primeiras décadas do século XX. Hoje, porém, poucos desses pomares continuam comercialmente produtivos.

Dessas antigas bases da economia de Montana, a caça e a pesca foram transformadas de uma atividade de subsistência em uma atividade de recreação; o comércio de peles foi extinto; e as minas, a atividade madeireira e agricultura estão diminuindo de importância, devido a fatores econômicos e ambientais a serem discutidos adiante. Em vez disso, os setores da economia que crescem atualmente são o turismo, lazer, moradia de idosos e saúde. Um marco simbólico das recentes transformações econômicas do vale Bitterroot ocorreu em 1996, quando uma fazenda de 640 hectares chamada Bitterrot Stock Farm, antiga propriedade do barão do cobre de Montana, Marcus Daly, foi adquirida pela próspera corretora de Charles Schwab, que começou a adaptar a propriedade para gente rica de fora do estado que desejasse ter uma segunda (ou terceira ou quarta) casa no belo vale, onde poderia vir para visitar, pescar, caçar, andar a cavalo e jogar golfe algumas vezes por ano. A fazenda Stock inclui um campo de golfe de 18 buracos e cerca de 125 terrenos para as chamadas casas ou cabanas — "cabana" sendo um eufemismo para uma estrutura de até seis quartos e dois mil m2 — vendidas por 800 mil dólares ou mais cada uma. Os compradores de lotes na fazenda Stock precisam provar que têm patrimônio e renda suficientes, e pagar uma joia de 125 mil dólares para entrar no clube, que é mais de sete vezes a renda média anual dos residentes de Ravalli. A fazenda é inteiramente cercada, e o portão de entrada tem uma placa, APENAS MEMBROS E CONVIDADOS. Muitos dos proprietários chegam ali com seus jatos particulares e raramente fazem compras ou põem os pés em Hamilton, preferindo comer no clube ou mandando empregados do clube fazerem suas compras na cidade. Como um morador de Hamilton me explicou com amargura: "Só vemos os aristocratas quando decidem vir visitar a cidade, reunidos em grupos compactos, como se fossem turistas estrangeiros."

O anúncio do plano de loteamento da fazenda chocou alguns antigos moradores de Bitterroot, que previram que ninguém pagaria tanto dinheiro por terras no vale, e que os lotes jamais seriam vendidos. Estavam errados, como foi comprovado. Embora gente rica de fora do estado já estivesse visitando e comprando propriedades particulares no vale, a abertura da fazenda foi um marco histórico por envolver uma grande quantidade de gente rica comprando propriedades em Bitterroot ao mesmo tempo. Acima de tudo, a fazenda comprovou quão mais valiosas eram as terras daquele vale quando usadas para recreação em vez da criação de vacas ou cultivo de maças.

Os problemas ambientais da Montana atual incluem quase todos os 12 tipos de problemas que minaram sociedades pré-industriais do passado e que agora ameaçam sociedades em toda parte do mundo. Particularmente óbvios em Montana são os problemas de rejeitos tóxicos, florestas, solo, água (às vezes ar), mudanças climáticas, perdas de biodiversidade e introdução de pragas no meio ambiente. Comecemos com o problema aparentemente mais transparente, o dos rejeitos tóxicos.

Embora a preocupação com o excesso de fertilizantes, estrume, conteúdos de fossas sépticas e herbicidas arrastados pelas águas esteja aumentando em Montana, o maior problema de rejeitos tóxicos do estado é, de longe, o dos resíduos da mineração de metais, alguns originários do século passado, e alguns recentes ou ainda em curso. A mineração de metais — especialmente de cobre, mas também de chumbo, molibdênio, paládio, platina, zinco, ouro e prata — é um dos pilares tradicionais da economia de Montana. Ninguém discorda que a mineração é essencial: a civilização moderna e suas indústrias química, de construção, elétrica e eletrônica dependem de metais. A questão é onde e como extrair o minério.

Infelizmente, o concentrado de minério que é retirado de uma mina de Montana para a extração de metal representa apenas uma fração da terra que precisa ser escavada para isso. O restante é de pedras e escória que ainda contêm cobre, arsênico, cádmio e zinco, tóxicos para as pessoas (bem como para os peixes, a vida selvagem e o gado) e nocivos quando atingem lençóis de água subterrâneos, rios e solos. Além disso, os minerais de Montana são ricos em sulfeto de ferro, que produz ácido sulfúrico. Em Montana existem cerca de 20 mil minas abandonadas, algumas recentes, mas muitas delas com um século ou mais, que vazarão ácido e metais tóxicos para sempre. A grande maioria dessas minas não tem proprietários vivos para assumir a responsabilidade financeira, ou os donos conhecidos não têm recursos para recuperar a mina e cuidar de sua perpétua vazão de ácido.

Problemas de toxicidade associados com a mineração foram identificados, já há um século, na gigantesca mina de cobre de Butte e na fundição anexa, quando fazendeiros vizinhos viram suas vacas morrerem e processaram os proprietários da Anaconda Copper Mining Company. A Anaconda negou a responsabilidade e ganhou o processo, mas em 1907 acabou construindo o primeiro de diversos tanques de decantação para conter os rejeitos tóxicos. Portanto, sabemos há longo tempo que os rejeitos de minério podem ser isolados para minimizar a contaminação. Atualmente, algumas minas no mundo fazem isso usando alta tecnologia, mas outras continuam a ignorar o problema. Hoje, nos EUA, uma empresa que abra uma nova mina é obrigada por lei a adquirir uma apólice através da qual uma empresa de seguros independente se compromete a pagar os custos de limpeza da mina caso a empresa de mineração venha a falir. Contudo, muitas minas têm custos de limpeza final maiores do que o valor do seguro, enquanto as minas mais antigas não foram obrigadas a fazer nenhum seguro.

Em Montana, e em toda parte, as empresas que adquiriram minas mais antigas respondem a exigências de pagamento da limpeza destas minas de ambas as maneiras. Geralmente, se a empresa é pequena, seus donos podem declarar falência, em alguns casos ocultar bens, e transferir os negócios para outras empresas ou para novas empresas que não tenham responsabilidade pela limpeza da velha mina. Se a empresa é tão grande que não pode afirmar que irá à falência por causa dos custos de limpeza (como no caso da ARCO, que discutirei depois), esta nega responsabilidade ou procura minimizar os custos. Em ambos os casos, ou o lugar da mina e áreas rio abaixo continuam poluídas, ameaçando a vida das pessoas, ou o governo federal dos EUA e o governo estadual de Montana (ou seja, todos os contribuintes) pagam pela limpeza através do Superfundo Federal ou de um fundo estadual correspondente.

Estas duas respostas alternativas fornecidas pelas empresas de mineração levantam uma questão que será recorrente ao longo deste livro, enquanto tentaremos compreender por que uma pessoa ou grupo em uma sociedade pratica conscientemente atos nocivos para a sociedade. Embora a negação ou a subestimação da responsabilidade possa estar dentro dos interesses financeiros de curto prazo da empresa de mineração, isso é ruim para a sociedade como um todo, e também pode ser ruim para os interesses de longo prazo da empresa, ou de toda a indústria de mineração. Apesar de os habitantes de Montana reconhecerem a mineração como um valor tradicional que define a identidade de seu estado, nos últimos tempos têm ficado cada vez mais desiludidos com a mineração e contribuído para a quase extinção desta indústria no estado. Por exemplo, em 1998, para surpresa da indústria e dos políticos que apoiam e são apoiados por esta indústria, os eleitores de Montana conseguiram banir um método problemático de mineração de ouro chamado lixiviação em pilha com cianeto, que discutiremos mais adiante. Alguns de meus amigos de Montana dizem agora: "Em retrospecto, quando comparamos os muitos bilhões de dólares que nós, contribuintes, pagamos para a limpeza de minas com os escassos lucros que Montana obteve com as suas minas no passado — a maioria dos quais reverteram para acionistas no leste dos EUA ou na Europa — percebemos que Montana estaria melhor a longo prazo caso nunca tivesse extraído cobre e, sim, importado do Chile, deixando os problemas resultantes para os chilenos!"

Para nós, que não somos mineradores, é fácil ficar indignados com as empresas de mineração e ver o seu comportamento como moralmente condenável. Não fizeram de modo consciente coisas que nos prejudicaram e não estão agora fugindo de suas responsabilidades? Uma placa instalada no banheiro de um amigo meu de Montana diz: "Não dê a descarga. Seja como as indústrias de mineração e deixe outra pessoa limpar a sua sujeira!"

De fato, a questão moral é mais complexa. Segue uma explicação que cito de um livro recentemente publicado: "(...) A ASARCO [American Smelting and Refining Company, uma gigantesca empresa de mineração e refino] não pode ser culpada [por não ter limpado uma mina particularmente tóxica que possuía]. Os negócios nos EUA existem para darem lucro aos seus donos; é o *modus operandi* do capitalismo americano. Um corolário do processo de fazer dinheiro é não gastá-lo sem necessidade (...) Tal filosofia avara não se limita à indústria de mineração. Os negócios bem-sucedidos fazem distinção entre os gastos necessários para a sua permanência nos negócios daqueles mais caracteristicamente voltados para as obrigações morais. A dificuldade ou a relutância em compreender e aceitar tal distinção caracteriza muito da tensão entre os defensores de grandes programas ambientais e a comunidade empresarial. Os líderes empresariais costumam ser contadores ou advogados e não membros do clero." Tal explicação não vem do presidente da ASARCO, mas do consultor ambiental David Stiller que, em seu livro *Wounding the West: Montana, Mining, and the Environment* (Ferindo o Oeste: Montana, mineração e o meio ambiente), tenta compreender como surgiu o problema dos rejeitos tóxicos de Montana, e o que a sociedade realmente tem de fazer para resolvê-lo.

É cruel o fato de não haver um meio simples e barato de se fazer a limpeza de minas antigas. Os primeiros mineradores agiram como agiram porque o governo quase nada exigia deles, e porque eram homens de negócio operando de acordo com os princípios que David Stiller explicou. Só em 1971 o estado de Montana fez passar uma lei que obrigava as empresas mineradoras a limparem suas propriedades quando as minas fossem fechadas. Até mesmo empresas ricas (como a ARCO e a ASARCO) que estavam inclinadas a fazer a limpeza tornaram-se relutantes ao dar-se conta de que lhes pediam que fizessem o impossível — ou que o custo de tal limpeza seria excessivo, ou que os resultados alcançados seriam menores do que os esperados pelo público. Ao mesmo tempo que os donos não podem ou não querem pagar pela limpeza de suas minas, os contribuintes também não querem pagar bilhões de dólares com custos de limpeza. Afinal, o problema existiu durante um longo tempo sem ser notado e longe de seus quintais, de modo que deve ser tolerável. A maioria dos contribuintes hesita em gastar dinheiro se não houver uma crise imediata; e não há contribuintes o suficiente que se queixem de rejeitos tóxicos ou apoiem impostos mais altos. Neste sentido, o público americano é tão responsável por tal inação quanto os mineradores e o governo; nós, o público, temos a responsabilidade final. As empresas de mineração só se comportarão de outro modo quando a pressão do público forçar os políticos a votarem leis exigindo um comportamento diferente das empresas de mineração: de outro modo, as empresas estariam operando como instituições beneficentes e violando suas responsabilidades com os acionistas. Três casos servem para ilustrar resultados diferentes desses dilemas: o do rio Clark Fork, o da represa Milltown e o da mina Pegasus Zortman-Landusky.

Em 1882 as empresas de mineração que posteriormente se tornaram a Anaconda Copper Mining Company começaram a operar em Butte, junto à cabeceira do Clark Fork, afluente do rio Colúmbia. Em 1900, Butte era responsável por metade da produção de cobre dos EUA. Até 1955, a maior parte da mineração em Butte envolvia túneis subterrâneos, mas, em 1955, a Anaconda começou a cavar uma mina a céu aberto, o poço Berkeley, agora um imenso buraco com quase dois quilômetros de diâmetro e 500 metros de profundidade. Grande quantidade de escória ácida com metais tóxicos acabou no rio Clark Fork. Mas a sorte da Anaconda começou a mudar devido à competição estrangeira, à expropriação de suas minas no Chile e à crescente preocupação ambiental nos EUA. Em 1976, a Anaconda foi comprada por uma grande empresa de petróleo, a ARCO (mais recentemente comprada pela ainda maior BP – British Petroleum), que fechou a fundição em 1980 e a mina em 1983, eliminando, assim, milhares de empregos e três quartos da base econômica da área de Butte.

O rio Clark Fork, incluindo o poço Berkeley, é agora o maior e mais caro lugar de limpeza financiada pelo Superfundo nos EUA. Na visão da ARCO, é injusto responsabilizar a empresa por danos provocados pelos antigos donos da mina, antes mesmo que a lei do Superfundo existisse. Na visão dos governos estadual e federal, a ARCO adquiriu os bens da Anaconda, incluindo suas obrigações financeiras. Pelo menos, a ARCO e a BP não estão declarando falência. Como me disse um amigo ambientalista, "estão tentando pagar o menos possível, mas há empresas piores de lidar do que a ARCO". A água ácida do poço Berkeley será bombeada para fora e tratada para sempre. A ARCO já pagou muitas centenas de milhões de dólares para o estado de Montana para recuperar o Clark Fork, e seu compromisso financeiro final está avaliado em um bilhão de dólares, mas tal estimativa é incerta porque os tratamentos de limpeza consomem muita energia: quem sabe quanto a energia vai custar daqui a 40 anos?

O segundo caso envolve a represa Milltown, construída em 1907 no rio Clark Fork, abaixo da mina Butte, para gerar energia para uma serraria próxima. Desde então, cinco milhões de metros cúbicos de sedimentos contaminados com arsênico, cádmio, cobre, chumbo e zinco escoaram da mina Butte e se acumularam no reservatório da represa. Um "problema menor" da represa é o fato de ela impedir a migração de peixes entre os rios Clark Fork e o Blackfoot (o último um rio repleto de trutas que se celebrizou com a noveleta de Norman Maclean e pelo filme de Robert Redford *Nada é para sempre*). O maior problema foi descoberto em 1981, quando os moradores locais perceberam um gosto ruim na água de seus poços: um imenso volume de água subterrânea contaminada com níveis de arsênico 42 vezes mais altos do que o padrão federal estava vazando do reservatório. A represa, que está decrépita, precisando de reparos, mal alicerçada e localizada em uma região de terremotos, quase rompeu devido a um acúmulo de gelo em 1996, e está a ponto de romper mais cedo ou mais tarde. Ninguém pensaria em construir uma represa tão frágil hoje em dia. Se a represa se romper e liberar seus sedimentos tóxicos, o suprimento de água de Missoula, a maior cidade do sudoeste de Montana, localizada a apenas 11 quilômetros rio abaixo, ficaria intragável e a parte inferior do rio Clark Fork estaria arruinada para a pesca.

A ARCO assumiu a responsabilidade pelos sedimentos tóxicos da represa ao comprar a Anaconda Copper Mining Company, cujas atividades criaram os sedimentos. O quase desastroso acúmulo de gelo de 1996 e as mortandades de peixes na época e em 1998, resultantes da liberação de água da represa com níveis tóxicos de cobre, levaram ao reconhecimento de que algo deveria ser feito. Cientistas federais e estaduais recomendaram a remoção da represa e dos sedimentos tóxicos ali acumulados, a um custo de cerca de 100 milhões de dólares para a ARCO. Durante muito tempo, a ARCO negou que os sedimentos tóxicos tivessem causado a mortandade de peixes, negou a sua responsabilidade pelo arsênico nos mananciais subterrâneos de Milltown ou por casos de câncer na área de Milltown, fundou um movimento popular na cidade de Bonner para se opor à remoção da represa, e em vez disso propôs apenas o seu reforço, a um custo muito inferior de 20 milhões de dólares. Mas os políticos de Missoula, os homens de negócio e a opinião pública, que inicialmente consideraram a proposta de remoção da represa uma loucura, passaram a ser fortemente a favor desta solução. Em 2003, a Agência de Proteção Ambiental adotou a proposta, tornando quase certa a remoção da represa.

O último caso é o da mina Zortman-Landusky, de propriedade da Pegasus Gold, uma pequena empresa fundada por gente de outras empresas de mineração. Esta mina usava um processo chamado lixiviação em pilha com cianeto, desenvolvido para extrair ouro residual de minério, no qual é necessário processar 50 toneladas de minério para obter 30 gramas de ouro. O minério é escavado de uma mina a céu aberto e amontoado em uma pilha imensa (aproximadamente do tamanho de uma pequena montanha) dentro de um tanque de lixiviação. Em seguida, é regado com uma solução de cianeto, substância mais conhecida como o veneno utilizado para gerar o gás cianeto de hidrogênio, usado tanto nas câmaras de gás dos nazistas quanto nas prisões norte-americanas, mas que tem a propriedade de se combinar com o ouro. Portanto, quando a solução contendo cianeto atravessa a pilha de minério, recolhe o ouro ali contido e é recolhida em um tanque, de onde é bombeada para uma instalação de processamento para a extração do ouro. A solução de cianeto contendo metais tóxicos que sobra deste processo é espalhada sobre pastos ou florestas próximas, ou é enriquecida com mais cianeto e novamente espalhada sobre a pilha.

Obviamente, muitas coisas podem dar errado neste processo de lixiviação em pilha, e todas essas coisas aconteceram na mina Zortman-Landusky (foto 4). O revestimento do tanque de lixiviação é fino como uma moeda e inevitavelmente produz vazamentos sob o peso de milhões de toneladas de minério sendo movimentadas sobre ele por máquinas pesadas. O tanque com a solução tóxica pode transbordar, e isso aconteceu na mina Zortman-Landusky durante uma tempestade. Irrevogavelmente, o cianeto em si é perigoso: durante uma emergência de inundação na mina, os proprietários receberam permissão para se livrarem da solução excedente dispersando-a nas redondezas para evitar que os tanques se rompessem. O processo de dispersão foi mal conduzido e levou à formação de gás cianídrico, o que quase matou alguns operários. A Pegasus Gold acabou declarando falência e abandonou suas minas a céu aberto, pilhas de minério e tanques dos quais o ácido e o cianeto vazarão para sempre. O seguro da Pegasus mostrou-se insuficiente para cobrir os custos de limpeza, deixando as contas remanescentes para os contribuintes, estimadas em 40 milhões de dólares, ou mais. Estes três estudos de caso sobre rejeitos tóxicos de minas que descrevi, assim como milhares de outros, ilustram por que visitantes da Alemanha, África do Sul, Mongólia e outros países que estudam investimentos em minas têm vindo recentemente a Montana para se informarem em primeira mão sobre más práticas de mineração e suas consequências.

Um segundo grupo de problemas ambientais em Montana envolve a derrubada e o incêndio de florestas. Do mesmo modo que ninguém discute que a mineração de metais é essencial, ninguém pode contestar que derrubar árvores também é necessário para se obter madeira e fazer papel. A questão que meus amigos de Montana simpáticos à derrubada de árvores levantam é: se você é contra a derrubada de árvores em Montana, onde sugere que devamos buscar madeira? Rick Laible defendeu para mim uma recente e controvertida proposta sobre a questão madeireira em Montana observando: "É melhor do que cortar as florestas tropicais!" A defesa de Jack Ward Thomas era semelhante: "Ao nos recusarmos a recolher as nossas árvores mortas e, em vez disso, importarmos árvores vivas do Canadá, exportamos tanto os efeitos ambientais quanto os benefícios econômicos desta atividade para o Canadá." Dick Hirschy sarcasticamente comentou: "Há um dito: 'Não avilte a terra desmatando-a'. Por isso, decidimos aviltar o Canadá."

A exploração de madeira no vale Bitterroot começou em 1886, para fornecer toras de pinheiro ponderosa para a comunidade mineradora de Butte. A explosão imobiliária pós-Segunda Guerra Mundial, e a demanda de madeira resultante, fez com que, em 1972, as vendas de madeira extraída de florestas nacionais chegassem a ser seis vezes maior do que em 1945. Neste período, grandes quantidades de DDT foram jogadas de avião sobre a floresta para controlar insetos nocivos às árvores. Para que fosse possível restabelecer uniformemente populações de árvores da mesma idade de três espécies escolhidas e, assim, maximizar a produção de madeira e aumentar a eficiência da atividade madeireira, derrubaram-se todas as árvores de uma determinada região em vez de apenas árvores escolhidas individualmente. Contra as grandes vantagens da derrubada generalizada, havia algumas desvantagens: a temperatura da água dos rios, que não mais contavam com a sombra das árvores, subiu acima dos níveis ótimos para a reprodução e sobrevivência dos peixes; a neve em terreno sem sombra e despojado derretia mais rapidamente na primavera, em vez de liberar gradualmente a água necessária para a irrigação das fazendas durante o verão; em alguns casos, aumentou o transporte de sedimentos e piorou a qualidade da água. Mas o mal mais evidente da derrubada geral, para os cidadãos de um estado que consideram que o recurso mais valioso de sua terra é a beleza, era que as encostas das colinas desmatadas eram muito, muito feias.

O debate resultante tornou-se conhecido como a Controvérsia da Derrubada Geral. Fazendeiros ultrajados, proprietários de terras, e o público em geral lançaram seu protesto. Os administradores do Serviço Florestal dos EUA cometeram o erro de insistir que eram profissionais que sabiam tudo a respeito de exploração de madeira, e que o público era ignorante e devia ficar quieto. O Relatório Bolle de 1970, preparado por especialistas em silvicultura de fora do Serviço Florestal, criticou as políticas do Serviço Florestal e, estimulado por disputas semelhantes quanto à derrubada geral nas florestas da Virgínia Ocidental, levou a mudanças nacionais, que incluíam restrições à derrubada e uma volta à ênfase no manejo de florestas para múltiplos propósitos além da produção de madeira (como já havia sido concebido quando da instituição do Serviço Florestal em 1905).

Nas décadas desde a Controvérsia da Derrubada Geral, as vendas anuais do Serviço Florestal caíram mais de 80% — em parte devido à regulamentação ambiental imposta pela Lei das Espécies Ameaçadas, a Lei da Água Limpa, e a exigência de que as florestas nacionais deveriam manter hábitats para todas as espécies, e em parte por causa da escassez de grandes árvores facilmente acessíveis devido à própria indústria madeireira. Atualmente, quando o Serviço Florestal propõe uma venda de madeira, as organizações ambientais protestam e impetram recursos que demoram mais de 10 anos para serem resolvidos e que tornam a atividade madeireira menos lucrativa mesmo quando os recursos são finalmente negados. Todos os meus amigos de Montana, até mesmo aqueles que se consideram ambientalistas dedicados, me disseram que acham que o pêndulo se afastou muito do lado das madeireiras. Sentem-se frustrados quando propostas de extração que lhes parecem bem justificáveis (como aquela para reduzir a matéria combustível que causa incêndios florestais discutida mais adiante) são longamente atrasadas pelos tribunais. Mas as organizações ambientais que assinam os protestos concluíram que devem suspeitar da agenda pró-derrubada frequentemente disfarçada por trás de qualquer proposta do governo aparentemente razoável que envolva extração de madeira. Todas as antigas madeireiras do vale Bitterroot estão fechadas agora, devido à pouca madeira disponível em reservas públicas de madeira e porque as propriedades privadas que possuem reservas de madeira já foram exploradas duas vezes. O fechamento das madeireiras representou a perda de muitos empregos bem pagos de trabalhadores sindicalizados, assim como da autoimagem tradicional de Montana.

Fora do vale Bitterroot, em todo o estado de Montana, ainda restam muitas reservas de madeira, a maioria em terras governamentais arrendadas nos anos 1860 para a Great Northern Railroad como estímulo para a construção de uma ferrovia transcontinental. Em 1989 esta terra foi transferida da ferrovia para uma entidade baseada em Seattle chamada Plum Creek Timber Company que, por motivos fiscais, era organizada como um grupo de investimentos em propriedades (de modo que seus lucros fossem taxados como ganhos de capital), agora o maior proprietário privado de reservas de madeira em Montana e o segundo maior nos EUA. Já li publicações da Plum Creek e conversei com o seu diretor de assuntos corporativos, Bob Jirsa, que defende as políticas ambientais da Plum Creek e práticas de silvicultura sustentáveis. Também ouvi diversos amigos de Montana externarem opiniões desfavoráveis sobre a Plum Creek. As queixas mais comuns são: "A Plum Creek só se importa com os lucros"; "não estão interessados em práticas de silvicultura sustentáveis"; "têm uma cultura corporativa, e seu objetivo é: 'Cortem mais árvores!'" "A Plum Creek tira dinheiro da terra de toda maneira possível"; "só fazem controle de plantas daninhas se alguém reclamar."

Se tais visões polarizadas o fazem lembrar dos pontos de vista que já citei sobre as empresas de mineração, você está certo. A Plum Creek está organizada como um negócio para produzir lucros, não como uma instituição de caridade. Se os cidadãos de Montana querem que a Plum Creek faça algo que diminua os seus lucros, é sua responsabilidade fazer com que os políticos votem e apliquem leis exigindo tais coisas, ou comprem as terras e as administrem de outro modo. Pairando sobre esta disputa há um fato básico: o clima seco e frio de Montana, bem como a sua altitude, faz com que a maior parte de seu território seja relativamente inadequada para a silvicultura. As árvores crescem três vezes mais rapidamente no sudoeste e no nordeste dos EUA do que em Montana. Embora as maiores propriedades da Plum Creek estejam em Montana, quatro outros estados

(Arkansas, Geórgia, Maine e Mississippi) produzem cada um mais madeira para a Plum Creek usando apenas 60 a 64% da terra que a empresa possui em Montana. A Plum Creek não consegue obter uma alta taxa de lucro de suas operações madeireiras em Montana: a empresa tem de pagar impostos e prevenção de incêndio ao esperar 60 ou 80 anos antes de derrubar as árvores, considerando que estas atingem um tamanho ideal para serem derrubadas em 30 anos em suas terras no sudoeste dos EUA. Quando a Plum Creek enfrenta as realidades econômicas e vê que terá mais lucro se vender as suas terras em Montana, especialmente aquelas às margens de rios e lagos, para empreendimentos imobiliários em vez de extração de madeira, isso se deve aos futuros compradores que buscam belas propriedades de frente para a água têm a mesma opinião. Estes compradores são frequentemente representantes de interesses conservacionistas, incluindo o governo. Por todos esses motivos, o futuro da indústria madeireira em Montana, mais do que em qualquer outra parte dos EUA, é incerto, assim como o da mineração.

Relacionado ao tema da atividade madeireira está o tema dos incêndios florestais, que recentemente aumentaram de intensidade e extensão em alguns tipos de floresta em Montana e em todo o oeste dos EUA, com os verões de 1988, 1996, 2000, 2002 e 2003 tendo sido épocas de grandes incêndios anuais. No verão de 2000, um quinto das florestas do vale Bitterroot foi queimado. Hoje em dia, sempre que chego de avião ao vale Bitterroot, a primeira coisa que faço ao olhar pela janela é contar o número de incêndios ou medir a quantidade de fumaça naquele dia em particular. (Em 19 de agosto de 2003, prestes a aterrissar no aeroporto de Missoula, contei uma dúzia de incêndios cuja fumaça diminuía a visibilidade a alguns quilômetros.) Todas as vezes que John Cook levou meus filhos para pescar em 2000, a escolha do regato ao qual iriam dependia em parte de onde havia incêndios naquele dia. Alguns de meus amigos no vale Bitterroot tiveram de abandonar seus lares repetidas vezes devido à aproximação de incêndios.

Este aumento recente de incêndios é, em parte, resultado de mudanças climáticas (a tendência recente a verões quentes e secos) e, em parte, da atividade humana, por razões complicadas que os estudiosos de florestas vêm compreendendo cada vez mais nos últimos 30 anos mas cuja importância relativa ainda é debatida. Um dos fatores são os efeitos diretos da atividade madeireira, que frequentemente transformam a floresta em algo parecido com uma grande pilha de acendalha: o chão de uma floresta explorada por uma madeireira fica coberto de galhos e copas de árvores, deixados para trás quando os valiosos troncos são retirados; brota uma nova e densa vegetação, aumentando a carga combustível da floresta; e as árvores derrubadas e removidas são, é claro, as mais resistentes ao fogo, deixando para trás árvores menores e mais inflamáveis. Outro fato é que, na primeira década do século XX, o Serviço Florestal dos EUA adotou uma política de extinção de incêndios (na tentativa de debelar incêndios florestais) pela razão óbvia de não querer que madeira valiosa virasse fumaça, e evitar que casas e vidas humanas fossem ameaçadas. O objetivo anunciado pelo Serviço Florestal era: "Apagar todos os incêndios até as 10 da manhã seguinte ao dia em que o incêndio foi identificado." Os bombeiros se tornaram muito mais bem-sucedidos na busca deste objetivo após a Segunda Guerra Mundial, graças à disponibilidade de aviões de combate a incêndios, e um sistema de estradas expandido para os caminhões de bombeiro, e tecnologia de combate a incêndios mais desenvolvida. Durante algumas décadas após a Segunda Guerra Mundial, a área incendiada anual diminuiu 80%.

Esta situação feliz começou a mudar em 1980, devido à frequência crescente de grandes incêndios florestais que eram virtualmente impossíveis de serem debelados a não ser que chuva e ventos moderados se combinassem para ajudar. As pessoas começaram a se dar conta de que a política federal de prevenção de incêndios estava contribuindo para aqueles grandes incêndios, e que os incêndios naturais provocados por raios tinham um importante papel na manutenção da estrutura das florestas. Este papel natural dos incêndios varia em altitude, espécies de árvores e tipo de floresta. Tomando como exemplo a floresta de pinheiros da espécie ponderosa, no vale Bitterroot, que é uma floresta de baixa altitude, e analisando os anéis anuais dos troncos e as cicatrizes de incêndios datáveis ali impressas, bem como registros históricos, vemos que, sob condições naturais, a floresta de ponderosa experimenta um incêndio provocado por raios a cada década (i.e., antes que a política de extinção de incêndios florestais começasse, por volta de 1910, e se tornasse efetiva após 1945). As árvores maduras de pinheiro ponderosa têm cascas com cinco centímetros de espessura e são relativamente resistentes aos incêndios, que em vez disso queimam o sub-bosque de árvores jovens de abeto Douglas, crescidas desde o incêndio anterior. Após uma década de crescimento até o incêndio seguinte, estas árvores jovens ainda estão muito baixas para que o fogo se espalhe a partir delas até a copa da floresta. Assim, o fogo permanece confinado ao chão e ao sub-bosque. Como resultado disso, muitas florestas naturais de ponderosa parecem um parque, com pouca quantidade de material combustível, árvores grandes e bem espaçadas, e um sub-bosque relativamente limpo.

É claro, porém, que os madeireiros se concentram em derrubar estes grandes, velhos e valiosos pinheiros ponderosa resistentes ao fogo, enquanto a extinção de incêndios durante décadas permitiu que o sub-bosque se enchesse de árvores jovens de abeto Douglas que, ao seu turno, se tornam valiosos quando inteiramente crescidos. A densidade das florestas aumentou de 75 para 500 árvores por hectare, o material combustível aumentou em um fator de 6, e o Congresso falhou repetidas vezes em suas tentativas de destinar dinheiro para diminuir a quantidade de árvores jovens. Outro fator humano, a criação de ovelhas em florestas nacionais, também tem um papel importante na redução da relva no sub-bosque que, de outro modo, serviria de combustível para incêndios frequentes de baixa intensidade. Quando um grande incêndio finalmente irrompe em uma floresta repleta de árvores jovens, seja devido a raios, descuido humano ou (infelizmente frequentes) incêndios criminosos, as árvores jovens densas e crescidas tornam-se uma escada para que o fogo chegue à copa das árvores. O resultado é, às vezes, um inferno incontível no qual as chamas erguem-se a até 120 metros no ar, e pulam de copa para copa atravessando grandes espaços vazios, atingindo temperaturas de 1.100°C, matando o banco de sementes de árvores no solo, e que pode ser seguido de deslizamentos de terra e erosão maciça.

Atualmente, os especialistas em silvicultura acreditam que o maior problema da administração de florestas do oeste dos EUA seja a quantidade de material combustível acumulada durantes os últimos 50 anos de extinção efetiva de incêndios. No Leste dos EUA, região mais úmida, as árvores mortas apodrecem mais rapidamente do que no seco Oeste, onde há cada vez mais árvores mortas como gigantescos palitos de fósforo. Numa situação ideal, o Serviço Florestal administraria e restauraria as florestas, as desbastaria, e removeria os sub-bosques densos através da poda ou de pequenos incêndios controlados. Mas isso custaria mais de mil dólares por acre. Considerando os 100 milhões de acres de florestas do Oeste dos EUA, o custo total chegaria a 100 bilhões de dólares. Nenhum político ou eleitor quer gastar tanto dinheiro. Mesmo que os custos fossem mais baixos, a maioria do público suspeitaria da proposta como apenas uma desculpa para a volta da atividade madeireira em sua bela floresta. Em vez de um programa regular de gastos para a manutenção de nossas florestas em condições menos suscetíveis a incêndios, o governo federal tolera florestas inflamáveis e é forçado a gastar dinheiro inesperadamente sempre que acontece uma emergência de incêndio — p.ex., cerca de 1,6 bilhão de dólares para debelar os incêndios que queimaram 16 mil km^2 de florestas no verão de 2000.

Os habitantes de Montana têm opiniões diversas e frequentemente contraditórias sobre administração e incêndios florestais. Por um lado, o público teme e instintivamente repudia a política do "deixe queimar" que o Serviço Florestal é forçado a manter em relação a grandes incêndios que seriam perigosos ou impossíveis de serem extintos. Durante os incêndios que se espalharam pela maior parte do parque Yellowstone em 1988, o público protestou veementemente, sem compreender que nada podia ser feito a não ser rezar por chuva ou neve. Por outro lado, o público também não gosta da política de programas de poda florestal que possam tornar a floresta menos inflamável. As pessoas preferem as belas paisagens de florestas densas, opõem-se à interferência "não natural" na natureza, querem deixar a floresta em condições "naturais", e certamente não querem pagar a poda com o aumento dos impostos. O público (assim como muitos especialistas em florestas o fizeram até recentemente) não compreende que as florestas do Oeste já estão enfrentando condições altamente não naturais, como resultado de um século de extinção de incêndios, atividade madeireira e criação de ovelhas.

Em Bitterroot, as pessoas constroem casas junto a ou cercadas de florestas inflamáveis na periferia entre a cidade e a floresta e então esperam que o governo proteja os seus lares do fogo. Em julho de 2001, quando eu e minha esposa fomos caminhar a oeste da cidade de Hamilton através do que fora a floresta Blodgett, vimo-nos em uma paisagem de árvores carbonizadas, mortas em um dos grandes incêndios cuja fumaça tomou conta do vale durante nossa visita no verão de 2000. Os moradores da área de

Blodgett, que anteriormente barraram as propostas do Serviço Florestal de desbastar a floresta, exigiram então que o Serviço contratasse 12 grandes helicópteros a um custo de dois mil dólares a hora, para salvar suas casas jogando água sobre elas, enquanto o Serviço Florestal, obedecendo a uma ordem governamental de proteger vidas, propriedade, e depois a floresta, nesta ordem, deixava queimar grandes extensões de florestas públicas muito mais valiosas do que as casas que salvava. Posteriormente, o Serviço Florestal anunciou que não gastaria mais tanto dinheiro nem arriscaria a vida de bombeiros para proteger propriedades privadas. Muitos proprietários processam o Serviço caso os seus lares sejam queimados em um incêndio, ou se queimarem em um contrafogo aceso pelo Serviço Florestal para controlar um incêndio muito maior, ou se suas casas não forem queimadas mas se uma floresta que lhes fornecia uma bela vista da varanda de suas casas vier a queimar. Alguns proprietários em Montana estão tão envolvidos com sua atitude radical antigoverno que não querem pagar os custos do combate aos incêndios, nem que o governo entre em suas terras para tomar medidas preventivas.

A próxima série de problemas ambientais em Montana envolve o solo. Um problema "menor" e específico é que o *boom* de pomares de maçã no vale Bitterroot, que a princípio foi muito lucrativo, entrou em colapso, em parte devido à exaustão do nitrogênio do solo provocada pelas macieiras. Um dos problemas do solo mais disseminado é o da erosão, resultado de sérias mudanças que removem a cobertura de plantas que normalmente protege o solo: sobrepastejo, infestação de ervas daninhas, atividade madeireira ou incêndios florestais excessivamente quentes esterilizam a camada superior do solo. Famílias de fazendeiros que estão no lugar há muito tempo sabem que não devem praticar o sobrepastejo. Como Dick e Jack Hirschy me disseram: "Devemos cuidar de nossa terra, ou falimos." Contudo, um dos vizinhos dos Hirschys, uma pessoa de fora, pagou por sua propriedade mais do que esta poderia render de modo sustentável através da pecuária, e agora está superlotando seus pastos na esperança equivocada de recuperar o investimento. Outros vizinhos cometeram o erro de alugar direitos de pastagem de suas terras para inquilinos, que sobrepastejavam para conseguir lucro rápido durante o arrendamento de três anos, e que não se importavam com o dano de longo prazo resultante. O resultado final destas várias causas de erosão do solo é que cerca de um terço da bacia hidrográfica de Bitterroot está em boa forma, não erodida, um terço está sob risco de erosão e um terço já está erodido e necessitando de restauração.

Outro problema do solo em Montana, afora a exaustão de nitrogênio e a erosão, é a salinização, um processo que envolve acúmulo de sal no solo e nos mananciais subterrâneos. Embora tal acúmulo sempre tenha ocorrido de modo natural em algumas áreas, uma preocupação mais recente é a ruína de grandes áreas de cultivo pela salinização resultante de algumas práticas agrícolas que explicarei nos próximos parágrafos e no capítulo 13 — particularmente devido à retirada da vegetação natural e da irrigação. Em algumas partes de Montana, os níveis de concentração de sal na água do solo chegaram a ser duas vezes maiores que o da água do mar.

Além do fato de certos sais terem efeitos tóxicos específicos sobre as plantações, altas taxas de concentração de sal exercem um efeito nocivo, semelhantes aos efeitos de uma seca, aumentando a pressão osmótica do solo e dificultando, assim, que as raízes absorvam água por osmose. A água salgada de mananciais subterrâneos também pode acabar em poços e regatos, e pode evaporar na superfície, deixando uma crosta de sal. Se você bebesse um copo de "água" com mais concentração de sal do que a água do mar, descobriria que esta água não apenas tem um gosto horrível e impede que os fazendeiros cultivem suas plantações, como também que o boro, o selênio e outros ingredientes tóxicos ali contidos podem fazer mal à sua saúde (e à saúde da vida selvagem e do seu gado). A salinização é hoje um problema em muitas partes do mundo além dos EUA, incluindo a Índia, Turquia e, especialmente, a Austrália (veja o capítulo 13). No passado, contribuiu para o declínio da mais antiga das civilizações, a da Mesopotâmia: a salinização explica em parte por que aplicar o termo "Crescente Fértil" ao Iraque e à Síria de hoje, anteriormente centros da agricultura mundial, seria uma brincadeira de mau gosto.

A forma principal de salinização em Montana é a mesma que arruinou diversos milhões de acres de plantações ao norte das Grandes Planícies, incluindo diversas centenas de milhares de acres no norte, leste e no centro de Montana. Esta forma é chamada de "infiltração salina" porque a água salgada acumulada no solo de um terreno em uma área elevada vaza através do solo para emergir como uma infiltração em uma área mais baixa a até quase um quilômetro de distância. A infiltração salina frequentemente é nociva para as relações entre fazendeiros vizinhos, quando as práticas agrícolas de um fazendeiro cujas terras estão em uma região mais elevada causam a infiltração na propriedade de um vizinho que vive mais abaixo.

A infiltração salina ocorre da seguinte maneira: o leste de Montana possui diversos tipos de sais solúveis em água (especialmente os sulfatos de sódio, cálcio e magnésio) presentes como componentes das rochas e do próprio solo, e também armazenados em depósitos marinhos (porque muito desta região já foi um mar no passado). Abaixo do solo existe uma camada de pedra (xisto, arenito ou carvão) que possui pouca permeabilidade à água. Nos ambientes secos do leste de Montana cobertos com vegetação nativa, quase toda a água que cai é prontamente absorvida pelas raízes e volta a ser transpirada na atmosfera, deixando seco o solo abaixo das raízes. Contudo, quando um fazendeiro limpa a vegetação nativa para praticar agricultura de alqueive — na qual um produto com colheita anual como o trigo é plantado durante um ano e, então, a terra é deixada descansando durante o ano seguinte — não há raízes para absorver a água da chuva durante o ano de pousio. A água da chuva se acumula no solo, encharcando-o abaixo da camada de raízes, e dissolve os sais ali armazenados, que então afloram à região das raízes à medida que sobe o nível da água. Como o leito de pedras é impermeável, a água salgada não penetra profundamente no subsolo mas emerge em algum lugar mais abaixo como uma infiltração salina. O resultado é que as plantações crescem menos, ou não crescem, tanto na terra alta onde surgiu o problema quanto na área mais abaixo onde emergiu a infiltração.

As infiltrações salinas se espalharam pela maior parte de Montana após 1940, como consequência de mudanças nas práticas de cultivo — especialmente o aumento do uso de tratores e dispositivos mais eficientes para arar a terra, herbicidas para matar a cobertura vegetal durante o período de pousio, e mais terras em pousio a cada ano. O problema tem de ser combatido com vários tipos intensivos de administração agrícola, como a introdução de plantas tolerantes aos sais em terrenos baixos com infiltração salina para começar a recuperá-los, diminuição do tempo de descanso nas áreas mais elevadas através de um planejamento de plantio conhecido como plantio flexível, e plantação de alfafa e outras culturas perenes que consumam bastante água e tenham raízes profundas para extrair o excesso de água do solo.

Nas áreas de Montana onde a agricultura depende diretamente da chuva, a infiltração salina é a principal forma de dano ao solo provocado pelo sal. Mas não é a única. Milhões de hectares de terras de cultivo que dependem da água de irrigação mais do que da água da chuva estão distribuídas por todo o estado, incluindo as áreas no vale Bitterroot e na bacia do Big Hole que frequento nos verões. A salinização está começando a aparecer em algumas dessas áreas onde a água de irrigação contém sal. Outra forma é originária de um método industrial de extrair metano para obter gás natural de jazidas de carvão, fazendo buracos no carvão e bombeando água para trazer o metano à superfície. Infelizmente, a água não apenas expulsa o metano como também dissolve o sal. Desde 1988, o estado vizinho de Wyoming, que é quase tão pobre quanto Montana, vem tentando estimular a sua economia dando início a um grande programa de extração de metano usando este método. Durante o processo, libera água salgada que vaza na bacia do rio Powder, no sudoeste de Montana.

Para começar a compreender os aparentemente incontornáveis problemas de água que assolam Montana e outras áreas secas do Oeste americano, imagine que o vale Bitterroot só tem duas fontes de água abundantemente independentes: os canais de irrigação alimentados por cursos de água das montanhas, lagos ou pelo próprio rio Bitterroot, que fornecem água para a agricultura; e poços escavados para extrair água de mananciais subterrâneos, que fornecem água para uso doméstico. As cidades maiores do vale têm fornecimento público de água, mas todas as casas fora dessas pequenas cidades possuem poços particulares. Tanto o suprimento de água para a irrigação quanto o de poços particulares enfrentam o mesmo dilema fundamental: um número crescente de usuários para uma quantidade decrescente de água. Como sucintamente me explicou o comissário de águas de Bitterroot, Vern Woolsey: "Sempre que você tiver uma fonte de água que é usada por mais de duas pessoas, terá problemas. Mas para que brigar pela água? Brigar não produzirá mais água!"

A razão determinante para a diminuição da quantidade de água é a mudança climática: Montana está se tornando mais quente e mais seca.

Embora o aquecimento global venha a produzir vencedores e perdedores em diferentes partes do mundo, Montana estará entre os que mais perderão porque as suas chuvas já são inadequadas à agricultura. A seca forçou os agricultores ao abandono de grandes áreas de fazendas no leste de Montana, assim como em áreas adjacentes de Alberta e Saskatchewan. Um efeito visível do aquecimento global em minha área de veraneio no oeste de Montana são as neves das montanhas, que agora estão se restringindo às maiores altitudes e durante o verão não mais permanecem nas montanhas que cercam a bacia do Big Hole, como quando estive aqui pela primeira vez em 1953.

O efeito mais visível do aquecimento global em Montana e, talvez, em toda parte do mundo, está no Glacier National Park. Embora as geleiras em toda parte do mundo estejam recuando — no monte Kilimanjaro, nos Andes, nos Alpes, nas montanhas da Nova Guiné e ao redor do Everest —, o fenômeno foi especialmente bem estudado em Montana porque suas geleiras são mais acessíveis aos climatologistas e aos turistas. Quando a área do Glacier National Park foi visitada por naturalistas pela primeira vez, em fins do século XIX, continha cerca de 150 geleiras; agora, só restam 35, a maioria com uma fração do tamanho original. A continuarem as taxas atuais de derretimento, o Glacier National Park não terá mais geleiras em 2030. Tais declínios na cobertura de neve das montanhas são ruins para os sistemas de irrigação, cuja água vem do derretimento das neves das montanhas no verão. Também é ruim para o sistema de poços que exploram o aquífero do rio Bitterroot e cujo volume diminuiu devido à seca recente.

Assim como em outras áreas secas do oeste dos EUA, a agricultura sem irrigação seria impossível no vale Bitterroot, devido à precipitação anual no fundo do vale ser de apenas 330 mm por ano. Sem irrigação, a vegetação do vale seria de artemísias, que é o que Lewis e Clark registraram em sua visita de 1805-1806, e que ainda se vê hoje em dia assim que se cruza o último canal de irrigação no lado leste do vale. A construção de sistemas de irrigação alimentados pela neve das montanhas mais altas que formam o lado oeste do vale começou em fins do século XIX, e atingiu o seu auge entre 1908-1910. Dentro de cada sistema de irrigação ou distrito, cada dono ou cada grupo de donos de terra tem o direito de retirar para a sua terra uma determinada quantidade de água do sistema.

Infelizmente, na maioria dos distritos de irrigação de Bitterroot a água é "sobrealocada". Para um sujeito de fora, ingênuo como eu, isso parece incrível, mas o fato é que, na maioria dos anos, a soma dos direitos de uso de água de todos os proprietários de terra excede a água disponível, ao menos no fim do verão, quando diminui o fluxo. Em parte, isso se deve ao fato de a quantidade de água alocada ser calculada na suposição de uma reserva fixa. Porém, os suprimentos de água variam ano a ano devido ao clima, e o utilizado para o cálculo foi o de um ano relativamente úmido. A solução é determinar prioridades entre os donos de terra de acordo com a data em que os direitos à água foram reclamados para aquela propriedade, reduzir a distribuição para os proprietários mais recentes e, então, para proprietários mais antigos à medida que a água que corre nos canais diminuir. Isso é um prato feito para conflitos, porque os proprietários mais antigos têm fazendas que frequentemente estão abaixo das fazendas dos proprietários mais recentes e é difícil para estes fazendeiros a montante verem a água de que tão desesperadamente precisam correr através de suas propriedades tendo de conter a vontade de recolhê-la para si. Contudo, se eles recolherem esta água, os fazendeiros a jusante podem processá-los.

Outro problema resulta da subdivisão da terra: originalmente, as propriedades consistiam em grandes blocos cujo único proprietário obviamente tomava a água do canal para as suas diferentes plantações em sequência, e que não era tolo a ponto de tentar irrigar todas as suas plantações ao mesmo tempo e então ficar sem água por causa disso. Contudo, quando esses blocos de 64 hectares foram subdivididos em 40 lotes domésticos de 1,6 hectare, não havia mais água para que cada um desses 40 proprietários regasse e mantivesse os seus jardins verdejantes, sem perceber que os outros 39 vizinhos também faziam o mesmo. Outro problema é que os direitos de irrigação se aplicam apenas ao chamado uso "benéfico" da água na terra que tem direito a ela. Deixar água nos rios para os peixes e para os turistas que tentam descer o rio em balsas não é considerado um direito "benéfico". Trechos do rio Big Hole já ficaram sem água em alguns verões secos recentes. Durante várias décadas, muitos desses conflitos potenciais do vale Bitterroot foram resolvidos amigavelmente por Vern Woolsey, o comissário do departamento de águas de 82 anos a quem todos respeitavam. Mas meus amigos de Bitterroot estão aterrorizados com o potencial de conflito a partir de 2003, ano em que Vern finalmente se aposentou.

O sistema de irrigação de Bitterroot inclui 28 pequenas represas particulares construídas em regatos nas montanhas, de modo a armazenar a água da neve derretida na primavera e liberá-la nos campos no verão. Estas represas constituem verdadeiras bombas-relógios. Todas foram construídas há um século, com projetos hoje considerados primitivos e perigosos. Muitas foram malconservadas ou não tiveram qualquer manutenção. Muitas correm o risco de romper, o que inundaria casas e propriedades mais abaixo. As inundações devastadoras causadas pelo rompimento de duas dessas represas há algumas décadas convenceram o Serviço Florestal a estipular que os donos das represas, e também qualquer empreiteira que tenha trabalhado na represa, são responsáveis pelos danos causados por algum acidente. Os donos são também responsáveis tanto pelo conserto quanto pela remoção de suas represas. Embora este princípio pareça razoável, três fatos o tornam financeiramente oneroso: a maioria dos donos atuais recebe pouco benefício financeiro por suas represas e não mais se ocupam em mantê-las (p.ex., porque a terra foi dividida em lotes domésticos e agora as pessoas usam a água da represa apenas para regar seus gramados em vez de ganhar a vida com ela, como faziam os fazendeiros); os governos federal e estadual oferecem dinheiro em regime de divisão de despesas para consertar represas, mas não para removê-las; e metade das empresas estão em terras agora designadas como áreas selvagens, onde as estradas são proibidas e as máquinas têm de chegar por via aérea, trazidas por dispendiosos helicópteros de carga.

Exemplo de uma dessas bombas-relógios é a represa Tin Cup, cujo colapso inundaria Darby, a maior cidade do sul do vale Bitterroot. Os frequentes vazamentos e as péssimas condições de conservação da represa deram início a longas discussões e ações judiciais entre os seus proprietários, o Serviço Florestal e grupos ambientais sobre como e quando consertar a represa, culminando em uma emergência quando um vazamento sério foi identificado em 1998. Infelizmente, o empreiteiro contratado pelos donos para drenar o reservatório acabou encontrando rochas muito pesadas cuja remoção exigiria grandes equipamentos de escavação que deveriam ser trazidos até ali por helicópteros. Neste ponto, os donos declararam-se insolventes, e tanto o estado de Montana quanto o condado de Ravalli também se mostraram contrários à ideia de gastar dinheiro na represa, mas a situação continuou configurada como uma emergência de risco de vida para a população de Darby. Portanto, o Serviço Florestal contratou os helicópteros e equipamentos para trabalhar na represa e cobrou a despesa dos proprietários, que não pagaram; o Departamento de Justiça dos EUA agora vai processá-los para receber o dinheiro de volta.

A outra fonte de água de Bitterroot, afora a neve das montanhas usada para a irrigação, consiste em poços de uso doméstico, perfurados em mananciais subterrâneos. Estes também enfrentam o problema da demanda crescente e da oferta decrescente de água. Embora a neve nas montanhas e os mananciais subterrâneos possam parecer coisas distintas, na verdade estão ligadas: um pouco da água usada para a irrigação sempre se infiltra no solo, chegando aos mananciais, e alguma água desses mananciais vem dos derretimentos de neve. Assim, a diminuição da camada de neve nos picos de Montana também pressagia uma diminuição dos mananciais subterrâneos.

Não há a menor dúvida quanto à demanda crescente de água dos mananciais: a contínua explosão populacional em Bitterroot representa mais gente bebendo mais água e dando mais descargas nas privadas. Roxa French, coordenadora do Bitter Root Water Forum, aconselha aqueles que estão construindo novas casas a cavarem os seus poços bem fundo, porque haverá "mais canudos no milkshake", i.e., mais poços furados no mesmo manancial, e baixando o seu nível. Em Montana, as legislações estadual e do condado sobre a questão da água são fracas. Um poço furado por um novo proprietário pode baixar o nível do poço de um vizinho, mas é difícil para este último conseguir ser ressarcido. Para calcular quanta água para uso doméstico um manancial pode fornecer seria preciso mapear este manancial e medir quão rapidamente a água flui para dentro dele, mas — incrivelmente — esses dois passos elementares não foram feitos nos mananciais do vale Bitterroot. O próprio condado não tem recursos para monitorar os seus mananciais e não faz uma avaliação independente da disponibilidade de água quando se considera a proposta de construção de uma nova casa. Em vez disso, o condado confia na promessa do construtor de que haverá água suficiente para abastecer a casa.

Tudo o que eu disse sobre água até agora tem a ver com quantidade. Contudo, também há a questão da qualidade da água, que rivaliza com a paisagem do oeste de Montana como sendo o seu recurso natural mais valioso, pois os seus rios e os sistemas de irrigação se originam de neve derretida relativamente pura. Apesar desta vantagem, o rio Bitterroot já está na lista dos "rios ameaçados" de Montana por diversos motivos. Os mais importantes são o acúmulo de sedimentos liberados pela erosão, a construção de estradas, os incêndios florestais, a atividade madeireira e o nível de água diminuído em canais e cursos de água devido ao seu uso para a irrigação. A maior parte da bacia hidrográfica de Bitterroot já foi erodida ou corre o risco de ser. Um segundo problema é o vazamento de fertilizantes: todo fazendeiro que planta forragem para feno acrescenta ao menos 100 quilos de fertilizantes para cada hectare de terra, mas não se sabe quanto deste fertilizante acaba no rio. Resíduos de nutrientes de fossas sépticas são outro mal crescente para a qualidade da água. Finalmente, como já expliquei, os minerais tóxicos que vazam das minas são o problema mais sério de qualidade da água em outras partes de Montana, embora não o seja no vale Bitterroot.

A qualidade do ar também merece uma breve menção. Pode parecer petulante da minha parte, como residente da cidade americana com a pior qualidade do ar (Los Angeles), dizer algo negativo sobre Montana a este respeito. Algumas áreas de Montana sofrem sazonalmente com a baixa qualidade do ar, mais notadamente Missoula, cujo ar (apesar da melhora que vem sendo verificada desde a década de 1980) às vezes é tão ruim quanto o de Los Angeles. Os problemas do ar em Missoula, exacerbados pelas inversões de temperatura no inverno e pelo fato de a cidade estar localizada em um vale que aprisiona o ar, derivam de uma combinação de emissões de veículos durante todo o ano, fogões a lenha no inverno, e incêndios florestais e atividade madeireira no verão.

O maior grupo de problemas ambientais que ainda resta mencionar são aqueles ligados à introdução de espécies nocivas não nativas, e a perda de espécies nativas valiosas. Tais problemas envolvem peixes, veados e alces e ervas daninhas.

Originalmente, Montana tinha uma pesca muito rica, baseada nas seguintes espécies nativas: a truta conhecida como garganta-cortada (*cutthroat*, em inglês), peixe-símbolo do estado de Montana, a truta-boi, o timalo do ártico e a savelha do lago. Todas essas espécies, com exceção da última, agora são raras em Montana devido a uma combinação de causas cujos impactos relativos variam entre as espécies: menos água nos córregos das montanhas onde estas espécies se reproduzem e crescem devido à remoção de água para irrigação; temperaturas mais altas e mais sedimentos nesses cursos de água devido à atividade madeireira; sobrepesca; competição de, e em alguns casos, hibridação com espécies introduzidas, como as trutas das espécies arco-íris, do córrego e marrom; predação por espécies como o lúcio e a truta do lago; e infecção por um parasita introduzido que ataca o sistema nervoso dos peixes (a chamada "doença do rodopio"). Por exemplo: o lúcio, um voraz comedor de peixes, foi introduzido ilegalmente em alguns rios e lagos de Montana por pescadores que gostavam de pescar este tipo de peixe, e praticamente eliminaram desses lagos e rios as populações de trutas das espécies boi e garganta-cortada. Do mesmo modo, a pesca no lago Flathead, outrora farta e baseada em diversas espécies de peixes nativos, foi destruída pela introdução da truta do lago.

A doença do rodopio foi introduzida acidentalmente nos EUA, vinda da Europa em 1958, quando um piscicultor da Pensilvânia importou alguns peixes dinamarqueses infectados com esta doença que agora já se espalhou por quase todo o Oeste dos EUA, em parte transportada por aves, mas especialmente como resultado de indivíduos (incluindo agências do governo e criadores de peixe particulares) que introduziram peixes infectados em lagos e rios norte-americanos. Uma vez que o parasita seja introduzido em uma amostra de água, é impossível erradicá-lo. Por volta de 1994, a doença do rodopio reduziu em 90% a população de trutas arco-íris do rio Madison, o mais famoso rio de trutas de Montana.

Pelo menos, a doença do rodopio não é transmissível para os seres humanos; só é ruim para o turismo baseado na pesca. Já uma outra doença introduzida, a doença da atrofia crônica (DAC) de veados e alces, é mais preocupante porque pode provocar uma doença fatal e incurável em seres humanos. A DAC de alces e veados é semelhante a outras doenças provocadas por príons em outras espécies animais, das quais as mais conhecidas são a doença de Creutzfeldt-Jakob, que afeta seres humanos, a doença da vaca louca, ou encefalopatia espongiforme bovina (EEB), que afeta os bovinos e é transmissível para os seres humanos, e a paraplexia enzoótica dos ovinos. Estas infecções causam uma degeneração incurável do sistema nervoso. Nenhum ser humano infectado com a doença de Creutzfeldt--Jakob jamais se recuperou. A DAC foi detectada inicialmente em veados e alces do Oeste da América do Norte nos anos 1970, possivelmente (sugerem alguns) devido a veados mantidos em cativeiro para estudos em uma universidade do Oeste, em um cercado próximo a ovelhas infectadas com paraplexia enzoótica, e que foram liberados após o fim dos estudos. (Hoje em dia, tal liberação seria considerada um ato criminoso.) A posterior disseminação de estado para estado foi acelerada pelas transferências de veados e alces expostos à doença de uma fazenda de carne de caça para outra. Ainda não sabemos se a DAC pode ser transmitida de veados e alces para os seres humanos, assim como a doença da vaca louca, mas as recentes mortes de alguns caçadores de alce com a doença de Creutzfeldt-Jakob causaram alarme em alguns lugares. O estado de Wisconsin, preocupado com a possibilidade de o medo de contaminação prejudicar a indústria de caça ao veado, que rende um bilhão de dólares por ano, está em processo de sacrificar 25 mil veados (uma solução desesperada que desgosta todos os envolvidos) em uma área infectada, na esperança de controlar a epidemia de DAC.

Apesar de a DAC ser o problema mais assustador causado por uma praga introduzida em Montana, as plantas daninhas introduzidas já são o problema mais caro do estado. Cerca de 30 espécies, a maioria de origem eurasiana, estabeleceram-se em Montana após chegarem acidentalmente no feno ou em sementes trazidas pelo vento ou, em um dos casos, introduzidas intencionalmente como planta ornamental cujos perigos não foram previstos. Provocam dano de diversas formas: não são comestíveis para o gado nem para os animais selvagens, mas ocupam o lugar de espécies de plantas comestíveis, de modo que reduzem a quantidade de forragem em até 90%. Algumas são tóxicas para os animais e triplicam as taxas de erosão porque suas raízes fixam menos o solo do que as raízes da relva nativa.

As duas ervas daninhas mais importantes economicamente são a *Centaurea maculosa* e a *Euphorbia esula*, ambas disseminadas por todo o estado de Montana. A *Centaurea maculosa* prevalece sobre as plantas nativas secretando substâncias químicas que as matam rapidamente, e produzindo uma grande quantidade de sementes. Embora possa ser arrancada com as mãos em campos pequenos, a *Centaurea maculosa* agora infesta 226 mil hectares só no vale Bitterroot e dois milhões de hectares em todo o estado de Montana, uma área grande demais para que se possa arrancá-las manualmente. A *Centaurea maculosa* também pode ser controlada com herbicidas, mas os herbicidas mais baratos capazes de matá-la também matam outras espécies de plantas, e o herbicida específico é muito caro (800 dólares o galão). Além disso, não se sabe se os subprodutos desses herbicidas vão acabar no rio Bitterroot ou em mananciais de água potável, e se esses subprodutos têm efeitos nocivos. Uma vez que se estabelece tanto em floresta quanto em pastos, a *Centaurea maculosa* reduz a produção de forragem não apenas para os animais domésticos como também para os herbívoros da floresta, de modo que podem ter o efeito de expulsar os veados e alces da floresta para os pastos pela redução da quantidade de comida disponível na floresta. Atualmente, a *Euphorbia esula* está menos disseminada do que a *Centaurea maculosa*, mas é mais difícil de controlar e impossível de ser arrancada com a mão, pois tem raízes de até seis metros de comprimento.

As estimativas do dano econômico direto causado por essas e outras plantas daninhas em Montana ultrapassam os 100 milhões de dólares por ano. Sua presença também reduz o valor de propriedades e a produtividade das fazendas. Acima de tudo, são uma tremenda dor de cabeça para os fazendeiros, que não podem controlá-las com uma única medida e, sim, através de complexos sistemas de administração integrados. As plantas daninhas forçam os fazendeiros a alternar diversas práticas: arrancar espécimes, aplicar herbicidas, mudar o uso de fertilizantes, liberar insetos e fungos inimigos delas, provocar pequenos incêndios controlados, mudar a época da ceifa e alterar a rotação das culturas e as práticas de pastejo. Tudo isso devido a algumas pequenas plantas cujos perigos eram desconhecidos na época e cujas sementes chegaram até aqui sem o nosso conhecimento!

Assim, a aparentemente imaculada Montana na verdade sofre de sérios problemas ambientais envolvendo rejeitos tóxicos, florestas, solos, água, mudanças climáticas, perdas de biodiversidade e introdução de pragas. Todos esses problemas se traduzem em problemas econômicos e explicam por que a economia de Montana vem declinando nas últimas décadas a um ponto em que aquele que outrora foi um dos estados mais ricos dos EUA é agora um dos mais pobres.

Se ou como tais problemas serão resolvidos dependerá das atitudes e valores dos seus moradores. Mas a população de Montana está se tornando cada vez mais heterogênea e não consegue chegar a um acordo sobre o meio ambiente e o futuro de seu estado. Muitos de meus amigos falam da crescente polarização de opiniões. Por exemplo, o banqueiro Emil Erhardt me explicou: "Há muito debate por aqui. A situação econômica dos anos 1950 era que todos éramos pobres então, ou nos sentíamos pobres. Não havia extremos de riqueza; ao menos, a riqueza não era visível. Agora, temos uma sociedade biestratificada, com famílias com menor renda lutando para sobreviver embaixo, e os recém-chegados mais prósperos no topo, capazes de adquirir propriedades onde se isolarem. Em essência, estamos fazendo um zoneamento baseado em dinheiro e não no uso da terra!"

A polarização que meus amigos mencionam se localiza ao longo de diversos eixos: ricos *versus* pobres, moradores antigos *versus* recém-chegados, aqueles que se apegam a valores tradicionais *versus* gente que recebe bem as novidades, vozes pró-crescimento *versus* vozes anticrescimento, aqueles contra e a favor de planejamento governamental, e aqueles com ou sem filhos em idade escolar. Alimentando tais desavenças estão os paradoxos que mencionei no início deste capítulo: um estado com moradores pobres mas que atrai recém-chegados ricos, mesmo quando os próprios jovens estão abandonando Montana após se graduarem no ensino médio.

Inicialmente ponderei se os problemas ambientais e as disputas polarizadas de Montana envolvem comportamento egoísta da parte de indivíduos que perseguem interesses particulares sabendo que estão prejudicando o resto da sociedade. Esta pode ser a verdade em alguns casos, como as propostas de alguns executivos do setor de mineração de prosseguirem com a extração de ouro através de lixiviação em pilha com cianeto apesar de haver provas abundantes dos problemas de toxicidade resultantes deste processo; a transferência de veados e alces entre fazendas de caça apesar de os fazendeiros saberem o risco resultante de disseminação da atrofia crônica; e a introdução ilegal de lúcios em rios e lagos por alguns pescadores para o seu prazer exclusivo, apesar de saberem que tais transferências já destruíram a pesca em muitos outros lugares. Nestes casos, porém, não entrevistei os indivíduos envolvidos e não sei se podem alegar honestamente terem pensado estar agindo corretamente. Mas sempre que pude falar com habitantes de Montana, verifiquei que as suas ações são condizentes com os seus valores, mesmo que esses valores se choquem com os meus ou com os de outros habitantes daquele estado. Ou seja, em sua maior parte, as dificuldades de Montana não podem ser simplesmente atribuídas a gente má e egoísta lucrando sabidamente à custa dos vizinhos. Em vez disso, envolvem conflitos entre pessoas cujos antecedentes e valores particulares os fazem apoiar políticas diversas daquelas apoiadas por gente com diferentes antecedentes e valores. A seguir, enumerarei alguns pontos de vista que atualmente competem para moldar o futuro de Montana.

Um desses conflitos se dá entre "moradores antigos" e "recém-chegados": i.e., gente nascida em Montana, oriunda de famílias que vivem no estado há muitas gerações, e que respeitam um estilo de vida e uma economia tradicionalmente construída sobre três pilares: mineração, atividade madeireira e agricultura, *versus* as chegadas de moradores recentes ou visitantes sazonais. Esses três pilares econômicos estão agora em rápido declínio em Montana. A maioria das minas já está fechada, devido a problemas com rejeitos químicos e a competição com minas do exterior que produzem a um custo menor. As vendas de madeira estão agora mais de 80% abaixo dos antigos níveis, e muitas serrarias e empresas madeireiras, com exceção de algumas empresas especializadas (notavelmente, construtores de casas de madeira) fecharam devido a uma combinação de fatores: aumento do desejo público de manter as florestas intactas, altos custos de administração florestal e combate a incêndios, e a competição de madeireiras de regiões mais quentes e úmidas com vantagens inerentes sobre as madeireiras no frio e seco estado de Montana. A agricultura, o terceiro pilar, também está minguando: por exemplo, das 400 fazendas de laticínio em operação no vale Bitterroot em 1964, só restaram nove. As razões por trás do declínio da agricultura em Montana são mais complexas do que as que estão por trás do declínio da mineração e da atividade madeireira, embora no fundo paire a fundamental desvantagem competitiva do clima frio e seco de Montana para a agricultura, a pecuária ou o crescimento de árvores.

Os fazendeiros de Montana de hoje, que continuam a administrar fazendas na velhice, fazem-no em parte devido ao fato de amarem aquele estilo de vida e terem muito orgulho dele. Como Tim Huls me disse: "É um belo estilo de vida levantar-se da cama antes do amanhecer e ver o sol nascer, ver falcões voando acima de sua cabeça e veados pulando através dos campos de feno fugindo de sua colheitadeira." Jack Hirschy, um fazendeiro que conheci em 1950, quando ele tinha 29 anos de idade, ainda trabalha em sua fazenda, aos 83 anos. Já seu pai, Fred, comemorou o 91º aniversário andando a cavalo. Mas, nas palavras de Jill, irmã de Jack, "a pecuária e a agricultura são trabalho duro e perigoso". Quando tinha 77 anos, Jack sofreu hemorragia interna e fraturou algumas costelas em um acidente de trator, enquanto Fred quase foi morto pela queda de uma árvore quando tinha 58 anos de idade. Tim Huls acrescentou um comentário orgulhoso sobre seu maravilhoso estilo de vida: "Às vezes, acordo às 3 da madrugada e trabalho até as 22h. Este não é um trabalho de 9h às 17h. Mas nenhum de nossos filhos desejará ser fazendeiro se tiver de trabalhar das 3 da madrugada às 22h todos os dias."

A observação de Tim ilustra um dos motivos da ascensão e queda da agropecuária em Montana: este estilo de vida era altamente valorizado pelas antigas gerações, mas muitos filhos de fazendeiros de hoje têm valores diferentes. Querem empregos para ficar sentados dentro de casa, diante do computador, em vez de carregando pesados fardos de feno. Querem ter folga à noite e nos fins de semana em vez de colher feno e tirar leite de vacas que não dão folga à noite nem nos fins de semana. Não querem uma vida que os force a trabalhar duro até os 80 anos de idade, como os três irmãos Hirschy sobreviventes ainda o fazem hoje em dia.

Steve Powell me explicou: "As pessoas não costumavam esperar de uma fazenda algo além de comida bastante para todos; hoje, querem mais da vida além de se alimentar; querem ganhar o bastante para poderem mandar os filhos para a faculdade." Quando John Cook era pequeno e vivia na casa dos pais "minha mãe se satisfazia em ir à horta e colher aspargos para o jantar, e eu me satisfazia em caçar e pescar como diversão. Agora, as crianças querem *fast-food* e HBO; se os pais não lhes derem isso, sentem-se diminuídos em relação aos colegas. Em meus tempos, um jovem adulto sabia que seria pobre durante os 20 anos seguintes e somente então, se desse sorte, poderia esperar ter mais conforto. Agora, os jovens adultos querem ter conforto mais cedo; as primeiras perguntas de um jovem a respeito de um trabalho são: 'Quanto paga, quantas horas se trabalha, e como são as férias.'" Todo fazendeiro de Montana que conheço e que adora ser fazendeiro, ou está muito preocupado se os seus filhos assumirão a fazenda da família, ou já sabe que nenhum deles o fará.

A realidade econômica atual faz com que os fazendeiros tenham dificuldade de viver de sua atividade porque os custos têm subido muito mais rapidamente do que o rendimento das fazendas. Hoje, aquilo que um fazendeiro ganha pelo leite ou pela carne que produz é praticamente o mesmo de há 20 anos, mas os custos de combustível, maquinário, fertilizantes e outras necessidades das fazendas aumentaram. Rick Laible me deu um exemplo: "Há 50 anos, um fazendeiro que quisesse comprar um caminhão novo pagava pelo veículo o preço de duas vacas. Hoje, um caminhão novo custa cerca de 15 mil dólares, embora uma vaca continue a ser vendida a 600 dólares, de modo que o fazendeiro teria de vender 25 vacas para pagar o caminhão." Esta é a lógica implícita na seguinte piada que me contou um fazendeiro de Montana. Pergunta: "O que você faria se ganhasse um milhão de dólares?" Resposta: "Adoro ser fazendeiro, de modo que ficaria aqui em minha fazenda deficitária até acabar com esse milhão de dólares!"

As margens de lucro em queda e a competição crescente transformaram as centenas de pequenas fazendas autossuficientes do vale Bitterroot em negócios não lucrativos. Primeiro, os fazendeiros descobriram que precisavam da renda adicional de trabalhos externos para sobreviverem, e que teriam de abdicar de suas fazendas porque requeriam muito trabalho à noite e nos finais de semana, depois do trabalho externo. Por exemplo, há 60 anos, os avós de Kathy Vaughn viviam em uma fazenda de 16 hectares, de modo que Kathy e Pat Vaughn compraram a sua própria fazenda de 16 hectares em 1977. Com seis vacas, seis carneiros, alguns porcos, feno, Kathy trabalhando como professora e Pat como construtor de sistemas de irrigação, alimentaram e educaram três filhos na fazenda, mas isso não lhes permitiu fazer qualquer tipo de poupança ou aposentadoria. Após oito anos, venderam a fazenda, mudaram-se para a cidade, e todos os seus filhos já deixaram Montana.

Em todos os EUA, as pequenas fazendas estão sendo espremidas pelas grandes, as únicas capazes de sobreviver com margens de lucro cada vez menores através de economias de escala. Mas no sudoeste de Montana é impossível os fazendeiros se tornarem grandes fazendeiros com a compra de mais terra, por motivos sucintamente explicados por Allen Bjergo:

"A agricultura nos EUA está se mudando para áreas como Iowa e Nebraska, onde ninguém faz aquilo por prazer, porque lá não é tão bonito quanto aqui! Em Montana, as pessoas querem viver pelo prazer da coisa, de modo que estão dispostas a pagar muito mais pela terra do que a agricultura nesta mesma terra poderia render. O Bitterroot está se tornando um vale de cavalos. Cavalos são econômicos porque, enquanto os preços dos produtos agrícolas dependem do valor da comida em si, e não são ilimitados, muita gente está disposta a gastar qualquer coisa por cavalos que não geram qualquer benefício econômico."

Os preços da terra no vale Bitterroot estão 10 ou 20 vezes mais altos do que há algumas décadas. Com esses preços, o custo dos encargos de uma hipoteca são muito mais altos do que é possível pagar usando a terra como fazenda. Esta é a razão básica para o fato de pequenos fazendeiros do vale Bitterroot não poderem se expandir, e por que as fazendas acabam sendo vendidas para outros fins. Se os velhos fazendeiros ainda vivem em suas fazendas ao morrerem, seus herdeiros são forçados a vender a terra para um especulador por muito mais do que ganhariam caso vendessem a outro fazendeiro, de modo a poderem pagar os impostos de propriedade relativos ao aumento do preço da terra durante o tempo de vida do fazendeiro falecido. Mais frequentemente, a fazenda é vendida pelo próprio fazendeiro. Embora sofram ao verem a terra que trataram e amaram durante 60 anos ser subdividida em lotes de dois hectares para a expansão suburbana, o aumento no preço da terra permite que vendam até mesmo uma pequena e outrora autossuficiente fazenda para um especulador por um milhão de dólares. Não têm outra escolha para obterem o dinheiro necessário para sustentá-los após a aposentadoria, porque não puderam economizar como fazendeiros, e porque os seus filhos não querem continuar a cuidar da fazenda. Nas palavras de Rick Laible, "a terra é o único fundo de pensão de um fazendeiro".

Qual o motivo desse enorme salto no preço de terra? Basicamente, é porque o maravilhoso ambiente de Bitterroot atrai prósperos recém-chegados. Os compradores das antigas fazendas ou são os próprios recém-chegados, ou especuladores que subdividirão a fazenda em lotes e os venderão para os recém-chegados ou para gente rica que já more no vale. Os 4% anuais de crescimento populacional em Bitterrot devem-se quase que inteiramente aos recém-chegados, e não a um excesso de nascimentos em relação aos falecimentos no vale. O turismo recreativo sazonal também colabora para este aumento, graças a gente de fora do estado (como Stan Falkow, Lucy Tompkins e meus filhos) que vão até lá para pescar, jogar golfe ou caçar. Como explica uma recente análise econômica feita pelo condado de Ravalli: "Não deve haver mistério quanto ao motivo de tanta gente estar se mudando para o vale Bitterroot. Simplesmente é um lugar muito atraente para se morar devido às suas montanhas, florestas, rios, vida selvagem, paisagens e clima relativamente ameno."

O maior grupo de imigrantes consiste em "meio-aposentados" ou recém-aposentados na faixa dos 45-59 anos, que vivem do que sobrou da venda de seus lares fora do estado, e frequentemente do dinheiro que continuam a ganhar dos negócios que mantêm fora do estado, ou através da Internet. Ou seja, a sua fonte de renda é imune aos problemas econômicos associados ao meio ambiente de Montana. Por exemplo, um californiano que vender uma pequena casa na Califórnia por 500 mil dólares pode usar o dinheiro em Montana para comprar dois hectares de terra com uma casa-grande e cavalos. Então, pode ir pescar e sustentar-se em sua aposentadoria precoce com as suas economias ou com o que sobrou da venda da casa na Califórnia. Daí que quase 50% dos imigrantes recentes do vale Bitterroot sejam californianos. Por estarem comprando a terra por sua beleza e não pelo valor das vacas ou das maçãs que esta pode produzir, o preço que oferecem pelas terras no vale Bitterroot nada tem a ver com o seu valor para uso agrícola.

Mas este salto no preço das casas criou um problema de moradia para os residentes do vale Bitterroot que têm de trabalhar para viver. Muitos acabam sem poder comprar casas, tendo de viver em *trailers*, veículos recreativos, ou com os pais, e tendo de ter dois ou três empregos simultâneos para sustentar até mesmo aquele estilo de vida espartano.

Naturalmente, estes cruéis fatos econômicos criam antagonismos entre os antigos moradores e os recém-chegados, especialmente gente rica de fora do estado que tem um segundo, terceiro, ou mesmo um quarto lar em Montana (além de suas casas em São Francisco, Palm Springs e Flórida), e que vêm a Montana durante pequenos períodos a cada ano para pescar, caçar, jogar golfe ou esquiar. Os antigos moradores reclamam do barulho dos jatinhos particulares que os ricos visitantes trazem ao aeroporto de Hamilton e que os levam embora ao fim do dia, de volta para as suas casas em São Francisco, apenas para que possam passar algumas horas jogando golfe em seu quarto lar na fazenda Stock. Os antigos moradores se ressentem das pessoas de fora comprarem grandes fazendas que os moradores locais também gostariam de ter comprado mas que já não podem pagar, lugares onde outrora os moradores locais conseguiam permissão para caçar ou pescar mas onde agora são impedidos de entrar pelos novos donos, que desejam caçar e pescar em companhia de seus amigos ricos, mantendo os habitantes locais do lado de fora. Os mal-entendidos surgem do conflito de valores e expectativas: por exemplo, os recém-chegados querem que os alces desçam das montanhas até as áreas das fazendas mais por achá-los bonitos do que para caçá-los, mas os antigos moradores não querem que os alces desçam da montanha para comer o seu feno.

Ricos proprietários de imóveis fora do estado têm o cuidado de ficar em Montana menos de 180 dias por ano, para não pagar imposto de renda estadual e, assim, contribuir para o governo e para as escolas locais. Um morador me disse: "Aquele pessoal de fora tem prioridades diferentes de nós. O que eles querem é pagar caro por privacidade e isolamento, não querem se envolver localmente, exceto quando trazem os amigos de fora até o bar local para mostrar o estilo de vida rural e as estranhas pessoas do lugar. Gostam da vida selvagem, de pescar, de caçar, da paisagem, mas não são partes da comunidade." Ou, como Emil Erhardt afirmou, "a atitude deles é a de: 'estou aqui para montar o meu cavalo, apreciar as montanhas e pescar: não me aborreça com assuntos que vim aqui para me esquecer'".

Mas há um outro lado a ser considerado a respeito dos ricos visitantes de fora do estado. Emil Erhardt acrescentou: "A fazenda Stock fornece empregos com bons salários, paga uma grande parte dos impostos territoriais do vale Bitterroot, paga por sua própria segurança e não faz muitas exigências à comunidade ou aos serviços governamentais locais. Nosso xerife não é chamado à fazenda Stock para resolver brigas de bar, e os proprietários da fazenda Stock não mandam os filhos para as escolas daqui." John Cook reconhece que "o lado bom desses ricos proprietários é que se Charles Schwab não tivesse comprado toda aquela terra, o lugar hoje não seria hábitat para a vida selvagem e nem teria tanto espaço verde, porque de outro modo a terra teria sido subdividida em lotes por algum especulador".

Pelo fato de gente rica de outros estados ter sido atraída a Montana por seu maravilhoso meio ambiente, algumas dessas pessoas cuidam de suas propriedades e tornam-se líderes na defesa do meio ambiente e na instituição de planejamento da terra. Por exemplo, a casa de verão que eu alugava no rio Bitterroot ao sul de Hamilton nos últimos sete anos pertencia a uma entidade particular chamada Teller Wildlife Refuge. Otto Teller era um rico californiano que gostava de vir a Montana para pescar trutas. Certo dia, ficou furioso ao encontrar grandes máquinas de construção jogando entulho em um de seus pontos de pesca favoritos no rio Gallatin. Ficou ainda mais furioso ao ver que as grandes derrubadas de árvores promovidas por empresas madeireiras nos anos 1950 estavam devastando os seus queridos rios de trutas e estragando a qualidade de suas águas. Em 1984 Otto começou a comprar terras à margem dos rios ao longo do Bitterroot e a incorporá-las a um refúgio de vida selvagem particular, embora continue a deixar as pessoas do local visitarem para caçar e pescar. Recentemente doou o direito de uso de sua terra a uma organização não lucrativa chamada Montana Land Reliance, de modo a garantir que a terra seria administrada perpetuamente e preservaria as suas qualidades ambientais. Não tivesse Otto Teller, aquele próspero californiano, comprado aqueles 640 hectares de terra, estes já teriam sido subdivididos em pequenos lotes.

O influxo de recém-chegados, o resultante aumento dos preços de terras e impostos de propriedade, a pobreza dos antigos residentes de Montana e sua atitude conservadora em relação ao governo e aos impostos (veja adiante), tudo contribuiu para a difícil situação das escolas de Montana, que são sustentadas em sua grande parte pelos impostos sobre a propriedade. Devido ao condado de Ravalli ter tão poucas propriedades industriais ou comerciais, as propriedades residenciais são a principal fonte de impostos, que têm subido com o aumento do valor das terras. Para os antigos e recém-chegados menos afluentes, que vivem com um orçamento apertado, todo aumento nos impostos de propriedades é coisa séria. Não é de se surpreender que frequentemente reajam votando contra títulos e impostos extras para arrecadar verbas para as suas escolas.

Por isso, embora as escolas públicas respondam por dois terços dos gastos do governo no condado de Ravalli, tais gastos, medidos como um percentual de renda pessoal, ficam em último lugar em uma lista de 24 condados rurais do Oeste dos EUA comparáveis a Ravalli, e a renda pessoal em si já é baixa no condado de Ravalli. Mesmo de acordo com os baixos padrões dos fundos escolares do estado de Montana, os fundos escolares de Ravalli destacam-se como baixos. Muitos distritos escolares de Ravalli mantêm os seus gastos dentro do mínimo absoluto exigido pela lei estadual. Os salários médios dos professores de Montana estão entre os mais baixos dos EUA. Especialmente no condado de Ravalli, estes baixos salários, somados aos preços crescentes dos imóveis, dificultam aos professores pagarem por sua moradia.

Os jovens nascidos em Montana estão deixando o estado porque muitos deles aspiram a um outro estilo de vida, e não encontram emprego no estado. Por exemplo, desde que Steve Powell se formou na Hamilton High School, 70% de seus colegas de classe deixaram o vale Bitterroot. Sem exceção, todos os meus amigos que decidiram morar em Montana discutem, como um assunto desagradável, se os seus filhos devem ficar ou se devem voltar para as suas cidades de origem. Os oito filhos de Allen e Jackie Bjergo e seis dos oito filhos de Jill e John Eliel vivem fora de Montana.

Voltando a citar Emil Erhardt: "Nós do vale Bitterroot exportamos crianças. Influências externas, como a tevê, fizeram nossos filhos ver o que há fora do vale, e o que não há aqui. As pessoas trazem os filhos para cá por causa da vida ao ar livre, e porque é um belo lugar para educar uma criança, mas então descobrem que os filhos não querem a vida ao ar livre." Lembro de meus dois filhos — que adoram vir a Montana para pescar durante duas semanas no verão, mas que estão acostumados à vida urbana de Los Angeles no resto do ano — externando a sua surpresa ao saírem de uma lanchonete em Hamilton e darem-se conta de quão poucas diversões urbanas havia à disposição dos adolescentes locais. Hamilton possui um total de dois cinemas, e o shopping-center mais perto fica a 80 quilômetros em Missoula. Choque semelhante ocorre com os adolescentes de Hamilton ao saírem de Montana e darem-se conta do que estão perdendo.

Assim como a maioria dos americanos do Oeste rural, os habitantes de Montana tendem a ser conservadores e desconfiados da regulamentação governamental. Historicamente, tal atitude ocorre porque os antigos colonizadores que viviam com baixa densidade populacional em uma fronteira longe dos centros de governo tinham de ser autossuficientes e não podiam recorrer ao governo para resolver seus problemas. Os habitantes de Montana são particularmente avessos a um governo federal geográfica e psicologicamente remoto, estabelecido em Washington D.C., a lhes dizer o que fazer. (Mas não são avessos ao dinheiro do governo federal, do qual Montana recebe e aceita cerca de um dólar e meio para cada dólar enviado para Washington.) Na visão do povo de Montana, a maioria urbana dos EUA que administra o governo federal não conhece as condições do estado. Na visão dos administradores federais, o meio ambiente de Montana é um tesouro que pertence a todos os americanos e não está lá apenas para o benefício particular dos seus habitantes.

Mesmo para os padrões de Montana, o vale Bitterroot é especialmente conservador e antigovernista. Isso pode acontecer porque muitos dos primeiros colonizadores do vale eram de estados confederados e, em um influxo posterior, de amargos conservadores direitistas de Los Angeles após os conflitos raciais naquela cidade. Como disse Chris Miller: "Os liberais e democratas que vivem aqui choram ao lerem os resultados das eleições, porque estas refletem muito conservadorismo." Expoentes extremos de conservadorismo de direita em Bitterroot são os membros das chamadas milícias, grupos de proprietários de terra que armazenam armas, recusam-se a pagar impostos, mantêm todo mundo afastado de suas propriedades, e são tolerados de maneiras diferentes ou vistos como paranoicos por outros moradores do vale.

Uma consequência destas atitudes políticas em Bitterroot é a oposição ao zoneamento e ao planejamento governamental, e a sensação de que os proprietários de terras deviam ter o direito de fazer o que quisessem com sua propriedade. Ravalli não tem um código de construção nem um zoneamento que abranja todo o condado. Afora duas cidades e alguns distritos voluntários formados por eleitores locais em algumas áreas rurais, não há nem mesmo restrições ao uso que se deve dar à terra. Por exemplo, certa tarde eu visitava Bitterroot com meu filho adolescente Joshua, e ele disse ter lido em um jornal que um filme a que ele queria assistir estava passando em um dos dois cinemas de Hamilton. Informei-me onde era o lugar, levei-o de carro até lá e, para a minha surpresa, descobri que o cinema fora recentemente construído em uma área quase exclusivamente ocupada por fazendas, com exceção de um grande laboratório de biotecnologia adjacente. Não havia nenhuma regulamentação quanto a este uso alterado de terras rurais. Por outro lado, em muitas outras partes dos EUA, há suficiente preocupação do público quanto à perda de terrenos rurais, e a regulamentação de zoneamento restringe ou proíbe a conversão destas áreas em propriedades comerciais, e os contribuintes ficariam especialmente horrorizados com a perspectiva de um cinema com muito movimento junto a um laboratório de biotecnologia potencialmente perigoso.

O povo de Montana está começando a perceber que duas de suas atitudes mais preciosas são antagônicas: a atitude pró-direitos individuais e antirregulamentação governamental, e o orgulho que têm de sua qualidade de vida. A frase "qualidade de vida" surgiu em todas as conversas que tive com habitantes de Montana a respeito de seu futuro. A frase diz respeito à capacidade que têm de desfrutar, a cada dia de suas vidas, daquele meio ambiente maravilhoso que os turistas como eu consideram um privilégio poder visitar durante uma ou duas semanas por ano. A frase também se refere ao orgulho que têm de seu estilo de vida tradicional, como uma população rural, de baixa densidade, igualitária e descendente de antigos colonizadores. Emil Erhardt me disse: "No vale Bitterroot, as pessoas desejam manter a essência de uma pequena e tranquila comunidade na qual todos estão na mesma condição, pobres e orgulhosos de o serem." Ou, como disse Stan Falkow: "Antigamente, quando dirigíamos em Bitterroot, acenávamos para todo carro por que passávamos, porque conhecíamos todo mundo."

Infelizmente, ao permitir o uso irrestrito da terra e, assim, o influxo de novos moradores, a antiga e continuada oposição dos habitantes de Montana à regulamentação governamental é responsável pela degradação de seu belo meio ambiente e da qualidade de vida que tanto prezam. Isso me foi melhor explicado por Steve Powell: "Digo aos meus amigos corretores e especuladores de imóveis: 'Vocês têm de proteger a beleza da paisagem, a vida selvagem e as terras de cultivo: são essas coisas que agregam valor à propriedade. Quanto mais esperarmos para fazer o planejamento, menos beleza natural vai haver. A terra não ocupada é valiosa para a comunidade como um todo: é uma parte importante dessa qualidade de vida que atrai as pessoas até aqui. Com o aumento do crescimento, as mesmas pessoas que antes eram contra o governo hoje estão preocupadas. Dizem que a sua área de recreação favorita está ficando cheia de gente, e agora admitem que deve haver regras." Quando era comissário do condado de Ravalli, em 1993, Steve patrocinou encontros públicos apenas para começar a discussão do planejamento de uso da terra e para estimular o público a pensar no assunto. Milicianos empedernidos vieram a esses encontros para dissolvê-los, portando armas ostensivamente para intimidar as pessoas. Posteriormente, Steve perdeu a sua candidatura à reeleição.

Ainda não está claro como será resolvido este conflito entre a resistência ao planejamento governamental e a necessidade deste planejamento. Novamente citando Steve Powell, "as pessoas estão tentando preservar o vale Bitterroot como uma comunidade rural, mas não sabem como preservá-lo de modo que sobreviva economicamente". Land Lindbergh e Hank Goetz dizem essencialmente o mesmo: "O problema fundamental aqui é como preservar as atrações que nos trouxeram a Montana, enquanto ainda lidamos com as mudanças que não podem ser evitadas."

Para concluir este capítulo sobre Montana, deixarei que quatro de meus amigos da região relatem com as suas próprias palavras como se tornaram habitantes de Montana, e suas preocupações com o futuro do estado. Rick Laible, um recém-chegado, hoje senador estadual; Chip Pigman, morador antigo e especulador imobiliário; Tim Huls, morador antigo e fazendeiro de laticínios; e John Cook, um instrutor de pesca recém-chegado.

Eis a história de Rick Laible: "Nasci e fui criado nos arredores de Berkeley, Califórnia, onde tinha uma fábrica de estantes de madeira. Minha esposa, Frankie, e eu trabalhávamos pesado. Um dia, Frankie olhou para mim e disse: 'Você está trabalhando de 10 a 12 horas por dia, sete dias por semana.' Decidimos nos aposentar parcialmente e dirigimos sete mil quilômetros pelo Oeste para encontrarmos um lugar onde nos estabelecer. Compramos nossa primeira casa em uma parte remota de Bitterroot em 1993, e, no ano seguinte, nos mudamos para uma fazenda que compramos perto do povoado de Victor. Minha mulher cria cavalos árabes egípcios, e eu volto à Califórnia uma vez por mês para dar uma olhada no negócio que ainda mantenho lá. Temos cinco filhos. Nosso filho mais velho sempre quis se mudar para Montana e ele administra nossa fazenda. Nossos outros quatro filhos não compreendem a qualidade de vida de Montana, nem que o povo da região é gente das mais simpáticas e nem por que seus pais se mudaram para cá.

"Atualmente, após cada uma de minhas visitas de quatro dias à Califórnia, desejo cair fora dali: sinto as pessoas de lá como 'ratos em uma gaiola'. Frankie vai à Califórnia apenas duas vezes por ano, para ver os netos, e isso é o suficiente de Califórnia para ela. Como um exemplo daquilo que eu não gosto da Califórnia, há pouco tempo estava lá para uma reunião, e tinha algum tempo livre, de modo que fui passear na rua. Percebi que as pessoas que vinham na direção oposta baixavam os olhos e evitavam contato visual comigo. Quando digo 'bom dia' para gente que não conheço na Califórnia, eles se espantam. Aqui em Bitterroot, ao passar por alguém que você não conhece, a regra é: faça contato visual.

"Quanto ao modo como me envolvi com política, sempre tive muitas opiniões políticas. O legislador da assembleia estadual de meu distrito aqui em Bitterroot decidiu não se candidatar e sugeriu que eu me candidatasse no lugar dele. Ele tentou me convencer, Frankie também. Por que decidi me candidatar? Foi para 'devolver alguma coisa'. A vida foi boa comigo, e eu queria melhorar a vida das pessoas daqui.

"A questão legislativa na qual estou particularmente interessado é administração de florestas, porque o meu distrito é florestal e muitos de meus eleitores são madeireiros. A cidade de Darby, que fica no meu distrito, era uma rica cidade madeireira, e a administração de florestas criaria empregos no vale. Antes havia cinco madeireiras no vale, agora não há nenhuma, de modo que o vale perdeu esses empregos e sua infraestrutura. As decisões quanto à administração florestal são feitas atualmente por grupos ambientais e o governo federal, sem participação do condado ou do estado. Estou trabalhando em uma legislação de administração florestal que envolva a colaboração das três maiores entidades dentro do estado: as agências federais, estaduais e municipais.

"Há muitas décadas, Montana estava entre os 10 maiores estados dos EUA em renda *per capita*; agora, é o 49º entre 50, devido ao declínio das indústrias de extração (madeira, carvão, metais, petróleo e gás). Estes empregos perdidos eram empregos sindicalizados de altos salários. É claro, não devemos voltar a praticar extração excessiva, como ocorreu no passado. Aqui no vale Bitterroot, tanto o marido quanto a mulher precisam trabalhar e, frequentemente, ambos mantêm dois empregos para sobreviver, embora estejamos cercados de florestas repletas de material combustível.

Todos aqui, ambientalistas ou não, concordam que precisamos reduzir esse material combustível de nossas florestas. A restauração florestal eliminaria o excesso de material combustível, especialmente as árvores pequenas e baixas. Hoje, esse excesso de material combustível é eliminado pelas queimadas. O Plano Nacional de Incêndios do governo federal o faria através da extração mecânica de troncos, com o propósito de reduzir a biomassa combustível. A maior parte da madeira usada nos EUA vem do Canadá! No entanto, a missão original de nossas florestas nacionais era a de fornecer um fluxo contínuo de madeira e a proteção das bacias hidrográficas. Da receita destinada às florestas nacionais, 25% vão para as escolas mas, recentemente, esta receita diminuiu muito. Mais atividade madeireira representaria mais dinheiro para nossas escolas.

"No momento, não há política de crescimento em todo o condado de Ravalli! A população do vale cresceu 40% nos últimos 10 anos, e pode crescer 40% na próxima década: para onde irão esses outros 40%? Podemos impedir que mais gente se mude para cá? Temos o *direito* de impedir? Será justo proibir um fazendeiro de subdividir e lotear a sua propriedade, condenando-o, assim, a ser fazendeiro o resto da vida? O dinheiro da aposentadoria de um fazendeiro está em sua terra. Se o fazendeiro for proibido de vendê-la para um especulador ou para construir uma casa, o que estaremos fazendo com ele?

"Quanto aos efeitos do crescimento em longo prazo, sei que no futuro haverá ciclos, como houve no passado. Em um desses ciclos, os recém-chegados voltarão para as suas casas. Montana nunca vai ser um estado superdesenvolvido, mas o condado de Ravalli continuará a se desenvolver. Há uma enorme quantidade de terras públicas neste condado. O preço da terra vai aumentar até ficar muito alto, até um ponto em que os potenciais compradores começarão a procurar terras mais baratas em outro lugar. No fim, todas as terras de fazenda do vale serão loteadas."

Agora, a história de Chip Pigman: "O avô de minha mãe mudou-se para cá por volta de 1925, vindo do estado de Oklahoma. Tinha um pomar de macieiras. Minha mãe cresceu aqui em uma fazenda de laticínios e ovelhas, e agora tem uma imobiliária na cidade. Meu pai mudou-se para cá quando era criança, trabalhou com mineração e beterraba açucareira, e tinha um segundo emprego no setor de construção. Foi assim que me meti em construção. Nasci e fui para a escola aqui, e tenho bacharelado em contabilidade pela Universidade de Montana, perto de Missoula.

"Morei três anos em Denver, mas não gostei da vida na cidade e estava determinado a voltar para cá, em parte porque o vale Bitterroot é um ótimo lugar para se ter filhos. Minha bicicleta foi roubada em minha segunda semana em Denver. Não gostava do trânsito nem das multidões da cidade. Minhas necessidades são satisfeitas aqui. Fui criado sem 'cultura' e não preciso dela. Esperei apenas que minhas ações da empresa de Denver que me empregou fossem adquiridas e, então, voltei para cá. Isso representou abandonar um emprego em Denver que pagava 35 mil dólares por ano, mais benefícios, e voltei aqui para ganhar 17 mil por ano sem qualquer benefício suplementar. Estava louco para abandonar o emprego em Denver para poder morar no vale, onde posso fazer caminhadas. Minha mulher nunca experimentou tal insegurança, mas sempre vivi com essa insegurança no vale Bitterroot. Aqui, você tem de ter dois empregos para sobreviver, e meus pais sempre tiveram de fazer vários trabalhos avulsos. Se fosse necessário, estava disposto a arranjar um trabalho noturno estocando alimentos para ganhar dinheiro para a minha família. Depois que voltamos para cá, levei cinco anos até ter uma renda igual à que tinha em Denver, e mais um ano ou dois para poder pagar um seguro de saúde.

"Meu negócio é construção de casas e loteamento de terrenos mais modestos, uma vez que não posso comprar e lotear porções de terra mais nobres. Originalmente, as terras que loteei pertenciam a fazendeiros, mas a maioria não cuidava mais de suas fazendas quando eu as comprei; já haviam sido vendidas, revendidas e, possivelmente, subdivididas diversas vezes. Tornaram-se improdutivas e estavam tomadas de *Centaurea maculosa* em vez de pastagem.

"Uma exceção é meu projeto atual em Hamilton Heights, uma antiga fazenda de 16 hectares que adquiri e que agora estou tentando subdividir pela primeira vez. Submeti ao condado um plano de loteamento detalhado, requisitando três aprovações diferentes, das quais consegui as duas primeiras. Mas o terceiro e último passo seria uma audiência pública, na qual 80 pessoas que viviam nas redondezas apareceram para protestar com base no argumento de que a subdivisão representaria perda de terras para cultivo. Sim, o terreno tem um bom solo e já foi bom para a agricultura, mas não era mais produtivo quando eu o comprei. Paguei 225 mil dólares por estes 16 hectares; seria impossível sustentar seu alto custo com a agricultura. Mas a opinião pública não quer saber de economia. Em vez disso, os vizinhos dizem: 'Gostamos de ver terreno aberto cultivado ou florestas ao nosso redor.' Mas como manter o espaço aberto se o vendedor do terreno é um homem de 60 anos de idade que precisa desse dinheiro para se aposentar? Se os vizinhos quisessem preservar aquele lugar como espaço aberto, deveriam tê-lo comprado. Poderiam tê-lo comprado, mas não o compraram. Ainda querem controlá-lo, mesmo sem possuí-lo.

"Perdi na audiência pública porque os administradores do condado não queriam se indispor com 80 eleitores pouco antes das eleições. Não negociei com os vizinhos antes de submeter o meu plano porque sou cabeça-dura, quero fazer o que acho que tenho o direito de fazer, e não gosto que me digam o que devo fazer. As pessoas também não se dão conta de que, em um projeto pequeno como esse, as negociações são muito caras para meu tempo e dinheiro. Da próxima vez que fizer um projeto assim, primeiro falarei com os vizinhos, mas também trarei 50 de meus trabalhadores para a audiência, de modo que os comissários do condado vejam que há também uma vontade política a favor do projeto. Estou às voltas com os custos de manutenção da terra durante esta luta. Os vizinhos querem que a terra fique ali sem que ninguém faça nada com ela!

"As pessoas falam de loteamento excessivo e têm medo que o vale acabe ficando superpovoado. E tentam me culpar por isso. Minha resposta é: há demanda para o meu produto, não sou eu quem a cria. A cada ano há mais prédios e mais trânsito no vale. Mas eu gosto de caminhar, e quando você caminha ou voa sobre o vale, vê um bocado de espaço aberto por aí. A imprensa diz que houve um crescimento de 44% no vale nos últimos 10 anos, mas isso quer dizer apenas que houve um aumento populacional de 25 mil para 35 mil pessoas. Os jovens estão abandonando o vale. Tenho 30 funcionários que, além do emprego, têm plano de pensão, seguro saúde, férias remuneradas e um plano de participação nos lucros. Como nenhum concorrente oferece este pacote, tenho baixa rotatividade em minha força de trabalho. Os ambientalistas me veem como uma das causas dos problemas do vale, mas não posso criar a demanda; se eu não construir, outros o farão.

"Pretendo ficar aqui no vale o resto de minha vida. Pertenço a esta comunidade, e patrocino muitos projetos comunitários: por exemplo, apoio os times locais de beisebol, natação e futebol. Por ser daqui e querer ficar aqui, não tenho uma mentalidade do tipo enriquecer-e-cair-fora. Ainda espero estar aqui daqui a 20 anos, dirigindo meu carro e passando por lugares que projetei. Não quero olhar para o que fiz e ter de admitir: 'Esse projeto é ruim!'"

Tim Huls é um produtor de laticínios de uma família de antigos habitantes de Montana: "Meus bisavós foram os primeiros de nossa família a chegarem aqui, em 1912. Compraram 16 hectares quando a terra ainda era muito barata, e tinham 12 vacas leiteiras que ordenhavam à mão duas horas todas as manhãs, e novamente durante duas horas no fim da tarde. Meus avós compraram mais 44 hectares por alguns centavos o hectare. Vendiam o creme do leite de suas vacas para a fabricação de queijo e produziam maçãs e feno. Contudo, era uma luta. Havia tempos difíceis, e eles se aguentavam como podiam, enquanto outros fazendeiros não conseguiam. Meu pai pensava em ir para a faculdade mas decidiu ficar na fazenda. Ele foi o visionário inovador que tomou a decisão crucial de se especializar em produção de leite e na construção de um estábulo para 150 vacas leiteiras de modo a aumentar o valor da terra.

"Meus irmãos e eu compramos a fazenda de nossos pais. Eles não a deram para nós. Eles nos venderam porque queriam que decidíssemos se realmente queríamos cuidar de fazendas a ponto de pagarmos por isso. Cada irmão e esposa possui a sua própria terra e a arrenda para a empresa familiar. A maior parte do trabalho de administrar uma fazenda é feita por nós, nossas mulheres e nossos filhos; só temos um pequeno grupo de empregados que não são da família. Há pouquíssimas fazendas familiares como a nossa. Uma coisa que nos fez sermos bem-sucedidos é que todos temos a mesma fé; a maioria de nós frequenta a mesma igreja comunitária em Corvallis. Claro que temos brigas familiares. Mas podemos ter uma tremenda briga à tarde e ainda sermos nossos melhores amigos à noite; nossos pais também brigavam, mas sempre resolveram tudo antes do pôr do sol. Sabemos onde podemos insistir e onde devemos ceder.

"De algum modo, este espírito familiar passou para meus dois filhos. Ambos aprenderam cooperação quando crianças: quando o menor tinha apenas sete anos de idade, começaram a instalar seções de canos de alumínio para *sprinklers* com 12 metros de comprimento, 16 seções por fila, um menino em cada extremidade de uma seção de 12 metros. Depois que saíram de casa, foram colegas de quarto, e agora são os melhores amigos e vizinhos um do outro. Outras famílias tentaram fazer com que os seus filhos mantivessem laços familiares, assim como fizemos com os nossos, mas eles não são unidos, embora pareçam fazer exatamente o que fizemos.

"A economia de uma fazenda é difícil porque o maior valor que se pode tirar da terra aqui em Bitterroot é vendendo-a para a construção de casas e loteamentos. Os fazendeiros de nossa região são obrigados a decidir: devemos continuar com as nossas fazendas ou vender a terra para moradia e retiro? Não existe nenhum produto legal que possamos plantar que nos permita competir com o valor imobiliário de nossa terra, de modo que não podemos comprar mais terra. Em vez disso, o que determina a nossa sobrevivência é sermos o mais eficiente possível nos 300 hectares que já temos ou arrendamos. Nossos custos, assim como o custo das caminhonetes, aumentaram, mas ainda recebemos por um galão de leite o mesmo que recebíamos há 20 anos. Como lucrar com uma margem de lucro ainda mais estreita? Temos de adotar novas tecnologias, o que exige capital, e temos de continuar nos educando para aplicar esta tecnologia às nossas circunstâncias. Precisamos abandonar os velhos métodos.

"Por exemplo, este ano gastamos um capital considerável para construir um salão de ordenha computadorizado para 200 vacas. Com coleta automática de estrume e uma cerca móvel para empurrar as vacas para uma máquina de ordenhar, através da qual são movidas automaticamente. Cada vaca é reconhecida pelo computador, ordenhada por um computador em sua baia, e a condutividade de seu leite é medida imediatamente para detectar previamente qualquer contaminação. A vaca é pesada após cada ordenha para acompanhar a sua saúde e necessidades nutricionais, e o critério de escolha do computador permite que agrupemos vacas em diferentes cercados. Atualmente, nossa fazenda serve como modelo para o resto do estado de Montana. Outros fazendeiros estão de olho em nós para saber se isso vai funcionar.

"Nós mesmos temos dúvidas se isso de fato vai funcionar, devido a dois fatores de risco que fogem ao nosso controle. Mas se temos alguma esperança de continuarmos com a fazenda, temos de fazer essa modernização, ou não teremos alternativa além de nos tornarmos especuladores imobiliários: aqui, ou se cria gado ou se constroem casas. Um dos dois riscos sobre os quais não temos controle são as flutuações do preço de serviços e equipamento agrícola que temos de comprar, e do preço de nosso leite. Os produtores não têm controle sobre o preço do leite. Nosso leite é perecível; uma vez que a vaca é ordenhada, só temos dois dias para levar esse leite ao mercado, de modo que não temos poder de barganha. Vendemos o leite e os compradores *nos dizem* o preço que vão pagar.

"Outro risco além de nosso controle são as preocupações ambientais do público, que inclui o modo como tratamos os animais, seus dejetos e o odor associado. Tentamos controlar estes impactos o melhor que podemos, mas nossos esforços não agradam a todos. Os que vêm de fora, vêm para Bitterroot por causa da paisagem. A princípio, gostam de ver as vacas e campos de feno a distância, mas às vezes não compreendem tudo o que as operações de uma fazenda acarretam, especialmente uma fazenda de produção de leite. Em outras áreas onde coexistem a atividade leiteira e o loteamento, as objeções do público estão associadas ao odor, ao som do equipamento funcionando muito tarde da noite e tráfego de caminhões em 'nossa tranquila estrada rural', entre outras coisas. Chegamos a ouvir uma queixa de uma vizinha que sujou os tênis brancos de corrida com esterco de vaca. Uma de nossas preocupações é a de que gente pouco simpática à criação de animais possa propor iniciativas para banir ou restringir a produção de leite em nossa área. Há dois anos, uma iniciativa para banir a caça de animais selvagens em fazendas levou uma fazenda de alces de Bitterroot à falência. Nunca pensamos que isso fosse acontecer, e só nos resta pensar que há uma possibilidade disso ocorrer conosco se não tomarmos cuidado. Em uma sociedade baseada na tolerância, é incrível quão intolerantes são algumas pessoas em relação à criação de animais e no que implica a produção de alimentos."

A última dessas quatro histórias de vida que citarei é a de John Cook, o instrutor de pesca de paciência infinita que iniciou os meus filhos, então com 10 anos de idade, à pesca e os tem guiado pelo rio Bitterroot nos últimos sete verões: "Cresci em um pomar de maçãs no vale Wenatchee, em Washington. Quando terminei o ensino médio, passei por uma fase *hippie* e decidi ir de motocicleta até a Índia. Só consegui chegar à Costa Leste dos EUA, mas àquela altura havia viajado por todo o país. Após conhecer minha esposa, Pat, nos mudamos para a península Olympic, em Washington, e então para a ilha Kodiak, no Alasca, onde trabalhei durante 16 anos como guarda encarregado da vida selvagem e da pesca. Então nos mudamos para Portland, para que Pat pudesse cuidar de seus avós adoentados. A avó morreu logo e, uma semana depois da morte do avô, saímos de Portland e viemos para Montana.

"Visitei Montana pela primeira vez nos anos 1970, quando o pai de Pat trabalhava em Idaho, junto à fronteira de Montana, organizando expedições à região selvagem de Selway-Bitterroot. Pat e eu costumávamos trabalhar para ele em regime de meio expediente, com Pat cozinhando e eu servindo de guia. Já então, Pat adorava o rio Bitterroot e queria viver ali, mas a terra lá já custava mil dólares o acre, muito caro para pagar o custo de uma hipoteca com uma fazenda. Então, em 1994, quando estávamos querendo ir embora de Portland, surgiu a oportunidade de comprar uma fazenda de 10 acres junto ao rio Bitterroot a um preço que podíamos pagar. A casa precisava de reparos, de modo que passamos alguns anos consertando-a, e eu tirei licença para organizar expedições e ser instrutor de pesca.

"Só existem dois lugares no mundo com os quais sinto um profundo vínculo espiritual: um deles é na costa do Oregon, o outro é aqui, no vale Bitterroot. Quando compramos esta fazenda, pensamos nela como uma 'propriedade onde morrer', ou seja, a casa onde pretendíamos viver o resto de nossas vidas. Bem aqui, em nossa propriedade, temos corujas, faisões, codornas, patos selvagens e um pasto grande o bastante para nossos dois cavalos.

"As pessoas podem nascer em um certo tempo com o qual se identificam, e podem não desejar viver em outro tempo. Adoramos este vale como era há 30 anos. Desde então, o lugar foi se enchendo de gente. Não vou querer viver aqui se o vale se tornar um shopping-center, com um milhão de pessoas morando entre Missoula e Darby. A vista de espaço aberto é importante para mim. A terra diante de minha casa, do outro lado da estrada, é uma velha fazenda de três quilômetros de comprimento e 800 metros de largura, que consiste inteiramente em pastos, com um par de estábulos como únicas edificações. Pertence a um cantor de *rock* e ator de outro estado, chamado Huey Lewis, que vem aqui apenas um mês por ano para caçar e pescar, e durante o resto do ano tem um encarregado para cuidar das vacas, dos pastos, e alugar um pouco da terra aos fazendeiros. Se a terra de Huey Lewis do outro lado da estrada for dividida em lotes, não conseguirei olhar para aquilo todos os dias e me mudarei daqui.

"Sempre pensei em como gostaria de morrer. Meu pai morreu recentemente, uma morte lenta de doença pulmonar. Perdeu o controle de sua vida, e seu último ano foi muito doloroso. Não quero morrer assim. Pode parecer muita frieza, mas eis a minha fantasia de como gostaria de morrer, se pudesse. Pat morreria antes de mim. Isso porque, quando nos casamos, prometi amá-la, honrá-la e tomar conta dela, e se ela morresse primeiro, saberia ter cumprido a promessa. Também não tenho seguro de vida para que ela pudesse se sustentar, portanto seria difícil se ela sobrevivesse a mim. Após a morte de Pat — continua minha fantasia — faria uma casa para meu filho Cody, e iria pescar todos os dias até não ter condições físicas de fazê-lo. Quando não mais pudesse pescar, pegaria uma grande quantidade de morfina e entraria na floresta. Escolheria algum lugar remoto onde ninguém encontrasse o meu corpo, e no qual tivesse uma bela vista. Me deitaria voltado para essa vista... e tomaria a minha morfina. Seria o melhor jeito de morrer: do modo que escolhi, com a última visão sendo uma vista de Montana como quero me lembrar daqui."

Em resumo, a história de vida desses quatro habitantes de Montana, e meus próprios comentários que as precederam, ilustram que o povo deste estado difere entre si em valores e objetivos. Querem mais ou menos crescimento populacional, mais ou menos regulamentação governamental, mais ou menos loteamentos e subdivisão de terras de cultivo, mais ou menos retenção de uso de terra para a agricultura, mais ou menos mineração, e mais ou menos turismo ao ar livre. Alguns desses objetivos obviamente são incompatíveis com os outros.

Já vimos anteriormente como Montana está experimentando problemas ambientais que se traduzem em problemas econômicos. A aplicação desses diferentes valores e objetivos que acabamos de ver ilustrados resultaria em diferentes abordagens a esses problemas ambientais, supostamente associadas com diferentes probabilidades de serem bem ou malsucedidas na tentativa de solucioná-los. No momento, há amplas e honestas diferenças de opinião quanto às melhores abordagens. Não sabemos qual destas abordagens os habitantes de Montana acabarão escolhendo, e não sabemos se os problemas ambientais e econômicos de Montana vão melhorar ou piorar.

Inicialmente pode ter parecido absurdo escolher Montana como objeto deste primeiro capítulo de um livro sobre colapsos sociais. Nem Montana em particular, nem os EUA em geral, correm risco iminente de colapso. Mas, por favor, reflitam que mais da metade da renda dos moradores de Montana não vem de seu trabalho em Montana. Em vez disso consiste em dinheiro que flui para Montana vindo de outros estados dos EUA: transferências do governo federal (previdência social, saúde e programas contra a pobreza) e fundos particulares de fora do estado (pensões de outros estados, ganhos com a venda de imóveis e renda comercial). Ou seja, a própria economia de Montana já não consegue sustentar o modo de vida de Montana, que é sustentado por e dependente do resto dos EUA. Se Montana fosse uma ilha isolada, como a ilha de Páscoa, no oceano Pacífico em tempos polinésios, antes da chegada dos europeus, sua atual economia de Primeiro Mundo já teria entrado em colapso, na verdade o estado nem teria desenvolvido esta economia.

Então, pense que os problemas ambientais de Montana que viemos discutindo, embora sejam sérios, são muito menos graves do que aqueles que encontramos nos demais estados dos EUA, que possuem populações muito mais densas e com muito maior impacto humano, e em sua maior parte são ambientalmente mais frágeis que Montana. Por sua vez, os EUA dependem de recursos essenciais e estão econômica, política e militarmente envolvidos com outras partes do mundo, algumas das quais têm problemas ambientais ainda mais graves e estão em declínio muito mais acentuado do que os EUA.

No restante deste livro, consideraremos problemas ambientais semelhantes aos de Montana, em várias sociedades, antigas e modernas. Das sociedades do passado que discutirei, a metade não tem escrita e conhecemos bem menos sobre os valores e objetivos de seus indivíduos do que sabemos sobre Montana. Quanto às sociedades modernas, há informações sobre seus valores e objetivos, mas tenho mais experiência deles em Montana do que em qualquer outra parte do mundo moderno. Portanto, ao ler este livro e considerar problemas ambientais expostos em termos tão impessoais, por favor, pense nos problemas dessas outras sociedades como vistos por indivíduos como Stan Falkow, Rick Laible, Chip Pigman, Tim Huls, John Cook e os irmãos e irmãs Hirschy. Ao discutirmos a sociedade aparentemente homogênea da ilha de Páscoa no próximo capítulo, imagine um chefe, um agricultor, um entalhador de pedras e um caçador de golfinhos, cada um contando a sua história de vida particular, seus valores e objetivos, exatamente como meus amigos de Montana fizeram comigo.

PARTE 2

SOCIEDADES DO PASSADO

CAPÍTULO 2

CREPÚSCULO EM PÁSCOA

Os mistérios da pedreira • História e geografia de Páscoa • Gente
e alimentação • Chefes, clãs e plebeus • Plataformas e estátuas
• Esculpindo, transportando e erguendo • A floresta desaparecida
• Consequências para a sociedade • Europeus e explicações
• Por que Páscoa era frágil? • Páscoa como metáfora

Nenhum outro lugar que eu tenha visitado me causou impressão tão fantasmagórica quanto Rano Raraku, a pedreira na ilha de Páscoa onde suas famosas estátuas de pedra eram esculpidas (foto 5). Para começo de conversa, a ilha é o pedaço de terra habitado mais isolado do mundo. As terras mais próximas são a costa do Chile, 3.700 quilômetros a leste, e as ilhas Pitcairn, na Polinésia, a dois mil quilômetros a oeste (mapa, p. 108-109). Quando fui até lá de avião a jato, em 2002, meu voo, que saiu do Chile, passou mais de cinco horas sobrevoando o oceano Pacífico, que se espalhava interminavelmente entre os horizontes, com nada embaixo de nós para ser visto além de água. Perto do pôr do sol, quando o pequeno ponto que era a ilha de Páscoa finalmente tornou-se fracamente discernível em meio ao lusco-fusco da tarde, eu já estava ficando preocupado se conseguiríamos encontrar a ilha antes do anoitecer, e se nosso avião teria combustível para voltar ao Chile caso não a encontrássemos. Páscoa não parece ser uma ilha que tenha sido descoberta e habitada pelo homem antes dos grandes e rápidos veleiros europeus de séculos recentes.

Rano Raraku é uma cratera vulcânica aproximadamente circular de cerca de 550 metros de diâmetro, na qual entrei por uma trilha que começava na planície do lado de fora, subia pela íngreme encosta e, ao chegar à borda da cratera, voltava a inclinar-se abruptamente em direção a um lago pantanoso no fundo. Hoje em dia ninguém mora ali. Espalhadas tanto no interior quanto no exterior da cratera estão 397 estátuas de pedra, representando de modo estilizado um torso humano masculino de longas orelhas e sem pernas, a maioria com 4,5 a 6 metros de comprimento, embora a maior delas tenha mais de 20 metros de altura (mais alta que um prédio moderno de cinco andares), e pesando de 10 a 270 toneladas. Pode-se discernir os restos de uma estrada de transporte saindo da cratera através de um desfiladeiro que corta um ponto mais baixo da borda, e da qual partem outras três estradas de transporte com cerca de 7,5 metros de largura, irradiando-se para o norte, sul e o oeste até a costa da ilha, a cerca de 15 quilômetros de distância. Espalhadas pelas estradas estão 97 outras estátuas, como se tivessem sido abandonadas durante o transporte da pedreira. Ao longo da costa e, ocasionalmente, no interior da ilha, estão cerca de 300 plataformas, um terço delas servindo de suporte ou próximas a 393 outras estátuas, as quais, até algumas décadas atrás, não estavam eretas e, sim, tombadas, muitas derrubadas de modo que propositalmente quebrassem à altura do pescoço.

Da borda da cratera, pude ver a maior e mais próxima plataforma (chamada Ahu Tongariki), cujas 15 estátuas tombadas foram reerguidas em 1994 através de um guindaste capaz de erguer até 55 toneladas, como me contou o arqueólogo Claudio Cristino, responsável pelo trabalho. Mesmo com esse moderno equipamento, a tarefa mostrou-se desafiadora para Claudio, porque a maior estátua do Ahu Tongariki pesava 88 toneladas. Contudo, a população polinésia da ilha de Páscoa pré-histórica não possuía guindastes, rodas, máquinas, instrumentos de metal, nenhum animal de tração e nenhum meio além da força humana para transportar e erguer as estátuas.

As estátuas que ficaram na pedreira estão em diferentes estágios de conclusão. Algumas ainda estão presas à rocha na qual foram esculpidas, esboçadas mas ainda sem detalhes como orelhas e mãos. Outras estão acabadas, extraídas da rocha e repousam sobre a encosta da cratera, abaixo do nicho onde foram esculpidas, e há ainda outras que foram erguidas dentro da cratera. A impressão fantasmagórica que a pedreira me causou veio da sensação de estar em uma fábrica na qual todos os trabalhadores tivessem subitamente se demitido por razões misteriosas, jogado fora os seus instrumentos, e saído dali, deixando cada estátua no estado em que se encontrava no momento. Espalhados pelo chão da pedreira estão as picaretas de pedra, brocas e martelos com que as estátuas eram esculpidas. Ao redor de cada estátua, ainda junto à pedra, estão as valas onde ficavam os escultores. Nas paredes de pedra há saliências onde os escultores deviam pendurar as cabaças que lhes serviam como garrafas de água. Algumas es-

CREPÚSCULO EM PÁSCOA

tátuas na cratera dão mostras de terem sido deliberadamente quebradas ou desfiguradas, como se grupos de escultores rivais tivessem vandalizado os trabalhos uns dos outros. Sob uma das estátuas foi encontrado um osso de dedo humano, possivelmente resultado do descuido de um membro da equipe de transporte. Quem esculpiu as estátuas, por que foram esculpidas com tanto esforço, como transportaram e ergueram aquelas imensas massas de pedra, e por que acabaram derrubando-as?

Os muitos mistérios de Páscoa já eram evidentes para seu descobridor europeu, o explorador holandês Jacob Roggeveen, que avistou a ilha no Domingo de Páscoa (5 de abril de 1722), daí o nome com o qual a batizou e que ainda permanece. Como um marinheiro que acabara de passar os últimos 17 dias sem ver sinal de terra, atravessando o Pacífico a partir do Chile em três grandes navios europeus, Roggeveen perguntou-se: como os polinésios que o saudaram quando desembarcou no litoral de Páscoa chegaram àquela ilha remota? Sabemos que uma viagem a Páscoa da ilha polinésia mais próxima a oeste demoraria muitos dias. Portanto, Roggeveen e os visitantes europeus que o sucederam surpreenderam-se ao descobrirem que os únicos barcos dos insulares eram pequenas canoas mal vedadas, com não mais que três metros de comprimento, capazes de levar uma, no máximo duas pessoas. Nas palavras de Roggeveen: "No que diz respeito aos seus barcos, estes são ruins e frágeis, pois suas canoas são construídas com pequenas pranchas de madeira leve, que espertamente unem umas às outras com fios muito finos e retorcidos, feitos com a planta campestre acima mencionada. Mas como não têm o conhecimento nem os materiais necessários para vedar e firmar o grande número de juntas das canoas, estas fazem muita água, razão pela qual são obrigados a passar metade do tempo baldeando." Como um bando de colonizadores, suas plantas, galinhas e água potável sobreviveriam numa viagem de duas semanas e meia em tais barcos?

Como todos os visitantes posteriores, incluindo a mim, Roggeveen ficou curioso para compreender como os insulares erigiram suas estátuas. Voltando a citar o seu diário: "À primeira vista, as imagens de pedra nos causaram assombro, pois não compreendíamos como era possível que aquele povo, que não tinha madeira grossa e pesada nem cordas fortes o bastante para construírem qualquer tipo de máquina, ainda assim conseguiram erguer aquelas imagens, que tinham nove metros de altura e eram

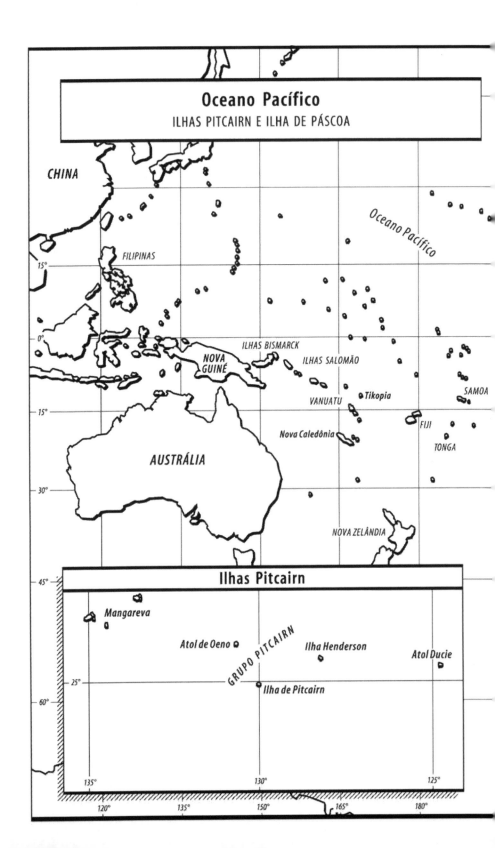

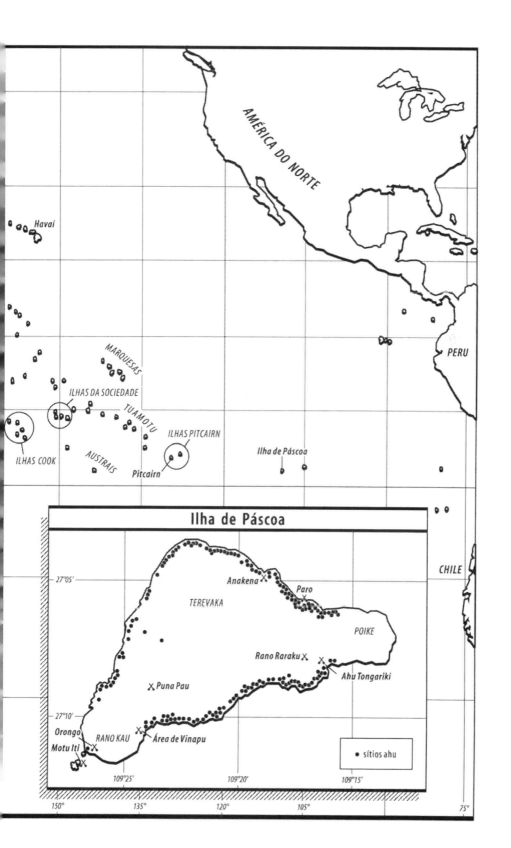

proporcionalmente grossas." Não importa que método os insulares usaram para erguer as estátuas, eles certamente necessitaram de madeira e cordas fortes, como concluiu Roggeveen. Contudo, a ilha de Páscoa que ele encontrou era um lugar ermo sem nenhuma árvore ou arbusto com mais de 3 metros de altura (fotos 6 e 7): "A princípio, vista de alguma distância, achamos que a dita ilha de Páscoa era arenosa, pois imaginamos ser areia a grama, o feno ou outra vegetação ressecada e queimada, porque sua aparência desolada não era capaz de provocar qualquer impressão além de uma singular pobreza e aridez." O que aconteceu com todas as árvores que outrora certamente estiveram ali?

Organizar a escultura, o transporte e o erguimento das estátuas requeria uma sociedade populosa e complexa, vivendo em um ambiente rico o bastante para sustentá-la. O número e o tamanho das estátuas sugerem uma população muito maior do que os poucos milhares de pessoas encontradas pelos visitantes europeus no século XVIII e no início do século XIX: o que aconteceu com o resto da população? Esculpir, transportar e erguer estátuas demandaria muitos trabalhadores especializados: como eram alimentados, uma vez que a ilha de Páscoa vista por Roggeveen não tinha animais terrestres nativos maiores que insetos, e nenhum animal doméstico exceto galinhas? Uma sociedade complexa também é denunciada pela ampla distribuição dos recursos de Páscoa, com a pedreira no extremo leste, as melhores pedras para fazer instrumentos no sudeste, a melhor praia para pescar no noroeste, e as melhores terras de cultivo ao sul. Extrair e distribuir todos esses produtos requereria um sistema capaz de integrar a economia da ilha: como isso pode ter surgido em uma paisagem tão pobre e desolada, e o que aconteceu com esse sistema?

Todos esses mistérios geraram muitos volumes de especulação durante quase três séculos. Muitos europeus não acreditavam que os polinésios, "meros selvagens", pudessem ter criado aquelas estátuas ou as belamente construídas plataformas de pedra. O explorador norueguês Thor Heyerdahl, sem querer atribuir tais habilidades aos polinésios que se espalharam da Ásia através do Pacífico Ocidental, argumentou que a ilha de Páscoa fora colonizada através do Pacífico Oriental, por sociedades indígenas avançadas da América do Sul, que ao seu turno receberam a civilização através do Atlântico, de sociedades ainda mais avançadas do Velho Mundo. A famosa expedição Kon-Tiki de Heyerdahl e suas outras viagens a

CREPÚSCULO EM PÁSCOA

bordo de embarcações precárias pretendiam provar a factibilidade de tais contatos transoceânicos pré-históricos, e para apoiar conexões entre as pirâmides do Antigo Egito, a colossal arquitetura megalítica do Império Inca, na América do Sul, e as gigantescas estátuas de pedra da ilha de Páscoa. Meu interesse por Páscoa foi deflagrado há 40 anos pela leitura do livro *Kon-Tiki*, onde Heyerdahl nos fornece a sua romântica interpretação da história da ilha de Páscoa; pensei que nada poderia superar tal interpretação em termos de emoção. Mais adiante, o escritor suíço Erich von Däniken, que acredita em visitas de astronautas extraterrestres, alegou que as estátuas de Páscoa eram trabalho de seres inteligentes de outro planeta e de seus instrumentos ultramodernos, que ficaram náufragos em Páscoa e foram finalmente resgatados.

A explicação para tais mistérios que emerge atualmente atribui a escultura das estátuas às picaretas de pedra e outros instrumentos comprovadamente espalhados por Rano Raraku mais do que a hipotéticos implementos espaciais, e aos habitantes polinésios da ilha de Páscoa em vez dos incas ou dos egípcios. Tal história é tão romântica e excitante quanto as supostas visitas por balsas como a Kon-Tiki ou naves extraterrestres — e muito mais relevante para eventos que acontecem hoje no mundo moderno. É também uma história adequada para começarmos esta série de capítulos sobre sociedades do passado porque prova ser a coisa mais próxima que temos de um desastre ecológico ocorrendo em completo isolamento.

Páscoa é uma ilha triangular que consiste inteiramente em três vulcões que se ergueram do mar, um junto ao outro, em tempos diferentes, nos últimos milhões de ano, e que têm estado adormecidos ao longo da história de ocupação da ilha. O vulcão mais velho, Poike, entrou em erupção há cerca de 600 mil anos (talvez há três milhões de anos) e agora forma o canto sul do triângulo, enquanto a subsequente erupção do Rano Kau formou o canto sudoeste. Há cerca de 200 mil anos, a erupção do Terevaka, o vulcão mais novo no canto norte do triângulo, liberou lavas que hoje cobrem 95% da superfície da ilha.

Tanto a área de Páscoa, que é de 170 km², quanto a sua elevação, de 510 metros, são modestas para os padrões polinésios. A topografia da ilha é suave, sem vales profundos como as ilhas do Havaí. Com exceção das crateras de encostas íngremes e cones de escória vulcânica, é possível ir caminhando em linha reta para qualquer lugar em Páscoa, ao passo que no Havaí ou nas Marquesas logo se chegaria à beira de um penhasco.

A localização subtropical a 27°s — aproximadamente tão ao sul do equador quanto Miami e Taipei estão ao norte — dá a Páscoa um clima ameno, enquanto sua recente origem vulcânica garante-lhe solos férteis. Por si só, esta combinação de bênçãos devia ter garantido à ilha a forma de um paraíso em miniatura, livre dos problemas que assolam o resto do mundo. Porém, a geografia de Páscoa lançou diversos desafios aos seus colonizadores. Embora um clima subtropical seja quente para os padrões europeus e norte-americanos, é frio para os padrões da maioria das ilhas da Polinésia. Todas as outras ilhas polinésias colonizadas — com exceção da Nova Zelândia, as ilhas Chathams, Norfolk e Rapa — estão mais próximas do equador do que Páscoa. Assim, algumas plantas tropicais que são importantes no resto da Polinésia, como o coco (introduzido em Páscoa somente em tempos modernos), não crescem bem na ilha, e o oceano ao redor é frio demais para a formação de recifes de coral que poderiam aflorar à superfície, assim como os peixes e moluscos a eles associados. Como Barry Rolett e eu descobrimos enquanto andávamos por Terevaka e Poike, Páscoa é um lugar ventoso, e isso causava problemas para os antigos fazendeiros, e ainda causa atualmente; o vento faz com que a fruta-pão, recentemente introduzida, caia do pé antes de estar madura. O isolamento de Páscoa representa, entre outras coisas, que a ilha é deficiente não apenas de peixes que vivem em atóis de coral, como também de peixes em geral, dos quais tem apenas 127 espécies comparadas com as mais de mil das ilhas Fiji. Todos esses fatores geográficos resultaram em menos fontes de alimento para os insulares de Páscoa do que para outros insulares do Pacífico.

Outro problema associado à geografia de Páscoa é a chuva, com uma precipitação média de apenas 1.300 mm anuais: aparentemente abundante para os padrões da Europa Mediterrânea e o sul da Califórnia, mas baixo para os padrões polinésios. Compondo as limitações impostas por esta modesta precipitação, a chuva que ali cai infiltra-se rapidamente no solo vulcânico e poroso da ilha. Consequentemente, os suprimentos de água potável são limitados: há apenas um fluxo intermitente nas encostas do monte Terevaka, seco na época de minha visita; lagoas ou pântanos no fundo das três crateras vulcânicas; poços escavados em lugares onde a água está perto da superfície; e veios de água potável borbulhando no fundo do mar ou entre as linhas das marés altas e baixas. Contudo, os insulares de Páscoa conseguem obter água suficiente para beber, cozinhar e cultivar, mas com muito esforço.

Tanto Heyerdahl quanto von Däniken puseram de lado provas esmagadoras de que os insulares de Páscoa eram típicos polinésios vindos da Ásia em vez da América, e que a sua cultura (incluindo suas estátuas) também saíram da cultura polinésia. Sua língua era polinésia, como o capitão Cook já concluíra durante sua breve visita em 1774, quando um taitiano que o acompanhava descobriu-se capaz de conversar com os insulares de Páscoa. Especificamente, falavam um dialeto polinésio oriental relacionado ao das ilhas do Havaí e das Marquesas, e muito próximo ao dialeto conhecido como antigo mangarevano. Seus anzóis, enxós de pedra, arpões, limas de coral e outros instrumentos eram tipicamente polinésios e assemelhavam-se a antigos modelos das ilhas Marquesas. Muitos de seus crânios exibem uma feição caracteristicamente polinésia conhecida como "mandíbula oscilante". Quando o dna de 12 esqueletos enterrados nas plataformas de pedra de Páscoa foi analisado, todas as 12 amostras provaram possuir uma deleção de nove pares de bases e três substituições de bases presentes na maioria dos polinésios. Duas dessas três substituições de bases não ocorrem nos nativos americanos e, desta forma, depõe contra a tese de Heyerdahl de que os nativos americanos contribuíram para o banco genético dos pascoenses. As plantações em Páscoa eram de bananas, taro,* cana-de-açúcar e amora, produtos tipicamente polinésios originários do Sudeste Asiático. O único animal doméstico, a galinha, também é tipicamente polinésia e, em última análise, asiática, como até mesmo os ratos, que chegaram como clandestinos nas canoas dos primeiros colonos.

A expansão polinésia foi o mais dramático surto de exploração marítima da pré-história humana. Até 1200 a.C., os seres humanos vindos do

---

* Taro, um dos nomes da espécie *Colocasia esculenta*, foi mantido para evitar o uso errôneo de inhame, já que o nome inhame, de origem africana, é utilizado em todas as línguas europeias para as espécies Dioscorea. No sul do Brasil é chamado de cará, por influência tupi. (*N. do Rev. Téc.*)

continente asiático que se espalharam pelas ilhas da Indonésia até a Austrália e a Nova Guiné não haviam avançado muito além das ilhas Salomão, a leste da Nova Guiné. Nesta época, um povo de agricultores navegadores, aparentemente originários do arquipélago de Bismarck, a noroeste da Nova Guiné, e que produzia uma cerâmica conhecida como estilo lapita, atravessou quase dois mil quilômetros de mar aberto ao leste das ilhas Salomão para atingir Fiji, Samoa e Tonga, e se tornarem os ancestrais dos polinésios. Apesar de não ter bússolas, escrita e instrumentos de metal, os polinésios eram mestres da arte da navegação e da tecnologia de canoas a vela. Evidências arqueológicas abundantes em locais datados com radiocarbono — como cerâmica e objetos de pedra, ruínas de casas e templos, restos de comida e esqueletos humanos — atestam as datas e rotas aproximadas de sua expansão. Por volta de 1200 d.C., os polinésios atingiram cada pedaço habitável de terra no vasto triângulo de oceano que tem os seus ângulos no Havaí, na Nova Zelândia e em Páscoa.

Os historiadores costumavam acreditar que todas essas ilhas polinésias foram descobertas e povoadas por acaso, como resultado de canoas desgarradas repletas de pescadores. Contudo, hoje está claro que tanto as descobertas quanto a colonização foram meticulosamente planejadas. Ao contrário do que se poderia esperar de viagens acidentais, a maior parte da Polinésia foi povoada de oeste para leste, direção oposta à dos ventos e correntes que prevalecem no Pacífico, que são de leste para oeste. As novas ilhas poderiam ter sido descobertas por viajantes que navegassem contra o vento, em uma incursão predeterminada ao desconhecido, ou esperando por uma reversão temporária dos ventos prevalecentes. As transferências de muitas espécies de plantas e animais — de taro a bananas e de porcos a cachorros e galinhas — não deixam dúvida de que a ocupação foi bem-preparada pelos colonizadores, que se preocuparam em trazer de suas terras de origem produtos considerados essenciais para a sobrevivência da nova colônia.

A primeira expansão dos ceramistas de estilo lapita, ancestrais dos polinésios, chegou apenas às ilhas Fiji, Samoa e Tonga, que ficam a alguns dias de viagem uma da outra. Um espaço muito maior separa essas ilhas da Polinésia Ocidental das ilhas da Polinésia Oriental: Cook, Sociedade, Marquesas, Austrais, Tuamotu, Havaí, Nova Zelândia, Pitcairn e Páscoa. Apenas após uma "Longa Pausa" de cerca de 1.500 anos, esse espaço finalmente foi vencido — devido à melhoria das canoas e da navegação polinésia, mudanças nas correntes marinhas, emergência de "ilhotas-trampolim" em virtude da diminuição do nível do mar ou apenas a uma viagem bem-sucedida. Em algum momento entre 600-800 d.C. (as datas exatas ainda estão sendo discutidas), as ilhas Cook, Sociedade e Marquesas, que são as ilhas da Polinésia Oriental mais próximas da Polinésia Ocidental, foram colonizadas e tornaram-se, ao seu turno, lugar de origem dos colonos das ilhas remanescentes. Com a ocupação da Nova Zelândia, por volta de 1200 d.C., após a travessia de um imenso vazio de ao menos três mil quilômetros, a ocupação das ilhas habitáveis do Pacífico finalmente se completava.

Através de que rota a ilha de Páscoa, a ilha polinésia mais a leste, foi ocupada? Os ventos e correntes provavelmente descartariam uma viagem direta das Marquesas, ilhas que possuíam uma grande população e parecem ter sido a fonte imediata da ocupação do Havaí. Em vez disso, os pontos de partida mais prováveis para a colonização de Páscoa devem ter sido Mangareva, Pitcairn e Henderson, que ficam a meio caminho entre as Marquesas e Páscoa e cujo destino de sua população será assunto do próximo capítulo (capítulo 3). A semelhança entre o idioma pascoense e o antigo mangarevano, entre uma estátua de Pitcairn e algumas estátuas de Páscoa, entre os estilos de ferramentas de Páscoa e as de Mangareva e Pitcairn, e a correspondência de crânios da ilha de Páscoa com dois crânios das ilhas Henderson, ainda mais próxima do que de crânios das Marquesas, tudo sugere Mangareva, Pitcairn e Henderson como trampolins para a colonização de Páscoa. Em 1999, uma canoa a vela polinésia reconstruída, a *Hokule'a*, conseguiu atingir Páscoa vindo de Mangareva após uma viagem de 17 dias. Para nós, marinheiros de primeira viagem, é inacreditável que viajantes a bordo de canoas navegando para leste de Mangareva tivessem a sorte de atingir uma ilha de apenas 14 quilômetros de largura de norte a sul após uma viagem tão longa. Contudo, os polinésios sabiam como identificar uma ilha muito antes que esta se tornasse visível, a partir da observação de bandos de aves marinhas que se afastavam em um raio de até 160 quilômetros da terra para se alimentarem. Assim, o diâmetro efetivo de Páscoa (originalmente lar de algumas das maiores colônias de aves de todo o Pacífico) seria de respeitáveis 320 quilômetros para os viajantes polinésios, em vez de apenas 14.

Os próprios pascoenses têm uma lenda que diz que o líder da expedição que povoou a sua ilha foi um chefe chamado Hotu Matu'a ("o Grande Pai"), que navegava em uma ou duas grandes canoas, com esposa, seis filhos e seus familiares. (Visitantes europeus de fins do século xix e início do século xx registraram muitas tradições orais de insulares sobreviventes, e tais tradições contêm muita informação confiável sobre a vida em Páscoa no século anterior à chegada dos europeus, mas é incerto se as tradições preservam detalhes precisos sobre acontecimentos ocorridos mil anos antes.) Veremos no capítulo 3 que as populações de muitas outras ilhas polinésias mantiveram contato entre si através de viagens regulares de ida e volta entre as ilhas após a sua descoberta e colonização inicial. Terá acontecido o mesmo em Páscoa? Será que outras canoas chegaram após Hotu Matu'a? O arqueólogo Roger Green sugeriu tal possibilidade, baseado em semelhanças entre alguns estilos de ferramentas de Páscoa e Mangareva de uma época séculos após a colonização de Páscoa. Contra tal possibilidade, porém, ergue-se a falta de cães, porcos e algumas plantas tipicamente polinésios, que certamente seriam trazidos em viagens subsequentes caso tais animais e plantas não tivessem sobrevivido na canoa de Hotu Matu'a ou tivessem morrido pouco depois de sua chegada. Além disso, veremos no próximo capítulo que descobertas de diversos instrumentos de pedra cuja composição química é característica de uma ilha foram descobertos em outras ilhas, inequivocamente provando as viagens entre as ilhas Marquesas, Pitcairn, Henderson, Mangareva e Sociedade. Contudo, nenhuma pedra de origem pascoense foi encontrada em outra ilha ou vice-versa. Assim, os habitantes de Páscoa podem ter realmente ficado completamente isolados no fim do mundo, sem contato com gente de fora durante os mil anos que separaram a chegada de Hotu Matu'a da de Roggeveen.

Se as principais ilhas da Polinésia Oriental foram povoadas entre 600-800 d.C., quando Páscoa foi ocupada? Há uma incerteza considerável quanto à data, do mesmo modo que é incerta a data de colonização das ilhas principais. A literatura publicada sobre a ilha de Páscoa frequentemente menciona possíveis provas de colonização entre 300-400 d.C., baseadas especialmente em cálculos de tempos a partir de divergências linguísticas, através de uma técnica conhecida como glotocronologia, e em três datações radiocarbônicas de carvão recolhido no Ahu Te Peu, na vala

CREPÚSCULO EM PÁSCOA

de Poike, e em sedimentos lacustres indicadores de derrubada de florestas. Contudo, especialistas na história da ilha de Páscoa questionam cada vez mais tais datas remotas. Os cálculos glotocronológicos são considerados suspeitos, especialmente quando aplicados a idiomas de histórias tão complicadas quanto o pascoense (conhecido por nós principalmente através de, e possivelmente contaminado por, informantes taitianos e marquesanos) e o mangarevano (aparentemente modificado por levas posteriores vindas das Marquesas). As três datações radiocarbônicas foram obtidas através de amostras simples datadas por métodos antigos, agora superados, e não há provas de que os objetos de carvão datados estivessem realmente associados a seres humanos.

Em vez disso, parecem ser mais confiáveis as datações radiocarbônicas que situam a colonização da ilha de Páscoa por volta de 900 d.C., obtidas pelo paleontólogo David Steadman e pelos arqueólogos Claudio Cristino e Patricia Vargas através de amostras de carvão e de ossos de golfinhos que serviram de alimento para seres humanos, extraídas das mais antigas camadas arqueológicas que oferecem prova de presença humana na praia de Anakena. Anakena é, de longe, o melhor lugar para se desembarcar em Páscoa a bordo de uma canoa, lugar óbvio onde os primeiros colonizadores teriam se estabelecido. A datação dos ossos de golfinho foi feita por um moderno e preciso método de datação radiocarbônica conhecido como ema (Espectrometria de Massa com Acelerador), também foi estimada uma chamada correção de depósitos marinhos para a datação radiocarbônica de ossos de criaturas aquáticas como o golfinho. É provável que tais datas estejam mais próximas do tempo da primeira ocupação, porque vêm de camadas arqueológicas contendo ossos de aves nativas que foram exterminados muito rapidamente em Páscoa e em muitas outras ilhas do Pacífico, e porque as canoas para caçar golfinhos logo desapareceram. Portanto, a melhor estimativa para a ocupação de Páscoa é em algum tempo antes de 900 d.C.

O que comiam os insulares, e quantos eram?

Ao tempo da chegada dos europeus, eles subsistiam principalmente como agricultores, produzindo batatas-doces, inhame, taro, bananas e cana-de-açúcar, e criando galinhas, seu único animal doméstico. A falta de recifes de coral ou de uma lagoa significava que peixes e moluscos contribuíam menos para a sua dieta do que na maioria das ilhas da Polinésia. Havia aves marinhas, aves terrestres e golfinhos à disposição dos primeiros colonizadores, mas logo veremos que diminuíram de número ou desapareceram posteriormente. O resultado era uma dieta rica em carboidrato, exacerbada pelo hábito dos insulares de beber muito caldo de cana para compensar o limitado suprimento de água. Nenhum dentista se surpreenderia ao saber que os insulares acabaram com a maior incidência de cáries e dentes estragados de que se tem notícia em uma população pré-histórica: muitas crianças de 14 anos já tinham cáries. Aos 20, todos as tinham.

A população de Páscoa em seu auge foi calculada por métodos como a contagem de fundações de casas, calculando de 5 a 15 pessoas por casa, e supondo que um terço das casas identificadas estivesse sendo ocupado simultaneamente, ou calculando o número de chefes e seus seguidores a partir dos números de plataformas ou estátuas erguidas. As estimativas variam de seis a 30 mil pessoas, o que dá uma média de 35 a 176 pessoas a cada quilômetro quadrado. Parte do território da ilha, como a península de Poike e outras partes mais altas, era menos adequada à agricultura, de modo que a densidade populacional nas terras boas devia ser um tanto maior, mas não muito maior porque as pesquisas arqueológicas demonstram que uma grande parte da superfície da ilha foi utilizada.

Como é comum em toda parte do mundo quando arqueólogos debatem as estimativas de densidade populacional pré-histórica, os que preferem as baixas estimativas referem-se às altas como absurdamente altas, e vice-versa. Minha opinião é que as estimativas mais altas são provavelmente as mais corretas, em parte porque tais estimativas foram feitas com arqueólogos com a mais extensa experiência de pesquisa recente em Páscoa: Claudio Cristino, Patricia Vargas, Edmundo Edwards, Chris Stevenson e Jo Anne Van Tilburg. Além disso, a primeira estimativa populacional confiável feita na ilha, duas mil pessoas, foi feita por missionários que foram para Páscoa em 1864, logo depois de uma epidemia de varíola que matou a maior parte da população. E isso foi depois do sequestro de cerca de 1.500 insulares por navios de escravos peruanos em 1862-1863, de duas epidemias de varíola anteriores documentadas que datam de 1836, da certeza virtual de outras epidemias não documentadas introduzidas por outros visitantes europeus de 1770 em diante, e de um grande colapso

CREPÚSCULO EM PÁSCOA

populacional iniciado no século xvii que discutiremos mais adiante. O mesmo navio que trouxe o terceiro surto de varíola para Páscoa foi para as Marquesas, onde a epidemia resultante matou sete oitavos da população. Por esses motivos, me parece impossível que a população pós-varíola de 1864, de duas mil pessoas, representasse o resíduo de uma população pré--varíola, pré-sequestro, pré-outras-epidemias, pré-colapso-populacional do século xvii de apenas seis a oito mil indivíduos. Tendo visto provas de intensa agricultura pré-histórica em Páscoa, não me surpreendo com as "altas" estimativas de Claudio e Edmundo, que situam a população de Páscoa em 15 mil indivíduos, ou mais.

Há várias evidências de intensificação agrícola. Uma delas consiste em fossas revestidas de pedra de 1,5 a 2,5 metros de diâmetro e com até 1,20 metro de profundidade, usadas como fossas de compostagem para as plantações e, possivelmente, como tanques de fermentação de vegetais. Outro tipo de evidência é um par de represas de pedra construídas no leito do curso de água intermitente que corre pela encosta sudeste do monte Terevaka de modo a espalhar a água para amplas plataformas de pedra. Este sistema de desvio de água lembra sistemas de irrigação de plantações de taro em outros lugares da Polinésia. Outra prova de intensificação da agricultura são os inúmeros galinheiros de pedra (chamados *hare moa)*, a maioria com seis metros de comprimento (embora haja alguns galinheiros gigantes com cerca de 21 metros), três metros de largura e dois de altura, com uma pequena entrada junto ao chão para as galinhas, e com um terreiro adjacente cercado por um muro de pedra para evitar que as preciosas galinhas fugissem ou fossem roubadas. Não fosse pelo fato de as abundantes *hare moa* de pedras serem obliteradas por plataformas e está-tuas de pedra ainda maiores, os turistas se lembrariam de Páscoa como a ilha de galinheiros de pedra. Esses 1.233 galinheiros de pedra dominam a maior parte da paisagem junto à costa porque, hoje em dia, tais estruturas estão muito mais à mostra do que as casas humanas pré-históricas, que tinham apenas alicerces de pedra ou pátios, mas não paredes de pedra.

Contudo, o método mais difundido para aumentar a produção agrícola envolvia vários usos de pedra vulcânica estudados pelo arqueólogo Chris Stevenson. Grandes blocos de pedra eram emparelhados como quebra--ventos para evitar que as plantas secassem devido aos fortes ventos da ilha. Pedras menores eram empilhadas para criar canteiros protegidos elevados ou abaixo do nível do solo, para a criação de bananas e para produzir mudas a serem transplantadas quando ficassem maiores. Extensas áreas de terreno eram parcialmente cobertas por pedras dispostas em breves intervalos sobre a superfície, de modo que as plantas pudessem crescer entre elas. Outras áreas foram modificadas pelas chamadas "coberturas mortas líticas", que consistiam em encher o solo parcialmente com pedras até uma profundidade de 30 centímetros, trazendo pedras de afloramentos próximos ou escavando e quebrando um leito de pedra já existente no lugar. Depressões para a plantação de taro eram escavadas em campos naturais de cascalho. Todos esses quebra-ventos e hortas de pedra exigiam um imenso esforço para serem construídos, porque implicavam o deslocamento de milhões, às vezes bilhões de pedras. Quando fizemos nossa primeira visita a Páscoa juntos, o arqueólogo Barry Rolett, que já trabalhou em outras partes da Polinésia, comentou: "Nunca estive em uma ilha da Polinésia onde as pessoas estivessem tão desesperadas como em Páscoa, ao ponto de terem de empilhar pedrinhas em círculo para plantar alguns míseros pés de taro e protegê-los do vento! Nas ilhas Cook, onde se planta taro irrigado, as pessoas jamais se dariam a esse trabalho."

De fato, por que os agricultores de Páscoa tiveram todo esse trabalho? Em fazendas do noroeste dos EUA, onde passei os verões de minha infância, os fazendeiros se preocupavam em *tirar* as pedras dos campos, e ficariam horrorizados com a ideia de *trazer* pedras para um campo. Qual a vantagem de ter um campo pedregoso?

A resposta tem a ver com o clima ventoso, seco e frio de Páscoa que já descrevi. Hortas de pedra e coberturas mortas líticas foram inventadas de modo independente por fazendeiros em muitas outras partes secas do mundo, como no deserto de Negev, em Israel, nos desertos do sudoeste dos EUA, e em regiões secas do Peru, China, Itália romana e na Nova Zelândia maori. As pedras deixam o solo mais úmido, cobrindo-o, reduzindo a evaporação da água provocada pelo sol ou pelo vento, evitando a formação de uma crosta dura na superfície do solo que posteriormente não permitiria a absorção de água da chuva. As pedras evitam a flutuação diária na temperatura do solo através da absorção de calor do sol durante o dia e a sua liberação noturna; protegem o solo contra a erosão aparando as gotas de chuva; pedras escuras sobre solo mais claro aquecem o solo, absorvendo mais calor do sol; e as pedras também podem servir como

CREPÚSCULO EM PÁSCOA

pílulas de liberação lenta de fertilizantes (análogas às pílulas de liberação lenta de vitaminas que alguns de nós tomamos no café da manhã), por conterem minerais necessários que gradualmente são liberados no solo. Experimentos modernos de agricultura no sudoeste dos EUA, feitos para que os cientistas pudessem compreender por que os antigos anasazis (capítulo 4) usaram cobertura morta lítica, revelaram que tais coberturas traziam grandes vantagens aos agricultores. Solos cobertos tinham o dobro da umidade de solos não cobertos, temperaturas máximas mais baixas durante o dia, temperaturas mínimas mais altas durante a noite, e maior rendimento de cada uma das 16 espécies de plantas experimentadas — quatro vezes mais em média, no caso das 16 espécies, e 50 vezes mais nas espécies mais beneficiadas pela cobertura morta. Estas são vantagens enormes.

Chris Stevenson interpreta suas pesquisas enquanto documenta a disseminação de agricultura intensiva com uso de pedras em Páscoa. Ao seu ver, durante os primeiros 500 anos de ocupação polinésia, os agricultores permaneceram nas terras baixas a alguns quilômetros da costa, de modo a ficarem mais perto das fontes de água doce e das oportunidades de pesca e coleta de moluscos. A primeira prova de hortas de pedra que conseguiu discernir aparece perto de 1300 d.C., em terras altas no interior que tinham a vantagem de uma maior precipitação em comparação às áreas costeiras, mas onde prevaleciam temperaturas mais baixas (minoradas pelo uso de pedras escuras para elevar as temperaturas do solo). A maior parte do interior de Páscoa foi convertida em hortas de pedra. O interessante é que parece óbvio que os agricultores não moravam no interior, porque há ruínas de poucas casas populares por ali, nenhum galinheiro e apenas pequenos fornos e pilhas de lixo. Em vez disso, há casas dispersas do tipo usado pela elite, evidentemente para os administradores residentes, que gerenciavam as extensas hortas de pedra como plantações de grande escala (e não como hortas familiares individuais) para produzir alimentos excedentes para a força de trabalho dos chefes, enquanto todos os camponeses continuavam a viver perto da costa e iam e voltavam do interior da ilha, caminhando muitos quilômetros todos os dias. Estradas com quatro metros e meio de largura margeadas com pedras ligando as terras altas ao litoral podem demarcar as rotas dessas idas e vindas diárias. Provavelmente as plantações nas terras altas não exigiam esforços o ano inteiro: na primavera, os camponeses marchavam ilha acima para plantar taro e outras raízes e só voltavam meses depois para fazer a colheita.

Como em toda parte da Polinésia, a sociedade tradicional da ilha de Páscoa era dividida em chefes e plebeus. Para os arqueólogos de hoje, a diferença é óbvia a partir dos restos das casas dos dois grupos. Chefes e membros da elite viviam em casas chamadas *hare paenga,* em forma de canoas longas e estreitas viradas de cabeça para baixo, geralmente com 12 metros de comprimento (em um caso, 95 metros), não mais que três metros de largura, e curvas nas extremidades. As paredes e os telhados das casas (correspondentes ao casco da canoa invertida) eram feitos com três camadas de palha, mas o piso era delimitado por pedras de basalto perfeitamente cortadas e encaixadas umas nas outras. As pedras curvas e chanfradas das extremidades, particularmente difíceis de serem feitas, eram muito valorizadas e frequentemente roubadas e retomadas pelos clãs rivais. Diante de muitas *hare paenga* havia um terraço pavimentado com pedras. As *hare paenga* eram construídas na faixa costeira de 180 metros, 6 a 10 delas em cada ponto principal, junto ao lado oposto ao mar da plataforma de estátuas do local. Em contraste, as casas dos plebeus, relegadas a lugares mais no interior da ilha, eram menores, junto com seu próprio galinheiro, forno, horta circular de pedras e vala de lixo — estruturas utilitárias banidas por tabus religiosos da zona costeira contendo as plataformas e as belas *hare paenga.*

Tanto as tradições orais preservadas pelos insulares quanto as pesquisas arqueológicas sugerem que a superfície de Páscoa era dividida em cerca de 12 (11 ou 12) territórios, cada um pertencendo a um clã ou grupo de linhagem, cada um iniciado na costa e estendendo-se terra adentro — como se Páscoa fosse uma torta cortada em 12 fatias radiais. Cada território tinha o seu próprio chefe e sua plataforma cerimonial principal, que servia de base às estátuas. Os clãs competiam pacificamente tentando superar os outros na construção de plataformas e estátuas. Contudo, esta competição acabou tomando a forma de luta feroz. A divisão de territórios em fatias radiais é típica das ilhas da Polinésia. O que é incomum a esse respeito em Páscoa é que, novamente de acordo com a tradição oral e as pesquisas arqueológicas, os territórios de clãs rivais também eram integrados religiosamente e, até certo ponto, econômica e politicamente, sob a liderança de um chefe supremo. Em contraste, tanto em Mangareva quanto nas maiores ilhas das Marquesas, cada grande vale era uma comunidade independente envolvida em crônico e feroz estado de guerra contra outras comunidades.

O que deve ter contribuído para a integração de Páscoa, e como isso foi detectado arqueologicamente? Acontece que a torta de Páscoa não consiste em 12 fatias idênticas. Diferentes territórios foram dotados de diferentes e valiosos recursos. O exemplo mais óbvio é o do território Tongariki (chamado Hotu Iti) que contém a cratera de Rano Raraku, a única fonte de pedras para fazer instrumento para esculpir as estátuas, e também fonte de musgo para vedar canoas. Os cilindros de pedra vermelha no topo de algumas estátuas vieram todos da pedreira de Puna Pau, no território de Hanga Poukura. Os territórios de Vinapu e Hanga Poukura controlavam as três maiores pedreiras de obsidiana, uma pedra vulcânica de grão fino usada para a fabricação de instrumentos afiados, enquanto Vinapu e Tongariki tinham o melhor basalto para as lajes das *hare paenga*. Anakena, na costa norte, tinha as duas melhores praias para lançar canoas, enquanto Heki'i, seu vizinho na mesma costa, tinha a terceira melhor praia. Como resultado, os artefatos associados com a pesca foram encontrados principalmente naquele litoral. Mas estes mesmos territórios da costa norte têm a terra mais pobre para a agricultura. As terras melhores ficam ao longo das costas sul e oeste. Apenas cinco dos 12 territórios tinham as extensas áreas de terras altas do interior usadas para as plantações com cobertura morta lítica. As aves marinhas que se aninhavam lá, acabaram confinadas com seus ninhos a algumas ilhotas ao longo da costa sul, especialmente no território de Vinapu. Outros recursos — como madeira, coral para fazer limas, ocre vermelho e amoreiras (fonte da cortiça transformada em roupas) — também eram distribuídos de modo irregular pela ilha.

A mais clara evidência arqueológica de algum grau de integração entre os clãs territoriais rivais são as estátuas de pedra e seus cilindros vermelhos, vindos das pedreiras nos territórios dos clãs Tongariki e Hanga Poukura, respectivamente, que acabaram em plataformas em todos os 11 ou 12 territórios distribuídos por toda a ilha. Ora, as estradas para transportar estátuas e coroas tinham de atravessar muitos territórios, e um clã que vivesse a alguma distância das pedreiras teria de ter a permissão dos diversos clãs intermediários para transportar as estátuas e cilindros através dos seus territórios. A obsidiana, o melhor basalto, o peixe e outros recursos localizados vinham a ser, similarmente, distribuídos por toda Páscoa. Para nós, modernos, isso a princípio pode parecer natural. Vivemos em grandes países politicamente unificados como os EUA. Para nós é comum ver recursos de uma costa serem transportados ao longo de grandes distâncias até a outra costa, atravessando muitos estados ou províncias. Mas nos esquecemos quão complicado era, historicamente, para que um determinado território tivesse acesso aos recursos de outro. A razão por que Páscoa deve ter se integrado, enquanto as maiores ilhas das Marquesas jamais o fez, é o seu território plano, contrastando com os vales das Marquesas, tão íngremes que os habitantes de vales adjacentes se comunicavam (ou se atacavam) principalmente por mar.

Voltamos agora ao assunto que todo mundo pensa primeiro ao ouvir falar em ilha de Páscoa: as gigantescas estátuas de pedra (chamadas *moai*) e as plataformas de pedra (chamadas *ahu*) sobre as quais se erguem. Foram identificados cerca de 300 ahus, muitos deles eram pequenos e não tinham moai, mas cerca de 113 tinham, sendo que 25 destes eram especialmente grandes e elaborados. Cada um dos 12 territórios da ilha tinha entre um e cinco desses grandes ahus. A maioria dos ahus com estátuas fica na costa, e são orientados de modo que o ahu e suas estátuas fiquem voltados para dentro da terra, para o território de seu clã; as estátuas não estão voltadas para o mar.

O ahu é uma plataforma retangular, feita não de pedra sólida e, sim, de um recheio de cascalho retido por quatro paredes de contenção de basalto cinza. Algumas dessas paredes, especialmente as do Ahu Vinapu, têm pedras belamente encaixadas lembrando a arquitetura inca, o que levou Thor Heyerdahl a procurar conexões entre Páscoa e a América do Sul. Contudo, as paredes de pedras encaixadas dos ahus da ilha de Páscoa só têm a face de pedras e não são feitas de grandes blocos de pedra como os muros incas. Uma dessas lajes de pedra de Páscoa pesa 10 toneladas, o que soa impressionante para nós até a compararmos com os blocos de até 361 toneladas da fortaleza inca de Sacsahuaman. Os ahus têm até quatro metros de altura, e muitos se estendem em alas laterais de uma extensão de até 150 metros. Portanto, o peso total de um ahu — cerca de 300 toneladas no caso de um pequeno, até mais de nove mil toneladas no caso do Ahu Tongariki — é muito maior que o das estátuas que suporta. Voltaremos à significância deste ponto ao estimarmos o esforço total envolvido na construção dos ahus e moais pascoenses.

A parede de contenção traseira de um ahu (voltada para o mar) é vertical, mas a da frente é uma rampa que leva a uma praça plana e retangular com cerca de 50 metros de cada lado. Nos fundos de um ahu existem crematórios que contêm os restos mortais de milhares de corpos. Na prática da cremação, Páscoa era única na Polinésia; nesta os corpos eram apenas enterrados. Hoje os ahus são cinza-escuros, mas originalmente eram brancos, amarelos e vermelhos: as lajes frontais eram incrustadas com coral branco, a pedra de um moai recém-entalhado era amarela, e a coroa do moai e uma faixa horizontal de pedra que atravessava a parede frontal de alguns ahus eram vermelhas.

Quanto aos moais, que representam ancestrais de membros da elite, Jo Anne Van Tilburg inventariou um total de 887, dos quais quase a metade ainda está na pedreira de Rano Raraku, enquanto a maioria dos moais transportados para fora da pedreira foram erguidos em ahus (de 1 a 15 por ahu). Todas as estátuas de ahu eram feitas de tufo vulcânico de Rano Raraku, mas algumas dezenas de estátuas em outras partes (o total atual é de 53) foram esculpidas em outros tipos de pedra vulcânica que ocorrem na ilha (conhecidas como basalto, escória vermelha, escória cinza e traquito). A estátua "padrão" tinha quatro metros de altura e pesava cerca de 10 toneladas. A estátua mais alta erguida com sucesso, conhecida como Paro, tinha 10 metros de altura, mas era magra e pesava "apenas" 75 toneladas, ultrapassada, portanto, pelas estátuas de 87 toneladas ligeiramente menores embora mais corpulentas do Ahu Tongariki, que desafiaram Claudio Cristino em seus esforços de reerguê-las com um guindaste. Os insulares conseguiram transportar uma estátua alguns centímetros mais alta que Paro até o lugar onde seria erguida, no Ahu Hanga Te Tenga, mas esta infelizmente tombou durante as tentativas de erguê-la. A pedreira de Rano Raraku contém estátuas não terminadas ainda maiores, incluindo uma de 21 metros de comprimento e pesando cerca de 270 toneladas. Sabendo o que sabemos sobre a tecnologia da ilha de Páscoa, parece impossível que os insulares pudessem tê-las transportado e erguido, e somos levados a imaginar que tipo de megalomania possuiu seus escultores.

Para entusiastas de extraterrestres como Erich von Däniken e outros, as estátuas e plataformas da ilha de Páscoa parecem únicas e precisam de uma explicação especial. De fato, há muitos precedentes na Polinésia, especialmente na Polinésia Oriental. Plataformas de pedra chamadas *marae,* usadas como santuário e frequentemente servindo de base para templos, eram comuns; havia três na ilha de Pitcairn, lugar de onde os colonizadores de Páscoa devem ter saído. Os ahus de Páscoa diferem dos marae principalmente por serem maiores e não servirem de base para um templo. As Marquesas e as Austrais têm grandes estátuas de pedra; as Marquesas, Austrais e Pitcairn têm estátuas entalhadas em escória vermelha, semelhantes ao material usado para algumas das estátuas de Páscoa, enquanto outro tipo de pedra vulcânica, chamada tufo, relacionada às pedras de Rano Raraku, também foi usado nas Marquesas; Mangareva e Tonga têm outras estruturas de pedra, incluindo um grande e famoso trílito (um par de pilares de pedra verticais apoiando uma peça horizontal, cada pilar pesando cerca de 40 toneladas); e há estátuas de madeira no Taiti e em toda parte. Assim, a arquitetura da ilha de Páscoa nasceu de uma tradição polinésia.

Obviamente adoraríamos saber quando os pascoenses ergueram a primeira estátua, e como as mudanças em estilo e dimensão mudaram com o tempo. Infelizmente, devido às pedras não poderem ser datadas com radiocarbono, somos forçados a confiar em métodos indiretos de datação, como carvão encontrado em ahus, um método conhecido como datação pela hidratação de obsidiana, que mede a idade das faces de clivagem da obsidiana, estilos de estátuas descartadas (supostamente tidas como mais antigas), e sucessivos estágios de reconstrução deduzidos de alguns ahus, inclusive aqueles que foram escavados por arqueólogos. Contudo, parece claro que as últimas estátuas tendiam a ser mais altas (embora não necessariamente mais pesadas), e que o maior ahu passou por múltiplas reconstruções para ficar maior e mais elaborado. O período de construção dos ahus parece recair entre os anos 1000-1600 d.C. Estas datas, deduzidas indiretamente, ganharam recentemente o apoio de um brilhante estudo feito por J. Warren Beck e seus colegas, que aplicaram a datação radiocarbônica do coral que os pascoenses usavam como lima e para fazer os olhos das estátuas, bem como do carbono contido em algas cujos nódulos brancos decoravam a praça. Esta datação direta sugere três fases de construção e reconstrução do Ahu Nau Nau, em Anakena, a primeira fase por volta de 1100 d.C. e a última terminando por volta de 1600. Os ahus mais antigos provavelmente eram plataformas sem estátuas, como os marae polinésios. Estátuas supostamente mais antigas eram reutilizadas nas paredes de ahu e outras estruturas. Tendem a ser menores, mais redondas, e mais humanas que as posteriores, e são feitas de diversos tipos de pedra vulcânica que não o tufo vulcânico de Rano Raraku.

Os pascoenses acabaram preferindo o tufo vulcânico de Rano Raraku, pela simples razão de ser infinitamente melhor para entalhe. O tufo tem uma superfície dura, embora apresente consistência de cinza por dentro, o que o torna bem mais fácil de ser entalhado do que o duro basalto. Comparado à escória vermelha, o tufo é menos quebrável e presta-se melhor ao polimento e ao entalhe de detalhes. Com o tempo, na medida em que pudemos inferir datas relativas, as estátuas de Rano Raraku ficaram maiores, mais retangulares, mais estilizadas, e eram quase produzidas em massa, embora cada estátua seja ligeiramente diferente das demais. Paro, a mais alta estátua a ser erguida, também foi uma das últimas.

O aumento do tamanho das estátuas sugere competição entre chefes rivais, encomendando estátuas para superarem uns aos outros. Tal conclusão é confirmada por um detalhe aparentemente tardio, chamado *pukao*: um cilindro de escória vermelha, pesando até 12 toneladas (o peso do pukao de Paro), posto no topo da cabeça chata de um moai (foto 8). (Ao ler isso, pergunte-se: como os insulares manipularam um bloco de 12 toneladas e o equilibraram no topo da cabeça de uma estátua de 10 metros de altura sem usar um guindaste? Eis aí um dos mistérios que levaram Erich von Däniken a invocar extraterrestres. A resposta terrena sugerida por experimentos recentes é que o pukao e a estátua eram erguidos juntos.) Não sabemos com certeza o que o pukao representava; nosso melhor palpite é o de que fosse um cocar de penas vermelhas, valorizadas em toda a Polinésia e reservadas aos chefes, ou um chapéu de penas e cortiça. Por exemplo, quando uma expedição de exploração espanhola atingiu a ilha de Santa Cruz, no oceano Pacífico, o que realmente impressionou o povo local não foram os navios espanhóis, espadas, armas de fogo ou espelhos e, sim, suas roupas vermelhas. Todos os pukaos são feitos de escória vermelha de uma única pedreira, Puna Pau, onde (exatamente como com os moais inacabados na oficina de moais Rano Raraku) observei pukaos não terminados, além de outros terminados esperando transporte.

Temos notícia de não mais do que 100 pukaos, reservados para as estátuas dos maiores e mais ricos ahus construídos na pré-história tardia de Páscoa. Não consigo resistir ao pensamento de que foram construídos como uma demonstração de superioridade. Parecem querer dizer: "Tudo bem, então *você* pode erguer uma estátua de 10 metros, mas olhe para mim: posso colocar este pukao de 12 toneladas no topo da *minha* estátua; tente me superar, seu otário!" O pukao que vi lembrou-me as atitudes de figurões de Hollywood que moram perto de minha casa em Los Angeles, igualmente demonstrando riqueza e poder uns para os outros ao construir casas cada vez maiores, mais elaboradas, mais ostentosas. O magnata Marvin Davis superou a todos com uma casa de 4.650 m², de modo que Aaron Spelling teve de superá-lo com uma casa de 5.200 m². Tudo o que falta a essas casas para tornar explícita a sua mensagem de poder é um pukao vermelho de 12 toneladas equilibrado na torre mais alta da casa, posto ali sem o recurso de um guindaste.

Dada a disseminação de plataformas e estátuas na Polinésia, por que os pascoenses foram os únicos a se excederem, fazendo enormes investimentos de recursos sociais para construí-las e erigindo as maiores de todas? Ao menos quatro diferentes fatores cooperaram para produzir este resultado. Primeiro: o tufo vulcânico de Rano Raraku é a melhor pedra para se entalhar de todo o Pacífico: para um escultor acostumado a lutar contra o basalto e a escória vermelha, o tufo quase grita: "Esculpa-me!" Segundo: outras sociedades insulares do Pacífico, distantes a apenas alguns dias de viagem umas das outras, devotavam sua energia, seus recursos e seu trabalho ao comércio, pilhagens, exploração, colonização e emigração entre ilhas, mas tais saídas competitivas eram vedadas aos pascoenses devido ao seu isolamento. Embora os chefes de outras ilhas do Pacífico disputassem prestígio e *status* buscando superar uns aos outros nessas atividades entre ilhas, "os rapazes da ilha de Páscoa não tinham esses jogos comuns com que se divertir", como disse um de meus alunos. Terceiro, o terreno plano de Páscoa e os recursos complementares em diferentes territórios, como vimos, levaram a alguma integração, permitindo, portanto, que os clãs de toda a ilha obtivessem pedras de Rano Raraku e as entalhassem. Se Páscoa permanecesse politicamente fragmentada, como as Marquesas, o clã Tongariki, em cujo território está a pedreira de Rano Raraku, podia monopolizar as suas pedras, ou clãs vizinhos podiam barrar o transporte de estátuas através de seus territórios — como de fato acabou acontecendo. Finalmente, como veremos, construir plataformas e estátuas implicava alimentar muita gente, um feito possibilitado através da produção de excedentes alimentares nas plantações das terras altas, controladas pelas elites.

Como todos esses pascoenses, sem guindastes, conseguiram entalhar, transportar e erguer tais estátuas? É claro que não sabemos com certeza, uma vez que nenhum europeu viu aquilo sendo feito para escrever a respeito. Mas podemos presumir a partir da tradição oral dos próprios insulares (especialmente a respeito do meio de erguer as estátuas), a partir de estátuas nas pedreiras em sucessivos estágios de produção e de testes recentes experimentais de diferentes métodos de transporte.

Na pedreira de Rano Raraku podem-se ver estátuas incompletas ainda surgindo da rocha e cercadas por estreitos canais de trabalho com cerca de meio metro de largura. As picaretas de basalto com as quais os entalhadores trabalharam ainda estão na pedreira. As estátuas mais incompletas não passam de um bloco de pedra mal destacado da rocha com o futuro rosto voltado para cima, e com as costas ainda ligadas ao penhasco por uma longa quilha de pedra. A seguir, seriam entalhados a cabeça, o nariz e as orelhas, seguidos dos braços, das mãos e da tanga. Nesse estágio, a quilha que ligava as costas da estátua ao penhasco era cortada, e começava o transporte para fora de seu nicho. Todas as estátuas a serem transportadas ainda não tinham as cavidades oculares, que evidentemente só eram entalhadas depois que a estátua fosse transportada e erguida em seu ahu. Uma das mais notáveis descobertas recentes sobre as estátuas foi feita em 1979, por Sonia Haoa e Sergio Rapu Haoa, que encontraram um olho completo de coral branco com uma pupila de escória vermelha enterrado junto a um ahu. Posteriormente, fragmentos de outros olhos semelhantes foram desenterrados. Quando esses olhos são inseridos nas órbitas, dão à estátua uma visão intensa e perturbadora tornando impressionante olhá-la. O fato de tão poucos olhos terem sido recuperados sugere que foram feitos poucos, para ficarem sob a guarda de sacerdotes, e para serem inseridos nas órbitas apenas durante as cerimônias.

As ainda visíveis estradas de transporte nas quais as estátuas eram movidas da pedreira seguiam trajetos de contorno que evitavam o trabalho extra de subir e descer colinas, e têm até 14 quilômetros de comprimento no caso da que leva ao ahu da costa oeste mais distante de Rano Raraku. Embora a tarefa nos pareça desestimulante, sabemos que muitos outros povos pré-históricos já transportaram pedras muito pesadas, como em Stonehenge, nas pirâmides do Egito, em Teotihuacán, e nos centros incas e olmecas, e que algo pode ser deduzido dos métodos em cada caso. Eruditos modernos testaram experimentalmente as suas várias teorias de transporte de estátuas em Páscoa realmente movendo estátuas, a começar por Thor Heyerdahl, cuja teoria provavelmente estava errada porque danificou a estátua usada durante o teste. Experimentos posteriores tentaram mover as estátuas, fossem em pé ou deitadas, com ou sem um trenó de madeira, sobre uma trilha preparada ou não com rolos lubrificados ou não ou com barras transversais fixas. O método mais convincente para mim foi sugerido por Jo Anne Van Tilburg. Segundo ela, os pascoenses modificaram as chamadas "escadas" de canoas, usadas em todas as ilhas do Pacífico para transportar pesados troncos de madeira, que eram cortados na floresta, escavados como canoas e então transportados para o litoral. Consistiam em um par de trilhos paralelos unidos por traves de madeira transversais (e não roletes móveis) sobre as quais os troncos eram puxados. Na região da Nova Guiné vi escadas com quase dois quilômetros de comprimento, estendendo-se do litoral encosta acima até uma clareira na floresta na qual uma árvore enorme estava sendo derrubada e então entalhada em forma de casco de canoa. Sabemos que algumas das maiores canoas que os havaianos moveram sobre escadas de canoas pesavam mais que um moai médio da ilha de Páscoa. Portanto, tal método proposto é plausível.

Jo Anne convocou pascoenses modernos para testar a sua teoria construindo tais escadas para canoas, deitando uma estátua de bruços sobre um trenó de madeira, amarrando cordas ao trenó, e puxando-o sobre os trilhos. Ela descobriu que 50 a 70 pessoas, trabalhando cinco horas por dia durante uma semana e arrastando o trenó quatro metros e meio a cada puxada, podiam mover uma estátua de tamanho médio pesando 12 toneladas ao longo de 14,5 quilômetros. O segredo, descobriram Jo Anne e os insulares, era a sincronia do esforço de todas aquelas pessoas, assim como os remadores de canoa sincronizam o esforço de suas remadas. Por extrapolação, o transporte de estátuas ainda maiores, como Paro, poderia ser feito juntando-se uma equipe de 500 adultos, o que estaria perfeitamente dentro das capacidades de um clã pascoense de mil a duas mil pessoas.

Os pascoenses contaram a Thor Heyerdahl como os seus ancestrais erguiam as estátuas no ahu. Sentiam-se indignados que os arqueólogos nunca tivessem pensado em perguntar aquilo para eles e, para provar que sabiam como fazê-lo, ergueram uma estátua sem usar um guindaste. Muitas outras informações emergiram no curso de experiências subsequentes de transporte e erguimento de estátuas feitas por William Mulloy, Jo Anne Van Tilburg e Claudio Cristino, entre outros. Os insulares começavam construindo uma rampa de pedra ligeiramente inclinada que ia da praça até o topo da plataforma, sobre a qual puxavam a estátua deitada de bruços com a extremidade da base voltada para o topo. Assim que a base chegava à plataforma, erguiam a cabeça da estátua alguns centímetros usando toras como alavancas, punham pedras sob a cabeça para apoiá-la na nova posição, e repetiam a rotina inclinando a estátua cada vez mais para a posição vertical. Isso deixava os proprietários com uma longa rampa de pedras, que então podia ser desmontada e reciclada para criar as alas laterais do ahu. O pukao era provavelmente erguido ao mesmo tempo que a estátua, ambos montados juntos na mesma armação de apoio.

A parte mais perigosa da operação era a inclinação final da estátua de um ângulo muito inclinado para a posição vertical, por causa do risco da estátua ganhar impulso, ultrapassar a vertical e tombar pela traseira da plataforma. Evidentemente, de modo a reduzir este risco, os escultores projetavam a estátua de modo que não fosse completamente perpendicular à sua base plana (p.ex., em um ângulo de cerca de 87° em relação à base, em vez de 90°). Deste modo, quando erguessem a estátua para uma posição estável com a base posicionada sobre a plataforma, o corpo ainda estaria ligeiramente inclinado para a frente, sem risco de tombar para trás. Então, lenta e cuidadosamente, podiam levantar com alavancas a borda da frente da base recuperando os últimos poucos graus que faltavam, introduzindo pedras sob a parte da frente da base de modo a estabilizá-la, até o corpo ficar na vertical. Ainda assim, trágicos acidentes podiam ocorrer nesta última fase, e evidentemente aconteceram no Ahu Hanga Te Tenga, na tentativa de erguer uma estátua ainda maior do que Paro, que acabou tombando para trás e se quebrando.

A operação de construção de estátuas e plataformas devia custar muito caro em recursos alimentares, cujo acúmulo, transporte e distribuição cabia aos chefes que encomendavam as estátuas. Vinte escultores tinham de ser alimentados — e pagos com comida extra — durante um mês, depois era necessário alimentar uma equipe de transporte de 50 a 500 pessoas, que por estar fazendo mais esforço físico requeria mais comida que o habitual. Também deveria haver comida para o sustento do clã que possuía o ahu, bem como para os clãs que permitiam o transporte da estátua por seus territórios. Os arqueólogos que primeiro tentaram calcular o trabalho executado, as calorias queimadas e, daí, a comida consumida, não se deram conta do fato de que a estátua em si era a menor parte da operação: um ahu era cerca de 20 vezes mais pesado que as estátuas, e todas aquelas pedras para o ahu tinham de ser transportadas. Jo Anne Van Tilburg e seu marido arquiteto, Jan, cujo trabalho é o de erguer grandes edifícios modernos em Los Angeles e calcular o trabalho de guindastes e elevadores, fizeram um cálculo por alto do trabalho correspondente em Páscoa. Concluíram que, dado o número e tamanho dos ahus e moais de Páscoa, o trabalho de construí-los aumentou em cerca de 25% as necessidades de comida da população de Páscoa durante os 300 anos de pico de construção. Tais cálculos concordam com a avaliação de Chris Stevenson, de que estes 300 anos de pico coincidiram com os séculos de agricultura nas terras altas do interior de Páscoa, que produziram grandes excedentes de alimentos em relação aos previamente disponíveis.

Contudo, observamos outro problema. A operação com as estátuas requeria não apenas muita comida, como também muitas cordas grossas (feitas na Polinésia, de casca fibrosa de árvores) com as quais 50 a 500 pessoas podiam arrastar estátuas pesando de 10 a 90 toneladas, e também muitas árvores fortes para obter toda a madeira necessária para os trenós, trilhos de canoas e alavancas. Mas a ilha de Páscoa vista por Roggeveen e visitantes europeus que o precederam tinha poucas árvores, todas pequenas e com menos de três metros de altura, constituindo a ilha mais desprovida de árvores de toda a Polinésia. Onde estavam as árvores que forneciam cordas e madeira?

Pesquisas de botânicos sobre as plantas existentes em Páscoa no século XX identificaram apenas 48 espécies nativas, a maior delas (o toromiro, com até dois metros de altura) mal pode ser chamada de árvore, e o resto é de samambaias mirradas, mato, junços e arbustos. Contudo, nestas últimas décadas surgiram diversos métodos de recuperar vestígios de plantas desaparecidas. Por isso sabemos que, durante centenas de milhares de anos antes da chegada do homem e ainda durante os primeiros tempos da colonização, Páscoa não era de modo algum um terreno árido, mas uma floresta subtropical de grandes árvores e bosques frondosos.

O primeiro destes métodos a dar resultados foi a técnica de análise de pólen (palinologia), que envolve a retirada de uma coluna de sedimentos depositados no fundo de um pântano ou lagoa. Nesta coluna, desde que não tenha sido revolvida ou mexida, a lama de superfície foi depositada mais recentemente, enquanto a lama de camadas inferiores representa depósitos mais antigos. A era de cada camada pode ser determinada por métodos de datação radiocarbônica. Sobra, então, a incrivelmente tediosa tarefa de examinar sob um microscópio as dezenas de milhares de grão de pólen coletados na camada, contá-los, e então identificar a espécie de planta que produziu cada grão através de comparação com pólen moderno de plantas de espécies conhecidas. O primeiro cientista de olhos cansados a cuidar desta tarefa na ilha de Páscoa foi o palinologista sueco Olof Selling, que examinou colunas coletadas pela expedição Heyerdahl de 1955 dos pântanos das crateras de Rano Raraku e Rano Kau. Selling detectou abundante quantidade de pólen de uma espécie não identificada de palmeira, da qual Páscoa hoje em dia não tem espécie nativa.

Em 1977 e 1983, John Flenley coletou muitas outras colunas de sedimentos e novamente descobriu abundante pólen de palmeira, mas, por sorte, em 1983 também obteve de Sergio Rapu Haoa algumas sementes fósseis de palmeira que visitantes franceses exploradores de cavernas descobriram naquele ano em uma caverna de lava em Páscoa, e as enviou para o maior especialista em palmeiras do mundo para serem identificadas. As sementes revelaram-se muito semelhantes, mas ligeiramente maiores do que as da maior palmeira existente no mundo, a palma do vinho chilena que cresce até 20 metros de altura e tem um metro de diâmetro. Visitantes posteriores encontraram mais provas da existência desta palmeira em Páscoa, sob a forma de moldes de troncos enterrados por um fluxo de lava no monte Terevaka a algumas centenas de milhares de anos, e moldes de suas raízes, que provavam que os troncos das palmeiras de Páscoa atingiam espessuras que excediam os dois metros de diâmetro. Isso supera até mesmo a palma do vinho chilena e era (enquanto existiu) a maior palmeira do mundo.

Atualmente, os chilenos se orgulham de suas palmeiras por diversos motivos, e os pascoenses também deviam se orgulhar das suas. Como o nome implica, o tronco fornece uma seiva doce que pode ser fermentada, para se fazer vinho, ou concentrada ao fogo, para fazer mel ou açúcar. As amêndoas oleosas das sementes são consideradas deliciosas. As folhas são ideais para a fabricação de tetos de casas, cestos, esteiras e velas de barcos. E, é claro, troncos fortes que serviriam ao transporte e erguimento de moais e, talvez, para a fabricação de jangadas.

Flenley e Sarah King reconheceram pólens de cinco outras árvores agora extintas em colunas de sedimentos. Mais recentemente, a arqueóloga francesa Catherine Orliac recolheu 30 mil fragmentos de carvão em fogões e pilhas de lixo na ilha de Páscoa. Com um heroísmo comparável ao de Selling, Flenley e King, ela comparou 2.300 desses fragmentos de madeira carbonizada com amostras de plantas que ainda existem na Polinésia. Deste modo, identificou cerca de 16 outras espécies de plantas, a maioria de árvores semelhantes ou da mesma espécie de árvores ainda disseminadas por toda a Polinésia Oriental que outrora também cresciam na ilha de Páscoa. Assim, Páscoa tinha uma floresta diversificada.

Afora a palmeira, muitas dessas 21 espécies desaparecidas eram valiosas para os insulares. Duas das árvores mais altas, *Alphitonia* cf. *zizyphoides* e *Elaeocarpus* cf. *rarotongensis* (que crescem até 30 e 15 metros, respectivamente), são usadas em outras partes da Polinésia para fazer canoas e seriam muito mais adequadas a esse propósito do que a palmeira. Os polinésios fazem cordas da casca do arbusto chamado hauhau, *Triumfetta semitriloba,* e supostamente foi com esse tipo de corda que os habitantes de Páscoa arrastaram as suas estátuas. A casca da amoreira *Broussonetia papyrifera* é batida para fazer tecido chamado de tapa; a *Psydrax odorata* tem um tronco reto e flexível adequado para a confecção de arpões e estabilizadores de canoas; a maçã-de-malaca *Syzygium malaccense* [jambo--vermelho ou jambo-rosa] dá um fruto comestível; um tipo de jacarandá oceânico, a *Thespesia populnea* [tespésia ou algodão-da-praia], e pelo menos oito outras espécies de árvore têm madeira adequada para entalhe e construção; o toromiro dá uma excelente madeira para queimar, como a acácia e o algarobo; e o fato de Orliac ter recuperado todas essas espécies como fragmentos de fogueiras comprova que também eram usadas como combustível.

O zooarqueólogo David Steadman analisou 6.433 ossos de aves e outros vertebrados de antigos depósitos de lixo na praia de Anakena, provavelmente lugar do primeiro desembarque e primeiro estabelecimento humano em Páscoa. Como ornitólogo, curvo-me diante das habilidades de identificação de Dave e de sua capacidade visual: enquanto eu não seria capaz de discernir um osso de tordo de um osso de pombo ou, mesmo, de um rato, Dave consegue distinguir até mesmo ossos de uma dúzia de espécies muito semelhantes de petréis. Assim, ele foi capaz de provar que Páscoa, que hoje não tem uma espécie sequer de ave terrestre nativa, foi lar de ao menos seis, incluindo uma espécie de garça, dois tipos de frangos-d'água, dois tipos de papagaio e um de coruja. Mais impressionante era o prodigioso total de ao menos 25 espécies de aves marinhas que nidificavam na ilha, o que a transformava no mais rico viveiro de toda a Polinésia e, provavelmente, de todo o Pacífico. A avifauna local incluía albatrozes, atobás, fragatas, fulmares, petréis, priões, alcatrazes, procelárias, andorinhas-do-mar e aves tropicais, atraídos pela remota localização de Páscoa e pela completa falta de predadores, o que tornava a ilha um refúgio ideal como ponto de reprodução — até a chegada do homem. Dave também recuperou alguns ossos de focas, que hoje só se reproduzem nas ilhas Galápagos e nas ilhas Juan Fernández, a leste de Páscoa, mas não se sabe se estes poucos ossos de foca em Páscoa vieram de uma antiga colônia ou eram apenas de animais errantes.

As escavações em Anakena que forneceram esses ossos de aves e focas nos dizem muito sobre a dieta e estilo de vida dos primeiros colonizadores de Páscoa. Desses 6.433 ossos de vertebrados identificados nos monturos de Anakena, os mais frequentes, representando mais de um terço do total, eram do maior animal disponível para os insulares de Páscoa: o golfinho comum, que pode pesar até 75 quilos. Isso é surpreendente: em nenhum outro lugar da Polinésia o golfinho contribui com mais de 1% dos ossos nos monturos. O golfinho comum geralmente vive no mar, portanto não podia ser pescado na costa com linha ou arpão. Em vez disso, devia ser arpoado longe da ilha, em grandes canoas oceânicas construídas com a madeira das árvores altas identificadas por Catherine Orliac.

Também foram encontrados ossos de peixes nos monturos, mas representam apenas 23% de todos os ossos, enquanto que, no restante da Polinésia, eram a comida principal (90% ou mais de todos os ossos). Este baixo consumo de peixe em Páscoa devia-se ao seu litoral escarpado e à acentuada profundidade do mar, de modo que há poucos lugares com águas rasas onde pescar com rede ou linha. Pelo mesmo motivo, a dieta de Páscoa era baixa em moluscos e ouriços. Para compensar, havia aves em abundância. Os ensopados de carne de ave deviam ser temperados com a carne de um grande número de ratos, que chegaram a Páscoa como clandestinos nas canoas dos colonizadores polinésios. Páscoa é a única ilha da Polinésia na qual os ossos de rato superam os de peixes nos sítios arqueológicos. Caso você seja supersensível e considere ratos intragáveis, ainda me lembro, do tempo em que morei na Inglaterra no fim dos anos 1950, das receitas de rato de laboratório que meus amigos biólogos ingleses usavam não apenas para as suas experiências como também para suplementar a sua dieta durante os anos de racionamento de comida em tempos de guerra.

Golfinhos, peixes, moluscos, aves e ratos não esgotavam a lista de fontes de comida disponíveis para os primeiros colonizadores de Páscoa. Já mencionei alguns registros de focas, e outros ossos testificam a disponibilidade ocasional de tartarugas marinhas e, talvez, de grandes lagartos. Todas essas iguarias eram cozidas em fogueiras, que podem ser identificadas como originárias das florestas que depois desapareceram de Páscoa.

A comparação desses antigos depósitos de lixo com outros posteriores ou com as condições da ilha de Páscoa atual revelam grandes mudanças nesses outrora abundantes recursos alimentares. Golfinhos e peixes oceânicos como o atum praticamente desapareceram da dieta dos insulares, por motivos que serão mencionados adiante. Os peixes que continuaram a ser pescados eram principalmente de espécies que vivem junto à costa. As aves terrestres desapareceram completamente da dieta, porque todas as espécies se extinguiram por alguma combinação de caça excessiva, desmatamento ou predação por ratos. Foi a pior catástrofe a acontecer com as aves das ilhas do Pacífico, ultrapassando até mesmo a da Nova Zelândia e do Havaí onde, embora as moas, gansos sem asas e outras espécies tenham sido extintas, muitas outras conseguiram sobreviver. Nenhuma ilha do Pacífico além de Páscoa acabou sem nenhuma ave terrestre nativa. Das 25 ou mais espécies de aves marinhas que se reproduziam em Páscoa, a caça excessiva e a predação de ratos fizeram com que 24 não se reproduzam mais, cerca de nove estão agora confinadas a se reproduzir em nú-

CREPÚSCULO EM PÁSCOA

mero modesto em ilhotas rochosas ao largo da ilha e 15 também foram eliminadas dessas ilhotas. Até mesmo os moluscos foram superexplorados, de modo que as pessoas logo acabaram comendo menos dos grandes e muito estimados cauris e mais caracóis negros, menores e menos apreciados. O tamanho das conchas nos monturos, tanto dos cauris quanto dos caracóis, também diminuiu com o tempo devido à preferência pelas maiores.

A palmeira gigante e todas as outras árvores hoje extintas identificadas por Catherine Orliac, John Flenley e Sarah King desapareceram por meia dúzia de razões que podemos documentar ou deduzir. As amostras de carvão de Orliac comprovaram que as árvores eram usadas para fazer fogo. Também eram usadas para cremar corpos: os crematórios de Páscoa contêm resíduos de corpos e grande quantidade de cinzas de ossos humanos, implicando o consumo de grandes quantidades de combustível para proceder à cremação. As árvores eram derrubadas para a criação de hortas, uma vez que a maior parte da superfície de Páscoa, com exceção daquelas com maior elevação, acabou sendo usada para os cultivos. Pela antiga abundância de ossos de golfinhos e atuns oceânicos, deduzimos que grandes árvores como a *Alphitonia* e a *Elaeocarpus* eram derrubadas para a confecção de canoas oceânicas; as embarcações pequenas, frágeis e mal vedadas vistas por Roggeveen não serviriam como plataformas para arpoadores e nem para se aventurarem em alto-mar. Deduzimos que as árvores forneceram madeira e cordas para o transporte e erguimento de estátuas, e indubitavelmente para uma infinidade de outros propósitos. Os ratos introduzidos acidentalmente como clandestinos "usaram" as palmeiras e sem dúvida outras árvores para seus propósitos: toda semente de palmeira encontrada em Páscoa mostra marcas de dentes de ratos, e seria incapaz de germinar.

O desmatamento deve ter começado pouco depois da chegada do homem, por volta de 900 d.C., e deve ter se completado por volta de 1722, quando Roggeveen chegou e não viu árvores com mais de três metros de altura. Podemos especificar de modo mais preciso quando, entre 900 e 1722, ocorreu o desmatamento? Há cinco tipos de evidências a nos guiar. A maioria das datações radiocarbônicas das sementes de palmeira são anteriores a 1500, sugerindo que as palmeiras tornaram-se raras ou se extinguiram daí em diante. Na península de Poike, que tem o solo menos fértil de Páscoa e, portanto, deve ter sido desmatado primeiro, as palmeiras desapareceram por volta de 1400, e o carvão resultante de queimadas para a erradicação de florestas desapareceu por volta de 1440, embora sinais posteriores de agricultura atestem a presença continuada de seres humanos ali. Amostras de carvão retiradas de fogões e depósitos de lixo submetidas a datação radiocarbônica por Orliac indicam que o carvão de madeira começou a ser substituído por ervas e mato após 1640, até mesmo em casas da elite que devem ter ficado com as últimas e preciosas árvores que restaram, não deixando qualquer madeira para os camponeses. As amostras de pólen de Flenley mostram o desaparecimento de pólen da palmeira, de *Olearia gardneri*, toromiro e arbustos, e sua substituição por pólen de gramíneas e ervas entre 900 e 1300, mas as datações radiocarbônicas em depósitos de sedimentos são um meio menos direto de datar o desmatamento do que usando diretamente as palmeiras e suas sementes. Finalmente, as plantações em terras altas que Chris Stevenson estudou, e cuja operação deve ter sido contemporânea do período de maior uso de madeira e cordas para as estátuas, foram mantidas de 1400 a 1600. Tudo isso sugere que a derrubada de florestas começou pouco depois da chegada do homem, atingiu o auge por volta de 1400 e foi virtualmente completada em datas que variam localmente entre 1400 e 1600.

A ilha de Páscoa é o exemplo mais extremo de destruição de florestas no Pacífico, e está entre os mais extremos do mundo: toda a floresta desapareceu, todas as suas espécies de árvore se extinguiram. As consequências imediatas para os insulares foram a perda de matérias-primas, perda de fontes de caça e diminuição das colheitas.

As matérias-primas perdidas ou grandemente reduzidas com o desmatamento consistiam em tudo aquilo que era extraído de plantas e aves nativas, incluindo madeira, cordas, casca de árvores para a confecção de roupas, e penas. A falta de grandes troncos e de cordas determinou o fim do transporte, erguimento de estátuas e também a construção de canoas oceânicas. Em 1838, quando cinco pequenas canoas mal vedadas comportando dois homens fizeram-se ao mar para negociar com um navio francês ancorado em Páscoa, o capitão registrou: "Todos os nativos repetiam frequente e excitadamente a palavra *miru* e ficaram impacientes ao ver que não entendíamos o que diziam: esta palavra é o nome que os polinésios dão à madeira com que fazem as suas canoas. Era o que mais queriam, e fizeram de tudo para que os compreendêssemos (...)". O nome "Terevaka", a maior e mais alta montanha de Páscoa, quer dizer "lugar onde fazer canoas". Antes de suas encostas serem desprovidas de árvores para darem lugar a plantações, eram usadas como fonte de madeira, e ainda estão cobertas com os instrumentos de pedra, raspadeiras, facas, formões e outras ferramentas daquele período para trabalhar madeira e fazer canoas. A falta de grandes troncos de madeira também representava a falta de combustível para manterem-se aquecidos durante as noites chuvosas e ventosas de inverno, com uma temperatura de cerca de 10°c. Em vez disso, após 1650, os habitantes de Páscoa limitaram-se a queimar ervas, mato, restos de cana-de-açúcar e outros resíduos. Deve ter havido competição feroz pelos poucos arbustos lenhosos entre aqueles que buscavam obter cobertura de tetos e pequenos pedaços de madeira para fazer casas, utensílios de madeira e roupas de casca de árvores. Até mesmo as práticas funerárias tiveram de mudar: a cremação, que requeria a queima de muita madeira, tornou-se impraticável e levou à mumificação e enterro dos ossos.

A maioria das fontes de alimento silvestre se perdeu. Sem canoas de alto-mar, os ossos de golfinho, principal fonte de carne dos insulares nos primeiros séculos, desaparecem dos monturos por volta de 1500, assim como o atum e os peixes oceânicos. O número de anzóis e ossos de peixe também diminuiu, sobrando apenas espécies que podiam ser capturadas em águas rasas ou na praia. As aves terrestres desapareceram completamente, e as aves marinhas foram reduzidas a populações marginais de um terço das espécies originais de Páscoa, confinadas a se reproduzirem em algumas ilhotas ao largo do litoral. As sementes de palmeira, os jambos e todos os outros frutos selvagens saíram de sua dieta. As espécies de moluscos consumidos reduziram-se e estes ficaram menores e muito menos abundantes. A única fonte de alimento silvestre que restou foram os ratos.

Além desta drástica diminuição de fontes de alimento silvestre, as colheitas também diminuíram, e por diversos motivos. O desmatamento levou à erosão pelo vento e pela chuva, como demonstrado pelo grande aumento na quantidade de íons metálicos oriundos do solo das amostras de sedimento tiradas por Flenley nos brejos. Por exemplo, as escavações na península de Poike mostram que as plantações inicialmente eram feitas entre as palmeiras, de modo que as suas copas forneciam sombra e proteção para o solo e para as plantações contra o sol, evaporação, vento e impacto direto da chuva. A erradicação das palmeiras levou à maciça erosão que cobriu com terra ahus e edificações colina abaixo e forçou o abandono dos campos de Poike por volta de 1400. Uma vez que eles cobriram-se de grama, a agricultura foi retomada ali por volta de 1500, para ser abandonada novamente um século depois em uma segunda onda de erosão. Outros danos para o solo resultantes do desmatamento e da redução de campos de cultivo incluem o ressecamento e a perda de nutrientes. Os agricultores viram-se sem as folhas da maioria das plantas selvagens, frutas e râmulos que usavam para fazer adubo por compostagem.

Estas foram as consequências imediatas do desmatamento e outros impactos ambientais causados pelo homem. As consequências posteriores começam com fome, declínio da população e degradação até o canibalismo. Os relatos de insulares sobreviventes sobre a fome estão vividamente confirmados pela proliferação de pequenas estátuas chamadas *moai kavakava,* ilustrando gente faminta com bochechas afundadas e costelas salientes. Em 1774, o capitão Cook descreveu os insulares como "pequenos, magros, tímidos e miseráveis". O número de casas nas terras baixas litorâneas — onde vivia quase todo mundo —, que atingiu o seu auge por volta de 1400-1600, declinou em 70% por volta de 1700, sugerindo um declínio correspondente em número de pessoas. Em vez de sua antiga fonte de carne selvagem, os insulares voltaram-se para a maior fonte disponível e até então não usada: humanos, cujos ossos começaram a se tornar comuns não apenas nos cemitérios (quebrados para a extração do tutano) como também em pilhas de lixo tardias. As tradições orais dos insulares estão obsessivamente repletas de relatos de canibalismo. O maior insulto que se podia dizer a um inimigo era: "A carne de sua mãe ainda está presa entre meus dentes."

Os chefes e sacerdotes de Páscoa justificavam seu *status* de elite alegando relacionamento com os deuses e prometendo trazer prosperidade e colheitas abundantes. Reforçavam tal ideologia através de arquitetura monumental e cerimônias com o objetivo de impressionar as massas, tornadas possíveis através dos excedentes alimentares extraídos das massas. À medida que suas promessas se mostravam vazias, o poder dos chefes e sacerdotes foi derrubado por volta de 1680 por líderes militares chamados *matatoa,* e a sociedade complexamente integrada de Páscoa ruiu em uma epidemia de guerras civis. As pontas de lança de obsidiana (chamadas *mataà*) dessa época de lutas ainda cobrem a Páscoa dos tempos modernos. Os plebeus passaram a construir suas cabanas na zona costeira, que fora previamente reservada para a residência da elite *(hare paenga)*. Por segurança, muitas pessoas começaram a viver em cavernas, que eram alargadas por escavações e cujas entradas eram parcialmente vedadas para criar um túnel estreito facilmente defensável. Restos de comida, agulhas de costura feitas de ossos, utensílios para trabalhar madeira e instrumentos para consertar roupas de tapa deixaram claro que tais cavernas eram ocupadas continuamente e não apenas como esconderijos.

O que falhou no crepúsculo da sociedade polinésia em Páscoa não foi apenas a antiga ideologia política, mas também a antiga religião, descartada com o poder dos chefes. As antigas tradições orais dão conta de que os últimos ahus e moais foram feitos por volta de 1620, e que Paro (a estátua mais alta) estava entre as últimas a serem erguidas. As plantações das terras altas cuja produção comandada pela elite alimentava as equipes de escultores e transportadores de estátuas foram abandonadas progressivamente entre 1600 e 1680. O fato de as estátuas aumentarem de tamanho pode refletir não apenas rivalidade entre chefes tentando superar uns aos outros, mas também apelos mais urgentes aos ancestrais exigidos pela crise ambiental crescente. Por volta de 1680, por ocasião do golpe militar, os clãs rivais deixaram de erguer estátuas cada vez maiores e começaram a derrubar as estátuas uns dos outros, fazendo-as tombar sobre uma laje posicionada de modo que a estátua caísse e se quebrasse. Assim, como também ocorreu com os anasazis e maias (capítulos 4 e 5), o colapso da sociedade de Páscoa ocorreu logo após a sociedade chegar ao seu auge em termos de população, construção de monumentos e impacto ambiental.

Não sabemos até quando se deu a derrubada de estátuas à época das visitas dos primeiros europeus, porque, em 1722, Roggeveen desembarcou brevemente em um único lugar, e a expedição espanhola de Gonzalez, de 1770, nada registrou de sua visita além do que está no diário de bordo. A primeira descrição europeia mais ou menos adequada foi feita pelo capitão Cook em 1774, que ficou quatro dias, enviou um destacamento para fazer o reconhecimento da ilha e tinha a vantagem de trazer consigo um taitiano cujo polinésio era similar ao dos pascoenses, de modo que pôde conversar com eles. Cook comentou ter visto estátuas tombadas, assim como outras ainda de pé. A última menção europeia de uma estátua erguida foi feita em 1838; em 1868 já não havia nenhuma estátua em pé. As tradições relatam que a última estátua a ser derrubada (por volta de 1840) foi Paro, supostamente erguida por uma mulher em homenagem ao marido, e derrubada por inimigos de modo a quebrar Paro pela metade.

Os próprios ahus foram violados pela retirada de algumas de suas lajes para a construção de paredes para hortas *(manavai)* próximas ao ahu, e para criar câmaras funerárias nas quais guardar cadáveres. Como resultado, os ahus que ainda não foram restaurados (i.e., a maioria deles) parecem à primeira vista um monte de pedregulhos. Quando Jo Anne Van Tilburg, Claudio Cristino, Sonia Haoa, Barry Rolett e eu andamos de carro por Páscoa, vimos ahu após ahu como pilhas de cascalho e estátuas quebradas. Então, ao refletirmos sobre o imenso esforço despendido durante séculos para a construção dos ahus e para a escultura, transporte e erguimento de seus moais, e nos lembrarmos que foram os próprios insulares que destruíram o trabalho de seus ancestrais, fomos tomados por uma sensação avassaladora de tragédia.

A derrubada dos moais ancestrais pelos pascoenses me fez lembrar russos e romenos derrubando estátuas de Stalin e Ceausescu quando o governo comunista de seus países entrou em colapso. Havia muito que os insulares deviam estar tomados de fúria reprimida contra os seus líderes, como sabemos que russos e romenos estavam. Imagino quantas estátuas foram derrubadas por inimigos pessoais do dono da estátua, como descrito no caso de Paro, e quantas foram destruídas em um paroxismo de fúria e desilusão que se difundiu rapidamente, como o que ocorreu no fim do comunismo. Também me faz lembrar de uma tragédia cultural e de rejeição religiosa que me foi contada em 1965 em uma vila nas terras altas da Nova Guiné chamada Bomai, por missionários cristãos que se orgulhavam de terem certa vez instado os seus novos convertidos a juntarem os seus "artefatos pagãos" (i.e., sua herança cultural e artística) na pista de pouso da aldeia e queimá-los — no que foram obedecidos. Talvez os matatoas de Páscoa tivessem feito uma convocação semelhante para seus seguidores.

Não quero descrever os acontecimentos sociais em Páscoa após 1680 como completamente negativos e destrutivos. Os sobreviventes adaptaram-se o melhor que puderam, tanto no que dizia respeito à sua subsistência quanto à sua religião. Não apenas o canibalismo, mas os galinheiros também experimentaram um crescimento explosivo após 1650; as galinhas representavam menos de 0,1% de ossos de animais nos monturos mais antigos que David Steadman, Patricia Vargas e Claudio Cristino escavaram em Anakena. Os matatoas justificavam seu golpe militar adotando um culto religioso, baseado no deus criador Makemake, que antes era apenas um no panteão dos deuses de Páscoa. O culto era centralizado na vila de Orongo, na borda da cratera do Rano Kau, de frente para as três maiores ilhotas às quais ficaram confinados as aves marinhas. A nova religião desenvolveu um novo estilo artístico, expresso especialmente em petróglifos (entalhes nas rochas) de genitais femininos, homens-pássaros e aves (com frequência decrescente), entalhados não apenas nos monumentos de Orongo como também em moais e pukaos derrubados por toda a ilha. A cada ano o culto de Orongo organizava uma competição entre os homens para nadarem através do estreito de um quilômetro e meio de extensão de águas frias infestadas de tubarões que separava Páscoa das ilhotas, para recolher o primeiro ovo de andorinha-do-mar posto naquela estação, nadar de volta à ilha com o ovo intacto, e ser eleito "homem-pássaro do ano" até o ano seguinte. A última cerimônia em Orongo aconteceu em 1867 e foi testemunhada por missionários católicos, no momento exato em que o resíduo da sociedade da ilha de Páscoa ainda não destruído pelos próprios insulares estava sendo destruído pelo mundo exterior.

A triste história do impacto causado pelos europeus em Páscoa pode ser rapidamente resumida. Após a breve visita do capitão Cook em 1774, houve um fluxo contínuo de visitantes europeus. Como documentado no Havaí, Fiji e muitas outras ilhas do Pacífico, foram estes visitantes que introduziram doenças europeias e, deste modo, mataram muitos insulares, embora a primeira menção específica a uma epidemia de varíola date de 1836. Novamente como ocorrido em outras ilhas do Pacífico, a prática de "black-birding", sequestro de insulares para trabalho forçado, começou em Páscoa por volta de 1805 e chegou ao auge em 1862-1863, o ano mais sombrio da história de Páscoa, quando duas dúzias de navios peruanos sequestraram cerca de 1.500 pascoenses (metade da população) e os venderam em um leilão para trabalhar em minas peruanas de guano e em outros trabalhos inferiores. A maioria dos sequestrados morreu em cativeiro. Sob pressão internacional, o Peru repatriou uma dúzia dos cativos sobreviventes, que trouxeram outra epidemia de varíola para a aldeia. Os missionários católicos estabeleceram residência em 1864. Em 1872 havia apenas 111 insulares em Páscoa.

Comerciantes europeus introduziram ovinos em Páscoa na década de 1870 e tomaram posse das terras. Em 1888 o governo do Chile anexou Páscoa, que se tornou efetivamente uma fazenda de ovelhas administrada por uma empresa escocesa estabelecida no Chile. Todos os insulares foram confinados em uma aldeia e obrigados a trabalhar para a empresa, sendo pagos em bens no barracão da empresa em vez de dinheiro. Uma revolta dos insulares em 1914 acabou com a chegada de um navio de guerra chileno. A pastagem de ovelhas, bodes e cavalos causou erosão do solo e eliminou muito do que restou da vegetação nativa, incluindo os últimos hauhaus e toromiros por volta de 1934. Somente em 1966 os insulares se tornaram cidadãos chilenos. Hoje, estão experimentando um renascimento de seu orgulho cultural, e a economia está sendo estimulada pela chegada de diversos voos semanais vindos de Santiago e do Taiti, feitos pela empresa aérea estatal do Chile e trazendo visitantes (como Barry Rolett e eu) atraídos pelas famosas estátuas. Contudo, até mesmo uma breve visita torna óbvio que ainda existem tensões entre os insulares e os chilenos nascidos no continente, que agora são em número igual ao de nativos.

O famoso sistema de escrita de Páscoa, o rongo-rongo, foi sem dúvida inventado pelos insulares, mas não há prova de sua existência até ser pela primeira vez mencionado pelos missionários católicos residentes em 1864. Os 25 objetos sobreviventes com escrita parecem ser posteriores ao contato com europeus; alguns deles são feitos com madeira estrangeira ou um remo europeu, e alguns parecem ter sido manufaturados pelos insulares especificamente para serem vendidos para representantes do bispo católico do Taiti, que ficou interessado naquela escrita e procurou mais exemplares. Em 1995, o linguista Steven Fischer anunciou ter decifrado os textos rongo-rongo como cantos de procriação, mas sua interpretação é questionada por outros eruditos. A maioria dos especialistas na ilha de Páscoa, incluindo Fischer, concluem agora que a invenção do rongo-rongo foi inspirada pelo primeiro contato dos insulares com a escrita, durante o

CREPÚSCULO EM PÁSCOA

desembarque espanhol de 1770, ou pelo trauma da escravidão no Peru, em 1862-1863, que matou tantos portadores da tradição oral.

Em parte devido a essa história de exploração e opressão, houve resistência entre insulares e eruditos para reconhecerem a realidade do dano ambiental infligido pelos pascoenses em sua ilha antes da chegada de Roggeveen em 1722, apesar de todas as provas detalhadas que sumariei. Em essência, os insulares dizem: "Nossos ancestrais jamais fariam isso", enquanto os cientistas visitantes dizem: "Esse pessoal maravilhoso que acabamos adorando não pode ter feito uma coisa dessas." Por exemplo, Michel Orliac escreveu sobre questões similares de mudança ambiental no Taiti: "(...) ao menos é provável — se não for mais que isso — que as modificações ambientais foram originárias de causas naturais em vez de atividade humana. Esta é uma questão muito debatida (McFadgen, 1985; Grant, 1985; McGlone, 1989) sobre a qual não pretendo chegar a uma solução definitiva, mesmo que minha afeição pelos polinésios me incite a escolher ações naturais [p.ex., ciclones] para explicar o dano causado sofrido pelo ambiente." Três objeções ou teorias alternativas foram levantadas.

Primeiro, foi sugerido que o desmatamento de Páscoa visto por Roggeveen em 1722 não foi causado pelos insulares em isolamento mas resultado, de algum modo não específico, de dano causado por visitantes europeus que antecederam Roggeveen dos quais não há registro. É perfeitamente possível que tenha havido uma ou mais dessas visitas não registradas: muitos galeões espanhóis atravessavam o Pacífico nos séculos xvi e xvii, e a curiosa reação de despreocupação e destemor dos insulares em relação a Roggeveen sugere experiências anteriores com europeus, mais do que a reação de choque que se espera de gente que tenha vivido em total isolamento e pense que são as únicas pessoas do mundo. Contudo, não temos conhecimento específico de nenhuma visita antes de 1722, e nem de que tenha sido a causa inicial do desmatamento. Mesmo antes de Magalhães se tornar o primeiro europeu a atravessar o Pacífico em 1521, há fartas provas que atestam impacto humano maciço em Páscoa: extinção de todas as espécies de aves, desaparecimento de golfinhos e atuns da dieta insular, declínio de pólen de árvores de floresta nos depósitos de sedimentos de Flenley anteriores a 1300, desmatamento da península de Poike por volta de 1400, falta de sementes de palmeira posteriores a 1500, e assim por diante.

Uma segunda objeção é que o desmatamento pode ter sido devido a mudanças naturais de clima, como secas ou ocorrências do El Niño. Não me surpreenderia se acabassem descobrindo que as mudanças climáticas tiveram um papel coadjuvante em Páscoa, uma vez que veremos que as mudanças climáticas de fato exacerbam os impactos ambientais causados pelo homem como no caso dos anasazis (capítulo 4), maias (capítulo 5), Groenlândia Nórdica (capítulos 7 e 8) e, provavelmente, muitas outras sociedades. No momento, não temos informação sobre mudanças climáticas em Páscoa no relevante período de 900-1700 d.C.: não sabemos se o clima ficou mais seco e tempestuoso, menos favorável à sobrevivência da floresta (como postulado por alguns críticos), ou mais úmido, menos tempestuoso e mais favorável à sobrevivência da floresta. Mas me parece haver provas convincentes contra o fato de as mudanças climáticas por si terem causado o desmatamento e a extinção das aves: o molde de tronco de palmeira no fluxo de lava de Terevaka prova que a palmeira gigante já sobrevivera em Páscoa durante diversas centenas de milhares de anos; e os depósitos de sedimentos de Flenley registram pólen de palmeira, *Olearia gardneri*, toromiro e meia dúzia de outras espécies de árvores em Páscoa entre 38 e 21 mil anos atrás. Portanto, as plantas de Páscoa já haviam sobrevivido a inúmeras secas e eventos do El Niño, tornando pouco provável que todas essas espécies de árvores nativas finalmente tenham escolhido um tempo coincidentemente após a chegada desses inocentes seres humanos para caírem mortas simultaneamente em resposta a outra seca ou evento do El Niño. Na verdade, os registros de Flenley mostram que um período frio e seco em Páscoa entre 26 mil e 12 mil anos atrás, mais severo do que qualquer período frio e seco ocorrido no mundo nos últimos mil anos, apenas fez com que as árvores de Páscoa nas terras mais altas se retirassem para as terras mais baixas — do que se recuperaram posteriormente.

Uma terceira objeção é que os insulares de Páscoa certamente não seriam tolos de cortar todas as suas árvores, uma vez que as consequências seriam óbvias para eles. Como expressou Catherine Orliac: "Por que destruir uma floresta necessária para a sua [i.e., dos insulares de Páscoa] sobrevivência material e espiritual?" Esta é de fato uma questão crucial que vem perturbando não apenas Catherine Orliac mas também meus alunos na Universidade da Califórnia, a mim e a todo mundo mais que já especulou sobre dano ambiental autoinfligido. Frequentemente me pergunto: "O que os insulares de Páscoa que cortaram a última palmeira disseram enquanto faziam aquilo?" Será que, assim como os modernos madeireiros, terão gritado "Trabalho sim, árvores não!"? Ou: "A tecnologia resolverá nossos problemas, não tema, vamos encontrar um substituto para a madeira"? Ou: "Não temos provas de que não há mais palmeiras em algum outro lugar de Páscoa, precisamos de mais pesquisas, a proposta de proibição da atividade madeireira é prematura e movida por sentimentos alarmistas"? Tais questões são levantadas por todas as sociedades que inadvertidamente danificaram seu ambiente. Ao voltarmos a esta questão no capítulo 14 veremos que há toda uma série de motivos para as sociedades cometerem tais erros.

Ainda não enfrentamos a questão de por que a ilha de Páscoa chegou a tal ponto de desmatamento. Afinal de contas, o Pacífico compreende milhares de ilhas habitadas, e em quase todas elas os habitantes cortaram árvores, derrubaram florestas para abrir espaço para a agricultura, usaram madeira para fogueiras, construíram canoas e usaram madeira e cordas para construir casas e outras coisas. Contudo, entre todas essas ilhas, apenas três no arquipélago havaiano, todas muito mais secas do que Páscoa — as duas ilhotas de Necker e Nihoa e a ilha maior de Niihau — aproximaram-se de Páscoa em grau de desmatamento. Nihoa ainda tem uma espécie de palmeira grande, e não se sabe se a pequena Necker, com uma área de menos de 16 hectares, já teve árvores algum dia. Por que os insulares de Páscoa foram os únicos, ou quase isso, a destruir todas as árvores? A resposta que às vezes é dada — "Porque a palmeira de Páscoa e o toromiro cresciam muito lentamente" — não explica por que ao menos 19 outras espécies de árvores e plantas relacionadas com ou as mesmas espécies ainda disseminadas pelas ilhas da Polinésia foram eliminadas em Páscoa mas não em outras ilhas. Suspeito que tal questão se esconde por trás da relutância com que os próprios insulares de Páscoa e alguns cientistas têm em aceitar que foram os insulares que causaram o desmatamento, porque tal conclusão parece implicar que eram especialmente maus ou imprevidentes em comparação aos outros povos do Pacífico.

Barry Rolett e eu ficamos surpresos com a aparente originalidade de Páscoa. Na verdade, isso é apenas parte de uma questão ainda mais surpreendente: por que o grau de desmatamento varia entre as ilhas do Pacífico em geral. Por exemplo, Mangareva (a ser discutida no próximo capítulo), a maioria das ilhas Cook e Austrais, e os lados a sotavento das principais ilhas do Havaí e de Fiji foram largamente desmatadas, embora não completamente, como no caso de Páscoa. As ilhas da Sociedade e as Marquesas, e os lados a barlavento das principais ilhas do Havaí e Fiji, tinham florestas primárias em lugares mais altos, e uma mistura de floresta secundária, samambaias e capinzais em baixa altitude. Tonga, Samoa, a maioria das ilhas Bismarcks e Salomão, e Makatea (a maior ilha do arquipélago de Tuamotu) continuam amplamente florestadas. Como explicar tanta variação?

Barry começou lendo os diários de bordo dos primeiros exploradores do Pacífico, para localizar descrições de como eram as ilhas na época. Isso permitiu que intuísse o grau de desmatamento em 81 ilhas quando vistas pelos europeus pela primeira vez — i.e., após séculos ou milhares de anos de impactos ambientais causados pelos insulares, mas antes do impacto europeu. Então, tomando como base estas 81 ilhas, tabulamos valores de nove fatores físicos cuja variação entre ilhas acreditamos poder contribuir para explicar diferentes resultados de desmatamento. Algumas tendências tornaram-se imediatamente óbvias para nós assim que olhamos os dados, mas submetemos tais dados a muita análise estatística de modo a podermos pôr em números essas tendências.

O QUE AFETA O DESMATAMENTO NAS ILHAS DO PACÍFICO?

O desmatamento é mais grave em:
- ilhas mais secas do que em ilhas mais úmidas;
- ilhas frias em latitudes elevadas do que em ilhas equatoriais quentes;
- antigas ilhas vulcânicas do que em jovens ilhas vulcânicas;
- ilhas sem precipitação de cinzas do que em ilhas com precipitação de cinzas;
- ilhas distantes da precipitação de poeira da Ásia do que em ilhas mais próximas;
- ilhas sem *makatea* do que em ilhas com *makatea*;
- ilhas mais baixas do que em ilhas mais altas;
- ilhas remotas do que em ilhas próximas a outras; e
- ilhas pequenas do que em ilhas grandes.

CREPÚSCULO EM PÁSCOA

Essas nove variáveis físicas contribuem para o resultado. As mais importantes eram as variações de chuva e latitude: ilhas secas e mais frias longe do equador (em latitudes mais altas) acabavam mais desmatadas do que ilhas equatoriais mais úmidas. Era o que esperávamos: a taxa de crescimento vegetal e de estabelecimento de novas árvores aumenta com as chuvas e com o aumento de temperatura. Quando se derruba uma árvore em um lugar quente e úmido como as terras baixas da Nova Guiné, em um ano aparecem no mesmo lugar árvores novas com seis metros de altura, mas o crescimento de árvores é muito mais lento em um deserto frio e seco. Assim, o crescimento de novas árvores pode compensar uma taxa moderada de derrubada de árvores em ilhas úmidas e quentes, permitindo à ilha um estado de cobertura florestal constante.

Três outras variáveis — idade da ilha, precipitação de cinzas e de poeira — têm efeitos que não antecipamos, porque não estávamos familiarizados com a literatura científica sobre manutenção da fertilidade do solo. Ilhas antigas que não experimentaram qualquer atividade vulcânica durante um milhão de anos acabam mais desmatadas do que ilhas mais novas, que tiveram atividade vulcânica recente. Isso porque o solo originado de lava e cinzas frescas contém nutrientes necessários para o crescimento de plantas. Em ilhas mais antigas, estes nutrientes são gradualmente levados pela chuva. Uma das duas maneiras principais como esses nutrientes são renovados nas ilhas do Pacífico é pela precipitação de cinzas em suspensão na atmosfera devido a explosões vulcânicas. Mas o oceano Pacífico é dividido por uma linha famosa entre os geólogos como a Linha da Andesita. No sudoeste do Pacífico, no lado asiático desta linha, os vulcões expelem cinzas que podem ser carregadas pelo vento através de centenas de quilômetros e isso mantém a fertilidade mesmo em ilhas (como Nova Caledônia) que não têm vulcões. Por outro lado, no leste e no centro do Pacífico, além da Linha de Andesita, a principal contribuição aérea de nutrientes para renovar a fertilidade do solo é a poeira carregada na alta atmosfera pelos ventos que sopram das estepes da Ásia Central. Assim, ilhas a leste da Linha de Andesita, e longe da precipitação de poeira asiática, acabam mais desmatadas do que ilhas na Linha de Andesita ou mais próximas da Ásia.

Outra variável requereu a consideração de apenas meia dúzia de ilhas que consistem em rochas conhecidas como *makatea* — basicamente, um recife de coral erguido por um movimento de geológico. O nome vem da ilha Makatea, no arquipélago de Tuamotu, constituída em grande parte deste tipo de rocha. Os terrenos de *makatea* são horríveis para se andar sobre eles; os corais profundamente fissurados e afiados como navalhas cortam as botas e as mãos de quem ousar atravessá-los, deixando-os em frangalhos. Quando pela primeira vez encontrei *makatea* na ilha Rennell, nas Salomão, levei 10 minutos para caminhar 100 metros, e estava apavorado com a ideia de cortar as minhas mãos em um coral caso o tocasse sem perceber ao estender as minhas mãos em busca de equilíbrio. A *makatea* pode cortar botas modernas e fortes após alguns dias de caminhada. Embora os insulares de algum modo consigam andar sobre *makatea* com os pés descalços, até eles têm problemas. Ninguém que tenha suportado a agonia de caminhar sobre *makatea* se surpreenderia ao saber que as ilhas do Pacífico que têm este tipo de terreno acabaram menos desmatadas que as que não o têm.

Isso nos deixa três variáveis com efeitos mais complexos: elevação, distância e área. Ilhas mais altas tendem a se tornar menos desmatadas (mesmo em suas terras baixas) do que ilhas mais baixas, porque as montanhas geram nuvens e chuva, que descem às terras baixas como rios, estimulando as plantas a crescerem com a sua água, pelo transporte de nutrientes, e transporte de poeira atmosférica. As próprias montanhas podem permanecer cobertas de florestas caso sejam muito altas ou muito íngremes para serem transformadas em campos de cultivo. Ilhas remotas tornam-se mais desmatadas do que ilhas próximas umas das outras — possivelmente porque os insulares tendiam a ficar mais em casa, causando impactos em seu próprio meio ambiente, em vez de perderem tempo e energia visitando outras ilhas para comerciar, guerrear ou se estabelecer. Ilhas grandes tendem a se tornar menos desmatadas que ilhas pequenas por inúmeras razões, incluindo a relação perímetro/área, que determinam menos recursos marinhos por pessoa e menor densidade populacional, mais séculos necessários para derrubar a floresta e mais áreas inadequadas à agricultura.

Como Páscoa se situa em relação a essas nove variáveis que predispõem ao desmatamento? A ilha de Páscoa tem a terceira latitude mais alta, está entre as ilhas que têm menor índice de chuvas, a mais baixa precipitação de cinza vulcânica, a mais baixa taxa de precipitação de poeira asiática, nenhum terreno de *makatea*, e é a segunda ilha mais distante da ilha mais

CREPÚSCULO EM PÁSCOA

próxima. É uma das menores e mais baixas das 81 ilhas que Barry Rolett e eu estudamos. Todas essas oito variáveis tornam Páscoa suscetível de desmatamento. Os vulcões de Páscoa têm idade moderada (provavelmente de 200 a 600 mil anos); a península de Poike, o vulcão mais antigo da ilha, foi a primeira parte de Páscoa a se tornar desmatada e atualmente exibe a pior erosão do solo. Combinando o efeito de todas essas variáveis, nosso modelo estatístico previu que Páscoa, Nihoa e Necker seriam as ilhas do Pacífico mais desmatadas. Isso é confirmado pelo que de fato ocorreu: Nihoa e Necker acabaram sem ocupação humana e apenas uma espécie de árvore em pé (a palmeira de Nihoa), enquanto Páscoa acabou sem qualquer espécie de árvore e cerca de 10% de sua antiga população.

Em resumo, a razão para o grave e incomum grau de desmatamento de Páscoa não é a que aquelas pessoas aparentemente bacanas na verdade eram muito más ou incautas. Em vez disso, tiveram o azar de viver em um ambiente muito frágil e com o maior risco de desmatamento do que o de qualquer outro povo do Pacífico. No caso da ilha de Páscoa, mais do que em qualquer outra sociedade discutida neste livro, podemos especificar em detalhes os fatores que reforçam a fragilidade ambiental.

O isolamento de Páscoa a torna o mais claro exemplo de uma sociedade que se destruiu pelo abuso de seus recursos. Se voltarmos aos nossos cinco fatores relacionados ao colapso ambiental, dois deles — ataque por sociedades vizinhas hostis e perda de apoio de sociedades vizinhas amistosas — não tiveram participação no colapso de Páscoa, porque não há prova de que havia povos inimigos ou amigos em contato com a sociedade da ilha após esta ter sido fundada. Mesmo que algumas canoas tenham chegado posteriormente, tais contatos não devem ter ocorrido em escala grande o bastante para constituírem ameaça ou apoio importantes. Quanto ao papel de um terceiro fator, mudança climática, também não temos provas no momento, embora isso possa emergir no futuro. O que nos deixa com apenas dois grupos de fatores principais por trás do colapso de Páscoa: impactos ambientais humanos, especialmente desmatamento e destruição das populações de aves; e os fatores políticos, sociais e religiosos por trás dos impactos, como a impossibilidade da emigração como uma válvula de escape para o isolamento de Páscoa, o foco na construção de estátuas por razões já discutidas e a competição entre clãs e chefes levando à construção de estátuas maiores, o que requeria mais madeira, cordas e alimentos.

O isolamento dos insulares de Páscoa provavelmente também explica por que acredito que o seu colapso, mais do que o de qualquer outra sociedade pré-industrial, assombra meus leitores e alunos. Os paralelos entre a ilha de Páscoa e o mundo moderno são assustadoramente óbvios. Graças à globalização, comércio internacional, aviões a jato e Internet, todos os países da Terra de hoje em dia compartilham recursos e afetam uns aos outros, assim como fizeram os 12 clãs de Páscoa. A ilha de Páscoa polinésia estava tão isolada no oceano Pacífico quanto a Terra está hoje no espaço. Quando os insulares de Páscoa tiveram dificuldades, não havia para onde fugir, nem a quem pedir ajuda, assim como nós, modernos terráqueos, também não temos a quem recorrer caso precisemos de ajuda. Essas são as razões pelas quais as pessoas veem o colapso da sociedade da ilha de Páscoa como uma metáfora — a pior hipótese — daquilo que pode estar nos esperando no futuro.

É claro que a metáfora é imperfeita. Nossa posição atualmente difere em importantes aspectos daquela dos insulares de Páscoa do século XVII. Algumas dessas diferenças aumentam o perigo para nós: por exemplo, se alguns insulares usando apenas pedras como ferramentas e seus próprios músculos como fonte de energia conseguiram destruir o seu ambiente e, assim, destruir a sua sociedade, o que farão bilhões de pessoas com instrumentos de metal e com a energia das máquinas? Mas também há diferenças a nosso favor, às quais voltaremos no último capítulo deste livro.

CAPÍTULO 3

AS ÚLTIMAS PESSOAS VIVAS: ILHAS DE PITCAIRN E HENDERSON

Pitcairn antes do *Bounty* • Três ilhas diferentes
• Comércio • O fim do filme

Há muitos séculos, imigrantes chegaram a uma terra fértil, abençoada com recursos naturais aparentemente inesgotáveis. Embora a terra tivesse poucas matérias-primas úteis para a indústria, tais materiais foram prontamente obtidos por comércio marítimo com terras mais pobres que tinham depósitos desses recursos. Durante algum tempo, ambas as terras prosperaram, e suas populações se multiplicaram.

Contudo, a população da terra rica acabou se multiplicando de tal forma que nem os seus recursos abundantes podiam suportar. À medida que suas florestas eram derrubadas e seu solo erodido, sua produtividade agrícola já não era suficiente para gerar excedentes para exportação, construir navios, ou mesmo para nutrir seu povo. Com o declínio do comércio, escassearam as matérias primas importadas. Sobreveio a guerra civil, e instituições políticas estabelecidas foram derrubadas por uma sucessão calidoscópica de líderes militares locais. A população faminta da terra rica sobreviveu tornando-se canibal. Seus antigos parceiros comerciais de além-mar tiveram um destino ainda pior: privados das importações das quais dependiam, começaram a saquear o seu próprio meio ambiente até que não sobrasse mais nada vivo.

Será que esse cenário sombrio representa o futuro dos EUA e nossos sócios comerciais? Ainda não o sabemos, mas isso já aconteceu em três ilhas tropicais do Pacífico. Uma delas, Pitcairn, é famosa como a ilha "inabitada", lugar para onde os amotinados do H.M.S. *Bounty* fugiram, em 1790. Escolheram Pitcairn porque de fato era desabitada na época, remota, e, portanto, oferecia um excelente esconderijo da vingativa marinha inglesa que procurava por eles. Mas os amotinados encontraram plataformas de templos, petróglifos e instrumentos de pedra que eram uma prova muda de que Pitcairn fora habitada por uma antiga população polinésia. A leste de Pitcairn há uma ilha ainda mais remota, chamada Henderson, que permanece desabitada em nossos dias. Ainda hoje, Pitcairn e Henderson estão entre as ilhas mais inacessíveis do mundo, sem tráfego aéreo ou marítimo, visitada apenas por iates ocasionais ou navios de cruzeiro. No entanto, Henderson também tem provas abundantes de uma antiga população polinésia. O que aconteceu com os antigos insulares de Pitcairn e seus primos desaparecidos de Henderson?

O romance e o mistério dos amotinados do H.M.S. *Bounty* em Pitcairn, recontado em muitos livros e filmes, é comparável ao fim misterioso dessas duas populações. Informações básicas sobre elas emergiram ao fim de recentes escavações feitas por Marshall Weisler, arqueólogo da Universidade de Otago, na Nova Zelândia, que passou oito meses naqueles lugares isolados. Os destinos dos primeiros insulares de Pitcairn e Henderson estão ligados a uma catástrofe ambiental que se desenvolveu lentamente a centenas de quilômetros mar adentro, na populosa ilha de Mangareva, cuja população sobreviveu a custa de um padrão de vida drasticamente reduzido. Portanto, assim como a ilha de Páscoa nos oferece o mais claro exemplo de um colapso causado por impacto ambiental provocado por seres humanos com um mínimo de outros fatores complicadores, as ilhas de Pitcairn e Henderson nos fornecem o mais claro exemplo de colapso deflagrado pelo dano ambiental na terra de um parceiro comercial: uma visão antecipada de riscos que se desenvolvem atualmente, associados à moderna globalização. O dano ambiental em Pitcairn e Henderson também contribuiu para o colapso, mas não há provas do papel da mudança de clima ou de inimigos.

Mangareva, Pitcairn e Henderson são as únicas ilhas habitáveis na área conhecida como sudeste da Polinésia, que também inclui alguns atóis baixos que dão abrigo a populações temporárias ou visitantes, mas não têm nenhuma população permanente. Estas três ilhas habitáveis foram colonizadas por volta de 800 d.C., como parte da expansão polinésia para leste, explicada no capítulo anterior. Até mesmo Mangareva, a ilha mais ocidental das três e, portanto, a que está mais perto de outras partes colonizadas da Polinésia, fica a cerca de dois mil quilômetros das ilhas grandes e altas mais próximas, como as Sociedade a oeste (incluindo o Taiti) e as Marquesas a noroeste. As ilhas da Sociedade e as Marquesas, por seu turno, que são as maiores e mais populosas da Polinésia Oriental, ficam a dois mil quilômetros a leste das ilhas altas mais próximas da Polinésia Ocidental e podem ter sido colonizadas dois mil anos depois das ilhas da Polinésia Ocidental. Portanto, Mangareva e seus vizinhos estavam isolados mesmo dentro da remota metade oriental da Polinésia. Provavelmente foram ocupadas por gente oriunda das Marquesas ou da ilhas da Sociedade durante o mesmo surto colonizador que alcançou as remotas ilhas do Havaí e de Páscoa, e que completou a colonização da Polinésia (mapas, p. 108-109 e nesta página).

Dessas três ilhas habitáveis do sudeste da Polinésia, a que podia suportar o maior número de habitantes e a mais abundantemente dotada de recursos naturais importantes para os seres humanos era Mangareva. Consistia em uma grande lagoa com 24 quilômetros de diâmetro, protegida por um recife externo, e contendo duas dúzias de ilhotas vulcânicas extintas e alguns atóis de coral com uma área total de terra de 26 km². A lagoa, seus recifes e o oceano do lado de fora estão repletos de peixes e moluscos. Espe-

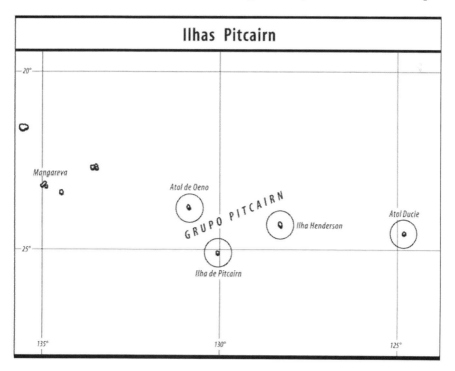

cialmente valiosa entre as espécies de moluscos é a ostra de bordas negras, *Pinctada margaritifera*, uma ostra muito grande da qual a lagoa oferecia quantidades praticamente inexauríveis para os colonizadores polinésios, e que é a espécie usada atualmente para o cultivo das famosas pérolas negras. Além de ser comestível, sua casca grossa, com até 20 centímetros de comprimento, era uma matéria-prima ideal para que os polinésios entalhassem anzóis, descascadores de verduras, raladores e ornamentos.

As ilhas mais altas da lagoa de Mangareva recebem chuva bastante para terem fontes e rios intermitentes, e originalmente tinham florestas. Na faixa estreita de terra plana ao longo da costa, os colonos polinésios construíram suas casas. Nas encostas por trás das aldeias, criavam batatas-doces e inhames; nos terraços de cultivo e nos terrenos planos plantavam taro, irrigado pela água das fontes; nos lugares mais elevados plantavam fruta-pão e banana. Deste modo, a agricultura, a pesca e a coleta de mariscos poderiam sustentar uma população de milhares de indivíduos em Mangareva, mais de 10 vezes a população combinada de Pitcairn e Henderson nos antigos tempos de ocupação polinésia.

De uma perspectiva polinésia, a maior desvantagem de Mangareva era a falta de pedras de alta qualidade para fazer enxós e outros instrumentos. (Era como se os EUA tivessem todos os recursos naturais de que precisavam, menos jazidas de ferro de alta qualidade.) Os atóis de coral na lagoa de Mangareva não tinham qualquer pedra, e até mesmo as ilhas vulcânicas não ofereciam mais que um basalto granuloso. Era adequado para a construção de casas e paredes de hortas, usado como pedras de forno e moldados como âncoras de canoas, moedores de comida e outros instrumentos grosseiros, mas o basalto granuloso só oferecia enxós de qualidade inferior.

Por sorte, sua deficiência foi espetacularmente remediada por Pitcairn, uma ilha vulcânica mais íngreme, muito menor (6,5 km²) a cerca de 500 quilômetros a sudoeste de Mangareva. Imagine a excitação quando o primeiro grupo de canoas de Mangareva descobriu Pitcairn após diversos dias de viagem em mar aberto, desembarcou em sua única praia, subiu precariamente a íngreme encosta e chegou à pedreira Down Rope, o único filão utilizável de vidro vulcânico do sudoeste da Polinésia, cujas lascas podiam servir como instrumentos afiados para tarefas que exigiam corte preciso — o equivalente polinésio de tesouras e bisturis. Sua excitação deve ter se transformado em êxtase quando, a menos de dois quilômetros a oeste, ao longo da costa, descobriram o veio Tautama de basalto de grão fino, que se tornou a maior pedreira do sudeste da Polinésia para a produção de enxós.

Em outros aspectos, Pitcairn oferecia opções muito mais limitadas do que Mangareva. Tinha rios intermitentes, e suas florestas incluíam árvores grandes o bastante para serem transformadas em cascos de canoas com estabilizadores. Mas a topografia acidentada de Pitcairn e a área total limitada significavam que as terras planas adequadas à agricultura eram pequenas. Outra desvantagem igualmente séria é a falta de um recife no litoral de Pitcairn, e o fundo do mar se aprofundar em uma inclinação muito íngreme, resultando que pescar e colher mariscos tornavam-se uma tarefa bem menos compensadora do que em Mangareva. Em particular, Pitcairn não tinha colônias de ostras de bordas negras, tão úteis para comer e fazer instrumentos. Portanto, o total da população polinésia de Pitcairn provavelmente não fosse maior do que 100 pessoas. Os descendentes dos amotinados do *Bounty* e seus companheiros polinésios que vivem hoje em Pitcairn somam apenas 52. Quando seu número subiu da faixa original de 27 indivíduos, em 1790, para 194, em 1856, esta população superou o potencial agrícola de Pitcairn, e a maior parte teve de ser evacuada pelo governo inglês e levada para a distante ilha Norfolk.

A outra ilha habitável do sudeste da Polinésia, Henderson, é maior (36 km²) mas também é a mais remota (160 quilômetros a noroeste de Pitcairn, 640 quilômetros a leste de Mangareva) e a mais marginal para a existência humana. Diferentemente de Mangareva ou Pitcairn, Henderson não é de origem vulcânica. Trata-se de um recife de coral que processos geológicos empurraram mais de 30 metros acima do nível do mar. Portanto, Henderson tem escassez de basalto e de outras rochas usados na fabricação de instrumentos. Esta é uma grave limitação para uma sociedade de fabricantes de utensílios de pedra. Outra séria limitação adicional para quaisquer seres humanos é que Henderson não tem rios nem fontes confiáveis de água potável, porque a ilha consiste em calcário poroso. Na melhor das hipóteses, durante alguns dias após a imprevisível chegada de chuvas, a água pinga do teto das cavernas e encontram-se poças de água no chão. Há também uma fonte de água potável que borbulha no fundo do oceano, a cerca de seis metros da costa. Durante os meses que passou em Henderson, Marshall Weisler descobriu que conseguir água para beber, mesmo usando modernos encerados para recolher a chuva, era um esforço constante, e a maior parte de sua comida e toda a lavagem e asseio tinham de ser feitos com água salgada.

Até mesmo o solo em Henderson se restringe a pequenos bolsões de terra entre o calcário. As árvores mais altas da ilha têm apenas 15 metros de altura, e não são grandes o bastante para serem transformadas em canoas. A floresta nanica e o sub-bosque luxuriante são tão densos que requerem um facão para serem penetrados. As praias de Henderson são estreitas e confinadas ao extremo norte da ilha; a costa sul consiste em penhascos verticais onde é impossível atracar um barco; o extremo sul da ilha é um cenário coberto de *makatea* onde se alternam fileiras de fissuras e arestas de calcário afiadas como navalhas. Este extremo sul só foi alcançado três vezes, por grupos de europeus, um deles o grupo de Weisler. Weisler, que usava botas de escalada, demorou cinco horas para atravessar os oito quilômetros que separam a costa norte da costa sul de Henderson — onde ele prontamente descobriu um abrigo de pedras outrora ocupado por polinésios descalços.

Compensando estas assustadoras desvantagens, Henderson tem atrações. No recife e nas águas rasas ao seu redor vivem lagostas, caranguejos, polvos e uma variedade de peixes e moluscos — que, infelizmente, não inclui a ostra de bordas negras. Em Henderson encontramos a única praia conhecida de desova de tartarugas do sudeste da Polinésia, lugar aonde as tartarugas verdes vêm à terra para pôr seus ovos entre janeiro e março de cada ano. Outrora, Henderson tinha ao menos 17 espécies de aves marinhas, incluindo colônias de petréis com milhões de aves, cujos adultos e filhotes podiam ser facilmente capturáveis nos ninhos — suficiente para uma população de 100 pessoas comer uma ave por dia cada um sem pôr em perigo a sobrevivência da colônia. A ilha também era lar de nove espécies de aves terrestres, cinco delas não voadoras ou maus voadoras e, portanto, fáceis de capturar, incluindo três espécies de pombos grandes que deveriam ser especialmente deliciosos.

Todos esses aspectos fariam de Henderson um grande lugar para um piquenique vespertino ou para uma pequena temporada na qual se fartar de frutos do mar, aves e tartarugas — mas um lugar arriscado e marginal para tentar estabelecer residência fixa. Contudo, as escavações de Weisler mostraram, para surpresa de qualquer um que tenha visto ou ouvido falar de Henderson, que a ilha evidentemente mantinha uma pequena população permanente, possivelmente compreendendo algumas dúzias de pessoas que faziam um tremendo esforço para sobreviver. Prova de sua antiga presença é fornecida por 98 ossos e dentes humanos, representando ao menos 10 adultos (tanto homens quanto mulheres, alguns com mais de 40 anos de idade), seis meninos e meninas adolescentes, e quatro crianças entre 5 e 10 anos. Os ossos das crianças em particular sugerem uma população residente; os atuais insulares de Pitcairn geralmente não levam crianças pequenas quando visitam Henderson para recolher madeira e frutos do mar.

Outra evidência de presença humana é um grande monturo enterrado, um dos maiores conhecidos no sudeste da Polinésia, com cerca de 300 metros de comprimento e 30 de largura, ao longo da praia da costa norte, em frente à única passagem através da orla de recifes de Henderson. Entre o lixo do monturo deixado para trás por gerações de comensais, e identificados em pequenos poços experimentais escavados por Weisler e seus colegas, estão enormes quantidades de ossos de peixe (14.751 ossos em apenas meio metro cúbico de areia testada!), mais 42.213 ossos de aves, compreendendo dezenas de milhares de ossos de aves marinhas (especialmente petréis, andorinhas-do-mar e rabos-de-palha) e milhares de ossos de aves terrestres (especialmente o pombo não voador, frangos-d'água e maçaricos). Quando se extrapola o número de ossos encontrados por Weisler em seus pequenos poços de teste para o número provável em todo o monturo, calcula-se que os insulares de Henderson devem ter jogado ali restos de dezenas de milhões de peixes e aves ao longo dos séculos. A mais antiga data radiocarbônica associada a humanos em Henderson vem deste monturo, e a outra mais antiga da praia das tartarugas na costa nordeste, implicando que as pessoas se estabeleceram primeiro nas áreas onde podiam se fartar de comida não cultivada.

Como as pessoas podiam viver em uma ilha que não é mais do que um recife de coral soerguido, coberto de árvores baixas? Henderson é única entre as ilhas habitadas (ou outrora habitadas) por polinésios onde faltam evidências de construções, como as casas e templos de praxe. Há apenas três sinais de algum tipo de construção: um calçamento de pedra e buracos de postes no monturo, sugerindo fundações de uma casa ou abrigo;

uma parede pequena e baixa para proteger contra o vento; e algumas lajes feitas com pedras da praia para uma tumba. Em vez disso, literalmente toda caverna e abrigo de pedra perto do litoral e com um chão plano e abertura acessível — até mesmo pequenos recessos de apenas três metros de largura e dois de profundidade, grandes o bastante para algumas pessoas se protegerem do sol — continham resíduos que atestam a ocupação humana. Weisler encontrou 18 desses abrigos, 15 dos quais nos muito frequentados litorais norte, nordeste e noroeste, e os outros três (todos muito apertados) nos penhascos do leste e do sul. Por Henderson ser pequena, Weisler foi capaz de pesquisar todo o litoral, as 18 cavernas e abrigos de pedra, além de um abrigo na praia norte, que provavelmente constituem todos os "domicílios" da população de Henderson.

Carvão, pilhas de pedras e resíduos de vegetais cultivados mostram que o nordeste da ilha foi queimado e cuidadosamente convertido em hortas onde os vegetais eram plantados em bolsões naturais de terra. Entre as plantas polinésias introduzidas intencionalmente pelos colonos, e que foram identificadas em sítios arqueológicos de Henderson ou que ainda hoje crescem naturalmente em Henderson, estão o coco, a banana, o taro do pântano, possivelmente o taro comum, diversas espécies de árvores de madeira, árvores de *kukui*, cujas cascas das sementes são queimadas para iluminação, hibiscos, que fornecem fibras para o fabrico de cordas, e o arbusto *ti*. As raízes doces deste arbusto geralmente servem como comida de emergência em toda a Polinésia, mas evidentemente eram uma comida habitual em Henderson. As folhas de *ti* podiam ser usadas para fazer roupas, telhados de casas e para embrulhar comida. Todas essas plantas doces ou amiláceas respondem por uma dieta rica em carboidratos, o que pode explicar o fato de os dentes e mandíbulas dos insulares de Henderson que Weisler encontrou exibirem sinais de doenças periodontais, dentes desgastados e perdas de dentes capazes de provocar pesadelos em um dentista. A maior parte da proteína consumida pelos insulares vinha de aves e frutos do mar, mas a descoberta de um par de ossos de porco mostram que criavam porcos ou, ao menos, os traziam ocasionalmente.

Portanto, o sudeste da Polinésia presenteou os colonos com apenas algumas ilhas potencialmente habitáveis. Mangareva, capaz de sustentar a maior população, era bastante auto-suficiente para as necessidades da vida polinésia, exceto pela falta de pedras de alta qualidade. Das outras duas ilhas, Pitcairn era tão pequena e Henderson tão ecologicamente marginal, que só podiam sustentar uma pequena população incapaz de constituir uma sociedade viável a longo prazo. Ambas também eram deficientes em importantes recursos. Henderson, por exemplo, era tão pobre em recursos que nós, modernos, que jamais sonharíamos ir até lá, mesmo que fosse apenas para passar um fim de semana, sem levar uma caixa de ferramentas completa, água potável e outro alimento além de frutos do mar, achamos incrível que os polinésios tenham conseguido viver lá. Mas tanto Pitcairn quanto Henderson oferecem atrações compensadoras para os polinésios: pedras de alta qualidade na primeira, abundância de aves e frutos do mar na segunda.

As escavações arqueológicas de Weisler descobriram muitas evidências de comércio entre as três ilhas, pelo qual as deficiências de cada uma delas eram compensadas pelos excedentes de outras ilhas. Objetos de troca, mesmo aqueles (como as pedras) que não têm carbono orgânico adequado à datação radiocarbônica, ainda assim podem ser datados com medições radiocarbônicas do carvão escavado na mesma camada geológica. Deste modo, Weisler estabeleceu que o comércio começou por volta do ano 1000 d.C., provavelmente contemporâneo da primeira ocupação pelo homem, e continuou durante muitos séculos. Numerosos objetos escavados nos sítios de Weisler, em Henderson, puderam ser imediatamente identificados como importados porque eram feitos de materiais não nativos a Henderson: anzóis e descascadores de legumes feitos com conchas de ostras, vidro vulcânico, instrumentos cortantes e enxós de basalto e pedras de forno.

De onde vinham esses produtos importados? Uma hipótese razoável é que as conchas de ostras para a confecção de anzóis vinham de Mangareva, porque elas são abundantes lá, mas inexistentes em Pitcairn, assim como em Henderson, e as outras ilhas com bancos de ostras são muito mais distantes. Alguns artefatos feitos de conchas de ostras também foram encontrados em Pitcairn e também se presume que vieram de Mangareva. Mas é um problema muito mais difícil identificar as origens dos artefatos de pedra vulcânica encontrados em Henderson, porque Mangareva, Pitcairn e muitas outras ilhas distantes da Polinésia têm origem vulcânica.

Por isso, Weisler desenvolveu ou adotou técnicas para distinguir pedras vulcânicas de várias fontes. Os vulcões expelem muitos tipos diferentes de lava, dos quais o basalto (o tipo de pedra vulcânica que ocorre em Mangareva e Pitcairn) é definido por sua composição química e por sua cor. Contudo, os basaltos de diferentes ilhas e, frequentemente, de diferentes pedreiras em uma mesma ilha, diferem uns dos outros em detalhes de composição química, como o conteúdo relativo de seus elementos principais (como silício e alumínio) e elementos secundários (como nióbio e zircônio).

Um modo de distinção ainda mais específico é que o elemento chumbo ocorre naturalmente na forma de diversos isótopos (i.e., diversas formas de um mesmo elemento que diferem ligeiramente em peso atômico), cujas proporções também diferem de uma fonte de basalto para outra. Para um geólogo, todos esses detalhes de composição constituem uma impressão digital capaz de identificar se um instrumento de pedra veio de uma ilha ou pedreira em particular.

Weisler analisou a composição química e, com a ajuda de um colega, mediu a proporção de isótopos de chumbo de uma dúzia de instrumentos e fragmentos de pedra (possivelmente quebrados durante a preparação ou o conserto de instrumento de pedra) que ele escavou de camadas datadas de sítios arqueológicos em Henderson. Em comparação, analisou rochas vulcânicas de pedreiras e afloramentos rochosos em Mangareva e Pitcairn, as fontes mais prováveis de pedras importadas para Henderson. Apenas para se certificar, também analisou rochas vulcânicas de ilhas da Polinésia que eram muito mais distantes e, portanto, fontes menos prováveis das pedras encontradas em Henderson, incluindo Havaí, Páscoa, Marquesas, Sociedade e Samoa.

As conclusões tiradas dessas análises são inequívocas. Todas as peças de vidro vulcânico encontradas em Henderson são originárias da pedreira Down Rope, em Pitcairn. Tal conclusão já era sugerida pela inspeção visual das peças, mesmo antes da análise química, porque o vidro vulcânico de Pitcairn tem um colorido muito peculiar, com manchas pretas e cinzas. A maioria das enxós de basalto de Henderson, e as lascas de basalto que aparentemente resultaram da confecção de instrumentos, também se originaram de Pitcairn, mas algumas vieram de Mangareva. Em Mangareva, embora tenham sido feitas bem menos buscas por artefatos de pedra do que em Henderson, algumas enxós também eram evidentemente feitas de basalto de Pitcairn, presumivelmente importados dada a sua superioridade em relação ao basalto de Mangareva. Por outro lado, das pedras de basalto vesicular escavadas em Henderson, a maioria veio de Mangareva, mas uma minoria era de Pitcairn. Tais pedras eram usadas regularmente por toda a Polinésia como pedras de forno, que eram aquecidas no fogo para o preparo de comida, muito parecidos com os tijolos de carvão usados em churrasqueiras modernas. Muitas dessas supostas pedras de forno foram encontradas em buracos em Henderson e mostravam sinais de terem sido aquecidas, confirmando a sua suspeitada função.

Em resumo, os estudos arqueológicos documentaram agora um antigo e próspero comércio de matérias-primas e possivelmente também de utensílios acabados: de conchas de ostras, de Mangareva para Pitcairn e Henderson; de vidro vulcânico, de Pitcairn para Henderson; e de basalto, de Pitcairn para Mangareva e Henderson, e de Mangareva para Henderson. Além disso, os porcos dos polinésios e suas bananas, taro e outros cultivos importantes são espécies que não existiam nas ilhas da Polinésia antes da chegada do homem. Se Mangareva foi colonizada antes de Pitcairn e Henderson, como parece provável porque Mangareva é mais próxima da Polinésia do que as outras duas ilhas, então o comércio de Mangareva provavelmente também trouxe as culturas e os porcos, indispensáveis para Pitcairn e Henderson. Especialmente ao tempo em que as colônias de Mangareva em Pitcairn e Henderson foram fundadas, as canoas trazendo importações de Mangareva representavam o cordão umbilical essencial para povoar e prover de animais e plantas as novas colônias, além de, posteriormente, terem assumido o papel de abastecedor permanente.

Quanto aos produtos exportados em troca de Henderson para Pitcairn e Mangareva, só podemos adivinhar. Deviam ser itens perecíveis, que não deixaram marcas nos sítios arqueológicos de Pitcairn e Mangareva, uma vez que Henderson não tem pedras ou conchas que valham a pena exportar. Um candidato plausível são tartarugas marinhas vivas, que hoje, no sudeste da Polinésia, só se reproduzem em Henderson, e que em toda a Polinésia eram valorizadas como uma comida sofisticada consumida principalmente pelos chefes — como trufas e caviar hoje em dia. Um segundo candidato são as penas vermelhas do papagaio de Henderson, pombas e rabos-de-palha de cauda vermelha, uma vez que as penas vermelhas eram outro item sofisticado usado como ornamento na Polinésia, análogo ao ouro e à pele de marta hoje em dia.

Contudo, assim como hoje em dia, a troca de matérias-primas, itens manufaturados e luxuosos não era o único motivo para o comércio e as viagens transoceânicas. Mesmo depois que as populações de Pitcairn e Henderson chegaram ao seu limite máximo possível, seus números — cerca de cem e algumas dezenas de indivíduos, respectivamente — eram tão baixos que as pessoas em idade de casar encontrariam poucos parceiros potenciais na ilha, e esses parceiros em sua maioria seriam parentes próximos sujeitos a tabus de incesto. Portanto, a troca de parceiros para casamento teria sido uma importante função adicional do comércio com Mangareva. Também deve ter servido para trazer artesãos habilidosos da população maior de Mangareva para Pitcairn e Henderson, e para reimportar culturas que tivessem morrido nas pequenas áreas cultiváveis de Pitcairn e Henderson. Do mesmo modo, mais recentemente, as frotas de suprimentos da Europa eram essenciais não apenas para povoar ou abastecer com colheitas e animais domésticos, como também para manter as colônias europeias de além-mar na América e na Austrália, que exigiam longo tempo para desenvolver rudimentos de autossuficiência.

Da perspectiva dos habitantes de Mangareva e Pitcairn, ainda haveria outra função provável do comércio com Henderson. A viagem de Mangareva para Henderson demoraria quatro ou cinco dias nas canoas polinésias; de Pitcairn a Henderson, cerca de um dia. Minha experiência de viagens no Pacífico a bordo de canoas nativas baseia-se em viagens muito mais curtas, que me deixavam o tempo todo temeroso da canoa virar ou quebrar e que, certa vez, quase me custaram a vida. Portanto, a ideia de uma viagem de canoa de vários dias através do mar aberto é intolerável para mim, algo que eu só seria induzido a fazer caso estivesse desesperado para salvar a própria vida. Mas para os povos modernos do Pacífico, que navegam cinco dias em suas canoas apenas para irem comprar cigarro, tais viagens fazem parte do cotidiano. Para os antigos polinésios habitantes de Mangareva ou Pitcairn, uma visita a Henderson de uma semana representaria um maravilhoso piquenique, uma oportunidade para se fartarem de tartarugas, de seus ovos e dos milhões de aves marinhas nidificando em

Henderson. Para os insulares de Pitcairn em particular, que viviam em uma ilha sem recifes, enseada tranquila ou bancos de mariscos, Henderson também seria atraente por causa de seus peixes, frutos do mar, ou pelo simples prazer de ir à praia. Pelo mesmo motivo, os atuais descendentes dos amotinados do *Bounty*, entediados em sua ilha prisão, não perdem a chance de tirar "férias" na praia de um atol de coral a algumas centenas de quilômetros de distância.

Mangareva, ao que parece, era o centro geográfico de uma rede de comércio muito maior, da qual a viagem oceânica para Pitcairn e Henderson, a algumas centenas de quilômetros para sudoeste, era o menor trajeto. Os maiores, com quase dois mil quilômetros cada um, ligavam Mangareva às Marquesas a norte-nordeste, às ilhas da Sociedade, a oeste-noroeste, e possivelmente às Austrais, a oeste. As dezenas de atóis de coral baixos do arquipélago de Tuamotu ofereciam pequenos pontos de parada em meio a tais jornadas. Assim como a população de muitos milhares de habitantes de Mangareva superava em muito as populações de Pitcairn e Henderson, as populações das ilhas da Sociedade e as Marquesas (com cerca de 100 mil pessoas cada) superavam a de Mangareva.

Prova substancial desta rede de comércio maior surgiu no curso dos estudos químicos do basalto feitos por Weisler, quando este teve a sorte de identificar duas enxós de basalto originárias de uma pedreira nas Marquesas e outro de uma pedreira nas ilhas da Sociedade entre as 19 enxós recolhidas em Mangareva que foram analisadas. Outra prova vem de ferramentas cujos estilos variam de ilha para ilha, como enxós, machados, anzóis, armadilhas para polvos, arpões e lixas. A semelhança de estilos entre as ilhas e o surgimento de exemplares de um tipo de ferramenta de uma ilha em outra atestam o comércio especialmente entre as Marquesas e Mangareva. Registra-se um acúmulo de ferramentas no estilo das Marquesas em Mangareva por volta de 1100-1300 d.C. sugerindo por esta época o auge das viagens entre ambas as ilhas. Outras provas deste comércio vêm de estudos feitos pelo linguista Steven Fischer, que conclui que a língua de Mangareva como a conhecemos atualmente deriva da língua original trazida para a ilha por seus primeiros colonizadores e que, então, foi muito modificada por contatos posteriores com o idioma do sudeste das Marquesas (a porção do arquipélago das Marquesas mais próxima a Mangareva).

Quanto às funções de todo esse comércio e contato na rede maior, uma certamente era econômica, assim como na rede menor, entre Mangareva, Pitcairn e Henderson, porque os arquipélagos da rede complementavam um ao outro em recursos. As Marquesas eram a "terra mãe", com muito espaço e população, uma boa pedreira de basalto, mas poucos recursos marinhos, uma vez que não tinham lagoas nem barreira de recifes. Mangareva, uma "segunda terra mãe", tinha uma grande e rica lagoa, mas tinha menos terra e população, além de pedras de qualidade inferior. As colônias afiliadas de Mangareva, Pitcairn e Henderson, tinham as desvantagens de possuir pouca terra e população mas boas pedras em Pitcairn e muita comida em Henderson. Finalmente, o arquipélago de Tuamotu oferecia pouca terra, nenhuma pedra, mas boa comida e localização conveniente.

O comércio no sudeste da Polinésia continuou de 1000 a 1450 d.C., como indicam os artefatos encontrados em camadas arqueológicas de Henderson datadas pelo radiocarbono. Contudo, por volta de 1500, o comércio parou, tanto no sudeste da Polinésia quanto nas outras rotas que partiam de Mangareva. Estas camadas arqueológicas posteriores em Henderson não mais contêm cascas de ostras importadas de Mangareva, vidro vulcânico e basalto de grão fino para a fabricação de ferramentas de Pitcairn, e pedras de basalto para forno de Mangareva ou Pitcairn. Aparentemente, as canoas não mais chegavam de Mangareva ou Pitcairn. Uma vez que as árvores de Henderson eram muito pequenas para fazer canoas, a população de algumas dúzias de pessoas de Henderson ficou presa em uma das mais remotas e apavorantes ilhas do mundo. Os insulares de Henderson se confrontaram com um problema que nos parece insolúvel: como sobreviver em um recife de calcário soerguido, sem metal, sem pedras que não seja calcário, e sem importações de qualquer tipo.

Sobreviveram de uma maneira que me parece uma mistura de engenhosidade e desespero patético. Como matéria-prima para enxós, apelaram para as conchas de mariscos gigantes. Para fazer furadores, recorreram aos ossos de aves. Para pedras de forno, voltaram-se para o calcário, coral ou cascas de mariscos gigantes, todos inferiores ao basalto por reterem calor durante menos tempo, tenderem a rachar após serem aquecidos e não poderem ser reutilizados tão frequentemente. Começaram a fazer

As últimas pessoas vivas: ilhas de Pitcairn e Henderson

anzóis com conchas muitos menores do que a das ostras perlíferas de bordas negras, que só forneciam um anzol por concha (em vez da dúzia de anzóis que se podia fazer com uma concha de ostra) e restringiam o tipo de anzóis que se podia fazer.

As datações radiocarbônicas sugerem que, lutando desta forma para sobreviver, a população de Henderson sobreviveu durante várias gerações, possivelmente um século ou mais, após o fim do contato com Mangareva e Pitcairn. Contudo, por volta de 1606 d.C., ano da "descoberta" de Henderson por europeus, quando um navio espanhol atracou na ilha, a população de Henderson já não existia. A população de Pitcairn também havia desaparecido em 1790 (ano em que os amotinados do *Bounty* chegaram e encontraram a ilha desabitada), e provavelmente desapareceu muito antes desta data.

Por que os contatos de Henderson com o mundo exterior cessaram? Tal interrupção derivou de mudanças ambientais desastrosas em Mangareva e Pitcairn. Em toda a Polinésia, ilhas que se desenvolveram durante milhões de anos tiveram os seus hábitats danificados e sofreram a extinção maciça de espécies de plantas e animais quando da colonização humana. Mangareva era especialmente suscetível de desmatamento pela maioria das razões que identifiquei em Páscoa no capítulo anterior: alta latitude, pouca precipitação de cinza e poeira, e daí por diante. O dano ao hábitat foi grande no interior montanhoso de Mangareva, em boa parte desmatado para a criação de áreas de cultivo. Como resultado disso, a chuva levava o solo encosta abaixo, e a floresta foi substituída por uma savana de samambaias, que eram uma das poucas plantas a sobreviverem no terreno então despojado. A erosão dos solos nas colinas acabou com muito da área de cultivo anteriormente disponível em Mangareva. O desmatamento indiretamente reduziu os resultados das pescarias, porque não restavam árvores grandes o bastante para se construir canoas: quando os europeus "descobriram" Mangareva em 1797, os insulares não tinham canoas, apenas jangadas.

Com tanta gente e tão pouca comida, a sociedade de Mangareva entrou em um pesadelo de guerra civil e fome crônicas, cujas consequências são lembradas em detalhe pelos insulares atuais. Para obterem proteína, as pessoas se voltaram para o canibalismo, não apenas comendo gente morta recentemente como também desenterrando e comendo cadáveres. As preciosas terras de cultivo remanescentes eram disputadas ferrenhamente, com o lado vencedor redistribuindo as terras dos vencidos. Em vez de um sistema político organizado baseado em chefes hereditários, sobreveio o comando não hereditário de guerreiros. A ideia de uma ditadura militar liliputiana em Mangareva oriental e ocidental, lutando pelo controle de uma ilha de apenas oito quilômetros de comprimento, pareceria cômica se não fosse trágica. Todo esse caos político teria dificultado a reunião de mão de obra e de suprimentos necessários para viagens oceânicas a bordo de canoas, para se viajar por um mês e deixar a sua horta sem proteção, mesmo que as árvores para fazer canoas ainda estivessem disponíveis. Com o colapso de Mangareva, toda a rede de comércio da Polinésia Oriental que unira Mangareva às Marquesas, Sociedade, Tuamotu, Pitcairn e Henderson se desintegrou, como documentado pelos estudos de Weisler com enxós de basalto.

Embora se saiba ainda menos sobre mudanças ambientais em Pitcairn, as escavações arqueológicas limitadas feitas ali por Weisler também indicam grande desmatamento e erosão. Henderson também sofreu dano ambiental que reduziu sua capacidade de sustentar seres humanos. Cinco de suas nove espécies de aves terrestres (incluindo os três grandes pombos), e colônias de cerca de seis de suas espécies de aves marinhas, foram exterminadas. Tais extinções provavelmente são resultado de caçadas, destruição do hábitat com a queimada de partes da ilha para abrir campos de cultivo e depredações feitas por ratos que chegaram como clandestinos em canoas polinésias. Hoje, esses ratos continuam a predar filhotes e adultos das espécies de aves marinhas que sobraram, que não podem se defender porque evoluíram na ausência de ratos. As evidências arqueológicas da criação de hortas em Henderson só surgem após o desaparecimento das aves, sugerindo que as pessoas estavam sendo forçadas a contar com as suas hortas devido à escassez de suas fontes de alimento original. O desaparecimento de conchas-chifre comestíveis e o declínio de conchas-turbante em camadas mais tardias de sítios arqueológicos na costa nordeste de Henderson também sugerem a possibilidade de exploração excessiva de moluscos.

Portanto, o dano ambiental, que levou ao caos social e político e à perda de madeira para fazer canoas, acabou com o comércio entre as ilhas do sudeste da Polinésia. O fim do comércio deve ter exacerbado os problemas para os habitantes de Mangareva, agora isolados das fontes de pedras de alta qualidade de Pitcairn, das Marquesas e Sociedade para fazer ferramentas. Para os habitantes de Pitcairn e Henderson, os resultados foram ainda piores: no fim, não restou ninguém vivo nessas ilhas.

O desaparecimento das populações de Pitcairn e Henderson deve ter resultado do corte do cordão umbilical com Mangareva. A vida em Henderson, sempre difícil, deve ter se tornado ainda mais dura com a perda das pedras vulcânicas importadas. Será que morreram todos em uma calamidade ou as populações minguaram gradualmente até um único sobrevivente, que viveu a sós com suas memórias durante vários anos? Isso de fato aconteceu com a população indígena da ilha de San Nicolas, ao largo de Los Angeles, reduzida finalmente a uma mulher que sobreviveu em isolamento completo durante 18 anos. Terão os últimos habitantes de Henderson passado muito tempo nas praias, geração após geração, olhando para o mar na esperança de avistar as canoas que pararam de chegar, até que a própria memória de como era uma canoa esvaeceu?

Embora os detalhes de como a vida humana se extinguiu em Pitcairn e Henderson continuem escassos, não consigo me livrar de seu drama misterioso. Em minha mente, vejo finais alternativos do filme, guiando minhas especulações com aquilo que sei ter acontecido com outras sociedades isoladas. Quando as pessoas estão presas juntas, sem possibilidade de emigrar, os inimigos não podem mais resolver suas tensões simplesmente mudando se dali. Tais tensões devem ter eclodido em assassinatos em massa, o que, posteriormente, quase destruiu a colônia dos amotinados do *Bounty* na própria Pitcairn. Os assassinatos também devem ter sido motivados por escassez de comida e canibalismo, como aconteceu em Mangareva, ilha de Páscoa e — mais perto de casa para os norte--americanos — em Donner Party, na Califórnia. Talvez, desesperadas, as pessoas tenham se voltado para o suicídio, como fizeram os 39 membros da seita Heaven's Gate perto de San Diego, na Califórnia. O desespero também pode ter levado à insanidade, que foi o destino de alguns membros da expedição belga à Antártida, cujo barco foi aprisionado pelo gelo durante um ano, 1898-1899. Ainda outro fim catastrófico pode ter sido a fome, destino das guarnições japonesas isoladas nas ilhas Wake durante a Segunda Guerra Mundial, e talvez exacerbada por uma seca, tufão, tsunami, ou outro desastre ambiental.

Então minha mente se volta para finais mais brandos do filme. Após algumas gerações de isolamento em Pitcairn ou Henderson, em uma microssociedade de uma centena ou de algumas dezenas de pessoas, todos seriam primos de todos, e isso tornaria o casamento impossível sem a violação de tabus religiosos. Assim, as pessoas devem ter apenas envelhecido juntas e parado de ter filhos, como aconteceu com os últimos sobreviventes dos índios *yahi* da Califórnia, o famoso Ishi e suas três companheiras. Se a pequena população ignorar tabus de incesto, a consanguinidade resultante pode fazer com que anomalias físicas congênitas proliferem, como exemplificado pela surdez na ilha de Martha's Vineyard, no litoral de Massachusetts, ou na remota ilha de Tristão da Cunha, no Atlântico.

Talvez nunca saibamos de que modo os filmes de Pitcairn e Henderson realmente terminaram. Contudo, embora não conheçamos os detalhes, o perfil geral da história é claro. As populações de Mangareva, Pitcairn e Henderson infligiram grandes danos aos seus ambientes e destruíram muitos dos recursos necessários à sua sobrevivência. Os insulares de Mangareva eram numerosos o bastante para sobreviverem, embora sob condições terríveis e com uma drástica redução de seu padrão de vida. Mas desde o início, mesmo antes do acúmulo de danos ambientais, os habitantes de Pitcairn e Henderson eram dependentes da importação de produtos agrícolas, tecnologia, pedras, conchas de ostras e gente de Mangareva. Com o declínio de Mangareva e sua incapacidade de manter as importações, nem os mais heroicos esforços de adaptação poderiam salvar os últimos habitantes de Pitcairn e Henderson. Se tais ilhas ainda parecem remotas demais no tempo e no espaço para serem relevantes para as nossas sociedades modernas, imaginem os riscos (assim como os benefícios) de nossa crescente globalização e aumento crescente da interdependência econômica mundial. Muitas áreas economicamente importantes mas ecologicamente frágeis (pense no petróleo) já afetam a todos nós, assim como Mangareva afetou Pitcairn e Henderson.

CAPÍTULO 4

OS ANTIGOS: OS ANASAZIS E SEUS VIZINHOS

Fazendeiros do deserto • Anéis de crescimento das árvores
• Estratégias de agricultura • Problemas e ratos silvestres do
Chaco • Integração regional • Declínio e morte do Chaco
• A mensagem do Chaco

Dos lugares considerados neste livro onde houve colapso social, os mais remotos são as ilhas Pitcairn e Henderson, discutidas no capítulo anterior. No extremo oposto, os mais próximos dos norte-americanos são o Parque Nacional Histórico e Cultural do Chaco (fotos 9 e 10) e o Parque Nacional de Mesa Verde, no sudoeste dos EUA, na rodovia estadual 57 do Novo México e próximo à rodovia federal 666, respectivamente, a menos de 1.000 quilômetros de minha casa em Los Angeles. Assim como as cidades maias que serão objeto do próximo capítulo, estas e outras ruínas de outros povos nativos americanos são atrações turísticas populares visitadas anualmente por milhares de cidadãos do Primeiro Mundo. Uma dessas antigas culturas do sudoeste, a dos mimbres, é também favorita dos colecionadores por causa de sua bela cerâmica decorada com padrões geométricos e figuras realistas: uma tradição única criada por uma sociedade com cerca de quatro mil indivíduos, e sustentada no seu auge por apenas algumas gerações antes de desaparecer abruptamente.

Reconheço que as sociedades do sudoeste dos EUA operavam em uma escala muito menor que as das cidades maias, com populações de milhares em vez de milhões de indivíduos. Como resultado, as cidades maias são muito maiores em área, têm mais monumentos e obras de arte, eram produto de sociedades extremamente estratificadas lideradas por reis e possuíam escrita. Mas os anasazis conseguiram construir em pedra os maiores e mais altos edifícios erguidos na América do Norte antes dos arranha-céus com estrutura de aço da Chicago dos anos 1880. Embora os anasazis não tivessem um sistema de escrita como aquele que nos permite saber o dia exato em que foram feitas as inscrições maias, veremos que muitas estruturas do sudoeste dos EUA ainda podem ser datadas com precisão de um ano, permitindo, assim, que os arqueólogos compreendam a história daquelas sociedades com maior exatidão cronológica do que é possível em Páscoa, Pitcairn e Henderson.

No sudoeste dos EUA estamos lidando não apenas com uma única cultura e colapso, mas com toda uma série deles (mapa, p. 178). As culturas do sudoeste que passaram por colapso regional, reorganização drástica ou abandono em diferentes lugares e tempos, incluindo as culturas mimbres, por volta de 1130 d.C.; *chaco canyon, mesa negra* e *virgin anasazi* em meados ou fins do século XII; por volta de 1300, *mesa verde* e *kayenta anasazi*; *mogollon* por volta de 1400. Possivelmente por volta do século XV, *hohokam*, bem conhecida por seu elaborado sistema de agricultura irrigada. Embora todas essas bruscas transições tenham ocorrido antes da chegada de Colombo ao Novo Mundo, em 1492, os anasazis não desapareceram como povo: outros povos nativos americanos do sudoeste dos EUA que incorporaram alguns de seus descendentes persistem até hoje, como os *pueblos* hopi e zuni. Qual a causa de tantos declínios e mudanças abruptas em tantas sociedades vizinhas?

As explicações de fator único evocam dano ambiental, seca, guerra e canibalismo. Na verdade, o campo da pré-história do sudoeste dos EUA é um cemitério de explicações de fator único. Muitos fatores operaram, mas todos remontam ao problema fundamental de que o sudoeste dos EUA é um ambiente frágil e marginal para a agricultura — como muito do mundo hoje em dia. Tem chuvas escassas e imprevisíveis, solos rapidamente exauríveis e baixa taxa de crescimento florestal. Os problemas ambientais, especialmente grandes secas e episódios de erosão de leito de rio, tendem a ocorrer em intervalos muito mais longos do que o tempo de vida humano ou o tempo da memória oral. Dadas essas grandes dificuldades, é impressionante que os nativos americanos do sudoeste tenham desenvolvido essas complexas sociedades agrícolas. Testemunho de seu sucesso é o fato de a maior parte desta área hoje em dia suportar uma população muito esparsa, incapaz de cultivar a sua própria comida, ao contrário do que acontecia no tempo dos anasazis. Foi uma experiência tocante e inesquecível atravessar de carro áreas de deserto pontilhadas com ruínas de antigas casas de pedra, represas e sistemas de irrigação anasazi, e ver agora uma paisagem quase vazia, com apenas algumas poucas casas ocupadas.

OS ANTIGOS: OS ANASAZIS E SEUS VIZINHOS

O colapso anasazi e outros colapsos do sudoeste nos oferecem não apenas histórias cativantes como também instrutivas para os propósitos deste livro, ilustrando bem o nosso tema de intersecção de impacto ambiental humano e mudança climática, problemas ambientais e populacionais que acabam em guerra, as vantagens mas também os perigos de sociedades complexas não autossuficientes dependentes de importações e exportações, e sociedades que entram rapidamente em colapso após atingirem o auge de população e poder.

Nossa compreensão da pré-história do sudoeste é detalhada por duas vantagens que os arqueólogos desta área desfrutam. Uma é o método dos monturos de ratos silvestres que discutirei adiante, que nos fornece uma cápsula do tempo virtual das plantas que cresceram a algumas dezenas de metros desses monturos durante algumas décadas de um tempo determinado. Tal vantagem permite aos paleobotânicos determinarem mudanças na vegetação local. Outra vantagem faz com que os arqueólogos datem com precisão quando uma determinada construção foi erguida através dos anéis de árvore das vigas de madeira nela usadas, em vez de terem de confiar no método radiocarbônico usado por arqueólogos em outros lugares, com seus erros inevitáveis de 50 a 100 anos.

O método dos anéis de árvores depende do fato de que a chuva e a temperatura variam sazonalmente no sudoeste, de modo que o crescimento das árvores também varia sazonalmente, assim como em outros lugares das zonas temperadas. Assim, as árvores da zona temperada possuem anéis de crescimento anuais, diferentes das florestas tropicais, cujo crescimento é quase contínuo. Mas o sudoeste é melhor para o estudo de anéis de árvores do que a maioria de outros lugares das zonas temperadas, porque o clima seco resulta em uma excelente preservação das vigas de madeira de árvores derrubadas há mais de mil anos.

Veja como funciona a datação através de anéis de árvores, conhecida pelos cientistas como *dendrocronologia* (das raízes gregas: *dendron* = árvore, e *chronos* = tempo). Se você cortar uma árvore hoje, basta contar os anéis a partir do lado de fora da árvore (que corresponde ao anel de crescimento deste ano), para determinar que o 177° anel da borda ao centro foi criado no ano 2005 menos 177, ou seja: 1828. Contudo, é mais difícil datar um anel particular em uma antiga viga de madeira anasazi, porque não sabemos, a princípio, em que ano a viga foi cortada. Contudo, a espessura dos anéis de crescimento varia de ano a ano, dependendo das condições de chuva ou seca anuais. Portanto, a sequência de anéis de uma árvore é como uma mensagem em código Morse, outrora usado para enviar mensagens telegráficas; ponto-ponto-traço-ponto-traço no código Morse, largo-largo-estreito-largo-estreito em uma sequência de anéis de árvore. Em verdade, a sequência de anéis permite um diagnóstico mais rico em informação do que o código Morse, porque as árvores contêm anéis de muitas espessuras diferentes, ao contrário da escolha do código Morse entre apenas pontos e traços.

Os especialistas em anéis de árvores (conhecidos como dendrocronologistas) registram a sequência de anéis mais largos e mais estreitos em uma árvore cortada em ano recente conhecido, e também a sequência em troncos de árvores cortados em diversos tempos desconhecidos do passado. Então comparam e alinham sequências de anéis com os mesmos padrões de diagnóstico largo/estreito de diferentes vigas. Por exemplo, suponha que este ano (2005) você cortou uma árvore que comprovou ter 400 anos de idade (400 anéis), e que tem uma sequência especialmente característica de cinco anéis largos, dois estreitos e seis largos nos 13 anos que transcorreram entre 1631 e 1643. Se você encontrar a mesma sequência característica começando a partir de sete anos do anel exterior de um velho tronco com data de derrubada desconhecida que tenha 332 anéis, então você pode concluir que aquela viga antiga veio de uma árvore cortada em 1650 (sete anos após 1643), e que a árvore começou a crescer no ano 1318 (332 anos antes de 1650). Então, se você pegar esta viga feita da árvore que viveu entre 1318 e 1650, e comparar com vigas ainda mais antigas, e da mesma forma tentar comparar padrões de anéis de árvore e descobrir uma viga cujo padrão de anéis mostra que vem de uma árvore cortada após 1318, mas que começou a crescer antes de 1318, você estenderá o seu registro de anéis de árvore ainda mais no passado. Deste modo, os dendrocronologistas fizeram registros de anéis de árvores que recuam milhares de anos em algumas partes do mundo. Cada um desses registros é válido para uma área geográfica cuja extensão depende de padrões locais de clima porque o clima e, portanto, os padrões de crescimento de árvores, variam com o lugar. Por exemplo, a cronologia básica de anéis de árvore do sudoeste norte-americano se aplica (com alguma variação) à área do norte do México até Wyoming.

Um dado extra que a dendrocronologia nos fornece é o fato de a largura e a subestrutura de cada anel refletirem a quantidade de chuva e a estação em que a chuva caiu naquele ano em particular. Assim, os estudos de anéis de árvore também permitem recriar o clima do passado; p.ex., uma série de anéis largos indica um período úmido, e uma série de anéis estreitos indica seca. Os anéis de árvores fornecem aos arqueólogos do sudoeste datação precisa e informação detalhada do ambiente ano a ano.

A presença dos primeiros humanos nas Américas eram caçadores--coletores que chegaram ao sudoeste dos EUA por volta de 11 mil a.C., possivelmente antes, integrando uma leva colonizadora vinda da Ásia de povos que são ancestrais dos modernos nativos americanos. A agricultura e a pecuária não se desenvolveram naturalmente no sudoeste dos EUA, dada a insuficiência de espécies de plantas e animais selvagens. Em vez disso, veio do México, onde o milho, abóbora, feijões e muitas outras plantas foram domesticadas — o milho chegou por volta de 2000 a.C., a abóbora por volta de 800 a.C., os feijões um pouco depois e o algodão não antes de 400 d.C. As pessoas também tinham perus domésticos, sobre os quais ainda paira um debate sobre se foram primeiro domesticados no México e se espalharam pelo sudoeste, ou vice-versa, ou se foram domesticados de modo independente em ambas as áreas. Originalmente, os nativos americanos do sudoeste apenas incorporaram a agricultura ao seu estilo de vida de caçadores-coletores, como fizeram os apaches modernos nos séculos XVIII e XIX: estabeleciam-se para plantar e colher durante a estação de cultivo, e entao voltavam a agir como caçadores-coletores durante o resto do ano. Por volta do ano 1 d.C., alguns nativos americanos do sudoeste já viviam em aldeias e se tornavam primordialmente dependentes da agricultura de irrigação por sulcos. Posteriormente, suas populações explodiram em número e se espalharam pela região até começarem os declínios populacionais por volta de 1117 d.C.

Ao menos três tipos alternativos de agricultura emergiram, todos envolvendo diferentes soluções para o problema fundamental do sudoeste: como obter água suficiente para plantar em um ambiente onde se tem chuva tão escassa e imprevisível que, hoje em dia, pouca ou nenhuma agricultura é praticada ali. Uma das três soluções consistia na chamada agricultura de terra seca, que significava contar com a chuva que caía em lugares mais altos onde realmente havia chuva o bastante para promover o crescimento de plantações. A segunda solução não dependia de chuva caindo diretamente sobre o campo. Em vez disso, era praticada em áreas onde o lençol freático era próximo da superfície para que as plantas pudessem estender as suas raízes até lá. Tal método era utilizado no fundo de desfiladeiros com rios intermitentes ou permanentes e um lençol de água aluvial a pouca profundidade, como em Chaco Canyon. A terceira solução, praticada especialmente pelos *hohokam* e também em Chaco Canyon, consistia em coletar água em valas ou canais para irrigar os campos.

Embora os métodos usados no sudoeste para obter água para as plantações fossem variantes desses três tipos, as pessoas experimentaram estratégias alternativas da aplicação desses métodos em diferentes locais. Os experimentos duraram quase mil anos, e muitos foram bem-sucedidos durante séculos, embora todos, com exceção de um, tenham acabado sucumbindo a problemas ambientais causados por impacto humano ou mudanças de clima. Cada alternativa envolvia riscos diferentes.

Uma estratégia era viver em lugares mais elevados onde as chuvas eram mais intensas, como fizeram os *mogollon*, o povo de Mesa Verde, e o povo da fase agrícola inicial conhecida como fase Pueblo I. Contudo, uma vez que lugares mais altos são mais frios do que os mais baixos, tal estratégia corria o risco de, em um ano especialmente frio, esfriar demais para se poder plantar. O extremo oposto era cultivar em baixa altitude mas, neste caso, as chuvas eram insuficientes para a agricultura de terra seca. Os *hohokam* contornaram este problema construindo o maior sistema de irrigação das Américas fora do Peru, com centenas de quilômetros de canais secundários saindo de um canal principal de 19 quilômetros de comprimento, cinco metros de profundidade e 24 metros de largura. Mas a irrigação implicava o perigo de que a abertura de valas e canais pudesse levar a súbitas enxurradas causadas por tempestades, que escavavam profundamente as valas e canais, transformando-os em canais profundos chamados "arroyos", nos quais o nível de água acabava ficando abaixo do nível do campo de cultivo e tornando a irrigação impossível para gente sem bombas-d'água. Do mesmo modo, a irrigação estabelecia o perigo de que chuvas ou enchentes especialmente fortes arrebentassem as represas e canais, como de fato deve ter acontecido para os *hohokam.*

Outra estratégia mais conservadora era a de fazer plantações apenas em áreas com fontes e lençóis freáticos confiáveis. Esta foi a solução adotada inicialmente pelos mimbres, e por povos da fase agrícola chamada Pueblo II, no Chaco Canyon. Contudo, tornou-se perigosamente tentador expandir a agricultura em décadas úmidas com condições de crescimento favoráveis para áreas marginais, com menos fontes ou depósitos subterrâneos confiáveis. A população que se multiplicava naquelas áreas marginais acabava vendo-se incapaz de plantar e passava fome quando o clima imprevisível voltava a ficar seco. Os mimbres, que começaram a cultivar com segurança em terras naturalmente irrigadas e, então, se espalharam por terras adjacentes quando a população excedeu a capacidade do lugar, acabaram tendo este destino. Continuaram a se arriscar durante uma fase de clima úmido, quando foram capazes de obter metade de suas necessidades de alimentos fora de terras naturalmente irrigadas. Contudo, quando as condições de seca voltaram, ficaram com uma população duas vezes maior do que as suas terras naturalmente irrigadas podiam suportar, de modo que a sociedade dos mimbres subitamente entrou em colapso.

Outra solução era ocupar uma área durante apenas algumas décadas, até que o solo e a caça da área se exaurissem, e então mudar para outra área. Este método funcionou quando a densidade populacional era baixa, assim havia muitas áreas não ocupadas para onde mudar de modo que cada área ocupada pudesse ficar desocupada tempo bastante para que a sua vegetação e os nutrientes do solo se recuperassem. De fato, muitos sítios arqueológicos do sudoeste foram habitados durante apenas algumas décadas, embora a nossa atenção atualmente se volte para alguns lugares maiores, habitados continuamente durante vários séculos, como Pueblo Bonito, no Chaco Canyon. Contudo, o método de alternar lugares após uma pequena ocupação tornou-se impossível com uma grande densidade populacional, quando as pessoas ocupavam toda a região e não havia mais lugar vazio para onde se mudar.

Outra estratégia era plantar em diversos lugares, mesmo que a chuva local fosse imprevisível, colher nos lugares onde as chuvas tivessem proporcionado uma boa colheita, e redistribuir parte da colheita para as pessoas que vivessem em lugares que não tinham recebido chuva bastante na-

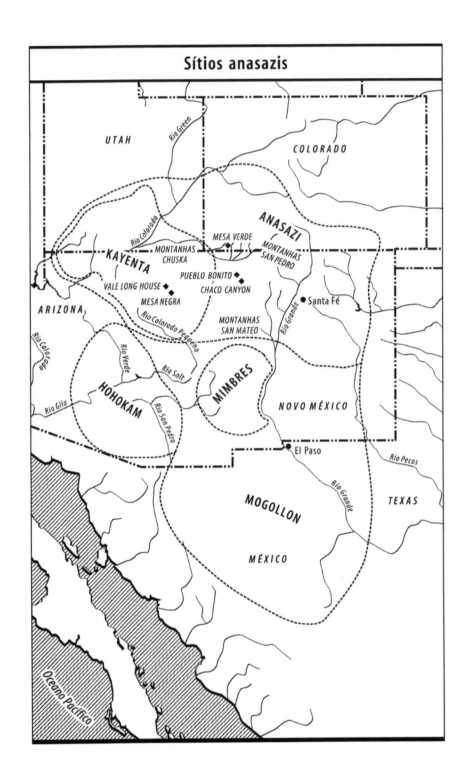

quele ano. Esta foi uma das soluções que acabaram sendo adotadas em Chaco Canyon. Mas envolvia o risco de a redistribuição requerer um complexo sistema político e social para integrar atividades entre lugares diferentes, e o de muitas pessoas acabarem famintas quando este sistema entrava em colapso.

A estratégia remanescente era a de plantar e viver junto a uma fonte de água permanente ou confiável, mas em lugares acima do nível das enchentes, de modo a evitar o risco de uma enchente maior arrasar campos e aldeias; e praticar uma economia diversificada, explorando ecologicamente diversas zonas, de modo que cada povoamento fosse autossuficiente. Tal solução, adotada por gente cujos descendentes vivem hoje nos *pueblos* hopi e zuni do sudoeste, é praticada com sucesso há mais de mil anos. Alguns hopis e zunis modernos, ao verem a extravagância da sociedade americana ao seu redor, balançam as cabeças e dizem: "Estávamos aqui muito antes de vocês chegarem e esperamos ainda estar aqui bem depois de vocês terem ido embora."

Todas essas soluções alternativas enfrentam um risco semelhante: que uma série de anos bons, com chuva adequada ou depósitos de água subterrâneos suficientemente a pouca profundidade, possam resultar em crescimento populacional, o que levaria a sociedade a se tornar cada vez mais complexa e interdependente e não mais autossuficiente. Tal sociedade não poderia aguentar e reconstruir a si mesma após uma série de anos ruins do mesmo modo que uma sociedade menos populosa, menos interdependente, mais autossuficiente seria capaz de fazê-lo. Como veremos, foi exatamente este dilema que acabou com os povoados anasazis do vale Long House e, talvez, de outras áreas.

O abandono mais intensivamente estudado são as cidades anasazis em Chaco Canyon, no noroeste do Novo México, o maior e mais espetacular conjunto de sítios arqueológicos do sudoeste dos EUA. A sociedade anasazi do Chaco floresceu durante mais de cinco séculos, surgindo por volta de 600 d.C. e desaparecendo entre 1150 e 1200. Era uma sociedade complexamente organizada, geograficamente extensa, regionalmente integrada, que ergueu os maiores prédios da América do Norte pré-colombiana. Mais do que a paisagem sem árvores da ilha de Páscoa, a paisagem atualmente desolada do Chaco Canyon, com seus *arroyos* escavados profundamente e a vegetação baixa e esparsa de arbustos tolerantes ao sal, nos surpreende, porque o desfiladeiro é hoje completamente inabitável e não abriga mais do que algumas casas de patrulheiros do National Park Service. Por que alguém construiria uma cidade avançada nesta terra inabitável e por que, tendo todo o trabalho de erguê-la, a abandonou?

Quando mudaram-se para a área do Chaco Canyon, por volta de 600 d.C., os agricultores nativos americanos viveram inicialmente em casas subterrâneas, como outros nativas americanos contemporâneos do sudoeste. Por volta de 700 d.C., os anasazis do Chaco — sem terem contato com outras sociedades nativos americanas que construíam estruturas de pedra, situadas a quase dois mil quilômetros dali, no sul do México — inventaram técnicas independentes de construir casas de pedra e ergueram estruturas que tinham as paredes recheadas de entulho e revestidas com placas de pedra (foto 11). Inicialmente, tais estruturas só tinham um andar mas, por volta de 920 d.C., aquele que acabou se tornando o maior sítio do Chaco, Pueblo Bonito, passou a ter construções de dois andares e, nos dois séculos seguintes, chegou a ter prédios de cinco ou seis andares com 600 cômodos, e com os tetos apoiados sobre vigas de madeira com cinco metros de comprimento e pesando até 320 quilos cada uma.

Por que, de todos os sítios anasazis, Chaco Canyon foi aquele em que as técnicas de construção e a complexidade política e social alcançaram seu apogeu? As razões prováveis são algumas vantagens ambientais do lugar, que inicialmente era um adorável oásis ambiental no noroeste do Novo México. O estreito desfiladeiro recebia água de muitos cursos laterais e de uma ampla área de terras altas, o que resultou em altos níveis de água aluvial subterrânea, permitindo plantações que não necessitavam de chuva em algumas áreas, e também altos níveis de renovação do solo. A grande área habitável no desfiladeiro, e em cerca de 80 quilômetros ao redor, podia abrigar uma população relativamente grande para um ambiente tão seco. A região do Chaco tinha uma alta diversidade de plantas selvagens e espécies animais úteis, e uma altitude relativamente baixa, o que garantia uma longa estação de crescimento para as plantações. A princípio, florestas de pinheiros e de zimbro forneceram madeira para construção e para fogueiras. As vigas de teto mais antigas identificadas por seus anéis de árvore, ainda bem-conservadas pelo clima seco do sudoeste, são de pinheiros localmente disponíveis. Os restos de fogueiras em antigos fogões também são de pinheiros e zimbro localmente disponíveis. A dieta anasazi dependia grandemente da produção de milho, abóbora e feijão, mas os níveis arqueológicos antigos também demonstram muito consumo de plantas selvagens como pinhões (75% de proteína), e muita carne de veado.

Todas essas vantagens naturais do Chaco Canyon eram equilibradas por duas grandes desvantagens, resultantes da fragilidade ambiental do sudoeste. Uma era o problema de administração de água. Inicialmente, a água da chuva se espalhava amplamente sobre o fundo plano do desfiladeiro, permitindo a agricultura de várzea, irrigada tanto pela chuva quanto pelo alto nível de água aluvial subterrânea. Quando os anasazis começaram a desviar a água para canais de irrigação, a concentração de água nos canais e a derrubada da vegetação para a criação de campos de cultivo, combinadas com processos naturais, resultaram, por volta de 900 d.C., na escavação de *arroyos* nos quais o nível de água ficava bem abaixo do nível dos campos, impossibilitando a agricultura de irrigação, assim como a agricultura baseada em depósitos de água subterrâneos, até os *arroyos* voltarem a assorear. Tais *arroyos* podem ser escavados com surpreendente rapidez. Por exemplo, na cidade de Tucson, Arizona, no fim da década de 1880, colonos americanos escavaram um canal de derivação para interceptar o raso lençol freático do desfiladeiro e desviar a sua água rio abaixo. Infelizmente, inundações causadas por chuvas intensas no verão de 1890 alagaram a vala e formaram um *arroyo* que em apenas três dias se estendeu por uma distância de 10 quilômetros, deixando um campo alagado, sulcado e inútil para a agricultura perto de Tucson. As sociedades nativas americanas do sudoeste provavelmente tentaram canais de derivação semelhantes, com resultados similares. Os anasazis do Chaco lidaram com esse problema de *arroyos* no desfiladeiro de diversas formas: construindo represas dentro de desfiladeiros laterais acima do desfiladeiro principal para armazenar água de chuva; fazendo sistemas de campo que a água de chuva podia irrigar; armazenando a água de chuva que descia do topo dos penhascos ao redor da parede norte do desfiladeiro entre cada par de desfiladeiros laterais; e construindo uma represa de pedra ao longo do desfiladeiro principal.

Outro grande problema ambiental afora o da administração de água era o desmatamento, como revelado pelo método da análise de monturos de ratos silvestres. Para aqueles que (assim como eu até alguns anos atrás) nunca viram ratos silvestres, não sabem o que são os seus monturos e não podem imaginar a sua relevância para a pré-história anasazi, aqui vai um curso intensivo sobre análise de monturos. Em 1849, garimpeiros famintos que atravessavam o deserto de Nevada perceberam em um penhasco bolas lustrosas de uma substância que parecia confeito, lamberam ou comeram uma dessas bolas e descobriram que eram doces. Logo a seguir, porém, ficaram nauseados. Afinal descobriu-se que tais bolas eram depósitos endurecidos feitos por pequenos roedores chamados ratos silvestres, que se protegem construindo ninhos de gravetos, fragmentos de plantas e fezes de mamíferos recolhidas nas redondezas, além de restos de comida, ossos e suas próprias fezes. Por não saberem usar o banheiro, os ratos urinam em seus ninhos. O açúcar e outras substâncias de sua urina se cristalizam ao secarem, dando ao monturo uma consistência de tijolo. Na verdade, os garimpeiros famintos comeram urina, fezes e lixo de rato cristalizados.

Para economizar trabalho e minimizar o risco de serem capturados por um predador enquanto estão fora do ninho, os ratos silvestres recolhem vegetação a poucas dezenas de metros de seus ninhos. Após algumas décadas, os descendentes dos ratos abandonam os seus monturos e se mudam para começar a construir um novo ninho, enquanto a urina cristalizada impede que o material no velho monturo se deteriore. Identificando os resíduos de dezenas de espécies de plantas incrustadas com urina no monturo, os paleobotânicos podem saber como era a vegetação que crescia junto ao monturo quando os ratos o acumularam, enquanto os zoólogos podem reconstruir algo da fauna a partir dos restos de insetos e de vertebrados. Um monturo de rato silvestre é o sonho de qualquer paleontólogo: uma cápsula do tempo contendo uma amostra preservada de vegetação local, reunida em um raio de algumas dezenas de metros do lugar durante um período de algumas décadas, em uma data estabelecida pela datação radiocarbônica do monturo.

Em 1975, o paleoecologista Julio Betancourt visitou o Chaco Canyon enquanto atravessava o Novo México de carro, como turista. Olhando para a paisagem sem árvores ao redor de Pueblo Bonito, pensou: "Este lugar parece com as estepes da Mongólia; onde essas pessoas conseguiram madeira e lenha?" Arqueólogos que estudaram as ruínas fizeram-se a mesma pergunta. Em um momento de inspiração três anos depois, quando um amigo pediu-lhe, por razões completamente diferentes, para escrever um pedido de bolsa para estudar monturos de ratos silvestres, Julio lembrou-se de sua primeira impressão de Pueblo Bonito. Fez uma rápida ligação para o especialista em monturos, Tom Van Devender, e soube que Tom já havia recolhido alguns monturos no *camping* do National Park Service, perto de Pueblo Bonito. Quase todos continham agulhas de pinheiros, que hoje não crescem em lugar algum perto dali, mas cujas árvores de algum modo forneceram as vigas dos tetos das construções mais antigas de Pueblo Bonito, assim como muito do carvão encontrado em lareiras e monturos de lixo. Julio e Tom perceberam que deviam ser monturos antigos, de um tempo em que os pinheiros cresciam por perto, mas não tinham ideia de quão antigos eram: pensaram que tivessem por volta de um século. Assim, submeteram amostras desses monturos à datação radiocarbônica. Quando receberam os resultados do laboratório de radiocarbono, Julio e Tom se surpreenderam ao saber que muitos dos monturos tinham mais de mil anos.

A observação afortunada desencadeou uma série de estudos de monturos de rato silvestre. Hoje sabemos que a sua deterioração é extremamente lenta no clima seco do sudoeste. Se protegidos dos elementos sob alguma protuberância ou dentro de uma caverna, podem durar até 40 mil anos, muito mais do que alguém ousaria imaginar. Quando Julio me mostrou o primeiro monturo de rato silvestre perto do sítio de Kin Kletso, em Chaco Anasazi, fiquei pasmo ao pensar que aquele ninho aparentemente novo podia ter sido construído em um tempo em que mamutes, preguiças gigantes, leões americanos e outros mamíferos extintos da Idade do Gelo ainda viviam no atual território dos EUA.

Na área de Chaco Canyon, Julio recolheu e datou 50 monturos, cujas datas compreendiam todo o período de ascensão e queda da civilização anasazi, de 600 a 1200 d.C. Deste modo, Julio pôde reconstruir mudanças de vegetação no Chaco Canyon ao longo de toda a história da ocupação anasazi. Estes estudos identificaram o desmatamento como o outro dos dois maiores problemas ambientais (o primeiro foi o manejo da água) provocados pela população crescente que se desenvolveu no Chaco Canyon por volta do ano 1000 d.C. Monturos anteriores a essa data ainda incorporam agulhas de zimbro e pinheiros, como o primeiro monturo que Julio analisou e como o que me mostrou. Portanto, os povoados de Chaco Anasazi foram inicialmente construídos em uma floresta de pinheiro e zimbro, diferente do panorama sem árvores de hoje, e conveniente para a obtenção de lenha e madeira de construção nas proximidades. Contudo, os monturos datados de após 1000 d.C. não têm pinheiros nem zimbro, demonstrando que a floresta foi então completamente destruída e o lugar adquiriu sua atual aparência desolada. O motivo pelo qual o Chaco Canyon foi desmatado tão rapidamente é o mesmo que discuti no capítulo 2 para explicar por que a ilha de Páscoa e outras ilhas secas do Pacífico ocupadas pelo homem eram mais passíveis de acabarem desmatadas do que ilhas mais úmidas: em um clima seco, a capacidade de recuperação de uma floresta que está sendo explorada pode ser lenta demais para acompanhar o ritmo da atividade madeireira.

A perda da floresta não apenas eliminou os pinhões como suprimento local de comida, como também forçou os habitantes do Chaco a encontrarem outra fonte de madeira para suas necessidades de construção, como demonstra o completo desaparecimento das vigas de pinheiro de pinhão da arquitetura do Chaco. Em vez disso, seus antigos habitantes atravessaram longas distâncias até encontrarem florestas de pinheiro ponderosa, espruce e abeto, que cresciam em montanhas que ficavam a até 80 quilômetros de distância e a uma altitude de até centenas de metros em relação ao Chaco Canyon. Sem animais de tração, cerca de 200 mil toras, cada uma pesando até 320 quilos foram baixadas da montanha e levadas até Chaco Canyon unicamente através da força humana.

Um recente estudo do aluno de Julio, Nathan English, feito em colaboração com Julio, Jeff Dean e Jay Quade, identificou exatamente de onde vieram os grandes troncos de espruce e abeto. Há três fontes potenciais destas árvores na área do Chaco, crescendo a grandes altitudes em três cadeias de montanhas quase equidistantes de Chaco Canyon: as montanhas Chuska, San Mateo e San Pedro. De quais dessas montanhas os anasazis do Chaco extraíram suas coníferas? Árvores das três cadeias de montanhas pertencem às mesmas espécies e parecem idênticas. Para descobrir a origem das árvores de Chaco Canyon, Nathan usou isótopos de estrôncio, um elemento quimicamente muito semelhante ao cálcio e, portanto, incorporado ao cálcio em plantas e animais. O estrôncio existe em formas alternativas (isótopos) diferindo ligeiramente em peso atômico, das quais o estrôncio-87 e o estrôncio-86 são os mais comuns na natureza. Mas a proporção de estrôncio-87/estrôncio-86 varia de acordo com a idade da rocha e seu conteúdo de rubídio, porque o estrôncio é produzido através da desintegração radioativa de um isótopo de rubídio. Ocorre que as coníferas vivas das três cadeias de montanhas mostraram-se claramente distintas em suas proporções de estrôncio-87/estrôncio-86, sem nenhuma superposição. De seis ruínas do Chaco, Nathan tirou amostras de 52 troncos de coníferas selecionadas derrubadas em datas que variavam de 974 a 1104 d.C., com base em seus anéis de crescimento. O resultado que obteve foi que dois terços dos troncos podiam ser relacionados, a partir de suas proporções de estrôncio, às montanhas Chuska, um terço às montanhas San Mateo e nenhum com as montanhas San Pedro. Em alguns casos, uma construção do Chaco incorporava madeira de ambas as cadeias de montanha em um mesmo ano, ou usava madeira de uma montanha em um ano e de outra montanha em outro, enquanto a mesma montanha fornecia madeira para diversas construções diferentes no mesmo ano. Assim, temos aqui prova inequívoca de uma rede bem organizada de fornecimento de madeira a longa distância para a capital anasazi de Chaco Canyon.

Apesar desses dois problemas ambientais que reduziram a produção e virtualmente eliminaram os estoques de madeira em Chaco Canyon, ou por causa da solução que os anasazis encontraram para esses problemas, a população do desfiladeiro continuou a crescer, particularmente durante um grande surto de construção que começou em 1029 d.C. Tais surtos ocorriam especialmente em décadas úmidas, quando mais chuva significava mais comida, mais gente e maior necessidade de construções. Uma população densa é confirmada não apenas pelas famosas Casas Grandes (como Pueblo Bonito) espacejadas a cerca de dois quilômetros umas das outras no lado norte do Chaco Canyon, como também por buracos escavados na face do penhasco para apoiar vigas dos tetos, indicando uma contínua linha de residências na base dos penhascos entre as Casas Grandes, e pelas ruínas de centenas de pequenos povoados no lado sul do desfiladeiro. O tamanho da população total do desfiladeiro é desconhecido e muito controverso. Muitos arqueólogos acreditam que era de menos de 5 mil, e que aqueles edifícios enormes tinham poucos ocupantes permanentes, com exceção de sacerdotes, e eram visitados apenas sazonalmente por camponeses à época dos rituais. Outros arqueólogos destacam que Pueblo Bonito, que é apenas uma das Casas Grandes de Chaco

Canyon, era um edifício de 600 cômodos, e que todos aqueles buracos de viga sugerem domicílios ao longo da maior parte do desfiladeiro implicando, assim, uma população muito maior que cinco mil pessoas. Tais debates sobre tamanho estimado de população são frequentes na arqueologia, como discutido no caso da ilha de Páscoa e dos maias em outros capítulos deste livro.

Seja qual for o seu número, esta densa população não podia mais se sustentar e era subsidiada por povoados satélites construídos em estilos de arquitetura similares, unidos ao Chaco Canyon por uma rede regional de centenas de quilômetros de estradas ainda visíveis hoje em dia. Essas populações periféricas tinham represas para recolher água de chuvas, que caíam de modo imprevisível e muito localizado: uma tempestade podia produzir chuva abundante no leito seco de um rio intermitente e nenhuma chuva em outro a cerca de dois quilômetros dali. Quando um desfiladeiro em particular tinha a sorte de ser agraciado com uma tempestade, muito desta água ficava armazenado atrás da sua represa, e as pessoas que viviam ali podiam plantar, irrigar e produzir grande excedente de comida naquele ano. O excedente podia ser enviado para os povoados periféricos que não receberam chuva.

Chaco Canyon tornou-se um buraco negro para o qual os bens eram importados mas nada tangível era exportado. Para lá convergiam: dezenas de milhares de grandes árvores para construção; cerâmica (toda cerâmica do último período de Chaco Canyon era importada, provavelmente pelo fato de a exaustão dos depósitos de lenha local ter acabado com a produção de panelas de barro no desfiladeiro); pedras de boa qualidade para se fazer ferramentas; turquesa para ornamentos vinda de outras áreas do Novo México; e, como bens de luxo, araras, joias de conchas e sinos de cobre dos *hohokans* e do México. Até a comida tinha de ser importada, como demonstra um recente estudo em busca das origens das espigas de milho encontradas em Pueblo Bonito, que utilizou o mesmo método de isótopos de estrôncio usado por Nathan English para descobrir as origens das vigas de madeira de Pueblo Bonito. Descobriu-se que, ainda no século IX, o milho já era importado das montanhas Chuska, a 80 quilômetros a oeste (que também era uma das duas fontes de vigas de teto), enquanto as espigas dos últimos anos de Pueblo Bonito no século XII vieram da bacia do rio San Juan, a 100 quilômetros ao norte.

A sociedade do Chaco tornou-se um mini-império, dividida entre uma elite bem alimentada vivendo no luxo e um campesinato menos alimentado que fazia o trabalho pesado e cultivava a comida. O sistema de estradas e a extensão regional da arquitetura padronizada confirmam a ampla área sobre a qual a economia e a cultura do Chaco e seus povoados periféricos estavam regionalmente integrados. Os estilos de edifícios indicam uma sociedade de três escalões: os prédios maiores, chamados Casas Grandes, no Chaco Canyon (residências dos chefes governantes?); Casas Grandes periféricas fora do Canyon ("capitais de província" ou chefes menores?); e pequenos domicílios de apenas alguns cômodos (casas de camponeses?). Comparados a edifícios menores, as Casas Grandes se distinguiam por serem construções de melhor qualidade, com paredes revestidas de alvenaria, grandes estruturas chamadas Grandes Kivas, usadas para rituais religiosos (semelhantes àquelas ainda usadas hoje nos *pueblos* modernos), e mais espaço de armazenagem em relação ao espaço total. As Casas Grandes excediam em muito os demais domicílios em conteúdo de bens de luxo importados, como as turquesas, araras, joias de conchas e sinos de cobre já mencionados, além de cerâmica dos mimbres e *hohokans* importada. A mais alta concentração de itens de luxo até agora localizados vem do salão número 33 de Pueblo Bonito, que abrigava os túmulos de 14 indivíduos acompanhados de 56 mil peças de turquesa e milhares de ornamentos de conchas, incluindo um colar de duas mil turquesas e uma cesta coberta com um mosaico de turquesa repleta de contas de turquesa e conchas. Como prova adicional de que os chefes comiam melhor que os camponeses, o lixo escavado junto às Casas Grandes continha uma proporção mais alta de ossos de veado e antílope do que o lixo das residências pequenas. Como resultado, os despojos humanos encontrados indicam gente mais alta, mais bem nutrida e menos anêmica e baixa taxa de mortalidade infantil nas Casas Grandes.

Por que os povoados periféricos sustentaram o centro do Chaco, servilmente enviando madeira, cerâmica, pedras, turquesas e comida sem receber nada material em troca? A resposta provavelmente é a mesma que explica por que as áreas periféricas da Itália e da Inglaterra atuais sustentam cidades como Roma e Londres, que também não produzem madeira nem comida, mas servem como centros políticos e religiosos. Como os italianos e ingleses modernos, os habitantes do Chaco estavam irreversivelmente comprometidos a viver em uma sociedade complexa e interdependente. Não podiam mais voltar à sua condição original de pequenos grupos móveis e autossuficientes, porque as árvores do desfiladeiro desapareceram, os *arroyos* haviam se aprofundado abaixo do nível dos campos de cultivo, e a população crescente enchera a região sem deixar nenhuma área desocupada adequada para a qual se mudar. Quando os pinheiros e zimbros foram derrubados, os nutrientes do folhedo acumulado embaixo das árvores foram lixiviados dali. Hoje, mais de 800 anos depois, ainda não há floresta de pinheiro e zimbro perto dos monturos de ratos silvestres que contêm gravetos de florestas que cresceram ali há mais de mil anos. Restos de comida no lixo de sítios arqueológicos atestam os crescentes problemas enfrentados pelos habitantes do desfiladeiro para se alimentarem: o veado sai de sua dieta para ser substituído por caça menor, especialmente coelhos e camundongos. Restos de camundongos inteiros sem cabeça em cropólitos humanos (fezes secas preservadas) sugerem que as pessoas os caçavam nos campos, arrancavam as suas cabeças e os engoliam inteiros.

A última construção identificada em Pueblo Bonito, datando da década de 1110, era uma parede de cômodos fechando o lado sul da praça, que outrora se abria para o exterior. Isso sugere conflito: as pessoas evidentemente estavam visitando Pueblo Bonito não apenas para participar de suas cerimônias religiosas e receber ordens, como também para criar problemas. A última viga de teto datada pelos anéis de crescimento em Pueblo Bonito e na vizinha Casa Grande de Chetro Ketl foi cortada em 1117 d.C., e a última viga do Chaco Canyon em 1170 d.C. Outros sítios anasazis mostram provas abundantes de conflito, incluindo sinais de canibalismo, além de certos povoados kayenta anasazi no topo de penhascos íngremes, longe dos campos de cultivo e da água, e somente compreensíveis como bons pontos de defesa. Nesses sítios do sudoeste que sobreviveram ao Chaco e se mantiveram até após 1250 d.C., a guerra evidentemente se intensificou, como reflete a proliferação de muros defensivos, fossos e torres, a aglomeração de pequenas e dispersas aldeias dentro de grandes fortalezas no topo de colinas, aldeias aparentemente queimadas de propósito contendo corpos não sepultados, crânios com marcas de corte causadas por escalpamento, e esqueletos com pontas de flecha dentro da cavidade do corpo. Essa explosão de problemas ambientais e populacionais sob a forma de inquietação civil e guerra é tema frequente neste livro, tanto para sociedades do passado (ilha de Páscoa, Mangareva, civilização maia e Tikopia) como para sociedades modernas (Ruanda e Haiti, entre outros).

Os sinais de canibalismo relacionado a guerras entre os anasazis são uma história interessante. Embora todo mundo reconheça que o canibalismo pode ser praticado em emergências por gente em desespero, como o Donner Party, aprisionado pela neve no Donner Pass, a caminho da Califórnia no inverno de 1846-1847, ou por russos famintos durante o cerco de Leningrado durante a Segunda Guerra Mundial, a existência de canibalismo não emergencial é controvertida. De fato, foi registrada em centenas de sociedades não europeias ao tempo de seu primeiro contato com europeus em séculos recentes. A prática assumia duas formas: uma era comer os inimigos mortos em guerra, outra era comer os próprios parentes que morriam por causas naturais. Os nativos da Nova Guiné com quem trabalhei nos últimos 40 anos descreveram-me suas práticas canibais e expressaram desgosto em relação aos nossos costumes funerários ocidentais de enterrar parentes sem lhes dar a honra de comê-los antes. Um de meus melhores trabalhadores na Nova Guiné pediu demissão em 1965 para participar do consumo de seu futuro genro, recentemente falecido. Também houve muitas descobertas arqueológicas de antigos corpos humanos em contextos que sugerem o canibalismo.

Contudo, muitos ou a maioria dos antropólogos europeus e americanos, educados em sua sociedade para encarar com horror o canibalismo, também se horrorizam ao pensar naquilo sendo feito por gente que admiram e estudam, e, assim, negam a sua ocorrência e consideram as afirmativas a esse respeito calúnias racistas. Repudiam todas as descrições por não europeus ou antigos exploradores europeus como rumores não confiáveis, e evidentemente só se convenceriam ao verem um videoteipe feito por uma autoridade do governo ou, do modo mais convincente, um antropólogo. Contudo, não existe tal fita, pelas óbvias razões de que os primeiros europeus a encontrarem gente tida como canibal rotineiramente expressavam seu repúdio à prática e ameaçavam seus adeptos com a prisão.

Tais objeções criaram controvérsias a respeito de muitos relatos de despojos humanos com provas consistentes de canibalismo encontrados em sítios anasazis. A prova mais forte vem de um sítio anasazi no qual uma casa e seu conteúdo foram destruídos, e os ossos de sete pessoas encontrados espalhados dentro da casa, o que sugere terem sido mortos em um ataque em vez de adequadamente enterrados. Alguns dos ossos estavam quebrados do mesmo modo que os ossos de animais consumidos como alimento são quebrados para se extrair o seu tutano. Outros ossos tinham extremidades macias, marca característica de ossos animais fervidos em panelas. As próprias panelas de barro quebradas destes sítios anasazis tinham dentro delas resíduos da proteína muscular humana mioglobina, o que sugere que carne humana foi ali preparada. Mas os céticos poderiam ainda fazer a objeção de que o fato de se cozinhar carne humana em panelas e abrir ossos humanos não prova que outros humanos consumiram a carne dos antigos donos desses ossos (embora reste a questão de por que teriam todo esse trabalho de ferver e quebrar ossos que depois seriam espalhados pelo chão). O sinal mais direto de canibalismo neste sítio é que as fezes humanas secas encontradas na lareira da casa, e ainda bem preservadas após quase mil anos naquele clima seco, revelaram conter proteína de músculo humano, ausente das fezes humanas normais, mesmo de fezes de gente com intestinos feridos e sangrando. Isso torna provável que, seja lá quem tenha atacado aquele sítio, matado os seus habitantes, quebrado os seus ossos, cozinhado a sua carne em panelas, espalhado os seus ossos e se aliviado depositando fezes na lareira, também tenha consumido a carne de suas vítimas.

O golpe final para os habitantes do Chaco foi uma seca que três anéis de crescimento indicam ter começado por volta de 1130 d.C. Houve secas parecidas anteriormente, por volta de 1090 e 1040, mas a diferença, dessa vez, era que o Chaco Canyon tinha mais gente, era mais dependente de povoados periféricos e não tinha terras desocupadas. Uma seca teria feito o lençol freático baixar além do nível que as raízes das plantas podiam alcançar; uma seca também tornaria impossível plantar em terras secas alimentadas pela chuva, assim como praticar agricultura de irrigação. Uma seca que durasse mais de três anos seria fatal, porque os habitantes atuais dos *pueblos* só podem estocar milho durante dois ou três anos, após o que o milho fica muito podre ou infestado de pragas para ser consumido. Provavelmente os povoados periféricos que anteriormente forneciam comida para os centros políticos e religiosos do Chaco tenham perdido a fé nos sacerdotes, cujas preces por chuvas não foram atendidas, e se recusado a entregar mais comida. Um modelo para o fim do povoado anasazi em

Chaco Canyon, que os europeus não observaram, foi o que aconteceu na revolta dos *pueblos* indígenas contra os espanhóis em 1680, uma revolta examinada por europeus. Como nos centros anasazis do Chaco, os espanhóis extraíam comida de agricultores locais, taxando-os com impostos. Tais impostos eram tolerados até que uma seca fizesse com que até os agricultores ficassem sem comida, levando-os a se revoltarem.

Em algum momento entre 1150 e 1200 d.C., o Chaco Canyon foi virtualmente abandonado e continuou assim até pastores de ovelha navajos o reocuparem, 600 anos depois. Pelo fato de não saberem quem construíra aquelas grandes ruínas que ali encontraram, os navajos referiam-se aos antigos e desaparecidos moradores do lugar como anasazi, o que quer dizer "os antigos". O que realmente aconteceu aos milhares de habitantes do Chaco? Por analogia com abandonos historicamente testemunhados de outros *pueblos* durante uma seca na década de 1670, provavelmente muita gente morreu de fome, algumas pessoas se mataram e os sobreviventes fugiram para outras áreas povoadas no sudoeste. Deve ter sido uma evacuação planejada, porque muitos cômodos nos sítios anasazis não têm cerâmica ou outros objetos que as pessoas naturalmente levariam consigo durante uma evacuação planejada, em contraste com a cerâmica ainda no lugar nos sítios cujos desafortunados habitantes foram mortos e comidos, como já mencionado. Os povoados para os quais os sobreviventes do Chaco conseguiram fugir incluíam alguns *pueblos* na área dos atuais *pueblos* zunis, onde casas com cômodos em estilo similar às de Chaco Canyon, contendo cerâmica no estilo do Chaco, foram encontradas e datadas por volta do abandono do Chaco.

Jeff Dean e seus colegas Rob Axtell, Josh Epstein, George Gumerman, Steve McCarroll, Miles Parker e Alan Swedlund fizeram uma detalhada reconstrução do que aconteceu a um grupo de cerca de mil kayentas anasazis no vale Long House, no noroeste do Arizona. Calcularam a população do vale em tempos diversos de 800 a 1350 d.C., baseados no número de casas contendo cerâmica que mudou de estilo com o tempo, permitindo assim a datação desses sítios. Também calcularam a colheita anual de milho do vale em função do tempo, através de anéis anuais de árvores que forneceram uma medida das chuvas, e de estudos do solo que forneceram informações sobre o subir e descer do lençol freático. Verificou-se que o aumento e diminuição da população após 800 d.C. espelhavam o aumento e diminuição da safra anual de milho estimada para a época, exceto que os anasazis abandonaram o vale completamente por volta de 1300 d.C., a um tempo em que algumas colheitas de milho reduzidas, suficientes para sustentar um terço da população máxima do vale (400 de 1.070 pessoas no auge da ocupação), ainda podiam ser colhidas.

Por que esses últimos 400 kayentas anasazis de Long House não ficaram ali quando a maioria de seus parentes estavam partindo? Talvez o vale em 1300 d.C. tivesse se deteriorado para a ocupação humana de outras formas além de potencial agrícola e cultural reduzidos, calculados pelo modelo do autor. Por exemplo, talvez a fertilidade do solo tenha se exaurido, ou a floresta antiga tenha sido derrubada, não deixando qualquer madeira por perto para a construção de casas e para lenha, como sabemos que foi o caso em Chaco Canyon. Alternativamente, talvez a explicação seja que sociedades humanas complexas requerem um tamanho populacional mínimo para a manutenção de instituições que seus cidadãos consideram essenciais. Quantos nova-iorquinos prefeririam permanecer em Nova York se dois terços de suas famílias e amigos acabassem de morrer de fome ou fugindo dali, se os trens e táxis não estiverem mais funcionando e se os escritórios e lojas estiverem fechados?

Assim como esses anasazis do Chaco Canyon e Long House, cujos destinos acompanhamos, mencionei no início deste capítulo que muitas outras sociedades do sudoeste — mimbres, *mesa verde, hohokans, mogollons*, entre outras — também passaram por colapsos, reorganizações ou abandonos em tempos diversos no período entre 1100-1500 d.C. Diversos problemas ambientais e respostas culturais contribuíram para tais colapsos e transições, e diferentes fatores agiram em áreas distintas. Por exemplo, o desmatamento era um problema para os anasazis, que precisavam de árvores para fazer vigas de teto para as suas casas, mas não era muito problema para os *hohokans*, que não usavam vigas. A salinização resultante da agricultura de irrigação afetou os *hohokans*, que irrigavam as suas plantações, mas não os de Mesa Verde, que não irrigavam. O frio afetava os *mogollons* e os *mesa verde*, que viviam em altitude e tinham uma temperatura quase marginal para a prática agrícola. Outros povos do sudoeste foram traídos pela queda do lençol freático (p.ex., os anasazis) ou pela exaustão dos nutrientes do solo (possivelmente os *mogollons*). A formação de *arroyos* era um problema para os anasazis do Chaco, mas não para os de Mesa Verde.

Apesar dessas diversas causas mediatas de abandono, as causas imediatas de todas foram o mesmo desafio fundamental: gente vivendo em ambientes frágeis e difíceis, adotando soluções que foram brilhantemente bem-sucedidas e compreensíveis "a curto prazo", mas que falharam ou criaram problemas fatais a longo prazo, quando as pessoas se confrontaram com mudanças ambientais externas ou causadas pelo homem que sociedades sem história escrita e sem arqueólogos não puderam prever. Coloquei "a curto prazo" entre aspas porque os anasazis viveram no Chaco Canyon durante cerca de 600 anos, consideravelmente mais tempo que o da ocupação europeia em qualquer parte do Novo Mundo desde que Colombo aqui chegou em 1492 d.C. Durante a sua existência, essas diversas culturas nativas americanas do sudoeste experimentaram meia dúzia de tipos alternativos de economia (p. 175-179). Demorou muitos séculos até descobrirmos que, entre essas economias, apenas a de Pueblo era sustentável "a longo prazo", i.e., ao menos durante mil anos. Isso deveria fazer com que nós, americanos modernos, ficássemos hesitantes quanto à sustentabilidade de nossa economia de Primeiro Mundo, especialmente quando refletimos quão rapidamente a sociedade do Chaco entrou em colapso após o seu auge na década de 1110-1120 d.C., e quão implausível o risco de colapso deveria ter parecido para os habitantes do Chaco naquela década.

Dentro de nossa estrutura de cinco fatores para a compreensão de colapsos sociais, quatro desses fatores influíram no colapso anasazi. De fato houve impacto humano de diversos tipos, especialmente desmatamento e formação de *arroyos*. Também houve mudanças climáticas, como alteração das chuvas e temperatura, e seus efeitos interagiram com os efeitos dos impactos ambientais humanos. O comércio interno com parceiros amistosos foi crucial no colapso anasazi: diferentes grupos anasazis forneciam comida, madeira, cerâmica, pedras e bens de luxo para os outros, apoiando-se mutuamente em uma sociedade complexa interdependente, mas levando toda a sociedade ao risco de entrar em colapso. Fatores religiosos e políticos aparentemente têm um papel essencial na sustentação de uma sociedade complexa, coordenando a troca de materiais e motivando as pessoas em áreas periféricas a fornecer comida, madeira e cerâmica para os centros políticos e religiosos. O único fator em nossa lista de cinco fatores do qual não há prova convincente no caso do colapso anasazi são inimigos externos. Embora os anasazis atacassem uns aos outros enquanto suas populações cresciam e o clima deteriorava, as civilizações do sudoeste dos EUA eram distantes demais de outras sociedades populosas para terem sido seriamente ameaçadas por inimigos externos.

Desta perspectiva, podemos propor uma resposta simples para o velho debate: o Chaco Canyon foi abandonado devido a impacto humano no ambiente ou devido à seca? A resposta é: pelas duas razões. Durante 600 anos a população de Chaco Canyon cresceu, suas exigências ambientais cresceram, seus recursos ambientais diminuíram, e as pessoas começaram a viver cada vez mais perto do limite que o ambiente podia suportar. Esta foi a causa *definitiva* do abandono. A causa *imediata*, a proverbial gota d'água que transbordou o copo, foi a seca que finalmente levou o Chaco além do limite, uma seca que uma sociedade vivendo com uma densidade populacional menor poderia ter suportado. Quando a sociedade do Chaco entrou em colapso, seus habitantes não puderam reconstruir sua sociedade do modo como os primeiros agricultores da área do Chaco o fizeram. A razão é que as condições iniciais, que incluíam árvores abundantes nas redondezas, altos níveis de água subterrânea e uma superfície de várzeas plana, sem *arroyos*, haviam desaparecido.

Este tipo de conclusão pode ser aplicado a muitos outros colapsos de sociedades do passado (incluindo os maias, a serem tratados no próximo capítulo) e a nosso próprio destino hoje em dia. Todos nós, modernos — proprietários de imóveis, investidores, políticos, administradores de universidades, e outros —, podemos escapar impunes de algum desperdício quando a economia vai bem. Esquecemo-nos que as condições flutuam e que talvez não possamos antecipar quando irão mudar. A essa altura, podemos já estar afeitos a um estilo de vida dispendioso, o que nos deixaria como únicas saídas uma redução da qualidade de vida ou a falência.

CAPÍTULO 5

OS COLAPSOS MAIAS

Os mistérios das cidades perdidas • O ambiente maia • Agricultura
maia • História maia • Copán • Complexidade de colapsos • Guerras
e secas • Colapso nas terras baixas do sul • A mensagem maia

Até hoje, milhões de turistas modernos já visitaram as ruínas da antiga civilização maia, que entrou em colapso há mil anos na península de Yucatán, no México, e em partes adjacentes da América Central. Todos nós adoramos um mistério romântico, e os maias nos oferecem um bem perto de casa, quase tão perto para os americanos quanto as ruínas anasazis. Para visitar uma antiga cidade maia, precisamos apenas de um voo direto para a moderna capital estadual mexicana de Mérida, um carro de aluguel ou micro-ônibus e um trajeto de uma hora em uma estrada pavimentada (mapa, p. 198).

Hoje, muitas ruínas maias, com seus grandes templos e monumentos, ainda estão cercadas de florestas, longe de povoados humanos (foto 12). Contudo, este era lugar de uma das culturas nativas americanas mais avançadas do Novo Mundo antes da chegada dos europeus, e a única com textos escritos decifrados. Como povos antigos conseguiram manter sociedades urbanas em áreas onde apenas alguns fazendeiros conseguem sobreviver atualmente? As cidades maias impressionam não apenas por esse mistério e beleza, como também porque são sítios arqueológicos puros. Ou seja, os lugares se tornaram despovoados, de modo que não foram cobertos por construções posteriores, assim como tantas outras cidades antigas, como a capital asteca de Tenochtitlán (hoje enterrada sob a moderna Cidade do México) e Roma.

As cidades maias continuaram desertas, ocultas por árvores, e praticamente desconhecidas do mundo exterior até serem redescobertas em 1839 por um rico advogado norte-americano, chamado John Stephens, e um projetista inglês chamado Frederick Catherwood. Tendo ouvido rumores sobre ruínas na selva, Stephens conseguiu que o presidente Martin Van Buren o designasse embaixador na Confederação de Nações da América Central — uma entidade política amorfa que então se estendia da moderna Guatemala até a Nicarágua — como fachada para suas explorações arqueológicas. Stephens e Catherwood acabaram explorando 44 sítios e cidades. Pela extraordinária qualidade dos edifícios e arte, viram que não se tratava de trabalho de selvagens (nas palavras deles) mas sim de uma grande civilização desaparecida. Reconheceram que alguns dos entalhes nos monumentos de pedra constituíam escrita, e corretamente adivinharam que se relacionavam a eventos históricos e nomes de pessoas. Em seu retorno, Stephens escreveu dois livros de viagem descrevendo as ruínas e ilustrados por Catherwood, que se tornaram best sellers.

Algumas citações dos escritos de Stephens nos dão uma ideia do romântico apelo dos maias: "A cidade estava desolada. Ao redor das ruínas não havia remanescente da raça que ali viveu, portador de tradições passadas de pai para filho e de geração a geração. Estendia-se diante de nós como um barco despedaçado em meio ao oceano, sem mastros, o nome apagado, a tripulação morta e ninguém para dizer de onde veio, a quem pertencia, há quanto tempo viajava, ou o que provocou a sua destruição (...) Arquitetura, escultura e pintura, todas as artes que embelezam a vida, floresceram nesta densa floresta; oradores, guerreiros e estadistas, beleza, ambição e glória viveram e morreram, e ninguém soube que tais coisas existiram, ou podia falar de sua existência passada (...) Ali estavam os restos de um povo culto, educado e peculiar, que passou por todos os estados inerentes à ascensão e queda das nações; atingiu a sua era dourada, e pereceu (...) Subimos a seus templos desolados e a seus altares tombados; e para onde quer que nos voltássemos tínhamos provas de seu bom gosto, sua habilidade para as artes (...) Trouxemos de volta à vida aquela estranha gente que nos olhava com tristeza da parede; os imaginamos em belos trajes e adornados com plumas, subindo os terraços do palácio e os degraus que levavam aos templos (...) No romance da história do mundo, nada me impressionou mais do que o espetáculo desta outrora grande e encantadora cidade, derrubada, desolada e perdida (...) cercada por quilômetros de árvores, e sem nem mesmo um nome para distingui-la." Atualmente, os turistas atraídos às ruínas maias ainda sentem estas mesmas sensações. E por esse mesmo motivo achamos o colapso maia tão fascinante.

A história maia tem diversas vantagens para todos os interessados em colapsos pré-históricos. Primeiro, os registros escritos maias que sobreviveram, infelizmente incompletos, são úteis para reconstruir a história maia com muito mais detalhe do que podemos reconstruir a da ilha de Páscoa, ou, mesmo, a história anasazi com todos os seus anéis de árvore e monturos de ratos silvestres. A grande arte e a arquitetura das cidades maias resultaram em muito mais estudos arqueológicos do que seria o caso se os maias fossem apenas caçadores-coletores analfabetos vivendo em cabanas arqueologicamente invisíveis. Recentemente, os climatologistas e paleoecologistas puderam reconhecer diversos sinais de antigas mudanças climáticas e ambientais que contribuíram para o colapso. Finalmente, ainda há maias vivendo hoje em sua terra ancestral e falando línguas maias. Por muito da antiga cultura maia ter sobrevivido ao colapso, os primeiros visitantes europeus registraram informações a respeito da sociedade maia que conheceram na época, o que foi muito importante para que compreendêssemos a antiga sociedade maia. O primeiro contato maia com europeus ocorreu em 1502, apenas 10 anos depois de Cristóvão Colombo "descobrir" o Novo Mundo. Na última de suas quatro viagens, Colombo capturou uma canoa comercial que podia ter sido maia. Em 1527, os espanhóis começaram a grande conquista dos maias, mas só em 1697 subjugaram o seu último principado. Assim, os espanhóis tiveram a oportunidade de observar sociedades maias independentes durante um período de quase dois séculos. Especialmente importante, tanto para o bem quanto para o mal, foi o bispo Diego de Landa, que viveu na península de Yucatán de 1549 até 1578. Por um lado, em um dos piores atos de vandalismo cultural da história, este bispo, em seus esforços de eliminar o "paganismo", mandou queimar todos os manuscritos maias que pôde encontrar, de modo que só restam quatro hoje em dia. Por outro lado, escreveu uma detalhada descrição da sociedade maia, e obteve de um informante uma explicação truncada da escrita maia que, quase quatro séculos depois, acabou oferecendo pistas que levaram à sua decifração.

Outra razão para dedicarmos um capítulo aos maias é fornecer um antídoto para nossos outros capítulos sobre sociedades do passado, que consistem desproporcionalmente em pequenas sociedades em meios ambientes algo frágeis e isolados geograficamente, e sem nada da cultura e tecnologia contemporâneas. Os maias não eram nada disso. Ao contrário,

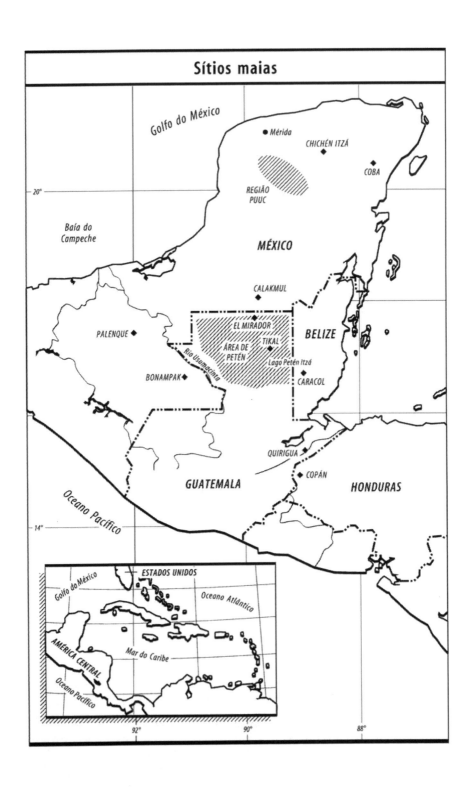

eram a sociedade culturalmente mais avançada (ou entre as mais avançadas) no Novo Mundo Pré-Colombiano, os únicos com muita escrita preservada, e localizados em um dos dois centros de civilização do Novo Mundo (Mesoamérica). Embora seu ambiente apresentasse alguns problemas associados com o terreno cárstico e as chuvas imprevisivelmente e flutuantes, não é um dos mais frágeis em termos mundiais, e certamente é menos frágil que o ambiente da ilha de Páscoa, região anasazi, Groenlândia ou a Austrália moderna. Para que não sejamos levados a pensar que os colapsos são um risco apenas para pequenas sociedades periféricas em áreas frágeis, os maias nos advertem que os colapsos também podem cair sobre sociedades avançadas e criativas.

Do ponto de vista de nossa estrutura de cinco pontos para a compreensão de colapsos sociais, os maias ilustram quatro deles. Danificaram o seu ambiente, especialmente através de desmatamento e da erosão. Mudanças de clima (secas) contribuíram para o colapso maia, provavelmente repetidas vezes. As hostilidades entre os próprios maias tiveram um papel importante. Finalmente, fatores políticos e culturais, especialmente a competição entre reis e nobres que levou a uma ênfase crônica na guerra e na construção de monumentos em vez de na solução de problemas fundamentais, também contribuíram. O último item de nossa estrutura de cinco pontos, comércio ou extinção de comércio com sociedades externas amistosas, não parece ter sido algo crucial para os maias ou que tenha causado seu declínio. Embora a obsidiana (sua matéria-prima preferida para fazer ferramentas), jade, ouro e conchas fossem importados, os últimos três itens eram luxos não essenciais. As ferramentas de obsidiana continuaram largamente difundidas na região maia muito depois do colapso político, portanto é evidente que a obsidiana nunca faltou.

Para compreender os maias, comecemos considerando seu meio ambiente, que pensamos ter sido uma "selva" ou "floresta tropical". Isso não é verdade, e a razão de não o ser é importante. Falando adequadamente, a floresta tropical viceja em zonas equatoriais de alta precipitação de chuvas que permanecem molhadas ou úmidas o ano inteiro. Contudo, as terras dos maias distam mais de 1.600 quilômetros do equador, localizando-se nas latitudes entre 17° e 22°N, em um hábitat denominado "floresta tropical estacional". Ou seja, embora ali haja uma estação de águas de maio a outubro, também há uma estação seca de janeiro a abril. Pensando nesses meses úmidos, pode-se chamar o território maia de "floresta tropical sazonal"; pensando nos meses secos, pode-se descrever a região como um "deserto sazonal".

De norte a sul da península de Yucatán, as chuvas variam de 460 a 2.500 mm por ano, e os solos se tornam mais espessos, de modo que o sul da península era mais produtivo e suportava maiores populações. Mas as chuvas no território maia variam de modo imprevisível de ano a ano; alguns anos recentes tiveram três a quatro vezes mais chuvas que anos anteriores. Da mesma forma, a estação de águas anual é imprevisível, de modo que é comum os agricultores plantarem esperando chuvas que acabam não vindo. Como resultado, os fazendeiros modernos que tentam cultivar milho no antigo território maia enfrentam safras infelizes, especialmente no norte. Os antigos maias provavelmente tinham mais experiência e se saíram melhor, mas também devem ter enfrentado os riscos de safras ruins devido a secas e furacões.

Embora as áreas maias do sul recebessem mais chuvas que as do norte, os problemas com água, paradoxalmente, eram mais sérios no sul úmido. Isso tornou as coisas difíceis para os antigos maias que viviam no sul e também para os modernos arqueólogos, que têm dificuldade de compreender por que as antigas secas causavam mais problemas no sul úmido do que no norte seco. A explicação mais provável é que existe uma lâmina de água doce sob a península de Yucatán, mas a elevação da superfície aumenta de norte a sul, de modo que, quanto mais ao sul, mais a superfície se distancia do lençol freático. No norte da península, a elevação é baixa o bastante para que o antigos maias pudessem atingir o lençol freático através de profundas depressões de terreno chamadas cenotes, ou em cavernas profundas; todo turista que tenha visitado a cidade maia de Chichén Itzá lembra dos seus grandes cenotes. Nas áreas de baixa elevação do litoral norte sem cenotes, os maias alcançavam o lençol freático cavando poços de até 23 metros de profundidade. A água está prontamente disponível em muitas partes de Belize, que tem rios, ao longo do rio Usumacinta, no oeste, e ao redor de alguns lagos na área de Petén, ao sul. Mas a maior parte do sul é alta demais em relação ao lençol freático para ser alcançada por cenotes ou poços. Para piorar as coisas, a maior parte da península de

Yucatán é composta de "karst", um terreno de calcário poroso semelhante a esponja por onde se infiltra a chuva rapidamente, restando pouca ou nenhuma água na superfície.

Como essas densas populações maias do sul lidaram com o problema de água? Inicialmente nos surpreende o fato de muitas de suas cidades não terem sido construídas junto aos poucos rios mas, em vez disso, em promontórios e terras altas. A explicação é que os maias escavaram depressões, modificaram depressões naturais e selaram os vazamentos do *karst* engessando o fundo das depressões de modo a criar cisternas e reservatórios, que recolhiam a chuva e armazenavam a água para ser usada na estação seca. Por exemplo, os reservatórios na cidade maia de Tikal tinham água para suprir as necessidades de cerca de 10 mil pessoas durante um período de 18 meses. Na cidade de Coba, os maias construíram diques ao redor de um lago de modo a aumentar o seu nível e ter uma reserva de água mais confiável. Mas os habitantes de Tikal e outras cidades dependentes de reservatórios de água potável se veriam em apuros caso passassem 18 meses sem chuva durante uma seca prolongada. Uma seca mais breve, na qual se exaurissem os seus suprimentos de comida, já os deixaria em situação difícil, porque as plantações requerem mais chuva que os reservatórios.

De particular importância para nossos propósitos são os detalhes da agricultura maia, baseada em culturas domesticadas no México — especialmente milho, com o feijão em segundo lugar em importância. Para a elite, assim como para os plebeus, o milho constituía ao menos 70% de sua dieta, como deduzido através de análise isotópica de antigos esqueletos. Seus únicos animais domésticos eram o cão, o peru, o pato e uma abelha sem ferrão que produzia mel, enquanto sua fonte mais importante de comida silvestre era o veado, que caçavam, além de peixe em alguns lugares. Contudo, os poucos ossos de animais em sítios arqueológicos maias sugerem que a carne disponível era pouca. A carne de veado era principalmente um luxo da elite.

Acreditava-se antes que a agricultura maia era baseada na chamada agricultura itinerante, na qual a floresta é derrubada e queimada e as culturas são plantadas no campo resultante durante um ou alguns anos até o solo se exaurir. Então, o campo é abandonado durante um longo período de descanso, de 15 ou 20 anos, até que o crescimento da vegetação selvagem restaure a fertilidade do solo. Pelo fato de a maior parte da paisagem estar em descanso quando se pratica agricultura itinerante, a terra só pode abrigar uma modesta densidade populacional. Assim, foi uma surpresa para os arqueólogos modernos descobrir que a densidade populacional dos antigos maias, estimada a partir do número de fundações de pedra de casas rurais, frequentemente era muito mais alta do que a agricultura itinerante poderia suportar. Os valores definitivos são assunto de muita controvérsia e evidentemente variavam de um lugar para outro, mas as estimativas citadas atingem de 100 a 300, possivelmente até 580 pessoas por quilômetro quadrado. (Em comparação, os países africanos mais densamente povoados da atualidade, Ruanda e Burundi, têm densidade populacional de 290 e 210 pessoas por quilômetro quadrado, respectivamente.) Portanto, os antigos maias devem ter tido algum meio de aumentar a produção agrícola além do que era possível através da agricultura itinerante.

Muitas áreas maias mostram ruínas de estruturas agrícolas projetadas para aumentar a produção, como terraços de cultivo nas encostas para reter o solo e a umidade, sistemas de irrigação, redes de canais e campos drenados ou elevados. Esses últimos sistemas, que deram resultados em muitas partes do mundo e requerem um bocado de trabalho para serem construídos, mas compensam com o aumento da produção de alimentos, incluem canais para drenar áreas encharcadas, fertilização e elevação do nível dos campos de cultivo entre os canais através de lamas e aguapés retirados dos canais e espalhados nos campos, para evitar que sejam inundados. Além da colheita, os agricultores também criavam peixes e tartarugas nos canais (na verdade, deixavam que crescessem sozinhos) como fonte adicional de alimento. Contudo, outras áreas maias, como as bem estudadas cidades de Copán e Tikal, mostram pouca evidência arqueológica de terraceamento, irrigação ou de sistemas de drenagem e elevação de campos. Em vez disso, seus habitantes devem ter usado meios arqueologicamente invisíveis para aumentar a produção de comida, praticando uma agricultura de cobertura morta e de irrigação por inundação, abreviando o tempo de descanso dos campos, arando o solo para restaurar sua fertilidade, ou, em casos extremos, omitindo o período de descanso e plantando todos os anos, ou tirando duas colheitas por ano em áreas úmidas.

Sociedades socialmente estratificadas, incluindo as dos EUA e da Europa moderna, consistem em fazendeiros que produzem comida, e não-fazendeiros, como burocratas e soldados, que não produzem comida mas consomem a que é cultivada pelos fazendeiros e que, na verdade, são parasitas dos fazendeiros. Portanto, em qualquer sociedade estratificada, os fazendeiros devem produzir excedentes de comida de modo a suprir não apenas suas necessidades como também as dos outros consumidores. O número de consumidores não produtores que pode ser sustentado depende da produtividade agrícola da sociedade. Nos EUA atuais, com uma agricultura altamente eficiente, os fazendeiros representam apenas 2% da população, e cada fazendeiro pode alimentar uma média de 125 outras pessoas (não fazendeiros americanos e pessoas nos mercados de exportação). A antiga agricultura egípcia, embora bem menos eficiente que a agricultura mecanizada moderna, ainda era eficiente o bastante para que um camponês egípcio produzisse cinco vezes mais comida do que a necessária para ele e sua família. Mas um camponês maia só podia suprir duas vezes as necessidades suas e de sua família. Ao menos 70% da sociedade maia era formada de camponeses. Isso ocorria porque a agricultura maia sofria de diversas limitações.

Em primeiro lugar, fornecia pouca proteína. O milho, de longe a cultura dominante, tem um conteúdo proteico inferior ao do trigo e da cevada. Os poucos animais domésticos comestíveis já mencionados não incluíam nenhum de grande porte e forneciam muito menos carne que vacas, carneiros, porcos e cabras. Os maias dependiam de uma gama de culturas ainda mais restritas que os fazendeiros andinos (que, além do milho, também tinham batatas, quinoa, de alta proteína, e muitas outras plantas, além da carne das lhamas), e ainda mais estreita que a variedade de culturas da China e da Eurásia Ocidental.

Outra limitação era que a agricultura de milho dos maias era menos intensiva e produtiva que as *chinampas* astecas (um tipo muito produtivo de agricultura de campos elevados), os campos elevados da cultura de Tiahuanaco nos Andes, as obras de irrigação *mochicas* na costa do Peru, ou os campos arados por tração animal na maior parte da Eurásia.

Ainda outra limitação era por causa do clima úmido da região maia, que tornava difícil armazenar o milho durante mais de um ano, enquanto os anasazis, vivendo no clima seco do sudoeste dos EUA, podiam armazená-lo durante três anos.

Finalmente, ao contrário dos índios dos Andes com seus lhamas, e diferentemente dos povos do Velho Mundo com seus cavalos, bois, burros e camelos, os maias não tinham transporte ou arado tracionados por animal. Todo transporte terrestre era feito nas costas de carregadores humanos. Mas quando se manda um carregamento de milho para acompanhar um exército no campo de batalha, um pouco da carga de milho deverá alimentar o carregador durante a viagem de ida, e mais um pouco para a viagem de volta, deixando apenas uma fração da carga disponível para alimentar o exército. Quanto mais longa a viagem, menos sobra da carga para as necessidades do carregador. Para uma marcha que demore mais que uma semana, torna-se inviável economicamente enviar carregadores para alimentar exércitos ou mercados. Assim, a modesta produtividade da agricultura maia e sua falta de tração animal limitaram seriamente a duração e a distância de suas campanhas militares.

Estamos acostumados a associar sucesso militar com a qualidade do armamento, mais do que com o estoque de alimento. Mas um claro exemplo de como a melhora dos suprimentos de comida pode aumentar decisivamente o sucesso militar vem dos maoris da Nova Zelândia. Os maoris foram o primeiro povo polinésio a ocupar a Nova Zelândia. Tradicionalmente, travavam lutas ferozes entre si, mas apenas contra tribos próximas. Tais guerras eram limitadas pela modesta produtividade de sua agricultura, cujo principal produto era a batata-doce. Não era possível plantar batata-doce suficiente para alimentar um exército no campo de batalha por um longo tempo ou em marchas distantes. Em 1815, quando os europeus chegaram à Nova Zelândia, trouxeram batatas, o que aumentou consideravelmente a produtividade agrícola maori. A partir de então, os maoris puderam cultivar comida bastante para suprir exércitos em campanha durante muitas semanas. O resultado foi um período de 15 anos, de 1818 até 1833, em que as tribos maoris, que tinham adquirido batatas e armas de fogo dos ingleses, atacaram tribos a centenas de quilômetros de distância que ainda não tinham batatas e armas. Assim, a produtividade de batata aliviou limitações bélicas anteriores dos maoris, semelhantes às limitações que a baixa produtividade da agricultura de milho impôs aos maias.

Tais considerações sobre estoque de comida podem contribuir para explicar por que as sociedades maias continuaram politicamente divididas em pequenos reinos perpetuamente em guerra uns com os outros, e que nunca se unificariam em grandes impérios como o dos astecas do vale do México (alimentados com a ajuda de sua agricultura de *chinampa* e outras formas de intensificação) ou o Império Inca, nos Andes (alimentado por culturas mais diversificadas, carregadas por lhamas através de estradas bem construídas). A burocracia e os exércitos maias continuaram pequenos e incapazes de montar campanhas prolongadas através de longas distâncias. (Muito mais tarde, em 1848, quando os maias se revoltaram contra os seus senhores mexicanos e pareciam estar perto da vitória, o exército teve de se dissolver e voltar para casa para colher outra safra de milho.) Muitos reinos maias tinham populações entre 25 mil e 50 mil habitantes — nenhum tinha mais de meio milhão — dentro de um raio de dois ou três dias de caminhada do palácio do rei. (Os números reais são novamente muito controvertidos entre os arqueólogos.) Do topo dos templos de alguns reinos maias era possível ver os templos do reino vizinho. As cidades maias eram pequenas (geralmente com menos de 3 km² de área). Não tinham a vasta população e os grandes mercados de Teotihuacán e Tenochtitlán no vale do México, ou de Chan-Chan e Cusco, no Peru. Também não oferecem prova arqueológica de armazenamento de alimentos e comércio administrado pela nobreza que caracterizou a antiga Grécia e Mesopotâmia.

Façamos agora um pequeno curso intensivo de história maia. Os maias fazem parte da maior região cultural nativa americana, conhecida como Mesoamérica, que se estende aproximadamente do México Central até Honduras e constitui (ao lado dos Andes, na América do Sul) um dos dois centros de inovações do Novo Mundo antes da chegada dos europeus. Os maias tinham muito em comum com outras sociedades mesoamericanas não apenas no que possuíam, mas também naquilo que não tinham. Por exemplo, surpreendentemente para ocidentais modernos, com expectativas baseadas nas civilizações do Velho Mundo, as sociedades mesoamericanas não possuíam instrumentos de metal, roldanas ou outros mecanismos, rodas (exceto localmente, como brinquedos), barcos a vela e animais domésticos grandes o bastante para carregar cargas ou puxar um arado. Todos esses grandes templos maias foram construídos exclusivamente com ferramentas de pedra ou madeira e com a força muscular humana.

Dos componentes da civilização maia, muito foi absorvido pelos próprios maias de outras partes da Mesoamérica. Por exemplo, a agricultura, as cidades e a escrita mesoamericanas apareceram anteriormente fora da região maia, em vales e terras baixas costeiras a oeste e a sudoeste, onde o milho, o feijão e a abóbora foram domesticados e tornaram-se importantes componentes da dieta por volta de 3000 a.C.; a cerâmica chegou por volta de 2500 a.C.; as aldeias, por volta de 1500 a.C.; as cidades olmecas por volta de 1200 a.C.; a escrita entre os zapotecas em Oaxaca por volta ou depois de 600 a.C.; e os primeiros estados por volta de 300 a.C. Dois calendários complementares, um calendário solar de 365 dias e um calendário ritual de 260 dias também surgiram fora da região maia. Outros elementos da civilização maia foram inventados, aperfeiçoados ou modificados pelos próprios maias.

Dentro da região maia, as aldeias e a cerâmica aparecem por volta ou depois de 1000 a.C., os edifícios consideráveis por volta de 500 a.C., e a escrita por volta de 400 a.C. Toda a escrita maia antiga preservada, constituindo um total de cerca de 15 mil inscrições, está gravada em pedra ou em cerâmica e trata apenas de reis, nobres e suas conquistas (foto 13). Não há uma única menção aos plebeus. Quando os espanhóis chegaram, os maias ainda usavam papel feito com casca de árvore coberta de gesso para escrever livros, dos quais os únicos quatro que escaparam à fogueira do bispo Landa são tratados de astronomia e o calendário. Os antigos maias também tinham livros de casca de árvore, frequentemente retratados em sua cerâmica, mas apenas restos deteriorados destes livros sobreviveram nas tumbas.

O famoso calendário maia de conta longa começa em 11 de agosto de 3114 a.C. — assim como nosso calendário começa em primeiro de janeiro do primeiro ano da era cristã. Sabemos o significado deste dia zero em nosso calendário: é o início do suposto ano em que Cristo nasceu. Provavelmente, os maias também deram algum significado ao seu próprio dia zero, mas não sabemos qual seja. A primeira data em conta longa preservada é de apenas 197 d.C., para um monumento na região maia, e 36 a.C. fora da região maia, indicando que o dia zero do calendário de conta longa, em 11 de agosto de 3114 a.C., é antedatado, uma vez que não havia qualquer escrita no Novo Mundo na época, nem haveria nos próximos 2.500 anos após esta data.

Nosso calendário é dividido em unidade de dias, semanas, meses, anos, décadas, séculos e milênios. Por exemplo, a data de 19 de fevereiro de 2003, na qual escrevi o primeiro esboço deste parágrafo, significa o 19º dia do segundo mês no terceiro ano da primeira década do primeiro século do terceiro milênio do nascimento de Cristo. Do mesmo modo, o calendário maia de conta longa nomeia as datas em unidades de dias (*kin*), 20 dias (*uinal*), 360 dias (*tun*), 7.200 dias ou aproximadamente 20 anos (*katunn*) e 144 mil dias ou aproximadamente 400 anos (*baktun*). Toda a história maia transcorre entre os baktuns 8, 9 e 10.

O chamado período clássico da civilização maia começa no baktun 8, por volta de 250 d.C., quando aparecem provas dos primeiros reis e dinastias. Entre os glifos (sinais escritos) nos monumentos, estudantes de escrita maia reconhecem algumas dúzias, cada um concentrado em sua própria área geográfica, e que agora se considera serem nomes de reinos ou dinastias. Além dos reis maias terem os seus próprios nomes, glifos e palácios, muitos nobres também tiveram as suas próprias inscrições e palácios. Na sociedade maia, o rei também funcionava como sumo sacerdote, com a responsabilidade de ministrar rituais astronômicos e de calendário, e assim trazer chuva e prosperidade, que o rei alegava ter o poder sobrenatural de trazer por causa de sua confirmada relação familiar com os deuses. Ou seja, havia um acordo tácito *quid pro quo*: os camponeses sustentavam o estilo de vida luxuoso do rei e de sua corte, alimentavam-nos com milho e carne de veado e construíam os seus palácios porque o rei lhes havia feito grandes promessas. Como veremos, os reis sempre entravam em conflito com seus camponeses no caso de seca, porque isso era equivalente à quebra de uma promessa real.

De 250 d.C. em diante, a população maia (a julgar pelo número de sítios arqueológicos confirmados), o número de monumentos e prédios e o número de datas de conta longa em monumentos e em objetos de cerâmica aumentou quase exponencialmente, para atingir o auge no século VIII d.C. Os maiores monumentos foram erguidos perto do fim desse período clássico. Diversos desses três indicadores de sociedade complexa declinaram ao longo de todo o século ix até a última data de conta longa conhecida, entalhada em um monumento em baktun 10, no ano de 909 d.C. Esse declínio da população, da arquitetura e do calendário de conta longa constitui o que é conhecido como colapso da sociedade maia clássica.

Como exemplo de colapso, consideremos em mais detalhes uma pequena embora densamente construída cidade cujas ruínas estão no oeste de Honduras, em um lugar conhecido como Copán, e que é descrita em dois recentes livros pelo arqueólogo David Webster. As melhores terras para a agricultura em Copán consistem em cinco bolsões de terra plana com solo aluvial fértil ao longo de um rio ou vale, com uma pequena área total de apenas 26 km²; o maior desses bolsões, conhecido como bolsão de Copán, tem uma área de apenas 13 km². Muito da terra ao redor de Copán consiste em colinas íngremes, e quase metade da área de colinas com uma inclinação acima de 16% (aproximadamente o dobro da inclinação mais íngreme que se encontraria em uma autoestrada nos EUA). O solo nas colinas é menos fértil, mais ácido e mais pobre em fosfato do que o solo do vale. Hoje, a produção de milho nos campos no fundo do vale é duas ou três vezes maior que as de campos em encostas, que sofrem rápida erosão e perdem três quartos de sua produtividade em uma década de cultivo.

A julgar pelo número de casas, o crescimento populacional no vale de Copán cresceu abruptamente do século v até um pico estimado em cerca de 27 mil pessoas em 750-900 d.C. A história escrita de Copán começa em uma data maia correspondente a 426 d.C., ano em que inscrições mais tardias registram retrospectivamente que algumas pessoas ligadas aos nobres de Tikal e Teotihuacán haviam chegado. A construção de monumentos glorificando reis foi especialmente intensa entre 650 e 750 d.C. Após 700 d.C., em vez dos reis os nobres começaram a erguer os seus próprios palácios, dos quais havia cerca de 20 por volta do ano 800, quando um desses palácios chegou a ter 50 edifícios com cômodos para cerca de 250 pessoas. Todos esses nobres e suas cortes teriam aumentado o fardo que o rei e sua corte impunham aos camponeses. Os últimos grandes edifícios em Copán foram erguidos por volta de 800 d.C., e a última data de conta longa em um altar incompleto, possivelmente contendo o nome de um rei, tem a data de 822 d.C.

Pesquisas arqueológicas de diferentes tipos de hábitats no vale de Copán demonstram que foram ocupados em sequência regular. A primeira área cultivada foi o grande bolsão de terra plana do vale de Copán, seguido pela ocupação de outros quatro bolsões de terras planas. Durante este tempo a população estava crescendo, mas ainda não havia ocupação das colinas. Portanto, esta população aumentada deve ter sido acomodada através da intensificação da produção nos bolsões do fundo do vale, alguma combinação de períodos de descanso mais breves, dupla colheita e, possivelmente, alguma irrigação.

Por volta de 650 d.C., as pessoas começaram a ocupar as encostas das colinas, mas tais lugares só foram cultivados por cerca de um século. A porcentagem da população total de Copán que estava nas colinas atingiu um máximo de 41% e, então, declinou até a população voltar a se concentrar nos bolsões do vale. O que causou a retração das pessoas das colinas? Escavações nos fundamentos de edifícios no fundo do vale demonstram que foram cobertos por sedimentos durante o século VIII, significando que as encostas das colinas estavam se erodindo e provavelmente perdendo nutrientes. Os solos ácidos e pouco férteis das colinas estavam sendo levados até o fundo do vale e cobrindo os solos mais férteis, reduzindo a produtividade agrícola. Este rápido abandono das encostas coincide com a experiência maia moderna, de que campos das colinas têm baixa fertilidade e seus solos se exaurem rapidamente.

A razão para esta erosão das encostas é clara: as florestas que antes cobriam e protegiam o solo estavam sendo derrubadas. Amostras de pólen datadas demonstram que as florestas de pinheiros que cobriam as maiores elevações das encostas das colinas também acabaram sendo derrubadas. Os cálculos sugerem que a maioria desses pinheiros tombados era usada como combustível, enquanto o resto era usado para construção ou fabrico de gesso. Em outros sítios maias da era pré-clássica, onde abusaram do uso do gesso em edifícios, a produção de gesso pode ter sido um dos fatores de desmatamento. Além de causar acúmulo de sedimentos nos vales e privar seus habitantes do suprimento de madeira, tal desmatamento pode ter começado a resultar em uma "seca produzida pelo homem" no fundo do vale, porque as florestas têm um papel importante no ciclo das águas, e o desmatamento intensivo tende a resultar em menos chuvas.

Sinais de doenças ou de má nutrição foram pesquisados em centenas de esqueletos recuperados em sítios arqueológicos em Copán, como ossos porosos e linhas de estresse nos dentes. Esses sinais ósseos mostram que a saúde dos habitantes de Copán deteriorou de 650 a 850 d.C., tanto entre a elite quanto entre plebeus, embora a saúde dos plebeus fosse pior.

É preciso lembrar que a população de Copán crescia rapidamente enquanto as colinas eram ocupadas. O abandono subsequente de todos esses campos nas colinas significava que o fardo de alimentar a população anteriormente dependente das colinas passou a recair cada vez mais sobre o fundo do vale, e que mais e mais gente estava competindo para a produção de alimento nesses 26 km^2 de fundo de vale. Isso levaria a disputas entre os próprios agricultores pela melhor terra, ou por qualquer terra, exatamente como na Ruanda moderna (capítulo 10). Como o rei de Copán não conseguia cumprir as promessas de chuva e prosperidade em troca do poder e luxo que recebia, teria sido o bode expiatório para este revés agrícola. Isso talvez explique por que a última vez que ouvimos falar de um rei de Copán foi em 822 d.C. (a última data de conta longa de Copán) e por que o palácio real foi incendiado por volta de 850 d.C. Contudo, a produção continuada de alguns bens de luxo sugere que alguns nobres conseguiram dar continuidade ao seu estilo de vida após a queda do rei, até por volta de 975 d.C.

A julgar pelas peças datadas de obsidiana, a população total de Copán diminuiu mais gradualmente que a de reis e nobres. A população estimada em 950 d.C. ainda era de cerca de 15 mil, ou 54% da população máxima anterior, de 27 mil. Esta população continuou a declinar, até não haver mais sinal de ninguém no vale de Copán por volta de 1250 d.C. A reaparição de pólen de árvores de floresta a seguir fornece prova autossuficiente de que o vale tornou-se despovoado, e que a floresta pôde afinal começar a se recuperar.

Este perfil geral da história maia que acabo de fazer, e o exemplo da história de Copán em particular, ilustra por que falei dos "colapsos maias". Mas a história fica mais complicada pelo menos por cinco motivos.

Em primeiro lugar, não houve apenas este enorme colapso maia. Houve ao menos dois colapsos menores anteriores em alguns sítios, um por volta de 150 d.C., quando El Mirador e outras cidades maias entraram em colapso (o chamado colapso pré-clássico), o outro (chamado "hiato maia") em fins do século vi e início do século vii, período durante o qual nenhum monumento foi erguido no bem estudado sítio de Tikal. Houve também alguns colapsos pós-clássicos nas áreas cujas populações sobreviveram ao colapso clássico ou aumentaram depois dele — como a queda de Chichen Itzá por volta de 1250 e de Mayapán, por volta de 1450.

Segundo, o colapso clássico obviamente não foi completo, porque havia centenas de milhares de maias que encontraram e lutaram contra os espanhóis — bem menos do que no auge do período clássico, mas ainda mais gente do que em qualquer das outras sociedades antigas descritas em detalhes neste livro. Esses sobreviventes se concentravam em áreas com suprimento estável de água, especialmente no norte, com seus cenotes, nas áreas costeiras, com seus poços, junto a um lago do sul e ao longo de rios e lagoas em lugares mais baixos. Contudo, a população desapareceu quase completamente no que fora o coração do território maia no sul.

Terceiro, o colapso populacional (como medido pelo número de casas e objetos de obsidiana) era em alguns casos mais lento do que o declínio em número de datas de conta longa, como já mencionei ao falar de Copán. O que se desintegrou mais rapidamente durante o colapso do período clássico foi a instituição da monarquia e o calendário de conta longa.

Quarto, muitos colapsos aparentes de cidades nada mais eram do que ciclos de poder: i.e., cidades individuais tornando-se mais poderosas, depois declinando ou sendo conquistadas, para em seguida se reerguerem e conquistarem os seus vizinhos, sem mudanças na população total. Por exemplo, no ano de 562 Tikal foi derrotada por seus rivais de Caracol e Calakmul, e seu rei foi capturado e morto. Contudo, Tikal voltou a ganhar força e acabou conquistando seus rivais em 695, muito antes de se juntar a várias outras cidades maias no colapso clássico (os últimos monumentos datados de Tikal são de 869 d.C.). Do mesmo modo, Copán aumentou seu poder até o ano de 738, quando seu rei, Waxaklahuun Ub'aah K'awil (um nome mais conhecido por entusiastas maias de hoje em dia por sua inesquecível tradução de "18 Coelho"), foi capturado e morto pela cidade rival de Quirigua. Mas então Copán floresceu no meio século seguinte sob reis mais afortunados.

Afinal, diferentes cidades em várias partes da região maia ascenderam e caíram em trajetórias diversas. Por exemplo, a região de Puuc no nordeste da península de Yucatán, após ficar quase desabitada no ano 700, teve uma explosão populacional em 750, quando as cidades do sul estavam entrando em colapso, chegou ao máximo de população em 900 e 925 e então entrou em colapso entre 950 e 1000. El Mirador, um imenso sítio no centro da área maia com uma das maiores pirâmides do mundo, foi fundado em 200 a.C. e abandonado por volta de 150 d.C., bem antes da ascensão de Copán. Chichén Itzá, no norte da península, cresceu após 850 d.C. e foi o principal centro do norte por volta do ano 1000, apenas para ser destruída em uma guerra civil por volta de 1250.

Alguns arqueólogos se concentram nesses cinco tipos de complicações e não querem reconhecer um colapso maia clássico. Mas tal atitude deixa de lado fatos óbvios que clamam por explicação: o desaparecimento de cerca de 90 a 99% da população maia após 800 d.C., especialmente na região outrora mais densamente povoada das terras baixas do sul, e o desaparecimento de reis, calendários de conta longa e outras complexas instituições políticas e culturais. Por isso, falamos de um colapso maia clássico, um colapso tanto de população quanto de cultura, que pede explicação.

Dois outros fenômenos que mencionei brevemente como tendo contribuído para os colapsos maias merecem mais discussão: o papel das guerras e das secas.

Durante muito tempo, os arqueólogos acreditaram que os antigos maias eram um povo gentil e pacífico. Agora sabemos que as guerras maias eram intensas, crônicas e sem solução, em virtude de as limitações de comida e transporte tornarem impossível para qualquer principado unificar toda a região em um único império, do modo como astecas e incas uniram o México Central e os Andes, respectivamente. O registro arqueológico mostra que as guerras se tornaram mais intensas e frequentes perto do colapso clássico. Tal evidência vem de descobertas de diferentes naturezas feitas nos últimos 55 anos: escavações arqueológicas de grandes fortificações cercando diversos sítios maias; descrições vívidas de guerras e prisioneiros em monumentos de pedra, vasos (foto 14) e nos famosos murais descobertos em 1946 em Bonampak; e a decifração da escrita maia, constituída em sua maioria de inscrições reais jactando-se de conquistas. Os reis maias lutavam para aprisionar uns aos outros, e um dos infelizes perdedores foi o rei de Copán, 18 Coelho. Os cativos eram torturados de maneira cruel, descrita claramente nos monumentos e murais (práticas como arrancar dedos, dentes, mandíbulas, cortar lábios e pontas de dedos, e atravessar estiletes nos lábios dos prisioneiros), culminando (às vezes muitos anos depois) no sacrifício do cativo de outros modos igualmente desumanos (atá-lo como uma bola amarrando-lhe os braços e as pernas e, então, deixando-o rolar pelas escadas de pedra de um templo).

A guerra maia envolvia diversos tipos bem documentados de violência: guerra entre reinos; tentativas de cidades dentro de um reino para se separar e revoltando-se contra a capital; e guerras civis resultando em frequentes e violentas tentativas de usurpar o trono. Todos esses tipos de ação guerreira foram descritos ou ilustrados em monumentos, pois envolviam reis e nobres. Não consideradas merecedoras de descrição, mas provavelmente bem mais frequentes, eram as lutas entre plebeus por terras, à medida que a população aumentava e as terras escasseavam.

O outro importante fenômeno para compreender os colapsos maias é a repetida ocorrência de secas, especialmente estudada por Mark Brenner, David Hodell, o falecido Edward Deevey e seus colegas na Universidade da Flórida, e discutida em um livro recente de Richardson Gill. Amostras retiradas de camadas de sedimentos nos fundos de lagos maias forneceram muitas medidas que nos levam a inferir secas e mudanças ambientais. Por exemplo, o gesso (sulfato de cálcio) se precipita em sedimentos em um lago quando sua água se concentra por evaporação durante uma seca. A água que contém uma forma pesada de oxigênio conhecido como isótopo oxigênio-18 também se concentra durante as secas, enquanto a água contendo o isótopo mais leve oxigênio-16 evapora. Os moluscos e crustáceos que vivem no lago absorvem oxigênio para produzir suas conchas, que permanecem preservadas nos sedimentos do lago, esperando que os climatologistas analisem esses isótopos de oxigênio muito tempo depois dos pequenos animais terem morrido. A datação radiocarbônica de uma camada de sedimento identifica o ano aproximado em que condições de seca ou chuva inferidas por tais medidas de gesso e de isótopos de oxigênio prevaleciam. As mesmas amostras de sedimento do lago fornecem aos palinologistas informação sobre desmatamento (que se apresenta como uma diminuição de pólen de árvores de floresta e um aumento de pólen de gramíneas), e também erosão do solo (que se mostra como um grosso depósito de argila e minerais erodidos do solo).

Com base nesses estudos de camadas datadas através do método radio-carbônico das amostras de sedimentos do lago, climatologistas e paleoecologistas concluem que a área maia era relativamente úmida por volta de 5500 a.C. até 500 a.C. O período de 475 a 250 a.C., pouco antes da ascensão da civilização maia pré-clássica, foi seco. A ascensão do pré-clássico deve ter sido facilitada pela volta de condições úmidas após 250 a.C., mas então uma seca de 125 d.C. até 250 d.C. foi associada ao colapso pré-clássico em El Mirador e outros lugares. Tal colapso foi seguido pela volta de condições úmidas e da construção das cidades clássicas, temporariamente interrompida por uma seca por volta de 600 d.C., correspondendo a um declínio em Tikal e alguns outros lugares. Finalmente, por volta de 760 d.C., começou a pior seca dos últimos sete mil anos, que atingiu seu auge por volta do ano 800 d.C., e que supostamente está associada ao colapso clássico.

A análise cuidadosa da frequência das secas na região maia mostra uma tendência de serem recorrentes em intervalos de 208 anos. Tais ciclos de secas podem ser resultado de pequenas variações na radiação solar, possivelmente mais graves na região maia como resultado de o gradiente de Yucatán (mais seco no norte, mais úmido no sul) se deslocar para o sul. É de esperar que tais mudanças na radiação solar afetem não apenas a região maia mas, em graus variados, o mundo inteiro. Os climatologistas notaram que alguns outros famosos colapsos de civilizações pré-históricas longe da área maia parecem coincidir com o auge desses ciclos de seca, como o colapso do primeiro império do mundo (o Império Acádio, na Mesopotâmia) por volta de 2170 a.C., o colapso da civilização moche iv no litoral peruano por volta de 600 d.C., e o colapso da civilização Tiahuanaco nos Andes por volta de 1100 d.C.

Em sua forma mais ingênua, a hipótese de que a seca contribuiu para o colapso clássico sugere que uma simples seca por volta de 800 d.C. tenha afetado uniformemente a região e desencadeado a queda de todos os centros maias ao mesmo tempo. Em verdade, como vimos, o colapso clássico atingiu diferentes centros em tempos ligeiramente diferentes no período entre 760-910 d.C., enquanto poupou outros centros. Tal fato faz com que diversos especialistas duvidem do papel das secas neste colapso.

Mas um climatologista cauteloso não levantaria a hipótese da seca nesta forma supersimplificada tão implausível. A variação de chuvas de um ano para o outro pode ser calculada com melhor precisão através de sedimentos anuais que os rios lançam no mar junto à costa. Tais sedimentos nos levam à conclusão de que "a Seca" de 800 d.C. teve quatro picos, o primeiro menos agudo: dois anos secos por volta de 760 d.C., então uma década ainda mais seca de 810-820 d.C., três anos mais secos por volta de 860 d.C., e seis anos mais secos por volta de 910 d.C. A partir das últimas datações de monumentos de pedra em diversos grandes centros maias, Richardson Gill concluiu que as datas de colapso variam entre sítios e reúnem-se em três grupos: por volta de 810, 860 e 910 d.C., de acordo com datas das três secas mais sérias. Não seria surpreendente se uma seca em um ano variasse localmente em intensidade, ou se uma série de secas causasse o colapso de diferentes centros maias em anos diferentes, enquanto poupasse centros com suprimento de água seguro como cenotes, poços e lagos.

A área mais afetada pelo colapso clássico foram as terras baixas do sul, provavelmente pelas duas razões já mencionadas: era a área com maior densidade populacional e também pode ter tido os maiores problemas com água, uma vez que se localizava muito acima do lençol freático para obter água de cenotes ou poços quando as chuvas deixaram de cair. As terras baixas do sul perderam mais de 99% de sua população no curso do colapso clássico. Por exemplo, a população de Petén Central no auge do período clássico é estimada entre três e 14 milhões de pessoas, mas havia apenas cerca de 30 mil pessoas à época da chegada dos espanhóis. Quando Cortés e seu exército atravessaram Petén Central, em 1524 e 1525, os espanhóis quase morreram de fome porque encontraram poucas aldeias onde obter milho. Cortés passou a poucos quilômetros das ruínas das grandes cidades clássicas de Tikal e Palenque, mas não viu nem ouviu falar delas porque estavam cobertas pela floresta e quase ninguém vivia nas redondezas.

Como uma população de milhões de pessoas desaparece? No capítulo 4 fizemos a mesma pergunta quanto à população anasazi de Chaco Canyon (reconhecidamente menor). Por analogia com o caso dos anasazis e de subsequentes sociedades indígenas de *pueblos* durante secas no sudoeste dos EUA, inferimos que algumas pessoas das terras baixas do sul sobreviveram fugindo para áreas no norte de Yucatán dotadas de cenotes e poços, onde um rápido aumento populacional ocorreu à época do colapso maia. Mas não há sinal desses milhões de habitantes das terras baixas do sul sendo acomodados como imigrantes no norte, do mesmo modo que não há sinal dos milhares de refugiados anasazis terem sido recebidos nos *pueblos* sobreviventes. Como durante as secas no sudoeste dos EUA, um pouco da diminuição populacional maia certamente envolveu gente que morreu de fome, de sede ou se matou entre si em lutas por recursos cada vez mais escassos. A outra parte pode refletir uma diminuição na taxa de natalidade ou de sobrevivência infantil ao longo de muitas décadas. Ou seja, o despovoamento certamente envolveu uma alta taxa de mortalidade e uma baixa taxa de natalidade.

Na região maia, assim como em toda parte, o passado é uma lição para o presente. Desde o tempo da chegada dos espanhóis, a população de Petén Central declinou para três mil em 1714 d.C., como resultado de mortes por doenças e outras causas associadas à ocupação espanhola. Por volta de 1960, a população de Petén Central havia crescido para apenas 25 mil, ainda menos que 1% do que foi no auge do período clássico maia. Daí em diante, porém, os imigrantes invadiram Petén Central, elevando sua população para 300 mil na década de 1980, e dando início a uma nova era de desmatamento e erosão. Hoje, metade de Petén está novamente desmatada e ecologicamente degradada. Um quarto de todas as florestas de Honduras foi destruído entre 1964 e 1989.

Para resumir o colapso maia clássico, podemos identificar cinco elementos, embora os arqueólogos ainda discordem vigorosamente entre si — em parte porque elementos diferentes evidentemente variam em importância em diferentes lugares da região maia; porque apenas alguns sítios maias foram estudados detalhadamente; e porque continua a ser uma incógnita a razão de a maior parte da terra maia ter continuado quase despovoada e não ter conseguido se recuperar após o colapso e a reconstituição das florestas.

Com essas advertências, me parece que um dos elementos é o crescimento populacional superando os recursos disponíveis: um dilema similar ao do antevisto por Thomas Malthus em 1798, e que ocorre atualmente em Ruanda (capítulo 10), Haiti (capítulo 11) e em outros lugares. Como sintetiza o arqueólogo David Webster: "Fazendeiros demais fizeram plantações demais em lugares demais." Compondo esse desacerto entre população e recursos está o segundo elemento: os efeitos do desmatamento e da erosão de encostas, o que causou uma diminuição na quantidade de terras cultiváveis em um tempo em que mais terras cultiváveis se faziam necessárias, falta possivelmente exacerbada por uma seca antropogênica resultante do desmatamento, pelo esgotamento dos nutrientes e outros problemas do solo, e pela luta para evitar que plantas daninhas como a samambaia-da-tapera tomassem conta dos campos.

O terceiro elemento consiste no aumento de conflitos à medida que cada vez mais gente lutava por recursos reduzidos. A guerra maia, já endêmica, chegou ao auge pouco antes do colapso. Não é surpreendente quando se imagina que cerca de cinco milhões de pessoas, talvez muito mais, estavam apinhadas em uma área menor que o estado do Colorado (269 mil km²). A guerra diminuiu a quantidade de terra disponível para a agricultura, criando terras de ninguém entre principados onde, então, não era seguro cultivar. Para piorar tudo, havia também o elemento das mudanças climáticas. A seca à época do colapso clássico não foi a primeira que os maias atravessaram, mas foi a mais intensa. À época das secas anteriores, ainda havia partes desabitadas da paisagem maia, e as pessoas afetadas pela seca podiam se salvar mudando-se para outros lugares. Contudo, à época do colapso clássico a região estava superlotada, não havia área desocupada útil nas redondezas onde recomeçar e não era possível acomodar a população nas áreas que continuavam a ter fornecimento de água seguro.

Como quinto elemento, temos de imaginar por que os reis e os nobres não reconheceram e resolveram os problemas aparentemente tão óbvios que minavam a sua sociedade. Evidentemente sua atenção estava voltada para o autoenriquecimento a curto prazo, guerras, construção de monumentos, competição e extração de comida dos camponeses para sustentar todas essas atividades. Assim como muitos líderes ao longo da história, os reis e os nobres maias não prestavam atenção aos problemas de longo prazo, mesmo que os percebessem. Voltaremos a esse tema no capítulo 14.

Finalmente, embora ainda tenhamos algumas sociedades do passado a considerar neste livro antes de mudar a nossa atenção para o mundo moderno, já percebemos alguns paralelos entre os maias e as sociedades do passado discutidas nos capítulos 2 a 4. Como na ilha de Páscoa, Mangareva e entre os anasazis, os problemas ambientais e populacionais dos maias levaram ao aumento das guerras e dos conflitos civis. Como na ilha de Páscoa e no Chaco Canyon, o auge populacional maia foi seguido de rápido colapso político e social. Assim como houve uma extensão final da agricultura das terras baixas do litoral para as terras altas na ilha de Páscoa, dos vales mimbres para as colinas, os habitantes de Copán também se expandiram das terras planas para encostas de colinas mais frágeis, deixando-os com uma população maior para alimentar quando o surto da agricultura nas colinas esmorecia. Assim como os chefes da ilha de Páscoa, erguendo estátuas cada vez maiores, finalmente coroadas com um *pukao*, e assim como a elite anasazi, que usava colares com duas mil gemas de turquesa, os reis maias procuraram superar uns aos outros construindo templos cada vez mais impressionantes, cobertos com camadas de gesso cada vez mais grossas — o que por sua vez nos faz lembrar do extravagante e conspícuo consumo dos modernos presidentes de empresa norte-americanos. A passividade dos chefes de Páscoa e reis maias diante das grandes ameaças que rondavam suas sociedades completa a nossa lista de preocupantes comparações.

CAPÍTULO 6

PRELÚDIO E FUGAS *VIKINGS*

Experimentos no Atlântico • A explosão *viking* • Autocatálise
• Agricultura *viking* • Ferro • Chefes *vikings* • Religião *viking*
• Orkneys, Shetlands, Faroe • Meio ambiente da Islândia • História
da Islândia • Islândia em contexto • Vinlândia

Quando os cinéfilos de minha geração ouvem a palavra "vikings" vemos Kirk Douglas, astro do inesquecível filme épico de 1958 *Os vikings,* vestido com uma camisa de couro com rebites conduzindo os seus bárbaros barbudos em viagens de pilhagem, estupro e morte. Quase meio século depois de ver aquele filme com uma namorada de faculdade, ainda consigo lembrar a cena de abertura na qual os guerreiros *vikings* derrubam o portão de um castelo enquanto seus ocupantes despreocupados festejam no interior. Eles gritam quando os *vikings* entram matando quem encontram pela frente, e Kirk Douglas pede que sua bela prisioneira Janet Leigh aumente seu prazer tentando em vão resistir a ele. Há muita verdade nessas imagens sangrentas: os *vikings* de fato aterrorizaram a Europa medieval durante muitos séculos. Em seu idioma (o nórdico antigo), a palavra *vikingar* queria dizer "assaltante".

Mas outras partes da história *viking* são igualmente românticas e mais relevantes para este livro. Além de temidos piratas, os *vikings* também eram fazendeiros, comerciantes, colonizadores e foram os primeiros exploradores do Atlântico Norte. Os povoados que fundaram tiveram diferentes destinos. Os colonizadores *vikings* da Europa continental e das Ilhas Britânicas acabaram se misturando com a população local e foram responsáveis pela formação de diversas nações-estado, notadamente a Rússia, a Inglaterra e a França. A colônia da Vinlândia, primeira tentativa europeia de colonizar a América do Norte, foi rapidamente abandonada; a colônia da Groenlândia, durante 450 anos o ponto mais remoto da sociedade europeia, acabou desaparecendo; a colônia da Islândia lutou durante muitos séculos contra a pobreza e dificuldades políticas, para emergir em tempos recentes como uma das sociedades mais ricas do mundo; as colônias de Orkney, Shetland, Faroe sobreviveram com pouca dificuldade. Todas essas colônias *vikings* derivaram da mesma sociedade ancestral: seus destinos diferentes estavam claramente relacionados com os diferentes ambientes nos quais os colonos se encontraram.

A expansão *viking* para o oeste através do Atlântico Norte nos oferece um instrutivo experimento natural, assim como a expansão polinésia para o leste através do Pacífico (mapa, p. 224-225). Acomodada dentro desse grande experimento natural, a Groenlândia nos oferece um experimento menor: os *vikings* encontraram outro povo ali, os *inuits*, cujas soluções para os problemas ambientais da Groenlândia eram bem diferentes daquelas dos *vikings*. Quando este experimento menor acabou, cinco séculos depois, todos os *vikings* da Groenlândia haviam morrido, deixando a região nas mãos dos *inuits*. A tragédia dos nórdicos groenlandeses (escandinavos da Groenlândia) traz, portanto, uma mensagem de esperança: mesmo em ambientes difíceis, o colapso das sociedades não é inevitável; depende de como as pessoas respondem.

O colapso ambientalmente desencadeado na Groenlândia *viking* e os conflitos na Islândia têm paralelos com os colapsos ambientalmente desencadeados da ilha de Páscoa, Mangareva, entre os anasazis, os maias e muitas outras sociedades pré-industriais. Contudo, desfrutamos da vantagem de compreender o colapso da Groenlândia e os problemas da Islândia. Possuímos relatos escritos contemporâneos da história das sociedades nórdicas da Groenlândia e, especialmente, da Islândia, assim como de seus parceiros comerciais — relatos que infelizmente são fragmentários, mas ainda muito melhores do que nossa total falta de relatos escritos por testemunhas visuais das outras sociedades pré-industriais. Os anasazis morreram ou se dispersaram, e a sociedade dos poucos sobreviventes da ilha de Páscoa foi transformada por gente de fora, mas a maioria dos islandeses modernos ainda é de descendentes diretos dos homens *vikings* e de suas esposas celtas, que foram os primeiros povoadores da Islândia. Em particular, sociedades cristãs europeias medievais, como a da Islândia e da Groenlândia Nórdica, que se desenvolveram diretamente em sociedades europeias cristãs modernas. Portanto, sabemos o que querem dizer as ruínas da igreja, a arte preservada e as ferramentas escavadas pelos arqueólogos, enquanto é necessário muito trabalho de adivinhação para interpretar os restos arqueológicos de outras sociedades. Por exemplo, quando me vi diante de uma abertura na parede oeste de um bem conservado prédio erguido por volta de 1300 d.C., em Hvalsey, na Groenlândia, eu sabia, por comparação com outras igrejas cristãs, que aquele prédio também era uma igreja, aquela em particular uma réplica quase perfeita de uma igreja em Eidfjord, na Noruega, e que a abertura na parede oeste era a entrada principal, como ocorre em outras igrejas cristãs (foto 15). Em contraste, não compreendemos o significado das estátuas de pedra da ilha de Páscoa com tanto detalhe.

Os destinos da Islândia e Groenlândia *viking* nos contam uma história ainda mais complexa, portanto mais ricamente instrutiva, do que o destino da ilha de Páscoa, dos vizinhos de Mangareva, dos anasazis e dos maias. Todos os cinco conjuntos de fatores que citei no prólogo estiveram presentes. Os *vikings* danificaram seu meio ambiente, sofreram mudanças climáticas, e suas respostas e valores culturais afetaram o resultado final. O primeiro e o terceiro desses três fatores também ocorreram nas histórias de Páscoa e dos vizinhos de Mangareva, e todos os três estiveram presentes nos exemplos anasazis e maias, mas além disso o comércio com estrangeiros amistosos teve um papel essencial nas histórias da Islândia e da Groenlândia, como no caso dos vizinhos de Mangareva e dos anasazis, embora isso não tenha ocorrido nas histórias de Páscoa nem dos maias. Finalmente, entre essas sociedades, apenas na Groenlândia *viking* estrangeiros hostis (os *inuits*) interferiram crucialmente. Assim, se as histórias da ilha de Páscoa e dos vizinhos de Mangareva são fugas sobre dois ou três temas ao mesmo tempo, respectivamente, como em algumas fugas de Johann Sebastian Bach, os problemas da Islândia correspondem a uma fuga de quatro temas, como a grandiosa fuga não terminada com a qual Bach moribundo pretendia completar a sua última grande obra, a *Arte da fuga*. Apenas o colapso da Groenlândia nos dá o que o próprio Bach nunca tentou, uma fuga de cinco temas. Por todas essas razões, as sociedades *vikings* serão apresentadas neste capítulo e nos dois seguintes como o mais detalhado exemplo deste livro: o segundo e mais gordo carneiro dentro de nossa jiboia.

O prelúdio das fugas da Islândia e da Groenlândia foi a explosão *viking* que irrompeu na Europa medieval após 793 d.C., da Irlanda e do Báltico ao Mediterrâneo e Constantinopla. Lembrem-se de que todos os elementos básicos da civilização europeia medieval surgiram nos 10 mil anos anteriores no (ou próximo ao) Crescente Fértil, a área em forma de lua crescente do Sudoeste Asiático, do norte do Jordão ao sudeste da Turquia e leste do Irã. Desta região vieram as primeiras culturas agrícolas, os animais domésticos, o transporte sobre rodas, o domínio do cobre e, então, do bronze e do ferro, e a construção de casas e cidades, potentados, reinados e religiões organizadas. Todos esses elementos gradualmente se espalharam e transformaram a Europa de sudeste para noroeste, começando com a chegada da agricultura na Grécia, vinda da Anatólia, por volta de 7000 a.C. A Escandinávia, o canto europeu mais distante do Crescente Fértil, foi a última parte da Europa a ser transformada, tendo sido atingida pela agricultura apenas em 2500 a.C. Também foi o canto mais distante da influência da civilização romana: diferentemente da área da moderna Alemanha, os comerciantes romanos nunca chegaram à Escandinávia, que não compartilhava fronteira com o Império Romano. Portanto, até a Idade Média, a Escandinávia era a região esquecida e atrasada da Europa.

Contudo, a Escandinávia possuía dois conjuntos de vantagens naturais esperando para serem explorados: peles dos animais das florestas do norte, de foca, e cera de abelha, consideradas importações de luxo no resto da Europa; e (na Noruega assim como na Grécia) um litoral altamente recortado, tornando as viagens marítimas potencialmente mais rápidas do que por terra e oferecendo recompensas para aqueles que pudessem desenvolver técnicas de navegação. Até a Idade Média, os escandinavos não tinham barcos a vela. Seus barcos eram movidos a remo. A tecnologia mediterrânea da vela finalmente chegou à Escandinávia por volta de 600 d.C., ao mesmo tempo que o aquecimento do clima e a chegada de melhores arados começaram a estimular a produção de alimentos e uma explosão populacional na região. Devido à maior parte da Noruega ser de terreno íngreme e montanhoso, apenas 3% da área total de sua terra puderam ser usados para a agricultura, e esta terra arável estava sob pressão populacional crescente por volta de 700 d.C., especialmente no oeste da Noruega. Com poucas oportunidades de estabelecer novas fazendas em terra, a população escandinava começou a se expandir para o mar. Com a chegada das velas, os escandinavos rapidamente desenvolveram barcos rápidos, de casco baixo, altamente manobráveis, movidos a velas e remos e que eram ideais para transportar suas luxuosas exportações para os ansiosos com-

PRELÚDIO E FUGAS *VIKINGS*

pradores na Europa e na Inglaterra. Tais barcos os levavam através do oceano, mas também podiam ser postos a seco em qualquer praia rasa ou navegar em rios, o que os livrava de ficarem confinados a alguns portos de águas profundas.

Mas para os escandinavos medievais, assim como para outros povos navegantes da história, o comércio abria o caminho para a pilhagem. Quando alguns comerciantes escandinavos descobriram rotas marítimas que levavam a gente rica que podia pagar por peles com ouro e prata, jovens irmãos mais ambiciosos desses primeiros mercadores deram-se conta de que podiam conseguir o mesmo ouro e prata sem dar nada em troca. Os navios usados para o comércio também podiam atravessar aquelas mesmas rotas para chegar de surpresa em cidades costeiras ou ribeirinhas, inclusive outras mais no interior, acessíveis pelos rios. Os escandinavos se tornaram *vikings*, i.e., assaltantes. Os barcos e marinheiros *vikings* eram mais rápidos do que suas contrapartidas europeias e podiam escapar dos lentos barcos locais. Ao mesmo tempo, os europeus nunca tentaram contra-atacar na terra dos *vikings* para destruir suas bases. As terras que hoje são a Noruega e a Suécia ainda não estavam unificadas sob um único rei, mas fragmentadas entre chefes e pequenos soberanos, ansiosos para lutar por butins de além-mar com os quais atrair e recompensar seus seguidores. Os chefes derrotados em disputas com outros chefes em terra eram os mais especialmente motivados a tentar a sorte no mar.

Os ataques *vikings* começaram abruptamente em 8 de junho de 793 d.C., com o ataque a um rico mas indefeso mosteiro na ilha Lindisfarne, no nordeste da costa inglesa. Daí em diante, os ataques continuaram a ocorrer em todos os verões, quando os mares estavam mais calmos e mais propícios à navegação. Após alguns anos, os *vikings* pararam de se preocupar em voltar para casa no outono. Em vez disso, começaram a fazer abrigos de inverno nas costas-alvo de modo a poderem começar a pilhar mais cedo na primavera seguinte. Desses primórdios surgiu uma estratégia flexível mista de métodos alternativos para adquirir riquezas, dependendo da força relativa das frotas *vikings* e dos povos-alvo. Quando a força ou o número de *vikings* aumentava em relação aos povos locais, os métodos progrediam de comércio pacífico para a extorsão de tributos em troca de promessas de não agressão, até o saque e retirada, culminando na conquista e no estabelecimento de estados *vikings* no estrangeiro.

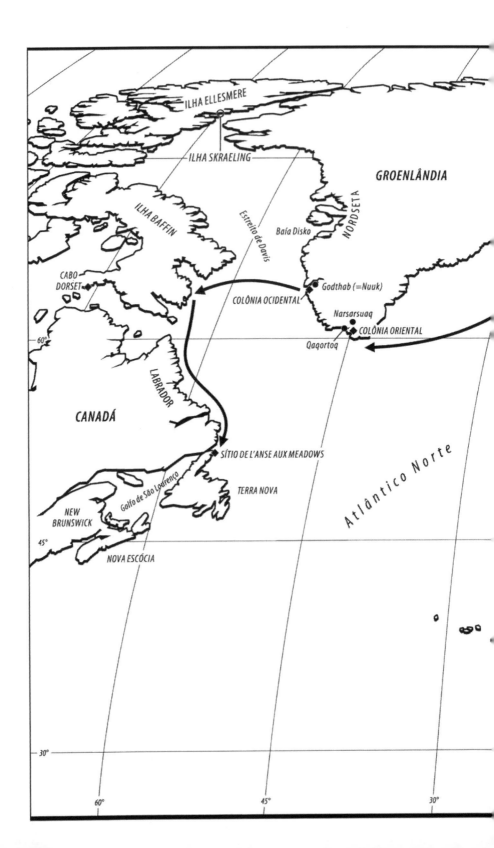

Vikings de diferentes partes da Escandinávia atacaram em diferentes direções. Os que viviam na região da atual Suécia, conhecidos como varangianos, navegavam para leste no Báltico, subiam os rios russos que desaguavam naquele mar e continuavam rumo ao sul, até chegarem à cabeceira do Volga e de outros rios que fluíam para o mar Negro e o Cáspio. Os varangianos negociavam com o rico Império Bizantino e fundaram o principado de Kiev, que se tornou o berço da Rússia moderna. Os *vikings* da atual Dinamarca navegavam para oeste, em direção à costa noroeste da Europa e a costa leste da Inglaterra, subiam o Reno e o Loire, estabeleciam-se na foz desses rios e na Normandia e Bretanha. Foram estes *vikings* dinamarqueses que fundaram o território de Danelaw, no leste da Inglaterra, e o ducado da Normandia, na França, e contornaram a costa de Espanha para entrar no Mediterrâneo pelo estreito de Gibraltar e atacar a Itália. Os *vikings* da atual Noruega navegavam para a Irlanda, para as costas norte e oeste da Inglaterra e estabeleceram um grande centro de comércio em Dublin. Em toda parte da Europa, os *vikings* se estabeleceram, casaram e gradualmente foram assimilados pela população local, resultando que as línguas e povoados escandinavos distintos acabaram desaparecendo fora da Escandinávia. Os *vikings* suecos se misturaram à população russa. Os *vikings* dinamarqueses à população inglesa, enquanto os *vikings* que se estabeleceram na Normandia acabaram abandonando o idioma nórdico e passaram a falar francês. Nesse processo de assimilação, as palavras, bem como os genes escandinavos, foram absorvidas. Por exemplo, o inglês moderno deve as palavras *awkward, die, egg, skirt* e dezenas de outras palavras cotidianas aos invasores escandinavos.

Durante essas viagens para terras europeias habitadas, muitos barcos *vikings* se perderam em meio ao Atlântico Norte, que naquela época de clima mais quente estava livre de *icebergs* que posteriormente se tornaram uma barreira para a navegação, contribuindo decisivamente tanto para o destino da colônia da Groenlândia Nórdica quanto para o do *Titanic*. Tais navios fora de rota descobriram e se estabeleceram em outras terras anteriormente desconhecidas tanto pelos europeus quanto por qualquer outra pessoa: as desabitadas ilhas Faroe, por volta de 800 d.C., e a Islândia, por volta de 870. Perto do ano 980 d.C. foi a vez da Groenlândia, na época ocupada apenas no extremo norte pelos antecessores dos *inuits*, conhecidos como o povo de Dorset. Em 1000 d.C., descobriram a Vinlândia, uma área de exploração que compreendia Terra Nova, o golfo de St. Lawrence e possivelmente algumas outras áreas costeiras do noroeste da América do Norte repletas de nativos americanos cuja presença obrigou os *vikings* a partirem em apenas uma década.

Os ataques *vikings* na Europa declinaram à medida que seus alvos europeus passaram a esperá-los e a se defenderem de seus ataques, à medida que crescia o poder dos reis da Inglaterra, França e do imperador da Alemanha, e à medida que o poder ascendente dos reis noruegueses passou a reprimir os saques e a canalizar os esforços dos chefes pilhadores de modo a estabelecer um comércio respeitável com outras nações. No continente, os francos expulsaram os *vikings* do rio Sena em 857 d.C., ganharam uma grande batalha em Louvain, na Bélgica atual, em 891, e os expulsaram da Bretanha em 939. Nas Ilhas Britânicas os *vikings* foram expulsos de Dublin em 902 d.C., e seu território de Danelaw na Inglaterra se desintegrou em 954, embora tenha sido reconstituído por ataques posteriores entre 980 e 1016. O ano de 1066, famoso pela batalha de Hastings na qual Guilherme, o Conquistador (William da Normandia) liderou descendentes de antigos *vikings* que falavam francês para conquistar a Inglaterra, também pode ser apontado como um marco do fim dos ataques *vikings*. A razão pela qual Guilherme pôde derrotar o rei inglês Harold, em Hastings, na costa sudeste da Inglaterra, em 14 de outubro, foi porque Harold e seus soldados estavam exaustos. Haviam marchado mais de 350 quilômetros para o sul cm mcnos de três semanas após derrotarem o último exército *viking* invasor e matado o seu rei em Stamford Bridge, na Inglaterra central, em 25 de setembro. Dali em diante, os reinos escandinavos começaram a negociar normalmente com outros estados europeus e só raramente entravam em guerra, em vez de atacar constantemente outros lugares A Noruega medieval tornou-se conhecida não por seus temidos saqueadores, mas por suas exportações de bacalhau seco.

À luz desta história, como explicar por que os *vikings* deixaram suas terras natais para arriscar suas vidas em batalhas ou em ambientes tão difíceis quanto a Groenlândia? Após milênios em paz na Escandinávia, sem mexer com a Europa, por que sua expansão aumentou tão rapidamente até atingir um auge em 793, e então parou completamente menos de três séculos depois? Em qualquer expansão histórica, pode-se perguntar se esta foi motivada por um "impulso" (pressão populacional e falta de oportunidades em casa), ou por uma "atração" (boas oportunidades e áreas vazias a colonizar fora de casa), ou ambos. Muitas ondas de expansão foram movidas por uma combinação de impulso e atração, e isso também se aplica aos *vikings*: eles foram impulsionados pelo crescimento populacional e pela consolidação do poder real em casa e atraídos por novas terras desabitadas a colonizar e terras habitadas, embora indefesas, a saquear além-mar. Do mesmo modo, a imigração europeia para a América do Norte chegou ao seu auge no século XIX e início do século XX, por uma combinação de impulso e atração: o crescimento populacional, a fome e a opressão política impulsionaram os imigrantes para longe de suas terras natais, enquanto a disponibilidade quase ilimitada de terras cultiváveis e as oportunidades econômicas nos EUA e Canadá os atraíram.

Quanto ao motivo de as forças de impulso/atração mudarem tão abruptamente de atraentes para não atraentes após 793 d.C., e então diminuírem rapidamente por volta de 1066, a expansão *viking* é um bom exemplo do que se chama *processo autocatalítico*. Em química, o termo *catálise* significa a aceleração de uma reação química através do acréscimo de um ingrediente, como uma enzima. Algumas reações químicas criam um produto que também age como catalisador, de modo que a rapidez da reação parte do nada e então ganha velocidade quando algum produto se forma, catalisando e acelerando a reação e criando mais produtos que aceleram a reação ainda mais. Tal reação em cadeia é denominada *autocatálise* e seu melhor exemplo é a explosão de uma bomba atômica na qual os nêutrons de uma massa crítica de urânio partem os núcleos para liberar energia e mais nêutrons, que partem ainda mais núcleos.

Do mesmo modo, na expansão autocatalítica da população humana, as vantagens iniciais que as pessoas obtêm (como vantagens tecnológicas) trazem-lhes lucros ou descobertas, que ao seu turno estimulam mais gente a buscar lucros e descobertas, que resultam em ainda mais lucros e descobertas, que estimulam ainda mais gente a fazer o mesmo, até que as pessoas tenham ocupado todas as áreas disponíveis com tais vantagens, ponto em que a expansão autocatalítica pára de catalisar a si mesma e perde a força. Dois eventos específicos desencadearam a reação *viking* em cadeia: o ataque de 793 d.C. ao mosteiro Lindisfarne, que rendeu um rico butim que

PRELÚDIO E FUGAS VIKINGS

nos anos seguintes estimulou ataques que renderam ainda mais riquezas; e a descoberta das despovoadas ilhas Faroe, ideais para a criação de ovelhas, que levaram à descoberta da maior e mais distante Islândia, e então da ainda maior e mais distante Groenlândia. Os *vikings* que voltavam para casa com butins ou relatos de ilhas prontas para serem colonizadas incendiaram a imaginação de mais *vikings* a saírem em busca de mais butins e mais ilhas desertas. Outros exemplos de expansão autocatalítica inclui a expansão dos antigos polinésios para o leste através do oceano Pacífico, começando por volta de 1200 a.C., e a expansão portuguesa e espanhola pelo mundo, a partir do século XV, especialmente após a "descoberta" do Novo Mundo por Colombo, em 1492.

Assim como as expansões dos polinésios e dos portugueses e espanhóis, a expansão *viking* começou a declinar quando todas as áreas prontamente acessíveis aos seus navios já haviam sido saqueadas ou colonizadas, e quando os *vikings* que voltavam para casa pararam de trazer histórias de terras desabitadas ou facilmente pilháveis além-mar. Assim como dois eventos específicos desencadearam a reação *viking*, dois outros eventos simbolizaram o que a fez parar. Um foi a batalha de Stamford Bridge, em 1066, que coroou uma longa série de derrotas *vikings* e demonstrou a futilidade de futuros ataques. O outro foi o abandono forçado da colônia *viking* mais remota da Vinlândia, por volta de 1000 d.C., após apenas uma década de colonização. As duas sagas preservadas que descrevem a Vinlândia dizem explicitamente que a terra foi abandonada devido à luta com uma densa população de nativos americanos, numerosos demais para serem derrotados pelos poucos *vikings* capazes de atravessar o Atlântico em barcos daqueles tempos. Com as Faroe, a Islândia e a Groenlândia já repletas de colonizadores *vikings*, a Vinlândia impossivelmente perigosa, e nenhuma outra descoberta de ilha desabitada no Atlântico, os *vikings* descobriram não haver mais recompensas para os pioneiros que se dispusessem a arriscar suas vidas no tempestuoso Atlântico Norte.

Quando imigrantes de além-mar colonizam uma terra nova, o estilo de vida que estabelecem geralmente incorpora características do estilo de vida que praticavam em sua terra de origem — uma "capital cultural" de conhecimento, crenças, métodos de subsistência e organização social acumulado em sua terra natal. Esse é especialmente o exemplo quando, como no caso dos *vikings*, ocupam uma terra originalmente desabitada ou habitada por gente com quem os colonizadores têm pouco contato. Até mesmo nos EUA de hoje, onde os novos imigrantes têm de lidar com uma população americana estabelecida e numerosa, cada grupo ainda mantém muitas de suas características distintas. Por exemplo, na minha cidade de Los Angeles, há grandes diferenças entre valores culturais, níveis educacionais, empregos e prosperidade entre grupos de imigrantes recentes como os vietnamitas, iranianos, mexicanos e etíopes. Aqui, grupos diferentes se adaptaram à sociedade americana com diferentes graus de dificuldade, dependendo em parte do estilo de vida que trouxeram consigo.

Também no caso dos *vikings*, a sociedade que criaram nas ilhas do Atlântico Norte tinha como modelo as sociedades *vikings* continentais que os imigrantes deixaram para trás. Este legado de história cultural foi especialmente importante nas áreas de produção agrícola, ferro, estrutura de classe e religião.

Embora pensemos nos *vikings* como saqueadores e marinheiros, eles se imaginavam como fazendeiros. Os animais e culturas que vicejavam no sul da Noruega tornaram-se itens importantes na história *viking* de além-mar, não apenas porque foram as espécies de plantas e animais disponíveis para os colonizadores *vikings* levarem consigo para a Islândia e a Groenlândia, mas também porque estas espécies estavam envolvidas com os valores sociais dos *vikings*. Comidas e estilos de vida diferentes têm *status* diferentes entre gente diferente. Por exemplo, no oeste dos EUA, o gado bovino era muito mais valorizado do que o caprino. Os problemas surgem quando as práticas de agricultura dos imigrantes em sua terra de origem se mostram inadequadas para a nova terra. Os australianos, por exemplo, até hoje discutem se as ovelhas que trouxeram da Inglaterra causaram mais dano do que benefício ao ambiente australiano. Como veremos, uma inadequação semelhante entre o que era conveniente ou não na nova paisagem teve graves consequências para a Groenlândia Nórdica.

O gado cresce melhor que as plantações no clima frio da Noruega. Como gado, refiro-me às mesmas cinco espécies que forneceram a base da produção de alimentos no Crescente Fértil e na Europa durante milhares de anos: vacas, ovelhas, cabras, porcos e cavalos. Destas espécies, as consideradas de maior *status* pelos *vikings* eram os porcos, criados como alimento; as vacas, para a produção de laticínios como o queijo; e os cavalos, utilizados para transporte e prestígio. Nas velhas sagas nórdicas, o porco era a carne com a qual os guerreiros mortos do deus da guerra, Odin, se fartavam diariamente no Valhalla. Com muito menor prestígio, mas ainda economicamente úteis, eram as ovelhas e as cabras, mantidas mais para a produção de laticínios e lã do que para serem comidas.

A contagem de ossos em uma antiga pilha de lixo escavada na fazenda de um chefe no sul da Noruega do século IX revelou os números relativos de diferentes espécies animais consumidas na casa. Quase a metade dos ossos de gado no monturo era de vacas, um terço do valorizado porco, enquanto apenas um quinto era de cabras e ovelhas. Um chefe *viking* ambicioso que estabelecesse uma fazenda em uma terra de além-mar teria aspirado à mesma variedade de espécies. De fato, mistura semelhante foi encontrada em pilhas de lixo das fazendas *vikings* mais antigas na Groenlândia e Islândia. Contudo, a proporção de ossos difere em fazendas posteriores nestes mesmos lugares, porque algumas dessas espécies mostraram-se menos adaptáveis do que outras nas condições da Groenlândia e da Islândia: o número de vacas declinou com o tempo e os porcos quase desapareceram, mas o número de cabras e ovelhas aumentou.

Quanto mais ao norte se vive na Noruega, mais essencial é abrigar o gado em estábulos durante o inverno e fornecer-lhe comida, em vez de deixá-lo do lado de fora para se alimentar por conta própria. Portanto, estes heroicos guerreiros *vikings* tinham de passar boa parte de seu tempo durante o verão e outono mais ocupados com as tarefas domésticas de cortar, secar e recolher feno para a alimentação invernal do gado do que em lutar nas batalhas pelas quais ficaram famosos.

Nas áreas onde o clima era ameno o bastante para permitir a agricultura, os *vikings* também plantaram culturas tolerantes ao frio, especialmente a cevada. Outras culturas menos importantes que a cevada (por serem menos resistentes ao frio) eram os cereais aveia, trigo e centeio; as hortaliças repolho, cebola, ervilha e feijões; linho, para a confecção de roupas; e lúpulo para fazer cerveja. Na Noruega, quanto mais ao norte, mais a agricultura perde importância para a pecuária. A carne de animais selvagens era um grande suplemento de proteína à sua dieta — especialmente os peixes, que representam mais da metade dos ossos de animais em monturos *vikings* da Noruega. Os animais de caça incluíam as focas e outros mamíferos marinhos, caribus, alces e pequenos mamíferos terrestres, aves marinhas capturadas em suas colônias de reprodução, patos e outras aves aquáticas.

Implementos de ferro descobertos em sítios *vikings* pelos arqueólogos indicam que os *vikings* o usavam para diversos propósitos: confeccionar instrumentos agrícolas pesados como arados, pás, machados e foices; pequenas ferramentas domésticas, incluindo facas, tesouras e agulhas de costura; pregos, rebites e outros materiais de construção; e, é claro, armas, especialmente espadas, lanças, machados de combate e armaduras. Restos de pilhas de escória e poços de produção de carvão vegetal em sítios de processamento de ferro nos permitem reconstruir como os *vikings* obtinham seu ferro. Não era fundido em escala industrial em fábricas centralizadas, mas em fundições domésticas de pequena escala em cada fazenda. A matéria-prima era a limonita, também chamada de "ferro do pântano", disseminada por toda a Escandinávia: i.e., óxido de ferro dissolvido em água e, então, precipitado em sedimentos por condições ácidas ou bactérias no fundo de pântanos ou de rios. Embora as empresas modernas de mineração de ferro trabalhem com minério contendo entre 30 e 95% de óxido de ferro, os ferreiros *vikings* aceitavam minérios bem mais pobres, com até 1% de óxido de ferro. Uma vez que o sedimento "rico em ferro" fosse identificado, o minério era secado e aquecido até derreter em uma fornalha de modo a separar o ferro das impurezas (a escória), martelado para a remoção de mais impurezas, e então forjado no formato desejado.

A queima de madeira em si não produz temperatura suficientemente alta para se trabalhar o ferro. Em vez disso, a madeira precisava primeiro ser queimada para a formação de carvão, que suporta um fogo de alta temperatura. Medições feitas em diversos países mostram que são necessários cerca de dois quilos de madeira para fazer 500 gramas de carvão. Por causa disso, somado ao baixo conteúdo de ferro da limonita, a extração e a produção de instrumentos de ferro *vikings* e até mesmo o conserto de instrumentos de ferro consumiam enormes quantidades de madeira, o que se tornou um fator limitador na história da Groenlândia *viking*, onde havia poucas árvores.

* * *

O sistema social que os *vikings* trouxeram do continente era hierárquico, com classes que iam dos escravos capturados durante os ataques, passando pelos homens livres, até os chefes. Os grandes reinos unificados (diferentemente dos pequenos líderes locais que ocasionalmente assumiam o título de "rei") estavam apenas emergindo na Escandinávia durante a expansão *viking*, e os colonizadores de além-mar acabaram tendo de lidar com reis da Noruega e (depois) da Dinamarca. Contudo, os colonizadores emigraram em parte para escapar do poder emergente dos futuros reis noruegueses, de modo que nem a Islândia nem a Groenlândia tiveram reis. Em vez disso, o poder ali permaneceu em mãos de uma aristocracia militar de chefes. Só eles podiam ter seu próprio barço e todo um conjunto de animais de criação, incluindo os bovinos, mais valorizados e mais difíceis de criar, assim como os menos estimados embora mais fáceis de criar ovinos e caprinos. Os dependentes, servos e assistentes dos chefes incluíam escravos, trabalhadores livres, locatários de fazenda e fazendeiros livres independentes.

Os chefes competiam constantemente entre si, tanto de modo pacífico quanto com guerras. A competição pacífica envolvia chefes que buscavam superar os feitos dos outros, dando presentes e celebrando festas, para ganhar prestígio, recompensar seguidores e atrair aliados. Os chefes acumulavam riqueza por meio de comércio, saques e com a produção de suas fazendas. Mas a sociedade *viking* também era violenta, e os chefes e seus dependentes lutavam uns contra os outros em casa assim como lutavam com outros povos além-mar. Os perdedores dessas lutas intestinas eram os que mais tinham a ganhar tentando a sorte em outras terras. Por exemplo, por volta de 980 d.C., um islandês chamado Erik, o Vermelho, vencido e exilado, explorou a Groenlândia e liderou um bando de seguidores para estabelecer as melhores fazendas ali.

As principais decisões da sociedade *viking* eram tomadas pelos chefes, motivados a aumentar o próprio prestígio, mesmo nos casos em que isso pudesse entrar em conflito com os interesses da sociedade como um todo, ou os da geração seguinte. Já encontramos esses mesmos conflitos de interesses entre os chefes da ilha de Páscoa e entre os reis maias (capítulos 2 e 5). Estes conflitos também tiveram sérias consequências para o destino da sociedade da Groenlândia Nórdica (capítulo 8).

* * *

Quando os *vikings* começaram a sua expansão marítima no século IX, ainda eram pagãos e adoravam deuses tradicionais da religião germânica, como o deus da fertilidade, Frey; o deus do céu, Thor; e o deus da guerra, Odin. O que mais horrorizava as sociedades europeias atacadas pelos *vikings* era o fato de não serem cristãos e não observarem os tabus da sociedade cristã. Ao contrário: pareciam ter o prazer sádico de escolher igrejas e mosteiros como alvos de seus ataques. Por exemplo, quando em 843 d.C. uma grande frota *viking* saqueou as margens do rio Loire, na França, os saqueadores começaram por capturar a catedral de Nantes na foz do rio, e matar o bispo e todos os padres que ali estavam. Porém os *vikings* não tinham qualquer prazer sádico em saquear igrejas nem preconceito contra fontes de saque seculares. Embora igrejas e mosteiros indefesos fossem uma fonte óbvia de fáceis e ricas pilhagens, os *vikings* também gostavam de atacar centros comerciais sempre que a oportunidade surgia.

Uma vez estabelecidos além-mar, em terras cristãs, os *vikings* não se importavam de se miscigenar com a população local e adotar seus costumes, e isso também incluía abraçar o cristianismo. A conversão de *vikings* em outras terras contribuiu para a emergência da cristandade na Escandinávia, à medida que *vikings* de além-mar retornavam para visita trazendo informações sobre a nova religião, ao mesmo tempo que os chefes e reis da Escandinávia começaram a se dar conta das vantagens políticas que a cristandade podia lhes trazer. Alguns chefes escandinavos adotaram o cristianismo informalmente, mesmo antes de seus reis. Eventos decisivos no estabelecimento do cristianismo na Escandinávia foram a conversão "oficial" da Dinamarca sob o seu rei Harald Dente Azul, por volta de 960 d.C., da Noruega por volta de 995 d.C. e da Suécia durante o século seguinte.

Quando a Noruega começou a se converter, as colônias *vikings* de Orkney, Shetland, Faroe, Islândia e Groenlândia fizeram o mesmo. Isso se deveu em parte ao fato de as colônias terem poucos barcos, dependerem do transporte marítimo norueguês e reconhecerem a impossibilidade de permanecer pagãs depois que a Noruega se cristianizara. Por exemplo, quando se converteu, o rei norueguês Olaf I baniu os islandeses pagãos do comércio com a Noruega, capturou islandeses que visitavam a Noruega (incluindo parentes de líderes pagãos islandeses) e ameaçou mutilar ou matar tais reféns até a Islândia renunciar ao paganismo. No encontro da assembleia nacional da Islândia, no verão de 999 d.C., os islandeses aceitaram o inevitável e se declararam cristãos. Por volta do mesmo ano, Leif Eriksson, filho daquele Erik, o Vermelho, que fundou a colônia groenlandesa, presumivelmente levou o cristianismo para lá.

As igrejas cristãs criadas na Islândia e na Groenlândia após 1000 d.C. não eram entidades independentes com sua própria terra e edifícios, como as igrejas modernas. Em vez disso, eram construídas e pertenciam a fazendeiros/chefes locais em suas próprias terras, e o fazendeiro tinha direito a uma parte do dízimo daquela igreja. Era como se o chefe negociasse um acordo de franquia com o McDonald's, sob o qual lhe fosse garantido o monopólio local do McDonald's, erguesse um prédio de igreja, fornecesse serviços de acordo com os padrões uniformes do McDonald's e ficasse com uma parte da renda e enviasse o resto para a administração central — neste caso, o papa em Roma, através do arcebispo de Nidaros (moderna Trondheim). Naturalmente, a Igreja Católica lutou para tornar suas igrejas independentes dos fazendeiros/proprietários. Em 1297, a Igreja finalmente conseguiu forçar os donos de igreja da Islândia a transferirem a propriedade de muitas igrejas de fazenda ao bispo. Nenhum registro foi preservado para mostrar se algo semelhante ocorreu na Groenlândia, mas a aceitação (ao menos nominalmente) do domínio norueguês em 1261 provavelmente pressionou os donos de igreja de lá. Sabemos que, em 1341, o bispo de Bergen enviou um inspetor chamado Ivar Bardarson, que acabou voltando à Noruega com uma lista detalhada e uma descrição de todas as igrejas da Groenlândia, o que sugere que o bispado estava tentando tomar conta das "franquias" groenlandesas, como o fez na Islândia.

A conversão ao cristianismo constituiu uma significativa interrupção cultural para as colônias *vikings* de além-mar. A alegação de que o cristianismo era a única religião verdadeira significava ter de abandonar a tradição pagã. A arte e a arquitetura se tornaram cristãs, baseadas em modelos continentais. Os *vikings* de além-mar construíram grandes igrejas e até mesmo catedrais iguais em tamanho àquelas da muito mais populosa metrópole escandinava, e portanto imensas em relação ao tamanho das populações muito menores de além-mar que as sustentavam. As colônias levaram o cristianismo tão a sério que pagavam dízimos a Roma: temos registro da contribuição para uma cruzada que o bispo da Groenlândia enviou para o papa em 1282 (paga em presas de morsa e peles de urso-polar em vez de dinheiro) e também uma bula papal oficial de 1327, dando conta do recebimento de um dízimo de seis anos da Groenlândia. A Igreja se tornou o maior veículo para a introdução das últimas ideias europeias na Groenlândia, especialmente porque todo bispo designado para a Groenlândia era um escandinavo do continente em vez de um nativo.

Talvez a consequência mais importante da conversão dos colonos ao cristianismo foi o modo como eles viam a si mesmos. Isso me faz lembrar como os australianos, muito depois da fundação das colônias inglesas na Austrália, em 1788, continuaram a se considerar não um povo asiático do Pacífico mas ingleses de além-mar, ainda dispostos a morrer em 1915 na distante Gallipoli, lutando ao lado dos ingleses contra os turcos, que eram irrelevantes para o interesse nacional australiano. Do mesmo modo, os colonos *vikings* das ilhas do Atlântico Norte reconheciam-se como cristãos europeus. Mantinham-se atualizados com as mudanças da arquitetura sacra, costumes fúnebres e unidades de medida. Esta identidade compartilhada permitiu que alguns milhares de groenlandeses cooperassem entre si, suportassem as dificuldades e garantissem a sua existência em um ambiente hostil durante quatro séculos. Como veremos, também evitava que aprendessem com os *inuits*, e que modificassem a sua identidade de maneiras que teriam permitido que sobrevivessem além de quatro séculos.

As seis colônias *vikings* no Atlântico Norte constituem seis experiências paralelas de estabelecer sociedades derivadas da mesma fonte ancestral. Como mencionei no início deste capítulo, estas seis experiências tiveram resultados diferentes: as colônias de Orkney, Shetland e Faroe continuaram a existir durante mais de mil anos sem a sua sobrevivência ter sido ameaçada seriamente; a colônia da Islândia também sobreviveu mas teve de enfrentar a pobreza e sérias dificuldades políticas; a Groenlândia Nórdica acabou após cerca de 450 anos; e a colônia da Vinlândia foi abandonada na primeira década. Estes resultados diversos estão relacionados a diferenças ambientais entre as colônias. As quatro principais variáveis responsáveis pelos resultados variados parecem ser: distância marítima ou tempo de navegação da Noruega e da Inglaterra; resistência oferecida por habitantes não *vikings*, caso houvesse algum; adequação à agricultura, dependendo especialmente da latitude e do clima local; e fragilidade ambiental, especialmente a suscetibilidade ao desmatamento e à erosão do solo.

PRELÚDIO E FUGAS *VIKINGS*

Com apenas seis resultados experimentais mas quatro variáveis que podem explicá-los, não podemos esperar proceder à nossa busca por explicações como fizemos no Pacífico, onde tivemos 81 resultados (81 ilhas) comparados com apenas nove variáveis explicativas. Para que uma análise de correlação estatística tenha alguma chance de ser bem-sucedida são necessários muitos mais resultados experimentais separados do que variáveis a serem testadas. Portanto, no Pacífico, com tantas ilhas disponíveis, a análise estatística por si só foi suficiente para determinar a importância relativa dessas variáveis independentes. No Atlântico Norte, não há experimentos naturais suficientes para se alcançar uma resposta. Um especialista em estatística, com apenas essa informação, declararia os *vikings* um problema insolúvel. Este é um dilema frequente para historiadores que tentam aplicar o método comparativo a problemas da história humana: aparentemente muitas variáveis potencialmente independentes e poucos resultados separados para estabelecer a importância estatística destas variáveis.

Mas os historiadores sabem muito mais sobre as sociedades humanas do que apenas as condições ambientais iniciais e os resultados finais: também têm uma imensa quantidade de informação sobre a sequência de etapas ligando as condições iniciais aos resultados. Os eruditos especializados nos *vikings* podem avaliar a importância do tempo de navegação oceânica por meio do registro do número de partidas de barcos e do registro de cargas desses barcos; também podem avaliar os efeitos da resistência indígena pelos relatos históricos de lutas entre os invasores *vikings* e os nativos; podem avaliar a adequação para a agricultura com os registros de quais espécies de plantas e animais domésticos eram criados ali; e podem avaliar a fragilidade ambiental através de sinais históricos de desmatamento e erosão do solo (como contagem de pólen e pedaços de plantas fossilizados), e pela identificação da madeira e outros materiais de construção. Apoiados neste conhecimento de etapas intervenientes assim como do resultado final, examinemos brevemente cinco das seis colônias no Atlântico Norte em uma sequência de isolamento crescente e prosperidade decrescente: Orkney, Shetland, Faroe, Islândia e Vinlândia. Os próximos dois capítulos discutirão em detalhe o destino da Groenlândia *viking*.

As Orkneys são um arquipélago ao largo da extremidade norte da Inglaterra, espalhadas diante do grande e protegido porto de Scapa Flow, que serviu como base principal da marinha britânica em ambas as guerras mundiais. De John O'Groats, o ponto mais ao norte do território metropolitano escocês, até a ilha Orkney mais próxima são apenas 18 quilômetros, e das Orkneys à Noruega em um barco *viking* a viagem não chegava a durar 24 horas. Isso facilitou a invasão das Orkneys pelos *vikings*, a importação de qualquer coisa que precisassem da Noruega e das Ilhas Britânicas, e a distribuição de suas exportações de modo mais barato. As Orkneys, chamadas de ilhas "continentais", de fato são apenas um pedaço da Inglaterra que se separou do restante da ilha quando o nível do mar subiu com o degelo, no fim das Idades do Gelo, há 14 mil anos. Sobre a ponta de terra, muitas espécies de mamíferos terrestres, incluindo os alces (chamados de veados vermelhos na Inglaterra), lontras e lebres imigraram e forneceram boa caça. Os invasores *vikings* rapidamente dominaram a população local, conhecida como pictos.

Como a colônia *viking* mais ao sul no Atlântico Norte afora a Vinlândia, em meio à Corrente do Golfo, as Orkneys desfrutam de um clima ameno. Seus solos férteis e ricos foram renovados pelas glaciações e não correm risco de erosão. Portanto, a agricultura que já era praticada nas Orkneys pelos pictos antes da chegada dos *vikings*, foi continuada pelos *vikings* e continua altamente produtiva hoje em dia. As exportações de produtos agropecuários das Orkneys incluem carne, ovos, porco, queijo e algumas colheitas.

Os *vikings* conquistaram as Orkneys por volta de 800 d.C., usando as ilhas como base para saquear a Inglaterra e a Irlanda e construir uma sociedade rica e poderosa que durante algum tempo permaneceu como um reino nórdico independente. Uma demonstração da prosperidade dos *vikings* das Orkneys é uma caixa de prata de oito quilos enterrada por volta de 950 d.C., a maior já encontrada em uma ilha do Atlântico Norte e igual em tamanho às maiores caixas de prata escandinavas. Outra demonstração é a catedral de S. Magnus, erguida no século XII e inspirada na grandiosa catedral de Durham, na Inglaterra. Em 1472 d.C., a posse das Orkneys passou, sem conquista, da Noruega (então sujeita à Dinamarca) para a Escócia, por razões triviais de política dinástica. (O rei James da Escócia exigiu compensação da Dinamarca por esta não ter podido pagar o dote combinado que acompanharia uma princesa dinamarquesa com quem se casou.) Sob o domínio escocês, as Orkneys continuaram a falar um dialeto nórdico até o século XVIII. Hoje, os descendentes dos nativos pictos e dos invasores nórdicos continuam a ser prósperos fazendeiros, enriquecidos por um terminal de petróleo do mar do Norte.

Algo do que acabei de dizer sobre as Orkneys também se aplica à próxima colônia do Atlântico Norte, as ilhas Shetland. Estas também foram originalmente ocupadas por fazendeiros pictos, ocupadas por *vikings* no século IX e cedidas à Escócia em 1472. Seus habitantes falaram nórdico durante algum tempo depois e recentemente lucraram com o petróleo do mar do Norte. As diferenças é que estão localizadas ligeiramente mais longe e mais ao norte (a 80 quilômetros ao norte de Orkney e 210 quilômetros da Escócia), são mais expostas ao vento, têm solos mais pobres, e são menos produtivas. Criar ovelhas para lã é o esteio econômico das Shetlands, assim como nas Orkneys, mas a criação de bovinos falhou nas Shetlands e foi substituída por uma maior ênfase na pesca.

As próximas em isolamento após as Orkneys e Shetlands são as Faroes, 322 quilômetros ao norte das Orkneys, e 644 quilômetros a oeste da Noruega. Isso tornou as Faroes ainda mais acessíveis para os barcos *vikings* carregando colonizadores e bens de comércio, mas além do alcance de outros barcos mais antigos. Portanto, os *vikings* encontraram as Faroes desabitadas, com exceção, talvez, de alguns eremitas irlandeses, sobre os quais há histórias vagas mas nenhuma prova arqueológica.

A 480 quilômetros do Círculo Ártico, em uma latitude intermediária entre duas das maiores cidades da costa oeste norueguesa (Bergen e Trondheim), as Faroes desfrutam de um clima oceânico ameno. Contudo sua localização mais ao norte que as Orkneys e Shetlands significava uma estação de crescimento mais breve para os futuros fazendeiros e criadores de ovelhas. Devido à sua área reduzida, os borrifos de água salgada atingiam toda a ilha e combinavam-se com ventos fortes para impedir o desenvolvimento de florestas. A vegetação original era formada por nada mais alto que baixos salgueiros, bétulas, álamos e zimbros, que foram rapidamente derrubados pelos primeiros colonizadores e não puderam se regenerar por causa do pastejo de ovelhas. Em um clima mais seco isso seria uma receita para erosão do solo, mas as Faroes são muito úmidas, cheias de neblina e "desfrutam" de uma média de 280 dias de chuva por ano, incluindo algumas chuvaradas mais fortes na maioria dos dias. Os próprios colonos adotaram medidas para minimizar a erosão, como a construção de banquetas e terraços para evitar a perda de solo. Os colonos *vikings* da Groenlândia e especialmente da Islândia foram muito menos bem-sucedidos no controle da erosão, não porque fossem mais imprudentes do que os das ilhas Faroes mas porque o solo da Islândia e o clima da Groenlândia aumentavam o risco de erosão.

Os *vikings* colonizaram as Faroes durante o século IX. Conseguiram cultivar alguma cevada mas pouca ou nenhuma outra cultura; mesmo hoje, apenas 6% da terra das Faroes é dedicada à cultura de batata e outras verduras. As vacas e os porcos, tão valorizados na Noruega, e até mesmo as cabras, de menor *status*, foram abandonados pelos colonos nos primeiros 200 anos para diminuir o sobrepastejo. Na verdade, a economia faroense se dedicou à criação de ovelhas para a exportação de lã, suplementada posteriormente por exportações de peixe salgado, e, hoje, de bacalhau seco, linguado e salmão criado em cativeiro. Em troca dessas exportações de lã e peixe, as ilhas importavam da Noruega e da Inglaterra a maioria dos bens de consumo que faltavam ou nos quais o ambiente das Faroes era deficiente: especialmente, grandes quantidades de madeira, porque não havia madeira de construção disponível a não ser madeira à deriva que chegava à ilha; ferro para ferramentas, que não existia localmente; e outras pedras e minerais, como mós, pedra de amolar e pedra-sabão, com a qual entalhavam utensílios culinários na falta de cerâmica.

Quanto à história das Faroes após a colonização, os insulares se converteram ao cristianismo em 1000 d.C., i.e., mais ou menos ao mesmo tempo que outras colônias *vikings* no Atlântico Norte, e posteriormente construíram uma catedral gótica. As ilhas se tornaram tributárias da Noruega no século XI, passaram junto com a Noruega para a Dinamarca em 1380, quando a própria Noruega ficou sob o poder da coroa dinamarquesa e adquiriu a autodeterminação sob a Dinamarca em 1948. Seus 47 mil habitantes de hoje ainda falam um idioma faroense, diretamente derivado do antigo nórdico e muito semelhante ao islandês moderno; os habitantes das Faroes e da Islândia se entendem e conseguem ler textos em nórdico antigo.

Em resumo, as Faroes foram poupadas dos problemas que assediaram a Islândia e a Groenlândia Nórdica: solos que tendiam à erosão e vulcões ativos, no caso da Islândia, e uma estação de crescimento mais breve, clima mais seco, muito maior distância de navegação e população local hostil na Groenlândia. Embora mais isoladas do que as Orkneys ou Shetlands, e mais pobres em recursos locais se comparadas especialmente às Orkneys, as Faroes sobreviveram sem dificuldade mediante a importação de grandes quantidades de bens — uma opção que a Groenlândia não tinha.

O objetivo de minha primeira visita à Islândia era comparecer a uma conferência patrocinada pela OTAN sobre a restauração ecológica de ambientes degradados. A escolha da Islândia como lugar da conferência era muito oportuna, porque é ecologicamente o país mais castigado da Europa. Desde que teve início a ocupação humana, a maior parte das árvores e da vegetação original foi destruída e quase metade do solo original foi erodido e arrastado para o mar. Como resultado deste dano, grandes áreas da Islândia que eram verdes à época que os *vikings* desembarcaram são agora desertos marrons sem vida, sem prédios, sem estradas, sem sinal de gente. Quando a agência espacial norte-americana NASA quis encontrar um lugar na Terra que lembrasse a superfície da lua, de modo que nossos astronautas que se preparavam para a primeira alunissagem pudessem praticar em um ambiente semelhante ao que iriam encontrar, a NASA escolheu uma área outrora verde da Islândia que agora é inteiramente deserta.

Os quatro elementos que formam o ambiente da Islândia são o fogo vulcânico, o gelo, a água e o vento. A Islândia fica no Atlântico Norte, a 965 quilômetros a oeste da Noruega, naquilo que chamam de Cadeia Mesoatlântica, onde as placas continentais da América e da Eurásia colidem e onde os vulcões erguem-se periodicamente do fundo do mar para formar pedaços de terra nova, dos quais a Islândia é o maior. Em média, ao menos um dos muitos vulcões da Islândia tem uma grande erupção a cada uma ou duas décadas. Além dos vulcões, as fontes de água quente e regiões geotermais da Islândia são tão numerosas que a maior parte do país (incluindo toda a capital de Reikjavik) aquece suas casas não com a queima de combustível fóssil mas com calor vulcânico canalizado.

O segundo elemento na paisagem da Islândia é o gelo, que se forma e se mantém como calotas na maior parte do platô do interior da ilha devido à sua altitude (mais de dois mil metros), logo abaixo do Círculo Ártico e, portanto, frio. A água que cai sob a forma de chuva e neve chega ao mar em geleiras, em rios que inundam periodicamente, e em ocasionais e espetaculares superenchentes, quando uma barragem natural de lava ou gelo ao longo de um lago cede, ou quando uma erupção vulcânica sob uma calota de gelo subitamente derrete muito desse gelo. Finalmente, a Islândia é também um lugar onde venta muito. Foi a interação entre esses quatro elementos — os vulcões, o frio, a água e o vento — que tornou a Islândia tão suscetível à erosão.

Quando os primeiros colonos *vikings* chegaram à Islândia, seus vulcões e fontes termais eram-lhes estranhos, diferentes de qualquer coisa que tivessem visto na Noruega ou nas Ilhas Britânicas, mas de resto a paisagem parecia familiar e estimulante. Quase todas as plantas e aves pertenciam a espécies europeias conhecidas. As terras baixas eram quase completamente cobertas por florestas baixas de bétula e salgueiros que foram facilmente erradicados para a criação de pastagens. Nesses locais desbastados, em áreas naturalmente sem árvores como pântanos, e em lugares mais elevados acima da linha das florestas, os colonos encontraram pastos luxuriantes, ervas e musgo, ideais para os rebanhos que criavam na Noruega e nas Ilhas Britânicas. O solo era fértil, e em alguns lugares tinha uma espessura de até 15 metros. Apesar das capas de gelo em grandes altitudes e de sua localização perto do Círculo Ártico, a Corrente do Golfo tornou o clima das terras baixas ameno o bastante em alguns anos para que se cultivasse cevada no sul. Os lagos, rios e mares ao redor estavam coalhados de peixes, aves marinhas e patos nunca caçados anteriormente e, portanto, sem medo do homem, enquanto as igualmente destemidas focas e morsas viviam ao longo do litoral.

Mas a aparente semelhança da Islândia com o sudoeste da Noruega e com a Inglaterra era enganadora em três aspectos cruciais. Primeiro, a localização mais ao norte da Islândia, centenas de quilômetros ao norte das principais terras cultiváveis do sudoeste da Noruega, significava um clima mais frio e uma estação de crescimento mais curta, tornando a agricultura mais marginal. Mais tarde, em fins da Idade Média, quando o clima se tornou cada vez mais frio, os colonos desistiram das plantações para se tornarem simplesmente pastores. Segundo, a cinza que as erupções vulcânicas espalhavam periodicamente sobre amplas áreas envenenava a forragem do gado. Repetidas vezes ao longo da história da Islândia, tais erupções causaram a fome de animais e seres humanos. O pior desses desastres foi a erupção do vulcão Laki, em 1783, quando um quinto da população morreu de fome.

PRELÚDIO E FUGAS *VIKINGS*

Entre as coisas que mais enganaram os colonos, estavam as diferenças entre os solos frágeis e não familiares da Islândia e os solos robustos e familiares da Noruega e da Inglaterra. Os colonos não souberam avaliar tais diferenças em parte porque algumas delas são sutis e ainda não muito bem compreendidas por pedólogos, os cientistas de solo profissionais, mas também porque uma dessas diferenças era invisível à primeira vista e demoraria anos para ser percebida: especificamente, os solos da Islândia se formam mais lentamente e erodem muito mais rapidamente do que os da Noruega e da Inglaterra. De fato, quando os colonos viram os solos férteis e ocasionalmente espessos da Islândia, reagiram com alegria, assim como qualquer um de nós reagiria ao herdar uma conta bancária com um grande saldo positivo, pelo qual ganharemos grandes somas em juros a cada ano. Infelizmente, embora os solos da Islândia e suas densas florestas fossem impressionantes aos olhos — o que corresponderia ao grande saldo positivo da conta bancária —, tal saldo foi acumulado muito lentamente (como se tivesse sido acumulado com baixas taxas de juros) desde o fim da última Idade do Gelo. Os colonos acabaram descobrindo que não estavam vivendo dos juros ecológicos anuais da Islândia, mas exaurindo o seu capital de solo e vegetação, que demorou 10 mil anos para ser acumulado, e isso em algumas décadas ou, mesmo, em um ano. Inadvertidamente, os colonos não usaram os solos e a vegetação de modo sustentável, como recursos que poderiam persistir indefinidamente (como uma bem-administrada indústria pesqueira ou florestal) caso não fossem colhidos mais rapidamente do que se podiam renovar. Em vez disso, exploravam o solo e a vegetação do mesmo modo como os mineiros exploram depósitos de petróleo ou minerais, que se renovam de maneira infinitamente lenta e são explorados até acabar.

O que torna o solo da Islândia tão frágil e de tão lenta formação? Uma grande razão tem a ver com a sua origem. Na Noruega, norte da Inglaterra e Groenlândia, que não tiveram atividade vulcânica recente e estavam completamente tomadas pelas geleiras durante as Idades do Gelo, os solos pesados se formaram ou pela emersão de lama marinha ou pela abrasão das geleiras contra a camada de rocha abaixo delas que arrancava partículas que posteriormente eram depositadas como sedimentos quando as geleiras derretiam. Na Islândia, porém, as frequentes erupções de vulcões elevavam nuvens de poeira fina na atmosfera. Esta cinza inclui partículas leves que os ventos intensos espalham sobre a maior parte do país, resultando na formação de uma camada de cinzas (tefra) que pode ser tão fina quanto talco. Sobre essa cinza rica e fértil, a vegetação acaba brotando, cobrindo-a e protegendo-a da erosão. Contudo, quando a vegetação é removida (pela pastagem de ovelhas ou queimadas feitas pelos fazendeiros), a cinza fica exposta novamente, tornando-se suscetível à erosão. Como foi leve o bastante para ser trazida até ali pelo vento, também é leve o bastante para ser levada novamente. Além da erosão pelo vento, as pesadas chuvas da Islândia e as frequentes inundações também removem a cinza exposta, especialmente em encostas íngremes.

As outras razões para a fragilidade dos solos da Islândia têm a ver com a fragilidade de sua vegetação. A vegetação tende a proteger o solo contra a erosão, cobrindo-o e acrescentando matéria orgânica que o cimenta e aumenta o seu volume. Mas a vegetação cresce lentamente na Islândia devido à sua localização setentrional, seu clima frio e sua breve estação de crescimento. A combinação de solos frágeis com o lento crescimento das plantas da Islândia cria um ciclo de retroalimentação positiva que favorece a erosão: após a camada de vegetação ter sido arrancada pelas ovelhas ou pelos fazendeiros, e a erosão do solo ter começado, é difícil para as plantas se restabelecerem e voltarem a proteger o solo, de modo que a erosão tende a se espalhar.

A colonização da Islândia começou para valer por volta do ano 870 e virtualmente acabou por volta de 930, quando quase toda a terra cultivável já tinha sido ocupada ou reivindicada. A maioria dos colonizadores veio diretamente do oeste da Noruega, o restante eram *vikings* que já haviam emigrado para as Ilhas Britânicas e se casado com mulheres celtas. Esses colonizadores tentaram recriar uma economia pastoril semelhante ao estilo de vida que conheciam na Noruega e nas Ilhas Britânicas, baseada nos mesmos animais de criação, entre os quais as ovelhas se tornaram os mais numerosos. O leite de ovelha era transformado e guardado em forma de manteiga, queijo e como uma delícia islandesa chamada *skyr,* que, para o meu gosto, remete ao sabor de um iogurte denso e delicioso. Para completar sua dieta, os islandeses tinham a caça e a pesca, como novamente revelado pelo paciente esforço de zooarqueólogos que identificaram 47 mil ossos em montes de lixo. As colônias de morsa em reprodução foram rapidamente exterminadas, e as aves marinhas, que lá nidificavam, começaram a escassear, voltando a atenção dos caçadores para as focas. Afinal, a principal fonte de proteína selvagem eram os peixes — tanto os abundantes salmão e truta em lagos e rios, quanto os abundantes bacalhau e hadoque ao longo do litoral. Esses bacalhaus e hadoques foram cruciais para permitir que os islandeses sobrevivessem durante os séculos difíceis da Pequena Idade do Gelo, do mesmo modo que são cruciais para a economia da Islândia hoje em dia.

Quando começou a colonização da Islândia, um quarto da área da ilha era florestada. Os colonos começaram a derrubar árvores para criar pastagens e para lenha, madeira de construção e carvão. Cerca de 80% dessa floresta original foi derrubada em algumas décadas e 96% nos tempos modernos, deixando apenas 1% da área da Islândia ainda florestada (foto 16). Grandes pedaços de madeira carbonizada encontrados em antigos sítios arqueológicos mostram que — por incrível que pareça hoje em dia — muito da madeira resultante destas derrubadas era desperdiçada ou apenas queimada, até os islandeses perceberem que ficariam com deficiência de madeira no futuro. Como as árvores originais haviam sido removidas, o pastejo das ovelhas e a ação fossória dos porcos inicialmente presentes evitaram que as árvores se regenerassem. Ao andar de carro pela Islândia hoje em dia é incrível notar que os grupos de árvores ocasionais geralmente estão cercados para proteger as árvores das ovelhas.

As terras altas da Islândia, acima da linha das árvores, que tinham pastagens naturais em solos férteis e planos, eram particularmente atraentes para os colonos, que nem precisavam derrubar árvores para criar pastagens. Mas as terras altas eram mais frágeis que as baixas, pois eram mais frias e mais secas e portanto tinham uma taxa mais lenta de crescimento de plantas e não eram protegidas por uma cobertura de floresta. Uma vez que o tapete natural de gramíneas foi arrancado ou comido, o solo originário de cinzas voltou a ficar exposto à erosão pelo vento. Além disso, a água que escorria colina abaixo, fosse de chuva ou neve derretida, podia começar a erodir ravinas no solo agora nu. Mas à medida que as ravinas se desenvolviam e o lençol de água baixava do topo para o fundo delas, o solo secava e se tornava mais sujeito à erosão pelo vento. Um breve espaço de tempo após a colonização, os solos da Islândia começaram a ser levados das terras altas para as baixas e, dali, para o mar. As terras altas foram privadas de solo assim como de vegetação, as pradarias do interior da Islândia tornaram-se o deserto feito pelo homem (ou pelas ovelhas) que se vê hoje em dia, e então começaram a se formar grandes áreas erodidas também nas terras baixas.

Hoje temos de nos perguntar: por que diabos esses colonizadores idiotas administraram sua terra de modo a causar um dano tão óbvio? Será que não se deram conta do que iria acontecer? Sim, acabaram percebendo, mas a princípio não, porque estavam diante de um problema desconhecido e difícil de administrar. Com exceção de seus vulcões e fontes termais, a Islândia parecia muito semelhante a certas partes da Noruega e da Inglaterra quando os colonizadores imigraram. Os colonizadores *vikings* não tinham como saber que os solos e a vegetação da Islândia eram muito mais frágeis do que estavam acostumados. Parecia natural para os colonos ocuparem as terras altas e ali criarem ovelhas em densas lotações, assim como haviam feito nas terras altas da Escócia: como saber que as terras altas da Islândia não podiam sustentá-las indefinidamente e que até mesmo as terras baixas estavam com ovelhas demais? Em resumo, a explicação de por que a Islândia se tornou o país europeu com o pior dano ecológico não se deve ao fato de os cautelosos imigrantes noruegueses e ingleses subitamente terem lançado a cautela aos ventos ao desembarcar na Islândia mas, sim, que se viram em um ambiente aparentemente luxuriante embora na verdade frágil para o qual sua experiência na Noruega e na Inglaterra não foi capaz de prepará-los.

Quando os colonos finalmente se deram conta do que estava acontecendo, assumiram ações corretivas. Pararam de jogar fora grandes pedaços de madeira, pararam de criar porcos e cabras, que são ecologicamente daninhos, e abandonaram a maior parte das terras altas. Grupos de fazendas vizinhas uniram-se para tomar decisões cruciais para evitar a erosão, como sobre a data no fim da primavera em que o crescimento da grama permitia que se levassem as ovelhas para pastos comunitários em grande altitude no verão, e quando trazer as ovelhas para baixo no outono. Os fazendeiros tentaram chegar a um acordo sobre o número máximo de ovelhas que cada pasto comunitário podia suportar, e como esse número foi dividido entre cotas de ovelhas para cada fazendeiro.

Esta tomada de decisão é flexível e sensata, mas também é conservadora. Até mesmo meus amigos islandeses descreveram a sua sociedade como

PRELÚDIO E FUGAS *VIKINGS*

conservadora e rígida. Sempre que fazia esforços genuínos de melhorar as condições de vida dos islandeses, o governo da Dinamarca, que governou a Islândia após 1397, frequentemente ficava frustrado com tal atitude. Entre a longa lista de melhorias que os dinamarqueses tentaram introduzir estavam: cultivo de grãos; redes de pesca melhores; pesca em barcos com convés em vez de em barcos abertos; processamento de peixe com sal para exportação, em vez de apenas secagem; uma indústria de fabricação de cordas; um curtume; e mineração de enxofre para exportação. A estas e quaisquer outras propostas que envolvessem mudanças, os dinamarqueses (assim como qualquer islandês inovador) ouviam dos islandeses a mesma resposta: "não", apesar dos benefícios potenciais para os insulares.

Meus amigos islandeses me explicaram que esta visão conservadora é compreensível quando se reflete acerca da fragilidade ambiental da Islândia. Os insulares se tornaram condicionados por sua longa história de experiências para concluírem que, não importando a mudança que tentassem fazer, era muito mais provável tornar as coisas piores que melhores. Nos primeiros anos de experiência na antiga história da Islândia, seus colonizadores conseguiram conceber um sistema econômico e social que funcionava, mais ou menos. Tal sistema fez com que a maioria das pessoas empobrecesse, e de tempos em tempos muita gente morria de fome, mas ao menos a sociedade sobrevivia. Outras experiências que os islandeses tentaram ao longo de sua história acabaram em desastre, cujas provas estão em toda parte ao redor deles, sob a forma de terras altas com paisagem lunar, antigas fazendas abandonadas e áreas de fazendas erodidas que sobreviveram. De todas essas experiências, os islandeses chegaram à seguinte conclusão: este não é um país onde possamos desfrutar do luxo da experiência. Vivemos em uma terra frágil, sabemos que nossos meios permitem que ao menos alguns de nós sobrevivam; não nos peçam para mudar.

A história política da Islândia de 870 em diante pode ser rapidamente resumida. Durante diversos séculos a Islândia se autogovernou, até as lutas entre chefes das cinco principais famílias resultarem em muitas mortes e na queima de fazendas na primeira metade do século XIII. Em 1262 os islandeses convidaram o rei da Noruega para governá-los, raciocinando que um rei distante seria menos perigoso para eles, deixá-los-ia com mais liberdade e não seria capaz de causar tanta desordem quanto seus próprios chefes locais. Casamentos entre as casas reais escandinavas resultaram na unificação dos tronos da Dinamarca, Suécia e Noruega, em 1397, sob um único rei, que estava mais interessado na Dinamarca porque era a sua província mais rica, e menos interessado na Noruega e na Islândia, que eram mais pobres. Em 1874 a Islândia adquiriu algum autogoverno. Em 1904, estava semi-independente e alcançou a independência plena da Dinamarca em 1944.

A partir do fim da Idade Média, a economia da Islândia foi estimulada pelo surgimento do comércio de peixe em conserva (bacalhau seco) pescado em águas da Islândia e exportado para as cidades em expansão no continente Europeu, cujas populações precisavam de comida. Pelo fato de a Islândia não ter árvores grandes para a construção de barcos, os peixes eram pescados e exportados por barcos que pertenciam a um grupo misto de estrangeiros que incluía especialmente noruegueses, ingleses, alemães, franceses e holandeses. No início do século XX a Islândia finalmente começou a desenvolver uma frota própria e passou por uma explosão de pesca em escala industrial. Por volta de 1950, mais de 90% das exportações da Islândia eram de produtos marinhos, minimizando a importância do outrora dominante setor pecuário. Já em 1923, a população urbana da Islândia superou em números a população rural. A Islândia é hoje o país escandinavo mais urbanizado, com metade da população vivendo na capital, Reikjavik. O fluxo populacional das áreas rurais para a cidade continua atualmente, à medida que os fazendeiros islandeses abandonam as suas fazendas e as transformam em casas de verão e mudam-se para as cidades para arranjar empregos, tomar Coca-Cola e adquirir cultura global.

Atualmente, graças à sua abundância de peixe, energia geotérmica e energia hidrelétrica tirada de seus rios, e aliviada da necessidade de conseguir madeira para fazer navios (hoje feitos de metal), o antigo país mais pobre da Europa se tornou um dos países mais ricos do mundo em renda *per capita*, uma grande história de sucesso para equilibrar as histórias de colapso dos capítulos 2 a 5. O ganhador do Prêmio Nobel de literatura, o romancista islandês Halldór Laxness, pôs nos lábios da heroína de seu romance *Salka Valka* uma frase imortal que apenas um islandês pode pronunciar: "Depois que tudo tiver sido dito e feito, a vida é antes de tudo e principalmente feita de peixe salgado." Mas o peixes levantam difíceis

PRELÚDIO E FUGAS *VIKINGS*

problemas de administração, assim como as florestas e o solo. Os islandeses estão trabalhando duro para consertar os danos às suas florestas e solos cometidos no passado e para evitar dano semelhante aos seus cardumes.

Com este passeio pela história da Islândia em mente, vejamos onde os padrões da Islândia se posicionam em relação às outras cinco colônias nórdicas no Atlântico Norte. Como já mencionei, o destino diferente dessas colônias dependeu especialmente das diferenças de quatro fatores: distância de navegação da Europa, resistência oferecida por habitantes pré-*vikings*, adequação à agricultura e fragilidade ambiental. No caso da Islândia, dois desses fatores foram favoráveis, e os outros dois causaram problema. A boa notícia para os colonizadores da Islândia era que sua ilha não tinha (ou praticamente não teve) habitantes anteriores, e que sua distância da Europa (muito menor que a da Groenlândia ou da Vinlândia, embora maior que a das Orkneys, Shetlands e Faroes) permitia comércio de cargas mesmo em barcos medievais. Diferentemente dos habitantes da Groenlândia, os islandeses continuaram a manter contato marítimo com a Noruega e/ou a Inglaterra a cada ano, podia receber importações de produtos essenciais (especialmente madeira, ferro e cerâmica) e exportar. Em particular, a exportação de peixe seco mostrou-se decisiva na salvação econômica da Islândia após 1300, mas era uma alternativa nada prática para a remota colônia da Groenlândia, cujas rotas navais para a Europa eram frequentemente fechadas pelo gelo.

No lado negativo, a localização setentrional da Islândia garantiu-lhe o segundo pior potencial de produção de alimento, depois da Groenlândia. O cultivo de cevada, marginal mesmo nos amenos anos iniciais de colonização, foi abandonado quando o clima se tornou mais frio no fim da Idade Média. Até mesmo a criação de carneiros e vacas era marginal em fazendas pobres nos anos mais pobres. Contudo, na maioria dos anos as ovelhas prosperavam suficientemente bem na Islândia, de modo que as exportações de lã dominaram a economia durante diversos séculos após a colonização. O maior problema da Islândia era a fragilidade ambiental: de longe o solo mais frágil das colônias nórdicas e a vegetação mais frágil depois da Groenlândia.

E quanto à história islandesa da perspectiva dos cinco fatores que fornecem a estrutura deste livro: dano ambiental autoinfligido, mudança climática, hostilidades com outras sociedades, relações comerciais amistosas com outras sociedades e atitudes culturais? Quatro desses fatores influíram na história da Islândia; apenas o fator de estrangeiros hostis foi menor, exceto por um período de ataques piratas. A Islândia ilustra claramente a interação entre os outros quatro fatores. Os islandeses tiveram o infortúnio de herdar um conjunto de problemas ambientais especialmente difícil, que foi exacerbado pelo esfriamento climático da Pequena Idade do Gelo. O comércio com a Europa foi importante para garantir a sobrevivência da Islândia apesar desses problemas ambientais. A reação dos islandeses ao seu ambiente foi moldada por suas atitudes culturais. Algumas dessas atitudes foram importadas da Noruega: especialmente sua economia pastoral, sua inicial predileção por vacas e porcos e suas práticas ambientais iniciais apropriadas aos solos da Noruega e da Inglaterra, mas inadequadas aos solos da Islândia. As atitudes que desenvolveram na Islândia incluíram eliminar porcos e cabras e diminuir as vacas, aprendendo a cuidar melhor do frágil ambiente da Islândia adotando uma visão conservadora. Esta visão frustrou seus governantes dinamarqueses e em alguns casos deve ter prejudicado os próprios islandeses, mas por fim acabou ajudando-os a sobreviver não assumindo riscos.

O governo da Islândia está muito preocupado com as maldições históricas da erosão do solo e do sobrepastejo, que tiveram um papel tão importante no longo período de empobrecimento de seu país. Todo um departamento de governo tem ao seu encargo a preservação do solo, o reflorestamento, a reconstituição da vegetação do interior e o controle das taxas de lotação na criação de ovelhas. Nas terras altas da Islândia, vi fileiras de grama plantadas por esse departamento em terreno desolado e lunar, em um esforço para estabelecer uma cobertura vegetal protetora e interromper a disseminação da erosão. Várias vezes esses esforços de replantio — finas linhas verdes em um panorama marrom — pareceram-me tentativas patéticas de enfrentar um problema enorme. Mas os islandeses estão fazendo algum progresso.

Quase em toda parte do mundo, meus amigos arqueólogos têm um trabalhão tentando convencer os governos de que aquilo que fazem tem utilidade prática. Tentam fazer com que as agências patrocinadoras de verbas compreendam que o estudo do que aconteceu com sociedades do passado pode nos ajudar a entender o que acontecerá com sociedades que vivam no mesmo local hoje em dia. Em particular, argumentam, que o dano ambiental ocorrido no passado pode voltar a acontecer no presente, de modo que se pode usar o conhecimento do passado para evitar repetir os mesmos erros.

A maioria dos governos ignora os argumentos dos arqueólogos. Mas não é o caso da Islândia, onde os efeitos da erosão que começou há 1.130 anos são óbvios, onde a maior parte da vegetação e a metade do solo já se perderam e onde o passado é tão claramente onipresente. Muitos estudos de povoados medievais na Islândia e padrões de erosão estão agora em curso. Quando um de meus amigos arqueólogos foi ao governo da Islândia e começou a geralmente longa justificativa necessária em outros países, a resposta do governo foi: "Sim, claro que sabemos que compreender a erosão do solo na Idade Média ajudará a resolver nosso problema atual. Já sabemos disso, não precisa perder tempo nos convencendo. Aqui está o dinheiro, vá fazer o seu estudo."

A breve existência da mais remota colônia no Atlântico Norte, a Vinlândia, é uma história à parte e fascinante à sua maneira. Como o primeiro esforço europeu para colonizar as Américas, quase 500 anos antes de Colombo, foi objeto de especulação romântica e muitos livros. Para os propósitos deste livro, a lição mais importante a ser tirada da aventura na Vinlândia são as razões de seu fracasso.

A costa nordeste da América do Norte atingida pelos *vikings* fica a milhares de quilômetros da Noruega através do Atlântico Norte, longe demais para ser atingida diretamente por barcos *vikings*. Em vez disso, todos os barcos destinados à América do Norte partiam da colônia *viking* estabelecida mais a oeste, a Groenlândia. Mas até a Groenlândia ficava longe da América do Norte pelos padrões de navegação *viking*. O acampamento *viking* principal em Terra Nova fica a quase 1.600 quilômetros dos povoados da Groenlândia em viagem direta, mas era preciso uma viagem de 3.200 quilômetros e quase seis semanas pela rota ao longo do litoral que os *vikings* adotavam como medida de segurança, dadas suas rudimentares habilidades de navegação. Navegar da Groenlândia para a Vinlândia e então voltar dentro da estação de tempo favorável para a navegação, no verão, deixaria pouco tempo para explorar a Vinlândia antes de içar velas novamente. Assim, os *vikings* estabeleceram um campo base em Terra Nova, onde podiam ficar no inverno, de modo a poderem passar todo o verão seguinte explorando.

As viagens à Vinlândia conhecidas foram organizadas na Groenlândia por dois filhos, uma filha e uma nora do mesmo Erik, o Vermelho, que fundara a colônia da Groenlândia em 984. Sua motivação era fazer o reconhecimento da terra, para ver que produtos oferecia e avaliar a sua adequação à colonização. De acordo com as sagas, em tais viagens iniciais os exploradores levaram animais em seus barcos, de maneira que teriam a opção de fazer um povoado permanente caso a terra lhes parecesse conveniente. Posteriormente, depois que os *vikings* desistiram de ocupar o novo território, continuaram a visitar o litoral da América do Norte durante mais de 300 anos para pegar madeira (sempre em pouca quantidade na Groenlândia), e possivelmente de modo a extrair ferro em lugares onde houvesse bastante madeira para fazer carvão (também em pouco estoque na Groenlândia) para a siderurgia.

Temos duas fontes de informação sobre a tentativa *viking* de povoar a América do Norte: relatos escritos e escavações arqueológicas. Os relatos escritos consistem principalmente em duas sagas descrevendo as primeiras viagens de descoberta e exploração da Vinlândia, transmitidas oralmente durante vários séculos e finalmente escritas na Islândia no século XI. Na falta de prova de confirmação independente, os estudiosos subestimaram as sagas como ficção e duvidaram que os *vikings* tivessem atingido o Novo Mundo, até que o debate acabou quando arqueólogos localizaram o campo-base *vikings* de Terra Nova, em 1961. Os relatos das sagas sobre a Vinlândia agora são reconhecidos como as mais antigas descrições por escrito da América do Norte, embora os estudiosos ainda debatam a precisão de seus detalhes. Constam de dois manuscritos separados, chamados de a *Saga da Groenlândia* e a *Saga de Erik, o Vermelho,* que concordam no geral mas têm muitas diferenças nas minúcias. Descrevem cinco diferentes viagens da Groenlândia para a Vinlândia, dentro do breve espaço de tempo de uma década, cada viagem envolvendo um único barco, exceto a última viagem, empreendida em dois ou três barcos.

Nessas duas sagas da Vinlândia, os principais lugares visitados pelos *vikings* são brevemente descritos e ganham os nomes nórdicos de Helluland, Markland, Vinland, Leifsbudir, Straumfjord e Hop. Os estudiosos têm tido muito trabalho para identificar esses nomes e suas breves descrições (p.ex.,

"Essa terra [Markland] era plana e repleta de florestas, ligeiramente inclinada em direção ao mar, e eles se depararam com muitas praias de areia branca (...) Esta terra será nomeada por aquilo que tem a oferecer e chamada de Markland [Terra das Florestas]"). Parece claro que Helluland é a costa leste da ilha de Baffin no Ártico canadense, e que Markland é a costa do Labrador, ao sul da ilha de Baffin, tanto a ilha de Baffin quanto a costa do Labrador localizadas a oeste da Groenlândia através do estreito de Davis que separa a Groenlândia da América do Norte. Para ter terra a vista o máximo de tempo possível, os *vikings* da Groenlândia não navegaram diretamente através do Atlântico Norte até Terra Nova mas em vez disso cruzavam o estreito de Davis até a ilha de Baffin e então dirigiram-se para o sul, seguindo o litoral. Os outros nomes de lugares nas sagas evidentemente se referem às áreas costeiras do Canadá ao sul do Labrador, incluindo com certeza Terra Nova, provavelmente o golfo de São Lourenço, New Brunswick e Nova Escócia (que chamaram coletivamente de Vinlândia) e possivelmente um pouco da costa da Nova Inglaterra. Os *vikings* do Novo Mundo devem, inicialmente, ter explorado de modo a descobrir os lugares mais úteis, como sabemos que fizeram na Groenlândia antes de escolherem os dois fiordes com as melhores pastagens para se estabelecerem.

Nossa outra fonte de informação sobre os *vikings* no Novo Mundo é arqueológica. Apesar de muita pesquisa por parte dos arqueólogos, apenas um único acampamento *viking* foi identificado e escavado, em L'Anse aux Meadows na costa noroeste de Terra Nova. A datação radiocarbônica indica que o campo foi ocupado por volta de 1000 d.C., de acordo com o relato da saga que diz que as viagens à Vinlândia foram conduzidas pelos filhos crescidos de Erik, o Vermelho, que organizou a colonização da Groenlândia por volta de 984, e a quem as sagas descrevem como ainda vivo ao tempo das viagens à Vinlândia. O sítio de L'Anse aux Meadows, cuja localização parece concordar com as descrições das sagas de um campo conhecido como Leifsbudir, consiste nos restos de oito edificações, incluindo três salões residenciais grandes o bastante para abrigar 80 pessoas, uma forja para processar ferro do pântano e fazer pregos de ferro para barcos, uma carpintaria e uma oficina de conserto de barcos, mas nenhuma casa de fazenda ou implementos agrícolas.

De acordo com as sagas, Leifsbudir era apenas um campo-base em um local conveniente para se passar o inverno e de onde sair em explorações no verão; os recursos de interesse dos *vikings* estavam naquela área denominada Vinlândia. Isso é confirmado por uma pequena embora importante descoberta feita durante uma escavação arqueológica no campo de L'Anse aux Meadows: duas nozes selvagens da espécie conhecida como noz-manteiga, que não é nativa de Terra Nova. Mesmo durante os séculos de clima mais quentes que prevaleceram por volta de 1000 d.C., as nogueiras mais próximas a Terra Nova encontravam-se ao sul do vale do rio São Lourenço. Esta também era a região onde cresciam as uvas selvagens descritas na saga. Foi provavelmente por causa dessas uvas que os *vikings* chamaram a área de Vinlândia, que quer dizer "terra do vinho".

As sagas descrevem a Vinlândia como rica em recursos valiosos que não existiam na Groenlândia. No alto da lista de vantagens da Vinlândia estava um clima relativamente ameno, latitude bem mais baixa e, portanto, estações de crescimento mais longas que a Groenlândia, grama alta e invernos amenos, possibilitando ao gado nórdico pastar ao ar livre durante o inverno e, assim, evitar os esforços de se armazenar forragem para alimentá-lo nos estábulos durante o inverno. Havia florestas com boa madeira em toda parte. Outros recursos naturais incluíam salmões de rios e de lagos maiores do que qualquer salmão já visto na Groenlândia, um dos pontos de pesca marítima mais pródigos do mundo perto de Terra Nova, e caça, incluindo veados, caribus e aves e seus ovos.

Apesar das preciosas cargas de madeira, uvas e peles de animais que os viajantes da Vinlândia trouxeram para a Groenlândia, as viagens foram interrompidas e o campo de L'Anse aux Meadows foi abandonado. Embora as escavações arqueológicas no campo tenham finalmente comprovado que os *vikings* de fato atingiram o Novo Mundo antes de Colombo, as escavações também foram frustrantes, porque os nórdicos nada deixaram de valor. Os objetos recuperados se restringiam a pequenos itens que provavelmente foram descartados ou perdidos, como 99 pregos de ferro quebrados, um único prego inteiro, um pino de bronze, uma pedra de amolar, um mandril, uma conta de vidro e uma agulha de costura. Evidentemente o lugar não foi abandonado às pressas e sim como parte de uma evacuação definitiva planejada, na qual todas as ferramentas e objetos de valor foram levados de volta para a Groenlândia. Hoje sabemos que a América do Norte era de longe a maior e mais valiosa terra descoberta pelos nórdicos; até mesmo a pequena fração que os nórdicos

PRELÚDIO E FUGAS *VIKINGS*

exploraram os impressionou. Por que, então, os nórdicos desistiram da Vinlândia, terra da fartura?

As sagas oferecem uma resposta simples para esta questão: a grande população de índios hostis, com quem os *vikings* não estabeleceram boas relações. De acordo com as sagas, os primeiros índios que os *vikings* encontraram foi um grupo de nove indivíduos, dos quais mataram oito enquanto o nono fugiu. Não era um começo promissor para se estabelecer uma amizade. Não é de surpreender que os índios tenham voltado com uma frota de barcos pequenos, disparado flechas contra os nórdicos e matado o seu líder, o filho de Erik, o Vermelho, Thorvald. Tirando a flecha de seus intestinos, Thorvald moribundo teria lamentado: "Este lugar que encontramos é rico; há muita gordura ao redor de minha barriga. Encontramos uma terra de finos recursos, embora dificilmente venhamos a desfrutar muito deles."

O grupo seguinte de viajantes nórdicos conseguiu estabelecer comércio com índios locais (roupas e leite de vaca em troca de peles trazidas pelos índios), até um *viking* matar um índio que tentava roubar armas. Na batalha que se seguiu muitos índios foram mortos antes de fugirem, mas foi o bastante para convencer os nórdicos dos problemas crônicos que iriam enfrentar. Como diz o desconhecido autor da *Saga de Erik, o Vermelho*: "O grupo então percebeu que, apesar de tudo o que a terra tinha a oferecer, estaria sob constante ameaça de ataque de seus primeiros habitantes. Então preparou-se para voltar ao seu país [i.e., Groenlândia]."

Após abandonar a Vinlândia para os índios, a Groenlândia Nórdica continuou a fazer visitas mais ao norte da costa do Labrador, onde havia bem menos índios, para colher madeira e extrair ferro. Prova tangível dessas visitas são um punhado de objetos nórdicos (pedaços de cobre e ferro fundidos e lã de cabra fiada) encontrados em sítios arqueológicos nativos americanos espalhados por todo o Ártico canadense. A mais notável dessas provas é uma moeda de prata cunhada na Noruega entre 1065 e 1080, durante o reinado do rei Olaf, o Plácido, encontrada em um sítio indígena na costa do Maine a centenas de quilômetros ao sul do Labrador, e furada para ser usada como pingente. O sítio no Maine foi outrora uma grande aldeia comercial onde os arqueólogos encontraram pedras e ferramentas originárias do Labrador assim como na maior parte da Nova Escócia, Nova Inglaterra, Nova York e Pensilvânia. Provavelmente a moeda foi perdida ou comerciada por um visitante nórdico ao Labrador, e então atingiu o Maine através de uma rede comercial indígena.

Outra prova de visitas contínuas de nórdicos ao Labrador é a menção, na crônica da Islândia do ano 1347, de um barco da Groenlândia com uma tripulação de 18 pessoas que chegara à Islândia após perder a âncora e derivar durante sua viagem de volta de "Markland". A menção na crônica é breve e factual, como se não houvesse nada incomum que precisasse de explicação, como se o cronista estivesse escrevendo, igualmente de modo factual: "As notícias do ano são que um desses barcos que visitam Markland a cada verão perdeu a âncora, Thorunn Ketilsdóttir derramou uma bilha de leite em sua fazenda em Djupadalur e uma das ovelhas de Bjarni Bollason morreu. Essas são as notícias do ano, nada além do habitual."

Em resumo, a colônia da Vinlândia falhou porque a própria colônia da Groenlândia era muito pequena e pobre em madeira e ferro para apoiá-la, longe demais tanto da Europa quanto da Vinlândia, possuía poucos barcos oceânicos e não podia financiar grandes frotas de exploração; e uma ou duas tripulações de groenlandeses não eram páreo para as hordas de índios da Nova Escócia e do golfo de São Lourenço quando estes eram provocados. Em 1000 d.C., a colônia da Groenlândia provavelmente não tinha mais de 500 pessoas, portanto aqueles 80 adultos no campo de L'Anse teriam representado uma grande baixa na força de trabalho disponível na Groenlândia. Quando os colonizadores europeus por fim retornaram à América do Norte depois de 1500, a história de suas tentativas de colonização demonstrou as dificuldades que enfrentaram, mesmo naquelas colônias patrocinadas pelas nações mais prósperas e populosas da Europa, que enviavam frotas de suprimentos anuais com navios muito maiores do que os barcos *vikings* medievais, e equipados com canhões e abundantes instrumentos de ferro. Nas primeiras colônias francesas e inglesas em Massachusetts, Virgínia e Canadá, cerca de metade dos colonos morreu de fome e doença no primeiro ano. Então, não é de surpreender que 500 groenlandeses, vindos do mais remoto entreposto colonial da Noruega, uma das nações mais pobres da Europa, não tenham conseguido conquistar e colonizar a América do Norte.

Para os propósitos deste livro, a coisa mais importante a respeito do fracasso da colônia da Vinlândia em um espaço de 10 anos é que esta é uma antecipação acelerada do colapso da colônia da Groenlândia, 450 anos depois de fundada. A Groenlândia Nórdica sobreviveu muito mais tempo do que a Vinlândia Nórdica porque estava mais perto da Noruega e porque os nativos hostis não apareceram nos primeiros séculos de ocupação. Mas a Groenlândia compartilhava, embora de modo menos extremo, os problemas gêmeos da Vinlândia: isolamento e a incapacidade nórdica de estabelecer boas relações com os nativos americanos. Não fossem os nativos americanos, os groenlandeses teriam sobrevivido aos seus problemas ecológicos, e a colônia Vinlândia poderia ter sobrevivido. Neste caso, a Vinlândia teria passado por uma explosão populacional, os nórdicos teriam se espalhado pela América do Norte depois de 1000 d.C. e eu, como um norte-americano do século XX, estaria escrevendo este livro em um idioma baseado no nórdico antigo como o islandês moderno ou o idioma faroense, em vez de fazê-lo em inglês.

CAPÍTULO 7

O FLORESCER DA GROENLÂNDIA NÓRDICA

Entreposto europeu • Clima atual da Groenlândia
• Clima no passado • Plantas e animais nativos • Colonização
nórdica • Agricultura • Caça e pesca • Uma economia integrada
• Sociedade • Comércio com a Europa • Autoimagem

Minha primeira impressão da Groenlândia foi que seu nome era uma denominação cruelmente imprópria, uma vez que tudo o que vi foi uma paisagem de três cores: branco, preto e azul, com o branco esmagadoramente predominante. Alguns historiadores creem que o nome foi cunhado com intenção fraudulenta por Erik, o Vermelho, fundador desta colônia *viking*, de modo a induzir outros *vikings* a se juntarem a ele. Quando meu avião vindo de Copenhague se aproximou da costa leste da Groenlândia, a primeira coisa visível além do mar azul-escuro era uma vasta área de branco brilhante espalhando-se a perder de vista, a maior calota de gelo do mundo depois da Antártida. O litoral da Groenlândia ergue-se abruptamente até um alto platô coberto de gelo que cobre a maior parte da ilha e é drenado por imensas geleiras que fluem para o mar. Meu avião voou centenas de quilômetros sobre esta extensão branca, onde a única outra cor visível era o preto das montanhas de pedra nua que se erguiam daquele oceano de gelo, espalhadas como ilhas negras. Apenas quando nosso avião deixou o platô, baixando em direção à costa oeste, vi duas outras cores em uma fina borda que, contornando a camada de gelo, combinava áreas marrons de cascalho desnudo com áreas de verde pálido de musgo e líquenes.

Mas quando aterrissei no aeroporto principal do sul da Groenlândia, o Narsarsuaq, e atravessei o fiorde repleto de *icebergs* até Brattahlid, lugar que Erik, o Vermelho, escolheu para construir sua fazenda, descobri com surpresa que o nome Groenlândia poderia ter sido dado honestamente, e não como propaganda enganosa. Exaurido pelo longo voo entre Los Angeles e Copenhague e dali para a Groenlândia, que envolveu a travessia de 13 fusos horários, saí para caminhar entre as ruínas nórdicas mas logo tive vontade de dormir, sonolento demais até mesmo para voltar algumas centenas de metros até o albergue juvenil onde deixara a minha mochila. Por sorte, as ruínas localizam-se entre prados verdejantes de grama macia com mais de 30 centímetros de altura crescendo sobre grossa camada de musgo e repleta de ranúnculos e dentes-de-leão amarelos, campânulas azuis, ásteres brancos e epilóbios cor-de-rosa. Não havia necessidade de um colchão de ar ou travesseiro: caí em um sono profundo sobre a cama natural mais macia e mais bela que se possa imaginar.

Como disse meu amigo arqueólogo norueguês Christian Keller: "Viver na Groenlândia é descobrir os bons trechos de terra com recursos utilizáveis." Embora 99% da ilha seja de fato um preto e branco inabitável, há áreas verdes dentro dos dois sistemas de fiordes na costa sudoeste. Ali, fiordes longos e estreitos penetram profundamente terra adentro, de modo que suas cabeceiras ficam bem longe do frio das correntes oceânicas, *icebergs*, da maresia e do vento que impede o crescimento de vegetação ao longo da costa externa da Groenlândia. Aqui e ali, ao longo dos fiordes mais íngremes, há trechos de terreno plano com pastagens luxuriantes, incluindo aquela onde tirei uma soneca, boa para a criação de gado (foto 17). Durante quase 500 anos, entre 984 d.C. e alguma data no século XV, esses dois sistemas de fiordes abrigaram o mais remoto posto avançado da civilização europeia, lugar onde escandinavos, a quase 2.500 quilômetros da Noruega, construíram uma catedral e várias igrejas, escreveram em latim e nórdico antigo, manejaram instrumentos de ferro, criaram animais domésticos, seguiram a última moda europeia de vestuários — e finalmente desapareceram.

O mistério de seu desaparecimento é simbolizado pela igreja de pedra em Hvalsey, o mais famoso prédio da Groenlândia Nórdica, cuja fotografia é mostrada em qualquer folheto de viagem que promova o turismo na Groenlândia. Repousando sobre prados, na cabeceira de um fiorde extenso, largo e cercado de montanhas, a igreja domina um panorama maravilhoso de dezenas de quilômetros quadrados. Suas paredes, a entrada oeste, seus nichos e frontões de pedra ainda estão intactos. Só falta o teto original feito de colmos e torrão. Ao redor da igreja jazem as ruínas de residências, estábulos, armazéns, casas de barco e pastagens que sustentaram as pessoas que ergueram estes edifícios. Entre todas as sociedades medievais europeias, a Groenlândia Nórdica é aquela cujas ruínas estão mais bem preservadas, precisamente porque os lugares foram abandonados intactos, ao passo que a maioria dos sítios medievais da Inglaterra e Europa Continental continuaram a ser ocupados e foram cobertos por construções pós-medievais. Ao visitar Hvalsey atualmente, é quase possível ver *vikings* caminhando entre esses edifícios, mas na verdade tudo é silêncio: praticamente ninguém vive a menos de 30 quilômetros dali (foto 15). Quem quer que tenha construído aquela igreja sabia o bastante para recriar uma comunidade europeia e para mantê-la durante séculos — mas não o bastante para mantê-la durante mais tempo que isso.

Compondo o mistério, os *vikings* compartilharam a Groenlândia com outro povo, os *inuits* (esquimós), enquanto os nórdicos da Islândia tinham a Islândia inteira para si e não enfrentaram este problema adicional para aumentar suas dificuldades. Os *vikings* desapareceram, mas os *inuits* sobreviveram, provando que a sobrevivência humana na Groenlândia não era impossível e que o desaparecimento dos *vikings* não era inevitável. Ao caminhar pelas fazendas modernas da Groenlândia, vemos novamente essas duas populações que compartilharam a ilha na Idade Média: *inuits* e escandinavos. Em 1721, 300 anos depois dos *vikings* medievais terem desaparecido, outros escandinavos (dinamarqueses) voltaram para assumir o controle da Groenlândia, e não foi senão em 1979 que os groenlandeses nativos voltaram a mandar em seu país. Em minha visita à Groenlândia achei desconcertante olhar para tantos escandinavos de olhos azuis e cabelo louro que trabalhavam ali, e pensar que foram pessoas como eles que construíram a igreja Hvalsey e outras ruínas que eu estava estudando, e que ali morreram. Por que esses escandinavos medievais acabaram fracassando em sua tentativa de dominar os problemas da Groenlândia enquanto os *inuits* foram bem-sucedidos?

Assim como o destino dos anasazis, o destino da Groenlândia Nórdica tem sido atribuído a diversas explicações de fatores únicos, sem que se tenha chegado a um acordo a respeito de qual explicação é a correta. Uma teoria muito popular tem sido o esfriamento do clima, invocado em formulações superesquemáticas do tipo (segundo palavras do arqueólogo Thomas McGovern) "Ficou frio demais e eles morreram". Outras teorias de fator único incluem o extermínio dos nórdicos pelos *inuits*, abandono dos nórdicos pelos europeus do continente, dano ambiental e uma visão irremediavelmente conservadora. O fato é que a extinção da Groenlândia

Nórdica é um caso bastante instrutivo precisamente porque envolve grandes contribuições de todos os cinco fatores explicativos que discuti na introdução deste livro. É um caso rico não apenas em realidade, mas também na informação de que dispomos a esse respeito, porque os nórdicos deixaram registros escritos sobre a Groenlândia (enquanto os pascoenses e anasazis não tinham escrita) e porque compreendemos as sociedades medievais europeias muito melhor do que compreendemos as sociedades polinésias ou anasazi. Contudo, ainda permanecem grandes dúvidas a respeito até mesmo deste colapso pré-industrial ricamente documentado.

Em que ambiente as colônias da Groenlândia Nórdica surgiram, prosperaram e caíram? Os nórdicos viviam em duas colônias na costa oeste da Groenlândia, um pouco abaixo do Círculo Ártico, entre as latitudes 61° e 64°N. Isso é mais ao sul do que a maior parte da Islândia e equivale às latitudes das cidades de Bergen e Trondheim na costa oeste da Noruega. Mas a Groenlândia é mais fria que a Islândia ou a Noruega, porque estas últimas são banhadas pela quente Corrente do Golfo que vem do sul, enquanto a costa oeste da Groenlândia é banhada pela fria Corrente Oeste da Groenlândia, que flui do Ártico. Como resultado, até mesmo nos lugares das antigas colônias nórdicas, que desfrutam do clima mais benigno da Groenlândia, o clima pode ser resumido em quatro palavras: frio, instável, ventoso e nevoento.

As temperaturas médias de verão nas colônias atualmente são de 5 a 6°C na costa externa, e 10°C no interior dos fiordes. Embora isso não pareça ser tão frio, lembre-se que tais medidas se aplicam apenas aos meses mais quentes do ano. Além disso, ventos fortes e secos sopram da calota de gelo da Groenlândia, trazendo gelo do norte à deriva, bloqueando os fiordes com *icebergs* mesmo durante o verão e provocando densos nevoeiros. Disseram-me que a grande variação que encontrei durante minha visita de verão à Groenlândia, que incluiu chuva grossa, ventos fortes e nevoeiro, era comum e muitas vezes era impossível viajar de barco. Mas os barcos são o principal meio de transporte na Groenlândia, porque a costa é profundamente recortada por fiordes abruptos. (Ainda hoje, não há estradas ligando os maiores centros populacionais da Groenlândia, e as únicas comunidades unidas por estradas ou estão localizadas no mesmo lado do mesmo fiorde ou em fiordes adjacentes separados apenas por uma baixa cadeia de colinas.) O mau tempo impediu minha primeira tentativa de chegar à igreja de Hvalsey: cheguei de barco a Qaqortoq com tempo ótimo em 25 de julho e, no dia seguinte, encontrei o tráfego naval interrompido, imobilizado por ventos, chuva, nevoeiro e *icebergs*. Em 27 de julho, o tempo voltou a ficar ameno e chegamos a Hvalsey e, no dia seguinte, saímos do fiorde de Qaqortoq para Brattahlid sob céu azul.

Conheci o tempo da Groenlândia no auge do verão, no lugar onde ficava a colônia nórdica mais meridional. Como um californiano do sul, habituado a dias quentes e ensolarados, descreveria a temperatura que encontrei como "instável entre fresca e fria". Sempre precisei usar camiseta, camisa de manga comprida, suéter e casaco, e muitas vezes acrescentava ao conjunto um anoraque grosso que comprara em minha primeira viagem ao Ártico. A temperatura parecia mudar rápida e bruscamente, repetidas vezes a cada hora. Às vezes parecia que minha única ocupação enquanto passeava pela Groenlândia consistia em tirar e botar o anoraque para me ajustar a essas frequentes mudanças de temperatura.

Complicando este quadro que acabo de dar sobre o clima médio da Groenlândia moderna, o tempo do lugar pode mudar entre pequenas distâncias e de ano a ano. As mudanças entre pequenas distâncias corroboram o comentário de Christian Keller sobre a importância de encontrar os bons nichos de recursos da Groenlândia. As mudanças de ano a ano afetam o crescimento das pastagens para feno, das quais dependeu a economia nórdica, e também afctam as quantidades de gelo no mar, que por sua vez afetavam a caça à foca e a possibilidade de navegação comercial, duas atividades importantes para os *vikings*. As mudanças das intempéries tanto entre pequenas distâncias quanto entre os anos eram críticas, uma vez que a produção de feno na Groenlândia era, na melhor das hipóteses, uma atividade no limite de sua viabilidade, de modo que estar em um lugar ligeiramente pior ou em um ano ligeiramente mais frio que o habitual poderia se traduzir em não ter feno bastante para alimentar o rebanho no inverno.

Quanto às mudanças de localização, uma importante diferença é que uma das colônias *vikings* fica a 482 quilômetros ao norte da outra, mas as duas foram enganosamente chamadas de Colônias Oriental e Ocidental em vez de Meridional e Setentrional. (Esses nomes tiveram consequências desagradáveis séculos depois, quando o nome "Colônia Oriental" levou europeus que procuravam a, já havia muito extinta, Groenlândia Nórdica a buscá-la no lugar errado, na costa leste da Groenlândia em vez de na costa oeste onde os nórdicos realmente viveram.) As temperaturas de verão são iguais em ambas as colônias. Contudo, a estação de crescimento do verão é mais breve na Colônia Ocidental (apenas cinco meses com temperaturas médias acima do congelamento, em vez dos sete meses da Colônia Oriental), porque há menos dias de verão com luz do sol e temperaturas mais cálidas à medida que se avança para o norte. Outra mudança de clima devido à localização é que é mais frio, úmido e enevoado no litoral à foz dos fiordes diretamente expostos à fria Corrente do Oeste da Groenlândia, do que à proteção do interior dos fiordes distantes do mar.

Outra mudança devida à localização que não pude deixar de perceber é que alguns fiordes tinham geleiras, enquanto outros não. Esses fiordes com geleiras têm *icebergs* de origem local, enquanto os sem geleiras só recebem *icebergs* trazidos à deriva pelo mar. Por exemplo, em 1º de julho encontrei o fiorde Igaliku (no qual fica a catedral *viking* da Groenlândia) livre de *icebergs*, porque dentro dele não há geleiras; já o fiorde Eirik (no qual fica Brattahlid) tinha *icebergs* esparsos, porque há uma geleira em seu interior; e o próximo fiorde ao norte de Brattahlid, o Sermilik, tinha muitas geleiras e estava repleto de gelo. (Tais diferenças, e a grande variedade de tamanhos e formas entre *icebergs*, foram uma das razões pelas quais achei a Groenlândia uma paisagem tão interessante, apesar de suas poucas cores.) Enquanto Christian Keller estudava um sítio arqueológico isolado no fiorde Eirik, eu costumava subir a colina para visitar alguns arqueólogos suecos que exploravam um sítio no fiorde Sermilik. O acampamento dos suecos era consideravelmente mais frio que o acampamento de Christian. Da mesma forma, a fazenda *viking* que os desafortunados suecos escolheram para estudar fora mais pobre do que a fazenda que Christian estava estudando (porque o lugar onde estavam os suecos era mais frio e produzia menos feno).

Mudanças climáticas de ano para ano são ilustradas por uma recente experiência de produção de feno em fazendas de ovinos que voltaram a funcionar na Groenlândia a partir da década de 1920. Os anos mais úmidos produzem maior crescimento da vegetação, o que geralmente é boa notícia para os pastores porque representa mais feno para alimentar as suas ovelhas e mais grama para alimentar os caribus (portanto, mais caribus para caçar). Contudo, se chover muito durante a estação de colheita de feno, em agosto e setembro, a produção de feno diminui, pois o feno seca com dificuldade. Um verão frio é ruim porque diminui o crescimento do feno; um inverno longo é ruim porque quer dizer que os animais terão de ser mantidos fechados em estábulos durante mais meses, e irão requerer mais feno; um verão com muito gelo à deriva vindo do norte é ruim porque resulta em nevoeiros densos que não são bons para o crescimento do feno. Diferenças climáticas anuais como essas, que desafiam os modernos criadores de ovelhas da Groenlândia, também devem ter desafiado os nórdicos medievais.

Essas são as mudanças climáticas que se pode observar de ano a ano, ou de década em década, na Groenlândia atual. E quanto às mudanças climáticas no passado? Como era o clima ao tempo em que os nórdicos chegaram à Groenlândia, e como mudou ao longo dos cinco séculos em que estes ali sobreviveram? Como saber qual o clima da Groenlândia do passado? Temos três fontes principais de informação: registros escritos, pólen e amostras de gelo.

A primeira é que por serem os nórdicos da Groenlândia instruídos, e serem visitados por islandeses e noruegueses instruídos, seria bom para aqueles de nós interessados no destino dos *vikings* da Groenlândia se estes nórdicos instruídos tivessem deixado alguns registros do clima da Groenlândia de sua época. Infelizmente, não deixaram. No caso da Islândia, porém, temos muitos registros do clima em anos diferentes — inclusive menções a tempo frio, chuva e gelo no mar — através de comentários incidentais em diários, cartas, anais e relatórios. A informação a respeito do clima na Islândia tem alguma utilidade para que possamos compreender o clima na Groenlândia, porque uma década fria na Islândia também tende a ser fria na Groenlândia, embora a combinação não seja perfeita. Contudo, temos mais segurança na interpretação da significância para a Groenlândia de comentários a respeito de gelo ao redor da Islândia, porque era o gelo que dificultava a navegação entre a Groenlândia e a Islândia ou Noruega.

Nossa segunda fonte de informação sobre o clima da Groenlândia no passado consiste em amostras de pólen e de sedimentos tiradas de lagos e pântanos da Groenlândia pelos palinologistas, os cientistas que estudam o pólen e cujas descobertas sobre a história da vegetação da ilha de Páscoa e do território maia já foram apresentadas nos capítulos 2 e 5. Sondar a lama do fundo de um lago ou pântano pode não parecer muito excitante para a maioria de nós, mas é o nirvana para um palinologista, porque quanto mais profundas forem as camadas de lama depositadas, mais longe podem ir no passado. A datação radiocarbônica de material orgânico em uma amostra de lama define quando aquela camada em particular se acomodou. Os grãos de pólen de diferentes espécies de plantas parecem diferentes ao microscópio. Portanto, os grãos de pólen da amostra dizem ao palinologista quais plantas cresciam junto ao lago ou pântano e liberaram o pólen que ali caiu naquele ano. Dependendo do clima, os palinologistas podem encontrar desde pólen de árvores, que precisam de mais calor, até o de ervas e carriços, mais tolerantes ao frio. Contudo, essa mudança de pólen também pode significar que os nórdicos estavam cortando árvores, de modo que os palinologistas encontraram outros modos de distinguir entre ambas as interpretações para o declínio do pólen de árvores.

Finalmente, nossa mais detalhada informação sobre o clima da Groenlândia no passado vem das amostras de gelo. No clima frio e intermitentemente úmido da Groenlândia, as árvores são pequenas, crescem apenas localmente e sua madeira deteriora rápido, portanto não temos na Groenlândia os troncos com anéis belamente preservados que permitiram aos arqueólogos reconstruírem as mudanças climáticas no seco deserto do sudoeste dos EUA habitado pelos anasazis. Em vez de anéis de árvore, os arqueólogos da Groenlândia tiveram a sorte de poderem estudar anéis de gelo — ou, na verdade, camadas de gelo. A neve que cai a cada ano sobre a calota de gelo da Groenlândia é comprimida pelo peso da neve de anos posteriores e transforma-se em gelo. O oxigênio da água que constitui a neve ou gelo é formado por três isótopos diferentes, i.e., três tipos diferentes de átomos de oxigênio diferindo apenas em peso atômico devido ao número diferente de nêutrons, sem carga, no núcleo do átomo de oxigênio. A forma esmagadoramente predominante de oxigênio natural (99,8% do total) é do isótopo oxigênio-16 (significando oxigênio de peso atômico 16), mas há também uma pequena proporção (0,2%) de oxigênio-18 e uma quantidade ainda menor de oxigênio-17. Todos esses três isótopos são estáveis, não radioativos, mas ainda assim podem ser detectados por um instrumento chamado espectrômetro de massa. Quanto mais quente for a temperatura sob a qual a neve se forma, maior a proporção de oxigênio-18 no oxigênio da neve. Portanto, a neve de verão tem proporcionalmente mais oxigênio-18 do que a neve de inverno daquele mesmo ano. Pelo mesmo motivo, a proporção de oxigênio-18 na neve de um dado mês de um ano quente é mais alta que a do mesmo mês em um ano frio.

Portanto, se se perfurar a calota de gelo da Groenlândia (algo que os cientistas já fizeram a uma profundidade de quase três quilômetros) e medir a proporção de oxigênio-18 em função da profundidade, ver-se-á que a proporção de oxigênio-18 irá subir e descer à medida que se analisa o gelo, devido às previsíveis mudanças de temperatura. Também se verá que os valores de oxigênio-18 diferem entre diferentes verões e diferentes invernos, devido à flutuação imprevisível de temperatura de ano para ano. Portanto, as amostras de gelo da Groenlândia fornecem informação semelhante àquela que os arqueólogos que estudam os anasazis deduzem dos anéis de árvore: elas nos dão a temperatura de cada verão e inverno. Além disso, a grossura da camada de gelo entre verões consecutivos (ou entre invernos consecutivos) nos diz a quantidade de precipitação naquele ano.

Há outros aspectos do clima que podemos ver através das amostras de gelo e que não podemos ver nos anéis de árvore: as tempestades. Os ventos de tempestade captam borrifos salgados do mar ao redor da Groenlândia e os sopram terra adentro sobre a calota de gelo, onde esta se precipita e congela com os íons de sódio da água do mar. Os ventos de tempestade também trazem poeira atmosférica que se originou longe dali, em regiões secas e poeirentas dos continentes, e esta poeira tem alto teor de íons de cálcio. A neve formada por água pura não tem esses dois íons. Quando alguém encontra altas concentrações de sódio e cálcio em uma camada de gelo, isso representa que aquele foi um ano tempestuoso.

Em resumo, podemos reconstruir o clima da Groenlândia do passado através dos registros da Islândia, pólen e amostras de gelo, e este último método nos permite reconstruir o clima em uma base anual. E o que descobrimos?

Como esperado, descobrimos que o clima esquentou após o fim da última Idade do Gelo, há cerca de 14 mil anos. Os fiordes da Groenlândia tornaram-se meramente "frios" e não "tremendamente frios", e desenvolveram florestas baixas. Mas o clima da Groenlândia não permaneceu tediosamente firme nos últimos 14 mil anos: ficou mais frio em alguns períodos, e então voltou a ameno novamente. Tais flutuações climáticas foram importantes para o estabelecimento de povos nativos americanos na Groenlândia antes dos nórdicos. Embora o Ártico tenha poucas espécies de caça — notavelmente caribus, focas, baleias e peixes — muitas vezes estas poucas espécies são abundantes. Mas se as espécies de caça morrem ou vão embora, não há caça alternativa com a qual os caçadores possam contar, assim como acontece em latitudes mais baixas, onde as espécies são tão diversas. Portanto, a história do Ártico, incluindo a da Groenlândia, é a história de gente chegando, ocupando grandes áreas durante muitos séculos, e então declinando ou desaparecendo ou tendo de mudar seu estilo de vida sobre grandes áreas caso as mudanças de clima permitam ou não que a caça seja abundante.

As consequências das mudanças de clima para os caçadores nativos foram observadas pela primeira vez na Groenlândia durante o século XX. Um aquecimento da água no início desse século fez com que as focas quase desaparecessem do sul da Groenlândia. A caça à foca só voltou quando o tempo voltou a esfriar. Então, quando o clima ficou muito frio entre 1959 e 1974, as populações de focas migratórias caíram devido ao excesso de gelo no mar, e o total de capturas pelos caçadores de foca declinou, mas os groenlandeses evitaram a fome concentrando-se nas focas-aneladas-do-ártico, uma espécie que continuou abundante, conhecida por fazer buracos no gelo para respirar. Flutuações climáticas semelhantes, com consequentes mudanças na abundância de caça, podem ter contribuído para a primeira colonização de nativos americanos por volta de 2500 a.C., seu declínio ou desaparecimento por volta de 1500 a.C., sua volta posterior, seu novo declínio, e então o completo abandono do sul da Groenlândia antes da chegada dos nórdicos em 980 d.C. Portanto, os colonos nórdicos inicialmente não encontraram nativos americanos, embora tenham encontrado ruínas deixadas por populações anteriores. Infelizmente para os nórdicos, o clima quente ao tempo de sua chegada simultaneamente permitiu que os *inuits* (aliás, esquimós) se expandissem rapidamente para leste do estreito de Bering através do Ártico canadense, porque o gelo que permanentemente fechou os canais entre as ilhas do norte do Canadá durante os séculos frios começou a derreter no verão, permitindo que baleias-cabeça-de-arco, o pilar da subsistência *inuit*, penetrassem aqueles caminhos aquáticos do Ártico canadense. Aquela mudança climática permitiu que os *inuits* ingressassem no noroeste da Groenlândia vindos do Canadá por volta de 1200 d.C. — o que teve graves consequências para os nórdicos.

Entre 800 e 1300 d.C., as amostras de gelo nos dizem que o clima na Groenlândia era relativamente ameno, semelhante ao clima da Groenlândia de hoje em dia, ou mesmo ligeiramente mais quente. Estes séculos amenos são chamados de Período Quente Medieval. Portanto, os nórdicos chegaram à Groenlândia durante um período bom para cultivar feno e pastorear animais — bom dentro do padrão de clima médio da Groenlândia nos últimos 14 mil anos. Por volta de 1300, porém, o clima no Atlântico do Norte começou a esfriar e se tornar mais instável de ano a ano, levando a um período frio denominado Pequena Idade do Gelo que durou até o século XIX. Por volta de 1420, a Pequena Idade do Gelo estava no auge, e o aumento do gelo à deriva no verão entre a Groenlândia, a Islândia e a Noruega encerrou a comunicação naval entre a Groenlândia Nórdica e o mundo exterior. Tais condições de frio eram toleráveis e até mesmo benéficas para os *inuits*, que podiam caçar focas-aneladas-do-ártico, mas eram más notícias para os nórdicos, que dependiam da produção de feno. Como veremos, a chegada da Pequena Idade do Gelo foi um fator por trás do fim da Groenlândia Nórdica. Mas a mudança climática entre o Período Quente Medieval e a Pequena Idade do Gelo foi complexa, e não uma simples questão de "foi ficando cada vez mais frio, o que matou os nórdicos". Houve pequenos períodos frios antes de 1300 aos quais os nórdicos sobreviveram, e pequenos períodos de calor após 1400 d.C. que, entretanto, não os salvaram. Acima de tudo, fica a pergunta inquietante: por que os nórdicos não aprenderam a lidar com o clima frio da Pequena Idade do Gelo observando como os *inuits* enfrentavam o mesmo desafio?

Para completar a nossa consideração sobre o ambiente da Groenlândia, mencionemos as suas plantas e animais. A vegetação mais bem desenvolvida se restringe a regiões de clima ameno, protegida do sal marinho nos longos fiordes internos das Colônias Ocidental e Oriental na costa sudoeste da Groenlândia. Ali, a vegetação em áreas não pastadas pelo gado varia de lugar para lugar. Em altitudes maiores, onde é frio, e nos fiordes externos perto do mar, onde o crescimento das plantas é inibido pelo frio, nevoeiro e borrifos de sal, a vegetação é dominada por juncos, que são mais baixos que as gramíneas e têm baixo valor nutritivo para os animais que pastam. Os juncos crescem nesses lugares porque são mais resistentes ao ressecamento do que a grama e, portanto, podem crescer sobre cascalho contendo pouco solo retentor de água. No interior, em áreas protegidas do sal marinho, as encostas íngremes e lugares frios e ventosos junto às geleiras são virtualmente de pedra nua sem vegetação. Lugares menos hostis no interior têm uma vegetação tipo charneca de arbustos nânicos. Os melhores lugares no interior — i.e., os de baixa altitude, com bom solo, protegidos do vento, bem irrigados e voltados para o sul, o que lhes permite receber bastante luz solar — têm uma floresta aberta de salgueiros e bétulas anões, alguns zimbros e amieiros, a maioria com menos de cinco metros de altura. Nos melhores lugares, há bétulas que chegam a 10 metros de altura.

Nas áreas atualmente pastejadas por ovelhas e cavalos, a vegetação apresenta um quadro diferente, assim como deveria apresentar nos tempos dos nórdicos (foto 17). Prados úmidos em encostas suaves, como as que existem ao redor de Gardar e Brattahlid, possuem uma relva luxuriante com até 30 centímetros de altura e muitas flores. Os poucos salgueiros e bétulas anões, fustigados pelas ovelhas, chegam a apenas meio metro de altura. Campos mais secos, mais íngremes e mais expostos têm relva ou salgueiros anões com apenas alguns centímetros de altura. Apenas nos lugares onde as ovelhas e cavalos não têm acesso, como no interior da cerca ao redor do Aeroporto Narsarsuaq, vi salgueiros e bétulas anões com até dois metros de altura, acossados por ventos frios que sopravam de uma geleira próxima.

Quanto aos animais selvagens da Groenlândia, os potencialmente mais importantes para os nórdicos e *inuits* eram mamíferos terrestres e marinhos, aves, peixes e invertebrados marinhos. O único grande herbívoro terrestre nativo da Groenlândia na antiga área nórdica (i.e., não considerando o gado almiscareiro do Extremo Norte) é o caribu, que os lapões e outros povos nativos do continente eurasiano domesticaram como renas, coisa que os nórdicos e *inuits* não fizeram. Os ursos polares e os lobos eram confinados às áreas ao norte das colônias nórdicas. Animais de caça menores incluíam lebres, raposas, aves terrestres (cujo maior era um parente do tetraz chamado ptármiga), aves de água doce (os maiores sendo os cisnes e gansos) e aves marinhas (especialmente êideres e alcas, também conhecidos como alcídeos). Os mamíferos marinhos mais importantes eram focas de seis espécies diferentes, que diferiam em importância entre nórdicos e *inuits*, de acordo com diferenças em sua distribuição e comportamento, que explicarei a seguir. A maior dessas espécies era a morsa. Diversas espécies de baleias ocorriam ao longo do litoral e foram caçadas com sucesso pelos *inuits*, mas não pelos nórdicos. Os peixes eram abundantes nos rios, lagos e mares, enquanto camarões e mexilhões eram os invertebrados marinhos comestíveis mais valiosos.

De acordo com as sagas e histórias medievais, por volta do ano 980 um norueguês de sangue quente conhecido como Erik, o Vermelho, foi condenado por homicídio e forçado a partir para a Islândia, onde logo matou algumas outras pessoas e foi expulso para outra parte da Islândia. Lá, tendo se envolvido em outra briga e matado ainda mais gente, desta vez foi exilado da Islândia por um período de três anos, a começar de 982.

Erik lembrou-se que, havia muitas décadas, um certo Gunnbjörn Ulfsson, após derivar para oeste enquanto navegava para a Islândia, divisara algumas ilhotas desoladas, que hoje sabemos ficarem ao largo da costa sudeste da Groenlândia. Tais ilhas haviam sido visitadas novamente em 978 por um parente distante de Erik, Snaebjörn Galti, que, é claro, entrou em conflito com seus marinheiros e foi devidamente assassinado. Erik navegou em direção a essas ilhas para tentar a sorte, passou os três anos seguintes explorando boa parte da costa da Groenlândia, e descobriu boas pastagens dentro de fiordes profundos. Ao voltar para a Islândia perdeu outra briga, o que o impeliu a liderar uma frota de 25 barcos para colonizar a terra recém-explorada que ele astutamente denominou Groenlândia. As notícias que chegaram à Islândia sobre as propriedades rurais disponíveis gratuitamente na Groenlândia motivaram três outras frotas de colonos a virem da Islândia na década seguinte. Como resultado, por volta do ano 1000 d.C., praticamente todas as terras adequadas à pecuária em ambas as colônias haviam sido ocupadas, com uma população nórdica estimada em cerca de cinco mil pessoas: cerca de mil na Colônia Ocidental, e quatro mil na Colônia Oriental.

A partir de suas colônias, os nórdicos fizeram explorações e caçadas anuais em direção ao norte ao longo da costa oeste, bem ao norte do Círculo Ártico. Um desses barcos pode ter chegado à latitude 79°N, a apenas

1.100 quilômetros do Pólo Norte, onde diversos artefatos nórdicos, incluindo pedaços de cotas de malha de ferro, uma plaina de carpinteiro e rebites de barcos foram descobertos em um sítio arqueológico *inuit*. Prova mais cabal de explorações nórdicas ao norte é um marco a 73°N de latitude contendo uma pedra com caracteres do alfabeto rúnico, que atesta que Erling Sighvatsson, Bjarni Thordarson e Eindridi Oddson ergueram aquele marco no sábado, antes do Dia da Epifania (25 de abril), provavelmente em algum ano por volta de 1300.

A subsistência da Groenlândia Nórdica baseava-se em uma combinação de pastoreio (criação de animais domésticos) e caça de animais selvagens. Apesar de Erik, o Vermelho, ter trazido animais domésticos da Islândia, a Groenlândia Nórdica desenvolveu uma dependência de comida silvestre adicional a um grau muito maior do que a Noruega e a Islândia, cujos climas mais amenos permitiam que as pessoas obtivessem a maior parte de suas necessidades alimentares apenas através da pecuária e (na Noruega) da agricultura.

Os colonos da Groenlândia começaram com aspirações baseadas na combinação de animais domésticos criados pelos prósperos chefes noruegueses: muitas vacas e porcos, menos ovelhas e ainda menos cabras, alguns cavalos, patos e gansos. Como indicado pela contagem de ossos de animais identificados em monturos groenlandeses datados pelo método do radiocarbono ao longo de vários séculos da ocupação nórdica, logo se percebeu que aquela combinação de animais não era ideal para as condições mais frias da Groenlândia. Patos e gansos desapareceram rapidamente, talvez até na própria viagem para a Groenlândia: não há prova arqueológica de terem sido criados ali. Embora os porcos tenham encontrado nozes em abundância para comer nas florestas da Noruega, e embora os *vikings* os apreciassem acima de todas as outras carnes, esses animais mostraram-se terrivelmente destrutivos e pouco lucrativos em uma Groenlândia de poucas florestas, onde devastavam a frágil vegetação e o solo. Em um breve período de tempo suas populações foram reduzidas ou eliminadas. Descobertas arqueológicas de albardas e trenós mostram que os cavalos eram usados como animais de carga, mas havia uma proibição cristã contra comê-los, de modo que seus ossos raramente acabavam no lixo. As vacas exigiam muito mais esforço do que as ovelhas para serem criadas no clima da Groenlândia, porque só encontravam pastagens durante os três meses sem neve do verão. No resto do tempo, tinham de ser mantidas em estábulos e alimentadas com feno e outras forragens cuja produção se tornou a principal tarefa de verão dos fazendeiros da Groenlândia. Os groenlandeses podiam ter feito bem melhor descartando suas vacas, cujo número de fato diminuiu durante os séculos, mas eram valorizadas demais como símbolo de *status* para serem inteiramente eliminadas.

Assim, os animais mais importantes para a produção de alimento na Groenlândia se tornaram rústicas raças de ovelhas e as cabras, muito mais bem-adaptadas ao clima frio do que o gado bovino. Tinham a vantagem adicional de, no inverno, ao contrário das vacas, cavarem a neve para comer a relva que se ocultava embaixo. Hoje, na Groenlândia, as ovelhas podem ser mantidas ao ar livre durante nove meses por ano (três vezes mais do que as vacas) e têm de ser trazidas para abrigos e alimentadas apenas durante os três meses de nevascas mais intensas. O número de ovelhas e de cabras começou quase igual ao das vacas, no início da colonização da Groenlândia, e aumentou com o tempo até chegar a oito ovelhas ou cabras para cada vaca. Entre ovelhas e cabras, os islandeses tinham seis ou mais das primeiras para cada uma das últimas, e essa também era a proporção nas melhores fazendas da Groenlândia durante os primeiros anos de colonização, mas os números relativos mudaram com o tempo, até o número de cabras igualar-se ao de ovelhas. Isso por serem as cabras, ao contrário das ovelhas, capazes de digerir os gravetos duros de arbustos e árvores anãs que prevaleciam nas pobres pastagens da Groenlândia. Portanto, embora os nórdicos tenham chegado na Groenlândia com uma preferência por vacas sobre ovelhas e cabras, a adequação desses animais sob as condições da Groenlândia estava na direção oposta. A maioria dos fazendeiros (especialmente na Colônia Ocidental, que ficava mais ao norte e, portanto, era mais marginal) teve de acabar se contentando com mais das desvalorizadas cabras e menos vacas; apenas as fazendas da Colônia Oriental conseguiram manter a sua preferência pelas vacas e seu desdém pelas cabras.

As ruínas dos estábulos nos quais a Groenlândia Nórdica mantinha suas vacas durante nove meses por ano ainda são visíveis. Eram construções longas e estreitas com paredes de pedra e turfa com vários metros de espessura para manter o interior do estábulo aquecido durante o inverno, porque as vacas não suportam o frio como as raças groenlandesas de ovelhas e cabras. Cada vaca era mantida em sua própria baia retangular, separada das baias adjacentes por lajes de pedra que ainda estão de pé em muitas dessas ruínas. Pelo tamanho das baias, pela altura das portas através das quais as vacas eram levadas e trazidas para a baia, e, é claro, a partir de esqueletos das próprias vacas escavados, calcula-se que as vacas da Groenlândia eram as menores conhecidas no mundo moderno, não mais que 1,20 metro dos cascos à paleta. No inverno as vacas permaneciam todo o tempo em suas baias, e o esterco que produziam se acumulava ao redor delas até a primavera, quando todo ele era retirado. Durante o inverno, eram alimentadas com o feno colhido, mas se as quantidades de feno não fossem suficientes, tinham de ser suplementadas com algas trazidas para a terra. Evidentemente as vacas não gostavam das algas, de modo que os trabalhadores da fazenda tinham de viver no estábulo com suas vacas e seu crescente mar de esterco durante o inverno, e talvez forçá-las a comer, o que as tornava gradualmente menores e mais fracas. Por volta de maio, quando a neve começava a derreter e o pasto voltava a brotar, elas podiam finalmente ser trazidas para fora para começarem a pastar por conta própria mas, a essa altura, estavam tão fracas que não podiam andar e tinham de ser carregadas. Em invernos muito rigorosos, quando os estoques de feno e algas acabavam antes do crescimento da grama de verão, fazendeiros recolhiam os primeiros brotos de salgueiro e bétula como dieta de emergência para alimentar seus animais famintos.

As vacas, ovelhas e cabras da Groenlândia eram usadas principalmente para a produção de leite, não de carne. Após darem à luz em maio ou junho, produziam leite apenas durante os poucos meses de verão. Então, os nórdicos transformavam o leite em queijo, manteiga e em um produto parecido com iogurte chamado *skyr*, que armazenavam em imensos barris mantidos à fresca em rios das montanhas ou em casas de turfa, e comiam estes laticínios durante todo o inverno. As cabras também eram criadas por seu pelo, e as ovelhas por sua lã, que era de qualidade excepcionalmente alta porque nesses climas frios as ovelhas produzem uma lã gordurosa que é naturalmente à prova d'água. A carne de animais domésticos só era consumida em tempos de abate, especialmente no outono, quando os fazendeiros calculavam quantos animais poderiam alimentar no inverno com o feno que conseguiram recolher naquela estação. Abatiam todo animal que calculavam não poder alimentar no inverno. Por ser a carne de animais domésticos tão pouca, quase todos os ossos de animais na Groenlândia eram abertos e partidos para se extrair até o último bocado de tutano, muito mais do que em outros países *vikings*. Em sítios arqueológicos na Groenlândia dos *inuits*, que eram caçadores habilidosos e conseguiam caçar muito mais carne do que os nórdicos, as larvas de moscas que se alimentam de tutano e gordura podres são abundantes, mas tais moscas encontraram poucos resíduos para comer nos sítios nórdicos.

Diversas toneladas de feno eram necessárias para manter uma vaca e muito menos para manter uma ovelha, em um inverno comum na Groenlândia. Portanto, a principal ocupação da Groenlândia Nórdica durante o verão era cortar, secar e armazenar feno. As quantidades de feno acumuladas eram críticas, porque determinavam quantos animais podiam ser alimentados no inverno seguinte, mas isso dependia da duração desse inverno, o que não se podia prever antecipadamente com exatidão. Portanto, a cada setembro, os nórdicos tinham de tomar a difícil decisão de quanto de seu precioso gado seria abatido, baseando tal decisão na quantidade de forragem disponível e em seu cálculo quanto à extensão do inverno seguinte. Se matassem muitos animais em setembro, acabariam com feno de sobra em maio e um rebanho menor, e se amaldiçoariam por não terem apostado serem capazes de alimentar mais animais. Mas se matassem animais de menos em setembro, ver-se-iam sem feno antes de maio e com o risco de todo o rebanho morrer de fome.

O feno era produzido em três tipos de campo. Os mais produtivos seriam os chamados campos internos, junto à casa-grande, com cercas para manter o gado do lado de fora, adubado para aumentar o crescimento do pasto e usado apenas para a produção de feno. Na fazenda-catedral de Gardar e em algumas outras ruínas de fazendas nórdicas, é possível ver restos de sistema de irrigação, represas e canais que espalhavam a água dos rios de montanha pelos campos internos para aumentar ainda mais a produtividade. A segunda área de produção de feno eram os chamados campos externos, um tanto distantes da casa-grande e fora da área cercada. Finalmente, os groenlandeses nórdicos trouxeram da Noruega e da Islândia um sistema chamado *shielings* ou *saeters*, que consistia em retiros em áreas mais remotas de terras altas para a produção de feno e para o pastoreio de animais no verão, mas que eram frios demais para a manutenção de gado no inverno. Os *shielings* mais completos eram fazendas em miniatura, completas, com casas onde moravam os trabalhadores durante o verão para cuidar dos animais e produzir feno, mas que voltavam para a fazenda principal durante o inverno. A cada ano a neve derretia e o pasto começava a crescer, primeiro em baixa altitude e então em altitudes cada vez maiores, e o pasto novo é em especial rico em nutrientes e pobre em fibras menos digestivas. Os *shielings* eram, portanto, um meio sofisticado de ajudar os fazendeiros nórdicos a resolverem o problema dos recursos esparsos e limitados da Groenlândia, através da exploração temporária de trechos nas montanhas, e deslocando o gado de modo lento colina acima para tirar vantagem da nova relva que surgia progressivamente cada vez em maior altitude à medida que o verão avançava.

Como mencionei anteriormente, Christian Keller me dissera antes de visitarmos a Groenlândia que "viver na Groenlândia é encontrar os bons trechos". O que Christian queria dizer era que, mesmo naqueles dois sistemas de fiordes, que eram as únicas regiões da Groenlândia com bom potencial para pastagens, as melhores áreas ao longo desses fiordes eram poucas e dispersas. Ao passear pelos fiordes da Groenlândia, mesmo sendo um ingênuo citadino, vi-me gradualmente aprendendo a reconhecer os critérios pelos quais os nórdicos teriam reconhecido os trechos bons para serem transformados em fazendas. Embora os próprios colonos da Groenlândia vindos da Islândia e da Noruega tivessem uma enorme vantagem sobre mim como fazendeiros experientes, eu tinha a vantagem do conhecimento prévio: eu sabia, eles não podiam saber, em quais lugares as fazendas nórdicas foram testadas, mostraram-se pobres ou foram abandonadas. Demoraria anos, ou mesmo gerações, para que os próprios nórdicos tivessem se livrado de trechos aparentemente atraentes que acabaram se mostrando inadequados. Os critérios do citadino Jared Diamond para uma boa fazenda nórdica medieval são os seguintes:

1. O lugar deve ter uma grande área de terras baixas planas ou suavemente onduladas (com elevação inferior a 213 metros acima do nível do mar) para se desenvolver como um campo interno produtivo, porque as terras baixas têm o clima mais quente e uma estação de crescimento, sem neve, mais longa, e porque o crescimento do pasto é menor em campos mais íngremes. Entre as fazendas da Groenlândia Nórdica, a fazenda-cate-

dral de Gardar destacava-se em quantidade de terras baixas e planas, seguida por algumas das fazendas Vatnahverfi.

2. Além de um vasto campo interno em terra baixa, é necessário ter uma ampla área de campos externos em elevações moderadas (até 400 metros acima do nível do mar) para a produção adicional de feno. Os cálculos demonstram que apenas as áreas de terras baixas na maioria das fazendas nórdicas não teriam podido produzir feno bastante para alimentar o gado, estimado através da contagem de baias ou medindo a área dos palheiros. A fazenda de Erik, o Vermelho, em Brattahlid, destacava-se por sua ampla área de terras altas.

3. No hemisfério norte, as encostas voltadas para o sul recebem mais luz do sol. Isso é importante porque a neve nestas encostas irá derreter antes na primavera, de modo que a estação de crescimento durará mais meses e as horas diárias de luz do sol serão mais longas. Todas as melhores fazendas de Groenlândia Nórdica — Gardar, Brattahlid, Hvalsey e Sandnes — eram voltadas para o sul.

4. Um bom sortimento de rios é importante para irrigar os pastos, seja naturalmente ou através de sistemas de irrigação, para aumentar a produção de feno.

5. Montar uma fazenda em, voltada para, ou perto de um vale glacial do qual sopram ventos fortes que diminuem o crescimento da relva e aumentam a erosão do solo e de pastagens muito usadas é uma receita de fracasso. Os ventos glaciais eram uma maldição que garantiram a pobreza das fazendas nos fiordes Narssaq e Sermilik, o que acabou forçando o abandono de fazendas na cabeceira do vale Qoroq e em maiores altitudes na região de Vatnahverfi.

6. Se possível, monte a sua fazenda em um fiorde com um bom porto para poder embarcar ou desembarcar suprimentos.

Os laticínios não eram suficientes para alimentar os cinco mil nórdicos da Groenlândia. A agricultura não era suficiente para sanar o déficit resultante, porque era uma atividade muito marginal em um lugar com clima tão frio e um verão tão curto quanto a Groenlândia. Documentos noruegueses contemporâneos mencionam que a maior parte dos habitantes da Groenlândia Nórdica nunca viram trigo, um pedaço de pão ou cerveja (fermentada de cevada) durante as suas vidas. Hoje, quando o clima da Groenlândia é semelhante ao que era quando da chegada dos nórdicos, vi em Gardar, a melhor de todas as antigas fazendas da Groenlândia Nórdica, duas pequenas hortas nas quais os modernos groenlandeses cultivavam algumas hortaliças resistentes ao frio: repolho, beterraba, ruibarbo e alface, que cresciam na Noruega medieval, além de batatas, que só chegaram à Europa após o fim das colônias da Groenlândia Nórdica. Os nórdicos também devem ter cultivado estas mesmas hortaliças (com exceção das batatas) em algumas hortas, além de, talvez, alguma cevada em anos especialmente amenos. Em Gardar e em duas outras fazendas da Colônia Oriental, na base de penhascos que deviam reter o calor do sol, e com paredes para manter as ovelhas e o vento a distância, vi pequenas extensões de terra que devem ter servido aos nórdicos como hortas. Mas nossa única prova direta do cultivo de hortas na Groenlândia Nórdica é algum pólen e sementes de linho, uma cultura medieval europeia que não é nativa da Groenlândia e, portanto, deve ter sido introduzida pelos nórdicos, além de ser útil para a fabricação de tecidos e de óleo de linhaça. Se os nórdicos cultivavam algum outro vegetal, este devia ter dado uma contribuição menor na sua dieta, provavelmente como alguma comida de luxo para alguns chefes e para o clero.

O outro principal componente da dieta da Groenlândia Nórdica era a carne de animais selvagens, especialmente caribus e focas, muito mais consumidas que na Noruega e na Islândia. Os caribus viviam em grandes rebanhos que passavam o verão nas montanhas e desciam para terrenos mais baixos durante o inverno. Os dentes de caribus encontrados em monturos nórdicos mostram que os animais eram caçados no outono, provavelmente com arco e flecha, em caçadas comunitárias com cães (os monturos também contêm ossos de grandes *elkhounds* [caçadores de alces]). As três principais espécies de focas caçadas eram a comum (aliás, foca-do-porto), que vive o ano inteiro na Groenlândia e vem às praias dos fiordes internos para terem filhotes na primavera, oportunidade em que eram facilmente pegadas com redes em barcos ou mortas a porretadas; e duas espécies de focas migratórias, que se reproduzem em Terra Nova e chegam à Groenlândia por volta de maio em grandes bandos, mas não penetram nos fiordes onde se localizavam a maioria das fazendas nórdicas. Para caçar essas focas migratórias, os nórdicos estabeleciam bases sazonais nos fiordes externos, a dezenas de quilômetros da fazenda mais próxima. A chegada das focas migratórias em maio era crítica para a sobrevivência nórdica, porque naquela época do ano os estoques de laticínios do verão anterior e de carne de caribu caçado no outono anterior estavam acabando, mas a neve ainda não desaparecera das fazendas, de modo que o gado ainda não havia sido solto no pasto e, consequentemente, ainda não dera à luz e não estava produzindo leite. Como veremos, isso tornava os nórdicos vulneráveis à fome caso a migração das focas não ocorresse, ou devido a algum obstáculo (como gelo nos fiordes e ao longo do litoral, ou *inuits* hostis) que impedisse o seu acesso às focas migratórias. Tais condições deviam ser especialmente comuns em anos frios, quando os nórdicos já estavam vulneráveis devido a verões frios e, portanto, com baixa produção de feno.

Através da medição da composição de ossos (chamada análise de isótopos de carbono) é possível calcular a razão entre alimentos marinhos e terrestres consumidos pelos seres humanos ou animais ao longo da vida. Ao ser aplicado a esqueletos nórdicos descobertos nos cemitérios da Groenlândia, este método demonstrou que a percentagem de alimentos marinhos (principalmente focas) consumidos na Colônia Oriental à época de sua fundação era de apenas 20%, mas cresceu para 80% durante os últimos anos de sobrevivência nórdica: possivelmente porque sua capacidade para produzir feno para alimentar o gado no inverno declinara, e também porque a população humana aumentada precisasse de mais comida do que seus rebanhos podiam fornecer. Em dado momento, o consumo de alimentos marinhos era mais alto na Colônia Ocidental do que na Colônia Oriental, porque a produção de feno era menor na Colônia Ocidental, que ficava mais ao norte. O consumo de foca pela população nórdica pode ter sido ainda maior do que o indicado por essas medidas, uma vez que os arqueólogos compreensivelmente preferem escavar fazendas grandes e ricas em vez de fazendas pequenas e pobres, mas os estudos disponíveis de ossos mostram que as pessoas em fazendas pequenas e pobres com apenas uma vaca comiam mais carne de foca do que os fazendeiros ricos. Em uma fazenda pobre da Colônia Ocidental, 70% de todos os ossos de animais nos monturos eram de focas.

Aparte esta grande dependência de focas e caribus, os nórdicos conseguiam quantidades menores de carne selvagem de pequenos mamíferos (especialmente lebres), aves marinhas, ptármigas, cisnes, êideres, mexilhões e baleias. Estas últimas provavelmente consistiam apenas em animais ocasionalmente encalhados; os sítios nórdicos não contêm arpões e nenhum outro equipamento para a caça à baleia. Toda carne não consumida imediatamente, fosse de gado ou de animais selvagens, era secada em prédios de estocagem chamados *skemmur,* construídos com pedras não cimentadas para que o vento passasse através delas e secasse a carne, localizados em lugares ventosos como o topo de serranias.

Notoriamente quase ausente dos sítios arqueológicos nórdicos é o peixe, muito embora os colonizadores da Groenlândia Nórdica descendessem de noruegeses e islandeses, que passavam muito tempo pescando e comiam com prazer muito peixe. Os ossos de peixe representam menos de 0,1% dos ossos de animais recuperados nos sítios arqueológicos da Groenlândia Nórdica, mas variavam de 50 a 95% na Islândia, norte da Noruega e Shetland. Por exemplo, o arqueólogo Thomas McGovern descobriu apenas três ossos de peixe em lixos nórdicos nas fazendas Vatnahverfi, junto de lagos repletos de peixe, enquanto Georg Nygaard recuperou apenas dois ossos de peixe de um total de 35 mil ossos de animais no lixo da fazenda nórdica Ö34. Mesmo no sítio GUS, que forneceu o maior número de ossos de peixe — 166, ou meros 0,7% de todos os ossos de animais recuperados no lugar — 26 desses ossos eram da cauda de um único bacalhau, e os ossos de todas as espécies de peixes ainda são superadas a uma razão de 3 por 1 pelos ossos de uma espécie de ave (a ptármiga) e superados em uma razão de 144 a 1 por ossos de mamíferos.

Esta escassez de ossos de peixe é incrível quando se considera quão abundantes são os peixes na Groenlândia e como os peixes de água salgada (especialmente o hadoque e o bacalhau) são de longe o maior produto de exportação da Groenlândia moderna. As trutas e salmonídeos são tão numerosos nos rios e lagos da Groenlândia, que em minha primeira noite no albergue da juventude em Brattahlid dividi a cozinha com uma turista dinamarquesa no preparo de dois grandes salmonídeos, cada um pesando quase um quilo e com cerca de 50 centímetros de comprimento, que ela pegou com as próprias mãos em um pequeno tanque onde os animais ficaram presos. Os nórdicos certamente eram tão hábeis quanto aquela turista, e também podiam ter pegado peixes com redes nos fiordes enquanto caçavam focas. Mesmo que os nórdicos não quisessem comer estes peixes facilmente capturáveis, ao menos poderiam dá-los aos cães, reduzindo assim a quantidade de focas e outras carnes que os cachorros consumiam, o que resultaria em mais carne para alimentação humana.

Todo arqueólogo que vem escavar na Groenlândia se recusa inicialmente a acreditar na incrível alegação de que a Groenlândia Nórdica não comia peixe, e começa a especular onde estariam escondidos todos esses ossos de peixe. Teriam os nórdicos confinado o consumo de peixe a alguns metros do litoral, em lugares agora submersos? Teriam separado cuidadosamente todos os ossos de peixe para usar como fertilizante, combustível ou para alimentar as vacas? Teriam os cães sumido com todas essas carcaças de peixe, escondendo-as em campos escolhidos prevendo onde os futuros arqueólogos jamais se incomodariam em escavar, e cuidadosamente evitado carregar tais carcaças de volta para casa ou jogá-las em monturos onde os arqueólogos pudessem encontrá-las? Teriam os nórdicos tanta carne ao ponto de não precisarem comer peixe? — mas por que, então, quebravam os ossos para extrair os últimos pedaços de tutano? Teriam todos esses pequenos ossos de peixe apodrecido no solo? — mas as condições de preservação nos monturos da Groenlândia são tão boas que preservam até mesmo piolhos e massa fecal de ovelhas. O problema com todas essas desculpas para a falta de ossos de peixe na Groenlândia Nórdica é que se aplicariam tão bem à Groenlândia *inuit* quanto aos sítios nórdicos da Noruega e Islândia, onde os ossos de peixe mostraram-se abundantes. Essas desculpas também não explicam por que os sítios da Groenlândia Nórdica quase não contêm anzóis e pesos de linha ou de rede, comuns em sítios nórdicos em outros lugares.

Prefiro encarar os fatos pelo modo como se apresentam: embora os nórdicos da Groenlândia tenham vindo de uma sociedade de comedores de peixe, podem ter desenvolvido um tabu contra o seu consumo. Cada sociedade tem os seus tabus alimentares arbitrários, como um entre diversos modos de se diferenciarem de outras sociedades: nós, gente limpa e virtuosa, não comemos essas coisas detestáveis de que esses grosseirões anormais parecem gostar. De longe, a maior proporção desses tabus envolve carne e peixe. Por exemplo, os franceses comem caracóis, rãs e cavalos. Os habitantes da Nova Guiné comem ratos e aranhas e larvas de besouro. Os mexicanos comem bodes e os polinésios comem vermes anelídeos marinhos, todos nutritivos e (se você se permitir prová-los) deliciosos, mas a maioria dos americanos jamais comeria qualquer uma dessas coisas.

Finalmente, a razão pela qual carne e peixe são muitas vezes objeto de tabu é o fato de que, muito mais do que os alimentos de origem vegetal, eles se degradam com o crescimento de bactérias e protozoários que causam envenenamentos alimentares ou doenças parasitárias quando os ingerimos. Isso é especialmente comum de ocorrer na Islândia e Escandinávia, onde as pessoas usam muitos métodos de fermentação para a conservação por longo prazo de peixe fedorento (os não escandinavos diriam "podre"), incluindo métodos que utilizam bactérias mortais causadoras de botulismo. A mais dolorosa doença que tive na vida, pior até mesmo que a malária, foi uma intoxicação alimentar após comer camarão comprado em um mercado em Cambridge, Inglaterra, e que evidentemente não estava fresco. Fiquei de cama durante diversos dias vomitando sem cessar, sofrendo terríveis dores musculares, de cabeça e diarreia. Isso me sugere um cenário para a Groenlândia Nórdica: talvez Erik, o Vermelho, nos primeiros anos da colonização da Groenlândia, tenha tido um caso semelhante de intoxicação alimentar após comer peixe. Ao se recuperar, teria contado a todos o mal que a ingestão de peixe faz ao organismo e como nós, groenlandeses, somos um povo limpo e orgulhoso que jamais se submeteria aos hábitos não salutares desses nojentos ictiófagos da Islândia e da Noruega.

A marginalidade da Groenlândia para a produção de gado significou que a Groenlândia Nórdica teve de desenvolver uma economia complexa e integrada de modo a alcançar seus objetivos. Tal integração envolveu tanto tempo quanto espaço: diferentes atividades eram programadas em diferentes estações, e diferentes fazendas especializadas na produção de coisas diferentes para trocar com outras fazendas.

Para compreender a programação sazonal, comecemos com a primavera. Em fim de maio e começo de junho chegava a breve embora crucial estação de caça à foca, quando as focas migratórias vagavam em bandos ao longo dos fiordes externos, e as focas comuns nativas vinham às praias para dar à luz e eram mais fáceis de capturar. Os meses de verão de junho a agosto eram uma estação particularmente trabalhosa. O gado era solto nos pastos e produzia leite para ser transformado em laticínios estocáveis; alguns homens saíam em barcos para o Labrador para cortar madeira; outros barcos dirigiam-se ao norte para caçar morsas; e chegavam barcos de carga da Islândia ou da Europa para fazer comércio. As semanas de agosto e início setembro eram muito ocupadas em cortar, secar e estocar feno, pouco antes das semanas de setembro quando as vacas eram trazidas de volta para os estábulos e as ovelhas e cabras para junto dos apriscos. Setembro e outubro eram a época da caça ao caribu, enquanto os meses de inverno de novembro a abril eram tempo de cuidar dos animais nos estábulos e apriscos, tecer, construir e fazer reparos com madeira, processar as presas de morsas mortas no verão — e rezar para que as reservas de laticínios e carne seca para alimentação humana, o feno para forragem e o combustível para aquecimento e para cozinhar não acabassem antes do fim do inverno.

Além dessa integração econômica no tempo, também era necessária a integração no espaço, porque nem mesmo as fazendas mais ricas da Groenlândia eram autossuficientes em tudo que precisavam para sobreviver durante o ano. Tal integração envolvia transferências entre os fiordes internos e externos, entre fazendas em terras altas e baixas, entre as duas colônias e entre fazendas ricas e pobres. Por exemplo, embora as melhores pastagens ficassem nas terras baixas nas cabeceiras dos fiordes internos, a caçada ao caribu se dava em fazendas de terras altas, impróprias para pastagens devido às suas temperaturas mais baixas e à estação de crescimento mais breve, enquanto a caçada à foca se concentrava nos fiordes externos onde o sal, o nevoeiro e o frio significavam baixa produtividade agrícola. Esses locais de caça nos fiordes externos estavam além do alcance das fazendas nos fiordes internos sempre que os fiordes congelavam ou se enchiam de *icebergs*. Os nórdicos resolveram esses problemas transportando carcaças de foca e aves marinhas dos fiordes externos para os internos, e quartos de caribus das fazendas das terras altas para as das terras baixas. Por exemplo, os ossos de foca são abundantes no lixo das fazendas de maior elevação, para as quais as carcaças tinham de ser transportadas dezenas de quilômetros das entradas dos fiordes. Nas fazendas Vatnahverfi, no interior, ossos de foca são tão comuns no lixo quanto os de cabra ou ovelha. Por outro lado, os ossos de caribu são mesmo mais comuns nas fazendas ricas das terras baixas do que nas fazendas pobres das terras altas onde os animais devem ter sido abatidos.

Por ficar a Colônia Ocidental a quase 500 quilômetros ao norte da Colônia Oriental, sua produção de feno por acre de pastagem era quase um terço daquela da Colônia Oriental. Contudo, a Colônia Ocidental ficava mais perto dos campos de caça de morsas e ursos polares, que eram o principal produto de exportação para a Europa, como explicarei. No entanto, presas de morsa foram encontradas em sítios arqueológicos da Colônia Oriental, onde evidentemente eram processadas no inverno, e o comércio naval (incluindo as exportações de marfim) com a Europa se realizava principalmente em Gardar e outras grandes fazendas da Colônia Oriental. Portanto, a Colônia Ocidental, embora muito menor que a Colônia Oriental, era crucial para a economia nórdica.

A integração entre fazendas mais pobres e fazendas mais ricas era necessária porque a produção de feno e o crescimento do pasto dependiam especialmente de uma combinação de dois fatores: temperatura e horas de luz do sol. Temperaturas mais altas e mais horas ou dias de luz do sol durante a estação de crescimento do verão significavam que a fazenda podia produzir mais pasto ou feno e, portanto, alimentar mais gado, pois ele tanto podia comer o pasto por conta própria durante o verão quanto ter mais feno para comer durante o inverno. Em um ano bom, as melhores fazendas em baixa altitude ou voltadas para o sul nos fiordes internos produziam mais excedentes de feno e gado, acima da quantidade necessária para a sobrevivência dos colonizadores enquanto as pequenas fazendas em maiores altitudes, próximas aos fiordes externos ou sem exposição para o sul, produziam menos excedentes. Em um ano ruim (mais frio e/ou mais nevoeiro), quando a produção de feno estava baixa em toda parte, as melhores fazendas ainda podiam ter algum excedente, embora pouco. Já as fazendas menores podiam ficar sem feno para alimentar todos os animais ao longo do inverno. Por isso, teriam de abater alguns animais no outono e, na pior das hipóteses, podiam não ter animais vivos na primavera. Na melhor das hipóteses, teriam de desviar toda a sua produção de leite para alimentar os bezerros, cordeiros e as crianças, enquanto os fazendeiros teriam de depender de carne de foca ou de caribu em vez dos laticínios para se alimentarem.

Pode-se perceber esta hierarquia de qualidade das fazendas pela diferença de espaço para as vacas nas ruínas dos estábulos nórdicos. A melhor fazenda, disparado, como se reflete no espaço destinado às suas vacas, era Gardar, única a ter dois enormes estábulos capazes de abrigar o total geral de 160 vacas. Os estábulos das diversas fazendas de segundo escalão, como as de Brattahlid e Sandnes, podiam abrigar de 30 a 50 vacas cada uma. Mas as fazendas pobres tinham espaço para apenas algumas vacas, às vezes uma apenas. O resultado era que as melhores fazendas subsidiavam as fazendas pobres em anos ruins, emprestando-lhes gado na primavera para que pudessem refazer seus rebanhos.

Assim, a sociedade da Groenlândia se caracterizava por muita interdependência e trocas, com focas e aves marinhas sendo transportados para o interior, caribus morro abaixo, presas de morsa para o sul e gado das fazendas ricas para as fazendas pobres. Mas na Groenlândia, assim como em toda parte do mundo onde as pessoas ricas e pobres são interdependentes, gente rica e gente pobre não acabavam com a mesma riqueza. Em vez disso, gente diferente acabava com diferentes proporções de alimentos mais ou menos valorizados em suas dietas, como reflete a contagem de ossos de diferentes espécies animais em seu lixo. A proporção de ossos das valorizadas vacas em relação aos das menosprezadas ovelhas, e de ovelhas em relação aos de cabras, que eram ainda mais desprezadas, era maior em fazendas ricas do que em fazendas pobres, e mais altas nas fazendas da Colônia Oriental do que nas fazendas da Colônia Ocidental. Os ossos de caribu, e especialmente os de foca, são mais frequentes na Colônia Ocidental do que na Colônia Oriental porque a Colônia Ocidental era mais marginal para a criação de gado e também ficava próxima aos hábitats dos caribus. Entre esses dois alimentos selvagens, o caribu está mais bem representado nas fazendas mais ricas (especialmente em Gardar), enquanto as pessoas em fazendas pobres comiam muito mais foca. Enquanto estava na Groenlândia, ao me forçar a comer carne de foca para satisfazer a curiosidade, não consegui ir além do segundo bocado e pude compreender por que gente com uma cultura alimentar europeia prefere carne de gamo à de foca caso possa escolher.

Ilustrando essas tendências com alguns números verdadeiros, o lixo da pobre fazenda W48 ou Niaquusat, na Colônia Ocidental, nos informa que a carne consumida por seus desafortunados habitantes chegou à triste proporção de 85% de focas, 6% de cabras, apenas 5% de caribus, 3% de ovelhas e 1% (ó dia abençoado!) de carne de vaca. Ao mesmo tempo, a gente bem-nascida de Sandnes, a fazenda mais rica da Colônia Ocidental, desfrutava de uma dieta de 32% de carne de caribu, 17% de carne de vaca, 6% de ovelha e 6% de cabra, deixando apenas 39% para as focas. Mais feliz que todos era a elite da fazenda Brattahlid, de Erik, o Vermelho, na Colônia Oriental, que conseguiu elevar o consumo de carne de vaca acima da de caribu ou de carneiro, e reduzir a carne de cabra a níveis insignificantes.

Dois fatos comoventes ilustram como pessoas de alto nível comiam alimentos muito menos disponíveis para pessoas de nível inferior, não obstante viverem na mesma fazenda. Primeiro, quando os arqueólogos escavaram as ruínas da catedral de St. Nicholas, em Gardar, descobriram sob o chão de pedra o esqueleto de um homem que segurava um cajado e portava um anel de bispo, provavelmente sendo John Arnason Smyrill, que serviu como bispo da Groenlândia de 1189 a 1209. A análise de isótopos de carbono de seus ossos demonstra que a sua dieta consistira de 75% de alimentos terrestres (provavelmente carne e queijo) e apenas 25% de alimentos marinhos (principalmente foca). Um homem e uma mulher da mesma época, cujos esqueletos foram enterrados imediatamente abaixo do bispo e que, portanto, se supõe ser de gente de alto nível social, haviam consumido uma dieta algo mais alta em alimentos marinhos (45%), mas tal porcentagem chegava a até 78% em outros esqueletos da Colônia Oriental, e 81% nos da Colônia Ocidental. Segundo, em Sandnes, a mais rica fazenda da Colônia Ocidental, os ossos de animais no lixo da casa-grande comprovaram que seus moradores comiam muito caribu e gado, mas pouca foca. A apenas 45 metros dali havia um estábulo no qual os animais eram mantidos no inverno, e onde viviam os trabalhadores da fazenda, junto aos animais e ao esterco. A lixeira do lado de fora do estábulo revelou que tais trabalhadores tinham de se contentar com foca, já que havia pouco caribu, carne de vaca ou de ovelha para comer.

A economia complexamente integrada que descrevi, baseada em criação de gado, caçadas no interior e caçadas nos fiordes, permitiu que a Groenlândia Nórdica sobrevivesse em um ambiente onde nenhum desses componentes por si só era suficiente para a sobrevivência. Mas tal economia também indica uma possível razão para o fim da Groenlândia Nórdica, pois era vulnerável à falha de qualquer um desses componentes. Muitos eventos climáticos possíveis podiam fazer surgir o espectro da fome: um verão curto, frio e enevoado, ou um agosto úmido, que diminuísse a produção de feno; um longo inverno com muita neve, difícil tanto para o gado quanto para os caribus, e que aumentava a necessidade de feno para alimentar o gado no inverno; gelo acumulado nos fiordes, impedindo o acesso aos fiordes externos durante a estação de caça à foca, de maio a junho; uma mudança na temperatura do mar que afetasse as populações de peixe e, portanto, as populações de focas, comedoras de peixe; ou uma mudança de temperatura na longínqua Terra Nova, afetando as focas migratórias em seus pontos de reprodução. Diversos desses eventos foram documentados na moderna Groenlândia: por exemplo, o frio inverno e as fortes nevascas de 1966-1967 mataram 22 mil ovelhas; durante os anos frios de 1959-1974 os números das focas migratórias caíram para 2% de sua habitual incidência. Mesmo nos melhores anos, a Colônia Ocidental tinha uma produção de feno mais próxima da marginal que a da Colônia Oriental, e uma queda de poucos graus na temperatura de verão seria suficiente para lhe causar falta de feno.

Os nórdicos podiam se recuperar das perdas de gado em um mau verão ou um inverno ruim, desde que estes fossem seguidos de uma série de anos bons que permitisse a reconstituição dos rebanhos, e desde que pudessem caçar focas e caribus suficientes para comer durante esses anos. Mais perigosa era uma década com diversos anos ruins, ou um verão de baixa produção de feno seguido de um longo inverno com grandes nevascas, que exigisse muito feno para alimentar o gado nos estábulos, em combinação com uma queda no número de focas ou alguma outra coisa que impedisse o acesso primaveril aos fiordes externos. Como veremos, foi isso o que acabou acontecendo com a Colônia Ocidental.

Cinco adjetivos um tanto contraditórios entre si caracterizam a sociedade da Groenlândia Nórdica: comunal, violenta, hierárquica, conservadora e eurocêntrica. Todas essas características foram herdadas das ancestrais sociedades da Islândia e da Noruega, mas se expressaram em grau extremo na Groenlândia.

Para começar, cerca de cinco mil nórdicos da Groenlândia viviam em 250 fazendas, com uma média de 20 pessoas por fazenda, organizadas em comunidades centradas em 14 igrejas principais, com uma média de 20 fazendas por igreja. A Groenlândia Nórdica era uma sociedade fortemente comunal, da qual uma pessoa não podia pretender sair e viver por conta própria e ter esperanças de sobreviver. Por um lado, a cooperação entre gente da mesma fazenda ou comunidade era essencial para a caça à foca, na primavera, a caça em Nordrseta no verão (descrita mais adiante), a colheita de feno no fim do verão, a caça outonal de caribus, e a construção, atividades que requeriam o trabalho conjunto de diversas pessoas e que teriam sido ineficazes ou impossíveis de realizar por uma única pessoa. (Imagine--se sozinho tentando cercar um rebanho selvagem de caribus ou de focas, ou erguer uma pedra de quatro toneladas até o topo de uma catedral.) Por outro lado, a cooperação também era necessária para a integração econômica entre fazendas e, especialmente, entre comunidades, porque diferentes regiões da Groenlândia produziam coisas diferentes, de modo que as pessoas em lugares diferentes dependiam das outras para obter as coisas que não produziam. Já mencionei a transferência de focas caçadas nos fiordes externos para os fiordes internos, de carne de caribu caçada nas terras altas e levada para as terras baixas e de gado de fazendas ricas transferido para fazendas pobres que perderam seus animais em um inverno mais severo. As 160 vacas para as quais os estábulos de Gardar tinham baias de longe excediam qualquer necessidade local concebível. Como veremos, as presas de morsas, o item de exportação mais valioso da Groenlândia, eram obtidas por alguns caçadores da Colônia Ocidental nos campos de caça de Nordrseta, mas então eram distribuídas pelas fazendas de ambas as colônias para a laboriosa tarefa de processamento antes da exportação.

Pertencer a uma fazenda era essencial tanto para a sobrevivência quanto para a identidade social. Cada pedaço de terra útil nas duas colônias era de propriedade ou de uma fazenda isoladamente ou de um grupo de fazendas, que portanto tinha direito a todos os recursos da terra, incluindo não apenas os pastos e o feno que produziam, como também seus caribus, turfa, bagas e até mesmo a madeira flutuante que por ali aparecesse. Portanto, um habitante da Groenlândia não poderia caçar e criar gado por conta própria. Na Islândia, se alguém perdesse a fazenda ou fosse exilado, podia tentar viver em outro lugar — ou em uma ilha, uma fazenda abandonada, ou nas terras altas do interior. Na Groenlândia, onde não havia "outro lugar" para ir, essa opção não existia.

O resultado era uma sociedade estritamente controlada, na qual os chefes das fazendas mais ricas podiam impedir qualquer um de fazer qualquer coisa que ameaçasse os seus interesses — incluindo aqueles que estivessem experimentando novidades que não prometessem beneficiar os chefes. A Colônia Ocidental era controlada por Sandnes, sua fazenda mais rica e a única com acesso aos fiordes externos, enquanto a Colônia Oriental era controlada por Gardar, sua fazenda mais rica e sé do bispado groenlandês. Veremos que essa consideração nos ajudará a compreender o destino final da sociedade da Groenlândia Nórdica.

Além do espírito comunitário, os groenlandeses também trouxeram da Islândia e da Noruega um traço de extrema violência. Algumas de nossas evidências vêm por escrito: quando o rei Sigurd Jorsalfar, da Noruega, propôs a um padre chamado Arnald que este fosse à Groenlândia como seu primeiro bispo residente em 1124, a desculpa de Arnald para não aceitar o convite incluiu o argumento de que os groenlandeses eram um povo mau. Ao que o astuto rei replicou: "Quanto maiores forem as privações que sofrer nas mãos dos homens, maiores serão os seus méritos e recompensas." Arnald aceitou com a condição de que o filho de um chefe muito respeitado chamado Einar Sokkason jurasse defendê-lo, assim como à propriedade da igreja na Groenlândia, além de atacar os seus inimigos. Como narrado na saga de Einar Sokkason (ver sinopse a seguir), ao chegar à Groenlândia Arnald se envolveu nas habitualmente violentas contendas locais, mas lidou tão bem com o assunto que os principais litigantes (incluindo o próprio Einar Sokkason) acabaram se matando entre si enquanto Arnald manteve sua vida e sua autoridade.

A outra prova de violência na Groenlândia é mais concreta. O cemitério da igreja em Brattahlid inclui, além de muitas covas individuais com esqueletos inteiros, uma vala comum datando do início da colonização da Groenlândia, contendo os ossos desarticulados de 13 homens adultos e uma criança de nove anos, provavelmente uma facção de um clã que perdeu uma disputa. Cinco desses esqueletos mostram ferimentos no crânio infligidos por instrumento cortante, possivelmente machado ou espada. Embora dois desses ferimentos de crânio apresentem sinais de cura, implicando que as vítimas sobreviveram ao golpe para morrer muito depois, as feridas de três outros exibiam pouca ou nenhuma cicatrização, implicando morte rápida. Tal resultado não é surpreendente quando se veem fotos desses crânios: em um deles falta um pedaço de osso de oito centímetros de comprimento por cinco de largura. Os ferimentos de crânio eram todos no lado esquerdo anterior ou no lado direito posterior, como se um atacante destro os tivesse golpeado pela frente ou por trás, respectivamente. (A maioria dos ferimentos de espada encaixa-se nesse padrão, porque a maioria das pessoas é destra.)

COLAPSO

Outro esqueleto masculino no mesmo cemitério tinha uma lâmina de faca entre as costelas. Dois esqueletos femininos no cemitério de Sandnes com ferimentos semelhantes no crânio atestam que as mulheres também morriam em conflitos. Datando de anos posteriores da colonização da

---

UMA SEMANA TÍPICA NA VIDA DO BISPO DA GROENLÂNDIA: A SAGA DE EINAR SOKKASON

Enquanto caçava com 14 amigos, Sigurd Njalsson encontrou na praia um barco com uma carga valiosa. Em uma cabana próxima estavam os restos decompostos da tripulação do barco e de seu capitão, Arnbjorn, que morreram de fome. Sigurd trouxe os ossos da tripulação para a catedral de Gardar para serem enterrados e doou o barco para o bispo Arnald para que este encaminhasse a alma dos mortos. Quanto à carga, assegurou para si o direito de posse do achado e dividiu-a entre si e os amigos.

Quando o sobrinho de Arnbjorn, Ozur, ouviu a notícia, foi até Gardar, acompanhado de parentes de outros tripulantes mortos. Estes disseram ao bispo que se sentiam com direito à carga. Mas o bispo respondeu que a lei da Groenlândia especificava que a carga e o navio deveriam ficar com a igreja, para o pagamento de missas para as almas dos mortos, e que era uma vergonha que Ozur e seus amigos viessem reclamar a carga àquela altura. Então Ozur propôs uma ação judicial na assembleia da Groenlândia, à qual compareceram Ozur, todos os seus homens, assim como o bispo Arnald, seu amigo Einar Sokkason e muitos de seus homens. A corte decidiu contra Ozur, que não se conformou com a decisão, sentiu-se humilhado e arruinou o barco de Sigurd (que então pertencia ao bispo Arnald), danificando pranchas de madeira ao longo das duas laterais do casco. Isso fez o bispo ficar tão furioso que esconjurou Ozur.

Enquanto o bispo ministrava missa na igreja, Ozur, que estava na congregação, reclamou com o servo do bispo, Einar, a respeito do tratamento que o bispo lhe dera. Ao ouvir as queixas de Ozur, Einar tomou um machado da mão de outro fiel e desferiu um golpe mortal em Ozur. O bispo perguntou a Einar: "Einar, você matou Ozur?" "Sim", disse Einar, "Matei." A resposta do bispo foi: "Tais atos homicidas não são certos. Mas este, em particular, é justificável." O bispo não quis dar a Ozur um

O FLORESCER DA GROENLÂNDIA NÓRDICA

Groenlândia, a um tempo em que machados e espadas tornaram-se raros devido à escassez de ferro, há crânios de quatro mulheres adultas e de uma criança de oito anos, todos com um ou dois orifícios de bordas afiadas com um e meio a três centímetros de diâmetro, evidentemente feitos por

enterro cristão, mas Einar advertiu-o de que teriam grandes problemas no futuro.

De fato, Simon, parente de Ozur, um homem muito grande e forte, decidiu que não era hora de conversa fiada. Por isso, juntou os amigos Kolbein Thorljotsson, Keitel Kalfsson e muitos outros homens da Colônia Ocidental. Um velho chamado Sokki Thorisson ofereceu-se para mediar as negociações entre Simon e Einar. Como compensação por ter mata-do Ozur, Einar ofereceu alguns artigos, incluindo uma velha armadura, que Simon rejeitou como lixo. Kolbein esgueirou-se por trás de Einar e atingiu-o entre os ombros com um machado, no exato momento em que Einar golpeava a cabeça de Simon com outro machado. Enquanto Simon e Einar agonizavam, Einar comentou: "Era o que eu esperava." O irmão adotivo de Einar, Thord, correu em direção a Kolbein, mas este o matou imediatamente, cravando o machado em sua garganta.

Os homens de Einar e Kolbein começaram a lutar entre si. Um certo Steingrim interferiu pedindo que, por favor, parassem de lutar, mas ambos os lados estavam tão furiosos que atravessaram Steingrim com uma espada. Do lado de Kolbein, Krak, Thorir e Vighvat acabaram morrendo, assim como Simon. Do lado de Einar, Bjorn, Thorarin, Thord e Thorfinn acabaram mortos, assim como Einar e Steingrim, incluído como membro do grupo de Einar. Muitos estavam gravemente feridos. Em um encontro de paz organizado por um sensato fazendeiro chamado Hall, o lado de Kolbein foi obrigado a pagar uma compensação porque o lado de Einar perdera mais homens. Ainda assim, o lado de Einar ficou amargamente desapontado com o veredicto. Kolbein foi embora para a Noruega com um urso polar que deu de presente para o rei Harald Gilli, ainda reclaman-do de quão cruelmente fora tratado. O rei Harald achou que a história de Kolbein não passava de um monte de mentiras e recusou-se a pagar uma recompensa pelo urso polar. Então, Kolbein atacou e feriu o rei, fugindo para a Dinamarca, mas afogou-se no caminho. E esse é o fim de sua saga.

projéteis ou setas de balestra. A violência doméstica é sugerida pelo esqueleto de uma mulher de 50 anos com o osso hioide fraturado encontrado na catedral de Gardar; os patologistas forenses aprenderam a interpretar um hioide fraturado como evidência de que a vítima foi estrangulada.

Além desse traço de violência que coexistia com a ênfase na cooperação comunitária, a Groenlândia Nórdica também trouxe da Islândia e da Noruega uma organização social nitidamente estratificada e hierarquicamente organizada, de modo que um reduzido número de chefes tinha poder sobre os donos das fazendas menores, locatários que nem mesmo possuíam as suas próprias fazendas, e (inicialmente) escravos. Assim como a Islândia, a Groenlândia não era politicamente organizada como um estado e sim como uma federação livre de chefes operando em condições feudais, sem dinheiro nem economia de mercado. No primeiro ou segundo século da colonização da Groenlândia, a escravidão desapareceu e os escravos foram libertos. Contudo, o número de fazendeiros independentes provavelmente diminuiu com o tempo à medida que eram obrigados a se tornarem locatários de seus chefes, um processo que é bem documentado na Islândia. Não temos registros correspondentes para o processo na Groenlândia, mas parece ter sido semelhante uma vez que as forças que o promoviam eram ainda mais intensas do que na Islândia. Tais forças consistiam nas flutuações climáticas, que faziam com que os fazendeiros mais pobres ficassem devendo aos mais ricos pelo empréstimo de feno e gado em anos ruins, e os credores podiam executar a hipoteca. Ainda veem-se evidências dessa hierarquia entre as ruínas das fazendas nórdicas da Groenlândia: comparadas com as fazendas mais pobres, as mais bem localizadas tinham mais e melhores pastagens, maiores estábulos para vacas e ovelhas, com baias para mais animais, maiores celeiros de feno, maiores casas, igrejas e forjas. A hierarquia também fica evidente na maior proporção de ossos de vacas e caribus em relação aos de ovelhas e focas nos monturos das fazendas ricas em comparação com os monturos das fazendas pobres.

Ainda como a Islândia, a Groenlândia *viking* era uma sociedade conservadora, resistente à mudança e aferrada à tradição, se comparada às sociedades *vikings* da Noruega. Ao longo dos séculos, houve pouca mudança no estilo de ferramentas e entalhes. A pesca foi abandonada nos primeiros anos da colônia, e os groenlandeses não reconsideraram esta decisão durante os quatro séculos e meio da existência de sua sociedade. Não aprenderam com os *inuits* como caçar focas-aneladas-do-ártico ou baleias, embora isso significasse passar fome por não comer alimentos localmente disponíveis. A razão fundamental por trás dessa atitude conservadora dos groenlandeses pode ter sido a mesma à qual os meus amigos islandeses atribuem o conservadorismo de sua própria sociedade. Ou seja, muito mais do que os islandeses, os groenlandeses viram-se em um ambiente muito difícil. Embora tenham sido bem-sucedidos no desenvolvimento de uma economia que lhes permitiu sobreviver ali durante muitas gerações, descobriram que as variações nesta economia com muito mais probabilidade se mostrariam desastrosas do que vantajosas. Esta era uma boa razão para ser conservador.

O último adjetivo que caracteriza a sociedade da Groenlândia Nórdica é "eurocêntrica". Da Europa, os groenlandeses recebiam bens materiais, porém ainda mais importantes eram as importações não materiais: sua identidade como cristãos e como europeus. Primeiro, consideremos o comércio material. Que bens comerciais eram importados pela Groenlândia, e com quais exportações os groenlandeses pagavam por essas importações?

A viagem da Noruega para a Groenlândia levava uma semana ou mais em barcos a vela medievais, e era perigosa. Os anais mencionam naufrágios, ou barcos que zarparam e dos quais nunca mais se ouviu falar. Portanto, os groenlandeses eram visitados, na melhor das hipóteses, por um par de barcos europeus a cada ano, e, às vezes, apenas um em um intervalo de alguns anos. Além disso, a capacidade dos barcos de carga europeus era pequena nessa época. Estimativas da frequência de visitas de barcos, sua capacidade e da população da Groenlândia nos permitem calcular que as importações se davam à razão média de três quilos de carga por pessoa por ano. A maioria dos groenlandeses recebia muito menos, porque muito dessa capacidade de carga era dedicada a materiais para construção de igrejas e luxos para a elite. Portanto, as importações só podiam ser de itens valiosos que ocupassem pouco espaço. Em particular, a Groenlândia tinha de ser autossuficiente em comida e não podia depender de volumosas importações de cereais e outros alimentos básicos.

Nossas duas fontes de informação sobre as importações da Groenlândia são listas nos registros noruegueses, e os itens de origem europeia encontrados em sítios arqueológicos na Groenlândia. Incluem especialmente três produtos: ferro, que os groenlandeses tinham dificuldade de produzir por conta própria; boa madeira para a construção de casas e móveis, da qual também eram carentes; e alcatrão, como lubrificante e conservador de madeira. Quanto às importações não utilitárias, muitas eram para a igreja, incluindo sinos, vitrais, castiçais de bronze, vinho de comunhão, linho, seda, prata, roupas de clérigos e joias. Entre os luxos seculares encontrados em sítios arqueológicos de casas de fazenda estavam o peltre, cerâmica, contas de vidro e botões. As importações de comidas de luxo que ocupavam pouco espaço provavelmente incluíam mel para ser fermentado em hidromel, além de sal para ser usado como conservante.

Em troca dessas importações, a mesma consideração a respeito da limitada capacidade de carga dos barcos teria evitado que os groenlandeses exportassem peixe em quantidade, como fez a Islândia medieval e como faz a moderna Groenlândia, mesmo que os groenlandeses pescassem. As exportações da Groenlândia também tinham de ser de coisas de pouco volume e alto valor. Incluíam peles de cabras, bois e focas, que os europeus também podiam obter de outros países mas que a Europa medieval necessitava em grandes quantidades para fazer roupas de couro, sapatos e cintos. Assim como a Islândia, a Groenlândia exportava lã, que era valorizada por ser à prova d'água. Mas a exportação de maior valor da Groenlândia mencionada em registros noruegueses eram cinco produtos derivados de animais do Ártico raros ou ausentes na maior parte da Europa: o marfim das presas de morsa, o couro desses animais (valorizado por fornecer cordas resistentes para os navios), ursos polares ou suas peles como um símbolo espetacular de *status*, presas de narval (uma pequena baleia) conhecidas na Europa de então como chifres de unicórnio, e gerifaltes vivos (o maior falcão do mundo). As presas de morsa tornaram-se o único marfim para entalhe disponível na Europa medieval depois que os muçulmanos tomaram o controle do Mediterrâneo e interromperam os suprimentos de marfim de elefante para a Europa cristã. Como exemplo do valor dos gerifaltes da Groenlândia, uma dúzia dessas aves foi suficiente para pagar o resgate do filho do duque da Borgonha em 1396, após este ter sido capturado pelos sarracenos.

As morsas e os ursos polares eram virtualmente confinados às latitudes no extremo norte das duas colônias nórdicas, em uma área chamada Nordrseta (campo de caça do norte), que começava várias centenas de quilômetros além da Colônia Ocidental e se estendia para o norte ao longo da costa oeste da Groenlândia. Portanto, a cada verão, os groenlandeses enviavam grupos de caçadores em pequenos barcos a remo com velas, que podiam percorrer 32 quilômetros por dia e transportar até uma tonelada e meia de carga. Os caçadores partiam em junho, após o auge da caçada às focas migratórias, e levavam duas semanas para chegar a Nordrseta vindos da Colônia Ocidental — ou quatro semanas se partissem da Colônia Oriental — e voltavam novamente no fim de agosto. Em barcos tão pequenos, obviamente não podiam transportar as carcaças de centenas de morsas e ursos polares, que pesavam perto de uma e uma tonelada e meia, respectivamente. Em vez disso, os animais eram abatidos no local, e apenas as mandíbulas das morsas com as presas, e as peles de urso com suas patas (além dos ursos cativos ocasionais), eram trazidos, para que as presas fossem extraídas e a pele limpa com calma nas colônias durante o longo inverno. Também traziam para casa o báculo das morsas macho, um osso em forma de bastão com cerca de 30 centímetros de comprimento que forma o cerne do pênis da morsa, porque se verificou que tinha o tamanho e a forma ideal (e, suspeita-se, valor de troca) para servir como cabo de machado ou de gancho.

A caçada em Nordrseta era perigosa e cara por vários motivos. Para começar, caçar morsas e ursos polares sem armas de fogo devia ser muito perigoso. Imagine-se equipado com apenas um dardo, lança, arco e flecha ou porrete (pode escolher) tentando matar uma morsa ou um urso enorme e furioso antes que ele mate você. Também imagine-se passando diversas semanas em um pequeno barco a remo com um urso polar amarrado, ou seus filhotes. Mesmo sem a companhia de um urso vivo, a viagem de barco em si pela costa tempestuosa da Groenlândia Ocidental expunha os caçadores ao risco de morrerem em um naufrágio ou pela exposição ao frio durante várias semanas. Além desses perigos, a viagem implicava o uso de barcos, de força humana e de tempo de verão para gente que tinha carência dessas três coisas. Devido à escassez de madeira na Groenlândia, poucos groenlandeses possuíam barcos, e usar esses barcos preciosos para caçar morsas impedia que fossem usados para outros propósitos, como ir ao Labrador para adquirir mais madeira. A caçada ocorria no verão, quando os homens eram necessários na colheita do feno, indispensável para alimentar o gado no inverno. Muito do que os groenlandeses obtinham materialmente através do comércio com a Europa em troca dessas presas de morsa e peles de urso eram apenas bens de luxo para as igrejas e para os chefes. De nossa perspectiva atual, não podemos deixar de pensar em usos mais importantes que os groenlandeses podiam ter dado a esses barcos e ao seu tempo de trabalho. Da perspectiva dos groenlandeses, porém, a caçada devia trazer muito prestígio para os caçadores, e mantinha o contato psicologicamente vital da comunidade com a Europa.

O comércio da Groenlândia com a Europa se dava principalmente através dos portos noruegueses de Bergen e Trondheim. Embora no início algumas cargas tenham sido transportadas em barcos oceânicos pertencentes a islandeses e dos próprios groenlandeses, tais barcos não podiam ser substituídos quando envelheciam devido à falta de madeira das ilhas, deixando o comércio para os barcos noruegueses. Em meados do século XIII, havia frequentes períodos nos quais nenhum barco visitava a Groenlândia. Em 1257, o rei da Noruega, Haakon Haakonsson, como parte de seus esforços para firmar sua autoridade sobre todas as sociedades nórdicas das ilhas do Atlântico, mandou três enviados à Groenlândia para convencer os seus até então independentes habitantes a reconhecerem sua soberania e pagar-lhe tributo. Embora os detalhes do acordo resultante não tenham sido preservados, alguns documentos sugerem que a aceitação da soberania norueguesa em 1261 foi obtida mediante a promessa do envio de dois navios por ano, semelhante ao acordo simultâneo firmado com a Islândia que estipulou seis navios por ano. Daí em diante, o comércio com a Groenlândia se tornou um monopólio real norueguês. Mas a associação da Groenlândia com a Noruega continuou indefinida, e a autoridade norueguesa era difícil de ser mantida por causa da distância da Groenlândia. Sabemos com certeza que um agente real residiu na Groenlândia em tempos diversos no século XIV.

Pelo menos tão importantes quanto as exportações materiais da Europa para a Groenlândia eram as exportações psicológicas de identidade cristã e europeia. Essas duas identidades podem explicar por que os groenlandeses agiam de um modo que, hoje, com o benefício da visão retrospectiva, achamos que era inadequado e acabou custando-lhes as vidas, mas que durante muitos séculos permitiu que mantivessem uma sociedade funcional sob as mais difíceis condições jamais enfrentadas por qualquer europeu medieval.

A Groenlândia se converteu ao cristianismo por volta do ano 1000 d.C., ao mesmo tempo da conversão da Islândia, de outras colônias *vikings* no Atlântico e da própria Noruega. Durante mais de um século, as igrejas da Groenlândia eram pequenas estruturas feitas de turfa localizadas em algumas fazendas, principalmente nas maiores. Muito provavelmente, assim como na Islândia, eram "igrejas de proprietário", construídas pelo e de propriedade do fazendeiro, que recebia parte dos dízimos pagos à igreja por seus membros locais.

Mas a Groenlândia ainda não tinha um bispo residente, cuja presença era necessária para a realização das crismas e para que uma igreja fosse considerada consagrada. Portanto, por volta de 1118, aquele mesmo Einar Sokkason que já encontramos como herói de saga, morto por um golpe de machado pelas costas, foi mandado pelos groenlandeses à Noruega para persuadir o rei a fornecer um bispo para a Groenlândia. Como incentivo, Einar trouxe uma grande quantidade de marfim, couro de morsa e — melhor de tudo — um urso polar vivo para presentear o rei. A coisa funcionou. O rei, por sua vez, persuadiu Arnald, que já conhecemos na saga de Einar Sokkason, a se tornar o primeiro bispo residente da Groenlândia, seguido por nove outros ao longo dos séculos seguintes. Sem exceção, todos nasceram e foram educados na Europa e vieram para a Groenlândia só depois de serem ordenados bispos. Não é de surpreender, eles buscavam seus modelos na Europa, preferiam carne de vaca à de foca e dirigiam os recursos da sociedade da Groenlândia à caçada em Nordrseta, que permitia que comprassem vinho e vestimentas para si, e vitrais para as janelas de suas igrejas.

Um grande programa de construção de igrejas seguindo o modelo de igrejas europeias seguiu-se à nomeação de Arnald e continuou até perto de 1300, quando foi erguida a bela igreja de Hvalsey, uma das últimas. Os estabelecimentos eclesiásticos da Groenlândia passaram a consistir em uma catedral, cerca de 13 grandes igrejas de paróquia, muitas igrejas menores e até um mosteiro e um convento. Embora a maioria das igrejas fosse feita de pedra na metade inferior de suas paredes e de turfa na metade superior, a igreja de Hvalsey e ao menos três outras tinham paredes inteiramente de pedra. Essas grandes igrejas eram todas desproporcionais em relação ao tamanho da pequena sociedade que as ergueu e manteve.

Por exemplo, a catedral de St. Nicholas, em Gardar, medindo 32 metros de comprimento e 16 de largura, era tão grande quanto as duas catedrais da Islândia, cuja população era 10 vezes maior que a da Groenlândia. Calculei que o maior bloco de pedra de suas paredes inferiores, caprichosamente talhado de modo a se encaixar nos outros e trazido das pedreiras de arenito a quase dois quilômetros de distância, pesava cerca de três toneladas. Ainda maior era uma laje de cerca de 10 toneladas em frente à casa do bispo. Estruturas adjacentes incluíam uma torre de sino de 24 metros de altura, o maior salão cerimonial da Groenlândia, com uma área de 430 m², quase três quartos do tamanho do salão do arcebispo de Trondheim, na Noruega. Em escala igualmente generosa foram construídos os dois estábulos de vacas da catedral, um deles com 63 metros de comprimento (o maior da Groenlândia) e dotado de um lintel de pedra que pesava cerca de quatro toneladas. Como um esplêndido sinal de boas-vindas aos seus visitantes, a catedral era decorada com 25 crânios completos de morsa e cinco de narval, que devem ser os únicos preservados em qualquer lugar da Groenlândia Nórdica. Afora esses, os arqueólogos só encontraram lascas de marfim, porque eram muito valiosos e quase inteiramente exportados para a Europa.

A catedral de Gardar e outras igrejas da Groenlândia devem ter consumido enormes quantidades da escassa madeira para sustentar suas paredes e telhados. A parafernália eclesiástica importada, como sinos de bronze e vinho para a comunhão, também era cara para os groenlandeses porque era paga com o suor e o sangue dos caçadores de Nordrseta, e competiam com o ferro essencial pelo limitado espaço de carga nos navios que chegavam. Além disso, os groenlandeses tinham de pagar um dízimo anual a Roma e um dízimo adicional de cruzada cobrado a todos os cristãos. Esses dízimos eram pagos com as exportações da Groenlândia enviadas a Bergen e ali convertidas em prata. Um recibo remanescente de um desses embarques, o dízimo da cruzada de 1274-1280, mostra que consistia em 666 quilos de marfim de presas de 191 morsas, que o bispo da Noruega conseguiu vender por 12 quilos de prata pura. O fato de ser a Igreja capaz de extrair tais dízimos e completar os seus planos de construção testifica a autoridade de que desfrutava na Groenlândia.

As terras da Igreja acabaram abrangendo a maior parte das melhores terras da Groenlândia, incluindo um terço da terra da Colônia Oriental. Os dízimos à igreja da Groenlândia, e possivelmente outros produtos de exportação para a Europa, passavam por Gardar, onde ainda é possível ver as ruínas de um grande armazém de estocagem, contíguas ao canto sudoeste da catedral. Por Gardar ter o maior armazém da Groenlândia, assim como o maior rebanho de gado e as terras mais ricas, quem quer que controlasse Gardar controlava a Groenlândia. O que continua obscuro é se Gardar e as outras igrejas de fazenda da Groenlândia eram mesmo de propriedade da Igreja ou dos fazendeiros em cujas terras estavam. Mas quer a sua propriedade e autoridade ficasse com o bispo ou com os chefes não altera a conclusão principal: a Groenlândia era uma sociedade hierárquica, com grandes diferenças de riqueza justificadas pela Igreja, e com um investimento desproporcional em igrejas. Novamente, nós, modernos, temos de imaginar se os groenlandeses não teriam se saído melhor caso importassem menos sinos de bronze e mais ferro para fazer ferramentas, armas para se defenderem dos *inuits*, ou bens para comerciar com os *inuits* em troca de carne em épocas difíceis. Mas fazemos estas perguntas com o benefício da visão retrospectiva, e sem considerarmos a herança cultural que levou os groenlandeses a fazerem as escolhas que fizeram.

Além dessa específica identidade como cristãos, os groenlandeses mantiveram sua identidade europeia de muitas outras maneiras, incluindo suas importações de castiçais de bronze, botões de vidro e anéis de ouro. Ao longo dos séculos de sua existência colonial, os groenlandeses seguiram e adotaram detalhadamente as cambiantes modas da Europa. Um bem documentado conjunto de exemplos envolve costumes funerários, como revelado através da escavação de corpos em pátios de igrejas na Escandinávia e na Groenlândia. Os noruegueses da Idade Média enterravam crianças e natimortos ao redor da empena leste da igreja; o mesmo faziam os groenlandeses. Os noruegueses medievais enterravam os corpos em ataúdes, com mulheres no lado sul dos pátios e os homens no lado norte; posteriormente dispensaram os ataúdes e apenas envolviam os corpos em roupas ou em uma mortalha, e misturavam os sexos no pátio. Com o tempo, os groenlandeses fizeram essas mesmas mudanças. Em cemitérios da Europa continental ao longo de toda a Idade Média, os corpos eram deitados de costas com o crânio voltado para o oeste e os pés para o leste (de modo que os mortos pudessem "olhar" para leste), mas a posição dos braços mudou com o tempo: até 1250 os braços ficavam paralelos ao tronco. Então, por volta de 1250, eram ligeiramente dobrados sobre os quadris, posteriormente ainda mais dobrados para repousarem sobre o estômago e, finalmente, no fim da Idade Média, dobrados sobre o peito. Essas mudanças na posição de braços também ocorreram nos cemitérios da Groenlândia.

Da mesma forma, a construção de igrejas na Groenlândia seguiu modelos noruegueses europeus e suas mudanças ao longo do tempo. Qualquer turista acostumado às catedrais europeias, com suas longas naves, entradas principais voltadas para o ocidente, coros e transeptos norte e sul, imediatamente reconheceria todas essas características nas ruínas de pedra da catedral de Gardar. A igreja de Hvalsey lembra tanto a igreja de Eidljord, na Noruega, que podemos concluir terem os groenlandeses trazido o mesmo arquiteto ou copiado o projeto. Entre 1200 e 1225, os construtores noruegueses abandonaram sua unidade de medida linear anterior (o chamado pé romano internacional) e adotaram o pé grego, que era menor; os construtores da Groenlândia fizeram o mesmo.

A imitação de modelos europeus se estendeu a detalhes domésticos como pentes e roupas. Os pentes noruegueses tinham dentes em apenas um lado da haste, até perto de 1200, quanto esses pentes saíram de moda e foram substituídos por modelos com duas fileiras de dentes projetando-se da haste em direções opostas; os groenlandeses seguiram esta mudança no estilo de pente. (Isso traz à mente o comentário de Henry Thoreau, em seu livro *Walden,* sobre gente que adota servilmente o último estilo da moda de uma terra distante: "O macaco chefe em Paris põe um boné de viagem, e todos os macacos na América fazem o mesmo.") O excelente estado de preservação das roupas dos corpos enterrados no chão gelado do adro da igreja de Herjolfsnes, nas últimas décadas de existência da colônia da Groenlândia, demonstra que as roupas da Groenlândia seguiam as elegantes modas europeias, embora menos adequadas ao clima frio da Groenlândia do que o anoraque *inuit* de peça única com mangas justas e capuz acoplado. Estas roupas do fim da Groenlândia Nórdica incluíam, para as mulheres, vestido longo, de gola baixa, com cintura estreita; e para os homens um casaco esportivo chamado *houpelande,* uma veste externa longa e frouxa presa à cintura por um cinto e com mangas largas que deixavam passar o vento, blusão abotoado na frente e chapéus compridos e cilíndricos.

A adoção de todos esses estilos europeus evidencia a atenção que os groenlandeses prestavam à moda europeia, que seguiam minuciosamente. Tal adoção trazia em si a mensagem inconsciente: "Somos europeus, somos cristãos, Deus proíbe que sejamos confundidos com *inuits*." Quando comecei a ir para a Austrália na década de 1960, descobri que os australianos eram mais ingleses que a própria Inglaterra. Da mesma forma, o posto avançado mais remoto da Europa permanecia emocionalmente ligado àquele continente. Isso não teria tido grandes consequências se tais laços se expressassem apenas através de pentes de dois lados e na posição dos braços dos defuntos. Mas a insistência com a ideia de "somos europeus" tornou-se mais séria quando levou à teimosa insistência na criação de vacas na Groenlândia, ao desvio de força de trabalho da colheita de feno no verão para a caçada em Nordrseta, a recusa em adotar características úteis da tecnologia *inuit* e morrer de fome como resultado disso. Os apuros nos quais se meteram os groenlandeses são de difícil compreensão para nós, que vivemos em sociedades modernas seculares. Para eles, porém, tão preocupados com a sua sobrevivência social quanto com a sua biológica, estava fora de questão investir menos em igrejas, imitar ou criar laços matrimoniais com os *inuits* e, assim, enfrentar a eternidade no Inferno apenas para sobreviver a outro inverno na Terra. O apego dos groenlandeses à sua imagem cristã europeia pode ter sido um dos fatores de seu conservadorismo que já mencionei: mais europeus do que os próprios europeus e, portanto, culturalmente impedidos de fazer as drásticas mudanças de estilo de vida que poderiam tê-los ajudado a sobreviver.

CAPÍTULO 8

O FIM DA GROENLÂNDIA NÓRDICA

O começo do fim • Desmatamento • Dano ao solo e às pastagens
• Os antecessores dos *inuits* • Subsistência *inuit* • Relações entre
inuits e nórdicos • O fim • Causas inéditas do fim

No capítulo anterior vimos como os nórdicos inicialmente prosperaram na Groenlândia, devido a um oportuno conjunto de circunstâncias que cercaram sua chegada. Tiveram a sorte de descobrir uma paisagem virgem que nunca sofrera atividade madeireira ou fora usada para pastagem de animais, e que era adequada a esta prática. Chegaram em uma época de clima relativamente ameno, quando a produção de feno era suficiente na maioria dos anos, as rotas marítimas para a Europa estavam livres de gelo, havia uma demanda europeia por suas exportações de marfim de morsa e quando não havia nativos americanos perto das colônias ou campos de caça nórdicos.

Todas essas vantagens iniciais gradualmente voltaram-se contra os nórdicos, de um modo pelo qual eles têm alguma responsabilidade. Embora a mudança climática, a mudança da demanda europeia por marfim e a chegada dos *inuits* estivessem fora de seu controle, a maneira como os nórdicos lidavam com essas mudanças era problema deles. O impacto que causaram no ambiente foi um fator inteiramente de sua lavra. Neste capítulo, veremos como as mudanças nessas vantagens, e as reações dos nórdicos a essas mudanças, combinaram-se para pôr um fim à colônia da Groenlândia Nórdica.

Os habitantes da Groenlândia Nórdica danificaram seu ambiente pelo menos de três maneiras diferentes: destruindo a vegetação natural, provocando a erosão do solo e cortando a turfa. Assim que chegaram, queimaram florestas para abrir espaço para pastagens, então cortaram as árvores remanescentes para usar como material de construção ou como combustível. As árvores não puderam se regenerar devido à ação destrutiva dos animais domésticos, especialmente no inverno, quando as plantas ficavam mais vulneráveis porque nada mais crescia então.

Os efeitos desses impactos na vegetação natural foram medidos por nossos amigos palinologistas, que examinaram fatias de sedimentos recolhidos em lagos e pântanos datadas pelo método radiocarbônico. Nesses sedimentos ocorrem ao menos cinco indicadores ambientais: partes inteiras de plantas como folhas e pólen, ambos servindo para identificar as espécies que cresciam junto ao lugar onde foi recolhida a amostra; partículas de carvão, prova de fogo por perto; medidas de suscetibilidade magnética, que na Groenlândia refletem principalmente as quantidades de minerais magnéticos de ferro no sedimento oriundo do solo arrastado pela água ou pelo vento para a bacia do lago; e areia igualmente soprada pelo vento ou levada pela água.

Os estudos de sedimentos lacustres fornecem o seguinte quadro da história vegetal ao redor das fazendas nórdicas. À medida que a temperatura esquentou no fim da última Idade do Gelo, as contagens de pólen demonstram que as gramíneas e os juncos foram substituídos por árvores. Nos oito mil anos seguintes houve pouca mudança na vegetação e pouco ou nenhum sinal de desmatamento e erosão — até a chegada dos *vikings*. Esse evento é assinalado por uma camada de carvão de queimadas *vikings* para abrir pastagens para o seu gado. O pólen de salgueiros e de bétula diminui, enquanto aumenta o pólen de gramíneas, juncos, mato e plantas de pasto introduzidas pelos nórdicos para alimento animal. O aumento dos valores de suscetibilidade magnética demonstra que a parte superior do solo foi levada para os lagos, e que o solo perdeu a cobertura vegetal que previamente o protegia da erosão pela água e pelo vento. Finalmente, a areia sob a camada superior do solo também foi levada quando vales inteiros foram desprovidos de sua cobertura vegetal e dessa camada. Todas essas mudanças reverteram, indicando recuperação da paisagem, após a extinção das colônias *vikings* no século XV. Finalmente, o mesmo conjunto de mudanças que acompanhou a chegada dos nórdicos recomeça em 1924, quando o governo dinamarquês da Groenlândia reintroduziu a criação de ovinos cinco séculos após terem desaparecido junto com seus pastores *vikings*.

E daí?, perguntaria um cético ambiental. Coitados dos salgueiros, mas e quanto às pessoas? Acontece que o desmatamento, a erosão do solo e o corte da turfa tiveram sérias consequências para os nórdicos. A consequência mais óbvia do desmatamento é que os nórdicos rapidamente ficaram sem madeira, como os islandeses e os habitantes de Mangareva. Os troncos baixos e finos de salgueiro, bétula e zimbro que sobraram só serviam para fazer pequenos objetos domésticos de madeira. Para fazer vigas para casas, barcos, trenós, barris, painéis e camas, os nórdicos passaram a depender de três fontes: madeira à deriva que da Sibéria vinha dar às praias, troncos importados da Noruega e árvores derrubadas pelos próprios groenlandeses em viagem à costa do Labrador ("Markland"), descoberta no curso das explorações na Vinlândia. A madeira evidentemente continuou tão escassa que os objetos de madeira eram reciclados em vez de descartados. Isso se deduz pela falta de grandes painéis de madeira e móveis na maioria das ruínas da Groenlândia Nórdica, exceto nas últimas casas onde morreram os nórdicos da Colônia Ocidental. Em um famoso sítio arqueológico da Colônia Ocidental chamado "Fazenda sob as Areias", que ficou quase que perfeitamente preservado sob as areias geladas de um rio, a maior parte da madeira estava nas camadas superiores, novamente sugerindo que a madeira de antigos aposentos e edifícios era preciosa demais para ser descartada e era sucateada à medida que os ambientes eram reformados ou acrescidos. Os nórdicos também lidavam com sua carência de madeira recorrendo à turfa para fazer paredes de edifícios, mas veremos que esta solução criou todo um conjunto de problemas.

Outra resposta para o "e daí?" em relação ao desmatamento é: pobreza de lenha. Diferentemente dos *inuits*, que aprenderam a usar gordura de baleia para aquecer e iluminar suas residências, restos de fogões demonstram que os nórdicos continuaram a queimar lenha de salgueiro e amieiro em suas casas. Uma demanda adicional de madeira que a maioria de nós, modernos citadinos, jamais pensaria estava na produção de laticínios. O leite é uma fonte de comida efêmera e potencialmente perigosa: é muito nutritiva, não apenas para nós, mas também para as bactérias, que rapidamente o estragam caso fique sem pasteurização e refrigeração, coisas que os nórdicos, assim como todo o resto do mundo antes dos tempos modernos, não praticavam. Portanto, os recipientes nos quais os nórdicos recolhiam e guardavam o leite e faziam queijo tinham de ser lavados frequentemente com água fervente, duas vezes por dia no caso dos baldes de leite. A ordenha de animais nos *saeters* (aqueles retiros nas colinas usados no verão) estava consequentemente confinada a altitudes abaixo dos 400 metros. Acima disso, não havia lenha disponível, embora a grama das pastagens adequada para a alimentação do gado crescesse em altitudes muito maiores, de cerca de 800 metros. Sabemos que tanto na Islândia quanto na Noruega os *saeters* tinham de ser fechados quando a lenha local se exauria. O mesmo se aplica presumivelmente à Groenlândia. Assim como fizeram para solucionar a escassez de madeira para carpintaria, os nórdicos substituíram a lenha escassa por outros materiais, queimando ossos, esterco e turfa. Mas tais soluções também tinham desvantagens: os ossos e o esterco podiam ser usados para fertilizar os campos para aumentar a produção de feno, e queimar turfa equivalia a destruir pastos.

As outras sérias consequências do desmatamento, afora a falta de madeira e lenha, envolviam a escassez de ferro. Os escandinavos obtinham a maior parte extraindo o metal de sedimentos de pântanos com baixo conteúdo de ferro. Existe ferro do pântano na Groenlândia, assim como na Islândia e na Escandinávia: Christian Keller e eu vimos um pântano cor de ferro em Gardar, na Colônia Oriental, e Thomas McGovern viu outro desses pântanos na Colônia Ocidental. O problema não diz respeito a encontrar ferro de pântano na Groenlândia mas à extração, que requer imensas quantidades de madeira para fazer carvão com o qual produzir as altas temperaturas necessárias. Mesmo quando os groenlandeses pularam esta etapa importando lingotes de ferro da Noruega, ainda precisavam de carvão para transformá-lo em ferramentas, para afiar, consertar e refazer instrumentos de ferro, o que era frequente.

Sabemos que os groenlandeses possuíam instrumentos de ferro e trabalhavam com este metal. Muitas das grandes fazendas da Groenlândia Nórdica têm vestígios de forjas e de escória, embora isso não nos diga se as forjas eram usadas apenas para trabalhar ferro importado ou para extraí-lo do ferro do pântano. Nos sítios arqueológicos da Groenlândia *viking* foram encontrados exemplos dos objetos de ferro habituais que se espera de uma sociedade medieval escandinava, incluindo cabeças de machados, foices, facas, tosadeiras, cravos de barcos, plainas, furadores e verrumas para fazer buracos.

Mas esses mencionados sítios deixam claro que os groenlandeses tinham uma desesperadora escassez de ferro, mesmo para os padrões da Escandinávia medieval, onde não era abundante. Por exemplo, foram encontrados muitos mais pregos e objetos de ferro em sítios arqueológicos *vikings* na Inglaterra e em Shetland, e até mesmo na Islândia, bem como no sítio arqueológico de L'Anse aux Meadows, na Vinlândia, do que na Groenlândia. Pregos descartados são o item de ferro mais comum em L'Anse aux Meadows, e muitos também foram encontrados na Islândia, apesar da escassez de madeira e ferro da Islândia. Mas a falta de ferro era extrema na Groenlândia. Alguns pregos foram encontrados nas camadas arqueológicas mais antigas, quase nenhum em camadas mais tardias, porque o ferro começou a ficar precioso demais para ser descartado. Nenhuma espada, capacete, nem mesmo um pedaço desses objetos foi encontrado na Groenlândia, e apenas algumas peças de cota de malha de ferro, possivelmente todas pertencentes à mesma malha. Esse tipo de ferramenta era usada, reusada e amolada até se tornar um coto. Por exemplo, nas escavações no vale Qorlortoq me comovi ao ver uma faca com uma lâmina reduzida a quase nada de tão gasta, ainda fixada a uma empunhadura cujo comprimento era desproporcional àquele toco, e evidentemente ainda era valiosa o bastante para ser afiada.

A escassez de ferro dos groenlandeses também se evidencia através de diversos objetos recolhidos em sítios arqueológicos, que, na Europa, eram originalmente feitos de ferro mas que os groenlandeses faziam de materiais insólitos. Tais objetos incluíam pregos de madeira e pontas de flecha de chifre de caribu. Os anais da Islândia do ano 1189 descrevem com surpresa como um barco da Groenlândia que se extraviara não tinha pregos, mas cavilhas de madeira presas com barbas de baleia. Contudo, para *vikings* cuja autoimagem se centrava em aterrorizar os oponentes ostentando um poderoso machado de combate, ser obrigado a fazer tal arma com osso de baleia devia ser a maior humilhação.

Um resultado da escassez de ferro na Groenlândia foi a redução da eficiência dos processos essenciais de sua economia. Com poucas foices, cutelos e tosquiadeiras disponíveis, ou com esses objetos precisando ser feitos de ossos ou de pedra, demoraria mais tempo colher o feno, esquartejar uma carcaça e tosquiar uma ovelha. Mas uma consequência fatal mais imediata foi a de que, perdendo o ferro, os nórdicos perderam a vantagem militar sobre os *inuits*. Em toda parte ao redor do mundo, em inúmeras batalhas entre colonizadores europeus e povos nativos, as espadas de ferro e as armaduras davam aos europeus enormes vantagens. Por exemplo, durante a conquista do Império Inca, no Peru, entre 1532-1533, houve cinco batalhas nas quais 169, 80, 30, 110 e 40 espanhóis, respectivamente, chacinaram exércitos de milhares a dezenas de milhares de incas, sem que nenhum espanhol morresse e apenas alguns poucos se ferissem — porque as espadas de ferro dos espanhóis atravessavam as armaduras de algodão dos índios, e as armaduras de ferro dos espanhóis os protegiam contra os golpes das armas de madeira ou pedra dos índios. Mas não há evidência de que a Groenlândia Nórdica tivesse armas ou armaduras de ferro após algumas gerações, exceto por aquela cota de malha de ferro cujas peças foram descobertas, que devia pertencer a um visitante europeu em um barco europeu. Em vez disso, lutavam com arcos, flechas e lanças, exatamente como os *inuits*. Também não há prova de que a Groenlândia Nórdica tenha usado seus cavalos em batalhas, outra coisa que também deu vantagem decisiva aos conquistadores espanhóis em luta contra incas e astecas; seus parentes islandeses certamente não o fizeram. A Groenlândia Nórdica também carecia de treinamento militar profissional. Assim, acabaram sem nenhuma vantagem militar sobre os *inuits* — com sérias consequências para seu destino, como veremos.

Portanto, o impacto dos nórdicos na vegetação natural deixou-os sem madeira, sem combustível e sem ferro. Os outros dois tipos de impacto, no solo e na turfa, os deixaram sem terra produtiva. No capítulo 6 vimos como a fragilidade dos leves solos vulcânicos da Islândia abriu as portas para grandes problemas de erosão. Embora os solos da Groenlândia não fossem tão sensíveis quanto os da Islândia, ainda eram relativamente frágeis de acordo com padrões mundiais, porque a curta e fria estação de crescimento na Groenlândia resulta em baixas taxas de crescimento de plantas, lenta formação do solo e camadas superiores do solo pouco espessas. O lento crescimento das plantas também se traduz em baixo conteúdo de húmus e de argila, componentes que servem para reter a água e manter o solo úmido. Por isso, os solos da Groenlândia secam facilmente com os constantes ventos fortes.

A sequência de erosão do solo na Groenlândia começa com a derruba-da ou queimada da cobertura de árvores e arbustos, que preservam o solo melhor do que o pasto. Sem as árvores e os arbustos, o gado, especialmente as ovelhas e as cabras, consome o pasto, que se regenera lentamente no clima da Groenlândia. Sem a cobertura do pasto, o solo é exposto e levado por ventos fortes ou pela queda ocasional de chuvas intensas, a ponto de o solo de todo um vale ser deslocado quilômetros de distância. Em áreas onde a areia é exposta, como nos vales com rios, a areia é levada pelas ra-jadas de ar e acumulada a sotavento.

As amostras de sedimentos dos lagos e os perfis de solo documentam o desenvolvimento de séria erosão após a chegada dos nórdicos, bem co-mo o assoreamento dos lagos pela terra e pela areia trazidas pelos ventos e pela água corrente. Por exemplo, em uma fazenda nórdica abandonada pela qual passei, na entrada do fiorde Qoroq, a sotavento de uma geleira, o solo havia sido tão erodido pelos ventos de alta velocidade que só restavam pedras. A areia soprada pelo vento é muito comum em fazendas nórdicas: algumas delas abandonadas na região de Vatnahverfi estão cobertas por uma camada de areia de até três metros de profundidade.

O outro fator além da erosão pelo qual os nórdicos inadvertidamente tornaram a terra improdutiva foi o hábito de cortar turfa para construções e para queimar como combustível, devido à falta de madeira e lenha. Qua-se todas as construções da Groenlândia foram feitas com turfa, com no máximo uma fundação de pedra e algumas poucas vigas de madeira para suportar o teto. Até mesmo na catedral de St. Nicholas, em Gardar, só os dois metros inferiores das paredes foram feitos de pedra. Dali para cima as paredes são de turfa, com o teto apoiado por vigas de madeira em um frontão também revestido de madeira. Embora e igreja de Hvalsey fosse uma exceção com paredes inteiramente feitas de pedra, seu telhado era de turfa. As paredes de turfa da Groenlândia tendiam a ser grossas (até dois metros de espessura!) de modo a fornecerem isolamento contra o frio.

Uma casa residencial groenlandesa de grande porte exigia uma média de quatro hectares de turfa para ser construída. Além disso, essa quanti-dade era necessária mais de uma vez, porque a turfa se desintegra gradual-mente, de modo que uma construção tem de ser "returfada" após algumas décadas. Os nórdicos se referiam a esse processo de obter turfa para cons-trução como "arrancar a pele dos campos", uma boa descrição do dano causado às pastagens. A lenta regeneração da turfa na Groenlândia significava que tal dano era duradouro.

Ao ouvir falar de erosão do solo e retirada de turfa, um cético também poderia retrucar: "E daí?" A resposta é simples. Lembre-se que, dentre as ilhas nórdicas do Atlântico, mesmo antes do impacto humano, a Groenlândia era a mais fria, portanto a mais marginal para o crescimento de pastos e de feno, e mais suscetível à perda da cobertura vegetal por sobrepastejo, pisoteio, erosão do solo e extração de turfa. Após um inverno muito rigoroso, uma fazenda precisava ter área de pastagem suficiente para, na pior das hipóteses, alimentar um número mínimo de animais, após um longo inverno frio tê-los reduzido, para recompor o rebanho antes do inverno seguinte. As estimativas sugerem que a perda de apenas um quarto do total das áreas de pastagem na Colônia Oriental ou na Colônia Ocidental seria suficiente para diminuir o tamanho do rebanho abaixo do limiar. Isso é o que parece ter acontecido na Colônia Ocidental, e possivelmente também na Colônia Oriental.

Assim como na Islândia, os problemas ambientais que assolaram os nórdicos medievais continuam a preocupar os groenlandeses modernos. Nos cinco séculos após o fim da Groenlândia Nórdica medieval, no tempo da ocupação *inuit* e, posteriormente, durante o domínio colonial dinamarquês, a ilha não teve gado. Finalmente, em 1915, sem terem sido feitos estudos recentes de impactos ambientais medievais, os dinamarqueses introduziram ovelhas islandesas em regime de experiência, e o primeiro criador de ovelhas em tempo integral acabou estabelecendo fazenda em Brattahlid em 1924. Também tentaram a introdução de vacas, mas as abandonaram porque davam muito trabalho.

Hoje, cerca de 65 famílias da Groenlândia criam ovelhas como ocupação principal, motivo pelo qual o sobrepastejo e a erosão do solo ressurgiram. Após 1924, as amostras de sedimentos de lagos da Groenlândia mostram as mesmas mudanças que ocorreram após 984 d.C.: diminuição do pólen de árvores, aumento de pólen de gramíneas e de mato e aumento de solo superficial carregado para os lagos. As ovelhas eram inicialmente deixadas ao ar livre no inverno para pastar por contra própria caso o inverno fosse suficientemente ameno. Isso danificava a vegetação em um momento em que esta menos podia se regenerar. As árvores de zimbro são especialmente sensíveis, porque tanto as ovelhas quanto os cavalos as procuram no inverno quando não há nada mais para comer. Quando Christian Keller chegou em Brattahlid em 1976, o zimbro ainda crescia ali, mas durante a minha visita em 2002 só vi zimbros mortos.

No inverno de 1966-1967, quando mais da metade das ovelhas da Groenlândia morreu de fome, o governo fundou uma Estação Experimental para estudar os efeitos ambientais das ovelhas comparando a vegetação e o solo em pastos muito ou pouco usados, e em campos cercados para mantê-las do lado de fora. Esta pesquisa incluiu arqueólogos para estudar mudanças nos pastos em tempos *vikings*. Como resultado da conscientização assim adquirida da fragilidade da Groenlândia, os groenlandeses cercaram suas pastagens mais vulneráveis e passaram a levar as ovelhas ao estábulo para alimentá-las no cocho durante todo o inverno. Estão sendo feitos esforços para aumentar os estoques de feno para o inverno através da fertilização de pastagens naturais, e cultivando aveia, centeio, capim-rabo-de-rato e outras gramíneas não nativas.

Apesar desses esforços, a erosão do solo é um grande problema na Groenlândia atual. Ao longo dos fiordes da Colônia Oriental, vi áreas em grande parte despojadas de vegetação, de pura pedra e cascalho, devido ao recente pastejo de ovelhas. Nos últimos 25 anos, os ventos de alta velocidade erodiram a fazenda moderna construída no mesmo lugar da antiga fazenda nórdica à entrada do vale Qorlortoq, fornecendo-nos um modelo do que aconteceu naquela fazenda há sete séculos. Embora o governo da Groenlândia e os próprios criadores de ovelhas compreendam o dano a longo prazo causado por esses animais, também se sentem pressionados a gerar empregos em uma sociedade com alta taxa de desemprego. Ironicamente, criar ovelhas na Groenlândia não compensa nem mesmo a curto prazo: o governo tem de dar a cada família de criadores cerca de 14 mil dólares anuais para cobrir seus prejuízos, fornecer-lhes uma renda e induzi-los a continuarem criando ovelhas.

Os *inuits* têm um papel importantíssimo na história do fim da Groenlândia *viking*. Constituem a grande diferença entre as histórias da Groenlândia e da Islândia Nórdicas: enquanto os islandeses desfrutavam das vantagens de um clima menos desestimulante e rotas comerciais mais curtas para a Noruega em comparação com os seus primos da Groenlândia, a mais clara vantagem dos islandeses repousava sobre o fato de não terem sido ameaçados por *inuits*. No mínimo, os *inuits* representam uma oportunidade perdida: a Groenlândia *viking* teria tido mais chance de sobrevivência se tivesse aprendido ou comerciado com os *inuits*. No máximo, os ataques ou ameaças *inuits* podem ter tido uma participação direta na extinção dos *vikings*. Os *inuits* também são importantes por mostrar que a persistência das sociedades humanas não era impossível na Groenlândia medieval. Por que os *vikings* acabaram falhando onde os *inuits* foram bem-sucedidos?

Hoje, pensamos nos *inuits* como *os* habitantes nativos da Groenlândia e do Ártico canadense. Na verdade, são apenas os mais recentes em uma série de ao menos quatro povos arqueologicamente reconhecidos que se expandiram para leste através do Canadá e penetraram no noroeste da Groenlândia no curso de quatro mil anos antes da chegada dos nórdicos. Sucessivas ondas se espalharam, permanecendo na Groenlândia durante séculos, e então desapareceram, levantando questões próprias de seu colapso social semelhantes às questões que estamos considerando em relação aos nórdicos, anasazis e pascoenses. Contudo, sabemos muito pouco sobre esses antigos desaparecimentos para que possamos discuti-los neste livro, a não ser como pano de fundo para o destino dos *vikings*. Embora os arqueólogos tenham dado a essas antigas culturas nomes como Ponto Independência I, Ponto Independência II e Saqqaq, dependendo do sítio onde esses artefatos foram encontrados, as linguagens desses povos e os nomes que davam para si mesmos estão perdidos para sempre.

Os predecessores imediatos dos *inuits* foram uma cultura à qual os arqueólogos se referem como o povo *dorset*, por causa de suas habitações identificadas no cabo Dorset na ilha de Baffin, ao largo do Canadá. Após ocupar a maior parte do Ártico canadense, entraram na Groenlândia por volta de 800 a.C. e habitaram diversas partes da ilha durante cerca de mil anos, inclusive as áreas de colônias *vikings* tardias no sudoeste. Por motivos desconhecidos, abandonaram a Groenlândia e a maior parte do Ártico canadense por volta de 300 d.C. e reduziram-se a algumas áreas no interior do Canadá. Por volta de 700 d.C., porém, voltaram a se expandir e reocuparam o Labrador e o noroeste da Groenlândia, embora nesta migração não tenham se expandido para o sul sobre os futuros estabelecimentos *vikings*. Em ambas as colônias, os primeiros colonos *vikings* descrevem terem visto apenas ruínas de casas desabitadas, fragmentos de barcos de pele e instrumentos de pedra que acreditavam terem sido deixados por nativos desaparecidos semelhantes àqueles que encontraram na América do Norte durante as viagens à Vinlândia.

Pelos ossos encontrados em sítios arqueológicos, sabemos que os *dorsets* caçavam uma ampla diversidade de espécies variando em tempo e lugar: morsas, focas, caribus, ursos polares, raposas, patos, gansos e aves marinhas. Havia um comércio de longa distância entre os *dorsets* do Ártico canadense, Labrador e Groenlândia, como provam as descobertas de instrumentos de pedra extraídos em um desses lugares aparecendo em outro lugar a mil quilômetros de distância. Ao contrário de seus sucessores, os *inuits*, ou alguns de seus predecessores árticos, porém, os *dorsets* não tinham cães (portanto também não possuíam trenós puxados a cães) e não usavam arco e flecha. Diferentemente dos *inuits*, também não tinham barcos de pele esticada sobre armações de madeira e, portanto, não podiam sair ao mar para caçar baleias. Sem trenós puxados a cães, tinham pouca mobilidade, e sem caça à baleia, não podiam alimentar grandes populações. Em vez disso, viviam em pequenas colônias de apenas uma ou duas casas, onde não cabiam mais que 10 pessoas e apenas alguns homens adultos. Isso os tornava o menos temível dos três povos nativos americanos que os nórdicos encontraram: *dorsets*, *inuits* e índios canadenses. E isso, certamente, é o motivo pelo qual a Groenlândia Nórdica sentiu-se segura o bastante para continuar durante mais de três séculos a visitar as costas ocupadas pelos *dorsets* no Labrador para pegar madeira, muito depois de terem aberto mão de visitar a "Vinlândia" ao sul, devido à densa e hostil população indígena de lá.

Teriam os *vikings* e os *dorsets* se encontrado no noroeste da Groenlândia? Não temos prova segura, mas parece provável, porque o povo *dorset* sobreviveu ali cerca de 300 anos após os nórdicos se estabeleceram no sudoeste, e porque os nórdicos faziam visitas anuais aos campos de caça de Nordrseta, a apenas algumas centenas de quilômetros ao sul das áreas ocupadas pelos *dorsets*, e também fizeram viagens exploratórias mais ao norte. Mais adiante, mencionarei uma narrativa nórdica de um encontro com nativos que podem ter sido *dorsets*. Outra prova consiste em alguns objetos claramente originários dos *vikings* — especialmente peças de metal fundido que serviriam para a fabricação de ferramentas — descobertos em sítios *dorsets* espalhados pelo noroeste da Groenlândia e no Ártico canadense. É claro, não sabemos se os *dorsets* adquiriram esses objetos através de contatos diretos, pacíficos ou não, com nórdicos, ou se foram simplesmente encontrados em lugares abandonados pelos nórdicos. Seja qual for o caso, podemos ter certeza de que as relações dos nórdicos com os *inuits* tinham potencial para se tornarem muito mais perigosas que essas relativamente amenas relações com os *dorsets*.

A cultura e a tecnologia *inuits*, incluindo o domínio da caça à baleia em águas abertas, chegaram à região do estreito de Bering um pouco antes de 1000 d.C. Trenós puxados por cães em terra e grandes barcos no mar permitiram que os *inuits* viajassem e transportassem suprimentos muito mais rapidamente do que podiam os *dorsets*. À medida que o Ártico ficava mais quente na Idade Média, e as aquavias geladas que separavam as ilhas do Ártico canadense derreteram, os *inuits* seguiram suas baleias francas através dessas aquavias marítimas rumo ao leste, através do Canadá, entrando no noroeste da Groenlândia por volta de 1200 d.C., e depois movendo-se para o sul ao longo da costa oeste da Groenlândia até Nordrseta, e dali até a vizinhança da Colônia Ocidental por volta de 1300, e a vizinhança da Colônia Oriental por volta de 1400.

Os *inuits* caçavam os mesmos animais que os *dorsets* e provavelmente o faziam de modo mais eficiente, pois (diferentemente de seus predecessores *dorsets*) possuíam arco e flecha. Mas a caça de baleias dava-lhes também uma importante fonte adicional de alimento, indisponível tanto para os *dorsets* quanto para os nórdicos. Portanto, os caçadores *inuits* podiam alimentar muitas mulheres e crianças e viver em grandes colônias, tipicamente abrigando dezenas de pessoas, incluindo 10 a 20 adultos caçadores e guerreiros. Nos ótimos campos de caça de Nordrseta, em um lugar chamado Sermermiut, os *inuits* estabeleceram uma grande colônia que gradualmente acumulou centenas de residências. Imaginem só os problemas que isso criaria para o sucesso da caçada dos nórdicos em Nordrseta caso um grupo de caçadores nórdicos, que mal podia reunir algumas dezenas de homens, fosse avistado por um grande grupo de *inuits* e não conseguisse estabelecer boas relações.

Ao contrário dos nórdicos, os *inuits* representavam o auge de milhares de anos de desenvolvimentos culturais feitos por povos do Ártico para dominarem as condições de seu ambiente. Então a Groenlândia tinha pouca madeira disponível para construção, aquecimento ou iluminação de casas durantes o meses de escuridão invernal? Isso não era problema para os *inuits*: eles construíam iglus no inverno para se protegerem da neve e queimavam gordura de baleia e foca tanto como combustível quanto para iluminação. Pouca madeira para construir barcos? Isso também não era problema para os *inuits*: eles esticavam pele de foca sobre armações de madeira para construir caiaques (foto 18), assim como para construir barcos chamados umiaques, grandes o bastante para sair em mar aberto para caçar baleias.

Apesar de ter lido a respeito de como os caiaques *inuits* são primorosos, e apesar de ter usado caiaques de lazer modernos, hoje feitos de plástico e amplamente disponíveis no Primeiro Mundo, fiquei atônito quando vi pela primeira vez um caiaque *inuit* tradicional na Groenlândia. Lembrou-me uma versão em miniatura das longas, estreitas e rápidas belonaves da classe U.S.S. *Iowa* construídos pela marinha dos EUA durante a Segunda Guerra Mundial, com todo o seu espaço de convés disponível repleto de canhões, baterias antiaéreas e outras armas. Quase seis metros de comprimento, pequeno comparado a uma belonave, mais ainda assim muito mais longo do que jamais imaginei, o convés do delgado caiaque estava repleto de suas próprias armas: uma haste de arpão com um propulsor na extremidade do cabo; uma ponta de arpão com cerca de 20 centímetros de comprimento que se encaixava à haste; um dardo para caçar aves que, em vez de uma ponta única, tinha três farpas afiadas voltadas para a frente em sua parte inferior para atingir a ave caso a ponta errasse o alvo; diversas bexigas de pele de foca para agir como boias para baleias ou focas arpoadas; e uma lança para dar o golpe de misericórdia no animal arpoado. Diferente de um navio de guerra ou de qualquer outra embarcação que eu conhecesse, o caiaque era feito sob medida para o tamanho, peso e força muscular de seu remador. De fato era "vestido" pelo proprietário, e o assento era uma peça de roupa costurada ao anoraque do proprietário, o que impedia que a água gelada que chapinhava sobre o convés o molhasse. Christian Keller tentou em vão "vestir" um caiaque moderno feito sob medida para um amigo groenlandês, apenas para descobrir que seus pés não cabiam sob o convés e que suas coxas eram grandes demais para entrar pelo portaló.

Em sua gama de estratégias de caça, os *inuits* eram os caçadores mais flexíveis e sofisticados da história do Ártico. Além de matarem caribus, morsas e aves terrestres de modos não diferentes dos nórdicos, os *inuits* se diferenciavam dos nórdicos no uso de rápidos caiaques para arpoar focas e perseguir aves marinhas em alto-mar, e no uso de umiaques e arpões para matar baleias em águas abertas. Nem mesmo um *inuit* pode dar um único golpe mortal em uma baleia sadia, de modo que a caça à baleia começava com um arpoador que, a bordo de um umiaque impelido a remo por outros homens, arpoava uma baleia. Não é tarefa fácil, e todos os fãs de Sherlock Holmes devem se lembrar da "Aventura de Black Peter", na qual um capitão aposentado de navio é encontrado morto em sua casa, atravessado por um arpão que decorava a sua parede. Após passar a manhã em um açougue, tentando em vão atravessar a carcaça de um porco com um arpão, Sherlock Holmes deduziu corretamente que o assassino devia ser um arpoador profissional, porque um homem sem treinamento, não importando quão forte fosse, não podia fazer um arpão penetrar tão profundamente. Duas coisas tornavam isso possível para os *inuits*: o propulsor do arpão que estendia o arco de lançamento e, desta forma, aumentava a força do arremesso e o impacto do projétil; e, como no caso do assassinato de Black Peter, longa prática. Para os *inuits*, porém, esta prática começava na infância, o que fazia com que desenvolvessem uma condição chamada hiperextensão do braço de arremesso: de fato, um propulsor adicional do arpão autoembutido.

Quando a ponta do arpão se cravava na baleia, era habilmente desencaixada, permitindo que o caçador recuperasse a haste do arpão agora separada da ponta cravada na baleia. Caso o arpoador mantivesse um cabo atado ao arpão, a baleia furiosa arrastaria o umiaque e todos os seus ocupantes para baixo d'água. Fixada à ponta do arpão, havia uma bexiga de pele de foca cheia de ar que obrigava a baleia a fazer mais força e se cansar mais ao mergulhar. Quando a baleia voltava à superfície para respirar, os *inuits* atiravam outro arpão com outra bexiga, para cansá-la ainda mais. Só quando a baleia ficava exausta os caçadores ousavam trazer o umiaque para o lado dela e matá-la com a lança.

Os *inuits* também conceberam uma técnica especial para caçar focas-aneladas-do-ártico, a mais abundante espécie de foca nas águas da Groenlândia mas cujos hábitos a tornam uma caça difícil de capturar. Diferente de outras espécies de focas da Groenlândia, a foca-anelada-do-ártico passa os invernos ao largo do litoral da Groenlândia, debaixo do gelo, abrindo respiradouros largos o bastante para que possam passar a cabeça (mas não o corpo). Os buracos são difíceis de localizar porque as focas os deixam cobertos com um cone de neve. Cada foca tem diversos respiradouros, assim como uma raposa tem diversas entradas alternativas para sua toca subterrânea. O caçador não pode retirar o cone de neve do buraco pois a foca se daria conta de que alguém estaria à sua espera. Em vez disso, o caçador permanece pacientemente junto a um cone na fria escuridão do inverno ártico, imóvel tantas horas quantas forem necessárias para ouvir uma foca se aproximar para respirar, e então tentar arpoar o animal *através* do cone de neve, sem poder vê-lo. Quando a foca ferida se afasta, a ponta do arpão se destaca da haste mas permanece atada a um cabo, que o caçador estica até a foca ficar exausta e poder ser puxada e morta. É algo difícil de aprender e fazer bem; os nórdicos nunca conseguiram. Como resultado, nos anos ocasionais em que as outras espécies de focas declinavam em número, os *inuits* caçavam focas-aneladas-do-ártico, mas os nórdicos não tinham esta opção e, portanto, corriam o risco de morrer de fome.

Os *inuits* possuíam estas e outras vantagens sobre os nórdicos e os *dorsets*. Em poucos séculos de expansão *inuit* através do Canadá para o noroeste da Groenlândia, os *dorsets*, que anteriormente habitaram ambas as áreas, desapareceram. Portanto, não temos um, mas dois mistérios relacionados aos *inuits*: o desaparecimento dos *dorsets* e, depois, dos nórdicos, ambos pouco após a chegada dos *inuits* aos seus territórios. No noroeste da Groenlândia algumas colônias *dorsets* sobreviveram durante um século ou dois depois da aparição dos *inuits*, e teria sido impossível que esses dois povos não tivessem tomado conhecimento um do outro, embora não haja qualquer evidência arqueológica direta de contato entre eles, como objetos *inuits* em sítios *dorsets* contemporâneos ou vice-versa. Mas há provas de contato indireto: os *inuits* da Groenlândia acabaram assimilando diversos traços culturais dos *dorsets*, que não tinham antes de chegar à Groenlândia, incluindo uma faca de osso para cortar blocos de neve, casas de neve em domo, tecnologia de pedra-sabão e a chamada ponta de arpão Thule 5. Obviamente, os *inuits* não apenas tiveram algumas oportunidades de aprender com os *dorsets*, como também tiveram *algo* a ver com o seu desaparecimento após estes últimos terem vivido no Ártico durante dois mil anos. Cada um de nós pode imaginar o próprio cenário do desaparecimento da cultura *dorset*. Uma suposição minha é que durante um inverno mais rigoroso as mulheres de grupos *dorsets* que passavam fome simplesmente abandonaram seus homens e foram até os acampamentos *inuits*, onde sabiam que as pessoas se fartavam de baleias francas e focas-aneladas-do-ártico.

E quanto às relações entre os *inuits* e os nórdicos? Incrivelmente, durante os séculos em que esses dois povos compartilharam a Groenlândia, os anais nórdicos incluem apenas duas ou três breves referências aos *inuits*.

A primeira dessas três passagens refere-se a *inuits* ou a indivíduos do povo *dorset* porque descreve um incidente do século XI ou XII, quando ainda havia uma população *dorset* sobrevivente no noroeste da Groenlândia, e quando os *inuits* haviam acabado de chegar. Uma *História da Noruega* preservada em um manuscrito do século XV explica como os nórdicos encontraram-se com os nativos da Groenlândia pela primeira vez: "Bem ao norte, além das colônias nórdicas, caçadores toparam com gente a quem chamaram de *skraelings*. Quando recebem um golpe não mortal, seus ferimentos tornam-se brancos e não sangram, mas quando estão mortalmente feridos sangram sem parar. Não têm ferro, mas usam presas de morsa como projéteis e pedras afiadas como ferramentas."

Breve e simples, este relato sugere que os nórdicos tiveram uma "má atitude" que os levou a um terrível primeiro encontro com gente com quem estavam a ponto de compartilhar a Groenlândia. "*Skraelings*" era uma palavra que os nórdicos usavam para definir os três grupos de nativos do Novo Mundo que encontraram na Vinlândia e na Groenlândia (*inuits, dorsets* e índios norte-americanos), o que mais ou menos queria dizer "desgraçados". Também não é uma política de boa vizinhança muito eficiente pegar o primeiro *inuit* ou *dorset* que você encontrar e fazer experiências para saber quanto ele sangra. Lembrem-se também que quando os nórdicos encontraram pela primeira vez um grupo de índios na Vinlândia (capítulo 6), deram início à amizade entre eles matando oito de um grupo de nove. Esses primeiros contatos deixam bem claro por que os nórdicos não estabeleceram boas relações comerciais com os *inuits*.

A segunda das três menções também é breve e imputa aos "*skraelings*" o papel de destruidores da Colônia Ocidental por volta de 1360 d.C.; consideraremos este papel mais adiante. Os *skraelings* em questão só podiam ser *inuits*, uma vez que os *dorsets* já haviam desaparecido da Groenlândia. A terceira menção é uma única frase nos anais da Islândia do ano de 1379: "Os *skraelings* assaltaram os groenlandeses, matando 18 homens, capturando dois meninos e uma cativa e os fizeram escravos." A não ser que os anais estivessem atribuindo à Groenlândia um ataque que de fato ocorreu na Noruega, praticado pelos *saamis*, este incidente supostamente teria acontecido perto da Colônia Oriental, porque a Colônia Ocidental já não mais existia em 1379 e um grupo de caçadores nórdicos em Nordrseta não incluiria uma mulher. Como interpretar esta história lacônica? Para nós, modernos, 18 nórdicos mortos não parece ser grande coisa em um século de guerras mundiais nas quais morreram dezenas de milhões de pessoas. Mas é preciso lembrar que toda a população da Colônia Oriental era de apenas quatro mil indivíduos, e que 18 homens representariam 2% dos homens adultos. Se hoje um inimigo atacasse os EUA com sua população de 280 milhões de pessoas, e matassem homens na mesma proporção, o resultado seria de 1.260.000 norte-americanos mortos. Ou seja, aquele único ataque documentado de 1379 representou um desastre para a Colônia Oriental, não importando quantos mais morreram nos ataques de 1380, 1381 e daí por diante.

Esses três textos breves são nossa única fonte escrita de informação sobre as relações nórdico-*inuits*. As fontes arqueológicas de informação consistem em artefatos nórdicos ou cópias de artefatos nórdicos encontrados em sítios *inuits* e vice-versa. Um total de 170 objetos de origem nórdica foi encontrado em sítios *inuits*, incluindo algumas ferramentas completas (uma faca, uma tosquiadeira e uma pedra de acender fogueira), mas o mais comum são pedaços de metal (ferro, cobre, bronze ou latão) que os *inuits* deviam valorizar para fazer suas próprias ferramentas. Esses objetos nórdicos surgem não apenas em sítios *inuits* em lugares onde os *vikings* viviam (Colônia Oriental e Colônia Ocidental) ou visitados frequentemente (Nordrseta), mas também em lugares que os nórdicos nunca visitaram, como a Groenlândia Oriental e a ilha Ellesmere. Portanto, os objetos nórdicos deviam interessar o suficiente os *inuits* para serem trocados entre grupos a centenas de quilômetros de distância. É impossível saber se a maioria desses objetos foi obtida através de comércio, latrocínio ou saque de colônias nórdicas abandonadas. Contudo, 10 peças de metal vieram dos sinos de igrejas da Colônia Oriental, que os nórdicos certamente não negociariam. Estes sinos aparentemente foram obtidos pelos *inuits* após o aniquilamento dos nórdicos, quando os *inuits* viviam em casas próprias, construídas em meio às suas ruínas.

Prova mais substancial de contato direto entre os dois povos vem de nove esculturas *inuits* de figuras humanas inegavelmente nórdicas, com penteados *vikings* característicos, roupas ou crucifixo. Os *inuits* também aprenderam algumas técnicas úteis com os nórdicos. Embora instrumentos *inuits* com a forma de uma faca ou serra europeia pudessem ter sido copiados de objetos nórdicos saqueados, sem implicar contato amistoso com nórdicos vivos, aduelas de barril feitas pelos *inuits* e pontas de flecha rosqueadas sugerem que os *inuits* viram nórdicos fazendo ou usando barris e roscas.

Por outro lado, a evidência de objetos *inuits* em sítios nórdicos é quase inexistente. Um pente de chifre, dois dardos de ave, uma empunhadura de corda de reboque feita de marfim, um pedaço de ferro meteórico: esses cinco itens são, pelo que sei, o total geral da coexistência *inuit*-nórdica. Mesmo esses cinco itens não parecem ser objetos comerciáveis e sim curiosidades que algum nórdico achou e recolheu. Surpreendente por sua completa ausência são objetos úteis da tecnologia *inuit* que os nórdicos podiam ter copiado em seu benefício. Por exemplo, não há um único arpão, propulsor de lança, caiaque ou umiaque nos sítios nórdicos.

Se o comércio foi estabelecido entre *inuits* e nórdicos, provavelmente envolveu presas de morsa, animais que os *inuits* caçavam com habilidade e que os nórdicos desejavam por ser seu principal produto de exportação para a Europa. Infelizmente, seria difícil descobrir uma evidência direta desse comércio porque não há como determinar se as peças de marfim encontradas em muitas fazendas nórdicas vieram de morsas mortas por nórdicos ou *inuits*. Mas certamente não encontramos em sítios nórdicos ossos daquilo que teria sido a coisa mais preciosa que os *inuits* poderiam ter negociado com os nórdicos: focas-aneladas-do-ártico, a espécie de foca mais abundante da Groenlândia durante o inverno, caçadas pelos *inuits* mas não pelos nórdicos, e disponíveis em uma época do ano em que os nórdicos corriam o risco crônico de exaurir suas provisões de alimento. Isso me faz crer que havia muito pouco, se é que existia algum, comércio entre ambos os povos. No que diz respeito às provas arqueológicas de contato, os *inuits* poderiam estar vivendo em um planeta diferente dos nórdicos, em vez de compartilharem a mesma ilha e os mesmos campos de caça. Também não temos qualquer esqueleto ou prova genética de casamentos entre *inuits* e nórdicos. Estudos cuidadosos dos esqueletos enterrados nas igrejas da Groenlândia Nórdica mostram que são crânios escandinavos continentais e não detectaram qualquer cruzamento *inuit*-nórdico.

Tanto a incapacidade de estabelecer comércio com os *inuits* quanto a de aprender com eles representaram imensas perdas para os nórdicos, embora eles mesmos não pensassem assim. Tal incapacidade não se devia à falta de oportunidade. Caçadores nórdicos devem ter visto caçadores *inuits* em Nordrseta, e depois nos fiordes externos da Colônia Ocidental quando os *inuits* lá chegaram. Os nórdicos, a bordo de seus pesados barcos de madeira movidos a remos e suas próprias técnicas de caçar morsas e focas, devem ter reconhecido a superioridade e a sofisticação das leves canoas de pele *inuits*, bem como de seus métodos de caça: os *inuits* tinham sucesso fazendo exatamente aquilo que os caçadores nórdicos tentavam fazer. Quando os exploradores europeus começaram a visitar a Groenlândia em fins do século XV, ficaram imediatamente surpresos com a velocidade e a capacidade de manobra dos caiaques e comentaram que os *inuits* pareciam ser meio peixes, atravessando as águas com muito mais rapidez do que qualquer embarcação europeia era capaz de fazer. Também ficaram impressionados com os umiaques, pontaria, roupas, luvas e barcos de pele, arpões, boias, trenós e métodos de caça à foca dos *inuits*. Os dinamarqueses que começaram a colonizar a Groenlândia em 1721 rapidamente abraçaram a tecnologia *inuit*, usaram umiaques para navegar ao longo da costa da Groenlândia e comerciaram com os *inuits*. Em alguns anos, os dinamarqueses aprenderam mais sobre arpões e focas-aneladas-do-ártico do que os nórdicos haviam aprendido em alguns séculos. No entanto, alguns colonizadores dinamarqueses eram cristãos racistas que desprezavam os *inuits* pagãos assim como o fizeram os nórdicos medievais.

Se alguém tentar adivinhar, sem preconceito, que forma poderiam ter assumido as relações nórdico-*inuits*, há muita possibilidade de terem sido as mesmas que tiveram, em séculos posteriores, espanhóis, portugueses, franceses, ingleses, russos, belgas, holandeses, alemães e italianos, assim como dinamarqueses e suecos, com os povos nativos em outras partes do mundo. Muitos desses colonizadores europeus tornaram-se negociantes e desenvolveram economias de mercado integradas: comerciantes europeus visitaram ou se estabeleceram em áreas de povos nativos, trouxeram bens europeus cobiçados e em troca obtiveram produtos nativos cobiçados na Europa. Por exemplo, os *inuits* precisavam muito de metal. Tanto que chegaram a se dar ao trabalho de forjar instrumentos a frio, usando ferro do meteoro do cabo York que caíra no norte da Groenlândia. Portanto, é fácil imaginar o desenvolvimento de um comércio no qual os nórdicos obtinham presas de morsa, chifres de narval, peles de foca e ursos polares dos *inuits* e enviassem tais produtos à Europa em troca do ferro valorizado pelos *inuits*. Os nórdicos também poderiam suprir os *inuits* com roupas e laticínios: mesmo que a intolerância à lactose impedisse que os *inuits* tomassem leite, eles poderiam consumir laticínios sem lactose, como queijo e manteiga, que hoje a Dinamarca exporta para a Groenlândia. Não apenas os nórdicos mas também os *inuits* arriscavam-se a passar fome na Groenlândia, e os *inuits* poderiam reduzir esse risco e diversificar a sua dieta comerciando laticínios nórdicos. O comércio entre escandinavos e *inuits* prontamente se desenvolveu na Groenlândia após 1721: por que não existiu na Idade Média?

Uma das respostas são os obstáculos culturais à miscigenação ou apenas ao intercâmbio de conhecimentos entre nórdicos e *inuits*. Uma esposa *inuit* não seria tão útil a um nórdico quanto uma esposa nórdica: o que um nórdico esperava de uma esposa era a habilidade de fiar e tecer lã, ordenhar vacas e ovelhas, fazer *skyr,* manteiga e queijo, coisas que as meninas nórdicas aprendem a fazer desde a infância. Mesmo que um caçador nórdico ficasse amigo de um caçador *inuit*, o nórdico não poderia tomar emprestado o caiaque do amigo e aprender como usá-lo, porque o caiaque era na verdade uma peça de roupa muito complicada ligada a um barco, feita sob medida para aquele caçador *inuit* em particular, e fabricado pela mulher do *inuit* que (diferentemente das mulheres nórdicas) aprendeu a costurar peles desde a infância. Portanto, um caçador nórdico que tivesse visto um caiaque *inuit* não podia simplesmente voltar para casa e dizer à mulher: "Costure para mim uma coisa assim."

Se alguém quiser convencer uma mulher *inuit* a fazer um caiaque, ou a lhe dar uma filha em casamento, antes de mais nada terá de estabelecer um relacionamento amistoso com ela. Mas já vimos que, desde o início, os nórdicos tiveram uma "má atitude" em relação aos índios norte-americanos da Vinlândia e aos *inuits* da Groenlândia, que chamavam de "desgraçados", matando os primeiros nativos que encontraram em ambos os lugares. Como cristãos orientados pela Igreja, os nórdicos compartilhavam do desprezo por pagãos que se espalhava pela Europa Medieval.

Outro fato por trás de sua má atitude é que os nórdicos se consideravam nativos de Nordrseta, e aos *inuits* como invasores. Os nórdicos chegaram em Nordrseta e ali caçaram durante muitos séculos antes de os *inuits* chegarem. Quando os *inuits* finalmente apareceram vindos do noroeste da Groenlândia, os nórdicos compreensivelmente ficaram relutantes em pagar-lhes pelas presas de morsa que eles, os nórdicos, consideravam seu privilégio de caça. Quando encontraram os *inuits*, os nórdicos tinham uma desesperada necessidade de ferro, o melhor produto que teriam para oferecer aos *inuits*.

Para nós modernos, que vivemos em um mundo no qual todos os "povos nativos" já tiveram contato com europeus, com exceção de algumas tribos nas partes mais remotas da Amazônia e da Nova Guiné, as dificuldades de estabelecer contato não são óbvias. O que você esperaria que os primeiros nórdicos a verem um grupo *inuit* em Nordrseta fizessem? Que gritassem: "Oi!", caminhassem até ele, sorrissem, começassem a usar linguagem de sinais, apontassem para uma presa de morsa e mostrassem um pedaço de ferro? Ao longo de todo o meu trabalho de campo na Nova Guiné vivi como biólogo "situações de primeiro contato" como são chamadas, e achei-as perigosas e extremamente aterrorizantes. Em tais situações, os "nativos" encaram os europeus inicialmente como invasores e corretamente intuem que qualquer intruso pode trazer ameaças para a sua saúde, suas vidas e a propriedade de suas terras. Nenhum lado sabe o que o outro vai fazer, ambos estão tensos e amedrontados, não sabem se devem correr ou começar a atirar, e esquadrinham o outro lado em busca de algum gesto que possa indicar que os outros entrarão em pânico e atirarão primeiro. Transformar uma situação de primeiro contato em relacionamento amigável, ou pelo menos sobreviver a esta situação, é algo que requer extrema cautela e paciência. Os colonizadores europeus acabaram por desenvolver alguma experiência ao lidar com tais situações, mas os nórdicos evidentemente atiravam primeiro.

Em síntese, os dinamarqueses do século XVIII na Groenlândia, e outros europeus que encontraram povos nativos em outras partes, enfrentaram a mesma gama de problemas que os nórdicos: seus próprios preconceitos contra "pagãos primitivos", a questão quer de matar, roubar, negociar, casar ou tomar suas terras e o problema de como convencê-los a não fugirem ou atirarem. Os europeus do fim do período colonial lidaram com tais problemas avaliando toda uma série de opções e escolhendo qual a melhor em uma determinada circunstância, dependendo do número de europeus em relação ao de nativos, ou se os colonos europeus não tinham mulheres europeias suficientes com quem casar, ou se os nativos possuíam bens cobiçados na Europa, ou se as terras dos nativos eram interessantes para a colonização europeia. Mas os nórdicos medievais ainda não haviam desenvolvido essa gama de opções. Incapazes de ou recusando-se a aprender com os *inuits*, e sem vantagem militar sobre eles, os nórdicos, e não os *inuits*, foram os que acabaram desaparecendo.

O fim da colônia da Groenlândia Nórdica é frequentemente descrito como um "mistério". Isso é verdade, embora apenas em parte, porque precisamos distinguir razões mediatas (i.e., fatores subjacentes de longo prazo por trás do lento declínio da sociedade da Groenlândia Nórdica) de razões imediatas (i.e., o golpe final na sociedade enfraquecida, matando os últimos indivíduos ou forçando-os a abandonar suas colônias). Apenas as razões imediatas continuam parcialmente misteriosas; as razões mediatas são claras. Consistem nos cinco conjuntos de fatores que já discutimos em detalhe: impacto nórdico no meio ambiente, mudança de clima, declínio do contato amistoso com a Noruega, aumento de contato hostil com os *inuits* e a visão conservadora dos nórdicos.

Em resumo, os nórdicos inadvertidamente exauriram os recursos ambientais dos quais dependiam, cortando árvores, extraindo turfa, forçando o sobrepastejo e causando erosão do solo. Já no início da colonização nórdica, os recursos naturais da Groenlândia eram apenas marginalmente suficientes para apoiar uma sociedade pastoril europeia de tamanho viável, mas mesmo a produção de feno na Groenlândia flutuava notadamente de ano a ano. Portanto, a exaustão de recursos ambientais ameaçou a sobrevivência da sociedade em anos pobres. Segundo, avaliações do clima da Groenlândia por meio de amostras de gelo mostram que era relativamente ameno (i.e., tão "ameno" quanto hoje em dia) quando os nórdicos chegaram, passou por diversas séries de anos frios no século XIV, e então, no início do século XV, entrou no período denominado Pequena Idade do Gelo que durou até o século XIX. Isso diminuiu ainda mais a produção de feno, assim como obstruiu com gelo flutuante as vias de navegação entre a Groenlândia e a Noruega. Terceiro, esses obstáculos à navegação eram a única razão para o declínio e fim do comércio com a Noruega, do qual os groenlandeses dependiam para obter ferro, alguma madeira e identidade cultural. Cerca de metade da população da Noruega morreu quando a Peste Negra (uma epidemia de peste bubônica) irrompeu entre 1349-1350. A Noruega, a Suécia e a Dinamarca se unificaram sob um único rei em 1397, que passou a negligenciar a Noruega, a mais pobre de suas três províncias. A demanda dos entalhadores europeus por marfim de morsa, principal produto de exportação da Groenlândia, declinou quando os cruzados recuperaram o acesso da Europa cristã ao marfim de elefantes da Ásia e do leste da África, cujas remessas para a Europa foram cortadas quando os árabes conquistaram o litoral do Mediterrâneo. Por volta de 1400, o uso de marfim entalhado, fosse de morsas ou de elefantes, saiu de moda na Europa. Todas essas mudanças minaram os recursos e a motivação da Noruega para enviar barcos à Groenlândia. Outros povos afora os habitantes da Groenlândia Nórdica também já descobriram que suas economias (ou até mesmo sua sobrevivência) estavam em risco quando seus principais sócios comerciais enfrentaram problemas; estes povos incluem os americanos importadores de petróleo na época do embargo do petróleo do Golfo Pérsico cm 1973, os insulares de Pitcairn e Henderson na época do desmatamento de Mangareva, e muitos outros. A globalização moderna certamente multiplicará esses exemplos. Por fim, a chegada dos *inuits* e a inabilidade ou falta de vontade dos nórdicos em fazer mudanças drásticas completaram o quinteto de fatores imediatos por trás do fim das colônias da Groenlândia.

Esses cinco fatores se desenvolveram gradualmente e operaram durante muito tempo. Portanto, não devemos nos surpreender ao descobrir que muitas fazendas nórdicas foram abandonadas em tempos diferentes antes da catástrofe final. No piso de uma casa-grande na maior fazenda da região de Vatnahverfi, na Colônia Oriental, foi encontrado o crânio de um homem de 25 anos de idade com uma datação radiocarbônica de 1275 d.C. Isso sugere que toda a região de Vatnahverfi foi abandonada, e que o crânio era de um dos últimos habitantes, porque qualquer sobrevivente certamente teria enterrado o morto em vez de deixar o seu cadáver estendido no chão. As últimas datas radiocarbônicas nas fazendas do vale Qorlortoq, na Colônia Oriental, acumulam-se por volta de 1300 d.C. A "Fazenda sob as Areias" da Colônia Ocidental foi abandonada e enterrada sob areia glacial aluvial por volta de 1350 d.C.

Das duas colônias nórdicas, a primeira a desaparecer completamente foi a Colônia Ocidental, que era a menor. Era mais marginal para a criação de gado do que a Colônia Oriental, porque sua localização mais ao norte significava uma estação de crescimento menor, produção de feno consideravelmente menor mesmo em um ano bom e, portanto, maior possibilidade de que um verão mais frio ou úmido resultasse em pouco feno para alimentar os animais no inverno seguinte. Outro motivo de vulnerabilidade na Colônia Ocidental era seu acesso ao mar por meio de um único fiorde, de modo que um grupo *inuit* hostil na saída desse fiorde podia interromper completamente o acesso às focas migratórias ao longo da costa, da qual os nórdicos dependiam para se alimentarem no fim da primavera.

Temos duas fontes de informação a respeito do fim da Colônia Ocidental: uma escrita e outra arqueológica. O relato escrito foi feito por um padre chamado Ivar Bardarson, enviado da Noruega para a Groenlândia pelo bispo de Bergen para atuar como *ombudsman* e cobrador de impostos real, e para relatar as condições da igreja na Groenlândia. Algum tempo depois de sua volta à Noruega por volta de 1362, Bardarson escreveu um relato chamado *Descrição da Groenlândia,* cujo texto original está perdido e só conhecemos através de cópias posteriores. A maioria da descrição preservada consiste em listas de igrejas e propriedades na Groenlândia. Em meio a tudo isso, um relato exasperantemente breve do fim da Colônia Ocidental: "Na Colônia Ocidental há uma grande igreja chamada Igreja Stensnes [Sandnes]. Tal igreja foi outrora catedral e sé. Agora, os *skraelings* [i.e., "desgraçados" ou *inuits*] têm toda a Colônia Ocidental (...) Tudo o que dissemos anteriormente nos foi contado por Ivar Bardarson, groenlandês, que foi superintendente episcopal em Gardar, na Groenlândia, durante muitos anos, que viu tudo isso e foi um dos que o magistrado [uma autoridade de alto nível] escolheu para ir à Colônia Ocidental e lutar contra os *skraelings*, de modo a expulsá-los da Colônia Ocidental. Em sua chegada, não encontrou vivalma, fosse cristã ou pagã (...)"

O FIM DA GROENLÂNDIA NÓRDICA

Tenho vontade de sacudir o cadáver de Ivar Bardarson e manifestar minha frustração com todas as perguntas que ele deixou sem resposta. Em que ano esteve lá, em que mês? Encontrou algum feno ou queijo estocado? Como mil pessoas podiam desaparecer até o último indivíduo? Havia sinais de luta, prédios queimados ou cadáveres? Mas isso Bardarson não nos diz.

Temos de nos ater às descobertas dos arqueólogos que escavaram a camada superior de entulho das fazendas da Colônia Ocidental, correspondentes aos restos deixados nos meses finais da colônia pelos últimos nórdicos que a ocuparam. Nas ruínas dessas fazendas há portas, colunas, madeiras de teto, móveis, vasilhas, crucifixos e outros grandes objetos de madeira. Isso é incomum: quando uma casa de fazenda era abandonada intencionalmente no norte da Escandinávia, esses preciosos objetos de madeira eram recolhidos e levados para serem reusados no lugar onde os fazendeiros se restabelecessem, porque a madeira era preciosa. Lembrem-se que o acampamento nórdico em L'Anse aux Meadows, em Terra Nova, que foi abandonado após uma retirada planejada, continha pouca coisa de valor a não ser 99 pregos quebrados, um prego inteiro e uma agulha de costura. Evidentemente, a Colônia Ocidental ou foi abandonada às pressas ou seus últimos ocupantes não puderam levar os móveis porque morreram ali.

Os ossos de animais nessas camadas superiores contam uma história sombria. Incluem: ossos das patas de pequenas aves e coelhos, que seriam considerados pequenos demais para valer a pena serem caçados e consumidos, a não ser em caso de fome desesperada; ossos de um bezerro e de um cordeiro, que teriam nascido na primavera anterior; ossos de patas de vacas, aproximadamente equivalentes ao número de baias no estábulo da fazenda, sugerindo que todas as vacas foram abatidas e consumidas até os cascos; e esqueletos parciais de grandes cães de caça com marcas de faca nos ossos. Ossos de cães eram virtualmente ausentes em casas nórdicas, porque eles eram tão avessos à ideia de comer seus cães quanto o somos hoje em dia. Matando os cães dos quais dependiam para caçar caribus no outono, e matando o gado recém-nascido de que precisariam para reconstruir seus rebanhos, os últimos habitantes estavam na verdade dizendo que estavam famintos demais para pensar no futuro. Nas camadas inferiores de entulho das casas, as moscas varejeiras associadas a fezes humanas pertencem a espécies de moscas afeitas ao calor, mas a camada superior só possuía espécies tolerantes ao frio, sugerindo que os habitantes também haviam ficado sem combustível.

Todos esses detalhes arqueológicos nos dizem que os habitantes dessas fazendas da Colônia Ocidental morreram de fome e de frio na primavera. Ou foi um ano frio no qual as focas migratórias não chegaram; ou havia muito gelo nos fiordes, ou talvez um bando de *inuits* que se lembravam de seus parentes terem sido esfaqueados por nórdicos que desejavam experimentar quanto sangue corria de suas feridas, bloqueou o acesso aos bandos de foca nos fiordes externos. Um verão frio provavelmente levou os fazendeiros a não terem feno para alimentar o gado durante o inverno. Eles foram obrigados a matar suas últimas vacas, comendo até mesmo seus cascos, matar e comer seus cães, e apelar a pequenas aves e coelhos. Neste caso, é de estranhar por que os arqueólogos também não encontraram os esqueletos dos últimos nórdicos nessas casas arruinadas. Suspeito que Ivar Bardarson esqueceu de mencionar que o grupo da Colônia Oriental fez uma limpeza na Colônia Ocidental e deu enterro cristão aos corpos de seus pares — ou então que o copista que copiou e abreviou o original perdido de Bardarson omitiu a narrativa da limpeza.

Quanto ao fim da Colônia Oriental, a última viagem à Groenlândia feita pelo navio de comércio real, como prometido pelo rei da Noruega, foi em 1368; o navio afundou no ano seguinte. Depois disso, temos registros de apenas quatro outras viagens à Groenlândia (em 1381, 1382, 1385 e 1406), todas por navios particulares cujos capitães alegaram ter chegado à Groenlândia inadvertidamente após terem sido desviados de seu curso rumo à Islândia. Ao nos lembrarmos que o rei da Noruega reivindicou direitos exclusivos sobre o comércio da Groenlândia como um monopólio real, e que a visita de navios particulares à Groenlândia era ilegal, devemos considerar que quatro viagens "não intencionais" eram uma incrível coincidência. O mais provável é que as desculpas dadas pelos capitães de que lamentavelmente foram pegos por um nevoeiro denso e acabaram por engano na Groenlândia eram apenas álibis para esconder suas reais intenções. Como os capitães sem dúvida sabiam, a Groenlândia era tão pouco visitada por barcos que os habitantes de lá estavam desesperados para comerciar bens, e os produtos trazidos da Noruega podiam ser vendidos ali com grande lucro. Thorstein Olafsson, capitão do navio de 1406, não parece ter ficado muito triste com o seu erro de navegação porque passou quase quatro anos na Groenlândia antes de voltar à Noruega em 1410.

O capitão Olafsson trouxe consigo três notícias recentes da Groenlândia. Primeira, que um homem chamado Kolgrim fora queimado na fogueira em 1407 por ter usado de bruxaria para seduzir uma mulher chamada Steinunn, filha do magistrado Ravn e esposa de Thorgrim Sölvason. Segunda, que a pobre Steinunn enlouqueceu e morreu. Finalmente, que o próprio Olafsson e uma garota local chamada Sigrid Bjornsdotter se casaram na igreja de Hvalsey em 14 de setembro de 1408, com Brand Halldorsson, Thord Jorundarson, Thorbjorn Bardarson e Jon Jonsson como testemunhas, depois que proclamas de casamento foram lidos para o feliz casal nos três domingos anteriores e ninguém fez qualquer objeção. Estes lacônicos relatos de gente queimada na fogueira, loucura e casamento eram corriqueiros em qualquer sociedade europeia cristã medieval e não indicavam problemas. São as nossas últimas notícias escritas sobre os nórdicos da Groenlândia.

Não sabemos exatamente quando a Colônia Oriental acabou. Entre 1400 e 1420 o clima no Atlântico Norte tornou-se mais frio e mais tempestuoso, e cessaram as menções ao tráfego marítimo para a Groenlândia. Um vestido de mulher escavado no cemitério da igreja de Herjolfsnes com datação radiocarbônica de 1435 sugere que alguns nórdicos podem ter sobrevivido algumas décadas depois que o último navio voltou da Groenlândia em 1410, mas não devemos confiar demais nesta data devido à incerteza estatística de diversas décadas associada à determinação radiocarbônica. Não foi senão entre 1576-1587 que voltamos a ouvir falar da Groenlândia, quando os exploradores ingleses Martin Frobisher e John Davis avistaram e desembarcaram na ilha, encontraram *inuits*, ficaram muito impressionados com a sua habilidade e tecnologia, comerciaram com eles e sequestraram vários para exibir na Inglaterra. Em 1607 uma expedição dinamarquesa-norueguesa foi preparada especialmente para visitar a Colônia Oriental, mas foi enganada pelo nome e supôs que a colônia ficava na costa leste da ilha e, portanto, não encontrou qualquer traço dos nórdicos. Dali em diante, ao longo de todo o século XVII, houve outras expedições dinamarquesas-norueguesas e baleeiros holandeses e ingleses que pararam na Groenlândia e sequestraram mais *inuits*, que (incompreensivelmente para nós hoje em dia) foram tomados, apesar de sua aparência física e idioma completamente diferente, por descendentes de *vikings* de olhos azuis e cabelos louros.

Finalmente, em 1721, o missionário luterano norueguês Hans Egede foi até a Groenlândia, convicto de que os *inuits* sequestrados eram de fato católicos nórdicos abandonados pela Europa antes da Reforma, converteram-se ao paganismo e agora deveriam estar ansiosos para serem convertidos ao luteranismo pelo missionário. Chegou primeiro à região dos fiordes da Colônia Ocidental onde, para sua surpresa, encontrou apenas *inuits* — mas nenhum nórdico — que lhes mostraram as ruínas de antigas fazendas nórdicas. Ainda convencido de que a Colônia Oriental ficava na costa leste da Groenlândia, Egede procurou por lá e não encontrou sinais de nórdicos. Em 1723 os *inuits* lhe mostraram ruínas maiores, incluindo a igreja de Hvalsey, na costa sudoeste, em um lugar que hoje sabemos ser a Colônia Oriental. Isso o forçou a admitir que a colônia nórdica realmente desaparecera, e sua busca por uma explicação para o mistério começou. Dos *inuits*, Egede recolheu apenas memórias orais transmitidas de períodos alternados de lutas e relações amistosas com a antiga população nórdica, e perguntou-se se os nórdicos teriam sido exterminados pelos *inuits*. Desde então, gerações de visitantes e arqueólogos têm tentado descobrir a resposta.

Vejamos o que envolve o mistério. Não há dúvida quanto às causas mediatas do declínio nórdico, e as investigações arqueológicas das camadas superiores da Colônia Ocidental nos falam das causas imediatas do colapso nos anos finais. Mas não temos informação correspondente sobre o que ocorreu nos últimos anos da Colônia Oriental, porque suas camadas superiores não foram investigadas. Tendo trazido a história até aqui, não consigo resistir a fazer algumas especulações.

Parece-me que o colapso da Colônia Oriental deve ter sido mais súbito que lento, como o da União Soviética e da Colônia Ocidental. A sociedade da Groenlândia Nórdica era um castelo de cartas cuidadosamente equilibrado, cuja habilidade de permanecer de pé dependia da autoridade da Igreja e dos chefes. O respeito por ambas as autoridades deve ter declinado quando os navios prometidos pararam de vir da Noruega, e quando o clima esfriou. O último bispo da Groenlândia morreu por volta de 1378, e não veio um novo bispo da Noruega para substituí-lo. Mas a legitimidade social na sociedade nórdica dependia no adequado funcionamento da Igreja: os padres tinham de ser ordenados por um bispo, e sem um padre ordenado não se podia ser batizado, casar ou receber um enterro cristão. Como poderia tal sociedade ter continuado a funcionar quando o último padre ordenado pelo último bispo acabou morrendo? Do mesmo modo, a autoridade de um chefe depende de que ele tenha recursos para redistribuir para seus seguidores em tempos difíceis. Se as pessoas em fazendas pobres morriam de fome enquanto o chefe sobrevivia em uma fazenda rica adjacente, teriam os pobres fazendeiros continuado a obedecer ao seu chefe até o último suspiro?

Comparada com a Colônia Ocidental, a Colônia Oriental ficava mais ao sul, era menos marginal para a produção de feno, abrigava mais gente (quatro mil em vez de apenas mil) e, portanto, corria menos risco de colapso. É claro, a longo prazo o clima mais frio também foi ruim para a Colônia Oriental: demoraria apenas uma pequena série de anos frios para que os rebanhos fossem reduzidos e as pessoas passassem fome também na Colônia Oriental. É fácil imaginar as fazendas menores e mais marginais da Colônia Oriental passando fome. Mas o que teria acontecido com Gardar, cujos dois estábulos tinham espaço para 160 vacas, e que possuía incontáveis rebanhos de ovelhas?

Imagino que, no fim, Gardar foi como um barco salva-vidas superlotado. Quando a produção de feno começou a diminuir e o gado morreu ou foi comido nas fazendas mais pobres da Colônia Oriental, seus colonos teriam tentado ir para fazendas melhores onde ainda houvesse alguns animais: Brattahlid, Hvalsey, Herjolfsnes e, a última de todas, Gardar. A autoridade dos membros da igreja na catedral de Gardar, ou do bispo de lá, seria reconhecida desde que o poder de Deus estivesse visivelmente protegendo os seus membros e fiéis. Mas a fome e as doenças associadas a ela teriam causado uma quebra do respeito pela autoridade, parecida com a que o historiador grego Tucídides relata em sua terrível descrição da peste de Atenas, dois mil anos antes. Gente faminta acorreu a Gardar, e os chefes e as autoridades eclesiásticas não podiam mais evitar o abate das últimas cabeças de gado. Os suprimentos de Gardar, que teriam bastado para alimentar os habitantes de fazenda caso os vizinhos fossem mantidos do lado de fora, teriam sido consumidos no último inverno, quando todos tentaram pular para dentro do barco salva-vidas superlotado, comendo seus cães, animais recém-nascidos e a carne do gado até os cascos, como fizeram no fim da Colônia Ocidental.

Imagino a cena em Gardar como a ocorrida em minha cidade natal de Los Angeles, em 1992, na época dos chamados tumultos Rodney King, quando a absolvição dos policiais julgados por terem espancado brutalmente um negro pobre levou milhares de pessoas indignadas de vizinhanças pobres a se espalharem para saquear negócios e vizinhos ricos. A polícia, grandemente superada em número, nada mais pôde fazer além de estender fitas amarelas de advertência nas ruas que davam para as vizinhanças mais ricas, um gesto inútil para manter os saqueadores do lado de fora. Cada vez mais vemos um fenômeno similar em escala global, à medida que imigrantes ilegais de países pobres pulam no barco salva-vidas superlotado representado pelos países ricos, ao mesmo tempo que nossos controles de fronteira mostram-se tão incapazes de parar tal influxo quanto os chefes de Gardar e a fita amarela de Los Angeles. Tal paralelo nos dá outra razão para não desprezarmos o destino da Groenlândia Nórdica como o problema de uma sociedade pequena e periférica em um ambiente frágil, irrelevante para nossa sociedade. A Colônia Oriental também era maior que a Colônia Ocidental, mas o resultado foi o mesmo; só demorou um pouco mais.

Teria sido a Groenlândia Nórdica condenada por ter tentado um estilo de vida que não poderia ser bem-sucedido, de modo que era apenas questão de tempo antes que morressem de fome? Estariam em insuperável desvantagem comparados com todos os povos caçadores-coletores nativos americanos que ocuparam a Groenlândia durante milhares de anos antes que os nórdicos chegassem?

Não penso assim. Lembrem-se que, antes dos *inuits*, houve ao menos quatro ondas de caçadores-coletores nativos americanos que chegaram à Groenlândia vindos do Ártico canadense e que morreram uma após a outra. Isso porque as flutuações climáticas no Ártico fizeram com que as grandes espécies de caça essenciais para o sustento dos caçadores humanos — caribus, focas e baleias — migrassem, flutuassem bastante em número ou periodicamente abandonassem áreas inteiras. Embora os *inuits* tenham resistido na Groenlândia durante oito séculos desde a sua chegada, eles também sofreram flutuações em números de animais de caça. Os arqueólogos descobriram muitas casas *inuits*, fechadas como cápsulas do tempo, contendo os corpos de famílias que morreram de fome ali dentro durante invernos muito rigorosos. Nos tempos da colonização dinamarquesa acontecia frequentemente um *inuit* entrar cambaleante em uma colônia dinamarquesa dizendo-se o último sobrevivente de alguma aldeia cujos membros morreram de fome.

Comparados aos *inuits* e todas as sociedades caçadoras-coletoras da Groenlândia, os nórdicos desfrutaram da grande vantagem de uma fonte de comida adicional: gado. Na verdade, o único uso que os caçadores nativos americanos podiam fazer da produtividade biológica das plantas da Groenlândia era caçando os caribus (além de lebres, como um item alimentar menor) que se alimentavam dessas plantas. Os nórdicos também comiam caribus e lebres, mas além disso tinham vacas, ovelhas e cabras para transformar as plantas em leite e carne. A esse respeito, os nórdicos dispunham de uma base alimentar muito mais ampla, e mais chance de sobrevivência, do que qualquer ocupante anterior da Groenlândia. Se os nórdicos, além de comerem muitos dos alimentos silvestres usados pelas sociedades nativas americanas na Groenlândia (especialmente caribus, focas migratórias e focas do porto), também tivessem tirado vantagem de alimentos selvagens que os nativos americanos usavam (especialmente peixe, focas-aneladas-do-ártico e baleias afora as encalhadas nas praias), poderiam ter sobrevivido. Não caçar focas-aneladas-do-ártico, peixes e baleias, coisa que devem ter visto os *inuits* fazerem, foi decisão deles. Os nórdicos morreram de fome diante de abundantes recursos alimentares não utilizados. Por que tomaram esta atitude que, de nossa perspectiva, parece uma decisão suicida?

Na verdade, do ponto de vista de suas observações, valores e experiên cias prévias, a decisão nórdica não é mais suicida do que a nossa atualmente. Quatro conjuntos de considerações formaram o seu modo de ver as coisas. Primeiro, é difícil ganhar a vida em um ambiente flutuante como o da Groenlândia, mesmo para os ecologistas e agrônomos modernos. Os nórdicos tiveram a sorte ou o azar de chegar à Groenlândia num período em que o clima era relativamente ameno. Como não viveram ali nos últimos mil anos, não experimentaram as séries de ciclos frios e quentes, e não tinham como prever as dificuldades de manter o gado quando o clima da Groenlândia entrasse em um ciclo frio. No século XX, quando os dinamarqueses reintroduziram ovelhas e vacas na Groenlândia, também cometeram erros, causaram erosão do solo por excesso de ovelhas e rapidamente desistiram das vacas. A Groenlândia moderna não é autossuficiente e depende muito da ajuda externa da Dinamarca e do pagamento de licença de pesca pela União Europeia. Portanto, mesmo pelos padrões de hoje, o feito dos nórdicos medievais ao desenvolverem um complexo conjunto de atividades que permitiu que se alimentassem durante 450 anos é impressionante e nada tem de suicida.

Segundo, os nórdicos não entraram na Groenlândia com a mente aberta para considerar qualquer solução para seus problemas locais. Em vez disso, assim como todos os povos colonizadores ao longo da história, chegaram com seu próprio conhecimento, valores culturais e estilo de vida, baseados em gerações de experiências nórdicas na Noruega e na Islândia. Consideravam-se produtores de laticínios, cristãos, europeus e, especificamente, nórdicos. Seus ancestrais noruegueses produziram laticínios durante três mil anos. O idioma, a religião e a cultura ligavam-nos à Noruega, assim como tais atributos uniram americanos e australianos à Inglaterra durante séculos. Todos os bispos da Groenlândia eram norugueses, em vez de nórdicos nascidos na Groenlândia. Sem esses valores noruegueses compartilhados, os nórdicos não teriam sobrevivido na Groenlândia. Sob esta luz, seu investimento em vacas, nas caçadas em Nordrseta e em igrejas é compreensível, mesmo que, do ponto de vista exclusivamente econômico, este não fosse o melhor uso da energia nórdica. Os nórdicos foram arruinados pelos mesmos laços sociais que os permitiram dominar as dificuldades da Groenlândia. Este é um tema comum ao longo da história e também no mundo moderno, como já vimos em relação a Montana (capítulo 1): os valores aos quais as pessoas se apegam mais fervorosamente em condições inadequadas são aqueles que antes eram fonte de seus maiores triunfos sobre a adversidade. Voltaremos a esse dilema nos capítulos 14 e 16, quando consideraremos as sociedades que conseguiram discernir a quais de seus principais valores deveriam se apegar.

Terceiro, os nórdicos, assim como outros europeus cristãos medievais, desprezavam povos pagãos e não europeus e não tinham experiência de como lidar com eles. Só após a era das explorações, que começou com a viagem de Colombo em 1492, os europeus aprenderam métodos maquiavélicos de explorar povos nativos em seu benefício, mesmo que continuassem a desprezá-los. Portanto, os nórdicos recusavam-se a aprender com os *inuits* e provavelmente se comportavam em relação a eles de modo a garantir a sua animosidade. Muitos grupos europeus posteriores pereceram no Ártico de modo semelhante como resultado de terem ignorado ou antagonizado com os *inuits*, notadamente os 138 ingleses membros da bem financiada Expedição Franklin, de 1845, todos mortos enquanto tentavam atravessar áreas do Ártico canadense povoadas pelos *inuits*. Os exploradores e colonos europeus que melhor se saíram no Ártico foram aqueles que usaram métodos *inuits* mais extensivamente, como Robert Peary e Roald Amundsen.

Finalmente, o poder na Groenlândia Nórdica estava concentrado no topo, nas mãos dos chefes e do clero. Possuíam a maior parte da terra (incluindo as melhores fazendas), os barcos e controlavam o comércio com a Europa. Escolheram dedicar a maior parte deste comércio à importação de bens que lhes trouxessem prestígio: bens luxuosos para os lares mais abastados, roupas e joias para o clero, e sinos e vitrais para as igrejas. Entre os usos que deram aos seus poucos barcos estava a caçada em Nordrseta, para poderem adquirir bens de exportação como o marfim e as peles de urso polar, com os quais pagar suas importações. Os chefes tinham dois motivos para terem grandes rebanhos de ovelhas que podiam danificar a terra por sobrepastejo: a lã era outro bem de exportação principal da Groenlândia com o qual pagavam as importações; e os fazendeiros independentes em terras desgastadas pelo sobrepastejo eram mais propensos a serem forçados a se tornarem arrendatários, e, portanto, se tornarem seguidores de chefes em sua competição com outros chefes. Muitas inovações poderiam ter melhorado as condições materiais dos nórdicos, como importar mais ferro e menos luxos, dedicar mais barcos às viagens à Markland para a obtenção de ferro e madeira e copiar (dos *inuits*) ou inventar barcos e técnicas de caça diferentes. Mas tais inovações teriam ameaçado o poder, o prestígio e os interesses particulares dos chefes. Na sociedade estritamente controlada e interdependente da Groenlândia Nórdica, os chefes estavam em posição de evitar que tais inovações fossem experimentadas.

Assim, a estrutura da sociedade nórdica criou um conflito entre os interesses de curto prazo daqueles que estavam no poder, e os interesses de longo prazo da sociedade como um todo. Muito do que os chefes e o clero valorizavam acabou se revelando danoso para a sociedade. Contudo, os valores sociais estavam na raiz de sua força bem como na de suas debilidades. Os nórdicos da Groenlândia conseguiram criar uma forma única de sociedade europeia, e sobreviveram 450 anos como o posto avançado mais remoto da Europa. Nós, americanos modernos, não devíamos nos apressar em apontar suas falhas, quando a sociedade dos nórdicos da Groenlândia sobreviveu mais tempo que a nossa sociedade de fala inglesa sobreviveu até agora na América do Norte. Contudo, no fim, os chefes se viram sem seguidores. O último direito que conseguiram obter foi o privilégio de serem os últimos a morrer de fome.

CAPÍTULO 9

CAMINHOS OPOSTOS PARA O SUCESSO

De baixo para cima, de cima para baixo • Terras altas da
Nova Guiné • Tikopia • Problemas da era Tokugawa • Soluções para a
era Tokugawa • Por que o Japão foi bem-sucedido • Outros sucessos

Nos capítulos precedentes descrevi seis sociedades do passado cuja incapacidade de resolver os problemas ambientais que criaram ou encontraram contribuiu para o seu colapso final: ilha de Páscoa, Pitcairn, Henderson, os anasazis, os maias clássicos das terras baixas e a Groenlândia Nórdica. Destaquei seus insucessos porque nos oferecem uma lição. Contudo, não é verdade que todas as sociedades do passado estiveram condenadas ao desastre ambiental: os islandeses sobreviveram em um ambiente difícil mais de 1.100 anos, e muitas outras sociedades persistiram milhares de anos. Estas histórias de sucesso também trazem lições para nós, assim como esperança e inspiração. Sugerem que há dois tipos contrastantes de abordagem para resolver problemas ambientais, que podemos denominar abordagem de baixo para cima e de cima para baixo, ou acrópeta ou basípeta.

Vemos isso especialmente no trabalho do arqueólogo Patrick Kirch em ilhas do Pacífico de diferentes tamanhos, com diferentes resultados sociais. A ocupação da minúscula ilha de Tikopia (4,7 km²) ainda é sustentável após três mil anos; a ilha de tamanho médio Mangaia (70 km²) passou por um colapso precipitado pelo desmatamento, semelhante ao da ilha de Páscoa; a maior das três ilhas, Tonga (746 km²), vem operando de modo mais ou menos sustentável há 3.200 anos. Por que a ilha menor e a maior conseguiram dominar seus problemas ambientais, enquanto a ilha de tamanho médio não conseguiu? Kirch argumenta que a ilha menor e a maior adotaram abordagens opostas para o sucesso, e que nenhuma dessas abordagens era factível na ilha de tamanho médio.

Pequenas sociedades ocupando uma ilha ou território pequeno podem adotar uma abordagem de baixo para cima de administração ambiental. Pelo fato de ser pequena, seus habitantes estão familiarizados com toda a ilha, sabem que serão afetados por qualquer coisa que aconteça em qualquer lugar dela, e compartilham um senso de identidade e interesses comuns com os outros insulares. Portanto, todos estão cientes de que se beneficiarão de medidas ambientais firmes que eles e seus vizinhos venham a adotar. Isso é gerenciamento de baixo para cima, no qual as pessoas trabalham juntas para resolver seus próprios problemas.

Muitos de nós já experimentamos tal tipo de administração de baixo para cima em nossa vizinhança ou ambiente de trabalho. Por exemplo, todos os proprietários das casas na rua de Los Angeles onde eu moro pertencem a uma associação de moradores, cujo objetivo é manter a vizinhança segura, harmoniosa e agradável para o nosso próprio benefício. Todos nós elegemos anualmente os diretores da associação, discutimos políticas em um encontro anual e mantemos as finanças da associação através de pagamentos anuais. Com esse dinheiro, a associação cuida dos jardins nos cruzamentos das ruas, controla o corte de árvores, revisa projetos de construções para evitar que sejam construídas casas feias ou grandes demais, resolve disputas entre vizinhos e faz *lobby* com as autoridades municipais sobre assuntos que afetem toda a vizinhança. Outro exemplo: no capítulo 1 mencionei que os proprietários de terra que vivem perto de Hamilton no vale Bitterroot, em Montana, uniram-se para gerir o Teller Wildlife Refuge (refúgio de vida selvagem) e assim contribuíram para incrementar o valor de suas terras, estilo de vida e oportunidades de caça e pesca, embora isso por si não resolva os problemas dos EUA ou do mundo.

A abordagem oposta é a das soluções de cima para baixo, adequadas a uma sociedade grande com organização política centralizada, assim como Tonga, na Polinésia. Tonga é grande demais para qualquer fazendeiro individual se familiarizar com todo o arquipélago, ou mesmo com alguma de suas ilhas maiores. Algum problema passível de acontecer em uma parte distante do arquipélago pode acabar se mostrando fatal para o estilo de vida deste fazendeiro, sem que ele inicialmente tenha conhecimento. Mesmo que ele saiba, é direito seu desprezar o assunto com a desculpa padrão NEPM ("não é problema meu"), porque pode pensar que aquilo não fará diferença para ele, ou seus efeitos só se farão sentir em um futuro remoto.

Por outro lado, um fazendeiro pode se sentir inclinado a discutir problemas de sua própria área (p.ex., desmatamento) porque supõe que há muitas árvores em algum outro lugar, embora na verdade ele não saiba.

Mas Tonga, contudo, é bastante grande para que tenha surgido um governo centralizado sob o controle de um chefe supremo ou de um rei. Este rei deve ter efetivamente uma visão de todo o arquipélago, ao contrário dos fazendeiros locais. Também ao contrário dos fazendeiros, o rei pode se sentir motivado a atender os interesses de longo prazo de todo o arquipélago, porque ele tira sua riqueza do arquipélago, é o último de uma linhagem de chefes que governa ali há muito tempo e espera que seus descendentes governem Tonga para sempre. Assim, o rei ou uma autoridade central pode praticar uma administração de recursos ambientais de cima para baixo, dar aos seus súditos ordens que são boas para todos a longo prazo, embora estes não tenham conhecimento bastante para as formularem.

Esta abordagem de cima para baixo é tão comum para os cidadãos de países do Primeiro Mundo moderno quanto a abordagem de baixo para cima. Estamos acostumados com o fato de as entidades governamentais, especialmente (nos EUA) os governos estadual e federal, seguirem políticas ambientais que afetem todo o estado ou país, porque achamos que os líderes de governo podem ter uma visão geral do estado ou país além da capacidade da maioria dos cidadãos. Por exemplo, enquanto os cidadãos do vale Bitterroot, em Montana, têm seu próprio Teller Wildlife Refuge, metade da área do vale é de propriedade ou administrada pelo governo federal, como floresta nacional ou pelo Departamento de Administração de Terras.

Sociedades tradicionais de médio porte, ocupando ilhas ou terras de médio porte, podem não se adequar a ambas as abordagens. Tal ilha é grande demais para que um fazendeiro local tenha uma visão geral de todas as suas partes. A hostilidade entre chefes em vales vizinhos evita acordo ou ação coordenada e até contribui para a destruição ambiental: cada chefe lidera ataques para cortar árvores e espalhar a destruição nas terras de seus rivais. A ilha pode ser pequena demais para a formação de um governo central, capaz de controlar toda a ilha. Este parece ter sido o destino de Mangaia, e pode ter afetado outras sociedades de médio porte no passado. Hoje, quando o mundo inteiro está organizado em estados, menos sociedades de médio porte devem estar enfrentando este dilema, mas ainda pode ocorrer em países em que o controle estatal é fraco.

Para ilustrar estas abordagens contrastantes demais para ter sucesso, vou relatar brevemente a história de duas sociedades de médio porte onde as abordagens de baixo para cima funcionaram (as terras altas da Nova Guiné e a ilha de Tikopia), e uma sociedade de grande porte onde medidas de cima para baixo funcionaram (o Japão da era Tokugawa, agora um dos oito países mais populosos do mundo). Nos três casos, os problemas ambientais foram o desmatamento, a erosão e a fertilidade do solo. Contudo, muitas outras sociedades do passado adotaram abordagens semelhantes para resolver problemas de recursos hídricos, caça e pesca. Também deve-se compreender que as abordagens de baixo para cima e de cima para baixo podem coexistir em uma sociedade de grande escala organizada em uma hierarquia piramidal de unidades. Por exemplo, nos EUA e em outras democracias temos administração de baixo para cima praticada por grupos de vizinhos ou de cidadãos coexistindo com administração de cima para baixo através de muitos níveis de governo (urbano, municipal, estadual e nacional).

O primeiro exemplo são as terras altas da Nova Guiné, uma das maiores histórias de sucesso de administração de baixo para cima. As pessoas vivem de modo autossustentado na Nova Guiné há cerca de 46 mil anos e, até tempos recentes, sem aportes economicamente significativos de sociedades fora das terras altas, e sem aporte de qualquer tipo exceto itens de comércio apreciados apenas por *status* (como conchas de cauri e plumas de ave-do-paraíso). A Nova Guiné é uma ilha grande ao norte da Austrália (mapa, p. 108), quase na linha do equador e, portanto, com florestas tropicais pluviais nas terras baixas, mas cujo interior acidentado consiste em serranias e vales que culminam em montanhas cobertas de gelo de até cinco mil metros de altura. O terreno acidentado confinou os exploradores europeus ao litoral e aos rios das terras baixas durante 400 anos, durante os quais se supôs que o interior era desabitado e coberto de florestas.

Portanto, foi um choque quando aviões contratados por biólogos e mineradores voaram pela primeira vez sobre o interior na década de 1930, e os pilotos viram abaixo deles uma paisagem transformada por milhões de pessoas, antes desconhecida do mundo exterior. O cenário parecia uma das áreas mais densamente povoadas da Holanda (foto 19): vales amplos e abertos com bosques esparsos, divididos até onde os olhos podiam alcançar por plantações separadas por canais de irrigação e drenagem, terraços de cultivo nas encostas de colinas, que nos fazem lembrar Java ou Japão, e aldeias cercadas por paliçadas defensivas. Quando os europeus foram por terra para verificar os achados dos pilotos, descobriram que os habitantes do interior eram agricultores que cultivavam taro, banana, inhame, cana-de-açúcar, batata-doce e criavam porcos e galinhas. Hoje sabemos que os primeiros quatro desses produtos principais (além de outros menos importantes) foram domesticados na própria Nova Guiné, que as terras altas da Nova Guiné são apenas um dos nove centros independentes de domesticação de plantas do mundo, e que a agricultura é praticada ali há 7 mil anos — uma das mais longas experiências de produção sustentável de alimentos.

Para os exploradores e colonizadores europeus, as terras altas da Nova Guiné pareciam "primitivas". As pessoas viviam em cabanas cobertas de palha, estavam sempre em guerra umas com as outras, não tinham reis ou mesmo chefes, não tinham escrita e vestiam pouca ou nenhuma roupa mesmo em épocas frias ou com chuva pesada. Não possuíam instrumentos de metal e faziam suas ferramentas com pedra, madeira e osso. Derrubavam árvores com machados de pedra, aravam suas plantações e abriam canais com pedaços de madeira, lutavam entre si com lanças de madeira e com flechas e facas de bambu.

Tal aparência "primitiva" revelou-se ilusória pelos seus métodos sofisticados de agricultura. Tão sofisticados que os agrônomos europeus ainda hoje não compreendem como funcionam e por que as bem-intencionadas inovações agrícolas europeias falharam ali. Por exemplo, um consultor agrícola europeu horrorizou-se com a notícia de que uma horta de batata-doce em um declive acentuado em uma região úmida tinha um canal de drenagem vertical que corria diretamente encosta abaixo. Ele convenceu os aldeões a corrigirem aquele terrível erro, e os fez instalar drenos que corriam horizontalmente ao longo dos contornos do terreno, de acordo com a boa prática europeia. O resultado foi que a água se acumulou por trás dos drenos e, na chuvarada seguinte, um desmoronamento levou toda a plantação encosta abaixo até o rio. Justamente para evitar este resultado, muito antes da chegada dos europeus os fazendeiros da Nova Guiné aprenderam as virtudes dos drenos verticais sob as condições de chuva e de solo das terras altas.*

Essa é apenas uma das técnicas que os agricultores da Nova Guiné inventaram ao longo de milhares de anos de tentativa e erro, cuidando de plantações em áreas que recebiam até 10 metros de água por ano, com terremotos freqüentes, desmoronamentos e (em maiores altitudes) geada. Para manter a fertilidade do solo, especialmente em áreas de alta densidade populacional onde curtos períodos de descanso, ou mesmo o plantio contínuo, era essencial para produzir comida bastante, recorreram a uma série de técnicas além da silvicultura que já explicarei. Usavam como adubo cerca de 36 toneladas de composto feito pela fermentação de mato, capins, velhas trepadeiras e outros materiais orgânicos por acre. Aplicavam lixo, cinza de fogueiras, vegetação de terrenos em descanso, troncos podres e esterco de galinha como cobertura morta e fertilizantes. Cavavam drenos ao redor dos campos para baixar o nível da água e evitar encharcamento, e transferiam a lama orgânica destes drenos para o solo das plantações. Legumes como o feijão,** que absorvem o nitrogênio da atmosfera, eram alternados com outras culturas — na verdade, uma invenção independente de sistema de rotação de cultivos feita pelos agricultores da Nova Guiné, que hoje está disseminado na agricultura do Primeiro Mundo, de modo a garantir a manutenção dos níveis de nitrogênio do solo. Os agricultores de Nova Guiné construíram terraços nas encostas, ergueram barreiras de retenção de solo e, é claro, removeram o excesso de água através de drenos verticais que provocaram a ira dos agrônomos. Uma conseqüência de sua confiança em todos esses métodos especializados é que são necessários anos para se aprender a cultivar nas terras altas da Nova Guiné. Meus amigos neoguineanos das terras altas que passaram a infância longe de sua aldeia para estudar descobriram, ao voltar, que não tinham competência para cuidar das plantações de sua família porque não haviam dominado uma vasta gama de conhecimentos complexos.

---

* Há muito recomenda-se não fazer terraços e drenos em nível e sim em pequeno declive, levando a um canal de derivação revestido com vegetação protetora contra a erosão. (*N. do Rev. Téc.*)

** O autor refere-se aos feijões asiáticos, do gênero *Vigna*, bons fixadores, e não ao nosso feijão comum, de origem andina, mau fixador. (*N. do Rev. Téc.*)

A agricultura sustentável nas terras altas da Nova Guiné apresenta problemas difíceis, não apenas de fertilidade do solo, mas também de suprimentos de madeira, como resultado de as florestas terem sido derrubadas para a criação de plantações e aldeias. O estilo de vida tradicional das terras altas exigia árvores para muitos propósitos, como construção de casas, de cercas, fabricação de instrumentos, utensílios e armas de madeira, e combustível para cozinhar e aquecer a cabana durante as noites frias. Originalmente, as terras altas eram cobertas de florestas de faia e carvalho, mas milhares de anos de agricultura deixaram as áreas mais densamente povoadas (em especial o vale Wahgi, na Papua-Nova Guiné e o vale Baliem, da Nova Guiné indonésia) completamente desmatadas até uma altitude de 2.500 metros. Como os habitantes das terras altas conseguem a madeira de que precisam?

Já no primeiro dia de minha visita às terras altas em 1964, vi bosques de uma espécie de casuarina em aldeias e plantações. Também conhecidas como carvalho-fêmea ou pau-ferro, as casuarinas são um grupo de diversas dezenas de espécies de árvores com folhas que lembram agulhas de pinheiro,* nativas das ilhas do Pacífico, Austrália, Sudeste Asiático e África Oriental tropical, mas introduzidas em outras partes devido à sua madeira extremamente dura, embora facilmente físsil (daí o nome "pau-ferro"). Nativa das terras altas da Nova Guiné, a *Casuarina oligodon* é a espécie de árvore que diversos milhões de habitantes das terras altas plantam em grande escala, transplantando mudas que germinam naturalmente ao longo das margens dos rios. Os habitantes das terras altas também plantam diversas outras espécies de árvores, mas a casuarina prevalece. Tão intensa é a proporção de transplantes de casuarinas nas terras altas que a prática é agora chamada de "silvicultura", o cultivo de árvores em vez de plantas da agricultura convencional (*silva, ager* e *cultura* são palavras do latim que querem dizer: floresta, campo e cultivo, respectivamente).

Demorou para que os especialistas em florestas europeus descobrissem as vantagens particulares da *Casuarina oligodon* e os benefícios que os habitantes das terras altas obtinham de seus bosques. A espécie cresce rá-

---

* As casuarinas possuem râmulos finos, articulados e verdes que desempenham a função das folhas; estas se reduzem a uma pequena coroa de escamas no ápice de cada artículo que recobre a base do artículo seguinte. (*N. do Rev. Téc.*)

pido. Sua madeira é excelente para construção e combustível. Os nódulos de suas raízes fixam nitrogênio, e sua copiosa queda de râmulos acrescenta tanto nitrogênio quanto carbono ao solo. Portanto, casuarinas dispersas em plantações ativas aumentam a fertilidade do solo, ao passo que casuarinas em plantações em pousio diminuem a quantidade de tempo que o lugar precisa ser deixado em descanso para recuperar a fertilidade antes que uma nova cultura possa ser plantada. As raízes retêm o solo em encostas íngremes e, portanto, reduzem a erosão. Os fazendeiros da Nova Guiné dizem que as árvores de algum modo reduzem a infestação das plantações pelo besouro do taro, e a experiência sugere que estão certos a esse respeito do mesmo modo que estão certos a respeito de diversas outras coisas, embora os agrônomos não tenham entendido a base de seu alegado poder antibesouro. Os habitantes das terras altas também dizem que apreciam seus bosques de casuarina por motivos estéticos, pois gostam do som do vento soprando por seus galhos e porque as árvores fornecem sombra à aldeia. Assim, mesmo em vales amplos dos quais a floresta original foi completamente derrubada, a silvicultura da casuarina permite que uma sociedade dependente de madeira continue a florescer.

Há quanto tempo os habitantes das terras altas da Nova Guiné praticam a silvicultura? As pistas usadas pelos paleobotânicos para reconstruir a história da vegetação das terras altas são basicamente similares às que já discuti a respeito da ilha de Páscoa, da região maia, Islândia e Groenlândia nos capítulos de 2 a 8: análises de amostras de pântanos e lagos em busca de pólen para determinar espécies de plantas; presença de carvão ou partículas carbonizadas resultantes de incêndios (naturais ou provocados pelo homem para abrir clareiras na floresta); acúmulo de sedimentos sugerindo erosão do solo após derrubadas na floresta; e datação radiocarbônica.

A Nova Guiné e a Austrália foram colonizadas há cerca de 46 mil anos por homens que avançavam para leste a bordo de jangadas e canoas vindos da Ásia através das ilhas da Indonésia. A essa época, a Nova Guiné ainda formava uma única massa de terra com a Austrália, e a chegada de colonizadores é confirmada em diversos lugares. Há cerca de 32 mil anos, o surgimento de carvão de incêndios frequentes e um aumento do pólen de espécies de árvore de descampado em relação ao pólen de espécies da floresta nas terras altas da Nova Guiné sugerem que as pessoas já visitavam aquele lugar, provavelmente para caçar e colher sementes de pandano na floresta, como ainda fazem até hoje. Sinais de derrubada contínua da floresta e a aparição de canais de drenagem artificiais nos pântanos dos vales há cerca de sete mil anos sugerem que a agricultura nas terras altas teve início por essa época. O pólen de espécies da floresta continua a diminuir em relação ao pólen de outras espécies até cerca de 1.200 anos atrás, quando ocorre o primeiro grande surto de pólen de casuarina quase que simultaneamente em dois vales a cerca de 800 quilômetros um do outro, o vale Baliem, no oeste, e o vale Wahgi, no leste da ilha. Hoje, estes são os vales mais largos e mais intensivamente desmatados das terras altas, abrigando as maiores e mais densas populações, condições que também deveriam prevalecer em ambos os vales há 1.200 anos.

Se admitirmos que este surto de pólen de casuarina é sinal do começo da silvicultura de casuarina, por que chegou então, de modo aparentemente independente em duas regiões separadas das terras altas? Dois ou três fatores contribuíam na época para produzir uma crise de madeira. Um era o avanço do desmatamento, à medida que a população de agricultores das terras altas passou a aumentar de sete mil anos atrás em diante. O segundo fator está associado a uma grossa camada de cinza vulcânica, chamada tefra de Ogowila, que nesta época cobriu o leste da Nova Guiné (incluindo o vale Wahgi) mas que não chegou ao vale Baliem a oeste. Essa tefra de Ogowila originou-se de uma enorme erupção em Long Island, ao largo do litoral leste da Nova Guiné. Quando visitei Long Island em 1972, a ilha consistia em um anel de montanhas de 26 quilômetros de diâmetro cercando uma imensa cratera ocupada por um lago, um dos maiores em qualquer ilha do Pacífico. Como discutido no capítulo 2, os nutrientes trazidos com a queda de cinzas teriam estimulado o crescimento das plantações e, assim, estimulado o crescimento da população, criando, por sua vez, um aumento da necessidade de madeira para construção e combustível, e maiores recompensas pela descoberta das virtudes da silvicultura de casuarina. Finalmente, se for possível extrapolar para a Nova Guiné da época os registros do El Niño demonstrados para o Peru, as secas e geadas devem ter estressado as sociedades das terras altas como um terceiro fator.

A julgar pelo surto ainda maior de pólen de casuarina entre 300 e 600 anos atrás, os habitantes das terras altas devem ter expandido a silvicultura ainda mais, estimulados por dois outros eventos: a tefra de Tibito, uma precipitação de cinza vulcânica ainda maior, que aumentou a fertilidade do solo e a população mais do que a tefra de Ogowila, também originária de Long Island e diretamente responsável pelo buraco hoje ocupado pelo lago moderno que eu vi; e possivelmente a chegada da batata-doce nas terras novas da Nova Guiné, permitindo colheitas muitas vezes superiores às outras disponíveis com apenas culturas da Nova Guiné. Após a sua aparição inicial nos vales Wahgi e Baliem, a silvicultura de casuarina (como atestado pelas amostras de pólen) atingiu outras áreas de terras altas em tempos diversos, e foi adotada em áreas periféricas apenas no século XX. Essa disseminação da silvicultura provavelmente envolveu a difusão da técnica a partir de seus primeiros dois centros de invenção, afora, talvez, algumas invenções independentes posteriores em outras áreas.

Mostrei a silvicultura de casuarina nas terras altas da Nova Guiné como um exemplo de solução de problemas de baixo para cima, embora não haja registros escritos nas terras altas que nos contem como a técnica foi adotada. Mas dificilmente teria sido por algum outro método de solucionar problemas, pois as sociedades das terras altas da Nova Guiné representam um extremo ultrademocrático de tomada de decisão de baixo para cima. Até a chegada dos governos coloniais holandeses e australianos na década de 1930, não houve sequer um começo de unificação política em qualquer parte das terras altas: meras aldeias individuais alternando-se em lutas entre si e juntando-se em alianças temporárias contra aldeias vizinhas. Dentro da cada aldeia, em vez de líderes ou chefes hereditários, havia apenas indivíduos chamados "grande-homem", os quais pela força de sua personalidade eram mais influentes que outros indivíduos, mas que ainda assim viviam em cabanas como as de todos os demais e cuidavam de sua lavoura como todo mundo. As decisões eram (e ainda são hoje) tomadas através da reunião e de muita conversa entre todos da aldeia. Os grandes-homens não podiam dar ordens e nem persuadir os outros a adotarem suas propostas. Para gente de fora (incluindo não apenas a mim mas muitas vezes as próprias autoridades de governo da Nova Guiné), esta tomada de decisão de baixo para cima pode ser frustrante, porque não é possível ir até algum líder da aldeia para ter uma resposta rápida; você tem de ter paciência para falar, falar e falar durante horas ou dias com cada aldeão que tenha uma opinião a oferecer.

CAMINHOS OPOSTOS PARA O SUCESSO

Este deve ter sido o contexto no qual a silvicultura de casuarina e todas essas práticas úteis de agricultura foram adotadas nas terras altas da Nova Guiné. Os habitantes de todas as aldeias podiam ver o desmatamento acontecendo ao seu redor, reconheciam a baixa taxa de crescimento de suas colheitas enquanto as plantações perdiam a fertilidade após terem sido inicialmente desmatadas e experimentavam as consequências da escassez de madeira e combustível. Os habitantes da Nova Guiné são o povo mais curioso e experimentador que já conheci. Em meus primeiros anos na Nova Guiné, quando via alguém comprar um lápis, que ainda era um objeto pouco usual, este lápis era experimentado em uma miríade de propósitos afora a escrita: ornamento de cabelo? Instrumento para espetar? Algo para mascar? Um longo brinco? Um adorno atravessado no septo nasal? Sempre que levo nativos da Nova Guiné para trabalhar comigo em regiões distantes de suas aldeias, estes constantemente colhem plantas locais, perguntam ao povo do local sobre os usos destas plantas, e pedem mudas para tentar plantá-las em casa. Desse modo, alguém há 1.200 anos deve ter visto pés de casuarina crescendo à beira de um rio, trouxe um para casa como outra planta para tentar cultivar, notou seus efeitos benéficos sobre uma plantação — então outra pessoa deve ter observado essas casuarinas de lavoura e também tentou plantar suas mudas.

Além de resolver seus problemas de suprimento de madeira e fertilidade do solo, os habitantes das terras altas da Nova Guiné também enfrentaram um problema populacional à medida que o seu número aumentava. Este aumento populacional foi contido através de práticas que ainda estavam em voga durante a infância de muitos de meus amigos da Nova Guiné — especialmente através de guerras, infanticídio, uso de plantas selvagens para contracepção e aborto, abstinência sexual e amenorreia lactacional natural durante os vários anos que um bebê era aleitado. As sociedades da Nova Guiné evitaram, assim, o destino da ilha de Páscoa, Mangareva, dos maias, dos anasazis e de muitas outras sociedades que sofreram com o desmatamento e o crescimento populacional. Conseguiram funcionar sustentavelmente durante dezenas de milhares de anos antes do advento da agricultura, e, então, durante mais de sete mil anos após o advento da agricultura, apesar das mudanças climáticas e impactos ambientais humanos constantemente alterarem as condições.

Hoje, a Nova Guiné enfrenta outra explosão populacional por causa do sucesso de medidas de saúde pública, introdução de novas culturas e o fim ou a diminuição das guerras entre tribos. O controle da população através do infanticídio não é mais socialmente aceito como solução. Mas os habitantes da Nova Guiné já se adaptaram no passado a grandes mudanças como a extinção da megafauna plistocênica, o derretimento glacial e as temperaturas mais quentes do fim das Idades do Gelo, o desenvolvimento da agricultura, o desmatamento maciço, a precipitação de tefra, eventos do El Niño, a chegada da batata-doce e dos europeus. Serão também capazes de se adaptar a condições alteradas que provoquem mais uma explosão demográfica?

Tikopia, uma ilhota tropical isolada no sudoeste do oceano Pacífico, é outra história de sucesso de administração de baixo para cima (mapa, p. 108). Com uma área total de apenas 4,7 km², abriga 1.200 pessoas, que contribuem para uma densidade populacional de 309 pessoas para cada quilômetro quadrado de área cultivável. Isso é uma população muito densa para uma sociedade tradicional sem técnicas modernas de agricultura. Contudo, a ilha tem sido ocupada continuamente há quase três mil anos.

A terra mais próxima de Tikopia é a ainda menor (370 mil m²) ilha de Anuta, a 136 quilômetros de distância, habitada por apenas 170 pessoas. As ilhas grandes mais próximas, Vanua Lava e Vanikoro, nos arquipélagos de Vanuatu e Salomão, respectivamente, estão a 225 quilômetros de distância e ainda têm apenas 259 km² cada uma. Nas palavras do antropólogo Raymond Firth, que viveu em Tikopia durante um ano, em 1928-1929, e voltou para visitas subseqüentes, "é difícil para alguém que não tenha vivido na ilha perceber seu isolamento do resto do mundo. É tão pequena que raramente se está longe da visão ou do som do mar. [A distância máxima do centro da ilha até a costa é de 1.200 metros.] O conceito nativo de espaço tem uma distinta relação com este fato. Acham quase impossível conceber qualquer pedaço de terra realmente grande (...) certa vez um grupo deles me perguntou: 'Amigo, existe algum lugar onde não se ouça o barulho do mar?' Seu confinamento tem outro resultado menos óbvio. Para todo tipo de referência espacial usam a expressão *em direção à terra* ou *em direção ao mar*. Assim, um machado no chão de uma casa é assim localizado, e já ouvi um homem chamar a atenção de outro dizendo: 'Há um salpico de lama na sua bochecha que está voltada para o mar.' Dia a dia, mês a mês, nada quebra a linha de nível de um claro horizonte, nem mesmo uma névoa fina que denuncie a existência de outra terra".

Nas tradicionalmente pequenas canoas de Tikopia, a viagem em mar aberto para algumas das ilhas vizinhas através da região sudoeste do Pacífico, tão sujeita a furacões, era uma jornada perigosa, embora os habitantes de Tikopia a considerassem uma grande aventura. O tamanho reduzido das canoas e a esporadicidade dessas viagens limitavam muito a quantidade de bens importados, de modo que, na prática, a única importação realmente significativa era de pedras para a confecção de instrumentos, e gente jovem e solteira de Anuta, como noivos. Porque as pedras de Tikopia eram de baixa qualidade para fazer ferramentas (assim como vimos em Mangareva e Henderson, no capítulo 3), obsidiana, vidro vulcânico, basalto e sílex eram importados de Vanua Lava e Vanikoro, com algumas dessas pedras importadas, por seu turno, originando-se de outras ilhas muito mais distantes nos arquipélagos de Bismarck, Salomão e Samoa. Outras importações consistiam em bens de luxo: conchas ornamentais, arcos e flechas, e (inicialmente) cerâmica.

Não havia como importar gêneros alimentícios em quantidades suficientes para contribuir de modo significativo para a subsistência dos habitantes de Tikopia. Em particular, estes tinham de produzir e armazenar comida excedente para poderem evitar a fome durante a estação seca anual de maio e junho, e depois de furacões que, em intervalos imprevisíveis, destruíam as plantações. (Tikopia fica no principal cinturão de furacões do Pacífico, com uma média de 20 furacões por década.) Portanto, sobreviver em Tikopia exigia resolver dois problemas durante três mil anos: como produzir comida suficiente para alimentar 1.200 pessoas? E como evitar o crescimento da população acima daquilo que é possível manter?

Nossa principal fonte de informação sobre o estilo de vida tradicional dos habitantes de Tikopia vem das observações de Firth, um estudo clássico de antropologia. Embora Tikopia tenha sido "descoberta" por europeus já em 1606, seu isolamento garantiu que a influência europeia permanecesse desprezível até o século XIX. A primeira visita de missionários só ocorreu em 1857, e as primeiras conversões de insulares ao cristianismo não começaram senão após 1900. Portanto, em 1928-1929 Firth teve uma oportunidade que os antropólogos que visitaram o lugar posteriormente não tiveram: a de observar uma cultura que ainda continha muito de seus elementos tradicionais, embora já em processo de mudança.

A sustentabilidade da produção de alimento em Tikopia é promovida por alguns fatores ambientais mencionados no capítulo 2 como sendo favoráveis a tornar as sociedades de algumas ilhas do Pacífico mais sustentáveis e menos suscetíveis à degradação ambiental do que as sociedades de outras ilhas. Trabalhando em favor da sustentabilidade em Tikopia estão seu alto índice pluviométrico, latitude moderada, localização na zona de alta precipitação de cinza vulcânica (de vulcões de outras ilhas) e alta taxa de queda de poeira da Ásia. Tais fatores constituem um golpe de sorte geográfica para seus habitantes: condições favoráveis para as quais não podiam reclamar crédito pessoal. O remanescente de seu sucesso deve ser creditado àquilo que os nativos de Tikopia fizeram por si mesmos. Praticamente, toda a ilha é microadministrada para a produção contínua e sustentada, em vez da agricultura itinerante que prevalece em outras ilhas do Pacífico. Quase toda espécie de planta em Tikopia é de um modo ou de outro usada pelo homem: até mesmo o capim é usado como cobertura morta em plantações, e árvores selvagens são usadas como fonte de alimento em tempos difíceis.

Vista do mar, Tikopia parece ser coberta por uma floresta pluvial primária multiestratificada, como muitas ilhas desabitadas do Pacífico. Só quando se desembarca e caminha entre as árvores é que se percebe que a verdadeira floresta pluvial está confinada a alguns trechos nos penhascos mais íngremes, e que o resto da ilha é dedicado ao cultivo de alimentos. A maior parte da área da ilha é coberta por um pomar cujas árvores maiores são de espécies nativas ou introduzidas, produzindo sementes comestíveis, frutos ou outros produtos úteis, dos quais os mais importantes são os cocos, a fruta-pão e o sagu, que tem medula rica em amido. Menos numerosas mas ainda valiosas são as árvores altas que produzem a amêndoa nativa (*Canarium harveyi*), a noz *Burckella obovata*, a noz taitiana *Inocarpus fagiferus*, a noz incisa *Barringtonia procera* e a amêndoa tropical *Terminalia catappa*.* Outras árvores menores e úteis no estrato intermediário da floresta incluem a palmeira areca do bétel, cujas nozes contêm

---

* No Brasil: amendoeira-da-praia ou chapéu-de-sol. (*N. do Rev. Téc.*)

narcótico,* o cajá-manga *Spondias dulcis,* e a árvore de médio porte *Antiaris toxicaria,* que se encaixa bem nesse pomar e cuja casca era usada para vestimentas, em vez da *Broussonetia papyrifera,* usada em outras ilhas da Polinésia. O sub-bosque desses três estratos arbóreos é, na realidade, uma horta para o cultivo de inhame, banana, o taro gigante do pântano *Cyrtosperma chamissonis,* que na maioria de suas variedades requer condições pantanosas para se desenvolver, mas do qual os habitantes de Tikopia cultivam um clone especificamente adaptado às condições secas dos pomares bem-drenados de suas encostas. Este multiestratificado é único no Pacífico em sua imitação estrutural de uma floresta tropical, à exceção de que suas plantas são todas comestíveis enquanto a maioria das árvores de uma floresta não o são.

Além desses extensos pomares, há dois outros tipos de pequenas áreas abertas e sem árvores mas também utilizadas para a produção de comida. O primeiro é um pequeno pântano de água doce, usado para o cultivo da forma comum de taro gigante do pântano, afeito à umidade, em vez do clone adaptado ao seco, cultivado nas encostas. O outro consiste em campos dedicados à produção em curta rotação e mão de obra intensiva de três raízes: taro, inhame e, recentemente, a sul-americana mandioca, que tem substituído o inhame nativo. Esses campos requerem trabalho quase constante de eliminar o mato, além da proteção de uma cobertura morta de capim e arbustos para evitar que as plantas sequem.

Os principais produtos desses pomares, pântanos e campos são plantas amiláceas. Como proteína, na ausência de animais domésticos maiores que galinhas e cães, os tikopianos tradicionais contavam em menor escala com os patos e peixes obtidos do único lago salobro da ilha, e em maior escala dos peixes e frutos do mar. A exploração sustentada de frutos do mar resultou de tabus administrados pelos chefes, cuja permissão era necessária para a pesca e o consumo de peixe; portanto, os tabus tinham o efeito de evitar a sobrepesca.

Os habitantes de Tikopia ainda assim tinham de recorrer a dois tipos de suprimento de comida de emergência para enfrentar a estação seca anual quando a produção da lavoura era baixa, e os furacões ocasionais

---

* Usadas como mastigatório junto com as folhas de Piper betle. (*N. do Rev. Téc.*)

destruíam plantações e pomares. Um deles consistia em fermentar a fruta-pão que sobrava em poços para produzir uma pasta amilácea que podia ser guardada por dois a três anos. O outro tipo consistia em explorar os pequenos redutos de floresta original remanescentes em busca de frutos, amêndoas e outras plantas comestíveis que não eram preferenciais mas podiam enganar a fome. Em 1976, enquanto visitava outra ilha polinésia chamada Rennell, perguntei aos insulares sobre a comestibilidade de frutas de cada uma das dezenas de espécies selvagens locais. Recebi três tipos de respostas: uma tinha frutos "comestíveis"; algumas tinham frutos "não comestíveis"; e outras três árvores tinham frutos "só comidos no tempo do *hungi kenge*". Como nunca ouvira falar de *hungi kenge*, perguntei o que era. Disseram-me que foi o maior tufão de que se tinha notícia, que destruiu as plantações de Rennell por volta de 1910 e reduziu o povo à fome, da qual se salvaram comendo frutos da floresta dos quais não gostavam e que normalmente não comeriam. Em Tikopia, com a média de dois tufões por ano, tais frutos deviam ser ainda mais importantes do que em Rennell.

Esses foram os meios pelos quais os habitantes de Tikopia garantiram para si o suprimento sustentável de alimentos. Outro pré-requisito para a ocupação sustentável de Tikopia é uma população estável, não crescente. Durante a visita de Firth em 1928-1929 ele contou uma população de 1.278 pessoas na ilha. De 1929 a 1952 a população aumentou 1,4% ao ano, uma taxa modesta que certamente teria sido maior durante as gerações que se seguiram à colonização de Tikopia há cerca de três mil anos. Mesmo supondo, entretanto, que o crescimento populacional de Tikopia era de apenas 1,4% por ano, e que a primeira colônia foi fundada pela lotação de uma canoa que transportava 25 pessoas, então a população da ilha de 4,66 km^2 teria chegado ao absurdo total de 25 milhões de pessoas após mil anos, ou 25 milhões de trilhões em 1929. Obviamente isso é impossível: a população não poderia continuar a crescer nesta taxa, porque teria atingido o seu nível atual de 1.278 pessoas em apenas 283 anos após a chegada de seres humanos. Como a população de Tikopia se manteve constante após 283 anos?

Firth descobriu seis métodos de controle populacional ainda em prática na ilha em 1929, e um sétimo que era praticado no passado. Muitos leitores deste livro também devem ter praticado um ou mais desses métodos, como a contracepção e o aborto, e nossa decisão de fazê-lo pode ter sido implicitamente influenciada por considerações sobre pressão populacional humana ou recursos familiares. Em Tikopia, porém, as pessoas dizem explicitamente que o motivo para a contracepção e outros comportamentos reguladores é evitar que a ilha se torne superpovoada, e que as famílias tenham mais filhos do que suas terras podem sustentar. Por exemplo: todos os anos, os chefes de Tikopia celebram um ritual no qual pregam um ideal de Crescimento Populacional Zero para a ilha, sem saberem que uma organização fundada com esse mesmo nome (mas logo redenominada) e dedicada a esse objetivo também surgiu no Primeiro Mundo. Os pais de Tikopia sabem que é errado continuar a dar à luz quando seu filho mais velho chega à idade de casar, ou ter mais de quatro filhos, ou ter mais filhos que um número dito ora de quatro filhos, ora de um menino e uma menina, ora de um menino e uma ou duas meninas.

Dos sete métodos tradicionais de controle populacional de Tikopia, o mais simples é a contracepção por coito interrompido. Outro método era o aborto, induzido pela compressão ou pela aplicação de pedras quentes sobre o ventre de uma mulher grávida perto de dar a luz. Alternativamente, os infanticídios eram praticados enterrando a criança viva, asfixiando, ou virando o recém-nascido de bruços. Os filhos mais jovens de famílias pobres permaneciam solteiros, e muitas do resultante excesso de mulheres casáveis também permaneciam solteiras em vez de manterem casamentos polígamos. (O celibato em Tikopia significa não ter filhos, e não impede o sexo por coito interrompido e o recurso ao aborto ou infanticídio, se necessário.) Outro método era o suicídio. Entre 1929 e 1952 ocorreram sete casos de suicídio por enforcamento (seis homens e uma mulher) e 12 (todas mulheres) nadando em direção ao mar aberto. Muito mais comum que esses suicídios explícitos era o suicídio virtual, perigosas viagens marítimas que levaram a vida de 81 homens e três mulheres entre 1929 e 1952. Tais viagens marítimas respondem por mais de um terço das mortes de jovens solteiros. O quanto estas viagens marítimas constituem suicídio virtual ou apenas comportamento imprudente de parte dos jovens certamente varia de caso a caso, mas as sombrias perspectivas de vida de um jovem de família pobre durante um período de fome em uma ilha superpovoada provavelmente era algo a ser considerado. Por exemplo, Firth descobriu em 1929 que um nativo chamado Pa Nukumara, o irmão mais jovem de um chefe ainda vivo na época, fora para o mar com dois de seus filhos durante um período de seca e fome, com a intenção expressa de morrer rapidamente em vez de morrer de fome lentamente em terra.

O sétimo método de controle populacional não estava mais em voga durante as visitas de Firth, mas foi-lhe transmitido por tradição oral. Entre o século XVII e início de século XVIII, a julgar pelo número de gerações que se sucederam desde esses eventos, a antiga baía de água salgada de Tikopia se transformou no lago salobro que é hoje em dia, quando um banco de areia fechou sua saída para o mar. Isso resultou na morte das antigas colônias de moluscos da baía e uma drástica diminuição das populações de peixe, o que determinou a fome do clã Nga Ariki, que na época vivia naquela parte da ilha. O clã decidiu adquirir mais terra no litoral atacando e exterminando o clã Nga Ravenga. Uma ou duas gerações depois, o clã Nga Ariki também atacou o clã Nga Faea, que fugiu da ilha em canoas (portanto, cometendo suicídio virtual) em vez de esperar serem assassinados em terra. Essas memórias orais se confirmam por evidências arqueológicas do fechamento da baía e dos lugares das aldeias.

A maioria desses sete métodos para manter constante a população de Tikopia acabou desaparecendo ou declinando sob a influência europeia durante o século XX. O governo colonial inglês das ilhas Salomão proibiu as viagens marítimas e as guerras, enquanto missões cristãs pregavam contra o aborto, o infanticídio e o suicídio. Como resultado, a população de Tikopia, que era de 1.278 pessoas em 1929, subiu para 1.753 em 1952, quando dois tufões particularmente destrutivos no intervalo de 13 meses arruinaram metade das plantações de Tikopia e provocaram fome generalizada. O governo colonial das ilhas Salomão Britânicas respondeu à crise imediata enviando comida, e então lidou com o problema de longo prazo permitindo ou encorajando os habitantes de Tikopia a aliviarem a superpopulação da ilha através de emigrações para as ilhas Salomão menos povoadas. Hoje, os chefes de Tikopia limitaram o número de habitantes que podem morar na ilha em 1.115 pessoas, perto do tamanho populacional tradicionalmente mantido através de infanticídio, suicídio e outros meios atualmente inaceitáveis.

Como e quando a notável economia sustentável de Tikopia surgiu? As escavações arqueológicas de Patrick Kirch e Douglas Yen demonstram que não foi inventada de uma hora para outra mas desenvolvida ao longo de quase três mil anos. A ilha foi colonizada pela primeira vez por volta de 900 a.C. pelo povo lapita, ancestral dos modernos polinésios, como descrito no capítulo 2. Esses primeiros colonos provocaram um grande impacto no meio ambiente da ilha. Restos de carvão em sítios arqueológicos demonstram que abriam clareiras na floresta através de queimadas. Comiam aves marinhas que nidificavam na ilha, aves terrestres, morcegos frugívoros, peixes, moluscos e tartarugas marinhas. Em mil anos, foram extintas cinco espécies de aves (atobá-de-Abbot, pardela-de--asa-larga, frango-d'água, megapódio-de-freycinet e andorinha-do-mar--escura), sendo seguidas posteriormente pelo atobá-de-pé-vermelho. Também neste primeiro milênio, os monturos arqueológicos revelam a virtual eliminação dos morcegos frugívoros, três vezes menos ossos de peixes e aves, 10 vezes menos moluscos e uma diminuição no tamanho máximo de mexilhões gigantes e conchas-turbantes (aparentemente porque as pessoas preferiam colher os exemplares maiores).

Por volta de 100 a.C., a economia começou a mudar à medida que essas fontes iniciais de alimento desapareciam ou se esgotavam. Ao longo dos mil anos seguintes, o acúmulo de carvão diminuiu e apareceram restos de amêndoas nativas (*Canarium harveyi*) em sítios arqueológicos, indicando que os habitantes de Tikopia estavam abandonando a agricultura itinerante em favor da manutenção de pomares com árvores de sementes comestíveis. Para compensar o drástico declínio de aves e frutos do mar, as pessoas começaram a criar porcos intensivamente, que passaram a representar quase metade da proteína consumida. Uma abrupta mudança na economia e nos artefatos por volta de 1200 d.C. marca a chegada de polinésios do leste, cujas características culturais distintas se formaram na área de Fiji, Samoa e Tonga entre descendentes das migrações lapitas que inicialmente também colonizaram Tikopia. Foram esses polinésios que trouxeram a técnica de fermentar e armazenar fruta-pão em poços.

Uma decisão significativa tomada conscientemente por volta de 1600 d.C., e registrada pela tradição oral mas também atestada arqueologicamente, foi a matança de todos os porcos da ilha, substituídos como fonte de proteína pelo aumento do consumo de peixe, moluscos e tartarugas. De acordo com registros orais, seus ancestrais tomaram tal decisão porque os porcos atacavam e estragavam as plantações, competiam com os humanos por comida, eram um meio ineficaz de alimentar seres humanos (são necessários nove quilos de vegetais comestíveis para produzir apenas um quilo de porco) e acabaram se tornando uma comida de luxo para os chefes. Com a eliminação dos porcos, e a transformação da baía de Tikopia em um lago salobro mais ou menos na mesma época, a economia de Tikopia adquiriu essencialmente a forma que tinha quando os europeus pela primeira vez se mudaram para lá no século XIX. Assim, até que a influência do governo colonial e das missões cristãs se impusesse no século XX, os habitantes de Tikopia foram autossuficientes em seu remoto e microadministrado pedacinho de terra.

Os habitantes de Tikopia hoje em dia se dividem em quatro clãs, cada um liderado por um chefe hereditário, que tem mais poder que um grande-homem não hereditário das terras altas da Nova Guiné. Contudo, a evolução da subsistência de Tikopia é melhor descrita pela metáfora de baixo para cima do que pela de cima para baixo. Pode-se caminhar ao longo de toda a linha costeira de Tikopia em menos de meio dia, de modo que todo insular conhece bem a ilha. A população é pequena o bastante para que cada habitante conheça individualmente os demais. Embora cada pedaço de terra tenha um nome e seja de propriedade de algum grupo de parentesco patrilinear, cada casa possui pedaços de terra em diferentes partes da ilha. Se uma plantação não está sendo usada no momento, qualquer um pode plantar temporariamente no lugar sem pedir permissão ao dono. Qualquer um pode pescar em qualquer recife, não importando se estiver na frente da casa de alguém. Quando da chegada um tufão ou seca, isso afeta toda a ilha. Assim, apesar das diferenças de clãs e de quanta terra seus parentes possuem, todos enfrentam os mesmos problemas e estão à mercê dos mesmos perigos. O isolamento de Tikopia e seu tamanho reduzido exigiu que a tomada de decisões fosse feita coletivamente desde que a ilha foi povoada. O antropólogo Raymond Firth intitulou seu primeiro livro *Nós, de Tikopia* porque frequentemente ouvia a frase (*"Matou nga Tikopia"*) quando os nativos explicavam a sua sociedade para ele.

Os chefes de Tikopia são donos das terras e canoas dos seus clãs, e redistribuem recursos. Contudo, para padrões polinésios, Tikopia está entre as sociedades menos estratificadas lideradas por chefes que são os mais fracos. Os chefes e suas famílias produzem sua própria comida e trabalham em suas hortas e pomares, assim como os plebeus. Nas palavras de Firth, "Em última análise, o modo de produção é inerente à tradição social, da qual o chefe é apenas o primeiro agente e intérprete. Ele e seu povo compartilham dos mesmos valores: uma ideologia de parentesco, ritual e moralidade reforçada pela lenda e pela mitologia. O chefe é, em grande parte, um guardião considerável desta tradição, mas ele não está sozinho. Seus anciãos, os chefes seus colegas, o povo de seu clã, até mesmo os membros de suas famílias estão imbuídos dos mesmos valores, e aconselham e criticam as suas ações". Portanto, o papel dos chefes de Tikopia representa muito menos uma administração de cima para baixo do que o papel dos líderes da sociedade restante que agora discutiremos.

Nossa outra história de sucesso lembra Tikopia no fato de também envolver uma sociedade insular de população muito densa isolada do mundo exterior, com poucas importações economicamente significativas e com uma longa história de autossuficiência e sustentabilidade em seu estilo de vida. Mas a semelhança termina aí, porque a ilha tem uma população 100 mil vezes maior que Tikopia, um poderoso governo central e uma economia industrial de Primeiro Mundo, uma sociedade altamente estratificada presidida por uma elite rica e poderosa, além de um papel importante em iniciativas de cima para baixo na solução de problemas ambientais. Nosso caso de estudo é o Japão antes de 1868.

A longa história da administração científica de florestas no Japão não é bem conhecida por europeus e norte-americanos. Os profissionais da atualidade pensam que as técnicas de administração de florestas disseminadas hoje em dia começaram a ser desenvolvidas nos principados alemães do século XV, e dali se espalharam para o resto da Europa nos séculos XVIII e XIX. Como resultado, a área total de florestas da Europa, após o constante declínio desde as origens da agricultura europeia, há nove mil anos, de fato aumentou a partir de 1800. Quando visitei a Alemanha pela primeira vez, em 1959, fiquei surpreso ao descobrir a extensão de florestas que cobria a maior parte do país, porque sempre pensara na Alemanha como um país industrializado, populoso e urbano.

Mas acontece que o Japão, independentemente e ao mesmo tempo que a Alemanha, também desenvolveu uma administração florestal de cima para baixo. Isso também é surpreendente, porque o Japão, assim como a Alemanha, é industrializado, populoso e urbano. De todos os países do Primeiro Mundo, é o que tem a maior densidade populacional, com 386 pessoas por quilômetro quadrado de área total, ou cerca de 1.930 pessoas por quilômetro quadrado de terra cultivada. Apesar desta grande população, quase 80% da área do Japão consiste em montanhas cobertas de florestas esparsamente povoadas (foto 20), enquanto a maioria das pessoas e terras cultiváveis está amontoada nas planícies, que representam apenas um quinto da área total do país. Estas florestas são tão bem preservadas e administradas que ainda aumentam de extensão, embora sejam utilizadas como valiosas fontes de madeira. Por causa desse manto de florestas, os japoneses frequentemente se referem ao seu país insular como "o arquipélago verde". Embora este manto lembre superficialmente uma floresta primeva, a maioria das florestas originais acessíveis do Japão foram cortadas há 300 anos e substituídas por florestas de talhadia e de alto-fuste tão cuidadosamente microadministrados quanto os da Alemanha e de Tikopia.

A política florestal japonesa surgiu como resposta a uma crise ambiental e populacional provocada paradoxalmente pela paz e pela prosperidade. Durante quase 150 anos a partir de 1467, o Japão foi convulsionado por guerras civis quando a coalizão de famílias poderosas que emergiu da desintegração anterior do poder do imperador entrou em colapso, e o controle passou para dezenas de barões guerreiros autônomos (chamados daimios), que lutavam entre si. As guerras finalmente terminaram com vitórias militares de um guerreiro chamado Toyotomi Hideyoshi e de seu sucessor, Tokugawa Ieyasu. Em 1615, a invasão da fortaleza de Toyotomi em Osaka por Ieyasu, e a morte por suicídio do restante dos Toyotomi, marcaram o fim da guerra.

Ainda em 1603, o imperador havia investido Ieyasu com o título hereditário de *xogum,* ou chefe do exército. Dali em diante, o xogum se estabeleceu na capital, a cidade de Edo (atual Tóquio), e passou a exercer o poder, enquanto o imperador na velha capital de Kyoto persistia como uma figura de fachada. Um quarto da área do Japão era administrado diretamente pelo xogum, e os três quartos remanescentes pelos 250 daimios a quem o xogum controlava com mão de ferro. As forças militares tornaram-se monopólio do xogum. Os daimios não podiam mais brigar entre si e precisavam da permissão do xogum mesmo para casar, modificar seus castelos, ou passar sua propriedade como herança para um filho. Os anos de 1603 a 1867 no Japão são chamados de era Tokugawa, durante a qual uma série de xoguns Tokugawa mantiveram o Japão livre de guerras e influências estrangeiras.

A paz e a prosperidade permitiram que a população e a economia do Japão explodissem. Um século depois do fim das guerras, a população dobrou devido a uma afortunada combinação de fatores: paz, relativa ausência de doenças epidêmicas que afligiam a Europa da época (devido à proibição de viajantes ou visitantes estrangeiros: vejam adiante) e produtividade agrícola aumentada como resultado da chegada de duas novas culturas produtivas (batata e batata-doce), recuperação de pantanais, melhor controle de enchentes e aumento da produção de arroz irrigado. Enquanto a população crescia, as cidades cresciam ainda mais rapidamente, ao ponto de Edo se tornar a cidade mais populosa do mundo por volta de 1720. Em todo o Japão, a paz c um governo altamente centralizado trouxeram uma moeda uniforme e um sistema uniforme de pesos e medidas, o fim das barreiras tarifárias e alfandegárias, construção de estradas e melhoria da navegação de cabotagem, o que contribuiu para um *boom* comercial no Japão.

Mas o comércio do Japão com o resto do mundo estava reduzido a quase nada. Navegantes portugueses em busca de comércio e conquistas, tendo circundado a África para chegar à Índia em 1498, avançaram até as Molucas em 1512, China em 1514 e Japão em 1543. Esses primeiros visitantes eram apenas um par de marinheiros náufragos, mas causaram mudanças perturbadoras ao introduzirem as armas de fogo, e mudanças ainda maiores quando foram seguidos por missionários católicos seis anos depois. Centenas de milhares de japoneses, incluindo alguns daimios, se converteram ao cristianismo. Infelizmente, os missionários jesuítas e franciscanos começaram a competir entre si e espalharam-se histórias de que os frades estavam tentando cristianizar o Japão como prelúdio de uma invasão europeia.

Em 1597, Toyotomi Hideyoshi crucificou o primeiro grupo de 26 mártires cristãos do Japão. Quando os daimios cristãos tentaram subornar ou assassinar autoridades do governo, o xogum Tokugawa Ieyasu concluiu que os europeus e cristãos eram uma ameaça à estabilidade do xogunato e do Japão. (Em retrospecto, ao se considerar como a intervenção militar europeia seguiu-se à chegada de comerciantes e missionários aparentemente inocentes na China, Índia e muitos outros países, a ameaça prevista por Ieyasu era real.) Em 1614, Ieyasu proibiu o cristianismo e começou a torturar e executar os missionários e os convertidos que se recusavam a abandonar sua religião. Em 1635 outro xogum foi ainda mais longe, proibindo os japoneses de viajar para fora do país e os navios japoneses de deixarem as águas costeiras do Japão. Quatro anos depois, expulsou todos os portugueses que ainda estavam no Japão.

Daí em diante o Japão entrou em um período que durou mais de dois séculos, no qual se isolou do resto do mundo, por razões que diziam mais respeito aos seus assuntos com a China e a Coreia do que com a Europa. Os únicos comerciantes estrangeiros admitidos eram alguns mercadores holandeses (considerados menos perigosos que os portugueses porque eram anticatólicos), que ficavam isolados como germes perigosos em uma ilha na baía de Nagasaki e um enclave chinês semelhante. Os únicos outros tipos de comércio exterior permitidos eram com os coreanos, na ilha Tsushima, que fica entre a Coreia e o Japão, com as ilhas Ryukyu (incluindo Okinawa) ao sul, e com as populações aborígines dos ainos, na ilha de Hokkaido, ao norte (que ainda não fazia parte do Japão, como faz hoje). Além desses contatos, o Japão não mantinha relações diplomáticas nem mesmo com a China. Também não tentou conquistas no estrangeiro depois de duas invasões malsucedidas à Coreia lideradas por Hideyoshi na década de 1590.

Durante esses séculos de relativo isolamento, o Japão foi capaz de suprir domesticamente muitas de suas necessidades, e em particular era quase autossuficiente em comida, madeira e em muitos metais. As importações se restringiam a açúcar e especiarias, ginseng, remédios e mercúrio, 160 toneladas por ano de madeiras de luxo, seda chinesa, peles de gamos e outras peles para curtir (porque o Japão tinha poucos bovinos), chumbo e salitre para fazer pólvora. Porém mesmo algumas dessas importações diminuíram com o tempo à medida que cresceu a produção doméstica de seda e açúcar, e quando as armas de fogo foram restritas e, afinal, virtualmente abolidas. Este estado notável de autossuficiência e isolamento autoimposto durou até 1853, quando uma frota norte-americana sob o comando do comodoro Perry chegou para exigir que o Japão abrisse os seus portos para abastecer os navios baleeiros e mercantes dos EUA com combustível e provisões. Em 1868, quando ficou claro que o xogunato Tokugawa não mais poderia proteger o Japão de bárbaros armados com armas de fogo, o xogunato terminou e o Japão começou sua admirável e rápida transformação de uma sociedade semifeudal isolada em um estado moderno.

O desmatamento era um fator importante na crise ambiental e populacional trazida pela paz e prosperidade do século XVII, quando o consumo japonês de madeira (quase inteiramente de madeira local) disparou. Até fins do século XIX, a maioria das construções japonesas era feita de madeira, mais do que de pedra, tijolo, cimento, lama ou azulejos, como em muitos outros países. Esta tradição de construção em madeira derivava em parte de uma preferência estética japonesa, em parte pela pronta disponibilidade de árvores ao longo da história antiga do Japão. Com a chegada da paz e da prosperidade e com a explosão populacional foi preciso muita madeira de construção para suprir as necessidades das populações rural e urbana, que não paravam de crescer. Começando em 1570, Hideyoshi, seu sucessor, o xogum Ieyasu, e muitos dos daimios abriram o caminho, satisfazendo seus egos e buscando impressionar uns aos outros construindo imensos castelos e templos. Apenas os três maiores castelos construídos por Ieyasu exigiram a derrubada de cerca de 26 km^2 de florestas. Cerca de 200 fortalezas e cidades fortificadas foram construídas sob o xogunato de Hideyoshi, Ieyasu e do xogum seguinte. Após a morte de Ieyasu, a construção urbana superou a construção monumental da elite em sua demanda de madeira, especialmente porque as casas de madeira cobertas de palha da cidade eram construídas muito próximas umas das outras e sujeitas a queimar no inverno devido a acidentes com o aquecimento a fogão das casas, de modo que as cidades tinham de ser reconstruídas repetidamente. O maior desses incêndios urbanos foi o de Meireki, que queimou metade da capital, Edo, e matou 100 mil pessoas em 1657. A maior parte dessa madeira era transportada até as cidades em barcos que também eram feitos de madeira e, portanto, também a consumiam mais. Cada vez mais navios de madeira eram necessários para transportar os exércitos de Hideyoshi através do estreito da Coreia em suas tentativas frustradas de conquistar aquele país.

A madeira de construção não era a única necessidade que levava ao desmatamento. Era também o combustível usado para aquecimento de casas, para cozinhar e para usos industriais como fazer sal, azulejos e cerâmica. A madeira era transformada em carvão para manter os fogos de alta temperatura para fundir o ferro. A população crescente do Japão precisava de mais comida e, portanto, de mais florestas derrubadas para abrir espaço para a agricultura. Os camponeses fertilizavam seus campos com "adubo verde" (i.e., folhas, cascas de árvore e gravetos) e alimentavam seu gado e seus cavalos com forragem (mato e capim) tirada das florestas. Cada hectare de terra plantada requeria de cinco a 10 hectares de florestas para fornecer adubo verde suficiente. Até o fim das guerras civis em 1615, os exércitos combatentes tiravam das florestas a forragem para seus cavalos e o bambu para suas armas e paliçadas defensivas. Os daimios de áreas de floresta cumpriam suas obrigações anuais com o xogum em forma de madeira.

Os anos entre 1570 e 1650 marcaram o auge da construção e do desmatamento no Japão, que diminuiu à medida que a madeira escasseava. A princípio ela era cortada por ordem direta do xogum ou daimio, ou pelos próprios camponeses para suprirem suas necessidades locais. Contudo, por volta de 1660, a iniciativa privada substituiu o governo na atividade. Por exemplo, quando outro incêndio irrompeu em Edo, um dos mais famosos madeireiros particulares, um mercador chamado Kinokuniya Bunzaemon, espertamente reconheceu que o resultado seria mais demanda por madeira. Antes mesmo de apagarem o fogo, ele saiu de navio para comprar uma imensa quantidade no distrito de Kiso, e revender com grande lucro em Edo.

A primeira parte do Japão a ficar desflorestada, já por volta de 800 d.C., foi a bacia de Kinai, na maior ilha do arquipélago, Honshu, que abriga as cidades principais do Japão antigo, como Osaka e Kyoto. Por volta do ano 1000, o desmatamento se espalhava para a ilha vizinha menor, Shikoku. Em 1550, cerca de um quarto da área do Japão (principalmente o centro de Honshu e o leste de Shikoku) havia sido desmatado, mas outras partes ainda tinham muitas florestas adultas e de terras baixas.

Em 1582 Hideyoshi se tornou o primeiro governante a exigir madeira de todo o Japão, porque sua prodigiosa e monumental construção excedia a madeira de que dispunha em seus domínios. Ele assumiu o controle de algumas das florestas mais valiosas do Japão e requisitou uma quantidade anual de madeira de cada daimio. Exceto as florestas, que os xoguns e daimios tomavam para si, também se apropriaram de todas as espécies valiosas de madeira em aldeias e terras privadas. Para transportar toda essa madeira de áreas de derrubada cada vez mais distantes das cidades e castelos onde era necessária, o governo tirou obstáculos dos rios de modo que os troncos pudessem flutuar e ser levados até o litoral, onde então eram transportados pelos navios para as cidades portuárias. A atividade madeireira se espalhou pelas três principais ilhas do Japão, da extremidade austral da ilha mais austral de Kyushu, através de Shikoku até a extremidade boreal de Honshu. Em 1678, os madeireiros tiveram de se voltar para a extremidade sul de Hokkaido, a ilha ao norte de Honshu e que, na época, ainda não fazia parte do Estado japonês. Por volta de 1710, a maior parte das florestas acessíveis havia sido cortada nas três ilhas principais (Kyushu, Shikoku e Honshu) e no sul de Hokkaido, deixando florestas adultas apenas nas encostas íngremes, em áreas inacessíveis e em lugares muito difíceis e dispendiosos para se extrair madeira com a tecnologia da era Tokugawa.

O desmatamento atingiu o Japão da era Tokugawa de outras maneiras afora o da óbvia falta de madeira de construção, combustível, forragem e o fim forçado da construção monumental. As disputas por madeira e lenha começaram a ser cada vez mais frequentes entre e dentro das aldeias, e entre aldeias e o daimio ou xogum, todos competindo pelas florestas do Japão. Também havia disputas entre os que queriam usar os rios para transportar madeira enquanto outros os queriam para pescar ou irrigar plantações. Assim como em Montana (capítulo 1), os incêndios aumentaram porque as árvores novas que cresciam sobre a terra desmatada eram mais inflamáveis que as florestas adultas. Quando a floresta que protege as encostas íngremes é removida, a taxa de erosão do solo aumenta em consequência das pesadas chuvas, águas de degelo e frequentes terremotos do Japão. Enchentes nas terras baixas devido ao aumento do fluxo de água que escorre pelas encostas desnudas, níveis de água mais altos em sistemas de irrigação das terras baixas devido à erosão do solo e assoreamento de rios, maior dano por tempestades e falta de fertilizantes e forragem vindos da floresta ajudaram a diminuir a produtividade das colheitas em um tempo de população crescente, o que contribuiu para a fome que assolou o Japão de Tokugawa de fins do século XVII em diante.

O incêndio de Meireki em 1657, e a demanda por madeira resultante da necessidade de reconstruir a capital do Japão, serviu como uma advertência que revelou a crescente escassez de madeira e outros recursos por que passava o país a um tempo em que sua população, especialmente a urbana, crescia rapidamente. Isso poderia ter levado a uma catástrofe do tipo da ilha de Páscoa. Em vez disso, ao longo dos dois séculos seguintes, o Japão adquiriu gradualmente uma população estável e uma taxa de consumo de recursos quase sustentável. A mudança veio de cima, liderada por sucessivos xoguns, que invocaram princípios de Confúcio para promulgar uma ideologia oficial que encorajava limitar o consumo e acumular reservas de modo a proteger o país contra o desastre.

Parte desta mudança implicou maior dependência de frutos do mar e do comércio com os ainos, de modo a diminuir a pressão sobre a agricultura. Os esforços para expandir a pesca incorporaram novas técnicas, como redes muito grandes e pescaria em águas profundas. Os territórios e aldeias dos daimios agora incluíam o mar adjacente, em reconhecimento da ideia de que os peixes e os frutos do mar eram limitados e iriam se exaurir caso qualquer um pudesse pescar livremente. A pressão sobre as florestas como fonte de fertilizante verde para as plantações foi reduzida fazendo-se mais uso de fertilizantes à base de peixe. A caçada a mamíferos marinhos (baleias, focas e lontras marinhas) aumentou, e formaram-se grupos empresariais para financiar os barcos necessários, equipamentos e a grande força de trabalho. O comércio grandemente expandido com os ainos em Hokkaido trouxe o salmão defumado, pepino-do-mar seco, abalones, algas, peles de veado, e peles de lontras marinhas para o Japão, em troca de arroz, saquê (vinho de arroz), tabaco e algodão. Alguns resultados foram a escassez de salmão e veados em Hokkaido, a transformação dos ainos de caçadores autossuficientes para a condição de dependentes de importações japonesas e, finalmente, a destruição dos ainos através da crise econômica, epidemias e conquistas militares. Portanto, parte da solução Tokugawa para o problema da falta de recursos no Japão era preservar os recursos japoneses causando a escassez de recursos em outro lugar, exatamente como o Japão e outros países do Primeiro Mundo solucionam parcialmente seus problemas atuais de escassez de recursos causando a escassez de recursos em outro lugar. (É bom lembrar que Hokkaido só se incorporou politicamente ao Japão no século XIX.)

Outra parte da mudança foi a quase obtenção de Crescimento Populacional Zero. Entre 1721 e 1828, a população do Japão quase não aumentou: foi de 26,1 milhões para apenas 27,2 milhões. Em comparação a séculos anteriores, os japoneses dos séculos XVIII e XIX casavam-se mais tarde, amamentavam seus bebês mais tempo, e espaçavam a vinda dos filhos em longos intervalos através da resultante amenorreia lactacional assim como pela contracepção, aborto e infanticídio. Essas taxas de natalidade reduzidas representavam a resposta de casais individuais à carência de comida e outros recursos, como mostram os altos e baixos nas taxas de nascimento na era Tokugawa em fases de alta e baixa dos preços do arroz.

Outros aspectos da mudança serviram para reduzir o consumo de madeira. A partir de fins do século XVII, o Japão começou a usar carvão mineral em vez de madeira como combustível. Construções mais leves substituíram casas de madeira maciça, fogões mais eficientes substituíram os fogareiros abertos, pequenos aquecedores portáteis a carvão substituíram a prática de aquecer toda a casa, e aumentou o uso do sol para aquecer as casas no inverno.

Muitas medidas de cima para baixo objetivavam balancear o desequilíbrio entre a derrubada e a produção de árvores, inicialmente através de medidas negativas (redução do abate) e, depois, através de medidas cada vez mais positivas (produção de mais árvores). Um dos primeiros sinais de preocupação das lideranças foi um edital do xogum em 1666, apenas nove anos após o incêndio de Meireki, advertindo sobre os danos da erosão, assoreamento de rios e inundações causadas pelo desmatamento, incitando as pessoas a plantarem mudas de árvores. Na mesma década, o Japão lançou um esforço nacional em todos os níveis da sociedade para regulamentar o uso de suas matas e, por volta de 1700, já havia um elaborado sistema de administração de florestas. Nas palavras do historiador Conrad Totman, o sistema se baseava em "especificar quem podia fazer o que, onde, quando, como, quanto e a que preço". Ou seja, a primeira fase da reação da era Tokugawa ao problema de florestas do Japão enfatizava medidas negativas que não restauravam a produção de madeira aos antigos níveis mas, pelo menos, ganhava tempo, evitando que as coisas ficassem piores até ser possível tomar medidas positivas e estabelecer as regras básicas para a competição dentro da sociedade japonesa pelos cada vez mais escassos produtos florestais.

As reações negativas objetivavam três estágios na cadeia de suprimento de madeira: administração florestal, transporte e consumo de madeira nas cidades. No primeiro estágio, o xogum, que controlava diretamente um quarto das florestas do Japão, designava um magistrado do ministério das finanças para ser responsável por suas florestas, e quase todos os 250 daimios seguiam o exemplo, cada um apontando o seu próprio administrador florestal. Esses administradores fechavam as terras onde tivesse havido exploração de madeira para permitir a regeneração da floresta, emitiam licenças especificando os direitos dos cidadãos para cortar madeira ou criar animais domésticos em terras do governo, e baniram a prática de incendiar florestas para limpar a terra para a agricultura itinerante. Nas florestas controladas não pelo xogum ou por daimios mas pelas vilas, o líder da vila administrava a floresta como propriedade comum para ser usada por toda a comunidade, desenvolvia regras sobre a colheita de produtos, proibia camponeses "estrangeiros" de outras vilas de usarem a sua área e contratavam guardas armados para aplicar todas essas regras.

Tanto o xogum quanto o daimio pagavam por inventários muitíssimo detalhados de suas florestas. Como exemplo da obsessão dos administradores, em 1773, um inventário de uma floresta perto de Karuizawa, a 130 quilômetros a noroeste de Edo, registrou que a floresta tinha uma área de 7,7 km² e continha 4.114 árvores, das quais 573 eram retorcidas ou nodosas e 3.541 eram boas. Dessas 4.114 árvores, 78 eram grandes coníferas (66 delas boas) com troncos de 7 a 11 metros de comprimento e 1,8 a 2 metros de circunferência, 293 eram coníferas de tamanho médio (253 delas boas) e 1,2 a 1,5 metro de circunferência, 255 boas coníferas de tamanho pequeno com cerca de 1,8 a 5,4 metros de comprimento e 0,3 a 0,9 metro de circunferência, a serem cortadas no ano de 1778, e 1.474 pequenas coníferas (1.344 delas boas) a serem cortadas em anos posteriores. Havia também 120 coníferas de médio porte no alto do terreno (104 delas boas) com 4,6 a 5,5 metros de comprimento e cerca de 0,9 a 1,5 metro de circunferência, e 15 pequenas coníferas no alto do terreno com 3,7 a 7,3 metros de comprimento e de 20 a 30 centímetros de circunferência a serem derrubadas em 1778, e 320 pequenas coníferas no alto do terreno (241 delas boas) a serem derrubadas em anos posteriores, para não mencionar 448 carvalhos (412 deles bons) de 3,7 a 7,3 metros de comprimento, com 0,9 a 1,68 metro de circunferência, e 1.126 árvores cujos dados eram igualmente enumerados. Essa contagem representa um extremo de administração de cima para baixo que nada deixa a critério dos camponeses individualmente.

O segundo estágio de reações negativas implicava o xogum e o daimio estabelecerem postos de guarda em estradas e rios para inspecionar cargas de madeira e garantir que todas essas regras de administração florestal estavam de fato sendo obedecidas. O último estágio consistia em uma série de regras governamentais especificando quem poderia usar (e com que propósito) a madeira de uma árvore derrubada que tivesse passado pela inspeção de um posto de guarda. Os valiosos cedro e carvalho eram reservados para uso governamental e não estavam ao alcance dos camponeses. A quantidade de madeira que se podia usar na construção de uma casa dependia do *status* social: 30 ken (um ken é uma viga com 1,8 metro de comprimento) para um líder que presidisse diversas aldeias, 18 ken para seu herdeiro, 12 ken para o líder de uma única aldeia, oito ken para um chefe local, seis ken para um camponês pagador de impostos, e meros quatro ken para um camponês ou pescador comum. O xogum também legislava sobre a permissibilidade de objetos de madeira menores que casas. Por exemplo, em 1663, um edital proibiu qualquer carpinteiro de Edo de fabricar caixas pequenas de cipreste ou madeira de *sugi*, ou utensílios domésticos de madeira de *sugi*, mas permitia que se fizessem caixas grandes de cipreste ou *sugi*. Em 1668 o xogum proibiu o uso de cipreste, *sugi*, ou de qualquer outra árvore boa para quadros de avisos públicos e, 38 anos depois, os grandes pinheiros foram removidos da lista de árvores aprovadas para a fabricação de enfeites de ano novo.

Todas essas medidas negativas tinham o objetivo de resolver a crise florestal do Japão, garantindo que a madeira fosse usada apenas com propósitos autorizados por um xogum ou daimio. Contudo, grande parte da culpa pela crise de madeira do Japão era dos próprios xoguns e daimios. Portanto, para solucionar a crise inteiramente era necessário que se tomassem medidas positivas para produzir mais árvores, assim como proteger a terra da erosão. Tais medidas começaram ainda no século XVII, com o desenvolvimento de um corpo detalhado de conhecimento científico sobre silvicultura. Os engenheiros florestais empregados tanto pelo governo quanto pela iniciativa privada observaram, experimentaram e publicaram suas descobertas em uma infinidade de periódicos e manuais de silvicultura, exemplificados por um dos primeiros grandes tratados de silvicultura do Japão, o *Nōgyō zensho*, de 1697, escrito por Miyazaki Antei. Lá, encontram-se instruções de como melhor recolher, extrair, secar, armazenar e preparar sementes; como preparar a sementeira através de limpeza, fertilização, destorroamento e revolvimento; como embeber sementes antes de plantá-las; como proteger sementes plantadas espalhando palha sobre elas; como limpar o canteiro de plantas daninhas; como transplantar e espaçar as árvores jovens; como substituir mudas que não vingaram durante quatro anos; como podar as árvores novas; como podar ramos do tronco para obter um tronco de conformação desejada. Como uma alternativa à plantação de árvores a partir das sementes, algumas espécies de árvores eram criadas a partir de estacas, brotos, e outras por meio da técnica conhecida como talhadia (deixar tocos ou raízes vivos no chão capazes de brotar novamente).

Aos poucos, independentemente da Alemanha, o Japão desenvolveu uma ideia própria de silvicultura: a de que as árvores devem ser encaradas como plantações de crescimento lento. Tanto o governo quanto a iniciativa privada começaram a plantar florestas em terras que compravam ou alugavam, especialmente em áreas onde isso seria economicamente favorável, como lugares próximos a cidades onde houvesse demanda de madeira. Por um lado, a silvicultura é dispendiosa, arriscada e exige capital. Há grandes custos iniciais para pagar trabalhadores para plantar árvores, então segue-se o custo do trabalho humano ao longo de várias décadas para cuidar da plantação, e nenhum retorno deste investimento até as árvores ficarem grandes o bastante para serem cortadas. Ao longo dessas décadas, há a possibilidade de se perder a floresta por causa de alguma doença ou incêndio, e o preço que a madeira vai alcançar é sujeito a flutuações de mercado imprevisíveis com décadas de antecipação, à época em que as sementes são plantadas. Por outro lado, a silvicultura oferece diversas vantagens, comparada ao corte de florestas naturalmente plantadas. É possível plantar apenas espécies de árvore valiosas, em vez de aceitar o que brote na floresta. Pode-se maximizar a qualidade das árvores e o seu valor, por exemplo, podando-as à medida que crescem para obter troncos retos e bem-formados. Pode-se escolher um lugar conveniente com baixo custo de transporte junto a uma cidade ou rio adequado à flutuação de troncos, em vez de arrastá-los de uma encosta remota. Pode-se espacejar as árvores em intervalos regulares, reduzindo assim os custos da derrubada. Alguns plantadores de florestas japoneses se especializaram em madeira para usos particulares e, por isso, podiam cobrar altos preços pelos produtos de sua "marca". Por exemplo, as florestas de Yoshino tornaram-se conhecidas por produzirem as melhores aduelas para barris de cedro para estocar saquê.

A ascensão da silvicultura no Japão foi facilitada pela uniformização de instituições e métodos em todo o país. Diferente da situação da Europa, dividida em centenas de principados ou estados, o Japão de Tokugawa era um único país, governado de modo uniforme. Embora o sudoeste do Japão seja subtropical e o norte temperado, o país inteiro é úmido, íngreme, passível de erosão, de origem vulcânica e dividido entre montanhas íngremes com florestas e terras planas usadas para lavouras, fornecendo assim alguma uniformidade ecológica de condições para a silvicultura. Em vez da tradição japonesa de usar as florestas com múltiplos propósitos, no qual a elite ficava com a madeira e os camponeses recolhiam fertilizantes, forragem e combustível, as florestas plantadas tinham o propósito primordial e específico da produção de madeira, outros usos sendo permitidos apenas se não prejudicassem essa produção. Patrulhas florestais protegiam as florestas, impedindo a atividade madeireira ilegal. A silvicultura se disseminou no Japão entre 1750 e 1800, e depois disso o longo declínio na produção de madeira do Japão foi revertido.

Um observador de fora que visitasse o Japão em 1650 podia prever que a sociedade japonesa estava no umbral de um colapso social desencadeado por um desmatamento catastrófico, à medida que mais e mais pessoas competiam por recursos cada vez menores. Por que o Japão de Tokugawa conseguiu desenvolver soluções de cima para baixo e, assim, evitar o desmatamento, enquanto os antigos pascoenses, maias e anasazis, e a moderna Ruanda (capítulo 10) e o Haiti (capítulo 11) falharam? Esta pergunta é um exemplo do problema maior a ser explorado no capítulo 14; por que e em que estágio as pessoas são bem-sucedidas ou não em tomadas de decisão em grupo.

As respostas mais comuns para o sucesso verificado em meados e no fim da era Tokugawa no Japão — um suposto amor pela natureza, respeito budista pela vida, ou abordagem confuciana — podem ser rapidamente descartadas. Além de não descrever com exatidão a complexa realidade das atitudes japonesas, essas frases simples não evitaram que o Japão de inícios da era Tokugawa esgotasse seus recursos naturais, nem estão evitando que o Japão moderno esgote os recursos do mar e de outros países hoje em dia. Em vez disso, parte da resposta envolve as vantagens ambientais do Japão: alguns dos mesmos fatores ambientais já discutidos no capítulo 2 para explicar por que Páscoa e diversas outras ilhas polinésias e melanésias acabaram desmatadas enquanto Tikopia, Tonga e outras não. Os habitantes dessas últimas ilhas tiveram a sorte de viver em uma paisagem ecologicamente robusta, onde as árvores crescem rapidamente. Assim como nas ilhas robustas da Polinésia e Melanésia, as árvores do Japão crescem rapidamente devido à alta incidência de chuvas, alta taxa de precipitação de cinza vulcânica e poeira asiática que restauram a fertilidade do solo, e solos jovens. Outra parte da resposta tem a ver com as vantagens sociais do Japão: alguns aspectos da sociedade japonesa que já existiam antes da crise do desmatamento e que não tiveram de surgir como resposta a este desmatamento. Tais aspectos incluem a falta de cabras e ovelhas no Japão, animais que têm devastado florestas em muitos lugares; o declínio no número de cavalos no início da era Tokugawa, devido ao fim das guerras e da necessidade de uma cavalaria; e a abundância de frutos do mar, liberando a pressão sobre as florestas como fontes de proteína e fertilizantes. A sociedade japonesa fazia uso de bois e cavalos como animais de tração, mas seus números começaram a diminuir em resposta ao desmatamento e à perda de forragem da floresta, e foram substituídos por gente usando pás, enxadas e outros instrumentos.

A explicação remanescente constitui uma série de fatores que fizeram tanto a elite quanto as massas do Japão reconhecerem o seu compromisso de longo prazo para a preservação de suas florestas em um grau maior do que outros povos. Quanto à elite, os xoguns da era Tokugawa, tendo imposto a paz e eliminado exércitos rivais em casa, corretamente imaginaram correr pouco risco de uma revolta interna ou de uma invasão de além-mar. Esperavam que a família Tokugawa continuasse liderando o Japão, o que de fato ocorreu durante 250 anos. Portanto, a paz, a estabilidade política e a confiança justificável em seu próprio futuro encorajaram os xoguns Tokugawa a investirem em um plano de longo prazo para seus domínios: ao contrário dos reis maias e dos presidentes do Haiti e Ruanda, que não puderam ou não esperavam ser sucedidos por seus filhos ou, mesmo, terminar o seu mandato no cargo. A sociedade japonesa como um todo era (e ainda é) relativamente étnica e religiosamente homogênea, sem as diferenças que desestabilizaram a sociedade de Ruanda e, possivelmente, também as sociedades maia e anasazi. A localização isolada do Japão de Tokugawa, seu comércio exterior incipiente e a renúncia à expansão tornaram óbvio que teria de depender de seus próprios recursos e que não resolveria suas necessidades através da pilhagem dos recursos de outro país. Da mesma forma, a manutenção da paz no Japão imposta pelo xogum queria dizer que as pessoas sabiam que não podiam satisfazer suas necessidade de madeira apossando-se da madeira de um vizinho japonês. Vivendo em uma sociedade estável sem o aporte de ideias estrangeiras, a elite e os camponeses do Japão esperavam que o futuro fosse como o presente, e que os problemas do futuro fossem resolvidos com recursos do presente.

A premissa habitual dos prósperos camponeses da era Tokugawa, bem como a esperança dos aldeões mais pobres, era a de que suas terras acabariam sendo passadas para seus herdeiros. Por essas e outras razões, o controle das florestas do Japão ficou cada vez mais a cargo de gente imbuída de um interesse de longo prazo por suas florestas: ou porque esperavam que seus filhos herdassem o direitos de usá-la, ou devido a vários arrendamentos ou contratos de longo prazo. Por exemplo, muitas terras comuns de aldeias foram divididas em arrendamentos separados para residências individuais, minimizando assim a tragédia do bem comum, a ser discutida no capítulo 14. Outras florestas de aldeia eram administradas a partir de contratos de venda de madeira feitos bem antes da derrubada. O governo negociava contratos de longo prazo em florestas governamentais, dividindo o lucro da madeira com as aldeias ou com os comerciantes em troca de que administrassem suas florestas. Todos esse fatores políticos e sociais resultavam no interesse do xogum, dos daimios e dos camponeses de administrarem suas florestas de modo sustentável. Igualmente óbvio após o incêndio de Meireki, esses fatores faziam a exploração excessiva de floresta a curto prazo parecer tolice.

É claro, porém, que gente com interesses de longo prazo nem sempre age com sabedoria. Frequentemente ainda preferem objetivos de curto prazo, e quase sempre fazem coisas tolas tanto a curto quanto a longo prazo. É isso que torna a biografia e a história infinitamente mais complicadas e menos previsíveis que o curso de reações químicas, e é por isso que este livro não prega o determinismo ambiental. Líderes que não reagem apenas passivamente, que têm a coragem de antecipar-se às crises ou de agir de pronto, que tomam decisões firmes e perspicazes de administração de cima para baixo realmente podem fazer uma grande diferença para suas sociedades. O mesmo podem fazer cidadãos corajosos e dinâmicos que pratiquem administração de baixo para cima. Os xoguns Tokugawa, e meus amigos proprietários de terras em Montana dedicados ao Teller Wildlife Refuge, são os melhores exemplos desses tipos de administração, em busca de seus objetivos de longo prazo e dos interesses de muitos outros.

Ao dedicar um capítulo a essas três histórias de sucesso — terras altas da Nova Guiné, Tikopia e o Japão de Tokugawa — após sete capítulos sobre sociedades que entraram em colapso devido ao desmatamento e outros problemas ambientais além de algumas outras histórias de sucesso (Orkney, Shetland, Faroe, Islândia), não estou dizendo que as histórias de sucesso constituam raras exceções. Nos últimos séculos, a Alemanha, a Dinamarca, a Suíça, a França e outros países da Europa Ocidental se estabilizaram e expandiram suas florestas através de medidas de cima para baixo, como o Japão. Do mesmo modo, cerca de 600 anos antes, a maior e mais rigidamente organizada sociedade nativa americana, o Império Inca, nos Andes Centrais, com dezenas de milhões de súditos sob um líder absoluto, empreendeu reflorestamentos maciços, bem como construiu terraços de cultivo para evitar a erosão do solo, aumentando a produtividade das colheitas e assegurando o fornecimento de madeira.

Também são abundantes os exemplos de administração de baixo para cima bem-sucedidos de pequenas economias agrícolas, pastoris, de caça ou de pesca. Um exemplo que mencionei brevemente no capítulo 4 vem do sudoeste dos EUA, em que sociedades nativas americanas bem menores que o Império Inca tentaram várias propostas diferentes para o problema de desenvolver uma economia duradoura em um ambiente difícil. As propostas anasazi, *hohokam* e *mimbres* acabaram se extinguindo, mas a proposta um tanto diferente de Pueblo funciona na mesma região há mais de mil anos. Embora a Groenlândia Nórdica tenha desaparecido, os *inuits* da Groenlândia mantiveram uma economia independente de caçadores-coletores durante pelo menos 500 anos, desde sua chegada em 1200 d.C., até o impacto da colonização dinamarquesa, iniciada em 1721. Após a extinção da megafauna plistocênica da Austrália, há cerca de 46 mil anos, os aborígines australianos mantiveram economias caçadora-coletoras até

CAMINHOS OPOSTOS PARA O SUCESSO

a colonização europeia em 1788 d.C. Entre as inúmeras pequenas sociedades rurais autossuficientes dos tempos modernos, as mais bem-estudadas incluem comunidades na Espanha e nas Filipinas que mantêm sistemas de irrigação, e aldeias suíças alpinas que operam economias mistas agrícola-pastoris, em ambos os casos há muitos séculos e com acordos detalhados quanto à administração dos recursos da comunidade.

Cada um desses casos de administração de baixo para cima que acabo de mencionar envolve uma pequena sociedade que detém direitos exclusivos de todas as atividades econômicas de suas terras. Existem (ou existiram) casos interessantes e mais complexos no subcontinente indiano, onde o sistema de castas permitia dezenas de subsociedades economicamente especializadas compartilhando a mesma área geográfica e tendo diferentes atividades econômicas. As castas comerciam intensamente entre si e muitas vezes vivem nas mesmas aldeias, mas são endógamas — i.e., geralmente casam-se com pessoas de sua mesma casta. As castas coexistem explorando diferentes estilos de vida e recursos naturais, como pesca, agricultura, criação de gado e caça-coleta. Há até mesmo uma especialização mais fina, p.ex., com diferentes castas de pescadores, pescando com métodos diferentes em diferentes tipos de água. Como no caso de Tikopia e do Japão de Tokugawa, os membros das castas especializadas da Índia sabem que podem contar com apenas uma base restrita de recursos para se manterem, mas esperam passar esses recursos para seus filhos. Tais condições geraram a aceitação de normas sociais muito detalhadas através das quais os membros de uma determinada casta garantiam a exploração de seus recursos de modo sustentado.

Por que essas sociedades do capítulo 9 foram bem-sucedidas enquanto as sociedades discutidas nos capítulos 2 a 8 falharam? Parte da explicação consiste em diferenças ambientais: alguns ambientes são mais frágeis e impõem problemas mais desafiadores do que outros. Já vimos no capítulo 2 a profusão de motivos que levaram os ambientes das ilhas do Pacífico a serem mais ou menos frágeis, e explicamos em parte por que as sociedades de Páscoa e Mangareva entraram em colapso enquanto a sociedade de Tikopia não. Do mesmo modo, as histórias de sucesso das terras altas da Nova Guiné e do Japão de Tokugawa contadas neste capítulo envolvem sociedades que desfrutaram da sorte de estar ocupando ambientes relativamente robustos. Mas as diferenças ambientais não explicam tudo, como vimos pelos casos da Groenlândia e do sudoeste dos EUA, nos quais uma sociedade é bem-sucedida enquanto uma ou mais sociedades praticando diferentes economias no mesmo ambiente falharam. Ou seja, o importante não é apenas o ambiente, mas também a escolha de uma economia adequada. A outra parte do enigma implica perguntar se as práticas de uma sociedade são sustentáveis, mesmo para um tipo particular de economia. Não importando os recursos sobre os quais se apoia a economia — plantações, pastagens, pesca, caça ou coleta de plantas e de pequenos animais — algumas sociedades desenvolvem práticas para evitar a exploração excessiva de recursos. Outras sociedades fraquejam diante deste desafio. O capítulo 14 considerará os tipos de erros que devem ser evitados. Antes, porém, os próximos quatro capítulos examinarão quatro sociedades modernas, para serem comparadas com as sociedades do passado que viemos discutindo desde o capítulo 2.

Foto 1. O rio Bitterroot, Montana.

Foto 2. Um campo de feno irrigado no vale Bitterroot.

Foto 3. Montanhas e florestas no vale Bitterroot.

Foto 4. A mina abandonada Zortman-Landusky, em Montana, a primeira nos EUA a experimentar a extração de ouro de minério com baixo teor, em larga escala, através de lixiviação em pilha com cianeto.

Foto 5. Uma plataforma de pedra (ahu) e as famosas estátuas de pedra reerguidas (moais) na ilha de Páscoa.

Foto 23. Paisagem agrícola parcialmente florestada da República Dominicana, ocupando a parte leste da ilha de Hispaniola, e muitas vezes mais rica que o Haiti.

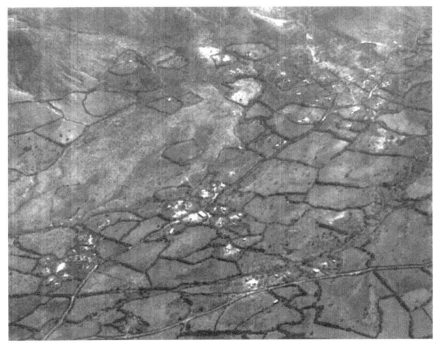

Foto 24. A paisagem quase completamente desmatada do país mais pobre do Novo Mundo, o Haiti, que ocupa a parte oeste da ilha de Hispaniola.

Foto 5. Uma plataforma de pedra (ahu) e as famosas estátuas de pedra reerguidas (moais) na ilha de Páscoa.

Foto 6. Paisagem da ilha de Páscoa, hoje completamente desmatada, e seus cones de escória vulcânica, outrora coberta por florestas. A cratera grande é Rano Raraku, local da pedreira principal. O pequeno quadrado de floresta na base é uma recente plantação de árvores não nativas.

Foto 7. Outra visão da paisagem completamente desmatada e seus cones vulcânicos.

Foto 8. Estátuas (moais) cujas cabeças ostentam *pukaos*, cilindros de pedra vermelha pesando até 12 toneladas, possivelmente representando um cocar de penas vermelhas.

Foto 9. Vista aérea do Chaco Canyon, desmatado, com as ruínas de Pueblo Bonito, o maior sítio anasazi do desfiladeiro, cujos prédios tinham até seis andares.

Foto 10. As ruínas de um sítio anasazi na paisagem desmatada do Chaco Canyon.

Foto 11. Um portal anasazi, ilustrando a técnica de construção com pedras de encaixe a seco (i.e., não cimentado), com lajes revestindo um interior de entulho.

Foto 12. Um templo de lados íngremes na cidade maia de Tikal, abandonada há mais de mil anos, coberto de floresta e que foi desmatado em parte recentemente.

Foto 13. Em Tikal, uma estela (monólito entalhado) coberta com inscrições. O único sistema de escrita pré-colombiano a se desenvolver no Novo Mundo ocorreu na Mesoamérica, área que inclui a terra dos maias.

Foto 14 (*abaixo*). Um vaso maia aplainado fotograficamente com uma cena de guerreiros.

Foto 15. Igreja de pedra de Hvalsey, construída na Colônia Oriental, Groenlândia Nórdica, por volta de 1300 d.C.

Foto 16. A paisagem erodida da Islândia, legado do desmatamento e criação de ovelhas.

Foto 17. Fiorde Eriks, na Groenlândia, um fiorde profundamente indentado repleto de *icebergs* no qual ficava Brattahlid, uma das mais ricas fazendas nórdicas da Colônia Oriental.

Foto 18. Um caçador *inuit* com seu caiaque e arpão, duas potentes e engenhosas tecnologias de caça que os nórdicos da Groenlândia devem ter observado os *inuits* usarem, mas nunca adotaram.

Foto 19. Uma paisagem agrícola densamente povoada no vale Wahgi, nas terras altas da Nova Guiné. Foi bastante desmatada, mas há 1.200 anos os habitantes começaram a plantar casuarinas nas aldeias e lavouras para manter os estoques de madeira e combustível.

Foto 20. A floresta nos arredores do monte Fujiyama. Como resultado de rigorosa administração florestal iniciada há séculos, o Japão é o país do Primeiro Mundo com a maior porcentagem de terra florestada (74%), apesar de possuir uma das maiores densidades populacionais.

Foto 21. Algumas dezenas dos quase um milhão de vítimas do genocídio de 1994 em Ruanda.

Foto 22. Alguns dentre os dois milhões de refugiados ruandeses deslocados pelo genocídio de 1994.

Foto 23. Paisagem agrícola parcialmente florestada da República Dominicana, ocupando a parte leste da ilha de Hispaniola, e muitas vezes mais rica que o Haiti.

Foto 24. A paisagem quase completamente desmatada do país mais pobre do Novo Mundo, o Haiti, que ocupa a parte oeste da ilha de Hispaniola.

Foto 25. Habitantes das cidades chinesas protegem o rosto contra a pior poluição do ar urbana do mundo.

Foto 26. Erosão intensa que arruinou grandes áreas do planalto de Loesse, na China.

Foto 27. O lixo eletrônico importado na China representa uma transferência direta de poluição do Primeiro para o Terceiro Mundo.

Foto 28. Depósitos de sal à superfície, uma forma de salinização ao longo do maior rio da Austrália, o Murray.

Foto 29. A praga das ovelhas que consome a vegetação e contribui para a erosão na Austrália.

Foto 30. A praga dos coelhos, que consomem a vegetação e contribuem para a erosão na Austrália.

Foto 31. Cudzu, uma espécie de planta introduzida de crescimento rápido que asfixia a vegetação nativa nas florestas da América do Norte.

Foto 32. O presidente John F. Kennedy e seus conselheiros deliberando durante a Crise dos Mísseis de Cuba, quando aprenderam a partir de seus erros, durante a crise da baía dos Porcos, e adotaram métodos mais produtivos de pensamento em grupo.

Foto 33. Um dos mais noticiados e mais dispendiosos desastres industriais dos últimos 20 anos: o incêndio na plataforma de petróleo da Occidental Petroleum, a Piper Alpha, no mar do Norte, que matou 167 trabalhadores e resultou em grandes perdas financeiras para a empresa.

Foto 34. Outro desastre marcante e dispendioso dos últimos 20 anos: duas das vítimas de um vazamento químico em uma fábrica em Bophal, em 1984, que matou quatro mil pessoas e acabou custando a existência da Union Carbide como uma empresa independente.

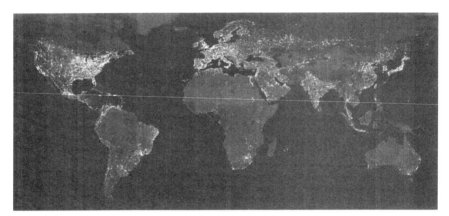

Foto 35. Uma composição de fotos noturnas de satélite sobre as diferentes regiões do planeta. Algumas áreas (especialmente os EUA, a Europa e o Japão) são muito mais iluminadas à noite do que outras (p.ex., a maior parte da África, América do Sul e Austrália). Essas diferenças na iluminação noturna e consumo de energia elétrica são diretamente proporcionais às diferenças em consumo de recursos em geral, produção de lixo e padrão de vida entre o Primeiro e o Terceiro Mundo. Será realmente possível manter esta diferença?

Foto 36. Uma comunidade rica e fechada por trás de portões, na qual os residentes podem se isolar de alguns problemas do resto de Los Angeles.

Foto 37. As *freeways* e o cenário urbano que cobre a paisagem da maior parte de Los Angeles.

Foto 38. O *smog*, pelo qual Los Angeles é famosa.

Foto 39. A malsucedida administração de águas nas terras baixas costeiras da Holanda. As enchentes de fevereiro de 1953 mataram quase dois mil holandeses.

Foto 40. A bem-sucedida administração de águas de um *polder* holandês drenado e regenerado, paisagem que repousa abaixo do nível do mar.

Foto 41. Ruínas de Mohenjo Daro, civilização urbana que declinou após 2000 a.C. no vale do Indo, no atual Paquistão, talvez devido à mudança climática, às mudanças de cursos de rios e aos problemas de administração de água.

Foto 42. Angkor Wat, templos do Império Khmer, em uma cidade abandonada após 1400 d.C., no atual Camboja, talvez devido a problemas de administração de água que reduziram a capacidade militar do império de resistir a inimigos.

PARTE 3

SOCIEDADES MODERNAS

CAPÍTULO 10

MALTHUS NA ÁFRICA: O GENOCÍDIO EM RUANDA

Um dilema • Eventos em Ruanda • Mais do que ódio racial
• Preparação em Kanama • Explosão em Kanama • Por que aconteceu

Quando meus filhos gêmeos tinham 10 anos de idade e, novamente, quando tinham 15, minha esposa e eu os levamos em férias para a África Oriental. Como muitos outros turistas, ficamos impressionados com nossa primeira experiência com os grandes animais, paisagens e gente da África. Não importa quantas vezes tenhamos visto gnus na tela da tevê, assistindo aos especiais do *National Geographic* no conforto da sala de estar em nossa casa, não estávamos preparados para a visão, o som e o cheiro de milhões deles nas planícies do Serengeti de dentro de um Land Rover, cercados por um rebanho que se espalhava em todas as direções de nosso veículo até o horizonte. Nem a televisão havia nos preparado para a imensidão desmatada do fundo chato da cratera Ngorongoro, nem para a inclinação e a altura de suas encostas por onde se vai de carro até um hotel encarapitado na borda da cratera.

O povo da África Oriental também nos impressionou pela sua hospitalidade, carinho com nossos filhos, suas roupas coloridas — e seu número. Ler um texto sobre "explosão demográfica" é uma coisa; outra é encontrar, dia após dia, filas de crianças africanas ao longo das estradas, muitas delas quase do tamanho e idade dos meus filhos, pedindo aos turistas que passam de carro um lápis para usar na escola. O impacto de tanta gente sobre a paisagem é visível, mesmo em trechos da estrada onde as pessoas estão fazendo alguma coisa em outro lugar. Nos pastos o capim é esparso e arrancado bem rente pelos rebanhos de bois, ovelhas e cabras. Veem-se ravinas recentes de erosão nos fundos das quais corre uma água marrom de lama arrancada das pastagens desnudas.

Todas essas crianças aumentam a taxa de crescimento populacional na África Oriental, que está entre as maiores do mundo: recentemente, 4,1% no Quênia, o que quer dizer que a população irá dobrar a cada 17 anos. Esta explosão populacional ocorreu apesar de ser a África o primeiro continente habitado pelo homem, sendo de se esperar que sua população tivesse se estabilizado há muito tempo. A verdade é que explodiu por diversos motivos: a adoção de culturas do Novo Mundo (especialmente milho, feijões, batatas-doces e mandioca, aliás *cassava*, como é mais conhecida em inglês), aumentando a base agrícola e a produção de alimentos além do que era possível apenas com culturas africanas nativas; melhor higiene, medicina preventiva, vacinação de mães e filhos, antibióticos, algum controle da malária e outras doenças africanas endêmicas; e a unificação nacional e o estabelecimento de fronteiras políticas, abrindo assim a possibilidade de colonização de áreas que antes eram terras de ninguém disputadas por comunidades menores.

Problemas populacionais como os da África Oriental frequentemente são chamados de "malthusianos", porque em 1798 o economista e demógrafo Thomas Malthus publicou um livro famoso no qual argumentava que o crescimento populacional humano tendia a superar o crescimento da produção de alimentos. Isso porque (no raciocínio de Malthus) o crescimento populacional é exponencial, enquanto o da produção de alimentos é apenas aritmético. Por exemplo, se o tempo que leva para uma população dobrar de tamanho é de 35 anos, então se continuar a crescer na mesma proporção, uma população de 100 pessoas no ano 2000 terá dobrado no ano 2035 para 200 pessoas, que por sua vez dobrarão para 400 em 2070, que dobrarão para 800 no ano 2105, e assim por diante. Mas o aumento na produção de alimentos soma em vez de multiplicar: tal descoberta aumentou a produção de trigo em 25%. Aquela outra aumentou a produção em mais 20%, etc. Ou seja, há uma diferença básica entre como a população cresce e como cresce a produção de alimentos. Quando a população cresce, as pessoas acrescentadas à população inicial também se reproduzem — como em juros compostos, quando o próprio juro rende juros. Isso permite o crescimento exponencial. Em contraste, um aumento na produção de comida não gera mais aumento. Em vez disso leva apenas a um crescimento aritmético da produção de comida. Portanto, a população tende a se expandir e a consumir toda a comida disponível sem nunca deixar um excedente, a não ser que o crescimento populacional seja interrompido por fome, guerra, doença, ou por pessoas que fizeram a escolha da prevenção (p.ex., usando contraceptivos ou adiando seus casamentos). A noção, ainda difundida hoje em dia, de que podemos promover a felicidade humana *simplesmente* aumentando a produção de comida, sem um simultâneo controle do crescimento populacional, será frustrada — ou assim disse Malthus.

A validade de seu argumento pessimista tem sido muito debatida. De fato, há países modernos que reduziram drasticamente seu crescimento populacional por meio do controle de natalidade voluntário (p.ex., Itália e Japão) ou por ordem do governo (China). Mas a moderna Ruanda ilustra um caso onde Malthus parece estar com a razão. Geralmente, tanto os defensores de Malthus quanto seus detratores podem concordar que os problemas populacionais e ambientais criados por recursos não sustentáveis vão acabar se resolvendo de um modo ou de outro: se não através de meios agradáveis de nossa escolha, por meios desagradáveis e não escolhidos, como os que Malthus inicialmente previu.

Há alguns meses, enquanto eu ministrava um curso sobre problemas ambientais das sociedades para universitários na UCLA, cheguei a discutir as dificuldades com que geralmente as sociedades se confrontam quando tentam chegar a algum acordo sobre disputas ambientais. Um de meus alunos respondeu destacando que as disputas podiam ser, e muitas vezes eram, resolvidas no curso de conflitos. Com isso, ele não queria dizer que privilegiava o assassinato como meio de resolver disputas. Meramente observava que os problemas ambientais podem criar conflitos entre as pessoas, que os conflitos nos EUA em geral são resolvidos no tribunal, que os tribunais fornecem meios aceitáveis de solução de disputas e que, portanto, os estudantes que estivessem se preparando para uma carreira de solucionador de problemas ambientais precisavam se familiarizar com o sistema judicial. O caso de Ruanda novamente é instrutivo: meu aluno estava correto quanto à frequência da solução através do conflito, mas o conflito pode assumir formas piores que processos nos tribunais.

Em décadas recentes, Ruanda e o vizinho Burundi tornaram-se sinônimo de duas coisas: população elevada e genocídio (foto 21). São os dois países mais densamente povoados da África, e entre os mais densamente povoados do mundo: a população média de Ruanda é três vezes maior que a do terceiro país mais densamente povoado da África (Nigéria), e 10 vezes mais que a vizinha Tanzânia. O genocídio em Ruanda produziu a terceira maior contagem de cadáveres entre os genocídios mundiais desde 1950, superado apenas pelos dos anos 1970 no Camboja e o de 1971 em Bangladesh (na época Paquistão Oriental). Devido à população de Ruanda ser 10 vezes menor que a de Bangladesh, a escala do genocídio de Ruanda, medida em proporção ao total da população aniquilada, excede de longe a de Bangladesh e só é superada pela do Camboja. O genocídio de Burundi foi menor que o de Ruanda, produzindo "apenas" algumas centenas de milhares de mortos. Isso ainda é o bastante para pôr Burundi como o sétimo do mundo desde 1950 em número de vítimas, e o quarto em proporção de mortos.

Costumamos associar o genocídio em Ruanda e no Burundi à violência étnica. Antes que possamos compreender o que mais há por trás da violência étnica, precisamos começar com alguma informação sobre como e por que ocorreu o genocídio, e a interpretação comum dos fatos, que esboçarei a seguir. (Posteriormente mencionarei pontos em que tal interpretação comum é errônea, incompleta ou excessivamente simplificada.) A população de ambos os países é formada por apenas dois grandes grupos, os hutus (originalmente cerca de 85% da população) e os tutsis (cerca de 15%). Os dois grupos tradicionalmente tinham papéis econômicos diferentes, os hutus sendo um povo agricultor, os tutsis um povo de pastores. É comum afirmar-se que os dois grupos têm feições diferentes, os hutus sendo geralmente mais baixos, mais corpulentos, mais escuros, com narizes chatos, lábios grossos e mandíbulas quadradas, enquanto os tutsis são mais altos, mais esbeltos, de pele mais clara, lábios finos e queixo estreito. Acredita-se que os hutus tenham se estabelecido primeiro em Ruanda e no Burundi, vindos do sul e do oeste, enquanto os tutsis são um povo nilótico que aparentemente chegou depois, vindo do norte e do leste, e que se estabeleceu como senhor dos hutus. Quando os governos coloniais da Alemanha (1897) e, depois, da Bélgica (1916) ocuparam o país, acharam oportuno governar através de intermediários tutsis, a quem consideravam racialmente superiores aos hutus devido às peles mais claras e à aparência mais europeia ou "hamítica". Na década de 1930 os belgas exigiram que todos começassem a portar um documento de identidade que os classificasse como hutus ou tutsis, aumentando, assim, a distinção étnica que já existia.

A independência de ambos os países ocorreu em 1962. Com a proximidade da independência, os hutus começaram a lutar para derrubar a dominação tutsi e substituí-la pelo domínio hutu. Pequenos incidentes de violência desandaram em uma espiral de assassinatos de tutsis por hutus e de hutus por tutsis. O resultado em Burundi foi que os tutsis conseguiram manter o poder, após rebeliões hutus em 1965 e 1970-1972, seguidas da morte de algumas centenas de milhares de hutus pelos tutsis. (Inevitavelmente há muita incerteza quanto a este número estimado e muitos dos números de mortos e exilados que seguem.) Em Ruanda, porém, os hutus ganharam a disputa e mataram 20 mil (ou apenas 10 mil?) tutsis em 1963. Ao longo das duas décadas seguintes cerca de um milhão de ruandeses, especialmente tutsis, fugiram e se exilaram em países vizinhos, de onde periodicamente tentavam invadir Ruanda, resultando em mortes retaliativas, até que, em 1973, o general hutu Habyarimana armou um golpe contra o governo dominado pelos hutus e decidiu deixar os tutsis em paz.

Sob o poder de Habyarimana, Ruanda prosperou durante 15 anos e se tornou o receptor favorito de ajuda externa de doadores estrangeiros, que podiam apontar para um país pacífico com saúde, educação e indicadores econômicos em ascensão. Infelizmente, a boa fase econômica de Ruanda foi interrompida pela seca e problemas ambientais crescentes (especialmente desmatamento, erosão e perda da fertilidade do solo), rematados em 1989 com uma queda mundial acentuada no preço dos seus principais produtos de exportação, café e chá, medidas austeras impostas pelo Banco Mundial e uma seca no sul. Em outubro de 1990, Habyarimana usou outra tentativa de invasão no noroeste de Ruanda por tutsis oriundos de Uganda como pretexto para prender ou matar dissidentes hutus e tutsis em toda Ruanda, de modo a fortalecer o poder de sua facção no país. As guerras civis deslocaram um milhão de ruandeses para campos de refugiados, nos quais jovens desesperados eram facilmente recrutados para as milícias. Em 1993, um acordo de paz assinado em Arusha clamava por divisão de poder e governo misto. Ainda assim, homens de negócios próximos a Habyarimana importaram 581 mil facões para os hutus matarem tutsis, porque machetes eram mais baratos que armas de fogo.

Contudo, as ações de Habyarimana contra os tutsis, e sua renovada disposição para matá-los, mostraram-se insuficientes para os extremistas hutus (i.e., hutus ainda mais extremistas que Habyarimana), que tinham medo de ter seu poder diluído como resultado do acordo de Arusha. Começaram a treinar milícias, importar armas e a se prepararem para exterminar os tutsis. O medo que os hutus de Ruanda tinham dos tutsis originou-se da longa história de domínio tutsi sobre os hutus, as várias invasões de Ruanda empreendidas pelos tutsis, as chacinas em massa e os assassinatos de políticos hutus no vizinho Burundi por tutsis. O medo dos hutus aumentou em 1993, quando oficiais extremistas do exército tutsi mataram o presidente hutu de Burundi, provocando assassinatos de tutsis, que ao seu turno provocaram mais assassinatos de hutus por tutsis naquele país.

O problema complicou-se terrivelmente na tarde de 6 de abril de 1994, quando o jato presidencial de Ruanda, levando o presidente Habyarimana e também (como passageiro de última hora) o novo presidente interino de Burundi de volta de um encontro na Tanzânia, foi derrubado por dois mísseis quando pousava no aeroporto de Kigali, capital de Ruanda, matando todos a bordo. Os mísseis foram disparados do lado de fora mas próximo ao perímetro do aeroporto. Ainda não se sabe por quem e nem por que o avião de Habyarimana foi derrubado; diversos grupos tinham motivos para matá-lo. Seja lá quem tenham sido os autores, uma hora depois da queda do avião os extremistas hutus deram início à execução de planos detalhados, com certeza preparados antecipadamente, de matar o primeiro-ministro hutu e outros membros moderados ou menos extremistas da oposição democrática, e os tutsis. Eliminada a oposição hutu, os extremistas tomaram o governo, a rádio e começaram a exterminar os tutsis de Ruanda, que ainda somavam cerca de um milhão de indivíduos, mesmo após todas as chacinas e exílios anteriores.

A liderança da chacina foi inicialmente consumada por extremistas militares hutus, usando armas de fogo. Logo passaram a organizar eficientemente os civis hutus, distribuindo armas, montando bloqueios em estradas e matando os tutsis assim identificados, emitindo apelos radiofônicos para que os hutus matassem todas as "baratas" (como os tutsis eram denominados) que encontrassem, exortando os tutsis a se abrigarem em lugares seguros, nos quais então podiam ser facilmente mortos, e perseguindo os tutsis sobreviventes. Quando começaram os protestos internacionais contra as mortes, o governo e a rádio mudaram o tom de sua propaganda. Em vez de exortar os hutus a matarem baratas, instavam os ruandeses a praticarem autodefesa e a se defenderem contra os inimigos comuns de Ruanda. As autoridades governamentais moderadas que tentaram evitar as mortes foram intimidadas, ignoradas, substituídas ou mortas. Os maiores massacres, cada um com centenas de milhares de tutsis mortos em um mesmo lugar, aconteceram quando os tutsis se refugiaram em igrejas, escolas, hospitais, instalações do governo ou em outros lugares aparentemente seguros onde eram cercados, despedaçados ou queimados vivos. O genocídio envolveu a participação em grande escala da população hutu civil, embora ainda se debata se foi mesmo um terço ou uma proporção menor de civis hutus que participou da matança. Após as chacinas iniciais feitas pelo exército com armas de fogo, matanças subsequentes usaram métodos *low-tech*, principalmente machetes ou porretes crivados de pregos. As matanças envolviam muita selvageria, incluindo a amputação de braços e pernas das vítimas, amputação de seios femininos, atirar crianças em poços e estupro generalizado.

Embora as mortes fossem organizadas pelo governo extremista hutu e levadas a cabo pela população civil, instituições e estrangeiros de que se esperaria melhor comportamento tiveram um importante papel permissivo. Em particular, diversos líderes da Igreja Católica de Ruanda, que ou não conseguiram proteger os tutsis ou os reuniam e os entregavam a seus assassinos. A ONU tinha uma pequena força de paz em Ruanda, que recebeu ordem de recuar; o governo francês enviou uma força de paz, que se aliou ao governo genocida hutu contra os invasores rebeldes; o governo dos EUA não quis intervir. Como explicação para tais políticas, a ONU, o governo francês e o governo dos EUA se referiram a "caos", "situação confusa" e "conflito tribal", como se aquilo tivesse sido apenas mais um conflito considerado normal e aceitável na África, ignorando provas da meticulosa orquestração das chacinas feita pelo governo de Ruanda.

Em seis semanas, cerca de 800 mil tutsis, representando cerca de três quartos dos tutsis que ainda estavam em Ruanda, ou 11% da população total de Ruanda, haviam sido exterminados. Uma armada rebelde liderada pelos tutsis, chamada Frente Patriótica de Ruanda (FPR), começou operações militares contra o governo um dia após o início do genocídio que terminou pouco a pouco com o avanço do exército da FPR, que declarou vitória total em 18 de julho de 1994. É consenso que a FPR era disciplinada e não matava civis, mas levou a cabo matanças de represália em uma escala muito menor que o genocídio ao qual respondiam (número estimado de vítimas das represálias: "apenas" 25 mil a 60 mil). A FPR estabeleceu um novo governo, enfatizou a conciliação e a unidade nacional e exortou os habitantes de Ruanda a pensarem em si mesmos como ruandeses e não como hutus ou tutsis. Cerca de 135 mil ruandeses acabaram presos, suspeitos de serem culpados de genocídio, mas poucos dos prisioneiros foram julgados ou condenados. Após a vitória da FPR, cerca de dois milhões de pessoas (principalmente hutus) fugiram para o exílio em países vizinhos (especialmente o Congo e a Tanzânia), enquanto cerca de 750 mil ex-exilados (principalmente tutsis) voltaram para Ruanda de países vizinhos para os quais haviam fugido (foto 22).

Os relatos habituais de genocídios em Ruanda e no Burundi os classificam como resultado de ódios raciais preexistentes insuflados em proveito próprio por políticos inescrupulosos. Como resumido no livro *Leave None to Tell the Story: Genocide in Rwanda* (Não deixe ninguém para contar a história: genocídio em Ruanda), publicado pela organização Human Rights Watch, "este genocídio não foi uma explosão incontrolável de ódio por um povo consumido por 'antigo ódio tribal' (...) este genocídio resulta da escolha deliberada da elite moderna para espalhar ódio e medo para se manter no poder. Este grupo pequeno e privilegiado primeiro lançou a maioria contra a minoria para fazer frente à crescente oposição política em Ruanda. Então, confrontados com o sucesso da FPR no campo de batalha e na mesa de negociação, esses poucos detentores do poder transformaram a estratégia de divisão étnica em genocídio. Acreditavam que a campanha de extermínio restauraria a solidariedade dos hutus sob sua liderança e os ajudaria a ganhar a guerra (...)". Há provas esmagadoras de que esta visão é correta e responde em grande parte pela tragédia de Ruanda.

Mas igualmente há provas de que outras considerações também contribuíram. Ruanda continha um terceiro grupo étnico, conhecido como twa ou pigmeus, que integrava apenas 1% da população, estava no fundo da escala social e estrutura de poder e não constituía ameaça para ninguém — contudo a maioria dos pigmeus também foi massacrada nas matanças de 1994. A explosão daquele ano não era apenas de hutus contra tutsis. As facções rivais eram ainda mais complexas: havia três delas compostas predominantemente ou apenas de hutus, uma das quais pode ter sido a que desencadeou a explosão matando o presidente hutu, que era de outra facção; e o exército de exilados FPR que, embora liderado pelos tutsis, também continha hutus. A distinção entre hutus e tutsis não é tão nítida quanto se pinta. Os dois grupos falam a mesma língua, vão às mesmas igrejas, escolas e bares, vivem juntos na mesma aldeia sob os mesmos chefes e trabalham juntos nos mesmos escritórios. Hutus e tutsis casam entre si, e (antes de os belgas instituírem os documentos de identidade) às vezes mudavam a sua identidade étnica. Apesar de hutus e tutsis terem feições diferentes de modo geral, é impossível dizer se certos indivíduos são deste ou daquele grupo com base na aparência. Cerca de um quarto de todos os ruandeses tanto tem hutus quanto tutsis entre seus bisavós. (De fato, há quem duvide se é correto o relato tradicional que diz que hutus e tutsis têm diferentes origens, ou se os dois grupos se diferenciaram apenas econômica e socialmente em Ruanda e Burundi, vindos da mesma linhagem.) Estas nuances deram margem a dezenas de milhares de tragédias pessoais durante as chacinas de 1994, quando hutus tentavam proteger suas esposas, parentes, amigos, colegas e clientes tutsis, ou tentavam comprar a vida de seus entes queridos oferecendo dinheiro a seus assassinos presuntivos. Os dois grupos eram tão interligados na sociedade de Ruanda que, em 1994, os médicos acabaram matando seus pacientes e vice-versa, professores mataram alunos e vice-versa e vizinhos e colegas de trabalho se mataram entre si. Alguns hutus matavam certos tutsis enquanto protegiam outros. Não podemos evitar a pergunta: como, nessas circunstâncias, tantos ruandeses foram tão prontamente manipulados por líderes extremistas a matarem uns aos outros com tanta selvageria?

Particularmente perturbadores, se acreditarmos que nada mais provocou o genocídio afora o ódio racial hutus-*versus*-tutsis insuflado por políticos, são os eventos ocorridos no noroeste de Ruanda. Lá, em uma comunidade onde todos eram hutus e havia apenas um tutsi, a matança também ocorreu — de hutus por outros hutus. Embora o saldo de mortos ali tenha sido estimado em "ao menos 5% da população", um tanto mais baixo que o total em Ruanda (11%), permanece a questão de por que uma comunidade hutu mataria ao menos 5% de seus membros na ausência de motivos étnicos. Em toda a Ruanda, à medida que o genocídio de 1994 continuava e o número de tutsis declinava, os hutus passaram a atacar-se uns aos outros.

Todos esses fatos ilustram por que precisamos procurar outros fatores que contribuíram para o genocídio afora o ódio racial.

Para começar nossa busca, vamos considerar novamente a alta densidade populacional de Ruanda que já mencionei. Ruanda (e o Burundi) já era região densamente povoada no século XIX, antes da chegada dos europeus, devido à dupla vantagem de chuvas moderadas e localização em altitudes demasiado elevadas para os mosquitos da malária e as moscas tsé-tsé. A população de Ruanda cresceu posteriormente, embora com altos e baixos, a uma taxa média acima de 3% por ano, pelas mesmas razões que os vizinhos Quênia e Tanzânia (plantas do Novo Mundo, saúde pública, medicina e fronteiras políticas estáveis). Em 1990, mesmo após as matanças e exílios em massa da década anterior, a densidade populacional média de Ruanda era de 293 pessoas por quilômetro quadrado, mais alta que a do Reino Unido (236) e aproximando-se da densidade da Holanda (367). Mas o Reino Unido e a Holanda têm uma agricultura mecanizada altamente eficiente, de modo que apenas uma pequena porcentagem da população trabalhando como agricultores pode produzir comida para todos os demais. A agricultura de Ruanda é muito menos eficiente e não mecanizada; os agricultores dependem de enxadas, picaretas e machetes; a maioria das pessoas tem de ser de agricultores, produzindo pouco ou nenhum excedente que possa sustentar outros.

À medida que a população de Ruanda crescia após a independência, o país continuou com seus métodos agrícolas tradicionais e não se modernizou, não introduziu variedades de culturas mais produtivas, não expandiu suas exportações agrícolas nem instituiu um planejamento familiar efetivo. Em vez disso, a população crescente se acomodava derrubando florestas e drenando pântanos para conseguir mais terra cultivável, diminuindo os períodos de descanso das terras e tentando obter duas ou três colheitas consecutivas por ano em um mesmo campo. Quando vários tutsis fugiram ou foram mortos nos anos 1960 e em 1973, a disponibilidade de suas antigas terras insuflou o sonho de que cada fazendeiro hutu podia então, finalmente, ter terra bastante para alimentar a si mesmo e sua

MALTHUS NA ÁFRICA: O GENOCÍDIO EM RUANDA

família confortavelmente. Em 1985, toda terra arável afora os parques nacionais estava sendo cultivada. À medida que aumentavam tanto a população quanto a produção agrícola, a produção de alimentos *per capita* aumentou entre 1966 e 1981, mas então voltou a cair abaixo do nível em que estava no início da década de 1960. Este, exatamente, é o dilema malthusiano: mais comida, mas também mais gente, portanto nenhuma melhora na produção de comida por indivíduo.

Amigos que visitaram Ruanda em 1984 pressentiram um desastre ecológico em curso. O país inteiro parecia uma horta e uma plantação de bananas. Colinas íngremes estavam sendo cultivadas até o topo. Até mesmo as medidas mais elementares que poderiam ter minimizado a erosao do solo — terraços de cultivo, terraceamento, aração em contorno das colinas em vez de fazê-lo de cima abaixo, e prover cobertura vegetal no pousio em vez de deixar os campos nus entre as épocas de cultivo — não estavam sendo postas em prática. Como resultado, havia muita erosão do solo, e os rios transportavam pesadas cargas de lama. Um ruandês me escreveu: "Os agricultores acordam de manhã e descobrem que todo o seu campo de cultivo (ao menos a camada superficial de terra e a plantação) foi levado embora durante a noite, ou que as pedras e o campo de cultivo do terreno vizinho agora cobrem a sua plantação." A derrubada de florestas levou ao ressecamento de cursos de água, e chuvas ainda mais irregulares. Nos fins da década de 1980 a fome voltou a aparecer. Em 1989 houve séria escassez de comida como resultado de uma seca, produzida por uma combinação de mudança climática regional ou global aliada aos efeitos locais do desmatamento.

O efeito de todas essas mudanças ambientais e populacionais em uma área do noroeste de Ruanda (a comuna Kanama), habitada apenas por hutus, foi estudado em detalhe por dois economistas belgas, Catherine André e Jean-Philippe Platteau. André, que era aluna de Platteau, viveu lá um total de 16 meses durante duas visitas em 1988 e 1993, enquanto a situação se deteriorava mas antes da explosão do genocídio. Ela entrevistou membros da maioria das famílias da área. Para cada família entrevistada nesses dois anos, determinou o número de pessoas que viviam na casa, a área total de terra que possuía e que renda seus membros ganhavam em trabalhos fora da fazenda. Também tabulou vendas ou transferências de terra e disputas que pediam mediação. Após o genocídio de 1994, ela procurou saber notícias dos sobreviventes e tentou detectar algum padrão nas mortes de hutus cometidas por outros hutus. André e Platteau então processaram essa massa de informação para entender o que significava.

Kanama tem um solo vulcânico muito fértil, de modo que sua densidade populacional é alta mesmo para os padrões da densamente povoada Ruanda: 572 pessoas por quilômetro quadrado em 1988, subindo para 788 em 1993. (Isso é mais até que o valor de Bangladesh, a nação agrícola mais densamente povoada do mundo.) Estas altas densidades populacionais se traduzem em fazendas muito pequenas: em 1988 o tamanho médio das fazendas no país era de 0,36 hectare, declinando para 0,29 hectare em 1993. Cada fazenda era dividida em (em média) 10 lotes separados, de modo que os agricultores cultivavam lotes absurdamente pequenos com uma média de cerca de 0,036 hectare em 1988 e 0,028 hectare em 1993.

Como toda a terra na comuna já estava ocupada, os jovens encontravam dificuldade para casar, sair de casa, adquirir uma fazenda e formar o próprio lar. Cada vez mais eles adiavam o casamento e continuavam a viver na casa dos pais. Por exemplo, na faixa de 20 a 25 anos de idade, a percentagem de mulheres que moravam com os pais cresceu entre 1988 e 1993 de 39% para 67%, e a porcentagem de homens cresceu de 71% para 100%. Ou seja, nenhum homem solteiro com vinte e poucos anos era independente de seus pais em 1993. Isso obviamente contribuiu para tensões familiares letais que irromperam em 1994, como explicarei adiante. Com mais gente jovem em casa, o número médio de pessoas por fazenda aumentou (entre 1988 e 1993) de 4,9 para 5,3, de modo que a falta de terra era ainda maior do que a indicada pela queda em tamanho de fazendas de 0,36 para 0,29 hectare. Quando se divide tamanho decrescente de fazenda por número crescente de gente, descobre-se que cada um vivia de apenas 0,081 hectare em 1988, declinando para 0,0578 hectare em 1993.

Não é de surpreender que tenha se tornado impossível alimentar tanta gente com tão pouca terra. Mesmo levando-se em conta a baixa ingestão de calorias considerada adequada em Ruanda, cada família tirava de sua terra uma média de apenas 77% de suas necessidades calóricas. O resto da comida tinha de ser comprado com a renda ganha fora da fazenda, em empregos como carpintaria, olaria, serraria e comércio. Dois terços das famílias tinham este tipo de emprego, enquanto um terço não tinha. A porcentagem da população que consumia menos de 1.600 calorias por dia

MALTHUS NA ÁFRICA: O GENOCÍDIO EM RUANDA

(o que é considerado abaixo do nível da fome) era de 9% em 1982, crescendo para 40% em 1990 e para uma porcentagem desconhecida ainda mais alta posteriormente.

Todos esses números sobre Kanama são números médios, que escondem desigualdades. Algumas pessoas tinham fazendas maiores que as outras, e esta desigualdade aumentou de 1988 para 1993. Vamos definir uma fazenda "muito grande" como tendo um hectare, e uma fazenda "muito pequena" como sendo menor que 0,24 hectare. (Lembrem-se do capítulo 1 para avaliar o trágico absurdo desses números: mencionei que em Montana uma fazenda de 16 hectares costumava ser considerada necessária para sustentar uma família, mas que mesmo isso é insuficiente.) Tanto a porcentagem de fazendas muito grandes quanto a de fazendas muito pequenas aumentaram entre 1988 e 1993, de 5 para 8% e de 36 para 45%, respectivamente. Ou seja, a sociedade agrícola de Kanama estava se tornando cada vez mais dividida entre ricos que tinham e pobres que não tinham, com números cada vez menores de gente no meio-termo. Os chefes de família mais velhos tendiam a ser mais ricos e a ter fazendas maiores: aqueles com idades entre 50-59 e 20-29 anos tinham fazendas de tamanho médio de 0,83 e apenas 0,15 hectare, respectivamente. É claro, os chefes de família mais velhos tinham famílias maiores, de modo que precisavam de mais terra, mas ainda tinham três vezes mais terra por indivíduo do que os jovens chefes de família.

Paradoxalmente, a renda extrafazenda era ganha de modo desproporcional por proprietários de grandes fazendas: o tamanho médio de fazendas que tinha este tipo de renda era de 0,57 hectare, comparado com apenas 0,20 hectare para fazendas que não tinham tal renda. Tal diferença é paradoxal porque as menores fazendas são aquelas que têm menos terra de cultivo por pessoa para alimentar, e que, portanto, necessitam de mais renda extra. Tal concentração de renda extra nas grandes fazendas contribuiu para a divisão cada vez maior da sociedade de Kanama entre os que tinham e os desapossados, com os ricos se tornando cada vez mais ricos e os pobres cada vez mais pobres. Em Ruanda, dizem ser ilegal os proprietários de pequenas fazendas venderem suas terras. Mas na verdade acontece. Investigações sobre vendas de terra mostraram que os proprietários das fazendas menores venderam terras principalmente quando precisavam de dinheiro para uma emergência envolvendo comida, saúde, custos processuais, suborno, um batismo, casamento, funeral ou bebida em excesso. Em contraste, proprietários de fazendas maiores vendiam por razões como aumento da eficiência de sua fazenda (p.ex., vendendo um lote de terra distante de modo a comprar outro mais perto da casa-grande).

A renda extra das fazendas maiores permitia que comprassem terras das menores, com o resultado que grandes fazendas compravam terras e ficavam maiores, enquanto as pequenas fazendas vendiam terras e ficavam menores. Quase nenhuma grande fazenda vendia terra sem comprar mais terra, mas 35% das pequenas fazendas em 1988, e 49% delas em 1993, vendiam sem comprar. Se analisarmos terras e vendas de acordo com a renda extrafazenda, todas com renda extra compraram terras, e nenhuma vendeu sem comprar; mas apenas 13% das fazendas sem renda extra compraram terra, e 65% delas venderam terras sem comprar outras. Novamente, percebam o paradoxo: fazendas já minúsculas, que precisavam desesperadamente de mais terra, tornaram-se menores através da venda de terras em emergências para grandes fazendas, que financiavam a compra com sua renda extrafazenda. Lembrem-se novamente que, quando digo "grandes fazendas", refiro-me apenas aos padrões de Ruanda: "grande" significa "maior que meros meio ou um hectare".

Portanto, em Kanama, a maioria das pessoas era pobre, faminta e desesperada, mas algumas eram ainda mais pobres, mais famintas e mais desesperadas que as outras, e a maioria estava ficando mais desesperada enquanto umas poucas ficavam menos desesperadas. Não é de surpreender que tal situação tenha dado origem a conflitos constantes e sérios, que as partes envolvidas não podiam resolver por si mesmas e, por isso, recorriam aos mediadores de conflitos tradicionais da aldeia ou (menos frequente) aos tribunais. A cada ano, cada domicílio tinha um ou mais desses sérios conflitos que pediam intervenção externa. André e Platteau pesquisaram a causa de 226 desses conflitos, como descritos tanto pelos mediadores quanto pelas famílias. De acordo com ambos os tipos de informantes, as disputas de terra estavam na origem da maioria dos conflitos mais sérios: ou o conflito era diretamente um conflito de terras (43% dos casos); ou era uma disputa pessoal — marido/mulher, ou familiar — relacionado com a disputa de algum pedaço de terra (darei exemplos nos próximos dois parágrafos); ou a disputa envolvia roubos feitos por gente muito pobre, conhecida localmente como "ladrões famintos", que praticamente não tinham terras, não tinham renda extra e viviam de roubar por falta de outra opção (7% de todas as disputas e 10% de todas as famílias).

Tais disputas de terra minaram a coesão da tessitura tradicional da sociedade de Ruanda. Tradicionalmente, os donos de terra mais ricos deviam ajudar seus parentes mais pobres. O sistema estava ruindo porque até os donos de terra que eram mais ricos que outros ainda eram pobres demais para poderem dar alguma coisa aos parentes mais pobres. A perda de proteção vitimou especialmente os grupos vulneráveis da sociedade: mulheres separadas ou divorciadas, viúvas, órfãos e jovens meias-irmãs. Quando os ex-maridos paravam de pagar pensão para suas mulheres separadas ou divorciadas, as mulheres recorriam às suas famílias originais em busca de apoio, mas agora seus irmãos se opunham ao seu retorno, que tornaria os irmãos e os filhos de seus irmãos ainda mais pobres. Uma mulher só podia voltar para a casa de suas família original apenas com as filhas, porque em Ruanda os herdeiros tradicionais de um casal eram os filhos do sexo masculino, de modo que os irmãos da mulher que voltasse não veriam as filhas da irmã como concorrentes de seus filhos. A mulher deixaria os filhos homens com o pai (seu ex-marido), mas os parentes deste poderiam, então, recusar-se a dar terras para os filhos dela, especialmente se o pai das crianças tivesse morrido ou parado de protegê-los. Da mesma forma, uma viúva podia se ver sem apoio tanto da família do marido (seus cunhados) quanto de seus próprios irmãos, que novamente viam os filhos da viúva como concorrentes de seus filhos pela posse de terras. Tradicionalmente, os órfãos eram cuidados pelos avós paternos; quando esses avós morriam, os tios dos órfãos (irmãos do pai falecido) tentavam deserdar ou expulsar os órfãos de casa. Filhos de casamentos polígamos ou desfeitos, quando o pai voltava a se casar e tinha filhos com a nova mulher, viam-se deserdados ou expulsos de casa pelos meios-irmãos.

As disputas de terra mais dolorosas e socialmente desagregadoras eram as de pais contra filhos. Tradicionalmente, quando um pai morria, suas terras passavam para o filho mais velho, de quem se esperava que administrasse a terra para toda a família e suprisse os irmãos mais jovens com terra bastante para a sua subsistência. À medida que as terras se tornavam escassas, os pais gradualmente começaram a dividi-las entre todos os filhos, de modo a reduzir o potencial de conflito intrafamiliar após sua morte. Mas filhos diferentes exigiam dos pais diferentes propostas de divisão de terras. Os filhos mais jovens se revoltavam se os mais velhos, que se casavam primeiro, recebiam uma parcela desproporcionalmente grande — p.ex., porque o pai teve de vender um pouco de terra à época em que o filho mais jovem se casou. Os filhos mais jovens exigiam divisões iguais; protestavam se o pai desse ao irmão mais velho terras como presente de casamento. O filho mais jovem, que tradicionalmente era o que deveria cuidar dos pais na velhice, precisava ou exigia uma quantidade extra de terra para assumir essa responsabilidade. Os irmãos ficavam desconfiados e tentavam expulsar irmãs ou irmãos mais jovens que tivessem recebido do pai qualquer presente de terras que esses irmãos suspeitavam que estivesse sendo dada em troca daquela irmã ou irmão mais jovem concordar em tomar conta do pai na velhice. Os filhos reclamavam que o pai estava ficando com terra demais para se manter na velhice e exigiam mais terras para si. Por sua vez, os pais, com razão, ficavam apavorados com a ideia de serem deixados com terras de menos na velhice e se opunham às exigências dos filhos. Todos esses conflitos acabavam diante de mediadores ou dos tribunais, com os pais processando os filhos e vice-versa, irmãs processando irmãos, sobrinhos processando tios e assim por diante. Tais conflitos sabotavam os laços familiares e transformavam parentes próximos em concorrentes e inimigos implacáveis.

Essa situação de conflito crônico e progressivo forma o cenário no qual as mortes de 1994 aconteceram. Mesmo antes daquele ano, Ruanda vinha experimentando crescentes índices de violência e de roubos, perpetrados especialmente por jovens famintos sem terra e sem renda extrafazenda. Quando comparamos as taxas de criminalidade na faixa de 21-25 anos de idade em distintas partes de Ruanda, as diferenças regionais mostram-se estatisticamente correlatas com a densidade populacional e a disponibilidade *per capita* de calorias: alta densidade populacional e fome são associadas a mais crime.

Após a explosão de 1994, André tentou saber o destino dos habitantes Kanama. Ela descobriu que 5,4% morreram como resultado da guerra. Este número é uma avaliação subestimada do total de mortes, pois havia habitantes de quem ela não obteve informações. Portanto, não se sabe se a taxa de mortes chegou perto da taxa média de 11% de Ruanda como um todo. O que está claro é que a taxa de mortes em uma área onde a população consistia quase inteiramente em hutus foi pelo menos metade da taxa de mortes em áreas onde os hutus matavam tutsis e outros hutus.

Todas as vítimas conhecidas em Kanama se enquadram em uma de seis categorias. Na primeira, a única tutsi em Kanama, uma viúva. Se isso aconteceu por ela ser tutsi não se sabe, porque ela devia ter outros motivos para ser assassinada: herdara muita terra, envolvera-se em várias disputas de terra, era viúva de um hutu polígamo (portanto, vista como concorrente de suas outras esposas e famílias), e seu falecido marido já havia sido forçado a abrir mão de suas terras por seus meios-irmãos.

Duas outras categorias de vítimas eram de hutus que possuíam grandes extensões de terra. A maioria era de homens acima de 50 anos, portanto na idade ideal para disputas de terras com os filhos. A minoria era de jovens que despertaram inveja por serem capazes de ganhar muito dinheiro com atividades extrafazenda e usarem este dinheiro para comprar terras.

A categoria seguinte de vítimas consistia em "criadores de caso", conhecidos por se envolverem em todo tipo de disputa de terras e outros conflitos.

Ainda outra categoria era de homens jovens e crianças, particularmente os de origem mais humilde, levados pelo desespero a se alistarem nas milícias em conflito e que passaram a se matar entre si. Esta categoria é especialmente subestimada, porque era perigoso para André fazer muitas perguntas sobre quem pertenceu a tal milícia.

Por fim, o maior número de vítimas era especialmente de gente malnutrida, ou particularmente pobre com pouca ou nenhuma terra e sem renda extrafazenda. Evidentemente morreram de fome, sendo tão fracos, ou por não terem dinheiro para comprar comida ou pagar as propinas para salvar suas vidas nos bloqueios de estrada.

Portanto, como André e Platteau anotaram: "Os eventos de 1994 forneceram uma oportunidade única para resolver antigas rusgas, ou reorganizar a propriedade de terras, mesmo entre aldeões hutus (...) não é raro, mesmo ainda hoje, ouvir ruandeses argumentarem que uma guerra é necessária para limpar o excesso de população e fazer os números voltarem a se alinhar à disponibilidade de recursos da terra."

A última frase sobre o que os ruandeses dizem a respeito do genocídio me surpreende. Pensei que seria excepcional que as pessoas reconhecessem esta conexão direta entre pressão populacional e assassinatos. Estou acostumado a pensar em pressão populacional, impacto ambiental humano e seca como causas mediatas que tornam as pessoas cronicamente desesperadas e são como pólvora dentro de um barril. Também é necessária uma causa imediata: um fósforo para detonar o barril. Na maior parte de Ruanda, este fósforo foi o ódio racial estimulado por políticos inescrupulosos preocupados em se manter no poder. (Digo "maior parte" porque as matanças em larga escala de hutus por hutus em Kanama demonstram um resultado similar mesmo quando todos pertenciam a um mesmo grupo étnico.) Como disse um estudioso da África Oriental, o francês Gérard Prunier: "Obviamente a decisão de matar foi tomada por políticos, por motivos políticos. Mas ao menos parte da razão ou a razão de ter sido levada tão ao pé da letra pelos camponeses em seu *ingo* [= grupo familiar] foi a sensação de que havia gente demais em pouca terra, e que, com uma redução neste número, sobraria mais para os sobreviventes."

A ligação que Prunier, André e Platteau veem por trás da pressão populacional e o genocídio de Ruanda não deixou de ser contestada. Em parte, são reações a afirmações simplistas que os críticos com alguma justiça satirizaram como "determinismo ecológico". Por exemplo, apenas 10 dias após o início do genocídio, um artigo em um jornal norte-americano ligou a densidade populacional de Ruanda ao genocídio ao dizer: "Os de Ruanda [i.e., genocídios similares] são endêmicos, até mesmo inerentes, ao mundo que habitamos." Naturalmente, esta conclusão fatalista e supersimplificada provoca reações negativas não apenas para si como também para a visão mais complexa que Prunier, André, Platteau e eu apresentamos, por três motivos.

Primeiro, qualquer "explicação" do porquê do genocídio pode ser interpretada como "desculpa" para que tivesse acontecido. Contudo, não importando se chegaremos a uma explicação simplista de fator único ou a uma explicação excessivamente complexa de 73 fatores para um genocídio, isso não altera a responsabilidade pessoal dos perpetradores do genocídio de Ruanda por suas ações. Isso é um mal-entendido que surge regularmente em discussões sobre as origens do mal: as pessoas rejeitam qualquer explicação, porque confundem explicação com desculpa. Mas *é* importante que compreendamos as origens do genocídio de Ruanda — não para inocentar os matadores, mas para que usemos este conhecimento para diminuir os

MALTHUS NA ÁFRICA: O GENOCÍDIO EM RUANDA

riscos de tais coisas voltarem a acontecer em Ruanda ou em qualquer outro lugar. Da mesma forma, há pessoas que decidiram dedicar suas vidas ou carreiras à compreensão das origens do Holocausto nazista, ou compreender a mente de assassinos seriais e estupradores. Fizeram esta escolha não para diminuir a responsabilidade de Hitler, assassinos seriais e estupradores, mas porque desejam saber como esses fatos horríveis aconteceram e qual seria a melhor maneira para evitar que se repitam.

Segundo, é justificável rejeitar a visão simplista de que a pressão populacional foi a única causa do genocídio de Ruanda. Outros fatores contribuíram; neste capítulo introduzi aqueles que me pareceram importantes, e especialistas em Ruanda escreveram livros inteiros sobre o assunto, citados em Leituras Complementares no fim deste livro. Apenas para reiterar: sem seguir uma ordem de importância, esses outros fatores incluíram a história da dominação dos tutsis sobre os hutus, as grandes matanças de hutus feitas por tutsis no Burundi e em menor escala em Ruanda, a invasão tutsi de Ruanda, a crise econômica de Ruanda e sua exacerbação pela seca e fatores internacionais (especialmente pelos preços em baixa do café e as medidas de austeridade do Banco Mundial), as centenas de milhares de jovens ruandeses desesperados deslocados para campos de refugiados e prontos para serem recrutados pelas milícias, e a competição entre grupos políticos rivais em Ruanda capazes de qualquer coisa para se manter no poder. A pressão populacional se uniu a esses outros fatores.

Finalmente, não se deve interpretar o papel da pressão populacional no genocídio de Ruanda como indicador de que toda pressão populacional no mundo automaticamente levará ao genocídio. Para aqueles que objetarão dizendo que não há uma ligação *necessária* entre a pressão populacional malthusiana e o genocídio, respondo: "Claro!" Os países podem ser superpovoados sem caírem no genocídio, como demonstrado por Bangladesh (relativamente livre de assassinatos em massa desde as matanças genocidas de 1971) assim como pela Holanda e a multiétnica Bélgica, apesar desses três países serem mais densamente povoados que Ruanda. Ao contrário, o genocídio pode ocorrer por razões finais diferentes da superpopulação, como ilustrado pelos esforços de Hitler para exterminar judeus e ciganos durante a Segunda Guerra Mundial, ou pelos genocídios do Camboja da década de 1970, com apenas um sexto da densidade populacional de Ruanda.

Em vez disso, concluo que pressão populacional era *um* dos fatores importantes por trás do genocídio de Ruanda, que o cenário de pior hipótese entrevisto por Malthus pode às vezes se realizar, e que Ruanda pode ser um modelo perturbador desse cenário em funcionamento. Problemas graves de superpopulação, impacto ambiental e mudança climática não podem persistir indefinidamente: mais cedo ou mais tarde tendem a se resolver por si mesmos, seja ao modo de Ruanda ou de alguma outra maneira que não nos cabe formular, se não conseguirmos resolvê-los através de nossas ações. No caso do colapso de Ruanda podemos atribuir rostos e motivos à desagradável solução; acredito em motivos semelhantes, sem contudo podermos associá-los a rostos, nos colapsos da ilha de Páscoa, Mangareva e dos maias, descritos na parte 2 deste livro. Motivos semelhantes podem operar novamente no futuro, em alguns outros países que, como Ruanda, não consigam resolver seus problemas subjacentes. Podem voltar a ocorrer na própria Ruanda, onde a população hoje ainda cresce 3% por ano, as mulheres têm seu primeiro filho aos 15 anos de idade, a família média tem entre cinco e oito filhos, e os visitantes se sentem cercados por um mar de crianças.

O termo "crise malthusiana" é impessoal e abstrato. Não consegue evocar os horríveis, selvagens e atordoantes detalhes daquilo que milhões de ruandeses fizeram ou sofreram. Deixemos as últimas palavras para um observador e para um sobrevivente. O observador é, novamente, Gérard Prunier:

"Todas essas pessoas que estavam a ponto de serem mortas tinham terras e, às vezes, vacas. E alguém ia ficar com essas terras e vacas quando seus donos morressem. Em um país pobre e cada vez mais superpovoado este não era um incentivo a se desprezar."

O sobrevivente é um professor tutsi que Prunier entrevistou e que só sobreviveu porque não estava em casa quando os assassinos chegaram e mataram sua mulher e quatro dos cinco filhos:

"Aqueles cujos filhos tinham de ir descalços para a escola mataram aqueles que podiam comprar sapatos para os seus."

CAPÍTULO 11

UMA ILHA, DOIS POVOS, DUAS HISTÓRIAS: A REPÚBLICA DOMINICANA E O HAITI

Diferenças • Histórias • Causas de divergência • Impactos ambientais dominicanos • Balaguer • O meio ambiente dominicano hoje • O futuro

Para qualquer um interessado em compreender os problemas do mundo
moderno, é um grande desafio compreender a fronteira de 193 quilômetros entre a República Dominicana e o Haiti, duas nações que dividem a
grande ilha do Caribe, Hispaniola, que fica a sudeste da Flórida (mapa
p. 398). Vista de avião, a fronteira parece uma linha abrupta e serrilhada,
cortada arbitrariamente através da ilha com uma faca: de um lado, a leste
da linha, uma paisagem mais escura, mais verde (o lado dominicano); de
outro, a oeste da linha, uma paisagem mais pálida e mais marrom (o lado
haitiano). Em muitos lugares na fronteira é possível olhar para leste e se
deparar com florestas de pinheiros e, então, voltar-se para oeste e nada ver
além de campos quase desprovidos de árvores.

Este contraste visível na fronteira exemplifica uma diferença entre os
dois países como um todo. Originalmente, as duas partes da ilha eram
amplamente florestadas: os primeiros visitantes europeus notaram como
uma das características mais marcantes de Hispaniola a exuberância de
suas florestas, repletas de árvores de madeira valiosa. Ambos os países
perderam florestas, mas o Haiti perdeu muito mais (fotos 23 e 24), a ponto
de agora possuir apenas sete trechos substancialmente arborizados, dos
quais apenas dois são protegidos como parques florestais, ambos sujeitos à
atividade madeireira ilegal. Hoje, 28% da República Dominicana ainda são
cobertos de florestas, contra apenas 1% do Haiti. Fiquei surpreso com a extensão de florestas mesmo na área onde ficam as terras cultiváveis mais ricas da República Dominicana, entre as duas maiores cidades do país: Santo
Domingo e Santiago. No Haiti e na República Dominicana, assim como
em toda parte do mundo, as consequências de todo esse desmatamento

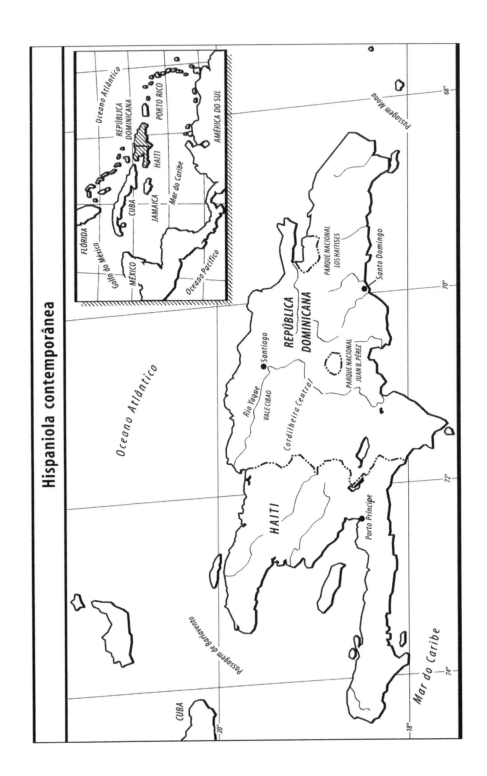

incluíram falta de vigas de madeira e outros materiais de construção da floresta, erosão e perda da fertilidade do solo, assoreamento nos rios, perda de proteção das bacias hidrográficas e, portanto, de energia hidrelétrica potencial, e diminuição de chuvas. Todos esses problemas são mais graves no Haiti do que na República Dominicana. No Haiti, mais urgente do que qualquer uma dessas consequências é a carência de madeira para fazer carvão, principal combustível para cozinha.

A diferença de cobertura florestal entre os dois países reflete as diferenças de suas economias. Tanto o Haiti quanto a República Dominicana são países pobres, que sofrem as desvantagens habituais da maioria dos outros países tropicais que são ex-colônias europeias: governos corruptos ou fracos, sérios problemas de saúde pública e produtividade agrícola mais baixa do que a da zona temperada. Em todos esses aspectos, porém, as dificuldades do Haiti são muito maiores do que as da República Dominicana. É o país mais pobre do Novo Mundo, e um dos mais pobres do mundo fora da África. O governo perenemente corrupto oferece serviços públicos mínimos; muito ou a maioria da população vive crônica ou periodicamente sem eletricidade, água, esgotos, serviço médico e educação. O Haiti está entre os países mais superpovoados do Novo Mundo, muito mais do que a República Dominicana, com apenas um terço da área de Hispaniola mas aproximadamente dois terços de sua população (cerca de 10 milhões de habitantes), uma densidade populacional média de 386 pessoas por quilômetro quadrado. A maioria dessas pessoas é de agricultores de subsistência. A economia de mercado é modesta, consistindo principalmente em algum café e açúcar para exportação, meras 20 mil pessoas empregadas com baixos salários em zonas de livre comércio fazendo roupas e outros bens de exportação, alguns enclaves turísticos no litoral onde os estrangeiros em férias podem se isolar dos problemas do Haiti, e um grande, embora não quantificado, comércio de drogas vindas da Colômbia e sendo enviadas para os EUA (daí o Haiti às vezes ser chamado de "narcoestado"). Há extrema polarização entre as massas de gente pobre vivendo em áreas rurais ou nas favelas da capital Porto Príncipe, e a pequena e rica elite que vive no arejado e montanhês subúrbio de Pétionville, a meia hora de carro do centro de Porto Príncipe, come em restaurantes franceses e bebe vinhos finos caríssimos. A taxa de crescimento populacional do Haiti e de infecção por AIDS, tuberculose e malária estão entre as mais altas do mundo. A pergunta que todo visitante do Haiti se faz é se há alguma esperança para aquele país; e a resposta mais comum é não.

A República Dominicana também é um país em desenvolvimento que compartilha dos problemas do Haiti, mas é mais desenvolvida e seus problemas são menos graves. A renda *per capita* é cinco vezes mais alta, e a densidade e a taxa de crescimento populacional são mais baixas. Nos últimos 38 anos, a República Dominicana tem sido, ao menos nominalmente, uma democracia sem golpes militares, com algumas eleições presidenciais de 1978 em diante, resultando na derrota de um candidato da situação e na eleição de um membro da oposição, além de outras prejudicadas por fraudes e intimidação. A economia florescente do país inclui indústrias que geram divisas: uma mina de ferro e níquel, até recentemente uma mina de ouro e, antigamente, uma mina de bauxita, hoje desativada; zonas de livre comércio industrial que empregam 200 mil trabalhadores e exportam para o além-mar; exportações agrícolas de café, cacau, tabaco, charutos, flores e abacate (a República Dominicana é o terceiro maior exportador de abacate do mundo); telecomunicações; e uma grande indústria turística. Várias dezenas de represas geram energia hidrelétrica. Como os fãs do esporte sabem, a República Dominicana também produz e exporta grandes jogadores de beisebol. (Escrevi o primeiro esboço deste capítulo em estado de choque, tendo acabado de ver o grande arremessador dominicano Pedro Martinez, arremessando para o meu time, os Boston Red Sox, no último jogo de 2003 da American League Championship Series, em que perdemos na prorrogação para nossos carrascos, os New York Yankees.) Outros na longa lista de jogadores de futebol dominicanos que criaram fama nos EUA incluem os irmãos Alou, Joaquín Andujar, George Bell, Adrian Beltre, Rico Carty, Mariano Duncan, Tony Fernández, Pedro Guerrero, Juan Marichal, José Offerman, Tony Peña, Alex Rodríguez, Juan Samuel, Ozzie Virgil, e, é claro, o "rei do *jonrón*" Sammy Sosa. Dirigindo nas estradas da República Dominicana, é comum ver placas indicando o caminho de algum estádio de *béisbol*, como o esporte é conhecido no lugar.

O contraste entre os dois países também se reflete em seus sistemas de parques nacionais. O do Haiti é pequeno, formado por quatro parques ameaçados de invasão por camponeses que derrubam árvores para fazer carvão. Em comparação, o sistema de reservas naturais da República Dominicana é relativamente o mais completo e o maior das Américas, compreendendo 32% da área do país em 74 parques ou reservas, e incorpora todos os tipos importantes de hábitats. É claro que o sistema também sofre com uma abundância de problemas e uma deficiência de fundos, mas ainda assim é impressionante para um país pobre com outros problemas e prioridades. Por trás do sistema de reservas há um vigoroso movimento nativo de preservação, com muitas organizações não governamentais mantidas pelos próprios dominicanos, e não impostas ao país por conselheiros estrangeiros.

Apesar de os dois países compartilharem a mesma ilha, essas diferenças surgiram em patrimônio florestal, economia e sistema de reservas naturais. Também compartilham histórias comuns de colonialismo europeu e ocupações pelos EUA, uma esmagadora presença da religião católica coexistindo com um panteão de vodu (mais notadamente no Haiti), e miscigenação africana-europeia (com uma maior proporção de descendentes de africanos no Haiti). Durante três períodos de sua história os dois países constituíram uma única colônia ou país.

As diferenças que existem a despeito dessas semelhanças se tornam ainda mais evidentes quando se pensa que o Haiti já foi muito mais rico e poderoso que o seu vizinho. No século XIX, o país invadiu a República Dominicana diversas vezes e a anexou durante 22 anos. Por que tiveram destinos tão diferentes e por que o Haiti, e não a República Dominicana, foi que entrou em declínio? Existem algumas diferenças ambientais entre as metades da ilha que contribuíram para o resultado final, mas esta é a menor parte da explicação. A maior tem a ver com diferenças entre os dois povos em suas histórias, atitudes, identidade autodefinida, instituições, bem como entre seus líderes recentes. Para qualquer um inclinado a caricaturar a história ambiental como "determinismo ambiental", os casos contrastantes da República Dominicana e do Haiti fornecem um antídoto eficaz. Sim, os problemas ambientais afetam as sociedades humanas, mas as respostas das sociedades também fazem uma diferença. E, para o bem ou para o mal, também fazem diferença as ações ou inações de seus líderes.

Este capítulo começará traçando as diferentes trajetórias da história política e econômica que levaram a República Dominicana e o Haiti à diferença atual, e as razões por trás dessas diferentes trajetórias. Então, discutirei o desenvolvimento das políticas ambientais dominicanas, que se mostraram uma mistura de iniciativas de baixo para cima e de cima para baixo. O capítulo será concluído com o exame do estado atual dos problemas ambientais, o futuro e as esperanças de cada lado da ilha, e seus efeitos entre si e no mundo.

Quando Cristóvão Colombo chegou em Hispaniola durante a sua primeira viagem transatlântica, no ano de 1492 d.C., a ilha já era habitada por nativos americanos há cerca de cinco mil anos. Os habitantes nos tempos de Colombo eram um grupo de índios aruaques chamados tainos que viviam da agricultura, eram organizados em cinco chefias e montavam a cerca de meio milhão de indivíduos (a estimativa varia de 100 mil a dois milhões). Inicialmente, Colombo os achou pacíficos e amistosos, até que os seus espanhóis começassem a maltratá-los.

Infelizmente para os tainos, a ilha tinha ouro, que os espanhóis cobiçavam, mas que não pretendiam garimpar por conta própria. Portanto, os conquistadores espanhóis dividiram a ilha e a população indígena entre si, obrigaram os índios a trabalharem praticamente como escravos, acidentalmente os infectaram com doenças eurasianas e os mataram. Em 1519, 27 anos depois da chegada de Colombo, a população original de meio milhão de tainos foi reduzida para cerca de 11 mil, a maioria dos quais morreu de varíola naquele ano, levando a população a menos de três mil — e estes sobreviventes morreram gradualmente ou foram assimilados nas décadas seguintes. Isso forçou os espanhóis a procurarem escravos em outra parte.

Por volta de 1520, os espanhóis descobriram que Hispaniola era adequada para a cultura de cana-de-açúcar, e começaram a trazer escravos da África. As plantações de cana tornaram a ilha uma colônia rica na maior parte do século XVI. Contudo, os espanhóis se desinteressaram de Hispaniola por múltiplas razões, incluindo as descobertas de sociedades indígenas muito mais populosas e ricas no continente americano, particularmente no México, Peru e Bolívia, que ofereciam populações indígenas mais numerosas a quem explorar, sociedades politicamente mais avançadas para conquistar e ricas minas de prata na Bolívia. Assim a Espanha desviou sua atenção para outras terras, devotando poucos recursos

UMA ILHA, DOIS POVOS, DUAS HISTÓRIAS

a Hispaniola, especialmente porque a compra e o transporte de escravos da África eram caros e os nativos americanos podiam ser adquiridos apenas ao custo de serem conquistados. Afora isso, piratas ingleses, franceses e holandeses infestavam o Caribe e atacavam as colônias espanholas em Hispaniola e outras partes. A própria Espanha gradualmente entrou em declínio político e econômico, para benefício de ingleses, franceses e holandeses.

Junto com piratas franceses, comerciantes e aventureiros franceses estabeleceram uma colônia na extremidade ocidental de Hispaniola, longe da parte oriental onde se concentravam os espanhóis. A França, agora muito mais rica e politicamente mais forte que a Espanha, investiu pesadamente em importação de escravos e desenvolvimento de *plantations* na parte ocidental da ilha, numa escala impossível para os espanhóis, e as histórias das duas partes da ilha começaram a se separar. No século XVIII a colônia espanhola tinha baixa população, poucos escravos e uma pequena economia baseada na criação de bovinos e venda de couro, enquanto a colônia francesa tinha uma população muito maior, mais escravos (700 mil em 1785, comparado com apenas 30 mil na parte espanhola), uma população não escrava proporcionalmente muito menor (apenas 10% comparada a 85%), e uma economia baseada na plantação de cana-de-açúcar. A colônia francesa de Saint-Domingue, como era chamada, tornou-se a colônia europeia mais rica do Novo Mundo e contribuía com um quarto da riqueza da França.

Em 1795, a Espanha finalmente cedeu a parte oriental da ilha para a França, de modo que Hispaniola foi brevemente unificada sob a bandeira francesa. Diante de uma rebelião escrava irrompida em Saint-Domingue em 1791 e 1801, a França enviou uma armada que foi derrotada pelo exército escravo e pelas doenças. Em 1804, tendo vendido suas possessões na América do Norte, como a Louisiana, para os EUA, a França abandonou Hispaniola. Não é de estranhar que os ex-escravos da Hispaniola francesa, que mudassem o nome do país para Haiti (nome que os tainos davam à sua ilha), matassem muitos dos brancos do Haiti, destruíssem plantações e sua infraestrutura de modo a tornar impossível a reconstrução do sistema de escravidão nas *plantations*, e as dividissem em pequenas fazendas familiares. Embora fosse o que os escravos desejavam como indivíduos, a longo prazo este fato mostrou-se desastroso para a produtividade agrícola, para as exportações e para a economia do Haiti, quando, em seu esforço para desenvolver culturas com valor de mercado, os agricultores começaram a receber pouca ajuda dos governos haitianos posteriores. O Haiti também perdeu recursos humanos com a morte de grande parte de sua população branca e a emigração da restante.

Contudo, quando o Haiti se tornou independente, em 1804, ainda era a parte mais rica, mais forte e mais populosa da ilha. Em 1805 os haitianos invadiram duas vezes a parte oriental da ilha (antiga possessão espanhola), então conhecida como Santo Domingo. Quatro anos depois, a seu pedido, os colonos espanhóis a recuperaram na condição de colônia da Espanha. Mas a Espanha governou Santo Domingo de modo tão inepto e com tão pouco interesse que os colonos declararam independência em 1821. Foram prontamente reanexados pelos haitianos, que ficaram até serem expulsos em 1844, após o que, na década de 1850, os haitianos continuaram a lançar invasões para conquistar o lado oriental.

Assim, em 1850 o Haiti, no oeste, tinha um território menor que o seu vizinho, mas uma população maior, uma economia de culturas de subsistência com pouca exportação e uma população composta de uma maioria de negros de ascendência africana e uma minoria de mulatos (gente de ascendência mista). Embora a elite mulata falasse francês e se identificasse com a França, a experiência do Haiti e o medo da escravidão levaram à adoção de uma constituição que proibia aos estrangeiros possuírem terras ou controlarem meios de produção através de investimentos. A grande maioria dos haitianos fala *creole*, um dialeto próprio originário do francês. Os dominicanos no leste tinham um grande território mas uma população menor, sua economia ainda era baseada na criação de bois, davam boas-vindas e ofereciam cidadania para os imigrantes, e falavam espanhol. Ao longo do século XIX, grupos de imigrantes numericamente pequenos mas economicamente significativos na República Dominicana incluíram judeus de Curaçao, nativos das ilhas Canárias, libaneses, palestinos, cubanos, porto-riquenhos, alemães e italianos, a que se juntaram judeus austríacos, japoneses e ainda mais espanhóis após 1930. O aspecto político no qual o Haiti e a República Dominicana mais se pareciam um com o outro era em sua instabilidade. Os golpes se sucediam, e o controle se alternava

UMA ILHA, DOIS POVOS, DUAS HISTÓRIAS

entre líderes locais com seus exércitos particulares. Dos 22 presidentes do Haiti de 1843 a 1915, 21 foram assassinados ou depostos, enquanto a República Dominicana, entre 1844 e 1930, teve 50 mudanças de presidente, incluindo 30 revoluções. Nas duas partes da ilha os presidentes governavam para enriquecer a si mesmos e seus seguidores.

As potências exteriores viam e tratavam o Haiti e a República Dominicana de modo diferente. Para olhos europeus, a imagem simplista era a da República Dominicana como uma sociedade que falava espanhol, parcialmente europeia, receptiva a imigrantes e ao comércio com europeus, enquanto o Haiti era visto como uma sociedade africana que falava *creole*, composta de ex-escravos e hostil a estrangeiros. Com a ajuda de capital europeu e, posteriormente, dos EUA, a República Dominicana começou a desenvolver uma economia de mercado de exportação, mas não o Haiti. A economia dominicana era baseada em cacau, tabaco, café e (a partir de 1870) plantações de cana-de-açúcar, que (ironicamente) caracterizaram o Haiti em vez da República Dominicana. Mas ambos os lados da ilha continuaram célebres por sua instabilidade política. No fim do século XIX, um presidente dominicano tomou emprestado (e não pagou) tanto dinheiro da Europa que a França, Itália, Bélgica e Alemanha enviaram navios de guerra e ameaçaram ocupar o país para receber o que lhes era devido. Para contornar esta crise de ocupação europeia, os EUA intervieram no serviço de impostos alfandegários dominicano, a única fonte de renda do governo, e alocaram metade da receita para pagar a dívida externa. Durante a Primeira Guerra Mundial, preocupados com o risco que corria o canal do Panamá devido à instabilidade política no Caribe, os EUA impuseram uma ocupação militar nas duas partes da ilha, que durou de 1915 a 1934 no Haiti e de 1916 a 1924 na República Dominicana. Depois disso, as duas partes rapidamente voltaram à sua instabilidade política anterior e aos conflitos entre pretendentes a presidentes.

A instabilidade terminou nas duas partes, na República Dominicana muito antes do Haiti, por obra dos dois piores ditadores da longa história de funestos ditadores da América Latina. Rafael Trujillo era o chefe dominicano da polícia nacional e líder do exército que os EUA ali estabeleceram e treinaram. Tirando vantagem dessa posição para se eleger presidente em 1930 e se tornar ditador, Trujillo continuou no poder por ser muito trabalhador, bom administrador, um astuto avaliador de pessoas, político hábil e um líder absolutamente cruel — e parecer agir no interesse da maior parte da sociedade dominicana. Trujillo torturou ou matou seus oponentes e impôs um estado policial totalitário.

Ao mesmo tempo, em um esforço para modernizar a República Dominicana, Trujillo desenvolveu a economia, a infraestrutura e as indústrias, administrando o país como um negócio particular. Ele e sua família acabaram controlando a maior parte da economia do país. Fosse diretamente ou através de testas de ferro, parentes ou aliados, ele deteve monopólios nacionais de exportação de carne, cimento, chocolate, cigarros, café, seguros, leite, arroz, sal, matadouros, tabaco e madeira. Trujillo possuía ou controlava a maioria das operações de silvicultura e produção de açúcar, possuía linhas aéreas, bancos, hotéis, muita terra e linhas de navegação. Tomava para si parte dos lucros da prostituição e 10% dos salários de todos os funcionários públicos. Ele se promovia de modo ubíquo: mudou o nome da capital, Santo Domingo, para Ciudad Trujillo, a mais alta montanha do país foi renomeada de pico Duarte para pico Trujillo, o sistema educacional do país ensinava que se devia agradecer a Trujillo, e cartazes de agradecimento colocados junto a toda bica de água pública proclamavam "Trujillo dá água". Para reduzir a possibilidade de uma rebelião ou invasão bem-sucedida, o governo Trujillo gastava metade de seu orçamento com um enorme exército, marinha e aeronáutica, compondo a maior força militar do Caribe, maior até que a do México.

Na década de 1950, porém, diversos acontecimentos conspiraram para que Trujillo começasse a perder a antiga segurança, que mantivera através de uma combinação de métodos de terror, crescimento econômico e distribuição de terras para os camponeses. A economia deteriorou-se por causa de uma combinação de gastos governamentais excessivos em um festival para celebrar o 25º aniversário do regime de Trujillo, gastos na compra de usinas de açúcar e hidrelétricas particulares, declínio dos preços mundiais do café e outras exportações dominicanas, e a decisão de fazer um grande investimento na produção estatal de açúcar que se mostrou um desastre econômico. Em 1959, em resposta a uma invasão malsucedida de exilados dominicanos, patrocinada por Cuba, e às transmissões radiofônicas vindas de Cuba encorajando a revolta, o governo intensificou as prisões, os assassinatos e a tortura. Em 30 de maio de 1961, tarde da noite,

UMA ILHA, DOIS POVOS, DUAS HISTÓRIAS

enquanto viajava de carro para visitar a amante, Trujillo foi emboscado e assassinado por dominicanos, aparentemente com o apoio da CIA, após uma dramática perseguição automobilística seguida de tiroteio.

Ao longo da maior parte da era Trujillo na República Dominicana, o Haiti continuou a ter uma sucessão instável de presidentes até que, em 1957, passou a ser controlado por seu próprio desastroso ditador, François "Papa Doc" Duvalier. Embora fosse médico e, portanto, mais educado que Trujillo, mostrou-se um político igualmente esperto e impiedoso, igualmente bem-sucedido em aterrorizar seu país com uma polícia secreta, acabando por matar mais compatriotas que Trujillo. Papa Doc Duvalier diferiu de Trujillo em sua falta de interesse em modernizar o Haiti ou em desenvolver uma economia industrial, fosse em benefício do país ou em seu próprio. Morreu de morte natural em 1971 e foi sucedido pelo filho, Jean-Claude "Baby Doc" Duvalier, que governou até ser forçado a se exilar em 1986.

Desde o fim da ditadura de Duvalier, o Haiti recomeçou sua antiga instabilidade política, e sua economia já pequena continuou a encolher. Ainda exporta café, mas a quantidade exportada tem permanecido constante enquanto a população continuou a crescer. Seu Índice de Desenvolvimento Humano, um índice baseado em uma combinação de duração de vida, educação e padrão de vida, é o mais baixo do mundo fora da África. Depois do assassinato de Trujillo, a República Dominicana também continuou politicamente instável até 1966, incluindo uma guerra civil em 1965 que desencadeou a volta dos fuzileiros navais dos EUA e o começo de uma emigração em larga escala para os EUA. Este período de instabilidade acabou em 1966, com a eleição à presidência de Joaquín Balaguer, ex-presidente da era Trujillo, ajudado por oficiais do antigo exército de Trujillo, que lançaram uma campanha terrorista contra o partido adversário. Balaguer, personalidade singular que consideraremos mais detidamente adiante, continuou a dominar a política dominicana nos 34 anos seguintes, governando como presidente de 1966 até 1978 e novamente de 1986 até 1996, e exercendo muita influência mesmo quando não ocupava o cargo entre 1978 e 1986. Sua última intervenção decisiva na política dominicana — a recuperação do sistema de reservas naturais do país — ocorreu no ano 2000, com a idade de 94 anos, quando já estava cego, doente e a dois anos de morrer.

Nos anos pós-Trujillo, de 1961 até o presente, a República Dominicana continuou a se industrializar e a se modernizar. Durante um tempo, sua economia de exportação dependeu pesadamente do açúcar, que então cedeu em importância à mineração, exportações industriais em áreas de zona franca e exportações de outros produtos agrícolas que não o açúcar, como mencionado no começo deste capítulo. Também importante para as economias tanto da República Dominicana quanto do Haiti foram os emigrantes. Mais de um milhão de haitianos e um milhão de dominicanos vivem hoje em outros países, especialmente nos EUA, e enviam para casa ganhos que representam uma fração significativa das economias de ambos os países. A República Dominicana ainda é um país pobre (renda *per capita* de apenas 2.200 dólares por ano), mas exibe muitos indicadores de uma economia crescente que eram óbvios durante a minha visita, incluindo uma grande explosão imobiliária e engarrafamentos urbanos.

Com esses antecedentes históricos em mente, voltemos a uma dessas surpreendentes diferenças com as quais este capítulo começou: por que as histórias políticas, econômicas e ecológicas desses dois países que compartilham a mesma ilha são tão diferentes?

Parte da resposta envolve diferenças ambientais. As chuvas em Hispaniola geralmente vêm do leste. Portanto a parte dominicana da ilha recebe mais chuva e sustém maiores taxas de crescimento de plantas. As montanhas mais altas de Hispaniola (com mais de três mil metros de altura) estão no lado dominicano, e os rios dessas altas montanhas geralmente fluem para leste no lado dominicano. O lado dominicano tem vales amplos, planícies e planaltos, e solos mais densos; em particular, o vale Cibao no norte é uma das áreas agrícolas mais ricas do mundo. Em contraste, o lado haitiano é mais seco devido à barreira de altas montanhas que bloqueiam as chuvas do leste. Comparado à República Dominicana, o Haiti é mais montanhoso, a área de terra plana boa para a agricultura intensiva é muito menor, há mais terrenos de calcário, os solos são menos espessos e menos férteis e têm uma capacidade de recuperação menor. Percebam o paradoxo: o lado haitiano da ilha era menos dotado ambientalmente mas desenvolveu uma rica economia agrícola antes do lado dominicano. A explicação para este paradoxo é que o surto de riqueza agrícola no Haiti veio à custa de seu capital ambiental de florestas e solo. Esta lição — uma

UMA ILHA, DOIS POVOS, DUAS HISTÓRIAS

grande conta bancária pode esconder um fluxo de caixa negativo — é um tema ao qual voltaremos no último capítulo.

Embora tais diferenças ambientais contribuam para as diferentes trajetórias econômicas dos dois países, grande parte da explicação envolve diferenças sociais e políticas que acabaram penalizando a economia haitiana em relação à economia dominicana. Neste sentido, os diferentes desenvolvimentos dos dois países eram excessivamente determinados: inúmeros fatores separados coincidiram para fazer o resultado tender para a mesma direção.

Uma dessas diferenças sociais e políticas envolve o fato de o Haiti ter sido uma rica colônia francesa e ter se tornado a colônia mais valiosa do império francês, enquanto a República Dominicana era uma colônia da Espanha que, no fim do século XVI, não se ocupava de Hispaniola e declinava econômica e politicamente. A França podia e decidiu investir em plantações intensivas baseadas em trabalho escravo no Haiti, enquanto a Espanha não pôde ou não quis desenvolver o seu lado da ilha. A França importava muito mais escravos para suas colônias do que a Espanha. Como resultado, em tempos coloniais o Haiti tinha uma população sete vezes maior do que a do seu vizinho, e ainda tem uma população algo maior hoje em dia, cerca de 10 milhões contra os 8,8 milhões. Mas a área do Haiti é apenas ligeiramente maior que metade da República Dominicana, de modo que o Haiti, com uma população maior e uma área menor, tem o dobro da densidade populacional de seu vizinho. A combinação dessa maior densidade populacional e menos chuvas foi o principal fator por trás do desmatamento mais rápido e perda de fertilidade do solo no lado haitiano. Além disso, todos os navios que traziam escravos ao Haiti voltavam para a Europa com cargas de madeira, de modo que as terras baixas e de meia-encosta do Haiti foram amplamente desmatadas por volta da metade do século XIX.

Um segundo fator social e político é que a República Dominicana, com sua população de fala espanhola de ascendência predominantemente europeia, era mais receptiva e mais atraente para os imigrantes e investidores europeus do que o Haiti, com sua população de fala *creole* formada esmagadoramente por ex-escravos negros. Embora a imigração e os investimentos europeus fossem desprezados e restringidos pela constituição do Haiti após 1804, acabaram se tornando importantes na República

Dominicana. Esses imigrantes dominicanos incluíam muitos homens de negócio de classe média e profissionais especializados que contribuíram para o desenvolvimento do país. O povo da República Dominicana chegou a *escolher* reassumir sua condição de colônia espanhola de 1812 a 1821, e seu presidente *escolheu* transformar seu país em um protetorado da Espanha de 1861 a 1865.

Outra diferença social que contribuiu para as diversas economias é que, como um legado de sua história de escravidão e revolta escrava, a maioria dos haitianos ganhou um pedaço de terra, usou-o para se alimentar, e não recebeu ajuda do governo para desenvolver culturas lucrativas para comerciar com países europeus, enquanto a República Dominicana desenvolveu uma economia de exportação e comércio exterior. A elite do Haiti se identificava mais com a França do que com a sua própria paisagem, não adquiriu terras nem desenvolveu uma agricultura comercial, e dedicou-se principalmente a explorar os camponeses.

Uma causa recente de divergência reside nas diferentes aspirações dos dois ditadores: Trujillo buscou desenvolver uma economia industrial e um estado moderno (em seu benefício), mas Duvalier não. Isso pode ser visto apenas como uma diferença idiossincrática pessoal entre os dois ditadores, mas pode também espelhar suas diferentes sociedades.

Finalmente, os problemas de desmatamento e pobreza do Haiti comparados aos da República Dominicana se agravaram nos últimos 40 anos. Pelo fato de a República Dominicana ter muito de sua cobertura de florestas e ter começado a se industrializar, o regime de Trujillo planejou — e os regimes de Balaguer e dos presidentes que os sucederam construíram — represas para gerar energia hidrelétrica. Balaguer lançou um programa urgente para diminuir a retirada de combustível das florestas importando propano e gás natural liquefeito. Mas a pobreza do Haiti forçou seu povo a permanecer dependente do carvão como combustível, acelerando a destruição das florestas que lhe restavam.

Assim, havia muitos motivos para que o desmatamento e outros problemas ambientais começassem mais cedo, se desenvolvessem ao longo do tempo e continuassem no Haiti em vez de na República Dominicana. Os motivos envolvem quatro dos cinco fatores estruturais deste livro: diferenças nos impactos ambientais humanos; nas políticas, amistosas ou não,

UMA ILHA, DOIS POVOS, DUAS HISTÓRIAS

com outros países; e nas respostas das sociedades e de seus líderes. Dos casos estudados neste livro, o contraste entre o Haiti e a República Dominicana discutido neste capítulo, e o contraste entre os destinos dos nórdicos e *inuits* na Groenlândia discutido no capítulo 8, fornecem a mais clara ilustração de que o destino de uma sociedade repousa em suas próprias mãos e depende substancialmente de suas próprias escolhas.

E quanto aos problemas ambientais da República Dominicana e as medidas defensivas adotadas? Para usar a terminologia que introduzi no capítulo 9, as medidas dominicanas para proteger o ambiente começaram de baixo para cima, mudaram para um controle de cima para baixo após 1930 e hoje são uma mistura de ambos. A exploração de árvores valiosas na República Dominicana aumentou nas décadas de 1860 e 1870, resultando em escassez ou extinção local de espécies valiosas. As taxas de desmatamento aumentaram no fim do século XIX devido a derrubadas nas florestas para plantação de cana-de-açúcar e outras culturas rentáveis, então continuou a aumentar no início do século XX à medida que cresceu a demanda de madeira para dormentes de estradas de ferro e urbanização incipiente. Pouco depois de 1900 encontramos a primeira menção de dano a florestas em áreas de baixa densidade pluviométrica devido à coleta de madeira para combustível, e de rios contaminados pela atividade agrícola ao longo das margens. A primeira regulamentação municipal proibindo a atividade madeireira e a contaminação de rios foi promulgada em 1901.

A proteção ambiental de baixo para cima foi lançada seriamente entre 1919 e 1930 na área ao redor de Santiago, segunda maior cidade e centro das áreas mais ricas e mais intensamente exploradas pela agricultura dominicana. O advogado Juan Bautista Pérez Rancier e o médico e pesquisador Miguel Canela y Lázaro, preocupados com a sequência da atividade madeireira e a rede de estradas a ela associada levando ao estabelecimento de comunidades agrícolas e dano à bacia hidrográfica, convenceram a Câmara de Comércio de Santiago a comprar terra para reserva florestal, e também tentaram levantar os fundos necessários através de contribuições públicas. Tiveram sucesso em 1927, quando o secretário de Agricultura cedeu fundos adicionais do governo para tornar possível a compra da primeira reserva natural, o Vedado del Yaque. O Yaque é o maior rio do país, e um *vedado* é uma área de terra onde a entrada de pessoas é controlada ou proibida.

Após 1930, o ditador Trujillo mudou o ímpeto da administração ambiental com uma abordagem de cima para baixo. Seu regime expandiu a área do Vedado del Yaque, criou outros *vedados*, estabeleceu o primeiro parque nacional em 1934, organizou um corpo de guardas florestais para garantir a proteção das florestas, suprimiu as queimadas agrícolas e proibiu o corte de pinheiros sem sua permissão na área de Constanza, na Cordilheira Central. Trujillo tomou essas medidas em nome da proteção ambiental, mas provavelmente estava mais motivado por considerações econômicas, incluindo seu próprio interesse econômico. Em 1937, seu regime comissionou um famoso cientista ambiental porto-riquenho, dr. Carlos Chardón, para pesquisar os recursos ambientais naturais da República Dominicana (seu potencial agrícola, mineral e florestal). Chardón calculou o potencial de atividade madeireira das florestas de pinheiros do país, de longe a maior floresta de pinheiros do Caribe, como sendo de cerca de 40 milhões de dólares, uma quantia elevada naquele tempo. Baseado nesse relatório, Trujillo se envolveu com a extração de pinheiros, adquiriu grandes áreas de florestas de pinheiros e se tornou sócio das principais serrarias do país. Os madeireiros de Trujillo adotaram medidas ambientais corretas, como deixar algumas árvores maduras de pé para fornecerem sementes para o reflorestamento natural, e essas grandes e velhas árvores ainda podem ser vistas hoje na floresta regenerada. As medidas ambientais sob o governo de Trujillo na década de 1950 incluíram comissionar um estudo, levado a cabo por suecos, do potencial hidrelétrico do país, o planejamento dessas represas e a convocação do primeiro congresso ambiental no país em 1958, e o estabelecimento de mais parques nacionais, ao menos parcialmente para proteger as bacias hidrográficas que fossem importantes para a geração de energia hidrelétrica.

Sob sua ditadura, Trujillo (como sempre agindo com parentes e aliados como testas de ferro) empreendeu uma atividade madeireira intensiva, mas seu governo ditatorial impediu que outros o fizessem e estabelecessem colônias não autorizadas. Após a morte de Trujillo em 1961, caiu este muro contra a pilhagem indiscriminada do ambiente dominicano. Invasores ocuparam a terra e fizeram queimadas para limpá-la para a agricultura; teve início uma imigração desorganizada em grande escala do campo para os *barrios* urbanos; e quatro ricas famílias de Santiago começaram a derrubar árvores em uma taxa muito mais alta do que a de

UMA ILHA, DOIS POVOS, DUAS HISTÓRIAS

Trujillo. Dois anos após a morte do ditador, o presidente democraticamente eleito Juan Bosch tentou persuadir os madeireiros a poupar a floresta de pinheiros de modo que pudessem permanecer como bacia hidrográfica para as represas de Yaque e Nizao, mas em vez disso os madeireiros se juntaram com outros interessados para derrubar Bosch. As taxas da atividade madeireira se aceleraram até a eleição de Joaquín Balaguer como presidente em 1966.

Balaguer reconheceu a urgente necessidade de manter bacias hidrográficas florestadas de modo a suprir as necessidades de energia do país através das hidrelétricas e garantir o fornecimento de água para as necessidades industriais e domésticas. Logo após se tornar presidente, Balaguer tomou a drástica medida de banir todos os madeireiros comerciais e fechar todas as serrarias do país. Esta ação provocou forte resistência da parte de famílias ricas e poderosas, que responderam transferindo sua atividade madeireira das vistas públicas e levando-a para áreas de florestas mais remotas, operando suas serrarias à noite. Balaguer reagiu com medidas ainda mais drásticas, como tirar a responsabilidade da proteção florestal do Departamento de Agricultura entregando-a às Forças Armadas, e declarando a atividade madeireira ilegal como crime contra a segurança do Estado. A fim de parar com a atividade madeireira, as Forças Armadas iniciaram um programa de voos de reconhecimento e operações militares que chegaram ao clímax em 1967, em um dos marcos da história ambiental dominicana, com um ataque noturno a um grande campo madeireiro clandestino. No tiroteio que se seguiu, 12 madeireiros foram mortos. Isso serviu como advertência para os demais. Embora tenha continuado a haver alguma atividade madeireira ilegal, esta foi combatida com mais ataques e tiroteios, de modo que declinou grandemente durante o primeiro período de Balaguer como presidente (1966 a 1978, compreendendo três mandatos consecutivos no cargo).

Esta foi apenas uma de uma série de medidas ambientais de longo alcance implementadas por Balaguer. Durante os oito anos em que esteve fora do cargo, de 1978 a 1986, outros presidentes reabriram alguns campos de extração de madeira e serrarias, e permitiram o aumento da produção de carvão. No primeiro dia de volta à presidência, em 1986, Balaguer começou a emitir ordens executivas para voltar a fechar campos de extração de madeira e serrarias, e no dia seguinte enviou helicópteros militares para detectar atividade madeireira ilegal e invasões de parques nacionais. Operações militares voltaram a capturar e aprisionar madeireiros, e remover posseiros pobres, ricas mansões e agronegócios (alguns pertencendo a amigos de Balaguer), dos parques nacionais. A mais notável dessas operações ocorreu em 1992 no Parque Nacional Los Haitises, do qual 90% da floresta foram destruídos; o exército expulsou milhares de posseiros. Em uma operação posterior dois anos depois, dirigida pessoalmente por Balaguer, o exército lançou escavadeiras contra casas de luxo construídas por prósperos dominicanos dentro do Parque Nacional Juan B. Pérez. Balaguer aboliu o uso do fogo como método agrícola e até promulgou uma lei (que se mostrou difícil de aplicar) determinando que cada poste de cerca devia consistir em árvores vivas e enraizadas em vez de madeira morta. Como algumas medidas para desestimular a demanda dominicana por produtos florestais e substituí-los por outros, ele abriu o mercado de importação de madeira para o Chile, Honduras e os EUA (eliminando assim a maior parte da demanda por madeira dominicana nas lojas do país); e reduziu a tradicional produção de carvão (a maldição do Haiti) importando gás natural liquefeito da Venezuela, construindo diversos terminais para importar este gás, subsidiando o custo do gás para o público para desbancar o carvão, e promovendo a distribuição gratuita de fogões e cilindros de propano para encorajar as pessoas a não usarem mais carvão. Expandiu grandemente o sistema de reservas naturais, criou os dois primeiros parques nacionais litorâneos, acrescentou dois bancos submersos no oceano ao território dominicano como santuário para baleias-corcundas, protegeu as terras até 20 metros dos rios e 60 metros da costa, protegeu os pantanais, assinou a convenção do meio ambiente do Rio e proibiu a caça durante 10 anos. Pressionou as indústrias a tratar seus rejeitos, lançou com sucesso limitado algumas iniciativas para controlar a poluição do ar e taxou pesadamente as empresas de mineração. Entre as muitas propostas ambientalmente danosas às quais se opôs ou vetou, havia projetos de uma estrada ao porto de Sanchez através de um parque nacional, uma rodovia norte-sul sobre a Cordilheira Central, um aeroporto internacional em Santiago, um superporto e uma represa em Madrigal. Recusou-se a reparar a estrada sobre as terras altas, de modo que acabou se tornando quase intransitável. Em Santo Domingo, fundou um aquário, um jardim botânico, um museu de história natural e reconstruiu o zoológico nacional, que se tornaram grandes atrações.

Aos 94 anos, como derradeiro ato político, Balaguer se uniu ao presidente eleito Mejia para vetar o plano do presidente Fernández para reduzir e enfraquecer o sistema de reservas naturais. Balaguer e Mejia conseguiram isso através de uma hábil manobra legislativa na qual emendaram a proposta do presidente Fernández com uma cláusula que convertia o sistema de reservas naturais de um que existia apenas através de ordem executiva (e, portanto, sujeito a alterações como aquelas propostas por Fernández) para um estabelecido por lei, nas condições em que existia em 1996, ao fim do último mandato presidencial de Balaguer e antes das manobras de Fernández. Assim, Balaguer terminou sua carreira política salvando o sistema de reservas ao qual devotara tanta atenção.

Todas essas ações de Balaguer representaram o auge da era de administração ambiental de cima para baixo na República Dominicana. Na mesma época, esforços de baixo para cima também voltaram a ser feitos após terem sido interrompidos durante a era Trujillo. Durante as décadas de 1970 e 1980, os cientistas fizeram vários inventários dos recursos naturais costeiros, marinhos e terrestres. À medida que os dominicanos lentamente reaprendiam métodos de participação cívica individual após décadas de ditadura Trujillo, os anos 1980 viram a fundação de muitas organizações não governamentais, incluindo dezenas de organizações ambientais que se tornaram cada vez mais efetivas. Em contraste com a situação de diversos países em desenvolvimento, em que os esforços ambientais são desenvolvidos principalmente por afiliadas de organizações ambientais internacionais, o ímpeto de baixo para cima na República Dominicana vem de ONGs locais preocupadas com o ambiente. Ao lado das universidades e da Academia de Ciências Dominicanas, essas ONGs se tornaram líderes de um movimento ambiental feito em casa.

Por que Balaguer levou adiante medidas de tão amplo alcance em defesa do meio ambiente? Para muitos de nós, é difícil conciliar um compromisso tão forte com o meio ambiente com suas qualidades negativas. Durante 31 anos, ele serviu a Rafael Trujillo e defendeu o massacre de haitianos cometido pelo ditador em 1937. Acabou como presidente-fantoche de Trujillo, mas também serviu a Trujillo em posições onde exerceu influência, como a secretaria de Estado. Qualquer um desejoso de trabalhar com uma pessoa perniciosa como Trujillo imediatamente torna-se suspeito e menosprezado por associação. Balaguer também acumulou sua própria lista de atos perniciosos após a morte de Trujillo — atos que só podem ser atribuídos ao próprio Balaguer. Embora tenha ganhado a presidência honestamente na eleição de 1986, recorreu a fraude, violência e intimidação para garantir sua eleição em 1966 e sua reeleição em 1970, 1974, 1990 e 1994. Operava o seu próprio esquadrão de capangas para assassinar centenas ou, talvez, milhares de membros da oposição. Ordenou diversas remoções forçadas de gente pobre de parques nacionais, e ordenou ou compactuou com a morte de madeireiros ilegais. Tolerou a corrupção amplamente disseminada. Pertencia à tradição latino-americana de homens fortes, ou *caudillos*. Entre as frases a ele atribuídas está a seguinte: "A constituição não passa de um pedaço de papel."

Os capítulos 14 e 15 deste livro discutirão as razões frequentemente complicadas pelas quais as pessoas seguem ou não políticas ambientalistas. Quando visitei a República Dominicana, estava especialmente interessado em saber, daqueles que conheciam Balaguer pessoalmente ou viveram durante seu mandato, o que poderia tê-lo motivado. Perguntei a cada dominicano a quem entrevistei o que achava dele. Recebi 20 respostas diferentes. Muitos eram pessoas que tinham motivos pessoais bastante fortes para abominar Balaguer: haviam sido presos por ele, ou aprisionados e torturados pelo governo Trujillo a quem Balaguer serviu, ou tinham parentes próximos ou amigos que foram mortos.

Entre esta divergência de opinião, havia porém inúmeros pontos mencionados independentemente por muitos de meus informantes. Balaguer foi descrito como uma personalidade singularmente complexa e curiosa. Queria poder político, e sua busca por políticas nas quais acreditava era temperada pela preocupação de não fazer coisas que pudessem lhe custar o poder (mas frequentemente se aproximou perigosamente desse limite de perdê-lo através de medidas não populares). Era um político extremamente habilidoso, cínico, prático, de cuja habilidade ninguém mais nos últimos 42 anos de história política dominicana chegou remotamente perto, e que exemplificava o adjetivo "maquiavélico". Balanger manteve constantemente um delicado equilíbrio entre os militares, as massas e os grupos de elite adversários; conseguiu antecipar golpes militares contra o seu governo fragmentando os militares em grupos opostos; e inspirou tanto medo, mesmo nas autoridades militares que abusavam de florestas e parques nacionais, que, na sequência de um famoso confronto não planejado televisado em 1994, um coronel do exército que se opusera às medidas de proteção florestal de Balaguer, e a quem Balaguer admoestou furiosamente, acabou urinando nas calças de medo. Nas palavras pitorescas de um historiador a quem entrevistei, "Balaguer era uma cobra que mudava de pele quando precisava". Balaguer tolerou muita corrupção durante seu governo mas ele não era corrupto nem estava interessado em riqueza pessoal, ao contrário de Trujillo. Em suas palavras, "a corrupção acaba na porta do meu escritório".

Finalmente, como um dominicano que fora preso e torturado resumiu para mim, "Balaguer era um mal, mas um mal necessário naquela etapa da história dominicana". Com esta frase, meu informante queria dizer que, quando Trujillo foi assassinado em 1961, havia muitos dominicanos, no exterior ou no país, com nobres aspirações, mas nenhum deles tinha uma fração da experiência prática de Balaguer no governo. Por meio de seus atos, ele consolidou a classe média, o capitalismo e o país tal como é hoje, e determinou uma grande evolução na economia dominicana. Esses resultados levaram muitos dominicanos a relevar as más qualidades de Balaguer.

Em resposta à minha pergunta de por que Balaguer seguiu suas políticas ambientalistas, encontrei muita divergência. Alguns dominicanos me disseram achar que era apenas uma tapeação para ganhar votos ou melhorar sua imagem internacional. Um viu as expulsões de posseiros de parques nacionais impostas por Balaguer como apenas parte de um plano mais amplo para tirar os camponeses de áreas florestais remotas onde poderiam gerar uma rebelião pró-Castro; para despovoar terras públicas que poderiam acabar se transformando em *resorts* de dominicanos ricos, ou de ricos especuladores imobiliários estrangeiros, ou de militares; e para solidificar os laços de Balaguer com os militares.

Embora possa haver alguma verdade em todos esses motivos, não obstante a amplitude das ações ambientais de Balaguer, a impopularidade de algumas delas e o desinteresse público por outras, tenho dificuldade em ver suas políticas como apenas simulação. Algumas de suas ações ambientais, especialmente o uso de militares para expulsar posseiros, fizeram-no parecer muito cruel, custaram-lhe votos (embora compensados por sua manipulação das eleições) e o apoio de membros poderosos da elite e do exército (mesmo que muitas outras de suas políticas tenham sido apoiadas por esses setores). No caso de muitas medidas ambientais que listei, não consigo discernir uma possível conexão com especuladores imobiliários, medidas de contrainsurgência ou a intenção de ficar bem com o exército. Em vez disso, como um político prático experimentado, Balaguer parece ter perseguido seu objetivo de políticas pró-ambientais do modo mais vigoroso possível, sem perder votos demais, sem perder muito apoio de setores influentes da sociedade e sem provocar um golpe militar contra ele.

Outro argumento levantado por alguns dominicanos a quem entrevistei era que as políticas ambientais de Balaguer eram compulsórias, algumas ineficazes e tinham pontos cegos. Ele permitia que seus partidários fizessem coisas destrutivas para o meio ambiente, como danificar leitos de rios com extração de minério, cascalho, areia e outros materiais de construção. Algumas de suas leis, como a de proibição da caça, poluição do ar e paus de cerca, não funcionaram. Às vezes ele recuava se encontrava oposição às suas políticas. Uma falha sua especialmente séria como ambientalista foi que negligenciou harmonizar as necessidades de agricultores rurais com as preocupações ambientais, e poderia ter feito muito mais para aumentar o apoio popular ao meio ambiente. Mas ele conseguiu executar ações pró-ambiente mais diversas e mais radicais do que qualquer outro político dominicano, e da maioria dos políticos mais modernos que conheço em outros países.

Parece-me que a interpretação mais provável das políticas de Balaguer é que ele realmente se importava com o meio ambiente, como dizia. Mencionava isso em quase todo discurso; dizia que conservar as florestas, rios e montanhas era seu sonho desde a infância; e destacou isso nos discursos que fez ao ser eleito presidente em 1966 e novamente em 1986, e em seu último (1994) discurso de posse. Quando o presidente Fernández alegou que 32% do país era um território excessivamente grande para ser área de proteção ambiental, Balaguer respondeu que o país inteiro devia ser protegido. Mas quanto a como ele chegou à essa visão pró-ambiental, ninguém me deu a mesma resposta. Um disse que Balaguer deve ter sido influenciado por ambientalistas quando era menino e vivia na Europa; alguém destacou que Balaguer era consistentemente anti-haitiano, e que trabalhou para melhorar a paisagem da República Dominicana para que contrastasse com a devastação do Haiti; outro achou que ele foi influenciado pelas irmãs, de quem era muito próximo, e que teriam se horrorizado ao verem o desflorestamento e o assoreamento dos rios resultantes dos anos Trujillo; outra pessoa comentou que Balaguer já tinha 60 anos quando assumiu a presidência pós-Trujillo e 90 quando a deixou, de modo que pode ter sido motivado pelas mudanças que viu ao seu redor em seu país durante sua longa vida.

Não sei as respostas a estas perguntas sobre Balaguer. Parte de nosso problema em compreendê-lo podem ser nossas próprias expectativas irreais. Subconscientemente tendemos a esperar que as pessoas sejam homogeneamente "boas" ou "más", como se devesse haver uma única qualidade de virtude que ressaltasse em todos os aspectos do comportamento de alguém. Se descobrirmos alguém virtuoso ou admirável em um aspecto, nos perturba descobrir que não o é em outros. É difícil para nós descobrir que as pessoas não são consistentes mas, na verdade, mosaicos de atributos formados por diferentes conjuntos de experiências que frequentemente não são correlatas umas com as outras.

Também é perturbador pensar que, uma vez admitindo que Balaguer era um ambientalista, seu lado negativo possa injustamente macular o seu ambientalismo. É como um amigo me disse certa vez: "Adolf Hitler adorava cães e escovava os dentes, mas isso não quer dizer que devamos odiar cães e não escovar os dentes por causa disso." Lembro de minha própria experiência quando trabalhei na Indonésia de 1979 a 1996, em plena ditadura militar. Eu temia e abominava a ditadura por causa de suas políticas, e também por razões pessoais: especialmente pelo que a ditadura fez com muitos de meus amigos da Nova Guiné, e porque seus soldados quase me mataram. Portanto, fiquei surpreso ao saber que aquela ditadura lançara um sistema abrangente e efetivo de parques nacionais na Nova Guiné indonésia. Cheguei à Nova Guiné indonésia após anos de experiência de democracia em Papua-Nova Guiné, e esperava encontrar políticas ambientais muito mais avançadas sob a virtuosa democracia do que sob a abominável ditadura. Em vez disso, tive de reconhecer que o oposto era verdadeiro.

Nenhum dos dominicanos com quem falei disse entender Balaguer. Ao se referirem a ele, usaram frases como "cheio de paradoxos", "controverso" e "enigmático". Um deles aplicou a Balaguer a frase que Winston Churchill usou para descrever a Rússia: "Uma interrogação, embrulhada em um mistério, dentro de um enigma." A luta para compreender Balaguer me faz lembrar que a história, assim como a vida, é complicada; nem a vida nem a história são coisas para quem busca simplicidade e consistência.

À luz dessa história de impacto ambiental na República Dominicana, como andam atualmente os problemas ambientais e o sistema de reservas naturais do país? Os maiores problemas preenchem oito de uma lista de 12 categorias de problemas ambientais que serão sumariados no capítulo 16: problemas envolvendo florestas, recursos marinhos, solo, água, substâncias tóxicas, espécies exóticas, crescimento populacional e impacto populacional.

O desmatamento das florestas de pinheiros, localmente intenso na ditadura Trujillo, tornou-se desenfreado nos cinco anos que se seguiram ao seu assassinato. A proibição da atividade madeireira decretada por Balaguer foi relaxada sob o mandato de alguns presidentes recentes. O êxodo de dominicanos das áreas rurais para as cidades e para outros países diminuiu a pressão sobre as florestas, mas o desmatamento continua, especialmente próximo ao Haiti, devido a haitianos desesperados que atravessam a fronteira para derrubar árvores para fazer carvão ou cultivar terras como posseiros no lado dominicano. No ano 2000, a proteção das florestas passou das Forças Armadas para o Ministério do Meio Ambiente, que é mais fraco e não tem os fundos necessários, de modo que a proteção às florestas é hoje menos efetiva do que entre 1967 e 2000.

Ao longo da maior parte da linha costeira do país, os hábitats marinhos e recifes de coral foram seriamente danificados e excessivamente explorados.

A perda de solo devido à erosão em terreno desmatado tem sido muito grande. Há a preocupação de que a erosão leve ao assoreamento dos reservatórios das represas que geram a energia hidrelétrica do país. A salinização tem se desenvolvido em algumas áreas irrigadas, como nas plantações de cana-de-açúcar de Barahona Sugar Plantation.

A qualidade da água nos rios do país é hoje muito pobre por causa do assoreamento, poluição tóxica e despejo de lixo. Rios que há até algumas décadas eram limpos e seguros para a prática da natação estão agora marrons de sedimentos e não podem ser usados por banhistas. As indústrias jogam os seus rejeitos nos rios, assim como os residentes de *barrios* urbanos com coleta de lixo inadequada ou inexistente. Os leitos dos rios foram muito prejudicados por dragagem industrial para extração de materiais para a indústria de construção.

A partir da década de 1970, houve aplicação intensa de pesticidas tóxicos (inseticidas e herbicidas) nas áreas agrícolas ricas, como o vale Cibao. A República Dominicana continuou a usar pesticidas que há muito foram banidos dos países que os fabricavam. Esse uso de pesticidas é tolerado pelo governo porque a agricultura dominicana é muito lucrativa. Os trabalhadores nas áreas rurais, até mesmo crianças, rotineiramente aplicam produtos agrícolas tóxicos sem proteção para seus rostos ou mãos. Como resultado, têm sido bem documentados efeitos de pesticidas agrícolas na saúde humana. Fiquei surpreso pela quase ausência de aves nas ricas áreas agrícolas do vale Cibao: se os pesticidas são tão ruins para as aves, também devem ser ruins para as pessoas. Outros problemas de contaminação tóxica vêm da grande mina Falconbridge de ferro e níquel, cuja fumaça enche a atmosfera em partes da autoestrada entre as duas maiores cidades do país (Santo Domingo e Santiago). A mina de ouro de Rosario foi temporariamente fechada devido à falta de técnicas para tratar o cianeto e efluentes ácidos no país. Tanto Santo Domingo quanto Santiago têm *smog*, resultado do trânsito pesado de veículos obsoletos, aumento do consumo de energia e abundância de geradores particulares que as pessoas mantêm em suas casas e negócios por causa das frequentes faltas de energia. (Testemunhei diversas faltas de energia em todos os dias que estive em Santo Domingo, e após a minha volta meus amigos dominicanos me escreveram para dizer que têm passado por apagões de até 21 horas.)

Quanto às espécies exóticas, de modo a reflorestar terras devastadas pela atividade madeireira ou por furacões em décadas recentes, o país tem recorrido às que crescem mais rapidamente que o lento pinheiro dominicano nativo. Entre as espécies estrangeiras que vi em abundância estavam o pinheiro de Honduras, casuarinas, diversas espécies de acácias e a teca. Algumas dessas espécies prosperaram, enquanto outras não se adaptaram. Preocupam porque algumas são sensíveis a doenças às quais o pinheiro nativo dominicano é resistente, de modo que as encostas reflo-restadas podem perder a sua cobertura novamente se as árvores ficarem doentes.

Embora a taxa de crescimento populacional tenha baixado, ainda está por volta de 1,6% ao ano.

Mais sério do que a crescente população do país é o rápido crescimento do impacto humano *per capita*. (Por esse termo, ao qual recorrerei ao lon-go do restante deste livro, quero dizer o consumo médio de recursos e pro-dução de rejeitos de uma pessoa: muito mais alto para cidadãos modernos do Primeiro Mundo do que para modernos cidadãos do Terceiro Mundo ou qualquer outro povo do passado. O impacto total de uma sociedade é igual ao impacto *per capita* multiplicado pelo seu número de pessoas.) Do-minicanos que viajaram para o exterior, os turistas que visitam o país e a televisão fizeram com que as pessoas se dessem conta dos padrões de vida mais altos de Porto Rico e dos EUA. Em toda parte há cartazes anunciando produtos de consumo, e vi camelôs vendendo telefones celulares e CDs nas principais esquinas da cidade. O país está se tornando cada vez mais dedicado a um consumismo que atualmente não é suportado pela econo-mia e pelos recursos da República Dominicana, e depende em parte dos ganhos enviados por dominicanos que trabalham em outros países. Todas essas pessoas adquirindo grandes quantidades de produtos de consumo estão produzindo quantidade equivalente de rejeitos que sobrecarregam os sistemas municipais de coleta de lixo. Pode-se ver o lixo se acumulando nos rios, ao longo das estradas, das ruas da cidade e no campo. Como me disse um dominicano: "O apocalipse aqui não virá em forma de um terre-moto ou furacão, mas de um mundo enterrado no lixo."

O sistema de reservas naturais de áreas protegidas do país diz respeito diretamente a todas essas ameaças, exceto o crescimento populacional e o impacto do consumo. O sistema é abrangente, composto de 74 reservas de diversos tipos (parques nacionais, reservas marinhas protegidas e assim por diante) e cobre um terço da área do país. É um feito impressionante para um país pequeno, pobre e densamente povoado cuja renda *per capita* é de apenas um décimo da dos EUA. Igualmente impressionante é que o sistema de reservas não foi sugerido e planejado por organizações am-bientais internacionais, mas por ONGs dominicanas. Em minhas reuniões

UMA ILHA, DOIS POVOS, DUAS HISTÓRIAS

em três dessas organizações dominicanas — a Academia de Ciências em Santo Domingo, a Fundación Moscoso Puello e a filial do The Nature Conservancy em Santo Domingo (a única entre meus contatos dominicanos afiliada a alguma organização internacional) — todos os membros com quem me encontrei, sem exceção, eram dominicanos. Esta situação é bem diferente daquela a que me acostumei na Papua-Nova Guiné, Indonésia, ilhas Salomão e outros países em desenvolvimento, onde cientistas estrangeiros têm posições-chave e também servem como consultores visitantes.

E quanto ao futuro da República Dominicana? O sistema de reservas sobreviverá às pressões que enfrenta? Há esperança para o país?

Sobre essas questões também encontrei divergência de opiniões até mesmo entre meus amigos dominicanos. As razões para o pessimismo ambiental começam com o fato de o sistema de reservas não ser mais mantido pelo pulso de ferro de Joaquín Balaguer. Está com fundos e vigilância insuficientes, e tem sido apenas fracamente mantido por presidentes recentes, alguns dos quais tentaram diminuir a área protegida e até vendê-la. As universidades estão dotadas de poucos cientistas bem treinados, que não podem educar sozinhos um quadro de alunos bem treinados. O governo fornece pouco apoio aos estudos científicos. Alguns de meus amigos estavam preocupados com o fato de que as reservas dominicanas estão se transformando em parques que existem mais no papel do que na realidade.

Por outro lado, uma grande razão para o otimismo ambiental é um movimento ambiental crescente, bem organizado, de baixo para cima, que é quase sem precedentes no mundo em desenvolvimento. Que deseja e é capaz de desafiar o governo; alguns de meus amigos das ONGs foram presos devido a essas reivindicações mas conseguiram sua liberdade e continuaram a fazê-lo. O movimento ambiental dominicano é tão determinado e efetivo quanto o de qualquer outro país que me seja familiar. Assim, como em todo o mundo, vejo na República Dominicana o que um amigo descreveu como "uma corrida de cavalo acelerando exponencialmente para um final imprevisível", entre forças destrutivas e construtivas. Tanto as ameaças ao ambiente quanto os movimentos ambientais que as desafiam estão reunindo forças na República Dominicana, e não podemos prever qual irá prevalecer no final.

COLAPSO

Do mesmo modo, as perspectivas da economia e da sociedade do país suscitam divergência de opiniões. Cinco de meus amigos dominicanos estão profundamente pessimistas, quase sem esperança. Sentem-se desencorajados pela fraqueza e corrupção de governos recentes, aparentemente interessados apenas em ajudar os políticos e seus amigos, e pelos recentes e graves reveses da economia dominicana. Esses reveses incluem o completo colapso do mercado de açúcar, outrora dominante, a desvalorização da moeda, o aumento da competição de outros países com custos mais baixos para produzir produtos de exportação em zonas francas, o fechamento de dois grandes bancos e o excesso de empréstimos e gastos do governo. As aspirações consumistas desenfreadas estão além dos níveis que o país pode suportar. Na opinião de meus amigos mais pessimistas, a República Dominicana está escorregando ladeira abaixo em direção ao esmagador desespero do Haiti, mas escorrega mais rapidamente do que o Haiti: o declínio econômico que demorou um século e meio no Haiti será alcançado em algumas décadas na República Dominicana. De acordo com essa visão, a capital Santo Domingo rivalizará em miséria com a capital do Haiti, Porto Príncipe, onde a maior parte da população vive abaixo do nível de pobreza em favelas sem serviços públicos, enquanto a rica elite beberica seus vinhos franceses em subúrbios separados.

Este é o pior cenário. Outros amigos dominicanos responderam que têm visto governos irem e virem nos últimos 40 anos. Sim, dizem, o atual governo é especialmente fraco e corrupto, mas certamente perderá a próxima eleição, e todos os outros candidatos à presidência parecem preferíveis ao presidente atual. (De fato, o governo perdeu a eleição alguns meses após essa conversa.) Os fatos fundamentais sobre a República Dominicana que esclarecem suas perspectivas são que é um país pequeno no qual os problemas ambientais logo ficam evidentes para todos. É também uma "sociedade cara a cara", em que indivíduos interessados e cultos fora do governo têm pronto acesso a ministros do governo, ao contrário do que ocorre nos EUA. Talvez o mais importante de tudo, é preciso lembrar que a República Dominicana é um país resiliente, que sobreviveu a uma história de problemas bem mais assustadores que os atuais. Sobreviveu 22 anos de ocupação pelo Haiti, depois uma sucessão quase ininterrupta de presidentes fracos ou corruptos de 1844 até 1916 e novamente de 1924 até 1930, ocupações militares norte-americanas de 1916 a 1924 e de 1965 até 1966.

Conseguiu se reconstruir após 31 anos sob Rafael Trujillo, um dos piores e mais destrutivos ditadores na história recente do mundo. De 1900 a 2000, a República Dominicana passou por mudanças socioeconômicas mais profundas do que quase qualquer um dos países do Novo Mundo.

Devido à globalização, o que acontece com a República Dominicana afeta não apenas os dominicanos mas também o resto do mundo. Afeta especialmente os EUA, a apenas 965 quilômetros de distância, e lar de um milhão de dominicanos. A cidade de Nova York tem hoje a segunda maior população dominicana do mundo, só superada pela capital dominicana de Santo Domingo. Há também grandes populações dominicanas no Canadá, na Holanda, Espanha e Venezuela. Os EUA já experimentaram como os acontecimentos em um país do Caribe imediatamente a oeste de Hispaniola, Cuba, ameaçaram sua sobrevivência em 1962. Portanto, os EUA têm muito interesse em saber se a República Dominicana vai conseguir resolver seus problemas.

E quanto ao futuro do Haiti? O mais pobre e um dos mais superlotados países do Novo Mundo, ele torna-se cada vez mais pobre e superpovoado, com uma taxa de crescimento populacional de cerca de 3% ao ano. O Haiti é tão pobre, e tão deficiente em recursos naturais e em recursos humanos treinados ou educados, que realmente é difícil saber como melhorar alguma coisa. Se, por outro lado, olharmos para o exterior em busca de ajuda externa de governos, iniciativas de ONGs, ou esforços privados, o Haiti também não tem capacidade de utilizar a ajuda externa de modo eficiente. Por exemplo, o programa USAID pôs dinheiro no Haiti em uma ordem sete vezes maior do que na República Dominicana, mas os resultados no Haiti ainda assim foram muito limitados, por causa da deficiência de gente e organizações haitianas que pudessem utilizar essa ajuda. Todas as pessoas que conhecem o Haiti a quem perguntei sobre as perspectivas do país usaram as palavras "sem esperança" em suas respostas. A maioria respondeu simplesmente que não tem nenhuma. Aqueles que ainda têm confiança começaram a falar reconhecendo que eram minoria e que a maioria das pessoas desiludiu-se, mas então começavam a enumerar os motivos pelos quais se agarravam à esperança, como a possibilidade do reflorestamento do Haiti a partir de suas pequenas reservas florestais, a existência de duas áreas agrícolas no país que produzem excedentes para exportação interna para a capital, Porto Príncipe, os enclaves turísticos da costa norte, e o notável feito do Haiti de ter abolido suas Forças Armadas sem cair em um constante lamaçal de movimentos de secessão e de milícias locais.

Assim como o futuro da República Dominicana afeta outros por causa da globalização, o Haiti também afeta outros países pelo mesmo motivo. Assim como com os dominicanos, os efeitos da globalização incluem os efeitos de haitianos vivendo no exterior — nos EUA, Cuba, México, América do Sul, Canadá, Bahamas, Antilhas e França. Ainda mais importante, porém, é a "globalização" dos problemas do Haiti na ilha de Hispaniola, através do efeito do Haiti na vizinha República Dominicana. Os haitianos cruzam a fronteira e passam para o lado dominicano em busca de empregos que ao menos lhes deem o que comer, e em busca de madeira para levar de volta para seu país desmatado. Os posseiros haitianos tentam ganhar a vida como agricultores no lado dominicano junto à fronteira, em terras de baixa qualidade que os agricultores dominicanos desprezam. Mais de um milhão de pessoas com origem haitiana vivem e trabalham na República Dominicana, a maioria ilegalmente, atraídos por melhores oportunidades econômicas e maior disponibilidade de terras, embora a República Dominicana seja um país pobre. Portanto, o êxodo de mais de um milhão de dominicanos para outros países foi anulado pela chegada do mesmo número de haitianos, que hoje representam 12% da população. Os haitianos aceitam trabalhos árduos e mal pagos que poucos dominicanos querem para si — especialmente no setor de construção, como lavradores, fazendo o trabalho duro e doloroso de cortar a cana, na indústria turística, como vigias, empregados domésticos e fazendo transporte sobre bicicletas (pedalando enquanto carregam e equilibram imensas quantidades de mercadoria para venda ou entrega). A economia dominicana utiliza esses haitianos como trabalhadores de baixos salários, mas os dominicanos em troca relutam em fornecer educação, assistência médica e moradia quando não têm fundos para fornecer esses serviços públicos para si mesmos. Os dominicanos e haitianos na República Dominicana estão divididos não apenas econômica mas também culturalmente: falam idiomas diferentes, vestem-se diferente, comem comidas diferentes e geralmente parecem diferentes (os haitianos tendem a ter a pele mais escura e são mais africanos em aparência).

UMA ILHA, DOIS POVOS, DUAS HISTÓRIAS

Ao ouvir meus amigos dominicanos descrevendo a situação dos haitianos na República Dominicana, fiquei atônito pela grande semelhança com a situação de imigrantes ilegais do México e outros países da América Latina nos EUA. Ouvi coisas como: "trabalhos que os dominicanos não querem", "trabalhos malremunerados mas ainda melhores do que aqueles que têm em casa", "esses haitianos trazem AIDS, tuberculose e malária", "falam outro idioma e têm a pele escura", e "não temos a obrigação e não podemos fornecer assistência médica, educação e moradia para imigrantes ilegais". Nessas frases, tudo o que se precisa fazer é substituir "haitianos" e "dominicanos" por "imigrantes latino-americanos" e "cidadãos americanos", e o resultado seria uma típica expressão da atitude dos norte-americanos para com os imigrantes latino-americanos.

Do modo como os dominicanos estão deixando a República Dominicana para irem para os EUA e Porto Rico, e os haitianos estão deixando o Haiti e indo para a República Dominicana, este último país está se tornando uma nação com uma crescente minoria haitiana, assim como muitas partes dos EUA estão se tornando cada vez mais "hispânicas" (i.e., latino-americanas). Portanto, é de vital interesse para a República Dominicana que o Haiti resolva seus problemas, assim como é de vital interesse para os EUA que a América Latina resolva os seus. A República Dominicana é mais afetada pelo Haiti do que qualquer outro país do mundo.

Poderá a República Dominicana ter um papel construtivo no futuro do Haiti? À primeira vista, a República Dominicana não parece ser uma fonte de soluções para os problemas do Haiti. É um país pobre e tem problemas suficientes tentando ajudar os seus próprios cidadãos. Os dois países estão separados por um hiato cultural que inclui diferentes idiomas e diferentes autoimagens. Há uma longa e profunda tradição enraizada de antagonismo entre ambas as partes, com muitos dominicanos vendo o Haiti como parte da África e menosprezando os haitianos, e com muitos haitianos suspeitosos de intervenções estrangeiras. Os haitianos e dominicanos não podem esquecer a história de crueldades que cada país infligiu ao outro. Os dominicanos lembram-se das invasões haitianas no século XIX, incluindo a ocupação de 22 anos (esquecendo-se de aspectos positivos dessa invasão, como a abolição da escravidão). Os haitianos lembram-se da pior atrocidade de Trujillo, a ordem de matar (a facão) todos os 20 mil haitianos que viviam no noroeste da República Dominicana e partes do vale Cibao entre 2 e 8 de outubro de 1937. Hoje, há pouca colaboração entre os dois governos, que tendem a ver um ao outro com desconfiança ou hostilidade.

Mas nada disso muda dois fatos fundamentais: que o meio ambiente dominicano se liga continuamente ao ambiente haitiano, e que o Haiti é o país com o mais forte impacto sobre a República Dominicana. Alguns sinais de colaboração entre os dois estão começando a surgir. Por exemplo, enquanto eu estava na República Dominicana, pela primeira vez um grupo de cientistas dominicanos estava a ponto de viajar para o Haiti para se reunir com cientistas haitianos, e uma visita de cientistas haitianos a Santo Domingo já estava marcada. Se o Haiti tiver de melhorar de algum modo, não vejo como isso pode acontecer sem mais envolvimento de parte da República Dominicana, não obstante quão indesejável e quase impensável isso seja para a maioria dos dominicanos atualmente. Contudo, em última análise, é ainda mais impensável que a República Dominicana não venha a se envolver com o Haiti. Embora os recursos da República Dominicana sejam escassos, esta ao menos poderia assumir um grande papel como ponte, para os caminhos a serem explorados, entre o mundo exterior e o Haiti.

Será que os dominicanos algum dia compartilharão este ponto de vista? No passado, o povo dominicano realizou feitos muito mais difíceis do que se envolver de modo construtivo com o Haiti. Entre as muitas dúvidas que pairam sobre o futuro de meus amigos dominicanos, esta é a maior de todas.

CAPÍTULO 12

CHINA: GIGANTE CAMBALEANTE

Importância da China • Antecedentes • Ar, água e solo • Hábitat,
espécies e megaprojetos • Consequências • Conexões • O futuro

A China é o país mais populoso do mundo, com cerca de 1 bilhão e 300 milhões de pessoas, um quinto do total mundial. É o terceiro maior país do mundo em área e o terceiro mais rico em espécies de plantas. Sua economia, já imensa, está crescendo mais do que a de qualquer grande país: quase 10% por ano, que é quatro vezes a média das economias do Primeiro Mundo. Tem a maior taxa de produção de ferro, cimento, alimentos de aquicultura e aparelhos de televisão; tem a maior produção e o maior consumo de carvão, fertilizantes e tabaco; está perto do topo em produção de eletricidade e (em breve) de veículos motorizados, e em consumo de madeira; e está construindo a maior represa e o maior projeto de distribuição de água do mundo.

Empanando essas realizações superlativas, os problemas ambientais da China estão entre os mais graves de qualquer país grande, e estão piorando. A longa lista vai de poluição do ar, perdas de biodiversidade, perda de terras de cultivo, desertificação, desaparecimento de pantanais, degradação de pradarias, e escala e frequência crescente de desastres naturais induzidos pelo homem, espécies invasoras, sobrepastejo, interrupção do fluxo de rios, salinização, erosão do solo, acúmulo de lixo, poluição e falta de água. Esses e outros problemas ambientais estão causando enormes perdas econômicas, conflitos sociais e problemas de saúde na China. Todas essas considerações, por si sós, seriam bastante para tornar o impacto dos problemas ambientais da China sobre apenas o povo chinês um assunto de grande preocupação.

Mas a imensa população, economia e área da China também garantem que seus problemas ambientais não permanecerão como um assunto doméstico e atingirão o resto do mundo, que é cada vez mais afetado por compartilhar o mesmo planeta, oceanos e atmosfera com a China e que, ao seu turno, afeta o ambiente da China através da globalização. O recente ingresso da China na Organização Mundial do Comércio (OMC) irá expandir estas relações com outros países. Por exemplo, ela já é a maior produtora de óxidos de enxofre, clorofluorcarbonetos, outras substâncias nocivas à camada de ozônio, e (em breve) dióxido de carbono na atmosfera; sua poeira e poluentes aéreos são transportados para leste sobre países vizinhos, chegando até a América do Norte; e é um dos dois maiores importadores de madeira de florestas tropicais, tornando-se uma força motivadora por trás do desmatamento destas florestas.

Ainda mais importante do que todos esses outros impactos será o aumento proporcional do impacto humano total no ambiente mundial caso a China, com a sua imensa população, alcance o objetivo de adquirir padrões de vida de Primeiro Mundo — o que também significa igualar-se ao Primeiro Mundo em impacto ambiental *per capita*. Como veremos neste capítulo e novamente no capítulo 16, essas diferenças entre padrões de vida de Primeiro e Terceiro Mundo, e os esforços da China e de outros países em desenvolvimento para diminuir essa diferença, têm grandes consequências que infelizmente vêm sendo ignoradas. A China também ilustrará outros temas deste livro: os 12 grupos de problemas ambientais que o mundo moderno enfrenta, a serem detalhados no capítulo 16, todos eles extremamente sérios na China; os efeitos da moderna globalização sobre os problemas ambientais; a importância da questão ambiental mesmo para a maior de todas as sociedades modernas e não apenas para as pequenas sociedades selecionadas como ilustração na maioria dos outros capítulos deste livro; e bases realistas de esperança, apesar da barragem de estatísticas deprimentes. Após dar alguma informação sobre a China, discutirei os tipos de impactos ambientais chineses, suas consequências para o povo chinês e para o resto do mundo, as respostas da China e um prognóstico para o futuro.

Comecemos com um rápido sumário sobre a geografia, as tendências populacionais e a economia da China (mapa, p. 432). O ambiente chinês é complexo e localmente frágil. Sua geografia diversificada inclui o mais elevado planalto do mundo, algumas das montanhas mais altas, dois dos rios mais longos (o Yang Tsé e o Amarelo), muitos lagos, uma longa linha costeira e uma grande plataforma continental. Seus diversos hábitats variam de geleiras e desertos até florestas tropicais. Dentro desses ecossistemas há áreas frágeis por diferentes motivos: por exemplo, o norte da China tem uma pluviosidade altamente variada, mais ocorrências simultâneas de ventos e secas, o que torna suas pradarias de altitude suscetíveis a tempestades de poeira e erosão do solo. Já o sul da China é úmido mas tem tempestades intensas que causam erosões nas encostas.

Quanto à população chinesa, os dois fatos mais sabidos a esse respeito são que é a maior do mundo, e que o governo chinês (de modo único no mundo moderno) instituiu controle de fertilidade compulsório, diminuindo drasticamente o crescimento populacional para 1,3% ao ano em 2001. Isso levantou a questão de se a decisão da China seria imitada por outros países, muitos dos quais, embora recuem horrorizados diante da solução, podem se envolver em soluções ainda piores para seus problemas populacionais.

Menos sabido, mas com consequências significativas do impacto humano na China, é que o número de lares na China tem crescido 3,5% ao ano nos últimos 15 anos, mais do que o dobro do crescimento populacional no mesmo período. Isso é porque o tamanho da família decresceu de 4,5 pessoas por casa em 1985 para 3,5 no ano 2000, e prevê-se que baixará para 2,7 no ano 2015. Essa diminuição no tamanho das famílias resultou em que a China tem hoje *mais* 80 milhões de lares, um aumento que excede o número total de lares da Rússia. A diminuição do tamanho das famílias é resultado de mudanças sociais: especialmente envelhecimento da população, menos crianças por casal, um aumento nos divórcios que, antes, quase inexistiam, e um declínio do antigo costume de diversas gerações — avós, pais e filhos — viverem sob o mesmo teto. Ao mesmo tempo, a área das residências *per capita* aumentou quase três vezes. O resultado líquido desses aumentos do número e da área *per capita* de domicílios é que o impacto humano na China está aumentando apesar de sua lenta taxa de crescimento populacional.

O outro aspecto das tendências populacionais da China que vale a pena ser destacado é a rápida urbanização. De 1953 a 2001, enquanto a população total da China "apenas" dobrou, a porcentagem de sua população urbana triplicou de 13 para 38%, portanto, a população urbana aumentou

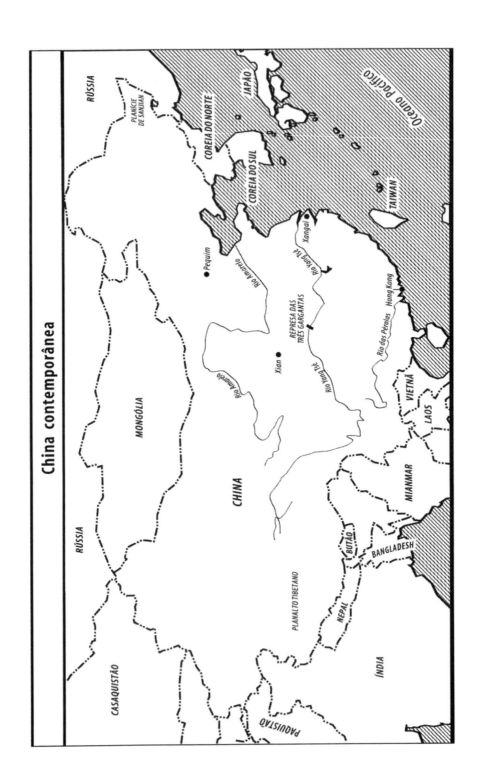

sete vezes para quase meio bilhão. O número de cidades quintuplicou para quase 700, e as cidades já existentes aumentaram muito a sua área.

Quanto à economia da China, a melhor e mais breve descrição seria: "Grande e de rápido crescimento." É o maior produtor e consumidor de carvão mineral, respondendo por um quarto do total mundial. É também o maior produtor e consumidor de fertilizantes, respondendo por 20% do uso mundial, e por 90% do aumento global em uso de fertilizantes desde 1981, por ter quintuplicado o uso de fertilizantes, agora três vezes mais fertilizante por hectare do que a média mundial. Como segundo maior produtor e consumidor de pesticidas, responde por 14% do total mundial e se tornou exportadora de pesticidas. Além disso, é o país que mais produz aço no mundo, o que mais utiliza películas plásticas como cobertura morta, o segundo maior produtor de eletricidade e têxteis sintéticos e o terceiro maior consumidor de petróleo. Nas últimas duas décadas, enquanto sua produção de aço, produtos de aço, cimento, plásticos e fibras sintéticas cresceram 5, 7, 10, 19 e 30 vezes, respectivamente, a produção de máquinas de lavar aumentou 34 mil vezes.

A carne de porco sempre foi a principal carne na China. Com a afluência econômica, a demanda por produtos de carne de boi, de carneiro e de frango aumentou rapidamente, a ponto de o consumo de ovos *per capita* ter se igualado ao do Primeiro Mundo. O consumo *per capita* de carne, ovos e leite aumentou quatro vezes entre 1978 e 2001. Isso representa muito mais perdas agrícolas, porque são necessários cinco a 10 quilos de plantas para produzir meio quilo de carne. A produção anual de dejetos animais em terra já é de três vezes a produção de rejeitos industriais sólidos, ao que deve ser acrescentado o aumento em dejetos de peixes, comida de peixe e fertilizantes para a aquicultura, o que tende a aumentar a poluição terrestre e aquática respectivamente.

A rede de transportes e a frota de veículos da China cresceram de modo explosivo. Entre 1952 e 1997, a extensão de ferrovias, rodovias e linhas aéreas aumentou 2,5, 10 e 108 vezes. O número de veículos motorizados (principalmente caminhões e ônibus) aumentou 15 vezes entre 1980 e 2001, os carros aumentaram 130 vezes. Em 1994, após o número de veículos motorizados ter aumentado nove vezes, a China decidiu tornar a produção de automóveis um dos assim chamados quatro pilares de sua indústria, com o objetivo de aumentar a produção (agora especialmente de carros) mais quatro vezes até o ano 2010. Isso a tornará o terceiro país do mundo na produção de veículos, atrás apenas dos EUA e do Japão. Considerando quão ruim já é a qualidade do ar atualmente em Pequim e outras cidades, devido principalmente aos veículos motorizados, seria interessante imaginar como será a qualidade do ar urbano em 2010. O planejado aumento de veículos também terá impacto no meio ambiente, uma vez que exigirá mais terras para a construção de mais estradas e estacionamentos.

Por trás dessas impressionantes estatísticas sobre a escala e o crescimento da economia da China, esconde-se o fato de que muito dela se baseia em tecnologia obsoleta, ineficaz ou poluidora. A eficiência energética da produção industrial chinesa é apenas metade da do Primeiro Mundo; sua produção de papel consome duas vezes mais água do que a do Primeiro Mundo; e sua irrigação se baseia em métodos de superfície ineficientes responsáveis por desperdício de água, perda de nutrientes do solo, eutrofização e assoreamento de rios. Três quartos do consumo de energia da China dependem de carvão mineral, principal causa de poluição do ar e de chuva ácida, e causa significativa de ineficiência. Por exemplo, a produção de amônia, a partir de carvão, para a fabricação de fertilizantes e têxteis, consome 42 vezes mais água do que a produção à base de gás natural do Primeiro Mundo.

Outra característica de ineficiência da economia chinesa é sua economia rural de pequena escala que se expande rapidamente: as chamadas empresas de distritos e aldeias, ou EDAs, com uma média de apenas seis empregados por empresa, especialmente envolvidas em construção e produção de papel, pesticidas e fertilizantes. Respondem por um terço da produção chinesa e por metade de suas exportações, mas contribuem desproporcionalmente com a poluição sob a forma de dióxido de enxofre, desperdício de água e rejeitos sólidos. Por isso, em 1995, o governo declarou uma emergência e baniu ou fechou 15 dos piores tipos de EDAs de pequena escala.

A história chinesa de impactos ambientais passou por várias fases. Mesmo há milhares de anos já ocorreram ali desmatamentos em grande escala. Após o fim da Segunda Guerra Mundial e da Guerra Civil Chinesa,

CHINA: GIGANTE CAMBALEANTE

a volta da paz em 1949 trouxe mais desflorestamento, sobrepastejo e erosão do solo. Os anos do Grande Salto para a Frente, de 1958 a 1965, presenciaram um aumento caótico no número de fábricas (um aumento de quatro vezes em um período de dois anos 1957-1959!), acompanhado por ainda mais desmatamento (para obter combustível necessário para uma produção de ferro ineficiente, de fundo de quintal) e poluição. Durante a Revolução Cultural de 1966-1976, a poluição se espalhou ainda mais, à medida que diversas fábricas foram deslocadas de áreas costeiras, consideradas vulneráveis em caso de guerra, para vales profundos e montanhas altas. Desde o início da reforma econômica em 1978, a degradação ambiental continuou a crescer e a acelerar. Os problemas ambientais da China podem ser resumidos em seis principais vertentes: ar, água, solo, destruição de hábitat, perdas de biodiversidade e megaprojetos.

Para começar, falemos do problema de poluição mais famoso da China: a sua péssima qualidade do ar, simbolizada por fotografias hoje comuns de pessoas usando máscaras nas ruas de muitas cidades (foto 25). Em algumas cidades chinesas, a poluição do ar é a pior do mundo, com níveis diversas vezes mais altos do que os considerados seguros para a saúde das pessoas. Poluentes como os óxidos de nitrogênio e dióxido de carbono estão aumentando por causa do número crescente de veículos motorizados e pela geração de energia predominantemente à base de carvão mineral. A chuva ácida, confinada na década de 1980 a apenas algumas áreas do sul e do sudoeste, espalhou-se pela maior parte do país e agora ocorre em um quarto das cidades chinesas durante mais da metade dos dias de chuva de cada ano.

Do mesmo modo, a qualidade da água de mananciais subterrâneos e da maioria dos rios chineses é sofrível e está ficando pior, devido a descargas de esgotos industriais e domiciliares, vazamentos de fertilizantes agrícolas e aquícolas, pesticidas e esterco, causando eutrofização generalizada. (Este termo refere-se à produção de concentrações excessivas de algas como resultado de vazamento de nutrientes.) Cerca de 75% dos lagos chineses, e quase todo o mar costeiro, estão poluídos. As marés vermelhas nos mares chineses — um tipo de eflorescência de plâncton cujas toxinas são venenosas para peixes e outros animais marinhos — aumentaram para cerca de 100 por ano, comparado com apenas uma a cada cinco anos na década de 1960. A água do famoso reservatório de Guanting, em Pequim, foi declarada imprópria para consumo em 1997. Apenas 20% da água doméstica usada é tratada, comparado com 80% no Primeiro Mundo.

Esses problemas de água são exacerbados por escassez e desperdício. De acordo com os padrões mundiais, a China tem pouca água potável, com uma quantidade por pessoa de apenas um quarto da média mundial. Para piorar, mesmo esta pouca água é desigualmente distribuída, com o norte da China ficando com apenas um quinto do suprimento de água *per capita* do sul do país. Esta inerente escassez de água, somada ao uso perdulário, leva cerca de 100 cidades a sofrerem sérios racionamentos de água e ocasionalmente chega a paradas da produção industrial. Da água necessária para as cidades e para a irrigação, dois terços dependem de água de mananciais subterrâneos. Contudo, tais mananciais estão se esgotando, permitindo que a água do mar se infiltre nos aquíferos das áreas costeiras, ou provocando afundamentos de terreno em algumas cidades à medida que são esvaziados. A China também tem o pior problema mundial de interrupção de fluxo de rios, e este problema está se tornando muito pior porque a água continua a ser tirada dos rios para ser usada. Por exemplo, entre 1972 e 1997 houve interrupções de fluxo no baixo rio Amarelo (o segundo maior rio da China) em 20 dos 25 anos, e o número de dias sem fluxo algum aumentou de 10 em 1988 para o incrível total de 230 dias em 1997. Mesmo nos rios Yang Tsé e das Pérolas, no sul da China, que é mais úmido, há interrupções de fluxo durante a estação seca que impedem a navegação.

Os problemas de solo começam por ser a China um dos países mais seriamente prejudicado pela erosão (foto 26), que afeta agora 19% de sua área e resulta na perda de cinco bilhões de toneladas de solo por ano. A erosão é particularmente devastadora no planalto de Loess (na porção intermediária do rio Amarelo, cerca de 70% do planalto está erodido) e aumenta no rio Yang Tsé, cujas descargas de sedimentos da erosão excedem as descargas conjuntas do Nilo e do Amazonas, os dois rios mais extensos do mundo. Ao assorearem os rios da China (assim como seus lagos e reservatórios), os sedimentos diminuíram os canais fluviais navegáveis em 50% e restringiram o tamanho dos navios que podem usá-los. A quantidade, a qualidade e a fertilidade do solo diminuíram, em parte devido ao uso prolongado de fertilizantes somado a um drástico declínio, relacionado ao uso de pesticidas, da quantidade de minhocas, renovadoras do solo, causando assim uma diminuição de 50% na área de terrenos cultiváveis considerados de alta qualidade. A salinização, cujas causas serão discutidas em detalhe no próximo capítulo (capítulo 13) sobre a Austrália, afetou 9% das terras da China, por um projeto e uma administração de sistemas de irrigação deficientes nas áreas secas. (Este é um problema ambiental que os programas de governo têm combatido e começado a reverter.) A desertificação, pelo sobrepastejo e uso da terra para agricultura, afetou mais de um quarto do país e, na última década, destruiu cerca de 15% da área que resta para agricultura e pastoreio no norte da China.

Todos esses problemas de solo — erosão, perdas de fertilidade, salinização e desertificação — juntam-se à urbanização e à apropriação de terras para mineração, silvicultura e aquicultura na reduzida área de terra cultivável da China. Isso suscita um grande problema para a segurança alimentar do país, porque ao mesmo tempo que sua terra cultivável vem diminuindo, a população e o consumo de comida *per capita* têm aumentado, e sua área potencial de terra cultivável é limitada. A área de cultivo por pessoa é hoje de apenas um hectare, quase metade da média mundial, e quase tão baixa quanto a do noroeste de Ruanda, discutida no capítulo 10. Além disso, como a China recicla pouco lixo, grandes quantidades de lixo industrial e doméstico são jogadas em campos abertos, poluindo o solo e ocupando ou estragando terras de cultivo. Mais de dois terços das cidades da China estão hoje cercados de lixo, cuja composição mudou dramaticamente de rejeitos vegetais, poeira e resíduos de carvão para plásticos, vidros, metais e papéis de embrulho. Como meus amigos dominicanos previram para o futuro de seu país (capítulo 11), um mundo enterrado em lixo também parece ser o futuro da China.

As discussões sobre destruição de seus hábitats começam com o desmatamento. A China é um dos países do mundo mais pobre em florestas, com apenas 0,12 hectare de florestas por pessoa, comparado à média mundial de 0,65, e com uma cobertura de florestas de apenas 16% do seu território (comparado a 74% do Japão). Embora os esforços do governo tenham aumentado a área de plantação de árvores de uma só espécie e, deste modo, tenha aumentado um pouco a área total considerada florestada, as florestas naturais, especialmente as antigas, têm diminuído. Este desmatamento contribui grandemente para a erosão do solo e as inundações na China. As grandes inundações de 1996, que provocaram danos de 25 bilhões de dólares, e as inundações ainda maiores de 1998, que afetaram 240 milhões de pessoas (um quinto da população chinesa), levaram o governo a agir, incluindo a proibição de qualquer atividade madeireira em florestas naturais. Ao lado das mudanças climáticas, o desflorestamento provavelmente contribuiu para a aumentada frequência de secas, que hoje afeta 30% das plantações a cada ano.

As outras duas formas mais sérias de destruição de hábitats na China afora o desflorestamento é a destruição ou degradação de pradarias ou pantanais. Neste aspecto, ela só perde para a Austrália em extensão de pradarias naturais, que cobrem 40% de sua área, principalmente no norte mais seco. Contudo, devido à sua grande população, isso significa uma área de pradarias *per capita* menor do que a metade da média mundial. As pradarias chinesas foram sujeitas a dano severo devido a sobrepastejo, mudanças climáticas, mineração e outros tipos de uso, de modo que 90% das pradarias chinesas são hoje consideradas degradadas. A produção de forragem por hectare diminuiu cerca de 40% desde a década de 1950, e mato e espécies de capins venenosos se espalharam em detrimento de espécies de capins de alta qualidade. Toda essa degradação de pradarias tem implicações que se estendem além da mera utilidade das pradarias chinesas para a produção de comida, porque as pradarias chinesas do planalto do Tibet (o planalto mais alto do mundo) são as cabeceiras de grandes rios da Índia, Paquistão, Bangladesh, Tailândia, Laos, Camboja e Vietnã, assim como da China. Por exemplo, a degradação das pradarias aumentou a frequência e a intensidade das enchentes nos rios Amarelo e Yang Tsé, na China, e também aumentou a frequência e a intensidade de tempestades de areia na China Oriental (principalmente em Pequim, como visto por todo o mundo através da televisão).

Os pantanais têm diminuído em área, o nível de suas águas tem flutuado muito, sua capacidade de diminuir enchentes e armazenar água diminuiu, e as espécies de pantanal se tornaram ameaçadas ou extintas. Por exemplo, 60% dos pântanos da planície de Sanjian, no noroeste, a área

CHINA: GIGANTE CAMBALEANTE

com os maiores pântanos de água doce da China, já foram convertidos em terras de cultivo, e na taxa atual de drenagem, os 21 mil km² que ainda restam desses pântanos desaparecerão em 20 anos.

Outras perdas de biodiversidade com grandes consequências econômicas incluem a grave degradação da pesca de água doce e litorânea por exploração excessiva e poluição, porque o consumo de peixes está aumentando com a afluência crescente. O consumo *per capita* aumentou quase cinco vezes nos últimos 25 anos, e a esse consumo doméstico deve-se acrescentar a crescente exportação de peixes, moluscos e espécies aquáticas da China. Como resultado disso, o esturjão branco foi levado ao limiar da extinção, a outrora robusta coleta de camarões de Bohai diminuiu 90%, espécies de peixes outrora abundantes como a pescada-amarela e o peixe-espada agora têm de ser importados, a pesca no rio Yang Tsé diminuiu 75% e, pela primeira vez, este rio teve de ser interditado à pesca em 2003. De modo mais geral, a biodiversidade da China é muito alta, com mais de 10% das espécies de plantas e vertebrados terrestres do mundo. Contudo, cerca de um quinto das espécies nativas (incluindo a mais conhecida, o panda-gigante) estão agora ameaçadas, e muitas outras espécies raras (como os crocodilos chineses e os ginkgos) já estão correndo risco de extinção.

O outro lado desse declínio de espécies nativas tem sido um aumento de espécies invasoras. A China tem uma longa história de espécies intencionalmente introduzidas consideradas benéficas. Agora, com o recente aumento de 60 vezes no comércio internacional, essas introduções intencionais estão sendo acrescidas de introduções acidentais de muitas espécies que ninguém pode considerar benéficas. Por exemplo, apenas no porto de Shanghai, entre 1986 e 1990, um exame de material importado trazido por 349 navios de 30 países revelou contaminação com 200 espécies de plantas estrangeiras. Algumas dessas plantas, insetos e peixes invasores acabaram se estabelecendo como pragas, causando grande dano econômico à agricultura, aquicultura, silvicultura e produção de gado.

Como se não bastasse, estão sendo executados na China grandes projetos de desenvolvimento, e espera-se que todos provocarão grandes problemas ambientais. A Represa das Três Gargantas, no rio Yang Tsé — a maior do mundo, iniciada em 1993 e projetada para ficar pronta em

2009 — objetiva fornecer eletricidade, controle de inundações e melhoria da navegação a um custo financeiro de 30 bilhões de dólares, um custo social de milhões de pessoas deslocadas e um custo ambiental associado com a erosão do solo e a interrupção de um grande ecossistema (a do terceiro rio mais longo do mundo). Ainda mais caro é o projeto de distribuição de água do sul para o norte, que começou em 2002, está programado para ficar pronto por volta de 2050, e projetado para custar 59 bilhões de dólares, para espalhar poluição e causar um desequilíbrio de água no maior rio da China. Até mesmo este projeto será superado pelo projeto de desenvolvimento da atualmente subdesenvolvida China Ocidental, que atuará sobre metade da área do país e é visto pelos líderes chineses como chave para o desenvolvimento nacional.

Vamos agora fazer uma pausa para distinguir, assim como nas outras partes deste livro, as consequências para animais e plantas das consequências para os seres humanos. Os acontecimentos recentes na China são más notícias para as minhocas e as pescadas-amarelas chinesas, mas que diferença fazem para o povo chinês? As consequências podem ser divididas em custos econômicos, custos de saúde e exposição a desastres naturais. Seguem algumas estimativas ou exemplos para cada uma dessas três categorias.

Como exemplo de custo econômico, vamos começar de baixo para cima. Um custo pequeno são os 72 milhões de dólares por ano gastos para deter a disseminação de uma única praga, a erva-crocodilo [*Alternanthera philoxeroides*] vinda do Brasil e introduzida na China como forragem para porco e que escapou para infestar plantações, campos de batata-doce e pomares de frutas cítricas. Outra barganha é a perda anual de apenas 250 milhões de dólares causada pelo fechamento de fábricas devido à escassez de água em uma única cidade, Xian. As tempestades de areia infligem danos de cerca de 540 milhões de dólares por ano, e as perdas de plantações e florestas causadas pela chuva ácida chegam a cerca de 730 milhões de dólares por ano. Mais sérios são os custos de seis bilhões de dólares para a criação da "muralha verde" de árvores, que está sendo construída para proteger Pequim contra a areia e a poeira, e os sete bilhões de dólares por ano de perdas criadas por outras pragas além da erva cro-

CHINA: GIGANTE CAMBALEANTE

codilo. Entramos na zona de números impressionantes quando considerarmos o custo das inundações de 1996 (27 bilhões de dólares, mas ainda mais barato que o das inundações de 1998), as perdas anuais diretas, resultado da desertificação (42 bilhões de dólares), e as perdas anuais pela poluição da água e do ar (54 bilhões). A combinação dos dois últimos itens custa à China o equivalente a 14% de seu produto interno bruto todos os anos.

Três itens devem ser selecionados para dar uma indicação das consequências para a saúde. Os níveis de chumbo no sangue dos habitantes de cidades chinesas são quase o dobro dos considerados perigosos em qualquer parte do mundo, e podem afetar o desenvolvimento mental das crianças. Cerca de 300 mil mortes por ano e 54 bilhões de dólares de gastos com saúde (8% do PIB) são atribuídos à poluição. A morte de fumantes chega a 730 mil por ano, porque a China é o maior consumidor e produtor de tabaco do mundo e abriga a maioria dos fumantes do planeta (320 milhões, um quarto do total mundial, fumando uma média de 1.800 cigarros/ano por pessoa).

A China é notória pela frequência, número, extensão e dano causado pelos seus desastres naturais. Alguns desses — especialmente as tempestades de areia, deslizamentos de encostas, secas e inundações — estão intimamente relacionadas aos impactos ambientais humanos e tornaram-se mais frequentes à medida que esses impactos aumentaram. Por exemplo, as tempestades de areia têm aumentado de frequência e intensidade à medida que mais terra tem sido desnudada pelo desmatamento, sobrepastejo, erosão e secas parcialmente causadas por seres humanos. De 300 d.C. até 1950, as tempestades de areia costumavam afligir o noroeste da China a cada 31 anos em média; de 1950 a 1990, uma vez a cada 20 meses; e desde 1990, quase todos os anos. A grande tempestade de areia de 5 de maio de 1993 matou cerca de 100 pessoas. As secas aumentaram devido ao fato de o desmatamento interromper o ciclo hidrológico natural produtor de chuvas e também, talvez, por causa da drenagem ou uso excessivo de lagos e pantanais e, portanto, diminuição da superfície de água para evaporação. A área agrícola prejudicada a cada ano por secas é de agora 155.400 km², o dobro da área anual estragada na década de 1950. As inundações têm aumentado muito devido ao desmatamento; as inundações de 1996 e 1998 foram as piores na memória recente. A ocorrência alternada de secas e inundações também se tornou mais frequente e é mais danosa do que qualquer um dos dois desastres sozinhos, porque as secas primeiro destroem a cobertura vegetal, então as inundações sobre o terreno desnudo causam uma erosão pior do que causariam de outro modo.

Mesmo que a China não tivesse contato com o resto do mundo por meio de comércio e viagens, o grande território e a população da China garantiriam os efeitos sobre outros povos simplesmente porque a China libera seus rejeitos e gases no mesmo oceano e atmosfera. Mas as ligações da China com o resto do mundo através de comércio, investimento e ajuda externa têm se acelerado quase exponencialmente nas últimas duas décadas, embora o comércio (agora na casa de 621 bilhões de dólares por ano) fosse insignificante antes de 1980 e os investimentos estrangeiros na China ainda fossem diminutos em 1991. Entre outras consequências, o desenvolvimento do comércio de exportação tem sido uma das forças que estimularam a poluição na China, porque as ineficientes e altamente poluentes pequenas indústrias rurais (as EDAs), que produzem metade das exportações do país, embarcam seus produtos para o exterior mas deixam os poluentes na China. Em 1991, ela se tornou o segundo país em valor de investimentos estrangeiros, atrás apenas dos EUA. Em 2002, alcançou o primeiro lugar, recebendo investimentos recordes de 53 bilhões de dólares. A ajuda externa entre 1981 e 2000 incluiu 100 milhões de dólares de ONGs internacionais, uma grande soma se forem levados em conta os orçamentos das ONGs, mas uma quantia insignificante comparada a outras fontes da China; meio bilhão de dólares do programa de desenvolvimento da ONU; 10 bilhões da Agência de Desenvolvimento Internacional do Japão; 11 bilhões do Asian Development Bank e 24 bilhões do Banco Mundial.

Todas essas transferências de dinheiro contribuem para alimentar o rápido crescimento econômico da China e sua degradação ambiental. Consideremos agora outros modos como o resto do mundo a influencia e, depois, como ela influencia o resto do mundo. Essas influências recíprocas são aspectos da palavra da moda, "globalização", que é importante para o propósito deste livro. A interconexão das sociedades do mundo de hoje

CHINA: GIGANTE CAMBALEANTE

produz algumas das mais importantes diferenças (a serem exploradas no capítulo 16) entre como os problemas ambientais se deram do passado, na ilha de Páscoa ou entre maias e anasazis, e como ocorrem hoje em dia.

Entre as coisas ruins que a China recebe do resto do mundo, já mencionei espécies exóticas invasoras economicamente daninhas. Outra importação de larga escala que surpreenderá os leitores é lixo (foto 27). Alguns países do Primeiro Mundo reduzem suas montanhas de lixo pagando à China para aceitar lixo não tratado, incluindo rejeitos contendo produtos químicos tóxicos. Além disso, a economia e a indústria manufatureira chinesa em expansão aceitam lixo/resíduos que podem servir como fonte barata de matérias-primas recicláveis. Tomemos apenas um item como exemplo: em setembro de 2002, uma repartição da alfândega chinesa na província de Zhejiang registrou um carregamento de 400 toneladas de "lixo eletrônico" vindo dos EUA, composto de restos de equipamento eletrônico e partes como aparelhos de televisão em cores quebrados ou obsoletos, monitores de computador, fotocopiadoras e teclados. Apesar de as estatísticas sobre a quantidade deste lixo importado serem inevitavelmente incompletas, os números disponíveis mostram um aumento de um milhão para 11 milhões de toneladas de 1990 a 1997, e um aumento de lixo do Primeiro Mundo transportado para a China via Hong Kong de 2,3 para mais de três milhões de toneladas por ano de 1998 a 2002. Isso representa transferência direta de poluição do Primeiro Mundo para a China.

Ainda pior que o lixo, enquanto muitas empresas estrangeiras têm ajudado o meio ambiente chinês por intermédio da transferência de tecnologia avançada, outras o têm danificado pela transferência de indústrias de poluição intensiva (IPIs), incluindo tecnologias já ilegais em seus países de origem. Algumas dessas tecnologias são, por sua vez, transferidas da China para países ainda menos desenvolvidos. Como exemplo, em 1992 a tecnologia para produção de Fuyaman, um pesticida contra pulgões banido no Japão 17 anos antes, foi vendida para uma empresa sino-japonesa na província de Fujian, onde envenenou e matou muita gente e causou séria poluição ambiental. Só na província de Guangdong, a quantidade de clorofluorcarbonetos — gases destruidores da camada de ozônio — importada por investidores estrangeiros chegou a 1.800 toneladas em 1996, tornando assim mais difícil para a China eliminar a sua contribuição para a destruição mundial da camada de ozônio. Desde 1995, a China abriga cerca de 16.998 IPIs, com uma produção industrial conjunta de cerca de 50 bilhões de dólares.

Mudando agora das importações para as exportações em sentido amplo, a alta biodiversidade nativa chinesa significa que a China devolve a outros países muitas espécies invasoras já bem adaptadas para competir no ambiente rico em espécies da China. Por exemplo, as três pragas mais conhecidas que devastaram diversas populações de árvores na América do Norte — o cancro do castanheiro, a erroneamente designada doença "holandesa" do olmo e o besouro asiático de chifre longo — todas originárias da China ou de lugares perto da China, no leste da Ásia. O cancro do castanheiro já devastou os castanheiros nativos dos EUA; a doença holandesa do olmo está acabando com os olmos, uma marca registrada das cidades da Nova Inglaterra quando eu era criança e morava lá havia 60 anos; e o besouro asiático de chifre longo, descoberto pela primeira vez nos EUA em 1996 atacando bordos e freixos, tem o potencial de causar perdas de árvores nos EUA de mais de 41 bilhões de dólares, mais do que as duas outras pragas combinadas. Outro recém-chegado, a carpa-capim chinesa, está estabelecida agora em rios e lagos de 45 estados dos EUA, onde compete com espécies de peixes nativos e provoca grandes mudanças em plantas aquáticas, plâncton e comunidades de invertebrados. Outra espécie de que a China tem população abundante, a qual possui grande impacto ecológico e econômico e que vem exportando cada vez mais é o *Homo sapiens*. Por exemplo, a China se tornou a terceira fonte mundial de imigrantes legais para a Austrália (capítulo 13), e um número significativo de imigrantes legais e ilegais atravessa o oceano Pacífico e chega até mesmo aos EUA.

Enquanto os insetos, peixes de água doce e gente chinesa atingem países estrangeiros de navio ou de avião, seja sem querer ou intencionalmente, outras exportações acidentais chegam pelo ar. A China se tornou o maior produtor e consumidor mundial de substâncias gasosas nocivas à camada de ozônio, com os clorofluorcarbonetos, depois que os países do Primeiro Mundo passaram a eliminá-los gradualmente a partir de 1995. Também contribui atualmente com 12% das emissões mundiais de dióxido de carbono, que têm um papel importante no aquecimento global.

Se a tendência continuar — emissões crescentes na China, estabilizadas nos EUA, declinando no resto do mundo — em 2050 a China se tornará o país que mais emitirá dióxido de carbono, respondendo por 40% do total mundial. A China já lidera a produção mundial de óxidos de enxofre, produzindo o dobro dos EUA. Levados para o leste pelos ventos, a poeira, areia e terra contaminadas de poluentes e originária dos desertos, pastagens degradadas e terras em pousio são sopradas para a Coreia, Japão, ilhas do Pacífico e atravessam o oceano, chegando aos EUA e Canadá em uma semana. Essas partículas aéreas são resultado da economia chinesa baseada na queima de carvão, desmatamento, sobrepastejo, erosão e métodos agrícolas destrutivos.

Outra troca entre a China e outros países envolve uma importação que se desdobra em exportação: madeira importada, desmatamento exportado. A China é o terceiro país do mundo em consumo de madeira, porque a madeira fornece 40% da energia rural do país sob a forma de lenha, e fornece quase toda a matéria-prima para a indústria de papel e celulose, bem como os painéis e tábuas para a indústria de construção. Mas há um espaço cada vez maior entre a crescente demanda de produtos de madeira e o suprimento doméstico cada vez menor, especialmente depois da proibição da atividade madeireira posterior às enchentes de 1998. Portanto, as importações de madeira da China aumentaram seis vezes depois da proibição. Como importadora de madeira tropical de países nos três continentes tropicais (especialmente da Malásia, Gabão, Papua-Nova Guiné e Brasil), a China só é superada pelo Japão, a quem está rapidamente alcançando. Também importa madeira da zona temperada, especialmente da Rússia, Nova Zelândia, EUA, Alemanha e Austrália. Com a entrada da China na Organização Mundial do Comércio, estas importações de madeira prometem aumentar, porque as tarifas sobre produtos de madeira estão a ponto de serem reduzidas de uma taxa de 15-20% para 2-3%. Isso quer dizer que a China, assim como o Japão, preserva suas florestas através da exportação do desmatamento para outros países, muitos do quais (incluindo a Malásia, Papua-Nova Guiné e Austrália) já chegaram ou estão a caminho do desmatamento catastrófico.

Potencialmente mais importante do que todos esses impactos existe uma consequência pouco discutida das aspirações do povo chinês, assim como de outros povos de países em desenvolvimento, a um estilo de vida de Primeiro Mundo. Esta frase abstrata significa muitas coisas específicas para um cidadão do Terceiro Mundo: adquirir uma casa, aparelhos, utensílios, roupas e produtos de consumo manufaturados comercialmente por processos consumidores de energia, e não feitos a mão, em casa ou localmente; ter acesso a remédios modernos, a médicos e dentistas formados e equipados a altos custos; ter comida abundante produzida em grande escala com fertilizantes sintéticos, não com esterco animal ou com restos de plantas; ter mais comida processada industrialmente; andar em veículos automotores (de preferência no próprio carro), não a pé ou de bicicleta; e ter acesso a outros produtos manufaturados em lugares diferentes, que chegam através de transporte motorizado, ao contrário dos produtos locais levados aos consumidores. Todos os povos do Terceiro Mundo que conheço — mesmo aqueles que tentam reter ou recriar um pouco de seu estilo de vida tradicional — valorizam ao menos alguns elementos do estilo de vida do Primeiro Mundo.

As consequências globais de todo o mundo aspirar ao estilo de vida atualmente desfrutado pelos cidadãos do Primeiro Mundo são bem ilustradas na China, que combina a maior população do mundo com a economia que mais cresce. A produção ou consumo total são produtos do tamanho da população pela taxa de produção ou consumo *per capita*. No caso da China, essa produção total já está alta graças à sua imensa população, apesar de suas taxas *per capita* ainda serem muito baixas: por exemplo, apenas 9% das taxas de consumo *per capita* dos principais países industrializados no caso de quatro importantes metais industriais (ferro, alumínio, cobre e chumbo). Mas a China está progredindo rapidamente rumo ao seu objetivo de adquirir uma economia de Primeiro Mundo. Se as taxas de consumo *per capita* chinês subirem para níveis de Primeiro Mundo, e mesmo que nada mais mude no mundo — p.ex., mesmo que as taxas de população e produção/consumo em toda parte ficassem como estão — então este aumento da taxa de produção/consumo se traduziria (quando multiplicado pela população da China) em um aumento da produção ou consumo total *mundial* de 94% neste mesmo caso de metais industriais. Em outras palavras, se a China conseguir alcançar parâmetros de Primeiro Mundo, isso quase dobrará o uso humano de recursos e o impacto ambiental mundiais. Mas é pouco provável que o uso de recursos e o impacto ambiental mundiais possam ser mantidos como estão. Algo terá de ceder. Esta é a principal razão por que os problemas da China automaticamente se tornam problemas do mundo.

Os líderes chineses costumavam acreditar que os seres humanos podiam e deviam conquistar a natureza, que o dano ambiental era um problema que afetava apenas as sociedades capitalistas e que as sociedades socialistas eram imunes a ele. Agora, diante dos sinais gritantes dos sérios problemas ambientais chineses, mudaram de ideia. A mudança de pensamento começou em 1972, quando a China enviou uma delegação para a Primeira Conferência sobre Ambiente Humano das Nações Unidas. O ano de 1973 viu o estabelecimento do chamado Grupo Líder de Proteção Ambiental do governo, que em 1998 (ano das grandes inundações) se transformou na Administração de Proteção Ambiental do Estado. Em 1983, a proteção ambiental foi declarada um princípio nacional básico — em teoria. Mas, embora tenha sido feito muito esforço para controlar a degradação ambiental, o desenvolvimento econômico ainda tem prioridade e permanece como critério principal para avaliar o desempenho das autoridades do governo. Muitas leis e políticas de proteção ambiental adotadas no papel não foram efetivamente implementadas ou cumpridas.

O que o futuro reserva para a China? É claro, a mesma pergunta é feita em todo o mundo: o desenvolvimento dos problemas ambientais está se acelerando, o desenvolvimento de tentativas de solução também está se acelerando, que cavalo ganhará a corrida? Na China, esta questão tem urgência especial, não apenas devido à já discutida proporção e impacto da China no mundo, mas também graças a um aspecto da história chinesa que pode ser chamado de "cambaleante" (uso esse termo estritamente em seu senso neutro de "oscilando subitamente de um lado para o outro lado", e não no sentido pejorativo do andar de uma pessoa embriagada.) Por essa metáfora, refiro-me àquilo que me parece a característica mais peculiar da história chinesa, que discuti em meu livro *Armas, germes e aço*. Por causa dos fatores geográficos — como a linha costeira relativamente suave da China, a ausência de grandes penínsulas como a Itália e a Ibéria, a falta de grandes ilhas como Inglaterra e Irlanda e o fato de seus rios principais correrem paralelos — o núcleo geográfico chinês foi unificado ainda em 221 a.C. e permaneceu unificado a maior parte do tempo desde então, enquanto a Europa, geograficamente fragmentada, nunca foi unificada politicamente. Esta unidade permitiu que os governantes chineses comandassem mudanças em uma área muito maior do que qualquer governante europeu poderia jamais governar — sejam mudanças para melhor, sejam mudanças para pior, frequentemente se alternando com rapidez (daí o "cambaleante"). A unidade e as decisões de seus imperadores podem contribuir para explicar por que a China ao tempo da Renascença europeia produziu os melhores e maiores navios do mundo, enviou frotas à Índia e à África, e então desmantelou essas frotas e deixou a colonização de além--mar para Estados europeus muito menores; e por que começou, e não continuou, a sua própria e incipiente revolução industrial.

A força e os riscos da unidade chinesa persistiram em tempos recentes, à medida que a China continua a cambalear no que diz respeito às políticas que afetam seu ambiente e sua população. Por um lado, os líderes chineses têm conseguido resolver problemas em uma escala dificilmente possível para líderes europeus e americanos: ao instituir, por exemplo, a política do filho único para reduzir o crescimento populacional, encerrando a atividade madeireira em âmbito nacional em 1998. Por outro lado, os líderes chineses também conseguiram fazer trapalhadas em uma escala dificilmente possível para líderes europeus e americanos: por exemplo, a caótica transição do Grande Salto para a Frente, o desmantelamento do sistema nacional de educação na Revolução Cultural, e (alguns diriam) pelo impacto ambiental emergente de seus três megaprojetos.

Quanto ao resultado dos atuais problemas ambientais da China, o que se pode dizer com certeza é que as coisas vão piorar antes de melhorar, graças às defasagens de tempo e ao ímpeto do dano já em curso. Um grande fator que age tanto para o bem quanto para o mal é o aumento previsto no comércio internacional chinês como resultado de seu ingresso na Organização Mundial do Comércio (OMC), baixando ou abolindo tarifas e aumentando as exportações e importações de carros, têxteis, produtos agrícolas e muitas outras mercadorias. A indústria de exportação chinesa já envia produtos manufaturados acabados para o exterior e deixa na China os poluentes utilizados em sua manufatura; é de se presumir que isso

CHINA: GIGANTE CAMBALEANTE

irá aumentar. Algumas das importações da China, como lixo e carros, já são ruins para o meio ambiente; haverá mais disso também. Por outro lado, alguns países-membros da OMC aderem a padrões ambientais muito mais estritos, e isso forçará a China a adotar esses padrões internacionais como condição para que suas exportações sejam admitidas por esses países. Mais importações agrícolas podem permitir que a China diminua o uso de fertilizantes, pesticidas e plantações de baixa produtividade, enquanto a importação de petróleo e gás natural permitirá ao país diminuir a poluição causada pela queima de carvão mineral. Uma faca de dois gumes resultante de seu ingresso na OMC pode ser o aumento das importações bem como a diminuição da produção doméstica chinesa, que simplesmente permitirá à China transferir dano ambiental para países estrangeiros, como já aconteceu ao trocar a atividade madeireira pela importação de madeira (pagando para outros países sofrerem as desastrosas consequências do desmatamento).

Um pessimista notaria muitos perigos e indicadores negativos já operando na China. Entre os perigos generalizados, o crescimento econômico, em vez de proteção ambiental ou sustentabilidade, ainda é a prioridade da China. A preocupação ambiental pública é pequena, em parte devido aos baixos investimentos da China em educação, menos da metade que a dos países de Primeiro Mundo em relação ao seu PIB. Com 20% da população mundial, a China responde por apenas 1% do gasto mundial com educação. A educação superior está além da possibilidade da maioria das famílias chinesas, porque um ano de estudos consumiria o salário médio de um trabalhador urbano ou de três trabalhadores rurais. As leis ambientais existentes na China foram em sua maioria criadas aos pedaços, não têm implementação efetiva e avaliação de consequências a longo prazo e necessitam de uma abordagem sistemática: por exemplo, não existe uma estrutura geral de proteção dos pantanais chineses, que estão desaparecendo rapidamente, apesar das leis individuais que lhes dizem respeito. As autoridades locais da Administração Nacional de Proteção Ambiental (ANPA) são nomeadas pelos governos locais em vez de autoridades de alto nível da própria ANPA, de modo que os governos locais frequentemente impedem a aplicação de leis e regulamentações ambientais de âmbito nacional. Os preços de importantes recursos ambientais são tabelados tão baixo que parecem ser determinados para estimular o desperdício: p.ex., uma tonelada de água do rio Amarelo para uso em irrigação custa apenas entre 1/10 a 1/100 do preço de uma garrafa pequena de água mineral, eliminando assim qualquer incentivo financeiro para que os agricultores que fazem a irrigação de suas terras poupem água. A terra é propriedade do governo e é arrendada aos agricultores, mas pode ser arrendada a um grupo de fazendeiros em um curto espaço de tempo, de modo que os agricultores não se sentem motivados a fazer investimentos de longo prazo ou a cuidar bem da terra.

O meio ambiente chinês também enfrenta perigos mais específicos. Já está a caminho um grande aumento no número de carros, os três megaprojetos e o rápido desaparecimento dos pantanais, cujas consequências danosas continuarão a se acumular no futuro. A projetada diminuição no tamanho das residências chinesas para 2,7 pessoas em 2015 acrescentará 126 milhões de novas residências (mais do que o número total de residências nos EUA), mesmo se a população da China permanecer constante. Com a crescente prosperidade e, portanto, com o crescente consumo de carne e peixe, irão aumentar os problemas ambientais inerentes à pecuária e à aquicultura, como a poluição pelos dejetos de tanto gado e peixes e a eutrofização pela comida de peixe não ingerida. A China já é o maior produtor mundial de alimentos aquícolas, e é o único país onde se obtêm mais peixes e alimentos da aquicultura que da pesca espontânea. As consequências mundiais de a China obter níveis de Primeiro Mundo de consumo de carne exemplificam a questão maior, que já ilustrei através do consumo de metal, do vazio que existe atualmente entre as taxas de consumo e produção *per capita* do Primeiro e do Terceiro Mundo. A China obviamente não tolerará ser aconselhada a não aspirar a níveis de Primeiro Mundo. Mas o mundo não pode sustentar a China, outros países do Terceiro Mundo e os países de Primeiro Mundo, todos operando em níveis de Primeiro Mundo.

Para compensar todos esses sinais desanimadores de perigo, há também importantes sinais promissores. Tanto o ingresso na OMC quanto os Jogos Olímpicos de 2008 na China obrigaram o governo chinês a prestar mais atenção aos problemas ambientais. Por exemplo, uma "muralha verde" de árvores avaliada em seis bilhões de dólares está sendo erguida ao redor de Pequim para proteger a cidade contra tempestades de areia e poeira. Para reduzir a poluição do ar em Pequim, o governo municipal ordenou que os veículos motorizados sejam convertidos para permitir o uso de gás natural e gás liquefeito de petróleo. A China tirou o chumbo da gasolina em menos de um ano, algo que a Europa e os EUA levaram muitos anos para conseguir. Recentemente, decidiu estabelecer uma eficiência mínima de combustível para automóveis, incluindo até os utilitários. Os novos carros terão de obedecer aos padrões de emissão que prevalecem na Europa.

A China já está fazendo um grande esforço para proteger sua notável biodiversidade com 1.757 reservas naturais que cobrem 13% de seu território, para não mencionar todos os seus zoológicos, jardins botânicos, centros de reprodução de vida selvagem, museus e bancos de genes e células. O país usa algumas tecnologias tradicionais em larga escala que são ambientalmente amigáveis, como a prática do sul de criar peixes em campos de arroz irrigados. Isso recicla os dejetos de peixes como fertilizantes naturais, aumenta a produção de arroz, diminui o uso de herbicidas, pesticidas e fertilizantes sintéticos, produz mais proteína e carboidratos sem aumentar o dano ambiental, além de os peixes controlarem a proliferação de pragas de insetos e ervas daninhas. Sinais encorajadores em reflorestamento são o início de grandes plantações de árvores em 1978 e, em 1998, a proibição nacional à atividade madeireira e o início do Programa de Preservação das Florestas Naturais para reduzir o risco de enchentes destrutivas. Desde 1990, a China combate a desertificação em 39 mil km^2 de terra através de reflorestamento e fixação de dunas de areia. O programa Do Grão ao Verde (Grain-to-Green), iniciado no ano 2000, fornece subsídios para agricultores que convertam plantações em florestas ou prados, reduzindo, portanto, o uso de encostas íngremes ambientalmente sensíveis para a agricultura.

Como isso irá acabar? Como o resto do mundo, a China oscila entre acelerar o dano ambiental ou acelerar a proteção ambiental. A grande população e a crescente economia chinesa, sua centralização histórica e atual, significam que o cambalear da China envolve mais ímpeto que o de qualquer outro país. O resultado afetará não apenas a China, mas o mundo inteiro. Enquanto escrevia este capítulo, senti-me cambalear entre o desespero e a atordoante litania de detalhes deprimentes, e a esperança inspirada pelas medidas de proteção ambiental drástica e rapidamente implementadas que a China já adotou. Devido ao tamanho da China e sua forma única de governo, a tomada de decisões de cima para baixo atuou em muito maior escala do que em qualquer outro lugar, acabando por minimizar os impactos provocados por Balaguer, presidente da República Dominicana. Meu cenário mais otimista para o futuro é que o governo da China reconheça que seus problemas ambientais são uma ameaça ainda maior que os seus problemas de crescimento demográfico. Então podese concluir que os interesses da China exigem políticas ambientais tão rígidas, e tão efetivamente levadas a cabo, quanto suas políticas de planejamento familiar.

CAPÍTULO 13

"MINANDO" A AUSTRÁLIA

Importância da Austrália · Solos · Água · Distância · História antiga
· Valores importados · Comércio e imigração · Degradação da terra
· Outros problemas ambientais · Sinais de esperança e mudança

A mineração, em sentido literal — i.e., a extração de carvão mineral, ferro e assim por diante —, é fundamental para a economia da Austrália hoje, fornecendo-lhe a maior parte de seus ganhos com exportação. Contudo, em sentido metafórico, a mineração também é fundamental na história ambiental da Austrália e em suas dificuldades atuais. Isso porque a essência da mineração é explorar recursos que não se renovam com o tempo, e, portanto, esgotá-los. Como o ouro no solo não gera mais ouro e assim não é preciso levar em conta suas taxas de renovação, os garimpeiros extraem ouro de um filão do modo mais rápido e econômico possível, até esse filão se exaurir. A mineração difere da exploração de recursos renováveis — como as florestas, os peixes e o solo — que se regeneram através de reprodução biológica ou formação de solo. Os recursos renováveis podem ser explorados indefinidamente, desde que sejam removidos a uma taxa inferior à de sua regeneração. Mas se as florestas, peixes e solo forem explorados além de sua capacidade de renovação, estes recursos também acabam se extinguindo, como o ouro em uma mina.

A Austrália vêm "minando" seus recursos renováveis como se fossem minerais. Ou seja, estão sendo excessivamente explorados a um ritmo mais rápido do que sua capacidade de regeneração, resultando em um declínio desses recursos. Nas taxas atuais, as florestas e os peixes da Austrália irão desaparecer antes de suas reservas de carvão mineral e ferro, o que é irônico em vista do fato de que os primeiros são renováveis e os últimos não.

Embora muitos outros países estejam minando seus meios ambientes, a Austrália é uma escolha especialmente apropriada para este último caso de sociedades do passado e do presente, por diversos motivos. É um país de Primeiro Mundo, diferente de Ruanda, Haiti, República Dominicana e China, e semelhante aos países nos quais vive a maioria dos prováveis leitores deste livro. Entre os países do Primeiro Mundo, sua população e economia são muito menores e menos complexas do que as dos EUA, Europa ou Japão, de modo que a situação australiana é mais fácil de ser compreendida. Ecologicamente, o meio ambiente australiano é excepcionalmente frágil, o mais frágil de qualquer país do Primeiro Mundo, exceto talvez a Islândia. Como consequência disso, muitos problemas que podem acabar se tornando sérios em outros países do Primeiro Mundo e já o são em alguns países do Terceiro Mundo — como sobrepastejo, salinização, erosão do solo, espécies invasoras, escassez de água e secas provocadas pelo homem — já se tornaram graves na Austrália. Ou seja, embora a Austrália não demonstre perspectivas de colapso como Ruanda e Haiti, ela nos dá uma visão antecipada de problemas que ocorrerão em toda parte do Primeiro Mundo se as atuais tendências prosseguirem. Contudo, as perspectivas da Austrália para resolver tais problemas me enchem de esperança e não são deprimentes. O país tem uma população bem-educada, um alto padrão de vida e instituições políticas e econômicas relativamente honestas pelos padrões mundiais. Portanto, os problemas ambientais da Austrália não podem ser desprezados como resultados de má administração ecológica por uma população deseducada, desesperadamente pobre e governo e economia corruptos, como alguns sentem-se inclinados a explicar problemas ambientais em outros países.

Outro mérito da Austrália como objeto deste capítulo é que o país ilustra claramente os cinco fatores cuja interação identifiquei ao longo deste livro como útil para a compreensão de possíveis declínios ecológicos ou colapsos de sociedades. Os seres humanos provocaram terríveis impactos no ambiente australiano. A atual mudança de clima está exacerbando esses impactos. As relações amistosas da Austrália com a Inglaterra como parceira comercial e sociedade modelo ditaram suas políticas ambientais e populacionais. Embora a Austrália moderna não tenha sido invadida por inimigos externos — bombardeada sim, mas não invadida —, a percepção australiana de verdadeiros e potenciais inimigos estrangeiros também moldaram suas políticas ambientais e populacionais. A Austrália também ostenta o peso de valores culturais, incluindo alguns valores importados que podem ser vistos como inadequados à paisagem australiana, para a compreensão de impactos ambientais. Talvez mais do que quaisquer outros cidadãos do Primeiro Mundo que conheço, os australianos estão começando a pensar essencialmente na questão central: quais de nossos valores tradicionais mais intrínsecos podemos preservar, e quais já não nos servem no mundo de hoje?

Uma razão final para a escolha da Austrália para este capítulo é porque se trata de um país que adoro, do qual tenho longa experiência, e que posso descrever tanto por conhecimento de primeira mão quanto por simpatia. Visitei a Austrália pela primeira vez em 1964, a caminho da Nova Guiné. Desde então voltei dezenas de vezes, incluindo uma licença sabática na Universidade Nacional na capital australiana, Canberra. Durante este tempo, me apeguei e fiquei profundamente impressionado com as belas florestas de eucaliptos da Austrália, que continuam a me preencher com uma sensação de paz e deslumbramento como apenas dois outros hábitats no mundo: as florestas de coníferas de Montana e a floresta pluvial da Nova Guiné. A Austrália e a Inglaterra são os únicos países para os quais seriamente considerei emigrar. Portanto, após iniciar esta série estudos de casos com o meio ambiente de Montana, que aprendi a amar quando adolescente, gostaria de encerrar a série com outro que vim a amar mais tarde em minha vida.

Para compreender os impactos humanos modernos no meio ambiente australiano, três de seus aspectos são particularmente importantes: o solo, em especial seus nutrientes e níveis de sal; a disponibilidade de água doce; e as distâncias, tanto dentro do país como também entre o país e seus sócios comerciais do exterior e seus potenciais inimigos.

Quando se começa a pensar nos problemas ambientais australianos, a primeira coisa que vem à mente é escassez de água e desertos. Na verdade, o solo da Austrália tem causado problemas maiores que a disponibilidade de água. A Austrália é o continente mais improdutivo: aquele cujos solos têm em média os menores níveis de nutrientes, a taxa de crescimento de plantas mais baixa e a mais baixa produtividade. Isso porque os solos australianos são em sua maioria tão velhos que foram lixiviados de seus nutrientes pela chuva no curso de bilhões de anos. As rochas mais antigas da crosta terrestre, com quase quatro bilhões de anos, estão na cordilheira Murchison, no oeste da Austrália.

Solos que foram lixiviados de nutrientes podem ter seus níveis de nutrientes renovados por meio de três processos, todos apresentando deficiências na Austrália em comparação a outros continentes. Primeiro, os nutrientes podem ser renovados por erupções vulcânicas que cospem material fresco do interior para a superfície da Terra. Embora esse tenha sido um fator importante na criação de solos férteis em muitos lugares, como Java, Japão e Havaí, apenas algumas pequenas áreas no leste da Austrália tiveram atividade vulcânica nos últimos 100 milhões de anos. Em segundo lugar, o avanço e o recuo de geleiras cortam, escavam, trituram e renovam a crosta terrestre, e esses solos redepositados pelas geleiras, ou que são levados pelo vento dos redepósitos das geleiras para outros lugares, tendem a ser férteis. Quase metade da área da América do Norte, cerca de 18 milhões de quilômetros quadrados, sofreu ação de geleiras nos últimos milhões de anos, mas menos de 1% do continente australiano: apenas cerca de 51 km^2 no sudeste dos Alpes e 2.590 km^2 da ilha australiana da Tasmânia. Finalmente, o lento soerguimento da crosta terrestre também traz novos solos e tem contribuído para a fertilidade de grandes partes da América do Norte, Índia e Europa. Contudo, apenas algumas pequenas áreas da Austrália foram soerguidas nos últimos 100 milhões de anos, principalmente na Grande Cordilheira Divisória no sudeste da Austrália e na área do sul da Austrália ao redor de Adelaide (mapa, p. 462). Como veremos, essas pequenas frações da paisagem australiana, que recentemente tiveram seus solos renovados por vulcanismo, glaciação ou soerguimento, são exceções em uma Austrália de solos predominantemente improdutivos, e hoje em dia contribuem desproporcionalmente para a produtividade agrícola da Austrália.

A baixa produtividade média dos solos australianos tem grandes consequências econômicas para a agricultura, a silvicultura e a pesca no país. Os nutrientes presentes nos solos aráveis nos primórdios da agricultura europeia rapidamente se exauriram. Na verdade, os primeiros agricultores australianos inadvertidamente "minaram" os nutrientes do solo. Daí em diante, os nutrientes tiveram de ser supridos artificialmente na forma de fertilizantes, aumentando assim os custos de produção industrial comparados aos de solos mais férteis no exterior. A baixa produtividade do solo significa baixas taxas de crescimento e baixa produtividade de colheitas. Portanto, na Austrália, é necessário cultivar muito mais terra do que em qualquer outra parte do mundo para se obter uma produtividade equivalente, de modo que os custos de combustível para o maquinário agrícola — como tratores, plantadeiras e colheitadeiras (aproximadamente proporcional à área de terra que tem de ser coberta pelas máquinas) — também tendem a ser relativamente altos. Um caso extremo de infertilidade do solo ocorre no sudoeste da Austrália, no chamado Cinturão do Trigo australiano, uma de suas mais valiosas áreas agrícolas, onde o trigo é cultivado em solos arenosos, lixiviados de nutrientes e nos quais todos os nutrientes têm de ser acrescentados artificialmente como fertilizantes. Na verdade, o Cinturão do Trigo australiano é um gigantesco vaso de flores no qual (exatamente como em um vaso de flores de verdade) a terra nada mais fornece além de substrato físico, e onde os nutrientes têm de ser fornecidos.

Como resultado das despesas extras da agricultura australiana devido aos custos de fertilizantes e combustíveis desproporcionalmente altos, os agricultores australianos que vendem seus produtos para mercados locais às vezes não podem competir com agricultores estrangeiros que embarcam os mesmos produtos para a Austrália, apesar do custo adicional do transporte marítimo. Por exemplo, com a globalização, é mais barato cultivar laranjas no Brasil, embarcar o suco de laranja concentrado através de 13 mil quilômetros para a Austrália, do que comprar suco de laranja produzido de árvores cítricas australianas. O mesmo se aplica à carne de porco e ao toucinho canadense comparados aos seus equivalentes australianos. Por outro lado, apenas em alguns "nichos de mercado" especializados — i.e., produtos agrícolas e animais com alto valor agregado além dos custos ordinários de produção, como o vinho — os agricultores australianos podem competir com sucesso no mercado externo.

Uma segunda consequência econômica da baixa produtividade do solo australiano envolve a silvicultura, ou cultura de árvores, como discutido sobre o Japão no capítulo 9. Nas florestas australianas a maior parte dos nutrientes está nas próprias árvores, não nos solos. Portanto, após as florestas nativas terem sido cortadas pelos primeiros colonos europeus, e após os modernos australianos terem derrubado as florestas naturais que renasciam ou investido em silvicultura, estabelecendo plantações de árvores, as taxas de crescimento de árvores têm sido baixas, comparadas às de outros países produtores de madeira. Ironicamente, a principal madeira da

Austrália (o eucalipto da Tasmânia)* agora é plantada de modo muito mais barato em outros países estrangeiros do que na própria Austrália.

A terceira consequência me surpreendeu e deve surpreender a muitos leitores. Geralmente não se associa pesca à fertilidade do solo. Afinal, os peixes vivem em rios e no mar, não na terra. Contudo, todos os nutrientes dos rios, e ao menos alguns nutrientes marinhos ao longo das linhas costeiras, vêm de solos drenados por rios que então são levados para o mar. Portanto, os rios e as águas costeiras da Austrália também são relativamente improdutivos, com o resultado de que a pesca na Austrália foi rapidamente minada e superexplorada, assim como suas terras cultiváveis e florestas. Um após outro pesqueiro marinho da Austrália tem sido pescado até não ser mais lucrativo, frequentemente apenas alguns anos após a descoberta daquele recurso. Hoje, dos quase 200 países do mundo, a Austrália tem a terceira zona marinha exclusiva cercando-a, mas está apenas em 55º lugar entre países do mundo no valor de sua pesca, e o valor de sua pesca de água doce é hoje irrisório.

Outro aspecto da baixa produtividade dos solos da Austrália é que o problema não era perceptível aos primeiros colonos europeus. Ao encontrar florestas extensas e magnificentes com árvores que devem ter sido as mais altas do mundo moderno (os eucaliptos da Gippsland de Victoria, com até 120 metros de altura), foram enganados pelas aparências e pensaram que a terra era altamente produtiva. Mas após os madeireiros removerem as árvores, e após as ovelhas pastarem o capim, os colonizadores se surpreenderam ao ver que árvores e grama cresciam muito lentamente, que a terra não era econômica em termos agrícolas, e que em muitas áreas tinham de ser abandonadas após agricultores e pecuaristas terem feito grandes investimentos de capital na construção de casas, cercas, prédios e outras melhorias agrícolas. Dos antigos tempos coloniais até hoje, o uso da terra australiana passou por muitos desses ciclos de derrubada, investimento, bancarrota e abandono.

Todos esses problemas econômicos da agricultura, silvicultura, pesca e do desenvolvimento de terras na Austrália são resultado da baixa produti-

---

* *Tasmanian blue gum, Eucalyptus globulus*, perde em velocidade de crescimento para as espécies mais tropicais — a Tasmânia fica em latitudes abaixo de 40°s — e no Brasil quase só é plantado para a extração do óleo essencial. (*N. do Rev. Téc.*)

vidade de seus solos. Outro grande problema dos solos da Austrália é que muitas áreas não são apenas deficientes em nutrientes como também têm alto teor de sal, por três motivos. No Cinturão de Trigo do sudoeste do país o sal aparece por ter sido trazido pela brisa marinha do oceano Índico ao longo de milhões de anos. No sudeste, outra área de terras produtivas que rivaliza com a do Cinturão do Trigo, a bacia do maior sistema de rios da Austrália, a dos rios Murray e Darling, está localizada em baixa altitude e foi repetidamente inundada pelo mar e, então, novamente drenada, deixando muito sal para trás. Ainda outra bacia de baixa altitude da Austrália foi anteriormente um lago de água doce que não escoou para o mar, tornou-se salgado por evaporação (como o grande lago salgado de Utah e o mar Morto), e acabou secando, deixando para trás depósitos de sal que foram levados pelos ventos para outras partes do leste do país. Alguns solos australianos contêm mais de 90 quilos de sal por metro quadrado de superfície. Posteriormente discutiremos as consequências de todo esse sal no solo: em resumo, incluem o problema do sal ser facilmente trazido à superfície pela derrubada de árvores e pela agricultura de irrigação, resultando em solos salgados nos quais nada cresce (foto 28). Assim como não podiam saber da pobreza de nutrientes dos solos australianos, os primeiros agricultores da Austrália também não podiam saber da existência de todo esse sal. Não podiam prever o problema da salinização nem da exaustão de nutrientes resultante da agricultura.

Embora a infertilidade e a salinidade dos solos da Austrália fossem invisíveis aos primeiros agricultores e ainda hoje não sejam bem conhecidas pelo público leigo não australiano, os problemas de água são óbvios e familiares, e "deserto" é a primeira associação que as pessoas de outras partes do mundo fazem para se referirem ao meio ambiente australiano. Esta reputação é justificável: uma fração desproporcionalmente grande da área da Austrália tem pouca chuva ou é um completo deserto onde a agricultura seria impossível sem irrigação. A maior parte da área da Austrália permanece imprestável para qualquer tipo de atividade agrícola ou pastoril. Contudo, nas áreas onde a produção de alimentos é possível, o padrão habitual é que a pluviosidade é mais intensa junto ao litoral, de modo que, à medida que se caminha terra adentro, primeiro se encontram terras de cultivo e metade do gado da Austrália mantido a altas taxas de lotação; mais para dentro, criação de ovelhas; ainda mais para dentro, criação de gado (a outra metade do gado da Austrália, mantido a muito baixas taxas de lotação), porque é mais econômico criar bovinos do que ovinos em áreas com menos chuva; e finalmente, ainda mais para dentro, o deserto, onde não há qualquer tipo de produção de alimento.

Um problema mais sutil do que a baixa incidência de chuvas na Austrália é sua imprevisibilidade. Em muitas partes do mundo onde se pratica a agricultura, a estação das chuvas é previsível: por exemplo, no sul da Califórnia, onde moro, pode-se ter quase certeza de que quaisquer que seja o índice de precipitações, ela se concentrará no inverno, e que haverá pouca ou nenhuma chuva no verão. Em muitas dessas áreas produtivas, não apenas a sazonabilidade da chuva como também a sua ocorrência é relativamente confiável de ano a ano: grandes secas não são frequentes, e um agricultor pode fazer o esforço de arar e plantar a cada ano com a expectativa de que haverá chuva bastante para que a plantação amadureça.

Contudo, na maior parte da Austrália, a chuva depende da chamada OSEN (Oscilação Sul El Niño), o que quer dizer que a chuva é imprevisível de ano a ano dentro de uma década, e é ainda mais imprevisível de uma década para outra. Os primeiros agricultores e pecuaristas europeus a se estabelecerem na Austrália não tinham como saber que o clima lá dependia da OSEN, porque o fenômeno é difícil de ser detectado na Europa, e apenas em décadas recentes foi reconhecido até mesmo por climatologistas profissionais. Em muitas áreas da Austrália os primeiros agricultores e pecuaristas tiveram o azar de chegar durante uma série de anos úmidos. Portanto, se enganaram quanto ao clima australiano, e começaram a plantar e criar ovelhas na esperança de que estas condições favoráveis fossem a norma. De fato, na maior parte das terras de cultivo da Austrália a chuva é suficiente para que as plantações só cheguem a amadurecer em uma fração do total de anos: não mais que a metade dos anos em muitos lugares, e em algumas áreas agrícolas, apenas em dois anos a cada 10. Isso contribui para tornar a agricultura australiana cara e pouco econômica: os fazendeiros têm o trabalho de arar e plantar, e, na metade ou mais dos anos, não há colheita resultante. Uma infeliz consequência adicional é que, quando o fazendeiro ara o solo e enterra a cobertura de ervas que brotaram desde a última colheita, o solo fica exposto. Se as culturas plantadas não crescerem, o solo fica nu, sem nem mesmo a cobertura de mato e, consequentemente, exposto à erosão. Portanto, a imprevisibilidade da chuva na Austrália torna a agricultura mais cara a curto prazo e aumenta a erosão a longo prazo.

A principal exceção ao padrão de imprevisibilidade de chuvas na Austrália causada pela OSEN é o Cinturão do Trigo do sudoeste, aonde (ao menos até recentemente) as chuvas de inverno vêm fielmente a cada ano, e onde um fazendeiro pode contar com uma colheita bem-sucedida quase todos os anos. A confiabilidade do trigo fez com que este produto superasse tanto a lã quanto a carne como produto de exportação agrícola mais valioso. Como já mencionado, o Cinturão do Trigo também está em uma área com problemas particularmente difíceis de baixa fertilidade e alta salinidade do solo. Mas a mudança de clima mundial nos últimos anos tem minado até mesmo esta vantagem compensadora da previsibilidade das chuvas de inverno: declinaram dramaticamente neste cinturão desde 1973, enquanto as chuvas de verão, cada vez mais frequentes, caem sobre os terrenos já colhidos e expostos e provocam o aumento da salinização. Assim, como mencionei no capítulo 1 a respeito de Montana, a mudança climática mundial está produzindo tanto vencedores quanto perdedores e a Austrália vai perder mais que Montana.

A Austrália repousa em grande parte na zona temperada, mas fica a milhares de quilômetros de outros países de zona temperada que são mercados de exportação potenciais para produtos australianos. Por isso, os historiadores australianos falam da "tirania da distância" como um importante fator no desenvolvimento do país. Esta expressão se refere às longas viagens marítimas que tornam os custos de transporte das exportações australianas mais altos do que as exportações do Novo Mundo para a Europa, de modo que apenas os produtos com pouco volume e alto valor podem ser exportados com vantagem econômica pela Austrália. No século XIX, os minerais e a lã eram as principais exportações do país. Por volta de 1900, quando os navios com compartimentos de carga refrigerados se tornaram economicamente viáveis, a Austrália também começou a exportar carne, especialmente para a Inglaterra. (Lembro de um amigo austra-

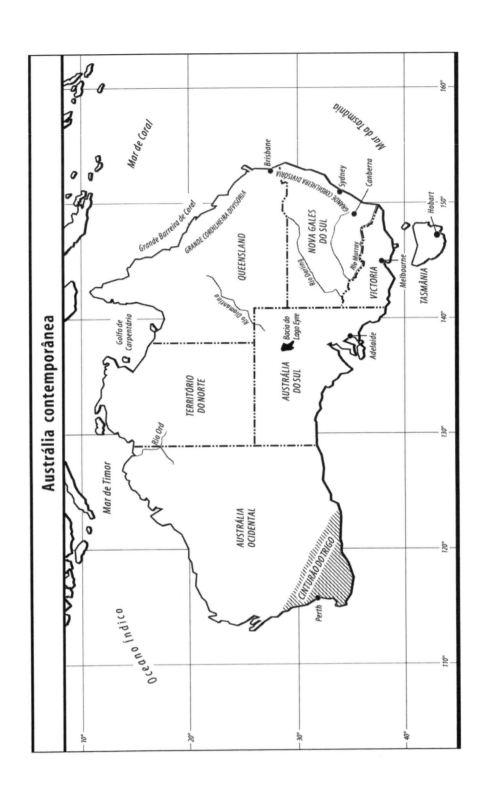

liano, que não gostava de ingleses e trabalhava em um abatedouro frigorífico, que me disse que de vez em quando ele e seus colegas punham uma ou outra vesícula biliar nas caixas de fígado congelado marcadas para serem exportadas para a Inglaterra, e que sua fábrica definia como "cordeiro" o carneiro com menos de seis meses de idade, caso fosse destinado ao consumo interno, mas se fosse destinado à exportação para a Inglaterra, qualquer carneiro com até 18 meses de idade podia ser assim classificado.) Hoje, as principais exportações da Austrália continuam sendo de produtos de pouco volume e alto valor, incluindo o aço, minerais, lã e trigo; nas últimas décadas, vinho e nozes de macadâmia; e também algumas culturas especiais que são volumosas mas têm alto valor porque a Austrália produz culturas raras direcionadas a certos nichos de mercado pelas quais os consumidores estão dispostos a pagar caro, como trigo de grão duro e outras variedades especiais de trigo e carne criadas sem pesticida ou outros produtos químicos.

Mas há uma tirania adicional da distância, aquela dentro da própria Austrália. As áreas produtivas ou ocupadas são poucas e dispersas: o país tem uma população de apenas 1/14 da população dos EUA, espalhada por uma área equivalente à dos 48 estados continentais norte-americanos. Os altos custos resultantes do transporte dentro da Austrália encarecem a manutenção de uma civilização de Primeiro Mundo. Por exemplo, o governo australiano paga a conexão telefônica de qualquer lar ou comércio em qualquer parte da Austrália à rede telefônica nacional, mesmo em lugares remotos a centenas de quilômetros da estação mais próxima. Hoje, a Austrália é o país mais urbanizado do mundo, com 58% de sua população concentrada em apenas cinco grandes cidades (Sydney, com quatro milhões de pessoas; Melbourne, 3,4 milhões; Brisbane, 1,6 milhão; Perth, 1,4 milhão; e Adelaide, 1,1 milhão em 1999). Entre estas, Perth é a cidade grande mais isolada do mundo, mais longe de outra cidade grande do que qualquer outra (Adelaide, a cidade grande mais próxima, fica a 2.100 quilômetros a leste). Não por acaso as duas maiores empresas da Austrália, a empresa aérea estatal Qantas e a de telecomunicações Telstra, se dedicam a superar essas distâncias.

A tirania da distância interna na Austrália, combinada com as secas, também é responsável pelo fato de bancos e outros negócios estarem fechando suas filiais em cidades australianas isoladas, porque tais filiais se tornaram deficitárias. Os médicos estão abandonando essas cidades pelo mesmo motivo. Como resultado, enquanto os EUA e a Europa têm uma distribuição contínua de tamanho de povoamentos — cidades grandes, cidades de médio porte e cidades pequenas —, a Austrália tem cada vez menos cidades de médio porte. Em vez disso, a maioria dos australianos de hoje vive ou em algumas cidades grandes com todos os confortos do Primeiro Mundo moderno, em lugares menores ou então em fins de mundo remotos sem bancos, médicos ou outros confortos. As pequenas vilas da Austrália com algumas centenas de habitantes podem sobreviver a uma seca de cinco anos, como acontece frequentemente no seu clima imprevisível, porque estas vilas têm pouca atividade econômica. As cidades grandes também podem sobreviver a uma seca de cinco anos, porque integram a economia sobre uma grande área de captação. Mas uma seca de cinco anos tende a acabar com cidades de médio porte, cuja existência depende de sua habilidade para fornecer ramos de comércio e serviços suficientes para competir com cidades mais distantes, mas que não são grandes o bastante para integrarem uma grande área de captação. Cada vez mais a maioria dos australianos realmente não depende do ou vive realmente no ambiente australiano: em vez disso, vive nessas cinco cidades, que estão mais ligadas ao mundo exterior do que à paisagem australiana.

A Europa criou a maioria de suas colônias no exterior na esperança de ganho financeiro ou vantagens estratégicas. A localização dessas colônias para as quais muitos europeus emigraram — i.e., excluindo estações de comércio onde apenas alguns poucos europeus se estabeleciam para comerciar com a população local — era escolhida com base na conveniência da fundação de uma bem-sucedida sociedade economicamente próspera ou ao menos autossustentável. A única exceção foi a Austrália, cujos imigrantes, durante muitas décadas, chegaram não em busca de fortuna mas por serem obrigados a ir para lá.

O principal motivo da Inglaterra para colonizar a Austrália foi aliviar o crítico problema do grande número de prisioneiros pobres, e para prevenir uma rebelião que de outro modo teria irrompido caso não se livrassem deles. No século XVIII a lei britânica impunha a pena de morte para quem roubasse 40 xelins ou mais, de modo que os juízes preferiam considerar os ladrões culpados do roubo de 39 xelins para não serem obrigados a impor a pena de morte. Isso resultou em prisões e navios ancorados repletos de pessoas condenadas por pequenos crimes como roubos ou dívidas não pagas. Até 1783, a superlotação das cadeias foi aliviada através do envio de condenados como servos contratados para a América do Norte, que também estava sendo colonizada por imigrantes voluntários buscando a melhoria de sua condição econômica ou liberdade religiosa.

Mas a Revolução Americana fechou esta válvula de escape, forçando a Inglaterra a buscar outro lugar para se livrar dos seus condenados. Inicialmente os dois locais cogitados ficavam a 650 quilômetros rio Gâmbia acima, na África Ocidental tropical, ou no deserto, na desembocadura do rio Orange, na fronteira entre a atual África do Sul e a Namíbia. A impossibilidade destas propostas, evidente após uma séria reflexão, fez a escolha recorrer à baía Botany, na Austrália, em um lugar próximo à moderna Sydney, na época conhecida apenas através da visita do capitão Cook em 1770. Foi assim que, em 1788, a Primeira Frota trouxe para a Austrália a primeira leva de colonos europeus, composta de condenados e de soldados para vigiá-los. Os embarques de condenados se sucederam até 1868, e durante a década de 1840 constituíram a maioria dos colonos europeus da Austrália.

Com o tempo, quatro outras localidades costeiras esparsas além de Sydney, próximas às localidades das atuais cidades de Melbourne, Brisbane, Perth e Hobart, foram escolhidas para despejar outras levas de condenados. Esses povoados se tornaram os núcleos de cinco colônias, governadas separadamente pela Inglaterra, que acabaram se tornando cinco dos seis estados da moderna Austrália: Nova Gales do Sul, Victoria, Queensland, Austrália Ocidental e Tasmânia. Esses cinco primeiros povoados foram escolhidos devido aos seus portos em rios, em vez de quaisquer vantagens agrícolas. De fato, todos se revelaram lugares pobres para a agricultura, incapazes de ser autossuficientes em produção de alimentos. A Inglaterra tinha de enviar um subsídio alimentar às colônias para prover condenados, guardas e governadores. Este não era o caso, porém, da área ao redor de Adelaide, que se tornou centro do moderno estado da Austrália do Sul. Lá, o solo resultante de soerguimento geológico mais as chuvas de inverno razoavelmente confiáveis atraíram fazendeiros alemães, o único grupo de emigrantes não ingleses do início da colonização. Melbourne também tinha bons solos a oeste da cidade, que se tornaram lugar de uma bem--sucedida colônia agrícola em 1835, após uma colônia de condenados, fundada em 1803 em solos pobres a leste da cidade, ter rapidamente falido.

O primeiro retorno econômico da colônia britânica da Austrália veio da caça à foca e à baleia. O segundo foram as ovelhas, quando, em 1813, descobriu-se uma rota através das Montanhas Azuis, 100 quilômetros a oeste de Sydney, que dava acesso a pastagens produtivas mais além. Contudo, a Austrália não se tornou autossuficiente, e os subsídios em alimentação da Inglaterra não pararam de chegar até a década de 1840, pouco antes da primeira corrida do ouro da Austrália em 1851, que finalmente trouxe alguma prosperidade ao país.

Quando a colonização europeia começou, em 1788, a Austrália já tinha sido colonizada havia mais de 40 mil anos pelos aborígines, que conseguiram desenvolver soluções sustentáveis para os problemas ambientais do continente. Nos lugares das primeiras ocupações europeias (as colônias de condenados), e em áreas adequadas à agricultura posteriormente colonizadas, os brancos australianos tinham ainda menos uso para os aborígines do que os brancos americanos tinham para os seus índios: os índios do leste dos EUA ao menos eram agricultores e forneciam alimentos que foram fundamentais para a sobrevivência dos colonizadores europeus durante os primeiros anos, até os europeus começarem a plantar suas próprias culturas. Depois disso, os agricultores indígenas se tornaram apenas concorrentes dos fazendeiros americanos, e foram mortos ou expulsos. Os australianos aborígines, porém, não tinham agricultura e, portanto, não podiam fornecer comida para as colônias e, assim, foram mortos ou expulsos das áreas inicialmente colonizadas pelos brancos. Esta foi a política australiana à medida que os brancos se expandiam em áreas adequadas à agricultura. Contudo, quando os brancos chegaram a áreas secas demais para a agricultura, embora próprias ao pastoreio, descobriram que os aborígines podiam ser úteis como pastores. Ao contrário da Islândia e da Nova Zelândia, dois países criadores de ovelhas que não têm predadores naturais de ovelhas, a Austrália tinha os dingos, que as atacavam. Portanto, os criadores de ovelhas australianos precisavam de pastores e empregavam os aborígines devido à falta de trabalhadores brancos na Austrália. Alguns aborígines também trabalhavam como baleeiros, caçadores de foca, pescadores e comerciantes costeiros.

Assim como os colonizadores nórdicos da Islândia e da Groenlândia trouxeram os valores culturais de sua Noruega natal (capítulos 6-8), o mesmo fizeram os colonos britânicos da Austrália com os valores culturais britânicos. Como no caso da Islândia e da Groenlândia, alguns desses valores culturais importados também se mostraram inadequados para o ambiente australiano, embora alguns deles continuem a existir hoje em dia. Cinco conjuntos de valores culturais eram particularmente importantes: os que envolviam ovelhas; coelhos e raposas; vegetação nativa australiana; preço de terras; e identidade britânica.

No século XVIII, a Inglaterra produzia pouca lã, mas a importava da Espanha e da Saxônia. Essas fontes continentais de lã foram interrompidas durante as Guerras Napoleônicas, que estavam no auge durante as primeiras décadas de colonização britânica na Austrália. O rei George III da Inglaterra estava particularmente interessado neste problema, e com o seu apoio os ingleses conseguiram contrabandear ovelhas merino da Espanha para a Inglaterra e, dali, enviar algumas para darem início ao rebanho ovino da Austrália, que se tornou a principal fonte de lã da Inglaterra. Assim, a lã foi o principal produto de exportação da Austrália de 1820 a 1950. Devido ao seu pequeno volume e alto valor, a lã superou o problema da tirania da distância, que impedia que produtos de exportação volumosos competissem no mercado externo.

Hoje, uma fração significativa de toda a terra produtora de alimentos da Austrália ainda é usada para a criação de ovelhas. A criação de ovelhas está entranhada na identidade cultural do país, e os eleitores rurais cuja economia depende de ovelhas são desproporcionalmente influentes na política australiana. Mas a adequação da terra australiana para a criação de ovelhas é enganadora: embora inicialmente tivesse pastos exuberantes, ou pudesse ser desmatada para a criação de pastos viçosos, a produtividade do solo era (como já mencionado) muito baixa, de modo que os criadores de ovelha estavam na verdade minando a fertilidade da terra. Muitas fazendas de ovelhas tiveram de ser rapidamente abandonadas; a indústria ovina na Austrália é uma proposta perdulária (a ser discutida adiante); e seu legado é a ruinosa degradação da terra através do sobrepastejo (foto 29).

Em anos recentes sugeriu-se que, em vez de criar ovelhas, a Austrália devia criar cangurus, que (ao contrário das ovelhas) são uma espécie nativa adaptada às plantas e ao clima australiano. Diz-se que as patas macias dos cangurus são menos danosas para o solo do que os cascos duros das ovelhas. A carne de canguru é magra, saudável e (em minha opinião) realmente deliciosa. Além da carne, os cangurus possuem peles valiosas. Todos esses aspectos são citados como argumentos para apoiar a substituição da criação de ovelhas pela de cangurus.

Contudo, esta proposta enfrenta sérios obstáculos, tanto biológicos quanto culturais. Diferente das ovelhas, os cangurus não são animais de rebanho que obedecem docilmente a um pastor e a um cão, ou que podem ser reunidos e levados obedientemente pelas rampas para dentro de caminhões que os transportem para o matadouro. Ao contrário, os presuntivos criadores de cangurus teriam de contratar caçadores para abatê-los um a um. Outros pontos contrários à criação de cangurus são a sua mobilidade e capacidade de pular cercas: se você investir na criação de uma população de cangurus em sua propriedade, e se os seus cangurus perceberem algo que os induza a se mover (como uma chuva que esteja caindo em algum outro lugar), sua valiosa criação pode acabar a 50 quilômetros de distância, na propriedade de outra pessoa. Embora a carne de canguru seja aceita na Alemanha e alguma seja exportada para lá, as vendas enfrentam obstáculos culturais em outros mercados. Os próprios australianos acham que os cangurus são pragas incapazes de substituir o bom e velho cordeiro e a carne de boi na mesa de jantar. Muitas sociedades protetoras de animais da Austrália se opõem à sua caça, esquecendo-se de que as condições de cativeiro e métodos de abate são muito mais cruéis no caso das ovelhas e dos bovinos. Os EUA proíbem a importação de carne de canguru porque acham os animais bonitinhos, e porque a esposa de um deputado ouviu dizer que os cangurus estão ameaçados de extinção. Algumas espécies estão de fato ameaçadas, mas ironicamente a espécie que se abate para comer é uma praga abundante na Austrália. O governo australiano regula estritamente o seu abate e estabelece uma cota.

"MINANDO" A AUSTRÁLIA

Embora a introdução de ovelhas tenha sido sem dúvida um grande benefício econômico (assim como um mal) para a Austrália, a introdução de coelhos e raposas foram desastres irreparáveis. Os colonos britânicos achavam o ambiente, plantas e animais australianos estranhos e queriam estar cercados de plantas e animais familiares aos europeus. Assim, tentaram introduzir no país diversas espécies de pássaros europeus das quais apenas duas, o pardal e o estorninho, se disseminaram, enquanto outros (melro, tordo, pardal montês, pintassilgo e o verdilhão) só vingaram em alguns locais. Pelo menos, estas espécies de pássaros não causaram muito dano, ao passo que os coelhos causaram enorme prejuízo econômico e degradação do solo, ao consumir metade da vegetação das pastagens destinadas às ovelhas e ao gado bovino (foto 30). Junto às mudanças de hábitat causadas pela atividade pastoril e pela supressão das queimadas aborígines, a introdução combinada de coelhos e raposas tem sido uma das principais causas da extinção de espécies ou de colapsos populacionais da maioria das espécies de pequenos mamíferos nativos da Austrália: as raposas os atacam e os coelhos competem com os mamíferos herbívoros nativos por comida.

Os coelhos e as raposas da Europa foram introduzidos na Austrália quase simultaneamente. Ainda não se sabe ao certo se as raposas também o foram para permitir a tradicional caçada à raposa britânica, e os coelhos teriam sido levados depois para fornecer comida adicional para as raposas, ou se os coelhos foram importados primeiro para serem caçados ou para tornar o interior do país mais parecido com a Inglaterra e, então, as raposas foram usadas para controlar a população de coelhos. De qualquer modo, ambos foram desastres tão dispendiosos que hoje parece incrível que tenham sido introduzidos por razões tão triviais. Ainda mais incríveis são os esforços que os australianos fizeram para criar os coelhos no país: as primeiras quatro tentativas falharam (porque os coelhos soltos eram brancos, mansos e morreram), só obtiveram sucesso na quinta tentativa, com coelhos selvagens espanhóis.

Desde que os coelhos e raposas se fixaram e os australianos deram-se conta das consequências, têm-se tentado eliminar ou reduzir suas populações. A guerra contra as raposas envolveu envenenamento e armadilhas. Um dos métodos da guerra contra os coelhos, memorável para todos os não australianos que viram o recente filme *Geração roubada* (*Rabbit Proof*

Fence), é dividir a paisagem com longas cercas e tentar eliminar os coelhos de um dos lados da cerca. O fazendeiro Bill McIntosh me disse como fez um mapa de sua propriedade para marcar a localização de cada um dos milhares de tocas de coelho, que ele destrói individualmente com uma escavadeira. Depois, volta ao lugar e, caso encontre alguma toca com vestígios de atividade recente, joga dinamite para matar os coelhos e tapar o buraco. Deste modo trabalhoso, já destruiu três mil tocas de coelho. Tais medidas dispendiosas levaram os australianos, há várias décadas, a depositarem grande esperança na introdução de uma doença de coelho chamada mixomatose, que inicialmente reduziu a população em 90%, até os coelhos se tornarem resistentes e voltarem a se reproduzir. Os esforços atuais para controlar os coelhos usam outro micróbio chamado calicivírus.

Assim como os colonos ingleses preferiam coelhos e melros e sentiam-se desconfortáveis entre os estranhos cangurus e ornitorrincos, também se sentiam desconfortáveis entre os eucaliptos e acácias da Austrália, tão diferentes em aparência, cor e folhas das florestas da Inglaterra. Os colonos derrubaram a vegetação da terra em parte porque não gostavam de sua aparência, mas também para a agricultura. Até cerca de 20 anos atrás, o governo australiano não apenas subsidiava a limpeza de terras, como também exigia que isso fosse feito por seus arrendatários. (Muitas terras cultiváveis na Austrália não são de propriedade de seus fazendeiros, como nos EUA, mas é propriedade do governo arrendada para os fazendeiros.) Os arrendatários tinham redução de impostos em maquinário agrícola e no trabalho que envolvia a limpeza de terras, tinham quotas de terra a serem limpas como condição para que mantivessem o seu arrendamento, que eram cancelados caso não cumprissem essas quotas. Os fazendeiros e empresas podiam lucrar apenas comprando ou arrendando terras cobertas de vegetação nativa, inadequada para a agricultura sustentada, derrubando a vegetação, plantando uma ou duas colheitas de trigo que exauriam o solo, e então abandonando a propriedade. Hoje, quando as comunidades de plantas australianas são reconhecidas como únicas e ameaçadas, e quando a limpeza de terras é vista como uma das duas maiores causas de degradação do solo através da salinização, é triste lembrar que até recentemente o governo pagou e exigiu que os fazendeiros destruíssem a vegetação nativa. O economista ecológico Mike Young, cujo trabalho para o governo australiano inclui a tarefa de descobrir quanta terra foi inutilizada pela retirada de vegetação, me contou suas memórias de infância a respeito da limpeza de terras que fazia com o pai em sua fazenda. Cada um em um trator, ambos os tratores unidos por uma corrente, avançavam lado a lado para remover a vegetação nativa e substituí-la por plantações. Em troca, seu pai recebia um grande desconto no imposto de renda. Sem esta dedução fornecida pelo governo como incentivo, muito daquela terra jamais seria limpa.

À medida que os colonos chegavam à Austrália, e começavam a comprar ou arrendar terra uns dos outros ou do governo, os preços de terra eram estabelecidos de acordo com os valores da Inglaterra — e que lá se justificavam pela produtividade dos solos ingleses. Na Austrália, porém, isso significava que a terra era "supervalorizada": ou seja, estava sendo vendida ou arrendada por mais do que podia ser justificado pelo retorno financeiro obtido com seu uso agrícola. Quando um fazendeiro comprava ou arrendava terra e fazia uma hipoteca, a necessidade de pagar os juros resultantes da supervalorização forçava o fazendeiro a tentar extrair mais lucro da terra do que esta podia fornecer de modo sustentável. Esta prática, denominada "flagelação da terra", significava superlotar os pastos de ovelhas, ou plantar mais trigo do que o recomendável. A supervalorização resultante dos valores culturais britânicos (valores monetários e sistema de crenças) foi uma grande contribuição à prática australiana da superlotação, que levou ao sobrepastejo, erosão do solo e a bancarrotas e abandonos de fazendas.

De modo mais geral, a alta avaliação das terras deveu-se ao fato de os australianos adotarem valores rurais agrícolas ingleses que não eram aplicáveis à baixa produtividade agrícola da Austrália. Tais valores rurais ainda são um obstáculo na solução de um dos maiores problemas políticos da Austrália moderna: a Constituição australiana dá um valor desproporcional aos votos das áreas rurais. Na mística australiana, mais do que na Europa e nos EUA, as pessoas do campo são consideradas honestas, e as da cidade, desonestas. Se um fazendeiro vai à falência, supõe-se que isso se deveu ao infortúnio de uma pessoa virtuosa superada por forças além de seu controle (como uma seca), já quando um habitante da cidade vai à falência, supõe-se que isso se deveu à sua desonestidade. Tal hagiografia rural e o voto rural desproporcionalmente forte ignoram a realidade já mencionada de que a Austrália é a nação mais altamente urbanizada. Esta maneira de pensar contribui para o perverso e longamente continuado apoio a medidas que minam mais do que ajudam o meio ambiente, como limpeza de terras e subsídios indiretos de áreas rurais não econômicas.

Até 50 anos atrás, a emigração para a Austrália era esmagadoramente inglesa ou irlandesa. Muitos australianos hoje ainda se sentem profundamente ligados à sua herança britânica e rejeitariam indignados qualquer sugestão de que valorizam isso exageradamente. Contudo, esta herança levou os australianos a fazerem coisas que consideram admiráveis mas que soariam inapropriadas e não necessariamente no melhor interesse da Austrália quando vistas por alguém de fora. Nas duas guerras mundiais, a Austrália declarou guerra à Alemanha assim que a Inglaterra e a Alemanha declararam guerra entre si, embora os interesses da Austrália não tenham sido afetados na Primeira Guerra Mundial (a não ser dar aos australianos uma desculpa para ocuparem a colônia alemã da Nova Guiné) nem na Segunda Guerra Mundial até irromper a guerra contra o Japão, mais de dois anos depois da declaração de guerra entre a Inglaterra e a Alemanha. O maior feriado nacional da Austrália (e também da Nova Zelândia) é o Dia de Anzac, 25 de abril, que comemora a desastrosa chacina de tropas australianas e neozelandesas na remota península de Gallipoli, na Turquia, nesta mesma data no ano de 1915, como resultado da incompetente liderança inglesa das tropas que se uniram a forças inglesas em uma tentativa malsucedida de atacar a Turquia. Para os australianos, o banho de sangue em Gallipoli foi um símbolo da "maturidade" de seu país. Ao apoiar a terra-mãe inglesa, os australianos assumiam o seu lugar entre as nações como uma federação unida em vez de meia dúzia de colônias separadas, cada uma com seu governador-geral. Para os americanos de minha geração, o paralelo mais próximo que se pode fazer do significado de Gallipoli para os australianos foi o significado do ataque japonês de 7 de dezembro de 1941, na base de Pearl Harbor, que unificou os americanos da noite para o dia e nos tirou de nossa política externa baseada em isolamento. Contudo, os não australianos não conseguem deixar de ironizar o fato de o dia nacional da Austrália estar relacionado à península de Gallipoli, situada em outro hemisfério, a um terço do globo terrestre de distância. Nenhum outro local poderia ser mais irrelevante para os interesses da Austrália.

Esses vínculos emocionais com a Inglaterra continuam até hoje. Em 1964, quando visitei a Austrália pela primeira vez, tendo vivido anteriormente na Inglaterra durante quatro anos, achei o país mais inglês do que a própria Inglaterra moderna no que dizia respeito à sua arquitetura e atitudes. Até 1973, o governo australiano ainda submetia anualmente à Inglaterra uma lista de australianos a serem sagrados cavaleiros, e esta honra era considerada a mais alta possível para um australiano. A Inglaterra ainda aponta um governador-geral para a Austrália, com o poder de demitir o primeiro-ministro australiano, coisa que de fato aconteceu em 1975. Até início dos anos 1970, o país manteve uma política de "Austrália Branca" e virtualmente proibiu a imigração de asiáticos, política que compreensivelmente enfureceu seus vizinhos. Somente nos últimos 25 anos, a Austrália se engajou com seus vizinhos asiáticos, reconheceu pertencer ao continente asiático, aceitou imigrantes asiáticos e cultivou parceiros comerciais asiáticos. A Inglaterra caiu agora para o oitavo lugar entre os mercados de exportação da Austrália, atrás do Japão, China, Coreia, Cingapura e Taiwan.

A discussão sobre a autoimagem da Austrália como um país britânico ou asiático levanta um assunto recorrente ao longo deste livro: a importância de amigos e inimigos na estabilidade de uma sociedade. Que países a Austrália encara como amigos, parceiros comerciais ou inimigos, e qual foi a influência dessas opiniões? Vamos começar com o comércio e então prosseguir com a imigração.

Durante mais de um século, até 1950, os produtos agrícolas, especialmente a lã, eram as principais exportações da Austrália, seguidos dos minerais. Hoje, o país ainda é o maior produtor de lã do mundo, mas a produção e a demanda externa estão diminuindo com o aumento da competição das fibras sintéticas. Em 1970, o número de ovelhas da Austrália chegou a 180 milhões (na época representando uma média de 14 ovelhas para cada australiano) e tem declinado constantemente desde então. Quase toda a produção de lã da Austrália é exportada, em especial para a China e Hong Kong. Outras importantes exportações agrícolas incluem trigo (vendido principalmente para a Rússia, China e Índia), particularmente o de grão duro, vinho e carne sem produtos químicos. No momento, a Austrália produz mais comida do que consome e exporta alimentos, mas o consumo de comida interno está aumentando à medida que a população cresce. A continuar tal tendência, a Austrália pode vir a se tornar uma importadora em vez de exportadora de alimentos.

A lã e outros produtos agrícolas estão apenas em terceiro lugar na receita de divisas estrangeiras da Austrália, atrás do turismo (em segundo lugar) e os minerais (em primeiro). Os minerais exportados mais valorizados são o carvão mineral, ouro, ferro e alumínio, nesta sequência. A Austrália é o maior exportador de carvão mineral do mundo. Tem as maiores reservas mundiais de urânio, chumbo, prata, zinco, titânio e tântalo e está entre os seis maiores países em reservas de carvão, ferro, alumínio, cobre, níquel e diamante. Suas reservas de carvão e ferro são enormes e inesgotáveis no futuro previsível. Embora os maiores clientes de exportação de minerais da Austrália sejam a Inglaterra e outros países europeus, os países asiáticos importam agora quase cinco vezes mais minerais do que os países europeus. Os três maiores clientes são o Japão, Coreia do Sul e Taiwan, nesta ordem. O Japão compra quase a metade do carvão, ferro e alumínio exportados da Austrália.

Em resumo, no último meio século, as exportações da Austrália mudaram de produtos predominantemente agrícolas para minerais, enquanto seus parceiros comerciais mudaram da Europa para a Ásia. Os EUA continuam a maior fonte de importações da Austrália e seu maior cliente de exportações depois do Japão.

Essas mudanças de padrão de comércio foram acompanhadas por mudanças na imigração. Com uma área semelhante à dos EUA, a Austrália tem uma população muito menor (atualmente, cerca de 20 milhões de habitantes), pela óbvia razão de que o ambiente australiano é muito menos produtivo e pode sustentar menos gente. Não obstante, em 1950 inúmeros australianos, incluindo líderes de governo, olharam temerosos para os vizinhos asiáticos muito mais populosos, em particular a Indonésia, com seus 200 milhões de habitantes. Os australianos também foram fortemente influenciados por sua experiência na Segunda Guerra Mundial ao serem ameaçados e bombardeados pelo também populoso, embora mais distante, Japão. Vários australianos concluíram que seu país sofria do perigoso problema de ser muito despovoado comparado com esses vizinhos asiáticos, e que seria um alvo tentador para a expansão indonésia, a não ser que preenchessem aquele espaço vazio. Portanto, nos anos 1950 e 1960, como política pública, foi instituído um programa intensivo para atrair imigrantes.

Esse programa significava abandonar a antiga política da Austrália Branca, sob a qual (de acordo com um dos primeiros atos da República Australiana, formada em 1901) a imigração não apenas era restrita aos europeus, como também, predominantemente, a pessoas oriundas da Inglaterra e da Irlanda. De acordo com o livro anual oficial do governo, havia a preocupação de que "gente sem antecedentes anglo-celtas" não se ajustasse à sociedade australiana. A notável falta de população levou o governo primeiro a aceitar, e, então, a recrutar ativamente imigrantes de outros países europeus — especialmente Itália, Grécia e Alemanha, Países Baixos e a ex--Iugoslávia. Somente na década de 1970 o desejo de atrair mais imigrantes do que aqueles que podiam ser recrutados na Europa, combinado com o crescente reconhecimento de que a Austrália era um país localizado no oceano Pacífico apesar de sua identidade britânica, induziu o governo a remover os obstáculos legais para a imigração asiática. Embora a Inglaterra, a Irlanda e a Nova Zelândia ainda sejam as maiores fontes de imigrantes para a Austrália, um quarto de todos os imigrantes agora vem de países asiáticos, com o Vietnã, as Filipinas, Hong Kong e (atualmente) a China predominando em anos recentes. A imigração atingiu o seu auge em 1980, o que resultou no fato de quase um quarto de todos os australianos serem imigrantes nascidos no exterior, comparado a apenas 12% dos americanos e 3% dos holandeses.

A falácia por trás dessa política de "povoar" a Austrália é que existem sérias razões ambientais para que, mesmo após dois séculos de colonização europeia, a Austrália não tenha sido "povoada" com a mesma densidade dos EUA. Dados os limitados suprimentos de água da Austrália e seu limitado potencial de produção de alimentos, o país não tem capacidade para sustentar uma população significativamente maior. Um aumento na população também diluiria os seus ganhos *per capita* com exportações de minerais. Ultimamente a Austrália só recebe uma média de 100 mil imigrantes por ano, o que resulta em um crescimento populacional através da imigração de apenas 0,5%.

Contudo, muitos australianos influentes, incluindo o recente primeiro--ministro Malcolm Fraser, os líderes dos dois maiores partidos políticos e a junta comercial australiana ainda alegam que a Austrália deveria tentar aumentar a sua população para 50 milhões de habitantes. Suas razões invocam uma combinação de medo do "Perigo Amarelo" vindo de países asiáticos superpovoados, as aspirações da Austrália de se tornar uma grande potência e a crença de que este objetivo não pode ser atingido se o país tiver apenas 20 milhões de habitantes. Mas essas aspirações de algumas décadas atrás arrefeceram a ponto de os australianos de hoje não mais esperarem se tornar uma grande potência mundial. Mesmo que tivessem tal expectativa, Israel, Suécia, Dinamarca, Finlândia e Cingapura fornecem exemplos de países com populações bem menores (apenas alguns milhões cada) que apesar disso são grandes potências econômicas e fazem grandes contribuições à criação cultural e tecnológica mundial. Ao contrário de seus governos e líderes comerciais, 70% dos australianos dizem que querem menos imigração. A longo prazo é duvidoso que a Austrália possa sustentar sua população atual: a melhor estimativa de uma população sustentável com igual padrão de vida é de 8 milhões de habitantes, menos do que a metade da população atual.

Saindo de Adelaide, capital da Austrália do Sul, único estado australiano a ter se originado de uma colônia autossuficiente devido à adequada produção de seus solos (alta para padrões australianos, modesta para padrões internacionais), vi nesta área de antigas terras de primeira qualidade diversas fazendas abandonadas. Consegui visitar uma dessas ruínas preservadas como atração turística: Kanyaka, uma grande fazenda de ovelhas criada na década de 1850 e mantida a alto custo pela nobreza inglesa, que acabou abandonada em 1869, e nunca mais foi reocupada. A maior parte desta área no interior da Austrália do Sul foi desenvolvida para a criação de ovelhas durante os anos chuvosos entre 1850 e início dos anos 1860, quando a terra se cobriu de capim e parecia luxuriante. Com as secas que começaram em 1864, a paisagem sobrepastejada cobriu-se de cadáveres de ovelhas, e as fazendas foram abandonadas. Este desastre estimulou o governo a enviar o inspetor-geral G. W. Goyder para identificar quão longe terra adentro estendia-se a área com chuvas suficientemente confiáveis para justificar a criação de fazendas. Ele definiu uma linha que se chamou Linha Goyder, ao norte da qual a possibilidade de secas tornava imprudentes as tentativas de estabelecer fazendas. Infelizmente, uma série de anos chuvosos na década de 1870 encorajou o governo a revender a preços altos as fazendas de ovelhas abandonadas nos anos 1860, como pequenas fazendas de trigo supercapitalizadas. As cidades se espalharam além da Linha Goyder, as ferrovias se expandiram, e estas fazendas de trigo foram bem-sucedidas durante alguns anos de chuvas anormalmente intensas até também falirem e serem consolidadas em *holdings* maiores que se tornaram grandes fazendas de ovelhas em fins da década de 1870. Com a volta da seca, muitas dessas fazendas acabaram falindo novamente, e aquelas que ainda sobrevivem hoje em dia não podem se sustentar apenas com ovelhas: seus fazendeiros/proprietários necessitam de um segundo emprego, trabalho em turismo ou investimentos no exterior para conseguirem se manter.

Histórias mais ou menos parecidas repetiram-se em muitas outras regiões produtoras de alimentos da Austrália. O que levou tantas áreas de produção de alimentos inicialmente lucrativas a se tornarem menos lucrativas? A razão é o principal problema ambiental da Austrália, a degradação de terras, resultado de um conjunto de nove tipos de impactos ambientais nocivos: derrubada da vegetação nativa, sobrepastejo por ovelhas e por coelhos, exaustão de nutrientes do solo, erosão do solo, secas provocadas pelo homem, plantas daninhas, políticas governamentais equivocadas e salinização. Todos esses fenômenos nocivos ocorrem em toda parte do mundo, em alguns casos até com maior impacto individual do que na Austrália. Em resumo, esses impactos são os seguintes:

Já mencionei que o governo australiano exigia que os arrendatários de terras governamentais derrubassem a vegetação nativa. Embora essa exigência tenha sido abolida, a Austrália ainda derruba mais vegetação nativa por ano do que qualquer país do Primeiro Mundo, e sua taxa de desmatamento só é superada mundialmente pelo Brasil, Indonésia, Congo e Bolívia. A maior parte das derrubadas da Austrália ocorre no estado de Queensland, com o objetivo de criar pastagens para gado bovino de corte. O governo de Queensland anunciou que vai defasar a derrubada em larga escala — mas não antes de 2006. O dano resultante para a Austrália inclui degradação de terras secas através de salinização e erosão, deterioração da qualidade da água por sal e sedimentos, perda de produtividade agrícola e queda no preço de terras, além de dano à Grande Barreira de Coral (veja adiante). O apodrecimento e a queima da vegetação derrubada contribuem para uma emissão anual de gases do efeito estufa aproximadamente igual ao total nacional de emissões de veículos motorizados da Austrália.

Uma segunda grande causa de degradação de terras é a superlotação de ovelhas nos pastos, em números que consomem a vegetação mais rapidamente do que esta é capaz de se recompor. Em algumas áreas, como partes do distrito Murchison da Austrália Ocidental, o sobrepastejo foi ruinoso e irreversível porque levou à perda do solo. Agora que os efeitos do sobrepastejo são reconhecidos, o governo australiano impõe uma taxa *máxima* para o número de ovelhas em uma área determinada: i.e., os fazendeiros são *proibidos* de ter mais do que uma certa quantidade de ovelhas por hectare de terra arrendada. Antes, porém, o governo havia imposto uma taxa *mínima* para o número de ovelhas em uma área determinada: os fazendeiros eram *obrigados* a ter um número mínimo de ovelhas por hectare como condição para manter o arrendamento. Quando a dimensão dos rebanhos passou a ser documentada em fins do século XIX, revelou-se três vezes maior do que as consideradas sustentáveis hoje em dia. Antes da década de 1890, a quantidade de ovelhas em uma área determinada era até 10 vezes maior do que o sustentável. Ou seja, os primeiros colonos minaram o capim, em vez de tratá-lo como um recurso potencialmente renovável. Assim como é verdade no caso das derrubadas, o governo exigiu que os fazendeiros estragassem a terra e cancelou arrendamentos daqueles que não conseguiram prejudicá-la.

Três outras causas para a degradação de terras já foram mencionadas. Os coelhos removem a vegetação, assim como as ovelhas, reduzem as pastagens disponíveis para ovelhas e gado bovino, e também custam caro aos fazendeiros, que são obrigados a gastar com buldôzeres, dinamite, cercas e liberação de vírus, medidas que adotam para controlar as populações de coelhos. A exaustão de nutrientes do solo frequentemente se desenvolve nos primeiros anos de agricultura, devido ao baixo conteúdo inicial de nutrientes dos solos australianos. A erosão da camada superficial do solo pela água e pelo vento aumenta após sua cobertura de vegetação ter sido reduzida ou removida. O escoamento do solo para os rios, e daí para o mar, turva as águas costeiras e agora está danificando e matando a Grande Barreira de Coral, uma das maiores atrações turísticas da Austrália (para não mencionar seu valor biológico por si só e como viveiro de peixes).

"MINANDO" A AUSTRÁLIA

O termo "seca produzida pelo homem" refere-se a uma forma de degradação de terra secundária à derrubada, sobrepastejo de ovelhas e coelhos. Quando a cobertura de vegetação é removida por qualquer um desses meios, a terra que a vegetação anteriormente protegia fica diretamente exposta ao sol, o que torna o solo mais quente e mais seco. Ou seja, os efeitos secundários que criam condições de solo quente e seco impedem as plantas de crescerem do mesmo modo que em uma seca natural.

As plantas daninhas, discutidas no capítulo 1 em relação a Montana, são definidas como plantas de baixo valor para os fazendeiros, seja por serem menos palatáveis (ou totalmente não palatáveis) para ovinos e bovinos do que as plantas de pastagens preferidas, ou porque competem com culturas úteis. Algumas plantas daninhas são espécies introduzidas não intencionalmente, vindas de países estrangeiros; cerca de 15% foram introduzidas intencionalmente mas de modo equivocado na agricultura; um terço escapou para a natureza de jardins onde foram intencionalmente introduzidas como plantas ornamentais; e outras espécies de mato são plantas nativas da Austrália. Devido aos animais de pasto preferirem certas plantas, o pastejo desses animais tende a aumentar a abundância de plantas daninhas e converter a cobertura das pastagens em cobertura de espécies que são menos utilizadas ou não são úteis de modo algum (e, em certos casos, chegam a ser venenosas para os animais). A facilidade com que as plantas daninhas podem ser combatidas varia: algumas espécies são fáceis de remover e substituir por espécies ou culturas palatáveis, mas outras são muito dispendiosas de eliminar quando se estabelecem.

Cerca de três mil espécies de plantas são consideradas ervas daninhas na Austrália atual e causam perdas econômicas de cerca de dois bilhões de dólares por ano. Uma das piores é a mimosa, que ameaça áreas especialmente valiosas do Parque Nacional Kakadu e da World Heritage Area. É espinhenta, cresce até seis metros de altura e produz tantas sementes que pode duplicar a área que ocupa em um ano. Ainda pior é a alamanda-roxa, introduzida na década de 1870 como um arbusto ornamental de Madagáscar para tornar as cidades mineiras de Queenstown mais bonitas. Escapou retornando ao estado silvestre para se tornar uma planta-monstro do tipo descrito pela ficção científica: além de ser venenosa para o gado, abafa outras plantas, cresce em moitas impenetráveis, lança cápsulas que se dispersam flutuando rio abaixo e acabam se abrindo para liberar 300 sementes que são levadas para longe pelo vento. As sementes dentro de uma cápsula são capazes de cobrir um hectare com novas alamandas-roxas.

Às políticas equivocadas de derrubada de mata nativa e superlotação dos pastos de ovelhas anteriormente mencionadas podem ser acrescentadas as políticas para o Cinturão do Trigo. O governo faz previsões otimistas de alta nos preços mundiais e encoraja os fazendeiros a tomarem dinheiro emprestado para investir em maquinário e plantar trigo em terras marginais para esta cultura. Após investirem muito dinheiro, os fazendeiros acabam descobrindo que a terra, para seu azar, só suporta o cultivo de trigo durante alguns anos, e que os preços do trigo baixaram.

A última causa de degradação de terras na Austrália, a salinização, é mais complexa e requer uma explicação mais detalhada. Mencionei previamente que grandes áreas da Austrália contêm muito sal em seu solo, como herança da brisa marinha, antigas bacias oceânicas, ou lagos secos. Embora algumas plantas possam tolerar solos salgados, a maioria delas, incluindo quase todas as nossas culturas, não podem. Se o sal abaixo da zona das raízes ficasse ali, não seria problema. Mas dois processos podem trazê-lo à superfície e causar problemas: salinização de irrigação e salinização de terra seca.

A salinização de irrigação ocorre em áreas secas onde as chuvas são muito escassas ou pouco confiáveis para agricultura, exigindo o uso de irrigação, como em partes do sudeste da Austrália. Se um fazendeiro fizer "irrigação localizada", ou por gotejamento, i.e., instalar um pequeno artefato de irrigação no pé de cada árvore ou aleia de plantação e fornecer apenas a água suficiente para que as raízes possam absorver, então há pouca perda de água e não há problema. Mas se, em vez disso, o fazendeiro seguir a prática comum de "irrigação extensiva", i.e., inundando a terra ou usando um aspersor para distribuir a água sobre uma ampla área, então o solo ficará saturado com mais água do que as raízes podem absorver. O excesso de água não absorvido se infiltra até as camadas mais profundas de solo salgado, estabelecendo assim uma coluna contínua de solo úmido através da qual o sal das camadas inferiores pode se difundir para a zona das raízes e, dali, para a superfície, onde irá inibir ou evitar o crescimento de plantas que não sejam tolerantes ao sal, ou baixar até o lençol freático e dali escoar para um rio. Neste sentido, os problemas de água da

Austrália, na qual pensamos como (e que de fato é) um continente seco, não são problemas de água de menos e, sim, de água de mais: a água ainda é barata e disponível para permitir o seu uso em algumas áreas de irrigação extensiva. Mais exatamente, partes da Austrália têm água bastante para permitir irrigação extensiva, mas não suficiente para se livrar do sal mobilizado. Em princípio, os problemas de salinização por irrigação podem ser parcialmente amenizados se for possível custear a instalação de irrigação localizada em vez de irrigação extensiva.

O outro processo responsável pela salinização, afora a salinização por irrigação, é a salinização de terra seca, que age em áreas onde as chuvas bastam para a agricultura. Isso se aplica especialmente na Austrália Ocidental e partes da Austrália do Sul com chuvas de inverno confiáveis (ou que antes eram confiáveis). Enquanto o solo em tais áreas ainda está coberto de vegetação natural, presente o ano inteiro, as raízes das plantas absorvem a maior parte da chuva que cai, e pouca água resta para se infiltrar através do solo e entrar em contato com camadas de sal mais profundas. Mas suponhamos que um fazendeiro limpe esta vegetação natural e a substitua por culturas, plantadas sazonalmente. Estas culturas são então colhidas, deixando o solo nu durante parte do ano. A chuva que penetra no solo nu se infiltra até o sal, permitindo que este se difunda até a superfície. Diferentemente da irrigação por salinização, a salinização de terra seca é difícil, dispendiosa ou essencialmente impossível de ser revertida uma vez que a vegetação natural tenha sido retirada.

Podemos pensar no sal mobilizado pela irrigação e pela salinização de terra seca como um rio salgado subterrâneo que, em algumas partes da Austrália, tem concentrações de sal até três vezes superiores à dos oceanos. Esse rio subterrâneo corre exatamente como um rio de superfície, só que muito mais devagar. Ocasionalmente, pode se acumular em uma depressão, criando as lagoas supersalgadas que vi no sul da Austrália. Se um fazendeiro em um lugar alto adotar práticas de manejo inadequadas que venham a causar a salinização de suas terras, este sal pode fluir lentamente para as terras de fazendas mais abaixo, mesmo que essas fazendas sejam bem conduzidas. Na Austrália não há mecanismo legal através do qual o proprietário de uma fazenda de baixada assim arruinado possa obter compensação do dono de uma fazenda em lugar elevado responsável por sua ruína. Alguns rios subterrâneos não emergem em depressões nas baixadas, mas em vez disso fluem para os rios de superfície, incluindo o maior sistema fluvial da Austrália, o Murray/Darling.

A salinização inflige pesadas perdas comerciais na economia australiana, de três maneiras. Primeiro, está tornando muitas terras, inclusive algumas das terras mais valiosas da Austrália, menos produtivas ou inúteis para a agricultura ou para a criação de gado. Segundo, um pouco desse sal é levado para as fontes de água potável das cidades. Por exemplo, os rios Murray e Darling fornecem entre 40 e 90% da água potável de Adelaide, mas os crescentes níveis de sal na água dos rios podem acabar tornando-a inadequada para consumo humano ou para irrigação de plantações sem o custo adicional da dessalinização. Ainda mais dispendioso do que esses dois problemas são os danos causados pela corrosão salina em infraestruturas, incluindo rodovias, ferrovias, campos de aviação, pontes, prédios, canos, sistemas de água quente, sistemas de água pluvial, esgotos, utensílios domésticos e industriais, linhas de energia e telecomunicações e estações de tratamento de água. No todo, estima-se que apenas um terço das perdas da economia australiana devido à salinização pode ser diretamente atribuído à agricultura; as perdas "além da porteira da fazenda" e rio abaixo, para os suprimentos de água e para a infraestrutura da Austrália, custam duas vezes mais.

Quanto à extensão, a salinização já afeta cerca de 9% de toda a terra desmatada da Austrália, e esta porcentagem, projetada a partir das tendências atuais, deve aumentar para cerca de 25%. A salinização é especialmente séria nos estados da Austrália Ocidental e da Austrália do Sul; o Cinturão do Trigo do primeiro estado é considerado um dos piores exemplos de salinização de terra seca do mundo. De sua vegetação nativa original, 90% foi derrubada, a maior parte entre 1920 e 1980, culminando no programa "Um milhão de acres por ano" impulsionado pelo governo do Oeste da Austrália na década de 1960. Em todo o mundo, nenhuma outra área de terra tão extensa foi assim privada de sua vegetação natural tão rapidamente. A porção do Cinturão do Trigo esterilizada pela salinização deve atingir um terço nas próximas duas décadas.

A área total da Austrália na qual a salinização tem potencial para se espalhar é mais de seis vezes a sua extensão atual e inclui um aumento de quatro vezes na Austrália Ocidental, um aumento de sete vezes em

Queensland, 10 vezes em Victoria e 60 vezes em Nova Gales do Sul. Afora o Cinturão do Trigo, outra grande área problemática é a bacia dos rios Murray e Darling, que contribui com quase metade da produção agrícola da Austrália mas que agora está se tornando cada vez mais salgada rio abaixo em direção a Adelaide devido a mais água salgada subterrânea estar entrando no sistema e mais água estar sendo extraída para irrigação ao longo de seu curso. (Em certos anos, extrai-se tanta água que nenhuma água do rio flui para o oceano.) O ingresso de sal nos rios Murray e Darling vem não apenas de práticas de irrigação ao longo das margens dos rios, como também do impacto das florescentes fazendas de algodão de escala industrial em torno de suas cabeceiras em Queensland e Nova Gales do Sul. Essas fazendas de algodão são consideradas o maior dilema australiano de administração de terra e água, porque, por um lado, o algodão é o produto agrícola mais valioso produzido na Austrália depois do trigo, mas, por outro, o sal mobilizado e os inseticidas aplicados associados com a cultura do algodão danificam outros tipos de culturas rio abaixo na bacia dos rios Murray e Darling.

Uma vez que a salinização tenha se iniciado, é difícil de ser revertida (em especial no caso da salinização por terra seca), ou a reversão é proibitivamente dispendiosa, ou as soluções demoram um tempo proibitivamente longo. Os rios subterrâneos fluem de modo muito lento, de tal forma que, se um desses rios for contaminado por sal pelo manejo inadequado de terras, pode demorar até 500 anos para que esse sal saia do solo, mesmo que se comece a praticar irrigação localizada da noite para o dia e não se adicione mais sal.

Embora a degradação de terras resultante de todas essas causas seja o problema ambiental mais dispendioso da Austrália, cinco outros grupos de problemas sérios merecem breve menção: envolvem silvicultura, pesca marítima, pesca de água doce, água potável e espécies exóticas.

Com exceção da Antártica, a Austrália é, proporcionalmente, o continente com a menor área coberta por florestas: apenas 20% de sua área total. As antigas florestas australianas possuíam as árvores mais altas do mundo, agora derrubadas, como o eucalipto vitoriano, que rivalizava ou superava em altura as sequoias do litoral californiano. Das florestas da Austrália que existiam ao tempo da chegada dos europeus em 1788, 40% já foram derrubadas, 35% foram parcialmente exploradas e apenas 25% permanecem intactas. Contudo, a exploração desta pequena área de florestas primárias prossegue e constitui outro aspecto da "mineração" da paisagem australiana.

Os usos dados à madeira de exportação extraída das florestas remanescentes da Austrália — além do consumo doméstico — são notáveis. Dos produtos florestais exportados, 50% não são toras ou materiais acabados e sim lascas de madeira enviadas principalmente para o Japão, onde são usadas para produzir papel e seus derivados e representam um quarto da matéria-prima do papel japonês. Embora o preço que o Japão pague à Austrália por essas lascas de madeira tenha baixado para sete dólares a tonelada, o papel resultante é vendido no Japão por mil dólares a tonelada, de modo que quase todo o valor agregado à madeira após ser cortada vai para o Japão em vez de ficar na Austrália. Ao mesmo tempo que exporta lascas, a Austrália importa três vezes mais produtos florestais do que o que exporta. Mais da metade dessas importações é de papel e papelão ou seus derivados.

Assim, o comércio australiano de produtos florestais contém uma dupla ironia. Por um lado, a Austrália, um dos países do Primeiro Mundo com menos florestas, ainda as explora para exportar seus produtos para o Japão, o país do Primeiro Mundo com a maior porcentagem de território coberto por florestas (74%, e aumentando). Segundo, o comércio de produtos florestais da Austrália consiste em exportar para outros países matéria-prima a baixo custo para ser transformada em material acabado de alto preço e de alto valor agregado que, então, é importado de volta para a Austrália. Este tipo particular de assimetria não é comum nas relações comerciais de dois países de Primeiro Mundo. Isso geralmente ocorre quando uma colônia de Terceiro Mundo economicamente atrasada, não industrializada e sem prática de comércio negocia com um país de Primeiro Mundo com prática de explorar países do Terceiro Mundo, comprando barato sua matéria-prima — à qual agrega valor em casa — e exportando dispendiosos bens manufaturados para a colônia. (As maiores exportações do Japão para a Austrália são carros, equipamentos de telecomunicações e de computador. Já as maiores exportações da Austrália para o Japão são o carvão e outros minerais.) Ou seja, tudo indica que a Austrália está desperdiçando um valioso recurso e recebendo pouco em troca.

Hoje, a exploração continuada de florestas primárias está despertando um dos mais apaixonados debates ambientais na Austrália. A maior parte da exploração, assim como da polêmica, está ocorrendo no estado da Tasmânia, onde o eucalipto da Tasmânia, que chega a até 90 metros de altura e é uma das mais altas árvores do mundo afora as sequoias da Califórnia, está sendo derrubado mais rapidamente do que nunca. Os dois maiores partidos políticos da Austrália, tanto em nível federal quanto estadual, são favoráveis à exploração das florestas nativas da Tasmânia. Uma possível razão talvez seja o fato de que, em 1995, após o National Party ter anunciado seu apoio à atividade madeireira na Tasmânia, tenha se sabido que os três maiores patrocinadores financeiros do partido eram as empresas madeireiras.

Além de minar suas florestas nativas, a Austrália também promove o reflorestamento, tanto de espécies nativas quanto não nativas. Por todas as razões mencionadas — baixo nível de nutrientes do solo, baixa e imprevisível precipitação pluvial e a baixa taxa de crescimento de árvores resultante — a silvicultura é muito menos lucrativa e enfrenta custos muito mais altos na Austrália do que em 12 dos 13 países que figuram entre seus principais rivais. Até mesmo a mais valiosa espécie de madeira comercialmente explorável da Austrália, o eucalipto da Tasmânia, cresce mais rápido e é mais lucrativo quando plantado em outros lugares (Brasil, Chile, Portugal, África do Sul, Espanha e Vietnã) do que na própria Tasmânia.

A exploração da pesca marítima da Austrália faz lembrar a de suas florestas. Basicamente, as altas árvores e as pastagens luxuriantes da Austrália enganaram os primeiros colonos europeus, que superestimaram o potencial de produção de alimentos terrestres da Austrália. Em termos técnicos usados por ecologistas, a terra tinha uma cobertura vegetal de grande porte mas baixa produtividade. O mesmo se aplica aos mares da Austrália, cuja produtividade é baixa porque depende do fluxo de nutrientes escoados desta mesma terra improdutiva, e porque as águas do litoral australiano não têm ressurgências* ricas em nutrientes comparáveis aos da corrente de Humboldt, na costa oeste da América do Sul. As populações marinhas da Austrália têm baixa taxa de crescimento, de modo que são

---

* Correntes marinhas ricas em nutrientes que surgem das profundezas oceânicas. (*N. do Rev. Téc.*)

facilmente pescadas em excesso. Por exemplo, nas últimas duas décadas tem havido uma procura mundial por um peixe chamado olho-de-vidro--laranja, pescado em águas australianas e neozelandesas e que fornece a base de um tipo de pesca lucrativa a curto prazo. Infelizmente, estudos mais aprofundados demonstram que o olho-de-vidro-laranja cresce muito lentamente, e não começa a se reproduzir antes dos 40 anos de idade, e que os peixes pescados e comidos têm ao menos 100 anos. Logo, as populações de olho-de-vidro-laranja não podem se reproduzir rápido o bastante para substituir os adultos que estão sendo pescados, e tal pesca está em declínio.

A Austrália exibe uma história de sobrepesca marinha: explora uma espécie até esta se exaurir a níveis não lucrativos, então descobre outra para a qual muda até esta também se exaurir em pouco tempo, como uma corrida do ouro. Após o encontro de uma nova espécie, os biólogos marinhos podem começar a determinar sua taxa de captura sustentável, que, entretanto, corre o risco de entrar em colapso antes do resultado do estudo ficar pronto. Além do olho-de-vidro-laranja, as vítimas australianas da sobrepesca incluem a truta do coral, o peixe-joia, os camarões-tigre do golfo de Exmouth, cações de cardume, o atum de barbatana azul e o tigre-de--cabeça-chata. A única espécie para a qual existem alegações confiáveis de sustentabilidade envolve a população de lagostas da Austrália Ocidental, que atualmente é o produto marinho de exportação mais valioso do país e cuja saudável condição foi avaliada independentemente pelo Marine Stewardship Council (a ser discutido no capítulo 15).

Assim como seus pesqueiros marinhos, os pesqueiros de água doce da Austrália também estão limitados pela baixa produtividade devido à baixa quantidade de nutrientes escoada de terras improdutivas. Do mesmo modo que os pesqueiros marinhos, os pesqueiros de água doce australiana têm extensas populações de peixes mas baixa produtividade. Por exemplo, a maior espécie de água doce da Austrália é o bacalhau de Murray, com até 90 centímetros de comprimento e confinado ao sistema Murray/Darling. É gostoso, altamente valorizado e outrora tão abundante que costumava ser capturado e transportado para os mercados em caminhões. Agora, a pesca do bacalhau do Murray foi encerrada devido ao declínio e colapso da presa. Entre as causas deste colapso estão a exploração excessiva de uma espécie de peixe de crescimento lento, como no caso do olho-

-de-vidro-laranja; os efeitos da introdução de carpas, que aumentaram a turbidez da água; e diversas consequências de represas construídas no rio Murray na década de 1930, que interromperam os movimentos de reprodução dos peixes, diminuíram a temperatura da água dos rios (porque os administradores das represas liberavam a água do fundo, fria demais para a reprodução dos peixes, ao contrário da água da superfície, que é mais quente), e a transformação de rios que antes recebiam acréscimos periódicos de nutrientes através de enchentes em corpos de água permanentes com pouca renovação de nutrientes.

Hoje, o lucro financeiro da pesca de água doce na Austrália é irrisório. Por exemplo, toda a pesca de água doce do estado da Austrália do Sul gera apenas 450 mil dólares por ano, divididos entre 30 pessoas que pescam como ocupação de meio expediente. Uma administração adequada de pesca sustentável do bacalhau de Murray e da perca dourada, a outra espécie economicamente valiosa da bacia Murray/Darling, certamente poderia render muito mais dinheiro do que isso, mas não se sabe se o dano à pesca do Murray/Darling já é irreversível.

Quanto à água potável, a Austrália é o continente que menos a tem. A maior parte da água potável prontamente acessível para as áreas povoadas já é utilizada para consumo humano ou agricultura. Até mesmo o maior rio do país, o Murray/Darling, tem dois terços do total de sua água retirados por seres humanos em um ano médio, e em alguns anos, virtualmente, toda ela será. As fontes de água potável da Austrália ainda não utilizadas consistem principalmente em rios em remotas áreas ao norte, longe de povoados ou terras de cultivo. À medida que a população da Austrália cresce, e à medida que estes suprimentos de água não utilizados diminuem, algumas áreas povoadas podem ter de apelar para a dispendiosa dessalinização de sua água. Já existe uma instalação de dessalinização na ilha Kangaroo, e logo será necessário inaugurar outra na península Eyre.

Diversos grandes projetos para modificar rios australianos não utilizados acabaram se revelando fracassos extremamente dispendiosos. Por exemplo, na década de 1930, foi proposta a construção de diversas dezenas de represas ao longo do rio Murray de modo a permitir tráfego fluvial de carga por navio, e quase metade dessas represas foram construídas pelo corpo de engenheiros do exército dos EUA antes que o plano fosse abandonado. Atualmente não há tráfego de carga comercial no rio Murray, mas as represas contribuíram para o já mencionado colapso da pesca de bacalhau do rio. Um dos fracassos mais dispendiosos foi o Ord River Scheme, que consistiu em represar um rio em uma área remota e esparsamente povoada do noroeste da Austrália de modo a irrigar terra para cultivo de cevada, milho, algodão, cártamo, soja e trigo. No fim, apenas o algodão foi plantado em pequena escala e fracassou após 10 anos. Cana-de-açúcar e melão estão sendo produzidos lá agora, mas o valor de sua produção não chega perto de se equiparar ao alto custo do projeto.

Afora esses problemas de quantidade, acessibilidade e uso de água, também há a questão da qualidade. A água dos rios contém pesticidas tóxicos ou sais que chegam às áreas urbanas e às áreas de irrigação agrícola a jusante. Exemplos que já mencionei são o sal e os produtos químicos agrícolas no rio Murray, que fornece muito da água potável de Adelaide, e os pesticidas dos campos de algodão de Nova Gales do Sul e Queensland, que prejudicam comercialmente as tentativas de produção de trigo e carne sem produtos químicos.

Pelo fato de ter menos animais nativos do que os outros continentes, a Austrália é especialmente vulnerável a espécies exóticas de além-mar, que se estabelecem por acidente ou não e exaurem ou exterminam as populações de animais e plantas nativas que não têm defesa para tais espécies estrangeiras. Exemplos notórios que já mencionei foram os coelhos, que consomem cerca de metade das pastagens que poderiam ser consumidas pelas ovelhas ou pelo gado bovino; as raposas, que têm atacado e exterminando muitas espécies mamíferas nativas; diversos milhares de espécies de plantas daninhas, que transformam hábitats, expulsam espécies nativas, degradam a qualidade das pastagens e ocasionalmente envenenam o gado; e as carpas, que têm danificado a qualidade da água do Murray/Darling.

Algumas outras histórias de horror envolvendo espécies introduzidas merecem uma breve menção. Os búfalos, camelos, asnos, bodes e cavalos domésticos que se tornaram selvagens pisoteiam, consomem e danificam grandes extensões de hábitat. Centenas de espécies de insetos se estabeleceram com mais facilidade na Austrália do que em países de zona temperada, com invernos frios. Entre eles a mosca varejeira, os carrapatos e os ácaros têm sido especialmente danosos para o gado e as pastagens, enquanto os lagartos, moscas-das-frutas, entre muitos, danificam as culturas. Os sapos-cururus, introduzidos em 1935 para controlar dois insetos nocivos à cana-de-açúcar, não conseguiram fazer isso mas se espalharam por uma área de 160 mil km², ajudados pelo fato de que podem viver 20 anos e que suas fêmeas depositam 30 mil ovos por ano. Os sapos são venenosos, não comestíveis por nenhum animal australiano nativo, e constam como um dos maiores erros já cometidos em nome do controle de pragas.

Finalmente, o isolamento da Austrália e, portanto, sua grande dependência de transporte marítimo do exterior, resultou em muitas pragas marinhas que chegaram em lastros sólidos e líquidos, em cascos de navios, e em materiais importados para a aquicultura. Entre estas pestes marinhas estão as águas-vivas, siris, dinoflagelados tóxicos, conchas, vermes e uma estrela-do-mar do Japão que esgotou as populações de peixe-mao-malhado, espécie que ocorre apenas no sudeste da Austrália. Os danos causados por tais pragas, assim como o seu controle, são muito dispendiosos: p.ex., algumas centenas de milhões de dólares para os coelhos, 600 milhões para as moscas e carrapatos que atacam o gado, 200 milhões para os ácaros de pastagem, 2,5 bilhões para outras espécies de insetos nocivos, mais de três bilhões para plantas daninhas, e daí por diante.

Portanto, a Austrália tem um meio ambiente excepcionalmente frágil, degradado de uma infinidade de maneiras, o que incorre em um imenso custo econômico. Alguns desses custos derivam de danos irreversíveis às pastagens, como alguns tipos de degradação de terras e extinção de espécies nativas (relativamente mais espécies em tempos recentes na Austrália do que em qualquer outro continente). A maior parte destes danos ainda ocorre hoje em dia, e alguns chegaram a crescer ou aumentar de ritmo, como no caso das florestas primárias da Tasmânia. Alguns desses processos nocivos, como o efeito dos lentos fluxos de água salina subterrânea que continuarão a se espalhar encosta abaixo durante séculos, são virtualmente impossíveis de serem detidos. Muitas atitudes culturais dos australianos, assim como as políticas de governo, continuam a ser as mesmas que causaram dano no passado e continuam a causá-lo atualmente. Por exemplo, entre os obstáculos políticos a uma reforma da política de uso de água estão aqueles levantados por um mercado de "licenças de água" (direitos de extrair água para irrigação). Os compradores de tais licenças se sentem proprietários da água pela qual pagaram caro para extrair, muito embora o pleno exercício destas licenças seja impossível porque a quantidade total de água para a qual foram emitidas licenças de uso excede a quantidade de água disponível em um ano normal.

Para os inclinados ao pessimismo ou apenas ao pensamento realista sóbrio, todos esses fatos nos dão motivos para imaginar se os australianos estão fadados a um padrão de vida cada vez pior em um meio ambiente cada vez mais deteriorado. Este é um cenário realista para o futuro da Austrália — muito mais provável do que um colapso político e populacional do tipo da ilha de Páscoa, como anunciado pelos profetas do juízo final, ou uma continuação das atuais taxas de consumo e crescimento populacional como propalado por muitos políticos e grandes homens de negócio da Austrália contemporânea. A não plausibilidade dos últimos dois cenários, e as perspectivas realistas do primeiro, também se aplicam ao resto do Primeiro Mundo, com a única diferença que a Austrália pode acabar no primeiro cenário mais cedo.

Felizmente, há sinais de esperança. Envolvem mudança de atitudes e modos de pensar por parte dos fazendeiros e da iniciativa privada da Austrália e o início de iniciativas governamentais radicais. Essa mudança de modo de pensar ilustra um tema com que já nos deparamos ao falarmos da Groenlândia Nórdica (capítulo 8), e ao qual voltaremos nos capítulos 14 e 16: o desafio de decidir quais valores arraigados de uma sociedade são compatíveis com a sua sobrevivência e quais devem ser abandonados.

Quando visitei a Austrália pela primeira vez há 40 anos, muitos donos de terra respondiam à crítica de que estavam devastando a terra de futuras gerações ou prejudicando outras pessoas dizendo: "Esta maldita terra é minha e eu posso fazer com ela a droga que bem entender." Embora ainda se ouça isso atualmente, esse pensamento está se tornando menos frequente e menos aceitável publicamente. Embora o governo tenha enfrentado pouca resistência às suas políticas ambientais destrutivas há algumas décadas (p.ex., *exigir* o desmatamento) e à execução de planos ambientalmente destrutivos (p.ex., as represas do rio Murray e o Ord River Scheme), o público australiano de hoje, assim como na Europa, América do Norte e outras áreas, está aumentando a pressão sobre assuntos ambientais. A oposição pública foi especialmente intensa no que dizia respeito ao desmatamento, desenvolvimento de rios e atividade madeireira em matas primárias. No momento em que escrevo estas linhas, essas atitudes do público resultaram na instituição de uma taxa imposta pelo governo do estado da

"MINANDO" A AUSTRÁLIA

Austrália do Sul (rompendo, assim, uma promessa de campanha) para levantar 300 milhões de dólares para desfazer os danos causados ao rio Murray; na interrupção da atividade madeireira em matas primárias pelo governo do estado da Austrália Ocidental; e em um acordo entre o governo de Nova Gales do Sul e seus fazendeiros para executar um plano de 406 milhões de dólares para financiar a administração de recursos e interromper o desmatamento em grande escala; e no anúncio pelo governo de Queensland, historicamente o estado australiano mais conservador, de uma proposta conjunta com o governo nacional para acabar com o desmatamento em grande escala por volta do ano 2006. Todas essas medidas eram inimagináveis há 40 anos.

Esses sinais de esperança incluem mudança de atitudes dos eleitores como um todo, resultando em modificação de políticas governamentais. Outro sinal de esperança envolve a mudança de atitudes dos fazendeiros em particular, que estão cada vez mais se dando conta de que os métodos do passado não podem ser sustentados e não permitirão que passem suas fazendas em boas condições para os seus filhos. Tal perspectiva magoa os fazendeiros australianos porque (assim como os fazendeiros de Montana que entrevistei no capítulo 1) é o amor pelo estilo de vida rural, mais do que a ínfima recompensa financeira, que os motiva a levarem adiante o seu trabalho. Um sinal dessa mudança de atitude foi uma conversa que tive com o criador de ovelhas Bill McIntosh, aquele que eu disse ter mapeado, revolvido com buldôzer e dinamitado as tocas de coelho de sua fazenda, que pertence à sua família desde 1879. Ele me mostrou fotos da mesma colina, tiradas em 1937 e em 1999, que ilustram dramaticamente a esparsa vegetação de 1937 devido ao excesso de ovelhas e a subsequente recuperação da vegetação. Entre as medidas que adotou para manter a sua fazenda sustentável, o fato de possuir um número inferior de ovelhas daquele considerado o máximo aceitável pelo governo. Também está pensando em optar por ovelhas deslanadas,* criadas apenas para produção de carne (porque requerem menos cuidados e menos terra). De modo a superar o problema das plantas daninhas e evitar que plantas menos palatáveis tomem conta de seu pasto, McIntosh adotou uma prática denominada

---

* Raças que têm pelo curto, como Santa Inês e Morada Nova, criadas no Nordeste brasileiro. (*N. do Rev. Téc.*)

"pastagem em célula", na qual não se permite que as ovelhas só consumam as plantas mais palatáveis e, então, mudem para outra pastagem. Em vez disso, são deixadas na mesma pastagem até serem forçadas a consumir as plantas menos palatáveis. Surpreendentemente, mantém os custos baixos e administra a fazenda inteira sem qualquer outro trabalhador de tempo integral além dele, pastoreando seus diversos milhares de ovelhas pilotando uma motocicleta, usando binóculos e rádio e acompanhado por seu cão. Afora isso, arranja tempo para desenvolver outra atividade profissional, uma pousada turística do tipo *bed and breakfast*, porque reconhece que sua fazenda se tornará marginal a longo prazo.

A pressão dos colegas ruralistas, combinada com as políticas de governo recentemente alteradas, está reduzindo as taxas de lotação de pastos e melhorando a sua condição. No interior do estado da Austrália do Sul, onde o governo possui terra adequada para pastoreio e a arrenda para os fazendeiros por um prazo de 42 anos, uma agência chamada Pastoral Board avalia as condições das fazendas a cada 14 anos, reduz a taxa de lotação permitida se as condições da vegetação não estão melhorando e revoga o arrendamento se for decidido que o fazendeiro/arrendatário está administrando a terra de modo insatisfatório. Mais perto do litoral, a terra tende a ser possuída inteiramente pelos seus proprietários (como uma propriedade) ou sob arrendamento perpétuo, de modo que tal controle governamental não é possível, mas ainda há controle indireto mantido de duas maneiras. Por lei, os proprietários de terra ou arrendatários têm a obrigação profissional de evitar a degradação da terra. O primeiro estágio de execução da lei envolve juntas rurais locais que monitoram a degradação e aplicam a pressão do coleguismo para tentar obter obediência. O segundo estágio depende de fiscais de preservação do solo, que podem intervir caso a junta local não seja eficiente. Bill McIntosh me contou quatro casos nos quais as juntas locais de conservadores do solo de sua área ordenaram aos fazendeiros reduzirem a taxa de lotação de ovelhas nos pastos, ou confiscaram a propriedade quando o fazendeiro não obedeceu.

Entre as muitas iniciativas privadas inovadoras para resolver os problemas ambientais estão aquelas que encontrei ao visitar a Calperum Station, uma antiga fazenda de ovelhas de quase 2.600 km², perto do rio Murray. Primeiramente arrendada para a criação de ovelhas em 1851, foi vítima do elenco habitual de problemas ambientais australianos: desmatamen-

"MINANDO" A AUSTRÁLIA

to, raposas, limpeza de terra com correntes e queimadas, sobreirrigação, superlotação de ovelhas no pasto, coelhos, salinização, plantas daninhas, erosão eólica e assim por diante. Em 1993 foi comprada pelo Governo da Comunidade Australiana e pela Chicago Zoological Society, esta última (apesar de ser baseada nos EUA) atraída pelos esforços pioneiros da Austrália para desenvolver práticas agrícolas ecologicamente sustentáveis. Durante alguns anos após esta compra, administradores do governo aplicaram controle de cima para baixo e deram ordens para voluntários da comunidade local, que se tornaram cada vez mais frustrados, até que em 1998 o controle foi transferido para a instituição privada Australian Landscape Trust, que mobiliza 400 voluntários locais para administração comunitária de baixo para cima. Esta instituição é financiada em grande parte pela maior organização filantrópica da Austrália, a Potter Foundation, dedicada a reverter a degradação das terra de cultivo da Austrália.

Sob a administração da instituição, voluntários locais em Calperum se entregam a qualquer projeto que lhes interesse. Ao alistar voluntários, esta iniciativa privada pode fazer muito mais do que seria possível apenas com os limitados fundos do governo. Os voluntários treinados em Calperum usam então essas habilidades para trabalhar em projetos de preservação em outros lugares. Entre os projetos que vi, destaco o de uma voluntária que se dedicava a uma pequena espécie de canguru ameaçada, cuja população ela tentava recuperar; outro preferia envenenar raposas, uma das mais destrutivas espécies introduzidas naquela região; ainda outros voluntários atacavam o ubíquo problema dos coelhos, procuravam meios de controlar as carpas introduzidas no rio Murray, aperfeiçoavam uma estratégia de controle não químico de pragas de insetos em plantios de frutas cítricas, restauravam lagos que se tornaram estéreis, replantavam a vegetação de terra sobrepastejada e desenvolviam mercados para criar e vender flores e plantas selvagens locais que controlassem a erosão. Tais esforços merecem um prêmio por imaginação e entusiasmo. Dezenas de milhares de iniciativas particulares como essas estão acontecendo na Austrália: por exemplo, outra organização, que se originou do plano de terras de cultivo da Potter Foundation, chamado Landcare, está ajudando 15 mil fazendeiros que desejam passar as fazendas em boas condições para os filhos.

Complementando estas criativas iniciativas privadas estão as iniciativas do governo, que incluem uma radical revisão da agricultura australiana em resposta à crescente percepção da seriedade dos problemas da Austrália. Ainda é muito cedo para saber se algum desses planos radicais será adotado, mas o fato de funcionários do governo estarem sendo admitidos e mesmo pagos para desenvolvê-los é notável. As propostas não vêm de ambientalistas idealistas amantes dos pássaros, mas de economistas empedernidos, que se perguntam: a Austrália será melhor economicamente sem grande parte de suas iniciativas agrícolas atuais?

A base para esta revisão é o dar-se conta de que apenas pequenas áreas da terra australiana atualmente usadas para a agricultura são produtivas e adequadas a operações agrícolas sustentáveis. Apesar de 60% da terra e 80% do uso de água da Austrália serem dedicados à agricultura, o valor da agricultura em relação a outros setores da economia tem encolhido a ponto de agora contribuir com menos de 3% do PIB. É uma imensa alocação de terra e águas escassas para uma iniciativa de tão baixo valor. Além disso, é surpreendente perceber que mais de 99% dessa terra agrícola tem pouca ou nenhuma contribuição positiva para a economia da Austrália. Cerca de 80% dos lucros agrícolas do país derivam de menos de 0,8% de sua terra de cultivo, quase toda ela no canto sudoeste do país, na costa sul em torno de Adelaide, no canto sudeste, e no leste, em Queensland. Estas são as poucas áreas favorecidas por vulcões ou por solos recentemente soerguidos, chuvas de inverno confiáveis, ou ambas as coisas. A maior parte do que sobra da agricultura da Austrália é uma operação de mineração que nada acrescenta à riqueza do país e que se limita a transformar capital ambiental de solo e vegetação nativa irreversivelmente em dinheiro, com ajuda de subsídios indiretos do governo sob a forma de água abaixo do custo, concessões tarifárias, conexão telefônica gratuita e outras infraestruturas. Será que subsidiar atividade tão improdutiva e destrutiva é um bom uso para o dinheiro do contribuinte australiano?

Alguns produtos agrícolas da Austrália não são baratos para os consumidores australianos, que podem comprá-los importados de outros países — p.ex. suco de laranja concentrado, carne de porco etc. — a um custo muito menor. Muito da agricultura australiana também não é econômica para o fazendeiro, de acordo com o que se chama "lucro após deduções". Ou seja, se analisarmos os gastos de uma fazenda não apenas em termos de gastos em dinheiro vivo mas também incluindo o valor do trabalho do fazendeiro, dois terços das terras de cultivo da Austrália (principalmente as terras usadas para criar ovelhas e gado bovino para carne) são deficitários para o fazendeiro.

Por exemplo, consideremos os pecuaristas australianos que criam ovelhas visando a lã. Em média, a renda desses criadores é mais baixa que o salário mínimo nacional, e isso os leva a acumular dívidas. O capital investido em construções e cercas está sendo desperdiçado porque a fazenda não produz dinheiro para manter tais estruturas em bom estado. Nem a lã produz lucro para pagar os juros da hipoteca da fazenda. Os produtores de lã sobrevivem de rendas não operacionais, ganhas através de um segundo emprego em enfermagem, comércio, pousadas, entre outros meios. Na verdade, estes segundos empregos, mais o desejo do fazendeiro de trabalhar em suas terras em troca de pouca ou nenhuma remuneração, estão subsidiando suas fazendas deficitárias. Muitos fazendeiros da geração atual continuam no ramo porque admiram a vida rural, embora possam ganhar mais dinheiro fazendo outra coisa. Na Austrália, assim como em Montana, os filhos da geração atual de fazendeiros provavelmente não farão a mesma escolha ao enfrentarem a decisão de assumir a fazenda dos pais. Apenas 29% dos fazendeiros australianos esperam que seus filhos administrem as suas fazendas.

Esse é o valor econômico da atividade agrícola australiana para o consumidor e para o fazendeiro. E quanto ao seu valor para a Austrália como um todo? Para cada setor da iniciativa agrícola, é preciso ter em conta uma visão mais ampla de seus custos para toda a economia, assim como de seus benefícios. Uma grande parte desses custos é o apoio do governo para os fazendeiros por meio de subsídios fiscais e gastos para auxílio em secas, pesquisa, orientação e serviços de extensão agrícola. Tais gastos do governo consomem cerca de um terço dos lucros líquidos da agricultura australiana. Outra grande parte desses custos são as perdas que a agricultura impõe a outros segmentos da economia. De fato, o uso agrícola da terra compete com outros usos potenciais desta mesma terra. O uso de um pedaço de terra para a agricultura pode degradar outro pedaço de terra para o turismo, a silvicultura, a pesca, a recreação, ou mesmo para a própria agricultura. Por exemplo, a perda de solo causada pela limpeza de terras para a agricultura está degradando e matando a Grande Barreira de Coral, uma das maiores atrações turísticas da Austrália, embora o turismo já seja mais importante para a Austrália do que a agricultura como fonte de divisas. Imaginemos um fazendeiro estabelecido em uma terra alta que lucre durante alguns anos plantando trigo irrigado, atividade que causa a salinização de grandes propriedades em terras localizadas mais abaixo, arruinando tais propriedades para sempre. Nestes casos o fazendeiro que pratica desmatamento na bacia hidrográfica que flui para a barreira de recifes, ou aquele que opera uma fazenda em terra alta, pode ter um lucro individual resultante de sua atividade, mas a Austrália como um todo acaba perdendo.

Outro caso que tem sido muito discutido diz respeito ao cultivo de algodão em escala industrial no sul de Queensland e no norte de Nova Gales do Sul, na porção superior dos tributários do rio Darling (que corre através dos distritos agrícolas do sul de Nova Gales do Sul e da Austrália do Sul) e do rio Diamantina (que flui para a bacia do lago Eyre). Por um lado, o algodão é a segunda exportação mais lucrativa da Austrália, depois do trigo. Mas o cultivo de algodão depende de água de irrigação fornecida a baixo custo, ou de graça, pelo governo. Além disso, todas as grandes áreas de produção de algodão poluem a água com sua intensa aplicação de herbicidas, inseticidas, desfolhantes e fertilizantes ricos em fósforo e nitrogênio (que provocam a floração* de algas). Esses poluentes incluem até mesmo o DDT e seus metabolitos, apesar de usados pela última vez há 25 anos, mas ainda presentes no ambiente por resistirem à decomposição. Na bacia inferior desses rios poluídos vivem produtores de trigo e de gado que disputam um nicho de mercado altamente valorizado, o de trigo e carne produzidos sem produtos químicos. Eles têm protestado vigorosamente, porque sua capacidade de vender mercadorias livres de produtos químicos está sendo minada pelos efeitos colaterais da indústria de algodão. Assim, embora o cultivo de algodão traga lucro inquestionável para os proprietários das plantações, é necessário que se calculem os custos indiretos dessa atividade, como o da água subsidiada e do dano causado em outros setores agrícolas, se alguém quiser avaliar se o algodão de fato representa um ganho ou uma perda para a Austrália como um todo.

---

* No caso das algas, que jamais florescem, refere-se a uma multiplicação exagerada, muitas vezes com produção de toxinas, seguida de morte e exaustão do oxigênio dissolvido na água. (*N. do Rev. Téc.*)

"MINANDO" A AUSTRÁLIA

O último exemplo considera a produção agrícola australiana de gases produtores do efeito estufa: dióxido de carbono e metano. Este é um problema especialmente sério para a Austrália, porque o aquecimento global (ao que se pensa, resulta em grande parte pelos gases do efeito estufa) está quebrando o padrão de chuvas de inverno que fizeram do trigo produzido no Cinturão do Trigo do sudoeste da Austrália no produto agrícola de exportação mais valioso do país. As emissões de dióxido de carbono da agricultura australiana excedem a produzida por veículos motorizados e todo o resto da indústria de transporte. Ainda pior são as vacas, cuja digestão produz metano, 20 vezes mais potente do que o dióxido de carbono para causar o aquecimento global. O modo mais simples de a Austrália cumprir o compromisso assumido de reduzir a emissão de gases do efeito estufa seria eliminar o seu gado!

Embora essa e outras sugestões radicais tenham sido aventadas, não há sinais de virem a ser adotadas a curto prazo. Seria um fato inédito no mundo moderno que um governo voluntariamente decidisse extinguir muito de sua atividade agrícola para evitar problemas futuros, antes de ser forçado pelo desespero a fazê-lo. Contudo, a mera existência de tais sugestões levanta um ponto mais amplo. A Austrália ilustra de modo extremo a corrida exponencialmente acelerada na qual o mundo se encontra hoje em dia. ("Acelerar" significa ir cada vez mais rápido; "exponencialmente acelerada" significa acelerada como uma reação nuclear em cadeia, duas vezes mais rápida, depois quatro, oito, 16, 32 vezes mais rápida após o mesmo intervalo de tempo.) Por um lado, o desenvolvimento de problemas ambientais na Austrália, assim como no mundo inteiro, está acelerando exponencialmente. Por outro, o desenvolvimento de uma preocupação ambiental pública e de contramedidas particulares e governamentais, também acelera exponencialmente. Quem ganhará a corrida? Muitos leitores deste livro são jovens e viverão tempo bastante para saber o resultado.

PARTE 4

LIÇÕES PRÁTICAS

CAPÍTULO 14

POR QUE ALGUMAS SOCIEDADES TOMAM DECISÕES DESASTROSAS?

Mapa rodoviário do sucesso • Falta de previsão • Falta de percepção • Mau comportamento racional • Valores desastrosos • Outros fracassos irracionais • Soluções malsucedidas • Sinais de esperança

A educação é um processo que envolve dois grupos de participantes com papéis aparentemente diferentes: professores, que passam seu conhecimento para os alunos, e alunos, que absorvem conhecimento dos professores. Na verdade, como qualquer professor de mente aberta acaba por descobrir, a educação também inclui alunos passando conhecimento para seus professores, ao desafiar as suposições de seus professores e fazer perguntas nas quais seus professores não haviam pensado antes. Recentemente repeti esta descoberta ao ministrar um curso sobre como as sociedades superam problemas ambientais, para universitários altamente motivados em minha instituição, a Universidade da Califórnia em Los Angeles (UCLA). De fato, o curso foi uma apresentação experimental do material deste livro, quando eu tinha alguns capítulos esboçados, planejava outros e ainda podia fazer grandes mudanças.

Minha primeira palestra após o encontro de apresentação da classe foi sobre o colapso da sociedade da ilha de Páscoa, assunto do capítulo 2 deste livro. Na discussão que se seguiu após o término de minha apresentação, a questão aparentemente simples que mais intrigou meus alunos foi uma cuja verdadeira complexidade não havia me ocorrido: por que diabos uma sociedade toma uma decisão tão obviamente desastrosa como cortar todas as árvores das quais depende? Um dos alunos perguntou o que eu achava que os insulares que cortaram a última palmeira da ilha de Páscoa disseram enquanto faziam isso? Para cada outra sociedade que analisei em palestras posteriores, os alunos fizeram a mesma pergunta: quão frequentemente as pessoas produzem dano ecológico intencional ou, ao menos, cientes das possíveis consequências? Quão frequentemente o fazem sem intenção, por ignorância? Meus alunos se perguntaram se, caso ainda houver gente na Terra daqui a 100 anos, essas pessoas ficariam atônitas com nossa atual cegueira, como hoje ficamos atônitos com a cegueira dos pascoenses.

A questão por que as sociedades acabam se destruindo através de decisões desastrosas surpreende não apenas meus alunos da UCLA, como também historiadores e arqueólogos profissionais. Por exemplo, talvez o livro mais citado sobre colapso social seja o *The Collapse of Complex Societies,* do arqueólogo Joseph Tainter. Ao avaliar as possíveis explicações para antigos colapsos, Tainter mostra-se cético até mesmo quanto à possibilidade de que tenham acontecido devido à exaustão de recursos ambientais, pois, *a priori,* esses resultados pareciam-lhe muito improváveis. Eis o seu raciocínio: "Uma suposição deste modo de ver as coisas é a de que tais sociedades ficaram imóveis observando o seu crescente enfraquecimento, sem tomarem ações corretivas. Eis aí uma grande dificuldade. As sociedades complexas se caracterizam através da tomada de decisões centralizada, alto fluxo de informações, grande coordenação das partes, canais de comando formais e compartilhamento de recursos. Muito dessa estrutura parece ter a capacidade, se não o propósito intencional, de superar flutuações e deficiências de produtividade. Com sua estrutura administrativa e capacidade de alocar trabalho e recursos, lidar com condições ambientais adversas deve ser uma das coisas que as sociedades complexas fazem de melhor (veja, por exemplo, Isbell [1978]). É curioso que entrem em colapso quando confrontados precisamente com tais condições para as quais estão equipadas para superar (...) À medida que se torna evidente para os membros ou administradores de uma sociedade complexa que um recurso básico está se esgotando, parece mais que razoável presumir que alguns passos racionais serão tomados para que se chegue a uma solução. A premissa alternativa — a de inércia diante do desastre — exige um crédito de confiança que corretamente hesitamos em dar."

Ou seja, o raciocínio de Tainter sugere que as sociedades complexas não tendem a entrar em colapso por má administração de seus recursos ambientais. Contudo, em todos os casos discutidos neste livro, fica claro que isso aconteceu repetidamente. Como tantas sociedades cometeram erros tão graves?

POR QUE ALGUMAS SOCIEDADES TOMAM DECISÕES DESASTROSAS?

Meus alunos da UCLA, assim como Joseph Tainter, identificaram um fenômeno surpreendente: a incapacidade de tomar decisões em grupo por parte de sociedades ou outros grupos. Este problema obviamente está relacionado ao problema da incapacidade de tomar decisões individuais. Os indivíduos também tomam decisões erradas: maus casamentos, maus investimentos e opções de carreira, seus negócios vão à falência e assim por diante. Mas alguns fatores adicionais concorrem para falhas na tomada de decisão coletiva, como conflitos de interesse entre membros do grupo, e dinâmica de grupo. Obviamente este é um assunto complexo para o qual não há uma só resposta que se encaixe em todas as situações.

O que vou propor em vez disso é um mapa rodoviário de fatores que contribuem para o fracasso da tomada de decisão em grupo. *Grosso modo*, vou dividir os fatores em uma sequência de quatro categorias. Primeiro de tudo, um grupo pode não ser capaz de prever um problema antes que ele surja de fato. Segundo, quando o problema surge, o grupo pode não conseguir identificá-lo. Então, após percebê-lo, pode nem mesmo tentar resolvê-lo. Finalmente, pode tentar resolvê-lo e não ser bem-sucedido. Embora toda essa discussão sobre as razões de fracassos e colapsos sociais possa parecer deprimente, o outro lado da moeda é um assunto encorajador: ou seja, a tomada de decisão bem-sucedida. Talvez, se compreendermos as razões por que os grupos frequentemente tomam decisões erradas, possamos usar este conhecimento como guia para tomar decisões acertadas.

A primeira parada em meu mapa rodoviário são os grupos que fazem coisas desastrosas porque não conseguiram antever um problema antes que este surgisse, por uma de várias razões. Uma é que podem não ter tido experiência prévia de tal problema e, portanto, podem não ter sido sensibilizados à possibilidade.

Um bom exemplo disso é o problema que os colonos ingleses criaram para si mesmos ao introduzirem raposas e coelhos da Inglaterra na Austrália no século XIX. Hoje, estes são dois dos exemplos mais desastrosos de impactos de espécies exóticas em um ambiente no qual não eram nativas (veja capítulo 13 para detalhes). Essas introduções são trágicas porque foram realizadas intencionalmente, através de muito esforço, em vez de resultar de pequenas sementes inadvertidamente misturadas em carregamentos de feno, como em muitos casos de plantas daninhas. As raposas atacaram e exterminaram muitas espécies de mamíferos nativos australianos sem experiência evolucionária de raposas, ao passo que os coelhos consomem muito da forragem destinada alimentar ovelhas e bois, superam os mamíferos herbívoros nativos e minam o solo com suas tocas.

Com o benefício da visão retrospectiva, agora achamos incrivelmente estúpido que os colonos tenham intencionalmente liberado na Austrália dois mamíferos exóticos que causaram bilhões de dólares em danos e despesas para controlá-los. Hoje, através de muitos outros exemplos semelhantes, sabemos que as introduções muitas vezes revelam-se desastrosas de modos frequentemente inesperados. É por isso que, quando alguém vai à Austrália ou aos EUA como visitante, ou como um residente de volta para casa, uma das primeiras perguntas que lhe é feita pelas autoridades da imigração é se está transportando plantas, sementes ou animais — para reduzir o risco de escaparem e se estabelecerem. De experiências anteriores aprendemos agora (frequentemente, embora nem sempre) a ao menos antever os riscos potenciais da introdução de espécies. Mas, até mesmo para os ecologistas profissionais, ainda é difícil prever quais introduções de fato irão se estabelecer, quais estabelecidas com sucesso se mostrarão desastrosas e por que a mesma espécie se estabelece em certos lugares mas não em outros. Portanto, não devíamos nos surpreender com o fato de os australianos do século XIX, sem a experiência das introduções desastrosas do século XX, não terem previsto o efeito de coelhos e raposas.

Neste livro, encontramos outros exemplos de sociedades que não conseguiram prever um problema do qual não tinham conhecimento prévio. Ao investir pesadamente na caça de morsas para exportar seu marfim para a Europa, a Groenlândia Nórdica não podia prever que os cruzados iriam eliminar o mercado de marfim de morsa ao reabrirem o acesso ao marfim de elefantes da Ásia e da África, ou que o aumento do gelo marinho impediria o trânsito de barcos para a Europa. Do mesmo modo, não sendo cientistas especialistas em solos, os maias de Copán não podiam prever que o desmatamento das encostas das colinas desencadearia a erosão do solo desde as encostas até o fundo dos vales.

Nem mesmo as experiências prévias garantem que uma sociedade antecipe um problema, caso a experiência tenha acontecido há tanto tempo que tenha sido esquecida. Isso é particularmente um problema em sociedades ágrafas, que têm menos capacidade de preservar memórias detalhadas de eventos no passado distante, devido às limitações da transmissão oral de informação comparada à escrita. Por exemplo, vimos no capítulo 4 que a sociedade anasazi do Chaco Canyon sobreviveu a diversas secas antes de sucumbir a uma grande seca no século XII d.C. Mas as secas anteriores haviam ocorrido muito antes do nascimento de qualquer anasazi afetado pela grande seca, que acabou não sendo prevista porque os anasazis não tinham escrita. Do mesmo modo, os maias das terras baixas do Período Clássico sucumbiram à seca no século IX, apesar de terem sido afetados por secas séculos antes (capítulo 5). Neste caso, embora tivessem escrita, esta registrava apenas feitos de reis e eventos astronômicos em vez de boletins meteorológicos, de modo que a seca do século III não ajudou os maias a preverem a seca do século IX.

Embora vivamos em uma sociedade letrada moderna cuja escrita discute outros assuntos além de reis e planetas, isso necessariamente não quer dizer que nos espelhemos em experiências prévias guardadas pela escrita. Também tendemos a esquecer os fatos. Durante um ano ou dois depois da escassez de combustível de 1973, durante a crise do petróleo no Golfo Pérsico, nós americanos fugimos de carros bebedores de gasolina, mas então esquecemos tal experiência e adotamos utilitários esportivos, não obstante a quantidade de volumes impressos sobre os eventos de 1973. Quando a cidade de Tucson no Arizona passou por uma grande seca na década de 1950, seus cidadãos alarmados juraram que iriam cuidar melhor de sua água, mas logo voltaram aos seus hábitos perdulários de cultivar campos de golfe e regar jardins.

Outra razão pela qual uma sociedade não consegue prever um problema envolve raciocínio por falsa analogia. Quando estamos em uma situação desconhecida, tendemos a traçar analogias com situações familiares. É um bom meio de proceder caso a nova e a antiga situação sejam analogias reais, mas pode ser perigoso caso sejam apenas superficialmente similares. Por exemplo, os *vikings* que imigraram para a Islândia por volta do ano 870 d.C. vieram da Noruega e da Inglaterra, que tinham solos argilosos pesados, gerados pelas geleiras. Mesmo sem a vegetação que os cobria, esses solos são pesados demais para serem levados pelo vento. Quando os colonos *vikings* encontraram na Islândia muitas das mesmas espécies de árvores que lhes eram familiares na Noruega e na Inglaterra, foram enganados pela paisagem aparentemente similar (capítulo 6). Infelizmente, os solos da Islândia foram criados não pela ação abrasiva de geleiras, mas através de poeira de erupções vulcânicas levada pelo vento. Uma vez que os *vikings* derrubaram as florestas da Islândia para criar pastagens para seu gado, o solo leve foi exposto ao vento e soprado para longe novamente, e muito do solo da Islândia foi assim erodido.

Um famoso e trágico exemplo moderno de raciocínio através de falsa analogia envolve a preparação militar francesa para a Segunda Guerra Mundial. Após o terrível banho de sangue da Primeira Guerra Mundial, a França reconheceu a necessidade vital de se proteger contra outra possível invasão alemã. Infelizmente, o estado-maior francês supôs que a próxima guerra mundial seria travada de modo semelhante à primeira, na qual a frente ocidental entre a França e a Alemanha ficaria fechada em frentes estáticas de trincheiras durante quatro anos. Forças de infantaria defensivas guarnecendo elaboradas frentes de trincheiras fortificadas sempre foram capazes de repelir ataques de infantaria, enquanto as forças ofensivas lançavam os recém-inventados tanques apenas individualmente, como apoio à infantaria. Assim, a França construiu um sistema de fortificações elaborado e dispendioso, a Linha Maginot, para proteger a frente oriental contra a Alemanha. Mas o estado-maior alemão, derrotado na Primeira Guerra Mundial, reconheceu a necessidade de uma estratégia diferente. Usou tanques em vez de infantaria para lançar seus ataques, reuniu os tanques em divisões blindadas separadas, contornou a Linha Maginot através de terreno florestal, anteriormente considerado inadequado para tanques, e derrotou a França em apenas seis semanas. Ao raciocinar por falsa analogia com a Primeira Guerra Mundial, os franceses cometeram um erro comum: frequentemente, os generais planejam uma guerra iminente imaginando que será igual à anterior, em especial se em tal guerra anterior o seu lado tenho se saído vitorioso.

A segunda parada em meu mapa rodoviário, sobre se a sociedade prevê ou não o problema antes que este se apresente, envolve a percepção ou a não percepção de um problema que de fato se apresentou. Há ao menos três motivos para tais fracassos, todos comuns no mundo dos negócios e no meio acadêmico.

POR QUE ALGUMAS SOCIEDADES TOMAM DECISÕES DESASTROSAS?

Primeiro, as origens de alguns problemas são literalmente imperceptíveis. Por exemplo, os nutrientes responsáveis pela fertilidade do solo são invisíveis ao olho humano, e apenas em tempos modernos tornaram-se mensuráveis através de análise química. Na Austrália, Mangareva, partes do sudoeste dos EUA e em muitos outros lugares, a maioria dos nutrientes já havia sido lixiviada do solo pela chuva antes da colonização. Quando as pessoas chegaram e começaram a cultivar o solo, as lavouras rapidamente exauriram os nutrientes remanescentes, com o resultado da falência daquela experiência de agricultura. Embora tais solos pobres em nutrientes frequentemente tivessem uma vegetação de aparência exuberante, isso ocorreu porque a maioria dos nutrientes no ecossistema está na vegetação em vez de no solo, e eles são removidos se a vegetação for arrancada. Não havia como os primeiros colonos da Austrália e de Mangareva perceberem este problema de exaustão dos nutrientes do solo — e nem como os fazendeiros que têm sal depositado em solo de suas fazendas (como no leste de Montana e partes da Austrália e Mesopotâmia) perceberem a salinização incipiente — nem como os exploradores de minérios contendo sulfeto perceberem o cobre tóxico e o ácido diluídos na água escoada da mina.

Outro motivo frequente para a incapacidade de perceber um problema após este ter aparecido é o da administração a distância, uma possibilidade em qualquer grande sociedade ou negócio. Por exemplo, a sede da maior madeireira de Montana, que também é a empresa particular que mais terras possui no estado, não fica em Montana e sim a 650 quilômetros de distância, em Seattle, Washington. Não estando no local, os executivos da empresa podem não perceber que têm um grande problema de plantas daninhas em suas propriedades. Empresas bem administradas evitam tais surpresas enviando gerentes ao campo periodicamente, para que observem o que está acontecendo, do mesmo modo que um grande amigo meu, que era diretor de escola, sempre jogava basquete com os alunos para saber o que os estudantes andavam pensando. O oposto do fracasso causado por administração a distância é o sucesso obtido por administração local. Parte do motivo pelo qual os insulares de Tikopia em sua pequena ilha, e os habitantes das terras altas da Nova Guiné em seus vales, conseguiram administrar seus recursos com sucesso durante mais de mil anos é que todos na ilha ou no vale estão familiarizados com o território do qual depende a sua sociedade.

Talvez a circunstância mais comum sob a qual as sociedades não conseguem resolver um problema é quando este problema toma a forma de uma tendência lenta, oculta por grandes e frequentes variações. O melhor exemplo disso em tempos modernos é o aquecimento global. Hoje sabemos que as temperaturas ao redor do mundo têm subido lentamente nas últimas décadas, devido em grande parte a mudanças atmosféricas causadas pelo homem. Contudo, isso não quer dizer que o clima a cada ano tenha sido exatamente 0,01° mais quente que no ano anterior. Em vez disso, como todos sabemos, o clima varia aleatoriamente para cima e para baixo de ano a ano: três graus mais quente em um verão do que no anterior, então dois graus mais quente no próximo verão, quatro graus mais frio no seguinte, um grau mais frio no posterior, então cinco graus mais quente no outro, etc. Com flutuações tão grandes e imprevisíveis, demorou muito tempo até que a tendência média de aumento de 0,01° por ano fosse discernível. Por isso, muitos dos climatologistas profissionais que não acreditavam no aquecimento global só se convenceram desta realidade recentemente. No momento em que escrevo estas linhas, o presidente dos EUA, George Bush, ainda não está convencido, e acha que precisamos de mais pesquisa. Os groenlandeses medievais tinham dificuldade semelhante para reconhecer que seu clima estava esfriando de forma gradual, e os maias e anasazis tinham problemas semelhantes para discernir que seu clima estava ficando mais seco.

Os políticos usam o termo "normalidade deslizante" para se referir a essas lentas tendências ocultas por trás de flutuações confusas. Se a economia, a educação, o trânsito ou qualquer outra coisa estiverem se deteriorando aos poucos, é difícil reconhecer que cada ano sucessivo está em média ligeiramente pior do que o anterior, de modo que o padrão básico daquilo que constitui a "normalidade" muda gradual e imperceptivelmente. Pode demorar algumas décadas de leves mudanças anuais até que as pessoas se deem conta, com surpresa, de que as condições costumavam ser muito melhores algumas décadas antes e que aquilo que se considera normal hoje em dia é uma deterioração daquilo que era normal anteriormente.

Outro termo relacionado à normalidade deslizante é a "amnésia de paisagem": esquecer-se de quão diferente era a paisagem há 50 anos devido

POR QUE ALGUMAS SOCIEDADES TOMAM DECISÕES DESASTROSAS?

às mudanças graduais ano a ano. Um exemplo envolve o derretimento das geleiras e campos de neve de Montana, causado pelo aquecimento global (capítulo 1). Após passar os verões de 1953 e 1956 ainda adolescente na bacia do Big Hole em Montana, só voltei ao lugar 42 anos depois, em 1998, quando decidi retornar todos os anos. Entre as vívidas memórias adolescentes que eu tinha do Big Hole estavam a neve que cobria os topos das montanhas ao longe mesmo em pleno verão, o que me fazia sentir como se houvesse uma faixa branca na parte inferior do céu que abraçasse toda a bacia, e minhas lembranças de um acampamento de fim de semana quando dois amigos e eu subimos até aquela mágica faixa de neve. Não tendo vivido as flutuações e a gradual diminuição da neve de verão durante os 42 anos que se seguiram, fiquei surpreso e entristecido ao voltar ao Big Hole em 1998 e descobrir que aquela faixa havia quase desaparecido, e em 2001 e 2003 havia derretido completamente. Ao perguntar aos meus amigos que moravam em Montana sobre a mudança, vi que estavam menos atentos ao fato: eles inconscientemente compararam a faixa de neve (ou a sua ausência) com os anos mais recentes. A normalidade deslizante, ou amnésia de paisagem, dificultava que lembrassem como eram as condições na década de 1950. Tais experiências são uma importante razão pela qual as pessoas não percebem um problema em curso até ser tarde demais.

Suspeito que a amnésia de paisagem fornece parte da resposta à pergunta de meus alunos da UCLA: "O que o pascoense que cortou a última palmeira da ilha de Páscoa disse ao fazê-lo?" Inconscientemente imaginamos uma mudança brusca: em um ano, a ilha ainda coberta com uma floresta de palmeiras altaneiras, sendo usadas para produzir vinho, frutas e madeira para o transporte e levantamento de estátuas; no ano seguinte, apenas uma árvore, que um insular derruba em um ato de incrível estupidez autodestrutiva. Muito mais provável, porém, as mudanças na cobertura florestal ano a ano teriam sido quase imperceptíveis: sim, este ano nós cortamos algumas árvores acolá, mas as árvores novas estão começando a crescer novamente nesta lavoura abandonada. Apenas os insulares mais velhos, pensando em suas infâncias de décadas atrás, podiam perceber alguma diferença. Os filhos ouviam as histórias dos pais sobre uma alta floresta do mesmo modo que meus filhos de 17 anos ouvem as histórias que minha mulher e eu contamos sobre como era Los Angeles há 40 anos. Gradualmente, as árvores da ilha de Páscoa foram diminuindo em quantidade, tamanho e importância. Quando a última palmeira adulta foi cortada, havia muito que a espécie deixara de ter alguma importância econômica. Àquela altura, só haveria algumas palmeiras jovens, que se tornavam cada vez menores com o passar dos anos, ao lado de alguns arbustos e pequenas árvores. Ninguém notaria a derrubada da última palmeira. A essa altura, a memória das valiosas florestas de palmeiras de séculos atrás tinha sucumbido à amnésia de paisagem. Por outro lado, a rapidez com que o desmatamento se espalhou no início da era Tokugawa no Japão facilitou aos xoguns reconhecerem as mudanças da paisagem e a necessidade de ações preventivas.

A terceira parada em nosso mapa rodoviário de fracassos é o mais comum, o mais surpreendente e requer a discussão mais longa porque assume uma ampla variedade de formas. Ao contrário do que Joseph Tainter e quase todo mundo esperariam, ocorre que as sociedades frequentemente não conseguem resolver um problema uma vez que este é detectado.

Muitas das razões para isso recaem sob aquilo que os economistas e outros cientistas sociais chamam de "comportamento racional" que surge de conflitos de interesse. Ou seja, alguns indivíduos avaliam corretamente que podem agir em seu próprio benefício através de comportamento nocivo para as outras pessoas. Os cientistas denominam este comportamento de "racional" porque envolve raciocínio correto, embora possa ser moralmente repreensível. Os infratores sabem que podem prosseguir com seu mau comportamento, em especial se não houver lei contra isso ou se ela não for aplicada efetivamente. Sentem-se seguros porque tipicamente são concentrados (em número reduzido) e altamente motivados pela perspectiva de obter lucros altos, certos e imediatos, enquanto as perdas se espalham para um grande número de indivíduos. Isso dá aos perdedores pouca motivação para se darem ao trabalho de reagir, porque cada perdedor perde apenas um pouco e só receberá lucros pequenos, incertos e distantes ao conseguirem desfazer os atos da minoria. Exemplos incluem os chamados subsídios perversos: as grandes somas em dinheiro que os governos pagam para subsidiar indústrias que não seriam lucrativas sem tais subsídios, como algumas indústrias de pesca, a produção de açúcar nos

POR QUE ALGUMAS SOCIEDADES TOMAM DECISÕES DESASTROSAS?

EUA e a produção de algodão na Austrália (subsidiada indiretamente pelo governo, que fica com o custo da água para irrigação). Os poucos pescadores e agricultores fazem um *lobby* intensivo para obterem tais subsídios que representam muito de sua renda, enquanto os perdedores (todos os contribuintes) são menos incisivos porque os subsídios são pagos com uma pequena parcela de dinheiro diluída no imposto pago por todos os cidadãos. As medidas beneficiando uma pequena minoria à custa de uma grande maioria são especialmente recorrentes em certos tipos de democracia que conferem "poder decisório" a pequenos grupos: p.ex., senadores de pequenos estados no senado dos EUA, ou pequenos partidos religiosos que mantêm com constância o equilíbrio de poder em Israel de um modo que seria praticamente impossível no sistema parlamentar holandês.

Um tipo frequente de mau comportamento racional é o "bom para mim, ruim para você e para todos os demais" — ou seja, "egoísmo". Um exemplo simples: a maioria dos pescadores de Montana pesca trutas. Os que preferem pescar lúcios, um peixe grande que devora os outros peixes e não nativo do oeste de Montana, sub-reptícia e ilegalmente introduziram o lúcio em alguns lagos e rios do oeste de Montana, onde estes acabaram com a pesca de trutas. Isso foi bom para os poucos pescadores de lúcios e ruim para o número muito maior de pescadores de trutas.

Um exemplo que produziu muitos perdedores e grandes despesas: até 1971, ao fecharem uma mina, as empresas de mineração de Montana simplesmente abandonavam o cobre, arsênico e os vazamentos de ácido nos rios, porque o estado não tinha lei que exigisse que as empresas fizessem a limpeza da mina após o seu fechamento. Em 1971, o estado de Montana promulgou esta lei, mas as empresas descobriram que podiam extrair o minério e então declarar falência antes de terem de financiar a limpeza da mina. O resultado disso foram 500 milhões de dólares em custos de limpeza, a serem pagos pelos cidadãos de Montana, e o fato de os presidentes de empresas de mineração norte-americanas terem espertamente percebido que a lei permitia que economizassem o dinheiro de suas companhias e satisfizessem seus próprios interesses através de bonificações e altos salários, cometendo fraudes e deixando o fardo para a sociedade. Inúmeros outros exemplos de tal comportamento no mundo dos negócios podem ser citados, mas não são tão universais como suspeitam alguns cínicos. No próximo capítulo examinaremos como isso é resultado de ser imperativo para as empresas cortarem custos até o limite permitido pelos regulamentos governamentais, pelas leis e pela opinião pública.

Um modo particular de conflito de interesse tornou-se conhecido como "tragédia do bem comum", intimamente relacionada aos conflitos denominados "dilema do prisioneiro" e à "lógica da ação coletiva". Considere uma situação na qual muitos indivíduos consumam um recurso comum, como pescadores pescando em um lugar no mar, ou criadores pastoreando suas ovelhas em um pasto comunitário. Se todos superexplorarem os recursos, estes se tornarão escassos devido à sobrepesca ou ao sobrepastejo e assim declinarão ou até mesmo desaparecerão, e todos os consumidores irão sofrer com isso. Portanto, seria de interesse comum de todos os consumidores serem comedidos e não superexplorarem tais recursos. Mas uma vez que não há regulamentação efetiva de quanto cada um pode tirar para si daquele recurso, então cada consumidor pode corretamente pensar: "Se eu não pescar esse peixe ou não deixar minhas ovelhas pastarem, outro pescador ou pastor o fará, de modo que não vejo sentido em ser comedido." O comportamento racional correto é colher antes que o próximo consumidor o faça, mesmo que o resultado final seja a destruição do bem comum e, portanto, o prejuízo de todos os consumidores.

Embora esta lógica tenha resultado na exploração excessiva e na destruição de muitos recursos, outros foram preservados apesar de serem explorados durante centenas ou até mesmo milhares de anos. Resultados malsucedidos incluem a exploração excessiva e o colapso em muitos lugares da pesca marinha, e o extermínio de muito da megafauna (grandes mamíferos, aves e répteis) em cada ilha oceânica ou continente colonizado por seres humanos pela primeira vez nos últimos 50 mil anos. Os resultados bem-sucedidos incluem a manutenção de muitos pesqueiros locais, florestas e recursos hídricos, como as trutas e o sistema de irrigação de Montana que descrevi no capítulo 1. Por trás desses finais satisfatórios há três tipos de acordos alternativos para a preservação de um recurso comum que ainda assim permita uma colheita sustentável.

Uma solução óbvia é o governo ou alguma força externa intervir, com ou sem o convite dos consumidores, e estabelecer quotas, como os xoguns e daimios do Japão dos Tokugawa, os imperadores incas nos Andes e os príncipes e os ricos donos de terra na Alemanha do século XVI fizeram para a atividade madeireira. Contudo, isso não é praticável em algumas situações (p.ex., em alto-mar) e envolve custos excessivos de administração e policiamento, em outras. Uma segunda solução é privatizar o recurso, dividindo-o em parcelas individuais que cada dono se sentirá motivado a administrar com prudência em seu próprio interesse. Tal prática foi aplicada a algumas florestas de propriedade de aldeias no Japão dos Tokugawa. Novamente, porém, alguns recursos (como animais migratórios e peixes) não podem ser subdivididos, e os proprietários distintos podem achar ainda mais difícil expulsar os intrusos do que a guarda costeira ou a polícia do governo.

A solução remanescente para a tragédia do bem comum é os consumidores reconhecerem seu interesse comum e projetarem, obedecerem e aplicarem quotas de extração prudentes para si mesmos. Isso só ocorre se forem cumpridas uma série de condições: os consumidores precisam formar um grupo homogêneo; aprender a confiar uns nos outros e a se comunicar entre si; esperar compartilhar um futuro comum e passar o recurso para seus herdeiros; ser capazes de se organizar e policiar a si mesmos; e definir bem os limites do recurso e o grupo de consumidores. Um bom exemplo é o caso discutido no capítulo 1, dos direitos de água para irrigação em Montana. Embora a alocação desses direitos tenha se tornado lei, hoje em dia as fazendas em geral obedecem ao administrador de água eleito por eles mesmos, e não levam mais suas disputas para o tribunal. Outro exemplo de grupos homogêneos administrando prudentemente recursos que esperam passar para os filhos são os insulares de Tikopia, os habitantes das terras altas da Nova Guiné, membros de castas hindus e ou tros grupos discutidos no capítulo 9. Esses pequenos grupos, ao lado dos islandeses (capítulo 6) e dos japoneses da era Tokugawa, que constituíam grupos maiores, foram motivados a chegar a tais acordos por seu efetivo isolamento: era óbvio para todo o grupo que teriam de sobreviver com seus próprios recursos no futuro previsível. Sabiam que não podiam dar a frequente desculpa "NEPM", que é uma receita de má administração: "Não é problema meu e, sim, de outras pessoas."

Os conflitos de interesse envolvendo comportamento racional também tendem a surgir quando o consumidor principal não tem um interesse de longo prazo na preservação do recurso mas a sociedade como um todo o tem. Por exemplo, a maior parte da exploração comercial de florestas tropicais é feita por empresas madeireiras internacionais, que geralmente fazem contratos de arrendamento de curto prazo em um país, derrubam a floresta dessa terra arrendada e então se deslocam para outro país. Os madeireiros percebem corretamente que, uma vez que paguem pelo arrendamento, seus interesses serão mais bem servidos se derrubarem a floresta o mais rápido possível, sem qualquer acordo para o reflorestamento, e forem embora a seguir. Deste modo, os madeireiros destruíram a maior parte das florestas em terras baixas da península da Malásia, depois de Bornéu, então das ilhas Salomão e de Sumatra, e agora estão nas Filipinas e logo subirão para a Nova Guiné, e as bacias do Amazonas e do Congo. Portanto, o que é bom para os madeireiros é ruim para o povo local, que perde a sua fonte de produtos florestais e sofre as consequências da erosão do solo e do assoreamento de rios. Também é ruim para o país anfitrião como um todo, com perdas de parte de sua biodiversidade e de seus fundamentos para a silvicultura sustentável. O resultado desse conflito de interesses envolvendo terras arrendadas a curto prazo contrasta com o frequente resultado de quando a empresa madeireira possui a terra, prevê colheitas repetidas e pode decidir que perspectivas de longo prazo são de seu interesse (assim como do interesse do povo local e do país). Os camponeses chineses da década de 1920 reconheceram um contraste similar ao comparar as desvantagens de serem explorados por dois tipos de déspotas. Era difícil ser explorado por um "bandido estacionário", i.e., um déspota localmente estabelecido, que ao menos deixaria os camponeses com recursos suficientes para gerar mais objetos de pilhagem para esse mesmo déspota em anos futuros. Pior era ser explorado por um "bandido errante", um déspota que, como uma empresa madeireira com um arrendamento de curto prazo, nada deixava para os camponeses da região, limitando-se a se deslocar dali para pilhar camponeses em outra região.

Outro conflito de interesses envolvendo comportamento racional ocorre quando os interesses da elite que toma as decisões entram em conflito com os do restante da sociedade. Especialmente se a elite pode se precaver das consequências de seus atos, ela tende a fazer coisas em seu próprio benefício, sem se incomodar que tais ações venham a prejudicar outros. Tais

POR QUE ALGUMAS SOCIEDADES TOMAM DECISÕES DESASTROSAS?

conflitos, flagrantemente personificados pelo ditador Trujillo na República Dominicana e pela elite de governo no Haiti, estão se tornando cada vez mais frequentes nos EUA modernos, onde os ricos tendem a viver dentro de condomínios fechados (foto 36) e beber água mineral. Por exemplo, os executivos da Enron calcularam corretamente que podiam ganhar grandes somas em dinheiro saqueando os cofres da empresa e prejudicando todos os acionistas e que provavelmente escapariam impunes.

Através da história, as ações ou inações de reis, chefes e políticos ego-cêntricos têm sido um motivo comum de colapsos sociais, incluindo os reis maias, os chefes da Groenlândia Nórdica e os políticos da Ruanda moderna discutidos neste livro. Barbara Tuchman dedicou o seu livro *A marcha da insensatez* (*The March of Folly*) a famosos exemplos histó-ricos de decisões desastrosas, que vão desde os troianos que trouxeram o cavalo de Troia para dentro de seus muros, os papas renascentistas que provocaram a reação protestante, a decisão alemã de adotar o uso irres-trito de submarinos na Primeira Guerra Mundial (desencadeando assim a declaração de guerra dos EUA), e o ataque japonês a Pearl Harbor, que provocou a declaração de guerra dos EUA em 1941. Como Tuchman es-clarece sucintamente: "A maior de todas as forças a afetar a insensatez po-lítica é a luxúria pelo poder, que Tácito definiu como 'a mais repreensível de todas as paixões'." Como resultado da luxúria pelo poder, os chefes da ilha de Páscoa e os reis maias agiram para acelerar o desmatamento em vez de evitá-lo: seu prestígio dependia de erguerem estátuas e monumentos cada vez maiores que os de seus rivais. Estavam presos em uma espiral competitiva, de tal forma que qualquer chefe que erguesse estátuas ou mo-numentos menores para poupar as florestas seria desprezado e perderia o cargo. Este é um problema comum com as competições por prestígio, que são julgadas em curto prazo.

Por outro lado, a incapacidade de resolver problemas percebidos devi-do a conflitos de interesse entre a elite e as massas são muito menos prová-veis em sociedades onde a elite não pode se eximir das consequências de seus atos. No capítulo final veremos que a alta conscientização ambiental dos holandeses (incluindo a de seus políticos) provém do fato de que a maioria da população — tanto os políticos quanto as massas — vive em uma terra abaixo do nível do mar, onde apenas os diques se interpõem entre eles e a inundação, de modo que um mau planejamento de terras feito pelos políticos os colocaria em perigo. Do mesmo modo, os chefes das terras altas da Nova Guiné, que vivem nos mesmos tipos de cabanas que os demais habitantes, recolhem lenha e madeira nos mesmos lugares que os demais, portanto foram altamente motivados a resolver a necessidade de uma silvicultura sustentável para sua sociedade (capítulo 9).

Os exemplos das páginas anteriores ilustram situações nas quais uma sociedade não tenta resolver problemas identificados porque a manutenção desses problemas é boa para algumas pessoas. Em contraste com o chamado comportamento racional, outro modo de falhar na tentativa de solucionar problemas identificados envolve o que os cientistas sociais consideram "comportamento irracional": i.e., comportamento nocivo para todos. O comportamento irracional sempre surge quando cada um de nós está individualmente prejudicado pelo conflito de valores: podemos ignorar um mau *status quo* porque é favorecido por alguns valores profundamente arraigados aos quais nos aferramos. "Persistência no erro", "cabeça-dura", "recusa em inferir a partir de sinais negativos" e "estagnação mental" estão entre as frases que Barbara Tuchman aplica a esta característica humana comum. Os psicólogos norte-americanos usam o termo "sunk-cost effect" para definir um atributo relacionado: sentimo-nos relutantes em abandonar políticas (ou vender ações) nas quais já investimos muito.

Os valores religiosos geralmente são arraigados e, portanto, causa habitual de comportamento desastroso. Por exemplo, muito do desmatamento da ilha de Páscoa tinha uma motivação religiosa: obter troncos para transportar e erguer estátuas de pedra gigantes que eram objeto de veneração. Ao mesmo tempo, a quase 15 mil quilômetros de distância dali, no hemisfério oposto, a Groenlândia Nórdica cumpria seus próprios valores religiosos cristãos. Tais valores, sua identidade europeia, seu estilo de vida conservador em um ambiente hostil em que a maioria das inovações falhavam, sua sociedade comunal estritamente fechada e altamente cooperativa permitiram que sobrevivessem durante séculos. Mas essas características admiráveis (e durante um longo tempo bem-sucedidas) também evitaram que fizessem mudanças drásticas em seu estilo de vida e adotassem seletivamente tecnologia *inuit* que poderia tê-los ajudado a sobreviver mais tempo.

O mundo moderno fornece muitos exemplos seculares de valores admiráveis aos quais nos apegamos sob condições em que tais valores não fazem mais sentido. Os australianos trouxeram da Inglaterra a tradição de criar ovelhas das quais extrair lã, o alto preço das terras e uma identificação com aquele país. Assim, conseguiram realizar o feito de construir uma democracia de Primeiro Mundo distante de qualquer outra (com exceção da Nova Zelândia), mas agora estão começando a ver que tais valores também têm a sua contrapartida. Em tempos modernos, um dos motivos pelos quais os habitantes de Montana têm relutado na solução dos problemas causados pela mineração, pela atividade madeireira e pela agricultura é o fato de estas três indústrias terem sido os pilares da economia de Montana, e ainda estarem ligadas à identidade e ao espírito pioneiros deste estado. Do mesmo modo, o compromisso pioneiro dos habitantes de Montana com a liberdade individual e a autossuficiência tem feito com que relutem em aceitar a necessidade de planejamento governamental e de restrição de direitos individuais. A determinação da China comunista em não repetir os erros do capitalismo levou-a a desprezar as preocupações ambientais como apenas mais um erro capitalista, o que a sobrecarregou com enormes problemas ambientais. O ideal ruandês de famílias numerosas era adequado em tempos antigos de grande mortalidade infantil, mas atualmente levou a uma explosão populacional desastrosa. Parece-me que muito da rígida oposição à preocupação ambiental no Primeiro Mundo hoje envolve valores adquiridos há muito tempo e nunca reexaminados: "a rígida manutenção de suas próprias ideias imposta por governantes e legisladores", para citar Barbara Tuchman outra vez.

É difícil e doloroso abandonar alguns valores fundamentais quando estes começam a se tornar incompatíveis com a sobrevivência. Até que ponto nós, como indivíduos, preferimos morrer em vez de nos adaptarmos e sobreviver? Milhões de pessoas nos tempos modernos de fato enfrentaram a decisão de, para salvar as próprias vidas, trair amigos e parentes, aquiescer com uma ditadura vil, viver como escravos ou fugir de seus países. As nações e as sociedades às vezes têm de tomar decisões similares coletivamente.

Essas decisões envolvem riscos, porque geralmente não se pode ter certeza de que se apegar a valores fundamentais será fatal ou (ao contrário) que abandoná-los vai garantir a sobrevivência. Ao tentarem prosseguir vivendo como fazendeiros cristãos, os nórdicos da Groenlândia na verdade decidiram se preparar para morrer como fazendeiros cristãos em vez de viverem como *inuits*; perderam a aposta. De cinco países da Europa Oriental confrontados com o poder avassalador do exército russo, os estonianos, letonianos e lituanos abriram mão de sua independência sem luta, os finlandeses lutaram entre 1939 e 1940 e preservaram sua independência e os húngaros lutaram em 1956 e perderam. Quem entre nós pode dizer qual país foi mais sábio, e quem poderia prever antecipadamente que apenas os finlandeses ganhariam o jogo?

Talvez o segredo do sucesso ou fracasso de uma sociedade esteja em saber a quais valores fundamentais se apegar, e quais descartar e substituir por novos quando os tempos mudarem. Nos últimos 60 anos os países mais poderosos do mundo abriram mão de valores antigos, anteriormente preciosos e cruciais para a sua imagem nacional, enquanto abraçaram outros. A Inglaterra e a França abandonaram os papéis de potências mundiais independentes que desempenharam durante séculos; o Japão abandonou a tradição militar e suas forças armadas; e a Rússia abandonou sua longa experiência com o comunismo. Os EUA têm recuado substancialmente (mas não por inteiro) de seus antigos valores de discriminação racial legalizada, homofobia legalizada, o papel subalterno da mulher e a repressão sexual. A Austrália está agora reavaliando sua condição de sociedade agrícola rural com identidade britânica. As sociedades e os indivíduos bem-sucedidos são os que têm coragem de tomar decisões difíceis e a sorte de ganhar suas apostas. Hoje, o mundo como um todo está diante de decisões semelhantes a respeito de seus problemas ambientais que consideraremos no último capítulo.

Esses são exemplos de como o comportamento irracional associado ao choque de valores pode ou não evitar que uma sociedade tente resolver problemas detectados. Outros motivos irracionais para a incapacidade de lidar com problemas incluem o fato de que o público pode ficar amplamente descontente com aqueles que primeiro percebem e se queixam de um problema — como o Partido Verde da Tasmânia, primeiro a protestar contra a introdução de raposas naquele estado. O público pode ignorar advertências devido a alarmes anteriores que se revelaram falsos, como ilustrado pela fábula de Esopo sobre o destino do menino pastor que gritara repetidas vezes "É o lobo!" e cujos gritos de ajuda foram ignorados quando o lobo de fato apareceu. O público pode fugir à sua responsabilidade invocando NEPM (p. 513: "Não é problema meu.")

A incapacidade parcialmente irracional de tentar resolver problemas pode surgir de conflitos entre motivos de curto e de longo prazo do mesmo indivíduo. Os camponeses de Ruanda e do Haiti, além de bilhões de outras pessoas no mundo atual, são desesperadamente pobres e só pensam no que vão comer no dia seguinte. Pobres pescadores em áreas de recifes coralígenos tropicais usam dinamite e cianeto para matar peixes (e incidentalmente matam também o recife) de modo a alimentar seus filhos hoje, mesmo sabendo que estão destruindo sua futura fonte de alimento. Os governos regularmente também operam com uma visão de curto prazo: sentem-se oprimidos por desastres iminentes e só prestam atenção aos problemas que estão a ponto de explodir. Por exemplo, um amigo meu, ligado à atual administração federal em Washington, D.C., disse-me que, quando visitou Washington pela primeira vez após as eleições de 2000, descobriu que nossos novos líderes tinham o que ele chamou de "visão de 90 dias": falavam apenas dos problemas com potencial para causar um desastre nos 90 dias seguintes. Os economistas tentam justificar racionalmente esta ênfase irracional em lucros de curto prazo "não levando em conta" lucros futuros. Ou seja, argumentam que pode ser melhor colher um recurso hoje do que deixar um pouco do recurso intacto para colher amanhã, alegando que os lucros da colheita de hoje podem ser investidos e que os juros do investimento assim acumulados entre hoje e algum tempo futuro alternativo de colheita tendem a tornar a colheita de hoje mais valiosa que a do futuro. Neste caso, as consequências ruins são deixadas para a nova geração, mas esta geração não pode votar ou se queixar hoje.

Outras possíveis razões para a recusa irracional de tentar resolver problemas identificados são mais especulativas. Uma é o bem conhecido fenômeno de tomada de decisão de curto prazo chamado "psicologia da multidão". Os indivíduos que fazem parte de um grupo ou multidão coerente, em particular um que esteja emocionalmente estimulado, pode se sentir motivado a apoiar as decisões do grupo, embora os mesmos indivíduos pudessem rejeitar a decisão caso lhes fosse permitido pensar no caso a sós e com calma. Como escreveu o dramaturgo alemão Schiller: "Como indivíduo, todo mundo é tolerante e razoável — como membros de uma multidão, todos imediatamente se transformam em cabeças-duras." Exemplos históricos de psicologia da multidão em ação incluem o entusiasmo pelas Cruzadas no fim da Idade Média, a acelerada supervalorização das tulipas na Holanda, que atingiu o seu auge entre 1634 e 1636 ("tulipomania"), surtos periódicos de caça às bruxas como o julgamento das bruxas de Salem de 1692, e as multidões levadas ao delírio por habilidosos propagandistas nazistas na década de 1930.

Uma versão mais tranquila e de menor escala da psicologia da multidão que pode emergir em grupos de tomadores de decisão foi chamada de "pensamento de grupo" por Irving Janis. Especialmente quando um grupo pequeno e coeso (como os conselheiros do presidente Kennedy durante a crise da baía dos Porcos, ou os conselheiros do presidente Johnson durante a escalada de guerra do Vietnã) tenta alcançar uma decisão sob circunstâncias estressantes, o estresse e a necessidade de apoio e aprovação mútua podem levar à supressão de dúvidas e do pensamento crítico, ao compartilhamento de ilusões, a consensos prematuros e, por fim, a decisões desastrosas. Tanto a psicologia da multidão quanto o pensamento em grupo podem ocorrer durante períodos que vão de algumas horas a alguns anos: o que permanece incerto é a sua contribuição na tomada de decisões desastrosas sobre problemas ambientais que se desenvolvem ao longo de décadas ou séculos.

A última razão especulativa que mencionarei para a incapacidade irracional de tentar resolver um problema identificado é a negação psicológica. Este é um termo técnico com um significado precisamente definido na psicologia individual, que foi assimilado pela cultura popular. Se algo que você percebe lhe causa uma emoção dolorosa, você pode subconscientemente suprimir ou negar sua percepção de modo a evitar a dor insuportável, mesmo que os resultados práticos de ignorar tal percepção acabem se mostrando desastrosos. As emoções mais comuns responsáveis são o terror, a ansiedade e a tristeza. Exemplos típicos incluem bloquear a lembrança de uma experiência assustadora, ou recusar-se a pensar que seu marido, mulher, filho ou melhor amigo está morrendo, porque tal pensamento é muito triste e doloroso.

Por exemplo, imagine um vale estreito ao pé de uma alta represa, de tal modo que, caso a represa se rompa, a inundação resultante afogaria gente a uma considerável distância a jusante. Quando os pesquisadores de opinião perguntam às pessoas que vivem no vale a jusante o quanto estão preocupadas com o rompimento da represa, é de se esperar que o medo de um rompimento seja menor nas pessoas que moram mais longe e que aumente entre as que vivem mais perto da represa. Surpreendentemente, porém, o medo de um rompimento diminui até chegar a zero à medida que se está mais perto da represa! Ou seja, as pessoas que vivem imediatamente a jusante da represa, aquelas que com certeza morreriam afogadas no caso de um rompimento, demonstram falta de preocupação. Isso se deve à negação psicológica: o único meio de se preservar a própria sanidade ao olhar todo dia para a represa é negar a possibilidade de que ela possa se romper. Embora a negação psicológica seja um fenômeno bem estabelecido na psicologia individual, também pode ser aplicado à psicologia de grupo.

Finalmente, mesmo depois de uma sociedade prever, perceber ou tentar resolver um problema, ainda assim pode não fazê-lo por possíveis razões óbvias: o problema pode estar além de nossa capacidade de resolvê-lo, pode haver uma solução mas ser proibitivamente dispendiosa, ou nossos esforços podem ser limitados ou tardios. Algumas soluções experimentadas saem pela culatra e tornam o problema pior, como a introdução dos sapos-cururus na Austrália para controlar pragas de insetos, ou a supressão de incêndios florestais no oeste dos EUA. Muitas sociedades do passado (como a Islândia medieval) não tinham o conhecimento ecológico detalhado que agora permite que administremos melhor os problemas que enfrentamos. Outros desses problemas continuam a resistir às soluções hoje em dia.

Por exemplo, no capítulo 8 tratamos da incapacidade da Groenlândia Nórdica de sobreviver após quatro séculos. A cruel realidade é que, nos últimos cinco mil anos, o clima frio da Groenlândia e seus recursos limitados, imprevisíveis e variáveis impuseram um desafio insuperável para os esforços humanos de estabelecer ali uma economia sustentável a longo prazo. Antes dos nórdicos, quatro levas sucessivas de caçadores-coletores nativos americanos tentaram e acabaram não conseguindo antes do fracasso dos nórdicos. Os *inuits* chegaram mais perto do sucesso mantendo um estilo de vida autossuficiente na Groenlândia durante 700 anos, mas era uma vida difícil, com numerosas mortes por inanição. Os *inuits* modernos não desejam mais subsistir com instrumentos de pedra, trenós a cães e arpões de baleia arremessados manualmente de barcos de pele, sem tecnologia e comida importadas. A moderna Groenlândia ainda não desenvolveu uma economia autossustentável independente de ajuda externa. O governo experimentou novamente com gado, como fizeram os nórdicos, acabou desistindo dos bovinos e ainda subsidia criadores de ovelhas, os quais não podem lucrar por conta própria. Toda esta história faz com que o colapso da Groenlândia Nórdica não seja surpreendente. Do mesmo modo, o colapso anasazi no sudoeste dos EUA tem de ser visto sob a perspectiva de muitas outras tentativas que também "falharam" ao tentarem estabelecer sociedades agrícolas em um ambiente hostil para tal atividade.

Entre os problemas atuais mais recalcitrantes estão os criados por espécies nocivas introduzidas, que habitualmente se mostram impossíveis de ser erradicadas ou controladas, uma vez que se estabelecem. Por exemplo, o estado de Montana continua a gastar mais de 100 milhões de dólares anuais para combater a *Euphorbia esula* e outras plantas daninhas introduzidas. Isso não é porque os habitantes de Montana não tentem erradicá-las, mas apenas porque é impossível atualmente. A *Euphorbia esula* tem raízes que se aprofundam até seis metros na terra, muito longas para serem arrancadas com a mão, e os produtos químicos específicos para controlar a praga custam cerca de 800 dólares o galão. A Austrália tentou cercas, raposas, tiros, buldôzeres, vírus da mixomatose e calicivírus em seus esforços para controlar a população de coelhos, que até agora sobreviveu a todos esses esforços.

O problema de incêndios florestais catastróficos em áreas secas do oeste entremontano dos EUA provavelmente poderia ser controlado através de técnicas de administração para reduzir as cargas de material combustível acumulado, como eliminar mecanicamente renovos do sub-bosque e remover a madeira de árvores tombadas. Infelizmente, aplicar esta solução em larga escala é considerado proibitivamente dispendioso. O destino do pardal-costeiro-cinzento da Flórida também ilustra a incapacidade de resolver um problema devido ao castigo pelo atraso na aplicação da solução ("muito pouco, muito tarde"). À medida que o hábitat do pardal diminuía, a ação foi adiada por causa das discussões sobre se aquele hábitat estava se tornando criticamente pequeno. Em fins da década de 1980, época em que o Fish and Wildlife Service dos EUA concordou em comprar o hábitat remanescente ao alto custo de cinco milhões de dólares, tal hábitat havia se degradado tanto que os pardais se extinguiram. Ocorreu uma discussão inflamada sobre cruzar os últimos pardais em cativeiro com uma espécie semelhante, o pardal-costeiro-de-Scott, e então restabelecer as populações de pardais-costeiros-cinzentos por retrocruzamento dos híbridos resultantes com os pardais puros. Quando esta permissão foi finalmente concedida, os últimos pardais-costeiros-cinzentos em cativeiro ficaram estéreis devido à idade avançada. Tanto os esforços de preservação de hábitat quanto de reprodução em cativeiro teriam sido mais baratos e bem-sucedidos se tivessem sido feitos mais cedo.

Assim, as sociedades humanas e grupos menores podem tomar decisões desastrosas por uma série de motivos: incapacidade de prever um problema, incapacidade de percebê-lo assim que o problema se manifesta, incapacidade de tentar resolvê-lo após ter sido identificado e incapacidade de ser bem-sucedido nas tentativas de solucioná-lo. Este capítulo começou falando sobre a incredulidade de meus alunos e de Joseph Tainter de que as sociedades podem permitir que problemas ambientais as dominem. Agora, ao fim do capítulo, parece termos nos deslocado para o extremo oposto: identificamos uma profusão de motivos pelos quais as sociedades podem ser malsucedidas. Para cada uma dessas razões, cada um de nós pode aplicar nossa própria experiência de vida para lembrar de grupos que conhecemos que não conseguiram realizar alguma tarefa por um motivo em particular.

Mas também é óbvio que as sociedades nem sempre falham ao tentar resolver seus problemas. Se isso fosse verdade, todos nós teríamos morrido ou estaríamos vivendo nas mesmas condições em que vivíamos há 13 mil anos, na Idade da Pedra. Em vez disso, os casos de fracassos são suficientemente notáveis para endossar a redação de um livro sobre eles

— um livro de alcance limitado, a respeito de apenas algumas sociedades, e não uma enciclopédia sobre todas as sociedades da história. No capítulo 9 discutimos alguns exemplos tirados da maioria das sociedades bem-sucedidas.

Por que, então, algumas sociedades são bem-sucedidas e outras fracassam pelos vários modos que discutimos neste capítulo? Parte da razão, é claro, envolve diferenças entre ambiente mais do que entre sociedades: alguns ambientes impõem problemas muito mais difíceis do que outros. Por exemplo, a fria e isolada Groenlândia era mais desafiadora do que o sul da Noruega, de onde vieram muitos dos colonos da Groenlândia. Da mesma forma, por ser seca, isolada, estar localizada em alta latitude e baixa altitude, a ilha de Páscoa era mais desafiadora do que o úmido, menos isolado, equatorial e alto Tahiti, onde os ancestrais dos pascoenses devem ter vivido em certa época. Mas esta é apenas metade da história. Se eu dissesse que tais diferenças ambientais eram a única razão por trás de diferentes resultados sociais de sucesso ou fracasso, seria justo me acusarem de "determinismo ambiental", uma visão pouco popular entre os cientistas sociais. Na verdade, embora as condições ambientais certamente tornem mais difícil a manutenção de sociedades humanas em alguns ambientes do que em outros, isso ainda deixa muito espaço de manobra para que uma sociedade se salve ou se condene através de suas ações.

O motivo pelo qual alguns grupos (ou líderes individuais) seguiram um dos caminhos para o fracasso discutidos neste capítulo enquanto outros não o fizeram é um assunto complexo. Por exemplo, por que o Império Inca conseguiu reflorestar seu ambiente seco e frio, enquanto os pascoenses e nórdicos da Groenlândia não conseguiram? A resposta a esta pergunta depende em parte das idiossincrasias de indivíduos em particular, o que dificulta a previsão. Mas ainda espero que uma melhor compreensão das causas potenciais de fracasso discutidas neste capítulo possa ajudar os planejadores a ficarem atentos a tais causas, e evitá-las.

Um bom exemplo dessa compreensão sendo bem utilizada é fornecido pelo contraste entre as deliberações sobre duas crises consecutivas entre Cuba e EUA, pelo presidente Kennedy e seus conselheiros. No início de 1961 eles acabaram sendo vítimas de práticas equivocadas de tomada de decisão em grupo que levaram à desastrosa decisão de promover a invasão à baía dos Porcos, que falhou vergonhosamente, levando à muito mais perigosa Crise dos Mísseis de Cuba. Como Irving Janis destacou em seu livro *Groupthink,* a decisão de invadir a baía dos Porcos demonstrou diversas características que tendem a levar à tomada de decisões erradas, como um prematuro senso de unanimidade ostensiva, supressão de dúvidas pessoais e da expressão de visões contrárias, e o líder do grupo (Kennedy) guiando a discussão de modo a minimizar a discordância. As deliberações posteriores da Crise dos Mísseis de Cuba, novamente envolvendo Kennedy e muitos dos mesmos conselheiros, evitaram tais características. Em vez disso, seguindo linhas associadas à tomada de decisão produtiva, tais como Kennedy ordenando aos participantes a pensarem com ceticismo, permitindo discussões livres, subgrupos que se reuniam em separado, e ocasionalmente saindo da sala para evitar influenciar a discussão.

Por que a tomada de decisão nessas duas crises cubanas se desenvolveu de modo tão distinto? Boa parte da motivação foi que o próprio Kennedy pensou muito após o fiasco da baía dos Porcos em 1961, e instou seus conselheiros a pensarem bastante sobre o que dera errado em sua tomada de decisão anterior. Com este pensamento, ele mudou o modo de conduzir as reuniões com os conselheiros em 1962.

Neste livro, que tratou de chefes pascoenses, reis maias, políticos da Ruanda atual, e outros líderes muito envolvidos com a sua luta pelo poder para poderem atender aos problemas subjacentes de suas sociedades, vale preservar o equilíbrio nos lembrando de outros líderes que foram bem-sucedidos além de Kennedy. Resolver uma crise explosiva, como Kennedy o fez tão corajosamente, merece a nossa admiração. Contudo, um líder precisa ter outro tipo de coragem para prever um problema em desenvolvimento ou apenas em potencial, e tomar providências firmes para resolvê-lo antes que se torne uma crise explosiva. Tais líderes se expõem à crítica e ao ridículo por agirem antes de se tornar óbvio para todos que é necessário tomar providências. Mas tem havido muitos líderes corajosos, sábios e firmes que merecem a nossa admiração. Incluem os xoguns do começo da era Tokugawa, que contiveram o desmatamento no Japão muito antes que este atingisse o estado da ilha de Páscoa; Joaquín Balaguer, que (seja lá quais tenham sido seus motivos) apoiou firmemente as salvaguardas ambientais no lado dominicano de Hispaniola, enquanto a sua contrapartida no lado haitiano não o fez; os chefes de Tikopia, que tomaram a decisão de exterminar os porcos destrutivos de sua ilha, apesar do alto *status* dos porcos na Melanésia; e os líderes chineses, que impuseram o planejamento familiar bem antes da superpopulação na China atingir os níveis de Ruanda. Esses líderes admiráveis também incluem o chanceler alemão Konrad Adenauer e outros líderes da Europa Ocidental, que após a Segunda Guerra Mundial decidiram sacrificar interesses nacionais particulares e deslanchar a integração europeia através do Comunidade Econômica Europeia (CEE), cujo motivo maior era minimizar o risco de outra guerra na Europa. Devemos admirar não apenas os líderes corajosos, como também os povos corajosos — os finlandeses, húngaros, ingleses, franceses, japoneses, russos, americanos, australianos e outros — que decidiram quais de seus valores fundamentais mereciam ser mantidos e quais não faziam mais sentido.

Tais exemplos de líderes e de povos de coragem me dão esperança. Fazem-me crer que este livro, sobre um assunto aparentemente pessimista, é em verdade um livro otimista. Ao refletir profundamente sobre as causas dos erros do passado, nós também, assim como o presidente Kennedy em 1961 e 1962, talvez possamos voltar atrás e aumentar nossas chances de sucesso futuro (foto 32).

CAPÍTULO 15

GRANDES EMPRESAS E MEIO AMBIENTE: CONDIÇÕES DIFERENTES, RESULTADOS DIFERENTES

Extração de recursos • Dois campos de petróleo • As questões
das empresas de petróleo • Empresas de mineração de metais
• As questões das empresas de mineração • Diferenças entre empresas
de mineração • A indústria madeireira • Forest Stewardship Council
• A indústria pesqueira • As empresas e o público

Toda sociedade moderna depende da extração de recursos naturais, sejam recursos não renováveis (como petróleo e metais) ou renováveis (como madeira e peixes). Tiramos a maior parte de nossa energia do petróleo, gás e carvão mineral. Virtualmente todas as nossas ferramentas, contêineres, máquinas, veículos e edifícios são feitos de metal, madeira, plásticos e outros sintéticos ou derivados de produtos petroquímicos. Escrevemos e imprimimos sobre papel derivado de madeira. Nossa principal fonte natural de alimento são os peixes e outros frutos do mar. As economias de dezenas de países dependem pesadamente de indústrias extrativistas: por exemplo, dos três países onde fiz a maior parte de meu trabalho de campo, os esteios principais da economia eram a atividade madeireira seguida da mineração, na Indonésia, atividade madeireira e pesca nas ilhas Salomão, e petróleo, gás, mineração e (cada vez mais) atividade madeireira na Papua-Nova Guiné. Portanto, nossas sociedades estão comprometidas com a extração desses recursos: as únicas questões envolvem onde, em que quantidade e como escolhemos fazê-lo.

Devido ao fato de um projeto de extração de recursos geralmente exigir desde o começo grandes investimentos de capital, a maior parte da extração é feita por grandes empresas. Existem controvérsias bem conhecidas entre os ambientalistas e as grandes empresas, que tendem a ver-se mutuamente como inimigos. Os ambientalistas acusam as empresas de prejudicar as pessoas comprometendo o ambiente, e rotineiramente colocando os interesses financeiros das empresas acima do bem público. Tais acusações muitas vezes são verdadeiras. Por outro lado, as empresas acusam os ambientalistas de serem rotineiramente ignorantes e desinteressados da realidade delas, ignorando os desejos dos povos locais e dos governos que as recebem por empregos e desenvolvimento, colocando o bem-estar das aves acima do das pessoas, e não reconhecendo quando as empresas praticam boas políticas ambientais. Essas acusações também são muitas vezes verdadeiras.

Neste capítulo argumentarei que os interesses das grandes empresas, ambientalistas e da sociedade como um todo coincidem mais frequentemente do que se pode intuir de todas essas acusações mútuas. Em muitos outros casos, porém, há um conflito de interesses: aquilo que rende dinheiro para uma empresa, ao menos em curto prazo, pode ser nocivo para a sociedade como um todo. Sob tais circunstâncias, o comportamento das empresas torna-se um exemplo em grande escala de comportamento racional de parte de um grupo (neste caso, a empresa) traduzido em uma tomada de decisão desastrosa de uma sociedade, como discutido no capítulo anterior. Este capítulo utilizará exemplos de quatro indústrias extrativistas, com as quais mantive contato, para explorar algumas das razões pelas quais diferentes empresas percebem ser de seu interesse adotar políticas diferentes, quer prejudicando quer preservando o ambiente. Minha motivação é identificar que mudanças podem ser mais efetivas na indução de empresas que atualmente danificam o meio ambiente a preservá-lo. As indústrias que discutirei são a de petróleo, mineração de metais e de carvão mineral, madeireira e de pesca marinha.

Minha experiência com a indústria de petróleo na região da Nova Guiné envolveu dois campos de petróleo em extremos opostos do espectro de impactos ambientais danosos e benéficos. Achei tais experiências instrutivas, porque eu presumira que os impactos ambientais da indústria petroleira eram avassaladoramente danosos. Assim como a maior parte do público, eu adorava odiar a indústria petroleira, e tinha sérias suspeitas da credibilidade de qualquer um que ousasse relatar qualquer coisa positiva sobre o funcionamento ou a contribuição social desta indústria. Minhas observações me forçaram a pensar em fatores que podem encorajar mais empresas a dar exemplos positivos.

Minha primeira experiência em um campo de petróleo foi na ilha Salawati, na costa da Nova Guiné indonésia. O propósito de minha visita nada tinha a ver com petróleo, mas era parte de uma pesquisa sobre aves nas ilhas da região da Nova Guiné; ocorre que muito de Salawati foi arrendada para a exploração de petróleo pela empresa de petróleo estatal da Indonésia, a Pertamina. Visitei Salawati em 1986, com permissão e como convidado da Pertamina, cujo vice-presidente e o encarregado de relações públicas gentilmente me forneceram um veículo para eu poder circular pelas estradas da empresa.

Diante de tal gentileza, lamento reportar as condições que encontrei. Era possível saber a exata localização do campo de longa distância, através de uma labareda que escapava de uma torre muito alta, onde o gás natural obtido como subproduto da extração de petróleo era queimado, pois nada mais havia a ser feito com aquilo. (Não havia instalações para liquefazer e transportar o gás.) Para construir estradas de acesso através das florestas de Salawati, foram abertas faixas de 100 metros de largura, muito largas para muitas espécies de mamíferos, aves, sapos e répteis poderem atravessar. Havia diversos vazamentos de petróleo no chão. Encontrei apenas três espécies de grandes pombos frutívoros, dos quais 14 foram registrados em outras partes de Salawati e que estão entre os alvos preferidos dos caçadores da região da Nova Guiné porque são grandes, carnudos e saborosos. Um empregado da Pertamina me forneceu a localização de duas colônias de pombos, onde ele os caçava com espingarda. Creio que o seu número no campo foi reduzido devido à caça.

Minha segunda experiência foi no campo de petróleo Kutubu, uma subsidiária da grande empresa de petróleo internacional Chevron Corporation, instalada na bacia do rio Kikori, na Papua-Nova Guiné. (Vou me referir à operadora apenas como "Chevron", no presente, mas a verdadeira operadora era a Chevron Niugini Pty. Ltd., uma subsidiária de propriedade da Chevron Corporation; o campo era uma *joint venture* de seis empresas de petróleo, incluindo a Chevron Niugini Pty. Ltd.; a empresa-mãe, Chevron Corporation, se uniu à Texaco em 2001 para se tornar a Chevron Texaco; em 2003 a ChevronTexaco vendeu sua parte na *joint venture*, cuja operadora passou a ser outra das sócias, a Oil Search Limited.) O ambiente na bacia do rio Kikori é sensível e difícil de trabalhar devido a frequentes desmoronamentos, muito terreno de calcário cárstico, e um dos mais altos índices de precipitação pluvial do mundo (em média, 11 metros por ano, e até 350 mm por dia). Em 1993 a Chevron convidou o World

Wildlife Fund (WWF) para preparar um projeto de desenvolvimento e conservação integrada em larga escala para toda a bacia. A expectativa da Chevron era que o WWF seria eficiente para minimizar o dano ambiental, para influenciar o governo da Papua-Nova Guiné e garantir proteção ambiental, para servir como um parceiro com credibilidade aos olhos de grupos de ativistas ambientais, para beneficiar economicamente as comunidades locais e para atrair fundos do Banco Mundial para projetos comunitários. Entre 1998 e 2003 fiz quatro visitas (de um mês cada uma) aos campos de petróleo e à bacia hidrográfica como consultor do WWF. Eu tinha liberdade de andar pela região com um veículo do WWF e entrevistar os empregados da Chevron confidencialmente.

Quando o avião que peguei em Port Moresby, capital da Papua-Nova Guiné, se aproximou da pista de pouso de Moro, olhei pela janela em busca de sinais da infraestrutura do campo de petróleo. Fiquei cada vez mais intrigado ao ver apenas uma ininterrupta expansão de floresta tropical se espalhando entre os horizontes. Finalmente, vi uma estrada, mas era apenas uma linha fina de cerca de 10 metros através da floresta, em muitos lugares oculta pelas árvores que cresciam de ambos os lados — o sonho de um observador de pássaros. A principal dificuldade prática no estudo de pássaros da floresta pluvial é que é difícil ver os pássaros na floresta, e as melhores oportunidades para os observar é em trilhas estreitas onde é possível ver a floresta de lado. Ali estava aquela trilha de mais de 160 quilômetros de comprimento, que ia do campo de petróleo mais alto, no monte Moran, a uma altitude de quase 1.800 metros, até o litoral. No dia seguinte, ao caminhar por aquela estrada estreita, encontrei pássaros, bem como mamíferos, lagartos, cobras e sapos atravessando-a normalmente. Aquela estrada fora projetada para ser larga apenas o bastante para que dois veículos pudessem passar em segurança um pelo outro vindos de direções opostas. Inicialmente, as plataformas de exploração sísmica e os poços de prospecção de petróleo foram instalados sem a construção de qualquer estrada de acesso, e foram mantidas apenas através de helicóptero ou por gente a pé.

A próxima surpresa veio quando meu avião aterrissou na pista de Moro, da Chevron, e novamente mais tarde, quando fui embora. Embora já tivesse passado pela inspeção de bagagem pela alfândega da Papua-Nova

Guiné ao chegar ao país, tanto na chegada quanto na partida da pista de pouso da Chevron tive de abrir toda a minha bagagem para ser inspecionada com um escrúpulo que só vi maior no aeroporto de Tel Aviv, em Israel. O que aqueles inspetores procuravam? No voo de vinda, os artigos absolutamente proibidos eram armas de fogo ou equipamento de caça de qualquer tipo, drogas e álcool; no voo de volta, animais ou plantas, suas penas ou partes que pudessem ser contrabandeadas. A violação dessas regras resultaria na imediata e automática expulsão da propriedade da empresa, como aconteceu com uma inocente embora tola secretária do WWF que transportava um pacote para alguém e que descobriu, para o seu infortúnio, que o pacote continha drogas.

Uma outra surpresa veio na manhã seguinte, após eu ter saído para a estrada antes do amanhecer para observar pássaros e voltar algumas horas depois. O encarregado pela segurança no campo de petróleo convocou-me ao seu escritório e me disse que eu já tinha cometido duas violações ao regulamento da Chevron que não deveriam se repetir. Primeiro, fui visto caminhando diversos metros pela estrada para observar um pássaro. Tal atitude criava a possibilidade de um carro me atropelar ou, caso desviasse para evitar me atropelar, atingir um oleoduto ao lado da estrada e causar um derramamento de petróleo. De agora em diante, eu deveria ficar fora da estrada enquanto observasse pássaros. Segundo, fui visto observando pássaros sem usar um capacete, embora o uso de capacete fosse obrigatório em toda a área; neste ponto, o encarregado me deu um capacete, que eu devia usar para a minha segurança enquanto observasse pássaros, p.ex., no caso de uma árvore cair.

Esta foi uma introdução à extrema preocupação da Chevron, constantemente transmitida aos seus empregados, com segurança e proteção ambiental. Nunca vi um derramamento de petróleo em minhas quatro visitas, mas lia os boletins mensais da Chevron a respeito de incidentes e quase incidentes, que preocupavam os encarregados de segurança que viajavam de avião ou caminhão para investigar cada caso. Por curiosidade, guardei a lista dos 14 incidentes de março de 2003. Os quase incidentes mais sérios que requeriam exame minucioso e revisão de procedimentos de emergência naquele mês foram um caminhão que deu marcha à ré sobre uma placa de Pare, outro caminhão foi apanhado com seu freio de mão inadequadamente regulado, um pacote de produtos químicos não tinha a documentação adequada, e descobriu-se um vazamento de gás em uma válvula de compressor.

Outra surpresa veio durante minhas observações de pássaros. A Nova Guiné tem muitas espécies de pássaros e mamíferos cuja existência e abundância são indicadores sensíveis de perturbação humana, por serem grandes e serem caçados por sua carne, por sua plumagem espetacular, ou então confinados no interior de florestas intocadas e ausentes em hábitats secundários modificados. Incluem cangurus da mata (o maior mamífero nativo da Nova Guiné); casuares, calaus e grandes pombos (os maiores pássaros da Nova Guiné); aves-do-paraíso, papagaio-de-pesquet, outros papagaios coloridos (valorizados por suas belas plumagens); e centenas de espécies do interior da floresta. Quando comecei a observar pássaros na área de Kutubu, achei que meu maior objetivo seria determinar quão menos numerosas eram essas espécies dentro da área dos campos de petróleo, instalações e oleodutos da Chevron que fora delas.

Em vez disso, descobri para a minha surpresa que essas espécies eram muito *mais* numerosas dentro da área da Chevron do que nas outras áreas que visitei na Nova Guiné, com exceção de algumas áreas remotas não habitadas. O único lugar onde vi cangurus da mata soltos na Papua-Nova Guiné, em meus 40 anos lá, foi dentro dos campos da Chevron; em qualquer outro lugar são os primeiros mamíferos a ser abatidos pelos caçadores, e os poucos sobreviventes aprendem a ser ativos apenas durante a noite, embora eu os tenha visto ativos durante o dia na área de Kutubu. O papagaio-de-pesquet, a harpia-da-nova-guiné, a ave-do-paraíso, os calaus e os grandes pombos são comuns na vizinhança imediata dos campos de petróleo, e vi papagaios-de-pesquet empoleirados nas torres de comunicação do campo. Isso porque os empregados e contratados da Chevron são terminantemente proibidos de caçar e pescar na área do projeto. Também por isso, a floresta está intacta. Os animais sentem isso e tornam-se mansos. Na verdade, o campo de petróleo de Kutubu é de longe o maior e o mais rigorosamente controlado parque nacional da Papua-Nova Guiné.

Durante meses, fiquei bastante intrigado por essas condições no campo de petróleo Kutubu. Afinal, a Chevron não é nem uma organização sem fins lucrativos nem um serviço de parques nacionais. Ao contrário, é uma empresa de petróleo que visa lucros, propriedade de seus acionistas. Se a Chevron gastasse dinheiro em políticas ambientais que acabassem diminuindo o lucro de suas operações com petróleo, seus acionistas a processariam. A empresa evidentemente decidiu que essas políticas acabariam por ajudá-la a tirar mais dinheiro de suas operações com petróleo. Como é possível?

As publicações da Chevron referem-se à preocupação com o ambiente como um fator motivador. Isso sem dúvida é verdade. Contudo, em conversas nos últimos seis anos com dezenas de empregados subalternos e de escalões superiores da Chevron, empregados de outras empresas de petróleo, e gente de fora da indústria de petróleo, acabei percebendo que muitos outros fatores também contribuíram para essas políticas ambientais.

Um desses fatores é a importância de evitar desastres ambientais muito dispendiosos. Quando perguntei a um especialista em segurança da Chevron, que por acaso também era um observador de pássaros, o que desencadeara tais políticas, sua breve resposta foi: "*Exxon Valdez*, Piper Alpha e Bhopal." Ele estava se referindo ao grande derramamento de petróleo causado pelo petroleiro da Exxon encalhado no Alaska, o *Exxon Valdez*, em 1989; o incêndio na plataforma de petróleo Piper Alpha, da Occidental Petroleum, no mar do Norte em 1988, que matou 167 pessoas (foto 33); e o vazamento da fábrica de produtos químicos da Union Carbide em Bhopal, Índia, em 1984, que matou quatro mil pessoas e causou danos a 200 mil (foto 34). Esses foram três dos acidentes industriais mais divulgados e mais dispendiosos dos últimos tempos. Cada um deles custou à empresa responsável bilhões de dólares, sendo que o acidente de Bhopal acabou custando à Union Carbide sua existência como empresa independente. Meu informante poderia também ter mencionado a explosão e o catastrófico derramamento de petróleo na Plataforma A da Union Oil, no canal de Santa Barbara, em Los Angeles, em 1969, já então servindo como uma advertência para a indústria de petróleo. A Chevron e algumas outras grandes empresas de petróleo internacionais deram-se conta de que, gastando a cada ano alguns poucos milhões de dólares extras em um projeto, ou mesmo algumas dezenas de milhões de dólares, economizariam dinheiro a longo prazo minimizando o risco de perder bilhões de dólares em um acidente, ou ter todo um projeto embargado e perder todo o investimento feito. Um gerente da Chevron me explicou que aprendeu o valor econômico de políticas de proteção ambiental quando foi responsável pela limpeza de poços em um campo de petróleo no Texas e descobriu que o custo de limpeza de até mesmo um pequeno poço era de cerca de 100 mil dólares. Ou seja, limpar a poluição geralmente é bem mais caro do que evitá-la, do mesmo modo que os médicos acham muito mais caro e menos efetivo tentar curar pacientes já doentes do que prevenir doenças através de medidas de saúde pública simples e baratas.

Ao fazer a prospecção e, então, construir um campo de petróleo, uma empresa de petróleo faz um grande investimento inicial em um campo que constitui um bem produtivo por 20 a 50 anos. Se suas políticas ambientais e de segurança reduzirem o risco de um grande derramamento de petróleo para "apenas" um por década, em média, isso não seria o ideal, porque então ocorreriam de dois a cinco grandes derramamentos de petróleo em seus 20 ou 50 anos de operações. É essencial ser mais rigoroso. A primeira vez que vi esta visão de longo prazo das empresas de petróleo foi quando fui contatado pelo diretor do escritório londrino da Royal Dutch Shell Oil Company. O trabalho desse escritório é tentar predizer cenários alternativos possíveis para o estado do mundo daqui a 30 anos. O diretor me explicou que a Shell opera aquele escritório porque espera que um campo de petróleo típico seja operado durante várias décadas, e que a empresa precisa compreender a provável configuração do mundo diversas décadas no futuro caso queira investir de modo inteligente.

Um fator relacionado é a opinião pública. Ao contrário dos vazamentos tóxicos das minas, a serem discutidos adiante, os derramamentos de petróleo são altamente visíveis, e frequentemente sua ocorrência é súbita e óbvia (como quando um oleoduto, plataforma ou navio-tanque se rompe ou explode). O impacto do derramamento também é geralmente óbvio, por exemplo, sob a forma de aves mortas cobertas de óleo cujas imagens saturam as telas de tevê e os jornais. Portanto, é de se esperar que o público se emocione mais com os grandes erros ambientais causados por empresas de petróleo.

Tais considerações sobre a opinião pública e a minimização de dano ambiental eram especialmente importantes na Papua-Nova Guiné, uma democracia descentralizada com um governo central relativamente fraco, uma polícia e um exército fracos, e a voz poderosa das comunidades locais. Devido ao fato de os donos de terra locais nos campos de petróleo de

Kutubu dependerem de hortas, florestas e rios para subsistência, um derramamento de petróleo teria um impacto em suas vidas muito mais sério do que o de aves marinhas cobertas de óleo sobre a vida dos telespectadores norte-americanos. Como me explicou um funcionário da Chevron, "Reconhecemos que na Papua-Nova Guiné nenhum projeto de recursos naturais pode ser bem-sucedido a longo prazo sem o apoio dos aldeões e donos de terra locais. Eles interromperiam o projeto e o fechariam, como fizeram em Bougainville [veja explicação mais adiante], se percebessem dano ambiental afetando sua terra e suas fontes de alimento. O governo central não tem meios de evitar os piquetes dos donos de terra, de modo que precisamos de ações prudentes para minimizar o dano e manter um bom relacionamento com o povo local." Outro empregado da Chevron expressou ideia similar: "Tínhamos certeza desde o início que o sucesso do projeto Kutubu dependeria de nossa habilidade de trabalhar com as comunidades de donos de terras locais, para que acreditem que estão melhor conosco do que estariam caso fôssemos embora."

Um aspecto menor desse constante escrutínio das operações da Chevron pelos habitantes da Nova Guiné é que eles sabem o dinheiro que podem ganhar pressionando entidades riquíssimas como as grandes empresas de petróleo. Eles contam o número de árvores cortadas durante a construção de uma estrada, dando valor particular àquelas preferidas pelas aves-do-paraíso, então apresentam a conta do dano causado. Um caso que me foi contado: quando donos de terras da Nova Guiné souberam que a Chevron estava pensando em construir uma estrada para um campo de petróleo, correram e plantaram café ao longo da rota proposta, de modo que podiam alegar dano por cada pé de café arrancado. Isso é motivo para derrubarem um mínimo de árvores fazendo estradas as mais estreitas possíveis, e acessarem os campos de perfuração por helicóptero sempre que possível. Mas o maior risco é que os donos de terras furiosos com o dano causado às suas terras embarguem todo o projeto de extração de petróleo. A menção feita por meu informante a Bougainville refere-se ao que foi o maior investimento e projeto de desenvolvimento da Papua-Nova Guiné, a mina de cobre de Bougainville, que foi fechada por donos de terras furiosos com o dano ambiental em 1989, e que nunca foi reaberta apesar dos esforços da minúscula força policial e do exército do país, que redundaram em uma guerra civil. O destino da mina de Bougainville chamou a atenção da Chevron para o destino semelhante que poderia ter o campo de petróleo de Kutuhu caso também causasse dano ambiental.

Outro sinal de alerta foi o campo de petróleo de Point Arguello, descoberto pela Chevron no litoral da Califórnia em 1981, considerado a maior descoberta de petróleo nos EUA desde a descoberta do campo da baía de Prudhoe. Como resultado da decepção do público com as empresas de petróleo, da oposição da comunidade, e de dispendiosos atrasos na regulamentação pelo governo, a produção de petróleo só pôde começar 10 anos depois, e a Chevron acabou contabilizando como prejuízo grande parte de seu investimento. O campo de petróleo de Kutubu deu à Chevron a oportunidade de refutar esta decepção mostrando que poderia cuidar muito bem do ambiente sem ser forçada por uma regulação governamental muito estrita.

Neste aspecto, o projeto Kutubu ilustra a importância de antecipar padrões ambientais cada vez mais rigorosos do governo. A tendência em todo o mundo (com óbvias exceções) é que, com o passar dos anos, os governos passem a exigir salvaguardas ambientais mais rigorosas. Até mesmo países em desenvolvimento, dos quais a princípio não se esperam preocupações ambientais, estão se tornando mais e mais exigentes. Por exemplo, um funcionário da Chevron que trabalha em Bahrain me disse que, quando recentemente abriram outro poço marítimo naquele país, o governo de Bahrain pela primeira vez exigiu um dispendioso e detalhado plano de impacto ambiental que estipulava monitoração ambiental durante a perfuração, avaliação de impacto após a perfuração e minimização de efeitos em peixes-bois e em uma colônia de reprodução de cormorões. As empresas de petróleo aprenderam que é muito mais barato construir uma instalação limpa incorporando precauções ambientais desde o início, do que reformar tal instalação posteriormente, quando os padrões do governo ficarem mais rígidos. As empresas começaram a ver que, embora o país onde estejam operando ainda não seja ambientalmente consciente hoje, pode vir a sê-lo durante o tempo de existência daquela instalação.

Ainda outra vantagem das práticas ambientalmente limpas da Chevron é que a reputação que adquiriu deste modo lhe dá vantagens competitivas na obtenção de contratos. Por exemplo, recentemente o governo da Noruega, um país cujo povo e governo atuais estão muito atentos aos assuntos ambientais, abriu concorrência para o desenvolvimento de um campo de petróleo e gás no mar do Norte. A Chevron estava entre as empresas concorrentes, e conseguiu ganhar o contrato, em parte provavelmente devido à sua boa reputação ambiental. Como alguns amigos que trabalham na Chevron sugeriram, se este de fato foi o caso, o contrato com a Noruega foi o maior benefício financeiro isolado que a empresa recebeu em troca de suas rígidas salvaguardas ambientais nos campos de petróleo de Kutubu.

A empresa ouve não apenas o público, os governos e os donos de terras locais, como também seus empregados. Todo campo de petróleo apresenta problemas tecnológicos, de construção e administração especialmente complexos, e grande parte dos funcionários de uma empresa de petróleo tem educação superior, especialização e graduações avançadas. São também ambientalmente conscientes. É dispendioso treiná-los, e seus salários são altos. Embora a maioria dos empregados do projeto Kutubu sejam cidadãos residentes da Papua-Nova Guiné, outros são americanos ou australianos que vão ao país para trabalhar cinco semanas e então viajam de volta para casa para passar cinco semanas com suas famílias; e as tarifas aéreas também são dispendiosas. Todos esses funcionários conhecem a situação ambiental nos campos de petróleo, e sabem do compromisso da empresa com políticas ambientais. Muitos funcionários da Chevron me disseram que esta questão da moral e da visão ambiental de seus empregados tanto eram um benefício das políticas ambientais da empresa como também uma força motriz por trás da adoção inicial dessas políticas.

A preocupação com o meio ambiente foi um critério usado para selecionar os executivos da empresa, e os dois CEOs [Chief Executive Officers] mais recentes, primeiro Ken Derr e depois David O'Reilly, estão pessoalmente comprometidos com a questão ambiental. Os funcionários da Chevron em diversos países me disseram independentemente que todos os funcionários da Chevron do mundo inteiro recebem mensalmente um e-mail do presidente sobre a situação da empresa. Os e-mails falam de meio ambiente e assuntos de segurança como prioridades absolutas, e como sendo economicamente positivos para a empresa. Assim, os funcionários veem que os assuntos ambientais são levados a sério, e que esta preocupação não é apenas uma fachada para o grande público. Tal observação corresponde à conclusão que Thomas Peters e Robert Waterman Jr. chegaram em seu best-seller sobre administração de empresas *In Search of Excellence:*

Lessons from America's Best-Run Companies. Os autores dizem que se os gerentes querem que seus funcionários se comportem de uma determinada maneira, a motivação mais eficaz é que esses funcionários vejam os próprios gerentes se comportando desse modo.

Finalmente, a moderna tecnologia tem facilitado às empresas de petróleo operarem de modo mais limpo do que no passado. Por exemplo, diversos poços horizontais ou diagonais podem agora ser abertos a partir de uma única locação de superfície. Anteriormente, cada poço tinha de ser escavado verticalmente de uma locação de superfície separada, cada uma causando um impacto ambiental. Os fragmentos de rocha (chamados de aparas) que vêm à tona quando um poço é perfurado, podem agora ser bombeados para dentro de uma formação subterrânea separada vazia, em vez de (como antes) ser atirados em um poço ou no mar. O gás natural obtido como subproduto da extração de petróleo ou é reinjetado em reservatórios subterrâneos (o procedimento usado no projeto Kutubu), ou (em alguns outros campos de petróleo) transportado por gasodutos ou liquefeito para armazenamento e transporte marítimo e então vendido, em vez de ser queimado. Em muitos campos de petróleo, assim como em muitos dos campos de Kutubu, é rotina operar através de helicópteros em vez de construindo estradas; obviamente, o uso de helicópteros é caro, mas a construção de estradas e seu impacto ambiental frequentemente são ainda mais dispendiosos.

Estas, então, são as razões por que a Chevron e outras grandes empresas de petróleo internacionais levam a questão ambiental tão a sério. O resultado disso é que as práticas ambientais limpas as ajudam a ganhar dinheiro e acesso de longo prazo a novos campos de petróleo e gás. Mas devo reiterar que não estou afirmando que a indústria de petróleo é hoje uniformemente limpa, responsável e de comportamento admirável. Entre os problemas mais persistentes, sérios e amplamente divulgados estão os recentes derramamentos de petróleo no mar, vindos de petroleiros de casco único mal mantidos e mal operados (como o afundamento do *Prestige*, um petroleiro de 26 anos no litoral da Espanha em 2002), que pertencem a donos de navios em vez de a grandes empresas de petróleo que, na maioria, já mudaram para petroleiros de casco duplo. Outros grandes problemas incluem o legado de instalações antigas, ambientalmente sujas, construídas antes da disponibilidade de tecnologias mais limpas e difíceis ou muito caras para serem reformadas (p.ex., na Nigéria e no Equador); e operações sob os auspícios de governos corruptos e abusivos, como os da Nigéria e da Indonésia. Por outro lado, o caso da Chevron Niugini ilustra como é possível uma empresa de petróleo operar de modo a gerar benefícios ambientais para uma determinada área e para o povo que lá vive — especialmente se comparado ao uso alternativo proposto para a mesma região para a extração de madeira, ou mesmo para a caça e a agricultura de subsistência. O caso também ilustra os fatores que se combinaram para produzir este resultado nos campos de petróleo de Kutubu, mas não em muitos outros grandes projetos industriais, e o papel potencial do público para influenciar tais resultados.

Em particular, resta a questão de por que observei indiferença pelos problemas ambientais no campo de petróleo da empresa Pertamina, na Indonésia, em 1986, mas práticas limpas no campo da Chevron em Kutubu quando comecei a visitar o lugar em 1998. Várias diferenças entre a situação da Pertamina como uma empresa de petróleo estatal da Indonésia em 1986 e a situação da Chevron como uma empresa internacional operando na Papua-Nova Guiné em 1998 produzem diferentes resultados. O público, o governo e o judiciário da Indonésia estão menos interessados no, e esperam menos do, comportamento das empresas de petróleo do que seus correspondentes europeus e americanos, que constituem os maiores clientes da Chevron. Os funcionários indonésios da Pertamina são menos expostos à preocupação ambiental do que os funcionários americanos e australianos da Chevron. A Papua-Nova Guiné é uma democracia cujos cidadãos desfrutam da liberdade de obstruir projetos de desenvolvimento propostos, mas a Indonésia de 1986 era uma ditadura militar cujos cidadãos não desfrutavam de tal liberdade. Além disso, o governo da Indonésia, dominado por gente vinda de sua ilha mais populosa (Java), via a sua província na Nova Guiné como uma fonte de renda e um lugar onde estabelecer o excesso populacional de Java, e estava menos preocupada com as opiniões do povo da Nova Guiné do que o governo da Papua-Nova Guiné, que possui a metade oriental da mesma ilha. A Pertamina não tem de se adequar a novos padrões ambientais impostos pelo governo da Indonésia, como aqueles que as empresas de petróleo internacionais enfrentam. A Pertamina é uma empresa de petróleo da Indonésia competindo por menos contratos no exterior do que as grandes empresas internacionais, de modo que não obtém uma vantagem competitiva internacional oriunda de políticas ambientais limpas. A Pertamina não tem presidentes que enviem boletins mensais aos funcionários ressaltando o ambiente como a mais alta prioridade. Finalmente, minha visita ao campo de petróleo Salawati foi em 1986. Não sei se as políticas da Pertamina mudaram desde então.

Vamos agora mudar da indústria de petróleo e gás para a indústria de mineração de metais. (Este termo se refere a minas onde se escava minério para extrair metais, em oposição a minas onde se escava carvão mineral.) Atualmente esta é a indústria mais poluente dos EUA, responsável por quase metade da poluição industrial. Dos rios do oeste dos EUA, quase a metade tem partes de suas bacias poluídas pela mineração. Na maior parte dos EUA a indústria de mineração de metais está agora em extinção, em grande parte devido às suas próprias ações. Os grupos ambientais em grande parte não se deram ao trabalho de aprender fatos essenciais sobre a indústria de mineração de metais, e se recusaram a participar de uma promissora tentativa internacional desta indústria para mudar o seu comportamento, em 1998.

Este e outros aspectos da situação atual da indústria de mineração de metais são intrigantes, porque tal indústria superficialmente se parece com as indústrias de petróleo e gás que acabamos de discutir, bem como com a indústria de extração de carvão mineral. Afinal, essas três indústrias não extraem do solo recursos não renováveis? Sim, mas não obstante se desenvolveram de modo diferente por três razões: economias e tecnologias diferentes, diferentes atitudes dentro da própria indústria e diferentes atitudes do público e do governo em relação a elas.

Os problemas ambientais causadas pela mineração de metais são de diversos tipos. Um envolve a perturbação da superfície da terra através da escavação. Esse problema afeta especialmente minas de superfície e minas a céu aberto, onde o minério repousa próximo à superfície e é alcançado retirando-se a terra de cima. Ao contrário, ninguém extrai petróleo arrancando toda a terra da superfície de uma formação oleífera; em vez disso, as empresas de petróleo afetam apenas uma pequena área superficial suficiente para furar um poço até alcançar o depósito. Da mesma forma, há algumas minas nas quais o corpo de minério não está próximo à superfície mas profundamente enterrado no subsolo, e nas quais os túneis e pilhas de resíduos que só perturbam uma pequena área da superfície são escavados até o minério.

Outros problemas ambientais causados pela mineração de metais compreendem poluição da água pelos próprios metais, produtos químicos de processamento, vazamentos de ácido e sedimentos. Elementos metálicos e semelhantes ao metal no próprio minério — especialmente o cobre, cádmio, chumbo, mercúrio, zinco, arsênico, antimônio e selênio — são tóxicos e tendem a causar problemas ao acabarem em córregos e lençóis freáticos como resultado das operações de mineração. Um exemplo notório foi uma onda de casos de doenças ósseas causadas por descargas de cádmio de uma mina de chumbo e zinco no rio Jinzu, no Japão. Muitos produtos químicos usados na mineração — como cianeto, mercúrio, ácido sulfúrico, bem como nitrato produzido pela dinamite — também são tóxicos. Mais recentemente foi descoberto que, ao serem expostos à água e ao ar através da mineração, os minerais contendo sulfeto vazam ácidos que causam séria poluição na água, por si mesmos e pelos metais lixiviados por eles. Os sedimentos transportados para fora das minas pela água podem ser danosos à vida aquática, cobrindo, por exemplo, as superfícies de desova de peixes. Além desses tipos de poluição, o mero consumo de água de muitas minas é alto o bastante para ser significativo.

A questão ambiental remanescente diz respeito a onde jogar toda a terra e resíduos escavados da mina, consistindo de quatro componentes: a terra de capeamento tirada para se chegar ao minério; a pedra residual contendo tão pouco minério que não tem valor econômico; rejeitos, que são resíduos de minério após os seus minerais terem sido extraídos; e os resíduos das plataformas de lixiviação em pilha após a extração do mineral. Os dois últimos tipos de resíduos geralmente são deixados em barragens de rejeitos ou plataformas, respectivamente, enquanto que a terra de capeamento e a pedra residual são abandonadas em pilhas. Dependendo das leis do país onde a mina se localiza, os métodos de descartar os rejeitos (uma suspensão de sólidos em água) incluem ou jogá-los no rio ou no mar, empilhá-los em terra ou (mais frequentemente) acumulá-los por trás de uma barragem. Infelizmente, as barragens de rejeitos falham em uma surpreendente alta percentagem de casos: muitas vezes são projetadas com resistência insuficiente (para baixar seus custos), feitas de entulho em vez

COLAPSO

de concreto, e construídas durante longos períodos de modo que suas condições devem ser monitoradas constantemente e não podem ser sujeitas a uma inspeção final que as declare completas e seguras. Em média, acontece um grande acidente por ano envolvendo uma barragem de rejeitos. O maior desses acidentes nos EUA foi o desastre de Buffalo Creek, na Virgínia Ocidental, em 1972, que matou 125 pessoas.

Diversos desses problemas ambientais são ilustrados pela situação de quatro das minas mais valiosas da Nova Guiné e de ilhas vizinhas, onde faço o meu trabalho de campo. A mina de cobre de Panguna, na ilha de Bougainville, na Papua-Nova Guiné, era a maior empresa do país e a atividade econômica que mais rendia capital estrangeiro, e uma das maiores minas de cobre do mundo. A mina atirava os seus rejeitos diretamente em um tributário do rio Jaba, criando um imenso impacto ambiental. Quando o governo não foi capaz de resolver a situação nem os problemas políticos e sociais envolvidos, os habitantes de Bougainville se revoltaram, desencadeando uma guerra civil que custou milhares de vidas e quase destruiu a nação da Papua-Nova Guiné. Quinze anos depois do início da guerra, a paz ainda não foi inteiramente alcançada em Bougainville. A mina Panguna obviamente foi fechada, não tem perspectiva de ser reaberta e os proprietários e arrendatários (incluindo o Bank of America, U.S. Export-Import Bank, e os credores e acionistas americanos e australianos) perderam o seu investimento. Esta história explica o motivo pelo qual a Chevron trabalha tão estreitamente com os donos de terras nos campos de petróleo de Kutubu para angariar a sua aceitação.

A mina de ouro na ilha Lihir joga seus rejeitos no mar através de um emissário submarino (método visto pelos ambientalistas como altamente danoso), e os proprietários alegam que tal prática não é nociva. Sejam lá quais forem os efeitos dessa mina na vida marinha ao redor da ilha Lihir, o mundo teria um grande problema se muitas outras minas também jogassem seus rejeitos no mar. A mina de cobre Ok Tedi, na Nova Guiné, construiu uma barragem de rejeitos, mas os especialistas que revisaram o projeto antes da construção advertiram que a barragem iria ceder em breve. De fato, ruiu em alguns meses, de modo que 200 mil toneladas de rejeitos e resíduos são agora descarregadas todos os dias no rio Ok Tedi, destruindo a pesca local. Do Ok Tedi, a água flui diretamente para o maior

GRANDES EMPRESAS E MEIO AMBIENTE

rio da Nova Guiné, aquele que abriga a pesca mais valiosa do país, o rio Fly, onde as concentrações de sólidos em suspensão aumentaram cinco vezes, resultando em inundações, deposição de resíduos nas margens do rio, e morte da vegetação de várzea em uma área de 320 km². Além disso, uma balsa que subia o rio Fly, carregando barris de cianeto para a mina, afundou e os barris vêm se corroendo gradualmente, liberando cianeto no rio. Em 2001, a BHP, a quarta maior empresa de mineração do mundo, que opera a mina de Ok Tedi, tentou fechá-la explicando: "A Ok Tedi não é compatível com nossos valores ambientais, e a empresa jamais deveria ter-se envolvido com ela." Contudo, uma vez que a mina responde por 20% das exportações da Papua-Nova Guiné, o governo conseguiu manter a mina aberta, embora permitisse a saída da BHP. Finalmente a mina de cobre e ouro Grasberg-Ertsberg na Nova Guiné indonésia, uma imensa operação a céu aberto que é a mina mais valiosa da Indonésia, joga seus rejeitos diretamente no rio Mimika, de onde chegam ao raso mar de Arafura, entre a Nova Guiné e a Austrália. Com a Ok Tedi e outra mina de ouro na Nova Guiné, a mina Grasberg-Ertsberg é uma das únicas três grandes minas do mundo, operadas por uma empresa internacional, que despeja seus resíduos em um rio.

A política preponderante das empresas de mineração quanto a dano ambiental é limpar e restaurar a área explorada apenas após o fechamento da mina, em vez de seguir a prática da indústria de mineração de carvão mineral de recuperar a área à medida que se processa a extração; a indústria de mineração de metais se opõe a esta estratégia. As empresas sustentam que a chamada restauração "de retirada" é adequada: i.e., que a restauração e limpeza incorrerão em custos mínimos, dar se ão apenas de dois a 12 anos após o fechamento da mina (quando a empresa pode se retirar do lugar sem obrigações posteriores), e não envolvem nada além de aplanamento das áreas revolvidas para evitar erosão, aplicação de um meio de plantio, como solo de superfície guardado para estimular a recuperação da vegetação e tratamento da água que flui da mina durante alguns anos. Na verdade, esta estratégia de retirada pouco dispendiosa nunca foi suficiente no caso de uma grande mina moderna, e geralmente viola os padrões de qualidade da água. Em vez disso, é necessário cobrir e replantar todas as áreas que podem vir a ser fontes de escoamento de ácido, e recolher e tratar a água subterrânea e de superfície que flua do lugar durante todo o tempo que esta água permanecer poluída, o que frequentemente quer dizer para sempre. Os custos diretos e indiretos de limpeza e restauração tipicamente comprovam ser de 1,5 a 2 vezes aqueles que a indústria de mineração calcula para minas sem vazamento de ácido, e 10 vezes para minas com vazamento de ácido. A maior incerteza destes custos é se a mina produzirá ou não vazamento de ácido, problema apenas recentemente percebido em minas de cobre, embora observado antes em outras minas, e quase nunca previsto com antecipação acurada.

As empresas de mineração de metais que enfrentam custos de limpeza muitas vezes evitam esses custos declarando falência e transferindo seu patrimônio para outras sociedades anônimas controladas pelos mesmos indivíduos. Um exemplo é a mina de ouro Zortman-Landusky, em Montana, já mencionada no capítulo 1 e explorada pela Pegasus Gold Inc., uma empresa canadense. Ao ser aberta, em 1979, era a primeira grande mina a céu aberto de extração de ouro através de lixiviação em pilha com cianeto dos EUA, e a maior mina de ouro de Montana. A mina teve uma longa série de vazamentos de cianeto, derramamentos e infiltrações de ácido, apoiada pelo fato de nem o governo federal nem o governo do estado de Montana exigirem da empresa um teste de infiltração de ácido. Em 1992, inspetores do estado verificaram que a mina estava contaminando os rios com metais pesados e ácido. Em 1995, a Pegasus Gold concordou em pagar 36 milhões de dólares de indenização ao governo federal, ao estado de Montana e a tribos indígenas locais. Finalmente, em 1998, quando menos de 15% da superfície do lugar tinha sido restaurado, a diretoria da Pegasus Gold aprovou para si mesma mais de cinco milhões de dólares em bonificações, transferiu os bens da Pegasus para a Apollo Gold recém-criada por ela, e então declarou a falência da Pegasus Gold. (Assim como a maioria dos diretores de mina, os diretores da Pegasus Gold não moram na bacia hidrográfica afetada pela mina Zortman-Landusky, exemplificando o caso das elites isoladas das consequências de suas ações, como discutido no capítulo 14.) Os governos estadual e federal adotaram então um plano de recuperação de superfície a um custo de 52 milhões de dólares, dos quais 30 milhões viriam dos 36 milhões pagos pela Pegasus, enquanto 22 milhões seriam pagos pelos contribuintes. Contudo, este plano de recuperação de superfície ainda não inclui a despesa do tratamento permanente de água, que custará muito mais ao contribuinte. Ocorre que cinco das 13 maiores minas de extração de metais de Montana, quatro das quais (incluindo a Zortman-Landusky) operam minas a céu aberto onde se pratica a lixiviação em pilha com cianeto, eram de propriedade da falida Pegasus Gold Inc., e que 10 das minas maiores vão requerer tratamento de água para sempre, aumentando assim os seus custos de fechamento e restauração em até 100 vezes as estimativas anteriores.

Falência ainda mais dispendiosa para os contribuintes foi a de outra mina de ouro de lixiviação em pilha nos EUA, a mina Summitville, da também canadense Galactic Resources, em uma área montanhosa do Colorado que recebe mais de 10 metros de neve por ano. Em 1992, oito anos depois do estado do Colorado ter emitido uma permissão de operação para a Galactic Resources, a empresa declarou falência e fechou a mina em menos de uma semana, deixando muito imposto local a pagar, demitindo os seus funcionários, parando a manutenção ambiental essencial, e abandonando o lugar. Alguns meses depois, com o início das nevascas de inverno, o sistema de pilha de lixiviação transbordou, esterilizando com cianeto um trecho de 30 quilômetros do rio Alamosa. Foi então descoberto que o estado do Colorado havia exigido uma garantia financeira de apenas 4,5 milhões da Galactic Resources como condição para emitir a permissão de operação, mas que a limpeza custaria 180 milhões. Após o governo conseguir extrair mais 28 milhões de dólares como parte do acordo de falência, os contribuintes ficaram com uma conta de 147,5 milhões de dólares através da Agência de Proteção Ambiental.

Como resultado de tais experiências, os estados americanos e o governo federal passaram a exigir que as empresas de mineração de metais apresentassem garantia financeira de que haveria dinheiro bastante para a limpeza e a restauração, caso a empresa se recusasse ou provasse ser financeiramente incapaz de pagar pela limpeza. Infelizmente, os custos dessa garantia são tipicamente baseados em estimativas de custo feitas pela própria empresa de mineração, porque os órgãos reguladores do governo não têm tempo, conhecimento nem planos detalhados da engenharia da mina necessários para fazerem eles mesmos tal estimativa. Em muitos casos, quando as empresas não fizeram a limpeza e o governo teve de recorrer à garantia, os custos de limpeza acabaram se revelando 100 vezes mais altos do que a estimativa da empresa. Isso não é de surpreender, uma vez que a estimativa feita pela empresa geralmente a subestima, uma vez que não há qualquer incentivo financeiro ou pressão regulamentar do governo para estimar o custo total. A garantia pode ser feita de três formas: depósito em espécie ou uma carta de crédito equivalente, a forma mais segura; através de uma apólice de seguro; e através de "compromisso assumido", significando que a empresa de mineração garante de boa-fé que fará a limpeza e que seu patrimônio sustenta tal garantia. Contudo, quebras frequentes destas garantias mostraram que os compromissos assumidos não funcionavam e já não são mais aceitos para minas em terras federais, mas ainda representam a maior parte das garantias no Arizona e em Nevada, os estados dos EUA mais favoráveis à indústria de mineração.

Atualmente os contribuintes norte-americanos têm compromissos financeiros da ordem de 12 bilhões de dólares para limpar e restaurar minas de extração de metais. Por que devemos pagar tanto quando os governos, pelo que se sabe, vêm exigindo garantias financeiras para custos de limpeza? Partes da dificuldade são a recém-mencionada subvalorização dos custos de limpeza pelas empresas de mineração, e o fato de os dois estados onde os contribuintes têm mais compromissos financeiros (Arizona e Nevada) aceitarem garantias das empresas e não exigirem apólices de seguro. Mesmo quando existe seguro, embora insuficiente, os contribuintes enfrentam custos posteriores por razões conhecidas por qualquer um de nós que tenha tentado receber de uma empresa de seguros o valor de uma grande perda em um incêndio doméstico. A empresa de seguros geralmente reduz o valor do prêmio através de algo que denominam eufemisticamente de "negociações": i.e., "Se não aceitar a nossa oferta reduzida, terá de pagar advogados e esperar cinco anos para os tribunais resolverem o caso." (Um amigo meu que teve um incêndio em casa já passou um ano infernal com tais negociações.) Então, a empresa de seguros só paga a quantia acertada ou negociada após os longos anos em que a limpeza e a restauração estiverem sendo feitas, mas o título não tem cláusula para a inevitável escalada de preços com o decurso do tempo. Então, não apenas as empresas de mineração mas, às vezes, também as empresas de seguros, diante de grandes compromissos financeiros, abrem falência. Das 10 minas que dão mais prejuízo aos contribuintes nos EUA (cerca de metade do total de 12 bilhões de dólares), duas são de propriedade de uma empresa de mineração no limiar da falência (ASARCO, com um passivo de 1 bilhão de dólares), seis outras são de propriedade de empresas especialmente obstinadas em não cumprir suas obrigações, apenas duas são de propriedade de empresas menos recalcitrantes, e todas podem vir a gerar ácido e requerer tratamento de água durante longo tempo ou para sempre.

Não é de surpreender que, como resultado de os contribuintes ficarem com a conta, tem havido uma reação pública contra a mineração em Montana e em alguns outros estados. O futuro da mineração de metais nos EUA é incerto, exceto o das minas de ouro de Nevada e sua má regulamentação e as minas de platina/paládio em Montana (um caso especial sobre o qual falarei mais adiante). Apenas um quarto do número total de estudantes universitários dos EUA que estavam se preparando para carreiras no setor da mineração em 1938 (meros 578 alunos em todo o país) fazem o mesmo hoje em dia, apesar do explosivo crescimento da população universitária total de lá para cá. Desde 1995, a oposição pública nos EUA tem sido cada vez mais bem-sucedida no bloqueio de propostas de mineração, e a indústria não pode mais contar com lobistas e legisladores amistosos para fazerem suas propostas. A indústria de mineração é o melhor exemplo de uma atividade cujo favorecimento dos próprios interesses sobre os do público a curto prazo mostraram-se autodestrutivos a longo prazo e têm levado esta indústria à extinção.

Este triste resultado é inicialmente surpreendente. Assim como a indústria de petróleo, a indústria de mineração de metais também poderia se beneficiar de políticas ambientais limpas, através de custos trabalhistas mais baixos (menor rotatividade e absenteísmo), resultando de maior satisfação no trabalho, menores gastos com saúde, empréstimos bancários e apólices de seguros mais baratos, aceitação pela comunidade, menor risco de veto público a projetos, e o custo relativamente reduzido de usar tecnologia antipoluente de ponta desde o início de um projeto em comparação com o custo de ter de reformar tecnologia velha à medida que os padrões ambientais se tornam mais rígidos. Como pôde a indústria de mineração de metais ter adotado um comportamento tão autodestrutivo, especialmente quando as indústrias de petróleo e de carvão mineral que enfrentam problemas aparentemente semelhantes não se condenaram à extinção? A resposta tem a ver com três grupos de fatores que mencionei anteriormente: econômicos, atitudes da indústria de mineração e atitudes da sociedade.

Os fatores econômicos que tornam os custos da limpeza ambiental menos toleráveis para a indústria de mineração de metais do que para a indústria de petróleo (ou mesmo para a indústria de carvão mineral) incluem menores margens de lucro, lucros mais imprevisíveis, custos de limpeza mais altos, problemas de poluição insidiosos e de longa duração, menor possibilidade para repassar tais custos ao consumidor, menos capital para absorver tais custos, e força de trabalho diferente. Para começar, embora algumas empresas de mineração sejam mais lucrativas do que outras, a indústria como um todo opera com margens de lucro tão baixas que a taxa média de retorno nos últimos 25 anos nem mesmo cobriu o custo de seu capital. Ou seja, se o presidente de uma empresa de mineração com mil dólares para gastar tivesse investido essa quantia em 1979, por volta do ano 2000 o investimento teria crescido para apenas 2.220 dólares se fosse investido em ações da indústria de aço; para apenas 1.530 dólares se investido em ações de metais exceto ferro e aço; para apenas 590 dólares, representando uma perda líquida mesmo sem considerar a inflação, caso fosse investido em ações de minas de ouro; mas subiria para 9.320 se tivesse sido investido em um fundo mútuo de investimentos. Se você fosse um minerador, não valeria a pena investir em sua própria indústria!

Mesmo esses lucros medíocres são imprevisíveis, tanto ao nível de minas individuais quanto da indústria como um todo. Embora um poço de petróleo individual em um campo de petróleo possa secar, as reservas e a qualidade do petróleo de todo um campo são relativamente previsíveis com antecedência. Mas o teor (i.e., o conteúdo de metal e, portanto, a sua lucratividade) do minério muda de modo imprevisível à medida que se escava um depósito de minério. A metade de todas as minas exploradas não é lucrativa. Os lucros médios de toda a indústria de mineração também são imprevisíveis, porque os preços dos metais são voláteis e flutuam no mercado mundial em um grau muito maior do que os do petróleo e do carvão mineral. As razões para essa volatilidade são complexas e incluem o menor volume e o consumo de menores quantidades de metais em relação ao de petróleo e de carvão mineral (o que torna esses metais mais fáceis de estocar); nossa opinião é de que sempre precisamos de petróleo e de carvão mineral, mas que o ouro e a prata são luxos dispensáveis durante uma recessão; e o fato de a flutuação do preço do ouro ser ditada por fatores que nada têm a ver com seu estoque ou sua demanda industrial — explicitamente, especuladores, investidores que compram ouro ao ficarem preocupados com o mercado de ações, e governos que vendem as suas reservas.

As minas de extração de metais geram muito mais resíduos, requerendo custos de limpeza muito maiores do que os dos poços de petróleo. Os resíduos que são bombeados para fora de um poço e que têm de ser descartados são apenas água, geralmente em uma proporção de resíduo-petróleo de apenas cerca de um por um, ou não muito mais alta do que isso. Não fosse pelas estradas de acesso e os vazamentos ocasionais, a extração de petróleo e gás teria pequeno impacto ambiental. Por outro lado, os metais representam apenas uma pequena fração do minério que os contenha, que por sua vez representa apenas uma pequena fração da terra que tem de ser escavada para se extrair o minério. Assim, a proporção de terra-metal geralmente é de 400 para 1 no caso de uma mina de cobre, e 5 milhões para 1 em uma mina de ouro. É uma imensa quantidade de terra para as empresas de mineração limparem.

Os problemas de poluição são mais insidiosos e muito mais duradouros para a indústria de mineração do que para a indústria de petróleo. Os problemas de vazamento de petróleo são identificados por serem rápidos e visíveis, muitos do quais foram possíveis evitar por meio de cuidadosa manutenção e inspeção e de projetos de engenharia aperfeiçoados (como petroleiros de casco duplo), de modo que os vazamentos de petróleo que ainda ocorrem hoje em dia são principalmente devidos a erros humanos (como o acidente com o petroleiro *Exxon Valdez*), que podem ao seu turno ser minimizados através de rigorosos procedimentos de treinamento. Os vazamentos de petróleo geralmente podem ser limpos dentro de poucos anos ou menos, e o petróleo degrada naturalmente. Embora os problemas de poluição das minas também ocasionalmente apareçam como um surto rapidamente visível que mata muitos peixes ou aves (como o transbordamento de cianeto da mina de Summitville que matou muitos peixes), o fato é que mais frequentemente assumem a forma de um vazamento tóxico crônico e invisível de metais e ácido que não degradam naturalmente, continuam a vazar durante séculos, e enfraquecem lentamente as pessoas em vez de criarem uma súbita pilha de cadáveres. As barragens de resíduos e outras precauções de engenharia contra vazamentos de minas continuam a sofrer uma grande taxa de fracassos.

Assim como o carvão, o petróleo é um material volumoso que podemos ver. O marcador da bomba de gasolina nos diz quantos litros acabamos de comprar. Sabemos para que é usado, o consideramos essencial, experimentamos e fomos incomodados pela falta de petróleo, temos medo de sua possível recorrência, somos gratos por termos gasolina em nossos carros, e não reclamamos muito em pagar mais por isso. Portanto, as indústrias de petróleo e carvão mineral podem repassar o custo da limpeza ambiental para os consumidores. Mas os metais que não sejam o ferro (em forma de aço) geralmente são usados em pequenas partes invisíveis dentro de nossos carros, telefones e outros equipamentos. (Diga-me rápido, sem olhar a resposta em uma enciclopédia: onde você usa cobre e paládio, e quantos gramas de cada um existem nas coisas que você comprou no ano passado?) Se o custo ambiental aumentado da mineração do cobre e do paládio tendem a aumentar o custo do seu carro, você não diz: "Claro, estou disposto a pagar mais um dólar por cada 20 gramas de cobre e paládio, desde que ainda possa comprar um carro este ano." Em vez disso, você vai a outras lojas para encontrar um preço melhor. Os intermediários de cobre e paládio e os fabricantes de carros sabem como você se sente, e pressionam as empresas de mineração a manterem seus preços baixos. Isso dificulta o repasse de seus custos de limpeza.

As empresas de mineração têm muito menos capital para absorver seus custos de limpeza do que as empresas de petróleo. Tanto a indústria de petróleo quanto a indústria de mineração de metais enfrentam os chamados problemas herdados, representados pelo fardo dos custos de um século de práticas ambientalmente danosas antes do recente surgimento da preocupação ambiental. Para pagar tais custos, o total de capital alocado por toda a indústria de mineração no ano de 2001 foi de apenas 250 bilhões de dólares, e suas três maiores empresas (Alcoa, BHP e Rio Tinto) alocaram apenas um capital de 25 bilhões cada. Mas as empresas líderes individuais de outras indústrias — lojas Wal-Mart, Microsoft, Cisco, Pfizer, Citigroup, Exxon-Mobil e outras — alocaram capitais de 250 bilhões de dólares cada, enquanto só a General Electric alocou 470 bilhões de dólares (quase o dobro do valor de toda a indústria de mineração). Portanto, esses problemas herdados são um fardo relativamente muito mais pesado para a indústria de mineração de metais do que para a indústria de petróleo. Por exemplo, a Phelps-Dodge, a maior empresa de mineração sobrevivente nos EUA, enfrenta despesas de fechamento e restauração de cerca de dois bilhões de dólares, igual a todo o seu valor de mercado. Todos os ativos da empresa somam apenas oito bilhões de dólares, e a maioria desses ativos está no Chile, não podendo ser usados para pagar os custos na América do Norte. Em contraste, a empresa de petróleo ARCO, que herdou a responsabilidade de um bilhão de dólares ou mais das minas de cobre Butte quando comprou a Anaconda Copper Mining Company, tem ativos na América do Norte de mais de 20 bilhões de dólares. Apenas este cruel fator econômico explica boa parte da razão por que a Phelps-Dodge é muito mais recalcitrante a respeito de limpeza de minas do que a ARCO.

Assim, há muitas razões econômicas pelas quais é mais difícil para as empresas de mineração do que para as de petróleo pagar custos de limpeza. A curto prazo, é mais barato para uma empresa de mineração limitar-se a pagar lobistas para forçar a aprovação de leis reguladoras mais brandas. Graças às atitudes da sociedade e às leis e regulamentação existentes, tal estratégia funcionou — até recentemente.

Esses desincentivos econômicos são exacerbados pela cultura e pelas atitudes corporativas que se tornaram tradicionais na indústria de mineração de metais. Na história dos EUA e, analogamente, também na África do Sul e Austrália, o governo promoveu a mineração como instrumento para encorajar a colonização do Oeste. Portanto, a indústria de mineração evoluiu nos EUA com um senso inflado de direito, uma crença de que estava acima de todas as regras, e uma visão de si mesma como salvação do Oeste — ilustrando assim o problema de valores que vivem além de sua utilidade, como discutido no capítulo anterior. Os executivos das empresas de mineração respondem à crítica ambiental com homilias de como a civilização teria sido impossível sem a mineração, e que mais regulamentação representaria menos mineração e, portanto, menos civilização. A civilização como a conhecemos também seria impossível sem petróleo, comida vinda de fazendas, madeira ou livros, mas os executivos do petróleo, fazendeiros, madeireiros e editores não se aferram ao fundamentalismo quase religioso dos executivos das empresas de mineração: "Deus pôs esses metais ali para serem extraídos em benefício da humanidade." O presidente e a maioria dos diretores de uma das maiores empresas de mineração dos EUA são membros de uma igreja que ensina que Deus logo virá à Terra, portanto, se conseguirmos adiar a devolução de terras mais cinco ou 10 anos, isto será irrelevante. Meus amigos na indústria de mineração usaram muitas frases de efeito para caracterizar as atitudes que prevalecem atualmente: "atitude de estuprar-e-fugir"; "mentalidade de ladrão de casaca"; "a luta heroica de um homem contra a natureza"; "os homens de negócios mais conservadores que já conheci"; e "uma atitude especulativa de que uma mina está onde está para que seus executivos façam jogadas e se enriqueçam ao atingir o veio principal, em vez do lema das empresas de petróleo de aumentar o valor de seu patrimônio para os acionistas". Às alegações de problemas tóxicos nas minas, a indústria de mineração rotineiramente responde com negativas. Ninguém na indústria de petróleo atual negaria que o petróleo derramado é nocivo, mas os executivos das minas negam o dano de metais e ácidos difundidos.

O terceiro fator implícito às práticas ambientais da indústria de mineração, afora as atitudes econômicas e corporativas, são as atitudes de nosso governo e sociedade, que permitem à indústria continuar com tais práticas. A lei federal básica que regula a mineração nos EUA ainda é o General Mining Act, aprovado em 1872. Esta lei destina grandes subsídios às empresas de mineração, como bilhões de dólares anuais de direitos não cobrados sobre minerais extraídos de terras públicas, uso ilimitado de terras públicas para jogar fora resíduos de minas em alguns casos, e outros subsídios que custam aos contribuintes um quarto de bilhão de dólares por ano. As regras detalhadas adotadas pelo governo federal em 1980, chamadas "3.809 regras", não exigem que as empresas de mineração forneçam garantia financeira para custos de limpeza, e não definem adequadamente a recuperação e o fechamento da mina. No ano 2000 a administração Clinton propôs uma regulamentação para as minas que alcançava ambos os objetivos enquanto eliminava os compromissos de autogarantia financeira assumidos pelas empresas. Mas em outubro de 2001, a administração Bush eliminou quase todas essas propostas, exceto a de continuar a exigir garantia financeira, o que de qualquer modo será inútil sem a definição de quais os custos de recuperação e limpeza a serem cobertos por garantias financeiras.

É pouco provável que nossa sociedade possa efetivamente responsabilizar a indústria de mineração por danos. Leis, políticas regulatórias e o desejo político de perseguir infratores contumazes da lei na mineração continuam ausentes. Durante muito tempo o governo do estado de Montana foi notório por sua deferência para com os lobistas da mineração, e os governos dos estados do Arizona e de Nevada ainda o são. Por exemplo, o estado do Novo México calculou os custos de restauração para a mina de cobre Chino, da Phelps-Dodge Corporation, em 780 milhões de dólares, mas baixou esta estimativa para 391 milhões devido à pressão política da Phelps-Dodge. Como o público americano e os governos exigem tão pouco da indústria de mineração, por que nos surpreender que a própria indústria faça tão pouco espontaneamente?

Meu relato sobre a mineração de metais até agora pode ter dado a falsa impressão de que esta indústria é monoliticamente uniforme em suas atitudes. Isto não é verdade, e é instrutivo examinar as razões por que algumas empresas deste ramo ou de indústrias relacionadas adotaram ou consideraram adotar políticas mais limpas. Mencionarei resumidamente meia dúzia de casos: a mineração de carvão, a situação atual das propriedades da Anaconda Copper Company em Montana, as minas de platina e paládio de Montana, a recente iniciativa da MMDS, Rio Tinto e DuPont.

Superficialmente, a mineração de carvão é mesmo mais semelhante à mineração de metais do que a indústria de petróleo, porque suas operações inevitavelmente geram grandes impactos ambientais. As minas de carvão tendem a fazer muito mais sujeira do que as de metais, porque a quantidade de carvão extraída por ano é enorme: mais de três vezes a massa combinada de todos os metais extraídos das minas de metais. Assim, as minas de carvão revolvem uma área maior e, em alguns casos, desnudam o solo até o leito de rocha e despejam montanhas em rios. Por outro lado, o carvão ocorre em filões puros de até três metros de espessura que se estendem por quilômetros, de modo que a proporção de rejeitos em relação ao produto extraído é de 1 para 1 em uma mina de carvão, muito menos do que as cifras já mencionadas de 400 para 1 em uma mina de cobre e 5 milhões para 1 em uma mina de ouro.

O desastre letal da mina de carvão de Buffalo Creek em 1972 serviu como um grito de alerta para a indústria de carvão mineral, semelhante ao que ocorreu após os desastres do *Exxon Valdez* e das plataformas de petróleo do mar do Norte com a indústria de petróleo. Embora a indústria de mineração de metais tenha a sua parcela de culpa em desastres no Terceiro Mundo, estes ocorreram muito longe dos olhos do público do Primeiro Mundo para servirem como um grito de alerta comparável. Estimulados por Buffalo Creek, os governos federais dos anos 1970 e 1980 instituíram uma regulamentação mais rígida e exigiram planos operacionais e garantias financeiras mais estritas para as minas de carvão do que para as de metais.

A resposta inicial da indústria de carvão a essas iniciativas do governo foi profetizar o desastre da indústria, mas 20 anos depois isso foi esquecido, e a indústria de carvão aprendeu a viver com a nova regulamentação. (É claro que isso não quer dizer que a indústria é consistentemente virtuosa, apenas que está mais bem regulamentada do que há 20 anos.) Uma razão é que muitas (mas com certeza não todas) minas de carvão não ficam nas belas montanhas de Montana mas em terrenos planos não muito valorizados por outros motivos, de modo que a restauração é economicamente factível. Ao contrário da indústria de mineração de metais, a indústria de carvão frequentemente restaura as áreas exploradas em um ou dois anos após o fim das operações. Outra razão pode ser que o carvão (assim como o petróleo mas não o ouro) é visto como uma necessidade para a nossa sociedade, e todos sabemos como usamos carvão e petróleo, mas poucos de nós sabem como usamos cobre, de modo que a indústria de carvão pôde repassar os custos ambientais aumentados para os consumidores.

Ainda outro fator por trás das respostas da indústria de carvão é que suas cadeias de suprimento são tipicamente curtas e transparentes; o carvão é embarcado diretamente (ou através de apenas um fornecedor intermediário) para as usinas geradoras de energia elétrica, de aço, e outros grandes consumidores de carvão mineral. Isso facilita ao público descobrir se um consumidor de carvão em particular o está obtendo de uma empresa de mineração de carvão operada de modo limpo ou sujo. O petróleo tem uma cadeia de suprimento ainda mais curta em número de entidades comerciais, mesmo estando longe em distância geográfica: grandes empresas de petróleo como a ChevronTexaco, ExxonMobil, Shell e BP vendem seu combustível diretamente para os consumidores em postos de gasolina, permitindo assim que os consumidores furiosos com o desastre do *Exxon Valdez* boicotem postos que vendam combustível da Exxon. Já o ouro passa da mina para o consumidor através de uma longa cadeia de suprimento que inclui refinarias, depósitos, fabricantes de joias na Índia e atacadistas europeus antes de chegar a uma joalheria. Dê uma olhada em sua aliança de casamento: você não tem a mínima ideia de onde veio esse ouro, se foi extraído no ano passado ou estocado nos últimos 20 anos, que empresa o extraiu, e com quais práticas ambientais. No caso do cobre a situação é ainda mais obscura: há um estágio intermediário extra — o refinador. Você nem se dá conta de que está adquirindo algum cobre quando compra um carro ou um telefone. Esta longa cadeia de suprimento evita que as empresas de mineração de cobre e ouro possam contar com o desejo do consumidor de pagar por minas mais limpas.

Entre as minas de Montana com um histórico legado de dano ambiental, as da ex-Anaconda Copper Mining Company foram as que chegaram mais perto de pagar os custos de limpeza de suas propriedades em torno e a jusante de Butte. A razão é simples: a Anaconda foi comprada pela grande empresa de petróleo ARCO, que por sua vez foi comprada pela ainda maior BP (British Petroleum). O resultado ilustra mais claramente do que qualquer outra coisa as diferentes abordagens ao dano ambiental da indústria de mineração de metais e da indústria de petróleo: mesmas propriedades de mineração, diferentes donos. Quando descobriram a confusão em que se meteram, a ARCO e a BP decidiram que seus interesses seriam mais bem servidos se assumissem os problemas do que se negassem toda responsabilidade. Isso não quer dizer que a ARCO e a BP tenham demonstrado qualquer entusiasmo com as centenas de milhões de dólares que foram obrigadas a gastar. Tentaram as estratégias de resistência habituais, como negar a realidade dos efeitos tóxicos, financiar grupos de apoio de cidadãos locais para exporem seu caso propondo soluções mais baratas do que as propostas pelo governo, e assim por diante. Mas ao menos gastaram grandes somas em dinheiro, estão evidentemente resignados por terem de gastar mais, são grandes demais para declarar a falência das minas em Montana, e estão interessados em resolver o problema em vez de adiá-lo indefinidamente.

Outro ponto um tanto positivo no quadro da mineração em Montana são duas minas de platina e paládio de propriedade da Stillwater Mining Company, que fez um acordo de boa vizinhança com grupos ambientalistas locais (o único acordo do tipo alcançado por uma empresa de mineração nos EUA), doou dinheiro para esses grupos e lhes permitiu livre acesso à sua área de mineração. Na verdade, a Stillwater solicitou que a organização ambiental Trout Unlimited (para a surpresa desta última) monitorasse o efeito de suas minas sobre as populações locais de trutas no rio Boulder, e chegou a acordos de longo prazo com as comunidades vizinhas quanto a trabalho, eletricidade, escolas e serviços municipais — para, em troca, os ambientalistas e os cidadãos locais não se oporem à Stillwater. Parece óbvio que esse tratado de paz entre a Stillwater, ambientalistas e a comunidade beneficia todos os envolvidos. Como podemos explicar o fato surpreendente de que, entre as empresas de mineração de Montana, apenas a Stillwater tenha chegado a esta conclusão?

Diversos fatores contribuíram. A Stillwater possui um depósito especialmente valioso: o único depósito primário de platina e paládio (muito usados na indústria química e automobilística) fora da África do Sul. O depósito é tão profundo que deve durar pelo menos um século; provavelmente muito mais. Isso encoraja uma perspectiva de longo prazo em vez da usual atitude estuprar e fugir. Como a mina fica no subsolo provoca menos problemas de impacto de superfície que uma mina a céu aberto. Seus minérios são relativamente pobres em sulfetos, e muito desse sulfeto é extraído com o produto, de modo que os problemas de vazamento de ácido são minimizados e a amenização do impacto ambiental é menos dispendiosa do que nas minas de cobre e ouro de Montana. Em 1999 a empresa contratou um novo presidente, Bill Nettles, que veio da indústria automobilística (a maior consumidora de produtos dessa mina). Por não ser alguém com antecedentes de mineração tradicional, não herdou as atitudes habituais da categoria, reconheceu o problema de péssimas relações públicas das empresas de mineração e interessou-se em descobrir soluções novas de longo prazo. Finalmente, no ano 2000, ao tempo em que a Stillwater chegou aos acordos mencionados acima, seus executivos estavam temerosos de que a eleição presidencial fosse ganha pelo candidato pró-ambiente Al Gore, que a eleição para governador em Montana fosse ganha pelo candidato avesso às grandes empresas, de modo que os acordos de boa vizinhança ofereceram à Stillwater a sua melhor chance de adquirir um futuro estável. Em outras palavras, os executivos da Stillwater seguiram sua percepção particular de quais seriam os melhores interesses de sua empresa negociando acordos de boa vizinhança, enquanto a maioria das outras grandes empresas americanas de mineração continuou acreditando que o melhor seria negar a responsabilidade, contratando lobistas para se oporem à regulamentação governamental e, como último recurso, recorrer à falência.

Em 1998, os altos executivos de algumas das maiores empresas de mineração internacionais deram-se conta de que a sua indústria no mundo inteiro estava "perdendo a licença social para operar", como se disse. Então, formaram uma entidade denominada projeto de Mineração de Minerais e Desenvolvimento Sustentado, começaram uma série de estudos sobre mineração sustentável, contrataram um reconhecido ambientalista (o presidente da National Wildlife Federation) como diretor da iniciativa e tentaram sem sucesso envolver a comunidade ambiental, que se recusou devido à sua histórica aversão às empresas de mineração. No ano 2002, o estudo chegou a uma série de recomendações, mas a maioria das empresas de mineração envolvidas infelizmente recusou-se a implementá-las.

A exceção foi uma gigante britânica da mineração, a Rio Tinto, que decidiu levar adiante algumas das recomendações por conta própria, sob pressão de seu presidente e dos acionistas britânicos, e apagou a lembrança de ter sido proprietária da mina de cobre Panguna, em Bougainville, cujo dano ambiental mostrou-se tão desastrosamente caro para a empresa. Assim como a empresa de petróleo Chevron ao negociar com o governo da Noruega, a Rio Tinto previu vantagens comerciais em ser tida como uma indústria líder em responsabilidade social. Sua mina de bórax no Vale da Morte, na Califórnia, é agora talvez a mina mais limpa dos EUA. Um lucro que a Rio Tinto já colheu foi quando a Tiffany & Co., não querendo correr o risco de ter manifestantes ambientalistas marchando em frente às suas lojas de joias com cartazes sobre vazamentos de cianeto e morte de peixes causados pela mineração de ouro, decidiu favorecer considerações ambientais selecionando uma empresa de mineração com a qual firmar um contrato de fornecimento de ouro. A Tiffany escolheu a Rio Tinto devido à reputação cada vez mais limpa desta empresa. Outros motivos da Tiffany incluíram algumas das mesmas considerações que já mencionei como motivadoras da ChevronTexaco: estabelecer a boa reputação de sua marca, manter uma força de trabalho motivada e de alto nível e a filosofia dos executivos da empresa.

O exemplo instrutivo remanescente envolve a empresa DuPont, baseada nos EUA, a maior compradora mundial de titânio e compostos de titânio usado em tintas, turbinas de jato, aviões de alta velocidade e veículos espaciais, entre outras finalidades. Muito titânio é extraído das areias das praias da Austrália, ricas em rutílio, um mineral composto de dióxido de titânio quase puro. A DuPont é uma empresa de manufaturas, não de mineração, de modo que compra o rutílio de empresas de mineração da Austrália. Contudo, a DuPont põe seu nome em todos os seus produtos, incluindo as tintas domésticas à base de titânio, e não quer que todos os seus produtos ganhem uma má reputação porque os fornecedores de titânio despertam a ira dos consumidores através de práticas sujas de mineração. Portanto, a DuPont, em colaboração com grupos de interesse público, conseguiu fazer exigências de comprador e criar códigos de responsabilidade que impõe a todos os seus fornecedores australianos de titânio.

Esses dois exemplos envolvendo a Tiffany e a DuPont ilustram um ponto importante. Os consumidores individuais têm coletivamente alguma influência sobre as empresas de petróleo e (em menor grau) sobre as empresas de mineração de carvão, porque o público compra combustível diretamente das empresas de petróleo e compra eletricidade da empresa geradora de energia que compra carvão. Portanto, os consumidores sabem a quem obstruir ou boicotar no caso de um vazamento de petróleo ou um acidente em uma mina de carvão. Contudo, os consumidores individuais estão a oito níveis de distância das empresas de mineração de metais, tornando virtualmente impossível um boicote direto a uma empresa de mineração suja. No caso do cobre, não seria factível nem mesmo um boicote a produtos contendo este metal, porque a maioria dos consumidores nem mesmo sabe quais de suas compras contêm pequenas quantidades de cobre. Mas os consumidores têm influência sobre a Tiffany, DuPont e outros varejistas que compram metais e têm capacidade técnica para distinguir minas limpas de sujas. Veremos que a pressão do consumidor sobre compradores varejistas já começou a se tornar um meio eficiente de influenciar as indústrias de madeira e de frutos do mar. Grupos ambientalistas estão começando a aplicar a mesma tática à indústria de mineração de metais, confrontando mais os compradores de metal do que os próprios mineradores.

Ao menos a curto prazo, salvaguardas ambientais, limpeza e restauração representam custos para as empresas de mineração que as adotam, não importando se as regulamentações governamentais ou as atitudes do público garantam que as salvaguardas representarão uma economia a longo prazo. Quem deve pagar pelos custos? Quando a limpeza é de sujeira que as empresas de mineração fizeram legalmente no passado devido a uma regulamentação governamental fraca, o público não tem escolha a não ser pagar o custo através de taxas, mesmo que nos revolte pagar por sujeiras feitas por empresas cujos diretores se concederam gratificações pouco antes de declararem falência. Em vez disso, a pergunta prática é: quem deve pagar o custo ambiental da mineração que está sendo feita agora ou que será feita no futuro?

A realidade é que a indústria de mineração é em média tão pouco lucrativa que os consumidores não podem apontar os lucros excessivos destas empresas para pagar os custos. A razão pela qual queremos que as empresas de mineração façam a limpeza é que nós, o público, somos aqueles que sofrem com a sujeira feita pelas minas: terras inutilizáveis, água contaminada e ar poluído. Até mesmo os métodos mais limpos de mineração de carvão e cobre fazem sujeira. Se quisermos carvão e cobre, temos de reconhecer o custo ambiental de extraí-los como um custo legitimamente necessário da mineração de metais, tão legítimo quanto o custo da escavadeira que escava o poço ou do forno que reduz o minério. Os custos ambientais devem ser faturados no preço dos metais e repassados aos consumidores, assim como as empresas de petróleo e carvão já o fazem. Apenas a longa e opaca cadeia de suprimento entre as minas de metais e o público junto ao mau comportamento histórico das empresas de mineração obscurecem esta simples conclusão até agora.

As duas últimas indústrias de extração de recursos que discutirei são a indústria madeireira e a indústria de pesca. Diferem da indústria de petróleo, de mineração de metais e de carvão em dois aspectos básicos. Primeiro, árvores e peixes são recursos renováveis, que se reproduzem. Se você os colher em uma proporção que não seja maior do que aquela em que se reproduzem, sua colheita pode se sustentar indefinidamente.

Por outro lado, o petróleo, os metais e o carvão não são renováveis; não se reproduzem, brotam ou fazem sexo para se reproduzir em filhotes de gotas de petróleo ou de migas de carvão. Mesmo que os extraia lentamente, isso não permite que se reproduzam e mantenham as reservas de petróleo, metal ou carvão em níveis constantes. (Sendo mais exato, o petróleo e o carvão se formam ao longo de milhões de anos, um ritmo muito lento para equilibrar nossa taxa de extração.) Segundo, nas indústrias madeireira e de pesca as coisas que você remove — as árvores e os peixes — são partes valiosas do ambiente. Portanto, qualquer atividade madeireira ou de pesca, quase por definição, pode causar dano ambiental. Contudo, o petróleo, os metais e o carvão têm pouco ou nenhum papel nos ecossistemas. Se você descobrir algum modo de extraí-los sem danificar o resto do ecossistema, então não terá removido nada ecologicamente valioso, embora o seu uso ou queima posterior ainda possam causar dano. Primeiro discutirei a silvicultura, e então (mais brevemente) a pesca.

Para os seres humanos, as florestas são muito valiosas, e derrubá-las é um risco. Obviamente, são nossa principal fonte de produtos de madeira, entre os quais a lenha, o papel de escritório, dos jornais, dos livros, o papel higiênico, madeira de construção, compensado e madeira para móveis. Para os povos do Terceiro Mundo, que constituem uma fração substancial da população mundial, também são a principal fonte de outros produtos florestais, como fibras naturais e material para cobertura de telhados, aves e mamíferos usados na alimentação, bem como frutas, sementes e outras partes comestíveis das plantas, e a flora medicinal. Para os povos do Primeiro Mundo, as florestas oferecem recreação popular. Funcionam como o maior filtro de ar do mundo, removendo o monóxido de carbono e outros poluentes. As florestas e seus solos são um grande depósito de carbono, motivo pelo qual o desmatamento é uma importante força por trás do aquecimento global através da diminuição desse depósito de carbono. A água da transpiração das árvores devolve umidade para a atmosfera, de modo que o desmatamento tende a causar diminuição nas chuvas e desertificação crescente. As árvores retêm a água no solo e o mantêm úmido. Protegem a superfície de terra contra o desmoronamento, a erosão e o assoreamento de rios. Algumas florestas, principalmente determinadas florestas pluviais, abrigam a maior porção de nutrientes de um ecossistema, de modo que a atividade madeireira e o transporte dos troncos tendem a deixar a terra desmatada infértil. Finalmente, as florestas são o hábitat da maioria dos outros seres vivos terrestres. Por exemplo, as florestas tropicais cobrem 6% da superfície da Terra mas abrigam entre 50% e 80% das espécies terrestres de plantas e animais.

Dada a importância das florestas, os madeireiros desenvolveram muitos meios de minimizar os impactos ambientais potencialmente negativos de sua atividade. Esses meios incluem derrubar seletivamente árvores de espécies valiosas, deixando as demais intactas, em vez de derrubar toda uma floresta; abater árvores em um manejo sustentável, de modo que a taxa de crescimento de novas árvores equivalha à taxa de remoção das árvores adultas; cortar trechos pequenos de floresta, de modo que a área desmatada esteja cercada de árvores que produzam sementes para iniciar o reflorestamento da área derrubada; plantio individual de árvores; e remoção de árvores grandes por helicóptero caso sejam suficientemente valiosas (como é o caso de muitas florestas de dipterocarpáceas e de araucárias), em vez de remover as árvores com caminhões e estradas de acesso que danificam o resto da floresta. Dependendo das circunstâncias, essas salvaguardas ambientais podem acabar em lucro ou prejuízo para a empresa madeireira. Ilustrarei agora esses dois resultados opostos através de dois exemplos: as recentes experiências de meu amigo Aloysius, e as operações do Forest Stewardship Council (FSC) [Conselho de Administração Florestal].

Aloysius não é um nome verdadeiro, mas que criei por razões que se tornarão óbvias a seguir. Ele é cidadão de um dos países asiáticos do Pacífico onde fiz meu trabalho de campo. Quando o encontrei há seis anos, ele imediatamente me pareceu a pessoa mais extrovertida, curiosa, alegre, bem-humorada, confiante, independente e esperta de seu escritório. Corajosamente e de mãos vazias, enfrentou e acalmou um grupo de trabalhadores amotinados. Correu repetidas vezes (sim, literalmente correu) para cima e para baixo de uma trilha íngreme de montanha, à noite, para coordenar o trabalho em dois acampamentos. Tendo ouvido dizer que eu escrevera um livro sobre sexualidade humana, 15 minutos depois de nos conhecermos ele irrompeu em uma gargalhada e disse que já era hora de eu dizer o que sabia sobre sexo em vez de falar sobre aves.

Encontramo-nos diversas vezes, envolvidos em diversos outros projetos e, então, passaram-se dois anos antes que eu pudesse voltar ao seu país. Quando vi Aloysius novamente, tive certeza de que alguma coisa havia mudado. Ele agora falava nervosamente, e seus olhos olhavam em torno como se estivesse com medo. Isso me surpreendeu, porque o local de nossa conversa era um auditório na capital de seu país onde eu fazia uma palestra para ministros de Estado e onde não conseguia detectar qualquer sinal de perigo. Após termos nos lembrado do motim, dos acampamentos na montanha, e do sexo, perguntei como ele estava, e ouvi a seguinte história:

Aloysius tinha um novo emprego. Agora, trabalhava para uma organização não governamental preocupada com o desmatamento tropical. Nos trópicos do Sudeste Asiático e das ilhas do Pacífico, a atividade madeireira de grande escala é feita principalmente por empresas internacionais com subsidiárias em diversos países mas cujas sedes geralmente estão na Malásia, Taiwan e na Coreia do Sul. Estas empresas operam arrendando direitos de extração em terras de propriedade do povo local, exportando toros brutos, e não reflorestando após a derrubada. Muito ou a maior parte do valor da madeira é agregado depois do desdobro nas serrarias e do acabamento pelas técnicas de carpintaria e marcenaria. Ou seja, a madeira beneficiada é vendida por um preço muito mais alto do que o toro do qual foi tirada. Portanto, exportar toros não beneficiados priva o povo e o governo local da maior parte do valor potencial deste recurso. As empresas frequentemente obtêm a permissão de extração de madeira subornando autoridades governamentais, e então abrem estradas e cortam árvores além dos limites da área arrendada. Em outros casos, a empresa simplesmente envia um navio, negocia uma permissão com os habitantes do local e leva a madeira, dispensando, assim, a permissão do governo. Por exemplo, cerca de 70% de toda a madeira cortada na Indonésia provém de operações ilegais que custam ao governo quase um bilhão de dólares por ano em impostos, direitos e arrendamentos não pagos. A permissão local é obtida corrompendo-se os líderes de aldeias que podem ou não ter o poder de endossar direitos de exploração de madeira, e levando esses líderes para a capital do país ou até mesmo para Hong Kong, onde são hospedados em hotéis luxuosos e recebem comida, bebida e prostitutas até assinarem a permissão. Isso parece um modo dispendioso de fazer negócio mas a verdade é que uma única grande árvore de floresta pluvial vale milhares

GRANDES EMPRESAS E MEIO AMBIENTE

de dólares. A aquiescência das pessoas comuns da aldeia é paga com uma quantidade de dinheiro que parece enorme mas que na verdade elas vão gastar em comida e outros produtos de consumo em um ano. Além disso, a empresa também obtém a aquiescência local fazendo promessas que não cumprirá, como a de reflorestar o lugar e construir hospitais. Em alguns casos bem noticiados na Bornéu indonésia, ilhas Salomão e outros lugares, quando os madeireiros chegaram em uma floresta com uma permissão do governo central e começaram a derrubada, o povo local viu que aquilo seria um mau negócio e tentou interromper a derrubada bloqueando estradas ou queimando serrarias. Em resposta, a empresa madeireira convocou a polícia e o exército para garantir seus direitos. Ouvi dizer que as empresas madeireiras também intimidam oponentes ameaçando matá-los.

Aloysius era um desses oponentes. Os madeireiros ameaçaram matá-lo, mas ele prosseguiu porque estava seguro de que poderia se proteger. Então, ameaçaram matar sua esposa e filhos, a quem ele não poderia defender quando estivesse trabalhando. Para proteger a família, ele a levou para outro país e tornou-se mais vigilante quanto a possíveis atentados. Isso explicava o nervosismo e a mudança em sua antiga maneira alegre e confiante de ser.

Quanto a tais empresas madeireiras, assim como com as empresas de mineração que já discutimos, temos de nos perguntar por que se comportam de modo tão moralmente repreensível. A resposta, novamente, é que se comportam assim pelas mesmas três razões que motivam as empresas de mineração: lucro, cultura corporativista da indústria e atitudes da sociedade e do governo. A madeira tropical nobre é tão valiosa e há tanta demanda para o produto que a tática de estuprar e fugir aplicada pelas madeireiras em florestas tropicais arrendadas é imensamente lucrativa. A aquiescência da população local frequentemente pode ser obtida porque tais populações precisam desesperadamente de dinheiro e nunca viram as desastrosas consequências que a derrubada de florestas tropicais traz para os donos da terra. (As organizações que se opõem à atividade madeireira nas florestas tropicais sabem que um dos modos mais baratos de convencer os donos de terras a não darem permissão para a exploração de suas terras pelas madeireiras é levando-os a áreas já derrubadas para que conversem com donos de terras arrependidos e vejam por si mesmos os resultados.) Muitas vezes as autoridades dos departamentos florestais dos governos podem ser subornadas, por não terem perspectiva internacional e recursos financeiros da empresa madeireira, e não saberem o alto valor da madeira beneficiada. Desse modo, o estuprar e fugir vai continuar a ser bom negócio até as empresas não terem mais países a desmatar, e até os governos nacionais e os donos de terra locais se recusarem a dar permissão e mobilizar força superior de modo a resistir à atividade madeireira não desejada mas sustentada pela força.

Em outros países, principalmente na Europa Ocidental e nos EUA, a atividade madeireira do tipo estuprar e fugir tem se tornado cada vez menos lucrativa. Em contraste com a situação na maior parte dos trópicos, as florestas virgens da Europa Ocidental e dos EUA já foram cortadas ou estão em acentuado declínio. Grandes empresas madeireiras operam em terras próprias ou arrendadas a longo prazo, o que lhes dá um incentivo econômico para a sustentabilidade sob algumas circunstâncias. Muitos consumidores estão cientes da questão ambiental para se preocuparem se os produtos que estão comprando foram feitos com madeira derrubada de modo destrutivo e não sustentável. A regulamentação governamental às vezes é séria e restritiva, e as autoridades de governo não são facilmente subornadas.

O resultado é que algumas empresas madeireiras que operam na Europa Ocidental e nos EUA estão ficando cada vez mais atentas não apenas quanto à sua habilidade de competir com os produtores do Terceiro Mundo, que têm custos mais baixos, mas também a respeito de sua própria sobrevivência ou (para usar terminologia da indústria de mineração e petróleo) sua "licença social para operar". Algumas empresas madeireiras adotaram práticas sadias e tentaram convencer o público disso, mas descobriram que suas alegações em seu favor não tinham credibilidade aos olhos do público. Por exemplo, muitos produtos de madeira e papel que são oferecidos aos consumidores têm rótulos fazendo alegações pró-ambientais como "para cada árvore derrubada, ao menos duas são plantadas". Contudo, uma pesquisa de 80 de tais alegações descobriu que 77 não podiam ser comprovadas de modo algum, três podiam ser apenas parcialmente comprovadas, e quase todas foram retiradas quando postas em dúvida. Compreensivelmente, o público aprendeu a desprezar alegações deste tipo feitas pelas próprias empresas.

Além da preocupação quanto à sua licença e credibilidade sociais, também havia a preocupação das empresas de madeira sobre a iminente extinção das florestas, base de seu negócio. Mais da metade das florestas originais do mundo já foi cortada ou muito danificada nos últimos oito mil anos. Contudo, nosso consumo de produtos florestais está se acelerando, com o resultado de que mais da metade dessas perdas ocorreu nos últimos 50 anos devido à derrubada de florestas para a agricultura e pelo fato de o consumo mundial de papel ter aumentado cinco vezes desde 1950. A derrubada geralmente é apenas a primeira etapa de uma reação em cadeia: depois que os madeireiros constroem estradas de acesso à área florestada, caçadores usam essas estradas para caçar animais, e posseiros as seguem para fazer assentamentos. Apenas 12% das florestas do mundo estão em áreas protegidas. Em um cenário pessimista, todas as florestas remanescentes fora dessas áreas serão destruídas por extração não sustentável nas próximas décadas. Em um cenário otimista o mundo pode suprir suas necessidades de madeira de modo sustentável utilizando apenas uma pequena área (20% ou menos) dessas florestas de modo bem-administrado.

Tais preocupações a respeito do futuro a longo prazo de sua própria indústria levaram alguns representantes da indústria madeireira e silvicultores a iniciarem discussões com organizações ambientais e sociais e associações de povos indígenas no início dos anos 1990. Em 1993, tais discussões resultaram na formação de uma organização internacional não lucrativa chamada Forest Stewardship Council (FSC), com sede na Alemanha e patrocinada por diversas empresas, governos, fundações e organizações ambientais. O conselho é administrado por uma diretoria eleita e pelos membros do FSC, que incluem representantes da indústria madeireira e de interesses ambientais e sociais. O FSC tinha três tarefas originais: elaborar uma lista de critérios de administração saudável de florestas; criar um mecanismo para se certificar de que uma floresta em particular satisfaz tais critérios; e, finalmente, estabelecer outro mecanismo para traçar o percurso de produtos de uma floresta certificada através da complexa cadeia de suprimento até os consumidores, de modo que um consumidor possa saber que o papel, cadeira ou mesa com o logotipo do FSC que está comprando em uma loja veio de uma floresta saudavelmente administrada.

A primeira dessas tarefas resultou na formulação de 10 critérios detalhados de administração saudável e sustentável de florestas. Incluem: o corte de árvores em uma taxa que possa ser sustentada indefinidamente, com o crescimento adequado de novas árvores para substituir as árvores derrubadas; poupar florestas de especial valor de conservação, como florestas primárias, que não devem ser convertidas em plantações florestais homogêneas; a preservação a longo prazo da biodiversidade, da reciclagem de nutrientes, da integridade do solo de outras funções do ecossistema das florestas; a proteção das bacias hidrográficas e a manutenção de amplas zonas ribeirinhas e margens de lagos florestadas; traçar um plano de administração de longo prazo; o despejo aceitável de produtos químicos e resíduos; a obediência às leis vigentes; e o reconhecimento dos direitos das comunidades indígenas e dos trabalhadores da floresta locais.

A próxima tarefa foi estabelecer um processo para assegurar que a administração de uma determinada floresta obedece a tais critérios. O FSC não certifica florestas: em vez disso, credita organizações de certificação de florestas que realmente visitam a floresta e passam até duas semanas inspecionando-a. Há dezenas de organizações assim em todo o mundo, todas habilitadas para operar internacionalmente; a maior parte das inspeções de florestas nos EUA é feita pela SmartWood e pela Scientific Certification Systems, com sedes em Vermont e na Califórnia, respectivamente. O proprietário ou administrador de floresta contrata a inspeção de uma organização certificadora e paga pela auditoria, sem nenhuma garantia de resultado favorável. Frequentemente, a reação do certificador à sua inspeção é impor uma lista de pré-condições que devem ser satisfeitas antes da aprovação, ou garantir uma aprovação provisória baseada em uma lista de condições que devem ser obedecidas antes de ser permitido o uso do selo FSC.

Deve-se enfatizar que a iniciativa de obter um certificado florestal deve sempre ser tomada pelo dono ou administrador; os certificadores não inspecionam florestas sem serem convidados. É claro, isso levanta a questão de por que um proprietário de floresta pagaria para ser inspecionado. A resposta é que números crescentes de proprietários e administradores estão decidindo que tal inspeção é de seu interesse financeiro, porque

GRANDES EMPRESAS E MEIO AMBIENTE

a taxa de certificação será recuperada como resultado do acesso a mais mercados e mais consumidores através de uma imagem e credibilidade melhorada através da certificação independente de terceiros. A essência da certificação FSC é que os consumidores podem acreditar nela, porque não é uma bravata não comprovada da empresa mas resultado de um exame baseado em padrões de melhores práticas aceitos internacionalmente, feito por auditores treinados e experientes que não hesitam em dizer não ou impor condições.

O passo seguinte é documentar o que é chamado de "cadeia de custódia" ou trilha de papel através da qual a madeira de uma árvore cortada no Oregon acaba como uma mesa à venda em uma loja em Miami. Mesmo que uma floresta seja certificada, seus donos podem vender a madeira para uma serraria que também serre madeira não certificada, então esta serraria pode vender a sua madeira cortada para um fabricante que também compre madeira cortada sem certificação, e assim por diante. A teia de relações entre produtores, fornecedores, fabricantes, atacadistas e lojas de varejo é tão complexa que até mesmo as empresas raramente sabem de onde vem ou para onde acaba indo a sua madeira, a não ser seus fornecedores e clientes imediatos. Para o consumidor final em Miami poder confiar que a mesa que está sendo comprada realmente vem de uma árvore de uma floresta certificada, os fornecedores intermediários devem manter o material certificado separado daquele não certificado, e os auditores devem se certificar de que todo fornecedor intermediário esteja realmente fazendo isso. "Certificar a cadeia de custódia" significa seguir a madeira certificada através de toda a cadeia de fornecimento. O resultado final é que apenas cerca de 17% dos produtos de florestas certificadas acabam com o selo FSC em uma loja de varejo; os outros 83% são misturados a outros produtos não certificados ao longo da cadeia. Certificar a cadeia de custódia parece — e de fato é — um aborrecimento. Mas é um aborrecimento essencial, porque de outro modo o consumidor não pode confiar na origem daquela mesa na loja em Miami.

Será que o público realmente se importa com assuntos ambientais ao ponto de o selo FSC ajudar a vender produtos de madeira? Quando perguntados em pesquisa, 80% dos consumidores alegaram que, se pudessem escolher, prefeririam comprar produtos de origem ambientalmente limpa. Mas estas são apenas palavras vazias ou as pessoas realmente prestam atenção aos selos FSC em uma loja? De fato estariam dispostas a pagar um pouco mais por um produto com selo FSC?

Tais assuntos são cruciais para empresas que estão pensando em se candidatar e pagar por uma certificação. A pergunta foi testada em duas lojas Home Depot no Oregon. Cada loja expôs duas caixas contendo peças de compensado do mesmo tipo e tamanho, com a diferença que o compensado em uma caixa trazia o selo FSC e o compensado da outra não. A experiência foi feita duas vezes: uma com o compensado das duas caixas custando o mesmo preço, a outra com o compensado com o selo FSC custando 2% mais caro que o compensado sem selo. Aconteceu que, quando o custo era o mesmo, o compensado com selo FSC vendeu mais do que o dobro do compensado que não tinha o selo. (Em uma das lojas em uma cidade universitária "liberal" e ambientalmente consciente, o fator foi de 6 por 1, mas mesmo em lojas de uma cidade mais "conservadora" o compensado com selo ainda vendeu mais 19% do que o outro.) No caso do compensado com selo 2% mais caro do que o compensado sem selo, é claro que a maioria dos consumidores preferiu o produto mais barato, mas uma grande minoria (37%) ainda assim comprou o produto com selo. Portanto, uma boa parte do público realmente pesa valores ambientais ao decidirem o que comprar, e uma significativa fração do público está disposta a pagar mais por esses valores.

Quando o certificado FSC foi introduzido pela primeira vez, havia muito receio de que de fato acabasse custando mais, fosse pelo custo da auditoria ou das práticas florestais necessárias para se obter o certificado. A experiência mostrou que o certificado geralmente não acrescenta um custo inerente aos produtos de madeira. Em casos nos quais os preços de mercado de produtos certificados foram mais altos do que os não certificados, isso se deveu apenas às leis de oferta e procura: ao verem que havia uma grande procura pelo produto certificado, disponível em pouca quantidade no estoque, os varejistas descobriram que podiam aumentar o preço.

A lista de grandes empresas que participaram da formação inicial do FSC, integraram a diretoria ou se comprometeram mais recentemente com os objetivos da organização inclui alguns dos maiores produtores e vendedores de produtos de madeira. Entre as empresas com sede nos EUA, estão a Home Depot, a maior varejista de madeira de construção do mundo; a

Lowe's, atrás apenas da Home Depot na indústria de reformas de residências; a Columbia Forest Products, uma das maiores empresas de produtos florestais nos EUA; a Kinko's (agora incorporada à FedEx), o maior fornecedor mundial de serviços de escritório e cópia de documentos; a Collins Pine e Kane Hardwoods, um dos maiores produtores de cerejeira dos EUA; a Gibson Guitars, um dos maiores fabricantes de violões do mundo; a Seven Islands Land Company, que administra 400 mil hectares de floresta no estado do Maine; e a Andersen Corporation, a maior fabricante mundial de portas e janelas. Grandes participantes fora dos EUA incluem a Tembec e a Domtar, dois dos maiores administradores de floresta do Canadá; a B & Q, a maior empresa de "faça você mesmo em casa" do Reino Unido, análoga ao Home Depot dos EUA; Sainsbury's, a segunda maior cadeia de supermercados do Reino Unido; a IKEA, com sede na Suécia, a maior varejista de móveis domésticos para montar; e a SCA e a Svea Skog (antiga Asi Domain), duas das maiores empresas florestais da Suécia. Estas e outras empresas se afiliaram à FSC porque viram vantagens econômicas nisso, mas chegaram a essa conclusão através de combinações variáveis de "empurrar" e "puxar". O "empurrar" deve-se ao fato de que algumas dessas firmas eram alvos de campanha de grupos ambientais insatisfeitos com práticas empresariais como negociar madeira de florestas primárias: por exemplo, a Home Depot foi pressionada pela Rainforest Action Network. Quanto ao fator "puxar", as empresas reconheceram muitas oportunidades em manter ou aumentar suas vendas para um público cada vez mais atento. Em defesa da Home Depot e outras empresas cuja motivação incluiu algum "empurrar", deve ser dito que compreensivelmente tinham de ser cautelosas ao fazerem mudanças na cadeia de suprimento que construíram ao longo de muitos anos. Daí em diante, aprenderam rápido, a ponto de a Home Depot estar hoje pressionando seus fornecedores no Chile e na África do Sul a adotarem padrões FSC.

Ao falar da indústria de mineração, mencionei que a pressão mais efetiva para que as empresas de mineração mudassem suas práticas não vem de consumidores individuais fazendo piquetes em minas, mas de grandes empresas que compram metais (como a DuPont e a Tiffany) e que vendem para os consumidores. Fenômeno semelhante ocorre na indústria de madeira. Embora o maior consumo de madeira seja para a construção de casas, a maioria dos proprietários não sabe, não seleciona, nem controla a escolha das empresas florestais que produzem a madeira que usam em suas casas. Em vez disso, os clientes das empresas florestais são as grandes empresas vendedoras de produtos florestais, como a Home Depot e a IKEA, e grandes compradores institucionais, como a cidade de Nova York e a Universidade de Wisconsin. O papel de tais empresas e instituições na bem-sucedida campanha para acabar com o *apartheid* na África do Sul demonstrou sua habilidade para chamar a atenção de entidades poderosas, ricas, determinadas, bem-armadas e aparentemente rígidas como o governo sul-africano da era do *apartheid*. Muitos varejistas e empresas industriais na cadeia de suprimento de produtos florestais aumentaram a sua influência organizando-se no que foi chamado de "grupos de compradores" que se comprometeram a aumentar as suas compras de produtos certificados pela SFC durante um tempo determinado. Em todo o mundo, há mais de uma dúzia de grupos assim, o maior deles reunindo alguns dos maiores varejistas do Reino Unido. Os grupos de compradores também estão cada vez mais fortes na Holanda e em outros países da Europa Ocidental, EUA, Brasil e Japão.

Afora esses grupos de compradores, outra força poderosa por trás da disseminação de produtos com o selo FSC nos EUA é o "padrão verde de construção" conhecido como LEED (Leadership in Energy and Environmental Design [Liderança em Energia e Projeto Ambientais]). Este código avalia o projeto ambiental e o uso de materiais na indústria de construção. Um número cada vez maior de governos estaduais e municipais nos EUA dá vantagens fiscais para empresas que adotem os padrões LEED, e muitos projetos de prédios governamentais nos EUA exigem empresas que sigam esses padrões. Isso acabou se tornando uma consideração importante para os construtores, empreiteiros e empresas de arquitetura que não lidam diretamente com o público e não são visíveis aos consumidores, mas que mesmo assim escolhem comprar produtos com selo FSC porque se beneficiam dos impostos reduzidos e do acesso aumentado à licitação de projetos. Devo deixar claro que tanto os padrões LEED quanto os grupos de compradores em última instância são motivados pela preocupação ambiental de consumidores individuais, e pelo desejo das empresas de ter sua marca comercial associada à responsabilidade ambiental pelos consumidores. O que os padrões LEED e os grupos de compradores fazem é fornecer

GRANDES EMPRESAS E MEIO AMBIENTE

um mecanismo no qual o consumidor possa influenciar o comportamento de empresas que de outro modo podem não ser diretamente sensíveis ao consumidor individual.

O movimento de certificação de florestas se espalhou rapidamente pelo mundo desde o lançamento do FSC em 1993, a ponto de agora haver florestas certificadas e cadeias de custódia em cerca de 64 países. A área de florestas certificadas totaliza hoje 400 mil km^2, dos quais 85 mil estão na América do Norte. Nove países contêm ao menos 10 mil km^2 de florestas certificadas, liderados pela Suécia, com 98 mil km^2 (representando mais da metade da área total de florestas daquele país), e seguida em escala decrescente pela Polônia, EUA, Canadá, Croácia, Letônia, Brasil, Reino Unido e Rússia. Os países com maior porcentagem de produtos florestais com selo FSC vendidos são o Reino Unido, onde 20% de toda a madeira vendida são certificados pelo FSC, e os Países Baixos. Dezesseis países têm certificado de florestas individuais excedendo 1.000 km^2 em área, dos quais o maior na América do Norte é a floresta Gordon Cosens, em Ontário, com 20 mil km^2 e administrada pela gigante canadense de madeira e papel, a Tembec. Em breve, a Tembec pretende certificar todos os 130 mil km^2 de florestas que administra no Canadá. As florestas certificadas podem ser públicas ou privadas: por exemplo, o maior proprietário de florestas certificadas no EUA é o estado da Pensilvânia, com cerca de 8 mil km^2.

Inicialmente, após a formação do FSC, a área de florestas certificadas dobrava a cada ano. Mais recentemente, a taxa de crescimento baixou para "apenas" 40% por ano. Isso porque as primeiras empresas e administradoras de florestas que foram certificadas eram aquelas que já seguiam os padrões FSC. As empresas cujas florestas foram certificadas mais recentemente são as que têm de mudar suas operações para alcançar padrões FSC. Ou seja, o FSC inicialmente serviu para certificar empresas com práticas ambientais saudáveis, e agora está cada vez mais servindo para mudar as práticas de outras empresas que eram menos saudáveis do ponto de vista ambiental.

A eficiência do Forest Stewardship Council recebeu um cumprimento definitivo das empresas madeireiras que se opõem a ele: criaram um certificado próprio com padrões mais brandos. Entre elas estão a Sustainable Forestry Initiative, nos EUA, instituída pela American Forest and Paper

Association; a Canadian Standards Association; e o Pan-European Forest Council. O efeito (e, presumivelmente, o propósito) é o de confundir o público com alegações rivais. Por exemplo, a Sustainable Forestry Initiative propôs seis selos diferentes fazendo seis alegações diferentes. Todos esses "certificados duvidosos" diferem do certificado da FSC por não requererem certificação independente de terceiros, mas permitirem que as empresas certifiquem a si mesmas (estou falando sério). Não pedem que as empresas julguem a si mesmas através de padrões uniformes e resultados quantificáveis (p.ex., "largura da faixa de vegetação justafluvial"), e sim através de processos inquantificáveis ("temos uma política", "nossos gerentes participam de discussões"). Não têm certificados de cadeia de custódia, de modo que todo produto de uma serraria, que recebe tanto madeira certificada quanto não certificada, torna-se certificado. O Pan-European Forestal Council pratica certificação regional automática, através da qual, por exemplo, toda a Áustria tornou-se rapidamente certificada. Ainda não sabemos se, no futuro, essas tentativas da indústria de certificar a si mesma serão superadas pelo FSC através da perda de credibilidade aos olhos do consumidor, ou se, em vez disso, estes outros selos convergirão para os padrões FSC de modo a ganharem credibilidade.

A última indústria que discutirei é a de pesca marítima, que enfrenta o mesmo problema fundamental das indústrias de petróleo, mineração e madeira: crescimento da população e da afluência mundial levando ao aumento da demanda de reservas em declínio. Embora o consumo de frutos do mar seja alto e esteja aumentando no Primeiro Mundo, é ainda mais alto e cresce ainda mais rápido em outras partes, p.ex., tendo dobrado na China na última década. Os peixes atualmente respondem por 40% de toda a proteína (seja de origem vegetal ou animal) consumida no Terceiro Mundo e são a principal fonte de proteína animal para mais de um bilhão de asiáticos. No mundo inteiro as mudanças de populações do interior para o litoral aumentarão a demanda de frutos do mar, porque três quartos da população mundial estarão vivendo a 80 quilômetros do litoral no ano 2010. Como resultado de nossa dependência, o mar fornece empregos e renda para 200 milhões de pessoas no mundo inteiro, e a pesca é a base econômica mais importante da Islândia, Chile e alguns outros países.

GRANDES EMPRESAS E MEIO AMBIENTE

Embora qualquer fonte biológica renovável apresente problemas difíceis de administração, a pesca marítima é especialmente difícil de administrar. Mesmo a pesca confinada às águas controladas por um único país apresenta dificuldades, mas a pesca que se estende por águas controladas por várias nações apresenta maiores problemas e tende a ser a primeira a entrar em colapso, porque nenhuma nação individual pode impor a sua vontade. A pesca em mar aberto fora do limite de 200 milhas marítimas está além do controle de qualquer governo nacional. Estudos sugerem que, com administração adequada, a pesca mundial pode ser sustentável a um nível ainda mais alto do que o atual. Infelizmente, porém, a maioria das espécies marinhas comercialmente importantes ou entraram em colapso a ponto de se tornarem comercialmente extintas, ou foram gravemente exauridas, ou estão sofrendo sobrepesca, ou sendo pescadas no limite, ou recuperam-se muito lentamente da sobrepesca a que foram submetidas, ou estão pedindo urgente administração. Entre as espécies mais importantes que já entraram em colapso estão o linguado gigante do Atlântico, a albacora e o peixe-espada do Atlântico, o arenque do mar do Norte, o bacalhau dos Grand Banks, a pescada argentina, e o bacalhau australiano do rio Murray. Em áreas sobrepescadas do Atlântico e do Pacífico, o auge das capturas foi alcançado no ano de 1989 e tem declinado desde então. As principais razões por trás de todas essas falências são a tragédia do bem comum, discutida no capítulo anterior, que dificulta os acordos de exploração entre consumidores que exploram um recurso renovável compartilhado, apesar de seu interesse comum em fazer este acordo; a disseminada falta de administração e regulamentação efetivas; e os chamados subsídios perversos, i.e., os subsídios economicamente absurdos que muitos governos pagam por razões políticas para sustentar frotas pesqueiras grandes demais em relação aos seus estoques de peixe, o que quase inevitavelmente leva à sobrepesca e gera lucros muito baixos para sua sobrevivência sem subsídios.

O dano causado pela sobrepesca se estende além da perspectiva futura de todos continuarmos a comer frutos do mar, e além da sobrevivência dos estoques deste ou daquele peixe ou fruto do mar em particular que capturamos. A maior parte da pesca é feita com redes e outros métodos que resultam na captura de animais indesejados afora aqueles procurados.

Estes outros animais, chamados de capturas não intencionais, constituem uma proporção que varia de um quarto a dois terços da captura total. Em muitos casos, os animais capturados não intencionalmente morrem e são atirados de volta ao mar. Entre estes, espécies de peixes rejeitadas, filhotes da espécie que se deseja pescar, focas, golfinhos, baleias, tubarões e tartarugas marinhas. Contudo, a morte das capturas não intencionais não é inevitável: por exemplo, mudanças recentes em práticas e instrumentos de pesca reduziram em 50 vezes a mortalidade de golfinhos durante a pesca de atum no Pacífico Oriental. Há também dano grave para os hábitats marinhos, notadamente do leito dos mares, causado pela pesca de arrasto com traineiras, e aos recifes de coral, provocados pela pesca com dinamite ou cianeto. Finalmente, a sobrepesca prejudica os pescadores, acabando por eliminar a base de sua sobrevivência e custar-lhes seus empregos.

Todos esses problemas incomodaram não apenas os economistas e ambientalistas, como também alguns líderes da própria indústria de frutos do mar. Entre estes últimos estavam executivos da Unilever, um dos maiores compradores de peixe congelado, cujos produtos são conhecidos sob as marcas Gorton nos EUA (posteriormente vendida pela Unilever), Birdseye Walls e Iglo, na Inglaterra, e Findus e Frudsa, na Europa. Os executivos estavam preocupados com o fato de os peixes, mercadorias que compravam e vendiam, estarem em declínio no mundo inteiro, assim como os executivos das empresa de madeira que lançaram o Forest Stewardship Council estavam preocupados com o rápido declínio das florestas. Portanto, em 1997, quatro anos depois da criação do FSC, a Unilever se uniu ao World Wildlife Fund para fundar uma organização semelhante chamada Marine Stewardship Council (MSC). Seu objetivo era oferecer eco-selos confiáveis aos consumidores, e encorajar os pescadores a resolverem suas tragédias do bem comum através do incentivo positivo do apelo de mercado em vez do incentivo negativo da ameaça de boicotes. Outras empresas e fundações, além de agências internacionais, juntaram-se à Unilever e ao World Wildlife Fund na fundação do MSC.

Na Grã-Bretanha, as empresas além da Unilever que apoiaram o MSC ou passaram a comprar produtos marinhos certificados, incluem a Young's Bluecrest Seafood Company, a maior empresa de frutos do mar da Inglaterra; a Sainsbury's, maior fornecedora de alimentos frescos na Inglaterra;

a cadeia de supermercados Marks and Spencer e Safeway; e a Boyd Line, que opera uma frota de traineiras de pesca. Patrocinadores nos EUA incluíram a Whole Foods, a maior varejista de comida orgânica e natural do mundo, os supermercados Shaw's e os mercados Trader Joe's. Entre os outros patrocinadores estão a Migros, a maior varejista de alimentos da Suíça, e a Kailis e France Foods, uma grande operadora de barcos de pesca, fábricas, mercados e artigos de exportação da Austrália.

Os critérios que o MSC aplica à pesca foram desenvolvidos através de consultas entre pescadores, administradores de pesca, processadores de alimentos marinhos, varejistas, cientistas de pesca e grupos ambientais. Os principais critérios são que a pesca deve manter saudáveis os estoques de peixe (incluindo a distribuição de sexo e idade e a diversidade genética) por um futuro indefinido, gerar uma captura sustentável, manter a integridade dos ecossistemas, minimizar impactos em hábitats marinhos e em outras espécies (a pesca não intencional), ter regras e procedimentos para administrar estoques e minimizar impactos, e cumprir as leis.

As empresas de alimentos marinhos bombardeiam o público consumidor com alegações díspares, algumas enganadoras ou confusas, sobre a aparente benignidade ambiental de suas práticas de pesca. Portanto, a essência do MSC, assim como do FSC, é a certificação independente por terceiros. Novamente, assim como o FSC, o MSC reconhece diversas organizações certificadoras, em vez de fazer as auditorias de certificação. A solicitação de certificação é voluntária: depende da empresa decidir se acha que os benefícios da certificação justificarão o custo. Para empresas de pesca menores que procurem certificação, há uma fundação chamada David and Lucille Packard Foundation, que contribui pagando tais custos através de um Fundo de Pesca Sustentável. O processo começa com uma pré-apreciação confidencial da empresa pela organização certificadora, então (se a empresa ainda quiser ser auditada) vem uma avaliação plena que normalmente demora um ou dois anos (até três anos para pescas grandes e complicadas) seguida da especificação de problemas que devem ser resolvidos. Se a auditoria é favorável e os problemas especificados são resolvidos, a empresa recebe a certificação por cinco anos, mas está sujeita a auditoria anual sem notificação prévia. Os resultados dessas auditorias anuais são publicados em um *website* público, lidos e frequentemente contestados pelas partes interessadas. A experiência mostra que a maioria das empresas, uma vez que receba um certificado MSC, cuida de não perdê-lo e faz o que é necessário para passar nas auditorias anuais. Assim como no FSC, também há auditorias de cadeia de custódia para traçar o percurso do peixe certificado do barco de pesca até a doca em que a pesca chega em terra, depois para o mercado de atacado, processadores (congeladores e enlatadores), vendedores e distribuidores de atacado, até o mercado de varejo. Apenas os produtos de pesca certificados que possam ser rastreados através dessa cadeia podem ter o selo MSC ao serem oferecidos ao consumidor em uma loja ou restaurante.

Podem ser certificados uma firma de pesca ou um estoque de peixe e o método, prática e equipamento usado para capturar esse estoque. As entidades que buscam certificação são grupos de pescadores, departamentos governamentais de pesca agindo em nome da pesca nacional ou local, e processadores e distribuidores intermediários. Os pedidos de certificação podem dizer respeito tanto a peixes quanto a moluscos e crustáceos. Dos sete certificados de pesca até hoje emitidos, o maior é o da pesca do salmão selvagem no estado do Alasca, representado pelo Departamento de Caça e Pesca daquele estado. O segundo maior é o da lagosta na Austrália Ocidental (a espécie marinha mais valiosa da Austrália, que representa 20% dos ganhos de toda a pesca australiana) e a merluza da Nova Zelândia (o pescado de exportação mais valiosa do país). As quatro outras já certificadas são menores e estão na Grã-Bretanha: o arenque do Tâmisa, a cavalinha da Cornualha pescada com linha, o berbigão da enseada de Burry, e a lagosta norueguesa. As certificações pendentes são o escamudo do Alasca, a maior pesca dos EUA, que representa metade das capturas do país; o linguado gigante do Atlântico, o caranguejo de Dungeness e os camarões pintados da Costa Oeste dos EUA; o robalo-muge da Costa Leste dos EUA; e a lagosta da Baixa Califórnia. Há planos também para estender a certificação para operações de aquicultura (que têm os seus próprios grandes problemas mencionados no próximo capítulo), começando com camarão e seguindo com 10 outras espécies incluindo, talvez, o salmão. No momento, parece que os maiores problemas de certificação surgirão em relação à pesca do camarão (porque é pescado com redes de arrasto que produzem muita captura não intencional) e aquelas que se estendam além da jurisdição de uma única nação.

No todo, a certificação tem se mostrado mais difícil e lenta para a pesca do que para as florestas. Contudo, fiquei agradavelmente surpreso com o progresso da certificação de pesca nos últimos cinco anos: achava que seria bem mais lento e difícil do que tem sido.

Em resumo, as práticas ambientais das grandes empresas são moldadas por um fator fundamental que ofende o sentido de justiça de muitos de nós. Dependendo da circunstância, uma empresa de fato pode maximizar os seus lucros, ao menos a curto prazo, degradando o ambiente e ferindo pessoas. Este ainda é o caso de pescadores que trabalham sem gerenciamento ou cotas, e por empresas madeireiras internacionais com arrendamentos de curto prazo em floresta pluvial de países com autoridades governamentais corruptas e donos de terra ignorantes. Também foi o caso das empresas de petróleo antes do vazamento de petróleo no canal de Santa Bárbara de 1969, e das empresas de mineração de Montana antes das recentes leis de limpeza. Quando a regulamentação do governo é efetiva, e quando o público está ambientalmente consciente, as grandes empresas ambientalmente limpas podem superar as sujas, mas o oposto também pode ser verdadeiro caso a regulamentação do governo seja ineficaz e o público não se importe.

É fácil e barato culpar uma empresa por se locupletar ferindo outras pessoas. Mas é pouco provável que apenas culpar a empresa venha a mudar alguma coisa. Tal atitude ignora o fato de que as empresas não são instituições de caridade e, sim, negócios que visam lucro, e que as empresas privadas têm a obrigação de maximizar os lucros de seus acionistas, desde que o façam de modo legal. As leis americanas tornam os diretores de empresa responsáveis por algo chamado "abuso de responsabilidade fiduciária" se administrarem suas empresas de modo a reduzir seus lucros. O fabricante de carros Henry Ford foi processado com sucesso por acionistas em 1919 por ter aumentado o salário mínimo de seus trabalhadores para cinco dólares por dia: o tribunal declarou que, embora os sentimentos humanitários de Ford quanto aos seus funcionários fossem louváveis, seu negócio existia para dar lucro aos acionistas.

Ao culparmos as empresas também ignoramos a responsabilidade final do público por criar condições que permitam a uma empresa lucrar através do prejuízo deste mesmo público: p.ex., não exigindo que as empresas de mineração limpem suas minas, ou continuando a comprar produtos de madeira de operações madeireiras não sustentáveis. A longo prazo, é o público, seja diretamente ou através de seus políticos, que tem o poder de tornar não lucrativas e ilegais as políticas ambientais destrutivas e fazer as políticas ambientais sustentáveis lucrativas. O público pode conseguir isso processando as empresas que o prejudicarem, como após os desastres do *Exxon Valdez,* Piper Alpha e Bhopal; preferindo comprar produtos obtidos de modo sustentável, uma preferência que chamou a atenção da Home Depot e da Unilever; fazendo os empregados de empresas com um histórico ambiental pobre sentirem-se envergonhados e se queixarem com a gerência; preferindo que seus governos façam contratos de grandes negócios com empresas com um bom registro de práticas ambientais, como fez o governo da Noruega com a Chevron; e pressionando os governos a proporem e fazerem cumprir leis e regulamentações que exijam boas práticas ambientais, como as novas regulamentações do governo dos EUA para a indústria de carvão nos anos 1970 e 1980. Por outro lado, as grandes empresas podem exercer poderosa pressão sobre fornecedores que ignorem as pressões do público ou do governo. Por exemplo, depois que o público dos EUA começou a se preocupar com o alastramento da doença da vaca louca, e após a agência governamental Food and Drug Administration introduzir regras exigindo que a indústria de carne abandonasse práticas associadas ao risco de disseminação da doença, os frigoríficos e processadores de carne resistiram durante cinco anos, alegando que as regras seriam muito dispendiosas para serem obedecidas. Mas quando a McDonald's Corporation fez as mesmas exigências após o consumo de seus hambúrgueres ter caído vertiginosamente, a indústria de carne obedeceu em algumas semanas: "porque temos o maior carrinho de compras do mundo", como explicou um representante do McDonald's. O problema do público é identificar que vínculos na cadeia de suprimento são sensíveis à pressão do público: por exemplo, McDonald's, Home Depot e Tiffany, mas não os processadores de carne, madeireiros ou mineradoras de ouro.

Alguns leitores podem ficar desapontados ou se sentir ultrajados por eu lançar a responsabilidade final de práticas comerciais nocivas ao público no próprio público. Também atribuo ao público os custos extras, se houver, de práticas ambientais saudáveis, que encaro como custos opera-

GRANDES EMPRESAS E MEIO AMBIENTE

cionais normais, como quaisquer outros. Minhas opiniões parecem ignorar o imperativo moral de que as grandes empresas devam seguir princípios virtuosos, sejam ou não lucrativos para elas. Em vez disso, prefiro reconhecer que ao longo da história, em toda sociedade humana politicamente complexa nas quais as pessoas encontram outros indivíduos com quem não têm vínculo familiar ou relacionamento de clã, a regulamentação do governo foi criada justamente por ser necessária para o cumprimento dos princípios morais. A invocação de princípios morais é um primeiro passo necessário para evocar comportamento virtuoso, mas por si só não é suficiente.

Para mim, a conclusão de que o público tem a responsabilidade final mesmo sobre as grandes empresas é estimulante e auspiciosa, em vez de decepcionante. Minha conclusão não é uma busca moralista de quem está certo ou errado, quem é admirável ou egoísta, bandido ou mocinho. Em vez disso, minha conclusão é uma previsão, baseada naquilo que vi acontecer no passado. As empresas mudaram quando o público passou a esperar e a exigir comportamento diferente, e a recompensar empresas pelo comportamento que esperava delas, e tornar as coisas difíceis para empresas que tivessem comportamentos avessos à vontade pública. Prevejo que, no futuro, assim como no passado, as mudanças nas atitudes do público serão essenciais para as mudanças nas práticas ambientais das empresas.

CAPÍTULO 16

O MUNDO COMO UM *POLDER*:
O QUE ISSO REPRESENTA PARA NÓS ATUALMENTE?

Introdução • Os problemas mais sérios • Se não os solucionarmos...
• A vida em Los Angeles • Chavões simplistas • O passado
e o presente • Razões para ter esperança

Os capítulos deste livro discutiram por que algumas sociedades do passado ou do presente foram bem-sucedidas ou fracassaram na resolução de seus problemas ambientais. Agora, este capítulo final pondera a relevância prática do livro: o que isso significa para nós atualmente?

Devo começar explicando um importante conjunto de problemas ambientais que as sociedades modernas enfrentam, e a escala de tempo na qual representam ameaças. Como exemplo específico de como esses problemas ocorrem, examino a área onde passei a maior parte dos últimos 39 anos de minha vida, o sul da Califórnia. Então avalio as objeções mais frequentemente levantadas para diminuir a significância dos atuais problemas ambientais. Uma vez que metade deste livro foi dedicada a sociedades antigas por causa das lições que devem representar para as sociedades modernas, busco diferenças entre os mundos antigo e moderno que digam respeito às lições que podemos extrair do passado. Finalmente, para qualquer um que perguntar "O que posso fazer como indivíduo?" ofereço sugestões na seção de Leituras Complementares.

Parece-me que os problemas ambientais mais sérios enfrentados por sociedades do passado e do presente recaem em uma dúzia de grupos. Oito desses 12 já eram significativos no passado, ao passo que quatro (os de número 5, 7, 8, e 10: energia, limite fotossintético, produtos químicos tóxicos e mudanças atmosféricas) se tornaram sérios apenas recentemente. Os primeiros quatro dos 12 consistem na destruição ou perda de recursos naturais; os três seguintes envolvem limites de recursos naturais; os outros três consistem em coisas perigosas que produzimos ou transportamos; e os dois últimos são questões populacionais. Comecemos com os recursos naturais que estamos destruindo ou perdendo: hábitats naturais, fontes de alimento selvagem, diversidade biológica e solo.

1. A uma taxa acelerada, estamos destruindo hábitats naturais ou transformando-os em hábitats feitos pelo homem, como cidades e vilas, fazendas e pastagens, estradas e campos de golfe. Os hábitats naturais cujas perdas provocaram mais discussão são as florestas, pântanos, recifes de coral e fundos de oceanos. Como mencionei no capítulo anterior, mais da metade da área original de florestas do mundo já foi convertida para outros usos, e na proporção de conversão atual um quarto das florestas que ainda resta serão convertidas nos próximos 50 anos. Essas perdas de florestas representam perdas para nós, humanos, especialmente porque as florestas nos fornecem madeira e outras matérias-primas, e porque nos fornecem os chamados serviços de ecossistema: protegem as bacias hidrográficas, protegem o solo contra a erosão, são etapas essenciais no ciclo das águas gerando muito de nossas chuvas, e fornecem hábitat para a maioria das espécies terrestres de plantas e animais. O desmatamento foi um ou *o* fator mais importante no colapso de sociedades do passado descritas neste livro. Além disso, como discutido no capítulo 1 em relação a Montana, não apenas a destruição e conversão de florestas, como também as mudanças na estrutura de hábitats florestais que ainda existem são motivos de preocupação para nós. Entre outras coisas, a modificação desta estrutura resulta na mudança do regime de incêndios, ameaçando florestas, chaparrais, bosques e savanas com incêndios raros, embora catastróficos.

Outros valiosos hábitats naturais além das florestas também estão sendo destruídos. Uma fração ainda maior dos pantanais originais do mundo já foi destruída, danificada ou convertida. As consequências para nós surgem da importância dos pantanais na manutenção da qualidade de nossos suprimentos de água e a existência de pesca de água doce comercialmente importante, embora até mesmo a pesca oceânica dependa dos mangues como hábitat para diversas espécies de peixe em sua fase juvenil. Cerca de um terço dos recifes de coral do mundo — o equivalente oceânico da floresta pluvial, porque são lar de uma fração desproporcional das espécies marinhas — já foram gravemente danificados. Se continuar a tendência atual, cerca de metade dos recifes que restam terá se perdido por

O MUNDO COMO UM *POLDER*

volta de 2030. Este dano e esta destruição resultam do uso crescente de dinamite como método de pesca, proliferação de algas quando as grandes espécies de peixes herbívoros que normalmente se alimentam delas são pescadas, efeitos do acúmulo de sedimentos e poluentes oriundos de terras adjacentes desmatadas ou convertidas para a agricultura, e descoloração dos corais devido ao aumento da temperatura da água dos mares. Recentemente descobriu-se que a pesca de arrastão está destruindo muito ou a maior parte rasa dos oceanos e as espécies que dela dependem.

2. Os alimentos selvagens, especialmente peixe e, em menor extensão, mariscos, contribuem com uma grande fração da proteína consumida pelos seres humanos. Com efeito, é uma proteína que obtemos gratuitamente (afora o custo de pescar e transportar o peixe), e que reduz a necessidade de produzir proteína animal por nossa conta, sob a forma de criação de gado. Cerca de dois bilhões de pessoas, a maior parte delas pobre, dependem dos oceanos para obter proteína. Se os estoques de peixes fossem administrados adequadamente, os níveis populacionais poderiam ser mantidos e estas espécies poderiam ser capturadas de modo sustentável. Infelizmente, o problema conhecido como tragédia do bem comum (capítulo 14) tem regularmente frustrado os esforços para administrar a pesca de modo sustentável, e a maior parte do pescado mais valioso do mundo ou já entrou em colapso ou está em franco declínio (capítulo 15). Sociedades do passado que praticaram a sobrepesca incluem a ilha de Páscoa, Mangareva e Henderson.

Cada vez mais, peixe e camarão estão sendo criados pela aquicultura, que em princípio tem um futuro promissor como o modo mais barato de produzir proteína animal. Em diversos aspectos, porém, a aquicultura como é praticada hoje está piorando em vez de melhorar o problema da escassez de pesca espontânea. Geralmente, os peixes criados através de aquicultura são alimentados com peixes capturados na natureza e consomem mais carne de peixe selvagem (cerca de 20 vezes mais) do que a que produzem. Os peixes de criadouro contêm maiores níveis de toxinas em sua carne do que os peixes selvagens. Peixes de criadouro escapam e cruzam com peixes selvagens, danificando geneticamente suas populações, uma vez que as espécies de peixes para criação foram selecionadas para rápido crescimento em cativeiro à custa de sua baixa sobrevivência em liberdade (50 vezes pior para o salmão de cativeiro em relação ao salmão selvagem). Os resíduos da aquicultura causam poluição e eutrofização. Os custos mais baixos da aquicultura em relação à pesca derrubam os preços do pescado. Ao receberem menos dinheiro por quilo de peixe, os pescadores são obrigados a explorar ainda mais os estoques de peixes selvagens de modo a manterem a sua renda constante.

3. Uma fração significativa de espécies nativas, populações e diversidade genética já foram perdidas, e na taxa atual uma grande fração do que resta se perderá no próximo meio século. Algumas espécies, tais como grandes animais comestíveis, ou plantas com frutas comestíveis ou que produzam boa madeira, são de valor óbvio para nós. Entre as muitas sociedades do passado que se prejudicaram exterminando tais espécies estão os insulares de Henderson e Páscoa, que já discutimos.

Mas as perdas de biodiversidade de pequenas espécies não comestíveis frequentemente provocam a reação: "Quem se importa? Você realmente se interessa mais com algum peixinho ou erva inútil, como o *snail darter* ou a *furbish lousewort** do que com seres humanos?" Tal resposta esquece o fato de que a natureza é feita de espécies selvagens que nos fornecem serviços gratuitos que podem ser muito dispendiosos, e em muitos casos impossíveis, para fazermos por conta própria. A eliminação de pequenas espécies é tão prejudicial para os seres humanos quanto a retirada ao acaso de muitos dos pequenos rebites de um avião. Os exemplos literalmente inumeráveis incluem: o papel das minhocas na regeneração do solo e na manutenção de sua textura (um dos motivos dos níveis de oxigênio terem caído dentro da Biosfera 2,** afetando os seus habitantes humanos e incapacitando um colega meu, foi a ausência de minhocas apropriadas,

---

* "*Snail darter*" (*Percina tanasi*) é o nome de um peixe raríssimo descoberto no rio Little Tennessee em agosto de 1973. "Furbish Louseworth" (*Pedicularis furbishiae*) é o nome de uma planta endêmica confinada a uma estreita faixa de terra junto à água ao longo das margens do rio St. John, no norte de New Brunswick, no Canadá e norte do Maine, nos EUA. (*N. do T.*)

** Sistema ecológico fechado, formado por uma cúpula cobrindo 1,2 hectare a 50 quilômetros de Tucson, Arizona, construído na década de 1980 para fins experimentais imitando a Terra, supostamente Biosfera 1, daí o nome. Abrigou um grupo de pesquisadores por dois anos e depois por seis meses. (*N. do Rev. Téc.*)

contribuindo para uma troca de gás alterada entre o solo e a atmosfera); as bactérias do solo que fixam o nitrogênio, nutriente essencial para as plantações, que de outro modo temos de suprir com caros fertilizantes; abelhas e outros insetos polinizadores (que polinizam nossas plantações de graça. Seria muito dispendioso se tivéssemos de polinizar cada flor manualmente); aves e mamíferos que dispersam frutos selvagens (os silvicultores ainda não sabem como criar as espécies de árvores comercialmente mais importantes das ilhas Salomão a partir de sementes, que são naturalmente dispersadas por morcegos frugívoros, que estão sendo exterminados pela caça); eliminação de baleias, tubarões, ursos, lobos e outros grandes predadores do mar e da terra, afetando toda a cadeia alimentar abaixo deles; e animais e plantas selvagens que decompõem rejeitos e reciclam nutrientes, fornecendo água e ar limpos.

4. Os solos usados para a agricultura estão sendo erodidos pela água e pelo vento em uma proporção de 10 a 40 vezes maior do que a sua capacidade de regeneração, e sofrendo de 500 a 10 mil vezes mais erosão do que os solos florestados. Pelo fato de a erosão ser muito maior do que a capacidade de regeneração, há uma perda ativa de solo. Por exemplo, cerca de metade do solo de superfície de Iowa, um dos estados de maior produtividade agrícola dos EUA, foi erodida nos últimos 150 anos. Em minha última visita àquele estado, meus anfitriões me mostraram o adro de uma igreja que era um exemplo vívido de perda de solo. No século XIX, uma igreja foi construída em meio a terras de fazendas e ali permaneceu, enquanto a terra ao seu redor era cultivada. Pelo fato de a erosão do solo ser muito mais rápida nos campos do que no adro da igreja, esta agora parece uma pequena ilha erguida três metros acima do oceano de plantações ao seu redor.

Outros tipos de dano de solo causados por práticas agrícolas incluem a salinização, como discutido sobre Montana, China e Austrália nos capítulos 1, 12 e 13; perda de fertilidade do solo, porque a atividade agrícola remove nutrientes muito mais rapidamente do que estes são restaurados pelo intemperismo do leito de rochas; acidificação do solo em certos lugares; ou o contrário, a alcalinização, em outros. Todos esses tipos de impactos destrutivos resultaram que uma parcela estimada entre 20 e 80%

de toda a terra de cultivo do planeta foi gravemente danificada durante uma era na qual o crescimento da população humana nos fez precisar de mais terras de cultivo. Assim como o desmatamento, os problemas de solo contribuíram para o colapso de todas as sociedades do passado discutidas neste livro.

Os próximos três problemas envolvem limites — de energia, água potável e capacidade fotossintética. Em cada caso, o limite não é fixo, mas flexível: podemos obter mais do recurso necessário, mas a um custo mais alto.

5. As maiores fontes de energia do mundo, especialmente para as sociedades industriais, são os combustíveis fósseis: petróleo, gás natural e carvão mineral. Embora haja muita discussão sobre quantos grandes campos de petróleo e gás restam para serem descobertos, e embora as reservas de carvão sejam aparentemente grandes, a visão que prevalece é que as reservas conhecidas, prováveis e acessíveis de petróleo e gás natural durarão apenas mais algumas décadas. Isso não quer dizer que todo o petróleo e gás natural da Terra terá sido usado então. Mas que as reservas disponíveis estarão mais fundo no subsolo, e sua extração será mais suja, dispendiosa, ou envolverá maior custo ambiental. É claro, os combustíveis fósseis não são nossas únicas fontes de energia, e devo considerar os problemas levantados pelas categorias a seguir.

6. A maior parte da água doce de rios e lagos já está sendo utilizada para irrigação, uso doméstico e industrial, e em usos *in situ* como corredores de transporte de barcos, pesca e recreação. Rios e lagos que ainda não são utilizados geralmente são distantes de grandes centros populacionais como no noroeste da Austrália, Sibéria e Islândia. No mundo inteiro, os aquíferos subterrâneos estão sendo esgotados a uma proporção muito mais rápida do que são capazes de se recompor naturalmente, de modo que vão terminar se esgotando. É claro que se pode dessalinizar a água do mar para produzir água doce, mas isso custa dinheiro e energia, assim como o bombear da água dessalinizada resultante terra adentro. Portanto, a dessalinização, embora seja útil de modo localizado, é muito cara para resolver a falta de água mundial. Os anasazis e os maias estavam entre as

O MUNDO COMO UM *POLDER*

sociedades do passado a entrar em colapso por problemas de abastecimento de água, enquanto hoje, cerca de um bilhão de pessoas não têm acesso a água potável confiável.

7. A princípio pode parecer que o fornecimento de luz solar é infinito, de modo que podemos raciocinar que a capacidade da Terra de produzir colheitas e plantas silvestres também é infinita. Nos últimos 20 anos, verificou-se que este não é o caso, e isso não é só porque as plantas crescem mal nos polos e desertos a não ser que alguém pague-lhes o fornecimento de calor e água. Mais generalizadamente, a quantidade de energia solar fixada por hectare pela fotossíntese das plantas, portanto o crescimento de plantas por hectare, depende de temperatura e chuvas. A uma dada temperatura e precipitação pluvial, a quantidade de plantas que pode ser sustentada pela luz solar que incide sobre um acre é limitada pela geometria e bioquímica das plantas, mesmo que absorvam a luz solar de modo tão eficiente que nenhum fóton que passe por elas seja desperdiçado. O primeiro cálculo desse limite fotossintético, feito em 1986, estimou que o homem já usava (p.ex., para plantações, produção de árvores e campos de golfe) ou desviava e desperdiçava (p.ex., luz solar incidindo sobre prédios e estradas de concreto) cerca de metade da capacidade fotossintética do planeta. Dada a taxa de crescimento populacional e, especialmente, de impacto populacional (veja o ponto 12, adiante), desde 1986, estaremos utilizando a maior parte da capacidade fotossintética terrestre do planeta por volta da metade deste século. Ou seja, a maior parte da energia fornecida pela luz solar será usada para propósitos humanos, e pouco sobrará para o crescimento de comunidades de plantas, como as florestas naturais.

Os próximos três problemas envolvem coisas nocivas que geramos ou transportamos: produtos químicos tóxicos, espécies exóticas e gases atmosféricos.

8. A indústria química e muitas outras indústrias fabricam ou liberam no ar, solo, oceanos, lagos e rios muitos produtos químicos tóxicos, alguns "não naturais" e sintetizados apenas pelo homem, outros naturalmente presentes em pequenas concentrações (p.ex., mercúrio) ou sintetizado por criaturas vivas e liberadas pelo homem em quantidades muito maiores do

que as naturais (p.ex., hormônios). Os primeiros desses produtos químicos tóxicos a adquirirem notoriedade foram os pesticidas (inseticidas, fungicidas e herbicidas) cujos efeitos sobre aves, peixes e outros animais foram descritos no livro *Primavera silenciosa* (*Silent Spring*), de Rachel Carson, publicado em 1962. Desde então, verificou-se que os efeitos tóxicos de ainda maior significância para nós humanos são os de nós humanos sobre nós mesmos. Os culpados incluem não apenas pesticidas, mas também mercúrio e outros metais, produtos químicos que retardam o fogo, gases refrigeradores, detergentes e componentes de plástico. Nós os ingerimos com nossa água e comida, os respiramos no ar, e os absorvemos pela pele. Frequentemente em baixíssimas concentrações, causam diversos defeitos de nascença, retardamento mental e dano temporário ou permanente de nossos sistemas imunológico e reprodutor. Alguns agem como alteradores endócrinos, i.e., interferem com nossos sistemas reprodutivos imitando ou bloqueando os efeitos de nossos próprios hormônios sexuais. Provavelmente têm uma grande contribuição no vertiginoso declínio da contagem de esperma em muitas populações humanas nas últimas décadas, e no aparente crescimento da infertilidade, mesmo quando se leva em conta o aumento da idade média dos casais em muitas sociedades. Além disso, as mortes apenas nos EUA devido à poluição do ar (sem considerar a poluição do solo e da água) são conservadoramente estimadas em mais de 130 mil por ano.

A maioria desses produtos químicos tóxicos se decompõe muito lentamente no ambiente (p.ex., DDT e PCBs) ou ao contrário (mercúrio), e ali permanece durante longo tempo antes de se diluir. Assim, os custos de limpeza de muitos lugares poluídos nos EUA são calculados em bilhões de dólares (p.ex., Love Canal, rio Hudson, baía de Chesapeake, o derramamento de petróleo do *Exxon Valdez*, e as minas de cobre de Montana). Mas a poluição nesses piores lugares dos EUA é branda se comparada à da ex-União Soviética, China e de muitas minas do Terceiro Mundo, em cujos custos de limpeza ninguém ousou pensar.

9. A expressão "espécies exóticas" refere-se a espécies que transferimos, intencional ou inadvertidamente, de um lugar onde são nativas para outro onde não o são. Algumas espécies exóticas são obviamente valiosas para nós, como plantas de cultivo, animais domésticos e elementos de

paisagismo. Mas outras devastam populações de espécies nativas com as quais entram em contato, seja predando, parasitando, infeccionando ou eliminando ao competir com elas. As espécies exóticas causam este efeito porque as espécies nativas com as quais entram em contato não tinham experiência evolucionária prévia com tais espécies e são incapazes de resistir a elas (assim como as populações humanas expostas pelas primeiras vezes à varíola e à AIDS). Há agora centenas de casos nos quais as espécies exóticas causam danos anuais recorrentes de centenas de milhões e de até bilhões de dólares. Os exemplos modernos incluem os coelhos e raposas da Austrália, mato como a *Centaurea maculosa* e a *Euphorbia esula* (capítulo 1), pragas e patógenos de árvores, plantações e gado (como o cancro que acabou com os castanheiros norte-americanos e devastou os olmos dos EUA), o aguapé que sufoca as vias aquáticas, o mexilhão zebra que obstrui as usinas hidrelétricas, e as lampreias que devastaram pescas outrora comerciais nos Grandes Lagos da América do Norte (fotos 30 e 31). Exemplos antigos incluem a introdução dos ratos, que contribuíram para a extinção da palmeira da ilha de Páscoa roendo as suas sementes, e que comeram os ovos e filhotes de aves nidificadoras em Páscoa, Henderson e todas as ilhas do Pacífico que anteriormente não tinham ratos.

10. As atividades humanas produzem gases que escapam na atmosfera, onde ou danificam a camada protetora de ozônio (como os outrora disseminados gases de refrigeração) ou agem como gases do efeito estufa, que absorvem a luz do sol levando ao aquecimento global. Os gases que contribuem para o aquecimento global incluem o dióxido de carbono oriundo da combustão e da respiração, e o metano, da fermentação nos intestinos de ruminantes. É claro, sempre houve incêndios naturais e respiração animal produzindo dióxido de carbono, e ruminantes selvagens produzindo metano, mas nossa queima de lenha e de combustíveis fósseis aumentou grandemente o primeiro, e nossos rebanhos de gado bovino e ovino aumentaram grandemente o último.

Durante muitos anos, os cientistas debateram a realidade, a causa e a extensão do aquecimento global: em termos históricos, estarão as temperaturas do mundo realmente altas hoje em dia e, se for o caso, quão altas? Serão os seres humanos a causa principal deste aquecimento? A maioria dos cientistas mais respeitados concorda hoje que, apesar de altas e baixas de temperatura ano a ano, que exigem complicadas análises para confirmar a tendência ao aquecimento, recentemente a atmosfera de fato está sofrendo um aumento de temperatura com rapidez fora do comum, e que as atividades humanas são a principal causa deste aquecimento ou uma das principais. As incertezas remanescentes dizem respeito principalmente à expectativa futura da magnitude do efeito: p.ex., se as temperaturas globais médias aumentarão "apenas" 1,5 ou 5°C no próximo século. Tais números podem não parecer grande coisa, até refletirmos que as temperaturas globais eram "apenas" cinco graus mais baixas no auge da última Idade do Gelo.

Embora achemos a princípio que devíamos dar as boas-vindas ao aquecimento global baseados em que temperaturas mais altas significarão crescimento de plantas mais rápido, o fato é que o aquecimento global produzirá vencedores e perdedores. As plantações em áreas frias com temperaturas marginais para a agricultura podem de fato aumentar, enquanto as plantações em áreas já quentes ou secas podem diminuir. Em Montana, Califórnia e em muitos outros climas frios, o desaparecimento das neves das montanhas diminuirá a quantidade de água disponível para uso doméstico e para a irrigação, o que limitará a produção agrícola daquelas áreas. O aumento global do nível dos mares como resultado do derretimento de neve e gelo representa perigos de inundação e erosão de planícies costeiras densamente povoadas e deltas de rios pouco acima ou, até mesmo, abaixo do nível do mar. As áreas assim ameaçadas incluem grande parte dos Países Baixos, Bangladesh e a costa leste dos EUA, muitas ilhas baixas do Pacífico, os deltas do Nilo e do Mekong, e cidades costeiras ou ribeirinhas do Reino Unido (p.ex., Londres), Índia, Japão e Filipinas. O aquecimento global também provocará grandes efeitos secundários difíceis de predizer e que provavelmente causarão grandes problemas, como mudanças climáticas posteriores resultantes da mudança na circulação dos oceanos resultando ao seu turno no derretimento da calota polar.

Os dois problemas que restam envolvem aumento da população humana:

11. A população mundial está crescendo. Mais gente requer mais comida, espaço, água, energia e outros recursos. As taxas e até mesmo a direção

das mudanças populacionais variam grandemente no mundo, com as mais altas taxas de crescimento populacional (4% por ano ou ainda mais alto) em alguns países do Terceiro Mundo, baixas taxas de crescimento (1% por ano ou menos) em alguns países do Primeiro Mundo, como a Itália e o Japão, e taxas negativas de crescimento (i.e., população decrescente) em países enfrentando grandes crises de saúde pública, como a Rússia e países africanos afetados pela AIDS. Todo mundo concorda que a população mundial está aumentando, mas que sua porcentagem de crescimento anual não é tão alta quanto há uma ou duas décadas. Contudo, ainda há desacordo sobre se a população mundial se estabilizará em algum valor acima de seu nível atual (o dobro da população atual?), e (neste caso) quantos anos (30? 50?) serão necessários para se alcançar tal nível, ou se a população continuará a crescer.

O crescimento da população está acelerado por causa daquilo que chamam de "inchamento demográfico" ou "impulso populacional", i.e., um número desproporcional de crianças e jovens em idade de se reproduzir na população atual, como resultado do recente crescimento populacional. Isto é, suponha que cada casal no mundo decida hoje à noite se limitar a ter dois filhos, aproximadamente o número correto de crianças para gerar uma população sem crescimento a longo prazo, substituindo exatamente os pais que acabarão morrendo (em verdade, 2,1 filhos se considerarmos casais sem filhos e crianças que não se casarão). Ainda assim, a população mundial continuaria a aumentar durante cerca de 70 anos, porque há mais gente hoje em idade reprodutiva ou entrando em idade de se reproduzir do que velhos e gente em idade pós-reprodutiva. O problema da população humana recebeu muita atenção em décadas recentes e deu início a movimentos como o Crescimento Populacional Zero, que objetiva diminuir ou cessar o crescimento da população mundial.

12. O que realmente conta não é o número de pessoas, mas o seu impacto no ambiente. Se a maior parte dos seis bilhões de pessoas que vivem no mundo atualmente estivesse em armazenamento criogênico, sem comer ou metabolizar, esta grande população não causaria problemas ambientais. Em vez disso, os números mostram problemas, uma vez que consumimos recursos e geramos rejeitos. Esse impacto *per capita* — os recursos consumidos, e os rejeitos descartados por cada um — varia grandemente ao

redor do mundo, sendo mais alto no Primeiro Mundo e mais baixo no Terceiro Mundo. Em média, cada cidadão dos EUA, Europa Ocidental e Japão consome 32 vezes mais recursos, tais como combustíveis fósseis, e gera 32 vezes mais rejeitos, do que os habitantes do Terceiro Mundo (foto 35).

Mas os povos de baixo impacto estão se tornando povos de alto impacto por dois motivos: aumento dos padrões de vida em países do Terceiro Mundo cujos habitantes veem e cobiçam o estilo de vida do Primeiro Mundo; e imigração, tanto legal quanto ilegal, de habitantes do Terceiro Mundo para o Primeiro Mundo, movidos por problemas políticos, econômicos e sociais em seus países de origem. A imigração de países de baixo impacto é agora o fato que mais contribui para o aumento populacional nos EUA e na Europa. Da mesma forma, o problema populacional esmagadoramente mais importante para o mundo como um todo não é a alta taxa de aumento populacional no Quênia, Ruanda e alguns outros países pobres do Terceiro Mundo, embora isso certamente crie um problema para Quênia e Ruanda, e seja o problema populacional mais discutido. Em vez disso, o maior problema é o aumento do impacto humano total, como resultado da melhora do padrão de vida do Terceiro Mundo, e de indivíduos do Terceiro Mundo se mudando para o Primeiro Mundo e adotando seus padrões.

Há muitos "otimistas" que argumentam que o mundo pode suportar o dobro de sua população humana atual, e que consideram apenas o aumento do número de indivíduos e não o aumento médio do impacto ambiental *per capita*. Mas nunca encontrei alguém que seriamente argumentasse que o mundo pode suportar 12 vezes o impacto atual, embora um aumento desse fator fosse inevitável caso todos os habitantes do Terceiro Mundo adotassem padrões de vida de Primeiro Mundo. (Tal fator de 12 é menor que o de 32 que mencionei no penúltimo parágrafo, porque já há habitantes do Primeiro Mundo com estilos de vida de alto impacto, embora sejam grandemente superados em número pelos habitantes do Terceiro Mundo.) Mesmo se apenas a China adquirisse padrões de vida de Primeiro Mundo e o padrão de todos os outros povos ficasse como está, isso já dobraria o impacto humano no mundo (capítulo 12).

Os habitantes do Terceiro Mundo aspiram a padrões de vida de Primeiro Mundo. Desenvolvem tal aspiração através da televisão, vendo anúncios de produtos do Primeiro Mundo vendidos em seus países, e observando visitantes do Primeiro Mundo. Mesmo nas mais remotas aldeias e campos de refugiados de hoje, as pessoas sabem sobre o mundo lá fora. Os cidadãos do Terceiro Mundo são encorajados em suas aspirações pelas agências de desenvolvimento do Primeiro Mundo e da ONU, que lhes apresentam a perspectiva de realizarem o seu sonho caso adotem as políticas corretas, como equilibrar a sua balança comercial, investir em educação e infraestrutura, e assim por diante.

Mas ninguém na ONU ou nos governos do Primeiro Mundo reconhece a impossibilidade deste sonho: a insustentabilidade de um mundo no qual a grande população do Terceiro Mundo alcance e mantenha padrões de vida de Primeiro Mundo. É impossível para o Primeiro Mundo resolver o dilema bloqueando os esforços do Terceiro Mundo: Coreia do Sul, Malásia, Cingapura, Hong Kong, Taiwan e ilhas Maurício, já conseguiram ou estão perto do sucesso; a China e a Índia progridem rapidamente através de seus próprios esforços; e os 15 países ricos que compõem a União Europeia acabaram de admitir em sua organização 10 países mais pobres da Europa Oriental, prometendo, assim, ajudá-los a alcançarem seus objetivos de Primeiro Mundo. Mesmo que a população do Terceiro Mundo não existisse, seria impossível para o Primeiro Mundo manter o padrão atual, porque não está em estado sustentável e, sim, exaurindo os seus recursos e os importados do Terceiro Mundo. No momento, é politicamente impossível para os líderes do Primeiro Mundo proporem aos seus cidadãos que baixem o seu padrão de vida, através do menor consumo de recursos e da menor produção de rejeitos. O que acontecerá quando os povos do Terceiro Mundo finalmente se derem conta de que os padrões de vida de Primeiro Mundo são inalcançáveis, e que o Primeiro Mundo recusa-se a abandonar tais padrões? A vida é cheia de escolhas angustiantes baseadas em dilemas, mas este é o dilema mais cruel que teremos de resolver: encorajar e ajudar todas as pessoas a adquirirem um padrão de vida mais alto, sem minar tal padrão através da exploração excessiva dos recursos globais.

Descrevi estes 12 conjuntos de problemas como se fossem independentes uns dos outros. Mas na verdade estão relacionados: um problema exacerba outro ou dificulta a sua solução. Por exemplo, o crescimento da população humana afeta todos os outros 11 problemas: mais gente significa

mais desmatamento, mais produtos químicos tóxicos, maior demanda por peixe selvagem etc. O problema de energia está ligado a outros problemas porque o uso de combustíveis fósseis para sua produção contribui pesadamente para os gases do efeito estufa; o combate à perda de fertilidade do solo através de fertilizantes sintéticos requer energia para produzir fertilizantes; a escassez de combustíveis fósseis aumenta nosso interesse em energia nuclear, o que levanta o problema "tóxico" potencialmente maior de todos no caso de acidente; a escassez de combustível fóssil também torna mais caro resolver nosso problema de escassez de água doce através do uso de energia para dessalinizar a água do mar. A exaustão de pesqueiros e outras fontes de alimento selvagem imprime maior pressão sobre o gado, plantações, e aquicultura para substituí-los, levando portanto a mais perda de solo de superfície e maior eutrofização devido à agricultura e à aquicultura. Problemas de desmatamento, falta de água e degradação do solo no Terceiro Mundo geram guerras e levam à imigração legal e ilegal do Terceiro para o Primeiro Mundo.

A comunidade mundial está atualmente em um curso de não sustentabilidade, e qualquer um de nossos 12 problemas de não sustentabilidade que acabamos de resumir seria suficiente para limitar nosso estilo de vida nas próximas décadas. São como bombas de tempo com detonador de menos de 50 anos. Por exemplo, a destruição das florestas pluviais acessíveis em terras baixas fora de parques nacionais já está virtualmente completa na Malásia peninsular, na taxa atual se completará em menos de uma década nas ilhas Salomão, Filipinas, Sumatra, Sulawesi, e estará completa no mundo inteiro com exceção talvez de partes da Bacia Amazônica e do Congo em 25 anos. No ritmo atual, teremos esgotado ou destruído a maior parte dos pesqueiros marinhos, esgotado reservas de petróleo e gás natural limpas e facilmente acessíveis e nos aproximado do limite fotossintético do planeta em algumas décadas. O aquecimento global terá subido 1°C ou mais, e uma parcela substancial das espécies de animais e plantas selvagens do mundo estarão ameaçadas ou além do ponto sem retorno, em meio século. As pessoas frequentemente perguntam: "Qual é o problema ambiental/populacional mais importante que o mundo enfrenta hoje em dia?" Uma resposta insolente seria: "O problema mais importante é nossa visão equivocada ao tentar identificar um único problema importante!" Essa resposta insolente é essencialmente correta, porque qualquer um desses 12 problemas, caso não seja resolvido, causará grande mal; e porque todos interagem entre si. Se resolvêssemos 11 problemas, mas não o décimo segundo, ainda assim estaríamos em apuros, qualquer que fosse o problema que restasse por solucionar. Temos de resolver todos.

Portanto por estarmos rapidamente avançando neste curso de não sustentabilidade, os problemas ambientais do mundo *serão* resolvidos de um modo ou de outro, no tempo de vida das crianças e jovens adultos de agora. A única pergunta é se serão resolvidos de modos agradáveis de nossa escolha, ou de modos desagradáveis que não sejam de nossa escolha, como guerras, genocídio, fome, doenças epidêmicas e colapso de sociedades. Embora todos esses fenômenos sombrios tenham sido endêmicos para a humanidade através de nossa história, sua frequência aumenta com a degradação ambiental, pressão populacional e da pobreza e instabilidade política resultantes.

Exemplos de soluções desagradáveis para problemas ambientais e populacionais abundam tanto no mundo moderno quanto no antigo. Incluem os recentes genocídios em Ruanda, Burundi e na ex-Iugoslávia; guerra, guerra civil ou de guerrilha no Sudão, Filipinas e Nepal modernos, e na antiga terra maia; canibalismo na ilha de Páscoa pré-histórica e Mangareva e entre os antigos anasazis; fome em muitos países africanos modernos e na ilha de Páscoa pré-histórica; a epidemia de AIDS que já ocorre na África e é incipiente em toda parte; e o colapso do governo estatal na atual Somália, ilhas Salomão e Haiti atuais e entre os antigos maias. Um resultado menos drástico do que um colapso mundial seria "simplesmente" a disseminação das condições que prevalecem em Ruanda ou no Haiti para muitos outros países em desenvolvimento, enquanto nós, no Primeiro Mundo preservaríamos muitos de nossos confortos mas enfrentaríamos um futuro no qual seríamos infelizes, assolados por mais terrorismo crônico, guerras e fome. Mas é duvidoso que o Primeiro Mundo possa manter o seu estilo de vida diante das desesperadas levas de imigrantes fugitivos de países do Terceiro Mundo em colapso, em números muito maiores do que o incontrolável fluxo atual. Volto a me lembrar do modo como imaginei o fim da fazenda-catedral de Gardar e seu esplêndido estábulo na Groenlândia, avassalada pelo influxo de nórdicos de fazendas mais pobres onde todo o gado morreu ou foi devorado.

O MUNDO COMO UM *POLDER*

Mas antes de nos entregarmos a este cenário pessimista unilateral, vamos examinar os problemas que temos diante de nós, e suas complexidades. Isso nos levará, creio eu, a uma posição de otimismo cauteloso.

Para tornar a discussão anterior menos abstrata, devo agora ilustrar como esses 12 problemas ambientais afetam os estilos de vida na parte do mundo com a qual estou melhor familiarizado: a cidade de Los Angeles no sul da Califórnia, onde vivo. Depois de crescer na Costa Leste dos EUA, e viver vários anos na Europa, visitei a Califórnia pela primeira vez em 1964. O lugar me agradou imediatamente e mudei para lá em 1966.

Portanto, vi como o sul da Califórnia mudou nos últimos 39 anos, principalmente para pior. De acordo com padrões mundiais, os problemas ambientais da Califórnia são relativamente amenos. Ao contrário das piadas dos americanos da Costa Leste, esta não é uma área que corra risco iminente de colapso social. De acordo com padrões mundiais, e mesmo para padrões norte-americanos, a sua população é excepcionalmente rica e ambientalmente educada. Los Angeles é bem conhecida por alguns problemas, especialmente seu *smog*, mas a maior parte de seus problemas ambientais e populacionais são modestos ou comparáveis aos de outras grandes cidades do Primeiro Mundo. Como esses problemas afetam a minha vida e as de meus concidadãos?

As queixas externadas por virtualmente todos em Los Angeles são aquelas diretamente relacionadas à nossa crescente e já alta população: nossos engarrafamentos incuráveis; o alto preço da moradia (foto 36), como resultado de milhões de pessoas trabalhando em alguns poucos centros de emprego com limitado espaço residencial próximo a esses centros; como consequência disso, as longas distâncias de até duas horas e 100 quilômetros de ida que as pessoas percorrem diariamente em seus carros entre a casa e o trabalho. Em 1987, Los Angeles tornou-se a cidade dos EUA com o pior tráfego, e permaneceu assim desde então. Todos reconhecem que esses problemas pioraram nas últimas décadas. São agora o maior fator a impedir que os empregadores de Los Angeles atraiam e mantenham empregados, e afetam a nossa disposição de comparecer a eventos e visitar amigos. Na viagem de 20 quilômetros de minha casa para o centro de Los Angeles ou para o aeroporto, levo hoje uma hora e quinze minutos. O habitante médio de Los Angeles passa 368 horas por ano, o equivalente a 15 dias, indo e voltando do trabalho, sem considerar o tempo gasto dirigindo para outros fins (foto 37).

Nenhuma solução é justa numa discussão séria de tais problemas, que só irão piorar. A construção de uma autoestrada como está proposta ou a caminho aliviará apenas alguns pontos mais congestionados mas logo será superada pelo número crescente de carros. Não há como prever quanto os problemas de congestionamento em Los Angeles vão piorar, porque milhões de pessoas enfrentam problemas de tráfego muito maiores em outras cidades. Por exemplo, uma família de amigos em Bangkok, capital da Tailândia, leva hoje no carro um pequeno toalete químico portátil devido ao tempo e à lentidão do trânsito tailandês; certa vez saíram da cidade para passar o fim de semana fora mas desistiram e voltaram para casa após terem avançado apenas cinco quilômetros durante as 17 horas de engarrafamento que enfrentaram. Embora haja otimistas que expliquem abstratamente por que o aumento populacional é bom e como o mundo pode acomodar tal aumento, nunca vi um cidadão de Los Angeles (e pouca gente no resto do mundo) que pessoalmente expressasse desejo de aumento populacional na área onde vive.

A contribuição do sul da Califórnia para o aumento atual do impacto humano *per capita*, como resultado da transferência de gente do Terceiro Mundo para o Primeiro Mundo, foi durante anos o assunto mais explosivo na política da Califórnia. A população da Califórnia está aumentando, devido quase que inteiramente à imigração e ao maior tamanho médio das famílias de imigrantes após a sua chegada. A fronteira entre a Califórnia e o México é longa e impossível de ser patrulhada efetivamente contra gente da América Central tentando imigrar ilegalmente em busca de empregos e segurança pessoal. Todo mês lemos que algum imigrante morreu no deserto após ter sido roubado ou alvejado — mas isso não os detém. Outros imigrantes ilegais vêm de tão longe quanto a China e Ásia Central, em barcos que os descarregam ao largo da costa. Os residentes da Califórnia têm duas maneiras de pensar a respeito desses imigrantes do Terceiro Mundo que vêm para cá em busca de um estilo de vida de Primeiro Mundo. Por um lado, nossa economia depende inteiramente deles para trabalhar na indústria de serviços, de construção ou em fazendas. Por outro, os residentes da Califórnia se queixam de que os imigrantes competem com os residentes desempregados em muitos trabalhos, diminuem os salários e sobrecarregam nossos já lotados hospitais e nosso sistema de ensino público. Uma medida (a Proposição 187) das eleições estaduais de 1994, aprovada com esmagadora maioria pelos eleitores mas logo rejeitada pelos tribunais por motivos constitucionais, tiraria dos imigrantes ilegais a maioria dos benefícios custeados pelo estado. Nenhum residente da Califórnia ou autoridade eleita sugeriu uma solução prática para a antiga contradição, que lembra a dos dominicanos em relação aos haitianos, entre necessitar de imigrantes como trabalhadores mas ressentir-se de sua presença e de suas necessidades.

O sul da Califórnia contribui grandemente para a crise de energia. Nossa antiga rede de bondes faliu nos anos de 1920 e 1930, e seus direitos de exploração foram comprados por fabricantes de automóveis e subdivididos de modo que fosse impossível reconstruir a rede (que competia com os automóveis). A preferência dos habitantes de Los Angeles por viver em casas em vez de prédios de apartamentos, e as longas distâncias e diversas rotas cruzadas pelos trabalhadores tornou impossível projetar sistemas de transportes públicos que satisfizessem as necessidades da maioria dos residentes. Portanto, os habitantes de Los Angeles dependem de automóveis.

Nosso alto consumo de combustível, as montanhas que cercam a maior parte da bacia de Los Angeles, e a direção do vento geram o problema do *smog* que é o mais famoso inconveniente da cidade (foto 38). Apesar do progresso no combate do *smog* em décadas recentes, e apesar da variação sazonal (o *smog* fica pior no fim do verão e começo de outono) e da variação local (o *smog* geralmente fica pior quanto mais se avança terra adentro), Los Angeles continua uma das piores cidades dos EUA em termos de qualidade do ar. Após anos de melhora, nossa qualidade do ar tem se deteriorado em anos recentes. Outro problema tóxico que afeta o estilo de vida e a saúde é a disseminação do parasita giárdia nos rios e lagos da Califórnia nas últimas décadas. Quando me mudei para cá nos anos 1960 e fazia caminhadas nas montanhas, era seguro beber as águas dos regatos; hoje, o resultado garantido seria uma infecção por giárdias.

O problema de administração de hábitat do qual mais estamos conscientes é o risco de incêndio em dois hábitats predominantes no sul da Califórnia, o chaparral (vegetação de cerrado semelhante à *macchia* mediterrânea) e as florestas de carvalho. Em condições naturais, ambos os hábitats experimentam incêndios causados por raios, como a situação nas florestas de Montana que discuti no capítulo 1. Agora que estão vivendo nestes hábitats inflamáveis, os habitantes de Los Angeles exigem que os incêndios sejam suprimidos imediatamente. A cada ano, no fim do verão e início da primavera, as épocas mais quentes e ventosas no sul da Califórnia, ocorre a estação de incêndios, quando centenas de casas pegam fogo. O desfiladeiro onde vivo não tem um incêndio descontrolado desde 1961, quando houve um grande incêndio que queimou 600 casas. Uma solução teórica do problema, assim como nas florestas de Montana, poderia ser incêndios controlados de pequena escala para reduzir a carga combustível da vegetação, mas tais incêndios seriam absurdamente perigosos nessa área urbana densamente povoada, e o público não os aceitaria.

Espécies exóticas são uma grande ameaça e um fardo econômico para a agricultura da Califórnia, a maior ameaça atual sendo a mosca-do--mediterrâneo, que ataca as frutas. Ameaças não agrícolas são patógenos introduzidos que ameaçam matar nossos carvalhos e pinheiros. Pelo fato de meus dois filhos, quando crianças, terem se interessado por anfíbios (sapos e salamandras), aprendi que a maioria das espécies nativas de anfíbios foi exterminada de dois terços dos rios de Los Angeles, como resultado da disseminação de três espécies de predadores de anfíbios (um tipo de camarão de água doce, a rã-touro e o peixe-mosquito) contra os quais os anfíbios do sul da Califórnia são indefesos porque nunca evoluíram para evitar tais ameaças.

O maior problema de solo que afeta a agricultura da Califórnia é a salinização, como resultado da agricultura de irrigação que arruína vastas áreas de terra de cultivo no Vale Central da Califórnia, as mais ricas dos EUA.

Pelo fato de chover pouco no sul da Califórnia, Los Angeles depende de longos aquedutos, vindos principalmente da Sierra Nevada e vales adjacentes do norte da Califórnia, e do rio Colorado, na fronteira leste do estado. Com o crescimento da população da Califórnia, têm aumentado a competição por esses suprimentos de água entre os fazendeiros e as cidades. Com o aquecimento global, a neve da serra que fornece a maior parte de nossa água irá diminuir, assim como em Montana, aumentando a possibilidade de falta de água em Los Angeles.

Quanto à indústria pesqueira, a pesca de sardinhas do norte da Califórnia entrou em colapso no início do século XX, a indústria dos abalones no sul da Califórnia há algumas décadas, pouco depois de minha chegada, e a do peixe-escorpião do sul da Califórnia está entrando em colapso, foi sujeita a rígidas restrições e ameaça de fechamento no último ano. Os preços dos peixes nos supermercados de Los Angeles aumentaram num fator de 4 para 1 desde que me mudei para cá.

Finalmente, as perdas de biodiversidade afetaram as espécies mais características do sul da Califórnia. O símbolo do estado da Califórnia e de minha universidade (UCLA), é o Urso Dourado da Califórnia, que está agora extinto. (Que simbolismo atroz para o estado e para a universidade de alguém!) A população de lontras marinhas do sul da Califórnia foi exterminada no século passado e o resultado de tentativas recentes de reintrodução ainda é incerto. No tempo em que morei em Los Angeles, as populações de duas de nossas espécies de aves mais características, o Papa-léguas e a cordorna da Califórnia, sofreram uma queda violenta. Entre os anfíbios do sul da Califórnia cujos números desabaram estão a salamandra aquática e o sapo arborícola californianos.

Portanto, os problemas ambientais e populacionais têm minado a economia e a qualidade de vida no sul da Califórnia. São, em grande extensão, responsáveis por nossa escassez de água, energia, acúmulo de lixo, superlotação de escolas, escassez de moradia, altas de preços e congestionamento de trânsito. Em muitos desses aspectos, exceto no que diz respeito ao nosso tráfego e à qualidade do ar, que são excepcionalmente ruins, não estamos pior do que muitas regiões dos EUA.

A maioria dos problemas ambientais envolve incertezas particulares que são assuntos legítimos para debate. Afora isso, porém, há muitas razões que são comumente aventadas para diminuir a importância dos problemas ambientais e que, em minha opinião, não são bem informadas. Tais objeções são frequentemente apresentadas sob a forma de "chavões" simplistas. Segue uma dúzia dos chavões mais comuns:

"O ambiente tem de ser equilibrado de acordo com a economia." Tal citação retrata as preocupações ambientais como um luxo, vê as medidas para solucionar problemas ambientais como causadoras de despesas, e considera deixar os problemas ambientais sem solução como uma forma de se economizar dinheiro. Esse chavão deixa a verdade literalmente de lado. Os danos ambientais custam muito dinheiro tanto a curto quanto a longo

prazo; limpar ou evitar esses danos nos ajudam a poupar dinheiro a longo prazo, assim como frequentemente ocorre a curto prazo. Sabemos que é mais barato e preferível evitar ficar doente do que tentar curar a doença depois que esta se desenvolveu. O mesmo se aplica à saúde do meio ambiente. Pense no dano causado por plantas daninhas e pestes agrícolas, pragas não agrícolas como o aguapé e os mexilhões zebra, o custo anual recorrente do combate a essas pragas, o valor do tempo perdido quando estamos presos em um engarrafamento, o custo financeiro resultante de gente doente ou morrendo devido a toxinas ambientais, o custo de limpeza de produtos químicos tóxicos, o aumento vertiginoso do preço do peixe devido ao esgotamento dos estoques, e o valor das terras de fazenda prejudicadas ou arruinadas pela erosão e salinização. Aqui, isso soma centenas de milhões de dólares por ano, lá soma dezenas de bilhões, outro bilhão de dólares acolá, e assim vai, ao longo de centenas de problemas diferentes. Por exemplo, o valor de "uma vida estatística" nos EUA — i.e., o custo para a economia dos EUA resultante da morte de um norte-americano cuja sociedade financiou a criação e a educação mas que morra antes de passar uma vida inteira contribuindo para a economia nacional — é geralmente estimado em cinco milhões de dólares. Mesmo que se tome como correta a estimativa conservadora de mortes anuais nos EUA devido à poluição do ar como sendo de 130 mil indivíduos, então a poluição do ar custa-nos cerca de 650 bilhões de dólares por ano. Isso ilustra por que a Lei do Ar Limpo de 1970, embora suas medidas de limpeza sejam dispendiosas, produziu economias na saúde (benefícios a mais que custos) de cerca de um trilhão de dólares por ano, graças a vidas salvas e custos de saúde reduzidos.

"A tecnologia resolverá os nossos problemas." Esta é uma expressão de fé no futuro, portanto baseada no suposto antecedente de ter a tecnologia resolvido mais problemas do que aqueles que criou em passado recente. Reforçando esta expressão de fé, a premissa implícita de que, de amanhã em diante, a tecnologia funcionará basicamente para resolver os problemas existentes e deixará de criar novos problemas. Os que professam tal fé creem que novas tecnologias agora sob discussão serão bem-sucedidas, e que serão aplicadas em pouco tempo para logo fazerem uma grande diferença. Em longas conversas que mantive com dois dos homens de negócios e financistas mais conhecidos dos EUA, ambos descreveram-me

O MUNDO COMO UM *POLDER*

com entusiasmo tecnologias emergentes e instrumentos financeiros que diferem fundamentalmente daqueles do passado e que, confiantemente previram, resolveriam os nossos problemas ambientais.

Mas a experiência que se tem é justo o oposto destes supostos antecedentes. Algumas tecnologias são bem-sucedidas, outras não. As que são bem-sucedidas geralmente demoraram algumas décadas para se desenvolverem e se espalharem: pense no aquecimento a gás, luz elétrica, carros e aviões, televisão, computadores, e assim por diante. As novas tecnologias, sejam ou não bem-sucedidas na solução dos problemas para os quais foram projetadas, geralmente criam novos e inesperados problemas. As soluções tecnológicas para os problemas ambientais geralmente sao bem mais dispendiosas do que as medidas preventivas para evitar a criação de problemas: por exemplo, os bilhões de dólares gastos com os danos e a limpeza de grandes vazamentos de petróleo, comparados com o custo modesto de medidas de segurança eficientes na minimização do risco de um grande vazamento.

Acima de tudo, os avanços tecnológicos apenas aumentam nossa habilidade de fazer coisas, seja para o bem ou para o mal. Todos os nossos problemas atuais são consequências negativas não intencionais de nossa tecnologia existente. Os rápidos avanços tecnológicos durante o século XX criaram problemas novos e difíceis mais rapidamente do que resolvido os antigos: por isso estamos nesta situação. O que o faz pensar que, em 1º de janeiro de 2006, pela primeira vez na história da humanidade, a tecnologia milagrosamente irá parar de causar problemas inesperados e apenas resolver os problemas que produziu anteriormente?

De milhares de exemplos de efeitos colaterais danosos imprevistos de novas tecnologias, dois devem bastar: os CFCs (clorofluorcarbonetos) e os veículos motorizados. Os gases refrigerantes anteriormente usados em geladeiras e ares-condicionados eram tóxicos (como a amônia) e poderiam ser fatais se vazassem durante a noite enquanto o proprietário dormia. Portanto, os CFCs (aliás freons) gases refrigerantes sintéticos, foram recebidos como um grande avanço. Não têm cheiro, não são tóxicos, e são altamente estáveis sob condições comuns na superfície da Terra, de modo que, inicialmente, não se observaram ou esperaram efeitos colaterais negativos. Em pouco tempo foram vistos como substâncias milagrosas e adotadas no mundo inteiro como gases refrigerantes de geladeiras e aparelhos de ar-condicionado, agentes para expandir espuma, solventes e propelentes em latas de aerossol. Mas em 1974 descobriu-se que, na estratosfera, esses gases eram quebrados pela intensa radiação ultravioleta para produzir átomos de cloro altamente reativos que destroem uma significativa porção da camada de ozônio que nos protege, assim como a todas as criaturas vivas, contra os letais efeitos da radiação ultravioleta. Tal descoberta provocou negações vigorosas de alguns interesses corporativos, alimentados não apenas pelos 200 bilhões de dólares investidos na indústria dos CFCs como também por dúvidas genuínas devido às complicações científicas envolvidas. Portanto, a extinção dos CFCs demorou um longo tempo: não foi senão em 1988 que a DuPont (a maior fabricante de CFCs) decidiu parar de fabricá-los, em 1992 os países industrializados concordaram em cessar a produção de CFCs em 1995, e a China e outros países em desenvolvimento ainda os produzem. Infelizmente, a quantidade de CFCs já liberada na atmosfera é muito grande e sua decomposição muito lenta, para que continuem presentes na atmosfera durante muitas décadas após o fim de toda a produção de CFCs.

O outro exemplo envolve a introdução dos veículos motorizados. Quando eu era criança, na década de 1940, alguns de meus professores se lembravam das primeiras décadas do século XX, quando os veículos motorizados estavam substituindo as carruagens e os bondes puxados a cavalo nas ruas das cidades dos EUA. As duas maiores e imediatas consequências experimentadas pelos americanos urbanos, lembravam-se meus professores, era que as cidades americanas tornaram-se maravilhosamente mais limpas e calmas. Não havia mais ruas poluídas com esterco e urina de cavalo, e não havia mais o constante ressoar de cascos de cavalos nas ruas. Hoje, após um século de experiência com carros e ônibus, surpreende-nos quão absurdo ou inconcebível é o fato de alguém louvá-los por serem limpos e silenciosos. Embora ninguém esteja advogando a volta ao cavalo como solução para o *smog* das emissões dos motores a explosão, o exemplo serve para ilustrar o lado negativo não previsto de tecnologias que nós (diferentemente dos CFCs) escolhemos preservar.

"Se exaurirmos um recurso, sempre podemos mudar para outro recurso para satisfazer a mesma necessidade." Os otimistas que fazem tal alegação ignoram dificuldades imprevistas e os tempos de transição regularmente envolvidos. Por exemplo, uma área na qual a mudança baseada em uma

nova tecnologia ainda não aperfeiçoada tem repetidas vezes sido aventada como promissora na solução de um grande problema ambiental são os automóveis. A esperança atual de aperfeiçoamentos abrange os carros e células de combustível a hidrogênio, que tecnologicamente estão na infância, aplicados ao transporte motorizado. Portanto, não há antecedentes que justifiquem a fé na solução do carro a hidrogênio para nosso problema de combustível fóssil. Contudo, temos antecedentes de uma longa série de outras propostas de tecnologias de automóveis aventadas como avanços, como motores rotativos e (mais recentemente) carros elétricos, que provocaram muita discussão e até mesmo a venda de modelos, que acabaram declinando ou desaparecendo devido a problemas imprevistos.

Igualmente instrutivo é o recente desenvolvimento de carros híbridos gasolina/eletricidade, que têm desfrutado de vendas cada vez maiores. Contudo, seria injusto deixar de mencionar a alguém que está pensando em mudar para um carro híbrido que a indústria automobilística também está desenvolvendo os veículos utilitários esportivos, que têm superado a venda dos híbridos por uma grande margem mais do que neutralizando sua economia de combustível. O resultado final desses dois avanços tecnológicos foi que o consumo de combustível e a produção de gases de nossa frota nacional está subindo em vez de baixar. Ninguém conseguiu elaborar um método de como a tecnologia pode produzir apenas efeitos e produtos ambientalmente favoráveis (p.ex., carros híbridos), sem também produzir efeitos ambientais e produtos negativos (p.ex. veículos utilitários esportivos).

Outro exemplo de fé na mudança e substituição é a esperança de que fontes de energia renováveis, como a energia eólica e solar, possam resolver a crise de energia. Tais tecnologias existem; muitos californianos usam energia solar para aquecer suas piscinas, e geradores eólicos já fornecem um sexto das necessidades energéticas da Dinamarca. Contudo, a energia eólica e solar têm aplicabilidade limitada porque só podem ser usadas em locais com luz e vento constantes. Além disso, a recente história da tecnologia demonstra que o tempo de conversão para a adoção de grandes mudanças — p.ex., de velas para lâmpadas a óleo, daí para lampiões de gás e luz elétrica, ou de madeira para carvão e petróleo, para a produção de energia — pode ser medido em décadas, porque muitas instituições e tecnologias secundárias associadas com a antiga tecnologia têm de ser mudadas. É de fato provável que fontes de energia além dos combustíveis fósseis farão contribuições crescentes para o nosso transporte motorizado e geração de energia, mas esta é uma perspectiva de longo prazo. Também teremos de resolver nossos problemas de combustível e energia nas próximas décadas, antes que as novas tecnologias se disseminem. Muito frequentemente, o foco de políticos e indústrias na promessa de carros a hidrogênio e energia eólica para o futuro distante distrai a atenção de todas as medidas óbvias que precisam ser tomadas agora para diminuir o consumo de combustível dos carros existentes, e diminuir o consumo das usinas de geração de energia movidas a combustível fóssil.

"Na verdade, não há um problema mundial de alimentos; há comida bastante; só precisamos resolver o problema de transporte e distribuição desta comida para os lugares onde é necessária." (O mesmo pode ser dito sobre a energia) Ou: *"O problema de comida no mundo já está sendo resolvido pela Revolução Verde, com a produção de novas variedades de arroz e outras culturas, ou será resolvido por culturas geneticamente modificadas."* Tal argumento destaca duas coisas: os cidadãos do Primeiro Mundo desfrutam em média de maior consumo *per capita* de comida do que os do Terceiro Mundo; e alguns países do Primeiro Mundo, como os EUA, produzem ou podem produzir mais alimento do que consomem os seus cidadãos. Se o consumo de comida pudesse ser equilibrado no mundo, ou se o excedente do Primeiro Mundo pudesse ser exportado para o Terceiro Mundo, isso aliviaria a fome do Terceiro Mundo?

A falha óbvia na primeira metade deste argumento é que os cidadãos do Primeiro Mundo não demonstram o menor interesse em comer menos para que os cidadãos do Terceiro Mundo possam comer mais. A falha da segunda metade do argumento é que, embora os países de Primeiro Mundo ocasionalmente exportem comida para mitigar a fome causada por alguma crise (como secas ou guerras) em certos países do Terceiro Mundo, os cidadãos do Primeiro Mundo não demonstram interesse em pagar regularmente (através de impostos para ajuda externa e subsídios agrícolas) para alimentar para sempre bilhões de cidadãos do Terceiro Mundo. Se isso ocorrer sem programas efetivos de planejamento familiar, aos quais o governo dos EUA atualmente se opõe a princípio, o resultado seria o dilema de Malthus, i.e., um aumento de população desproporcional

O MUNDO COMO UM *POLDER*

a um aumento da comida disponível. O aumento populacional e o dilema de Malthus também contribuem para explicar por que, após décadas de esperança e dinheiro investido na Revolução Verde e variedades de grande produtividade, a fome ainda está disseminada no mundo. Todas essas considerações significam que as variedades de alimentos geneticamente modificados (GM) também não resolverão os problemas de comida no mundo (enquanto a população mundial supostamente se mantenha estacionária?). Afora isso, virtualmente toda a produção de alimentos GM no momento se resume a quatro culturas (soja, milho, canola e algodão) que não são comidas diretamente por seres humanos mas usados como ração animal, fabricação de óleo ou de roupas, e cultivadas em seis países ou regiões da zona temperada. As razões são a forte resistência do consumidor em comer alimentos GM; e o fato cruel de que as empresas que desenvolvem culturas GM podem ganhar dinheiro vendendo seus produtos para fazendeiros ricos na maioria dos países afluentes da zona temperada, mas não para fazendeiros pobres em países tropicais em desenvolvimento. Portanto, as empresas não têm interesse em investir pesadamente para desenvolver mandioca, milheto ou sorgo GM para fazendeiros do Terceiro Mundo.

"Como medido por indicadores criteriosos como tempo de vida humano, saúde e prosperidade (em termos de economistas, Produto Nacional Bruto per capita*), as condições têm na verdade melhorado nas últimas muitas décadas."* Ou: *"Olhe ao seu redor: a grama ainda está verde, há comida de sobra nos supermercados, a água limpa ainda flui das torneiras, e não há sinal de colapso iminente."* Para cidadãos ricos do Primeiro Mundo, as condições de fato têm melhorado, e as medidas de saúde pública têm aumentado o tempo de vida médio também no Terceiro Mundo. Mas tempo de vida por si só não é um indicador suficiente: bilhões de cidadãos do Terceiro Mundo, constituindo cerca de 80% da população mundial, ainda vivem na pobreza, perto ou abaixo do nível de fome. Até mesmo nos EUA, uma fração cada vez maior da população vive abaixo do nível de pobreza e não tem assistência médica, e todas as propostas de mudar tal situação (p.ex., "basta dar seguro-saúde para todo mundo financiado pelo governo") têm sido politicamente inaceitáveis.

Além disso, todos sabemos como indivíduos que não medimos nossa prosperidade econômica apenas a partir do saldo atual de nossas contas bancárias: também olhamos para onde está *direcionado* o nosso fluxo de caixa. Quando você olha para seu extrato bancário e vê um saldo positivo de cinco mil dólares, você não ri ao se dar conta de que teve uma perda líquida de 200 dólares por mês nos últimos anos, e que a essa taxa você tem apenas dois anos e um mês antes de ser obrigado a declarar falência. O mesmo princípio se aplica à nossa economia nacional, e às tendências ambientais e populacionais. A prosperidade que o Primeiro Mundo desfruta atualmente baseia-se em gastar o seu capital ambiental no banco (suas fontes de energia não renováveis, estoques de peixe, solo, florestas etc.). Gastos de capital não devem ser mal interpretados como economias. Não faz sentido nos contentarmos com nosso presente conforto quando é evidente que estamos em um curso não sustentável.

De fato, uma das principais lições a serem aprendidas dos colapsos maia, anasazi, da ilha de Páscoa e de outras sociedades do passado (assim como do recente colapso da União Soviética) é que o rápido declínio de uma sociedade pode começar uma década ou duas após tais sociedades atingirem o seu auge em população, riqueza e poder. A esse respeito, as trajetórias das sociedades que discutimos são diferentes do curso habitual das vidas humanas individuais, que declinam em uma prolongada senescência. A razão é simples: os máximos de população, riqueza, consumo de recursos e produção de rejeitos significam máximo impacto ambiental, aproximando-se do limite no qual o impacto supera os recursos. Refletindo, não é de surpreender que o declínio das sociedades tenda a ocorrer rapidamente após o seu auge.

"Veja quantas vezes no passado as previsões pessimistas de ambientalistas alarmistas mostraram-se equivocadas. Por que devemos acreditar neles desta vez?" Sim, algumas previsões de ambientalistas mostraram-se incorretas, e o exemplo favorito dos críticos é uma predição feita em 1980 por Paul Ehrlich, John Harte e John Holdren sobre o aumento no preço de cinco metais, e as previsões feitas pelo relatório do Clube de Roma em 1972. Mas é um erro olhar seletivamente para as previsões de ambientalistas que se revelaram falsas, e também não olhar para previsões ambientalistas quer se mostraram verdadeiras, ou previsões antiambientalistas que se mostraram errôneas. Há uma abundância de erros do último tipo: p.ex., previsões excessivamente otimistas de que a Revolução Verde já teria resolvido

O MUNDO COMO UM *POLDER*

os problemas de fome do mundo; a previsão do economista Julian Simon de que podemos alimentar a população do mundo à medida que esta continue a crescer nos próximos sete bilhões de anos; e a previsão de Simon de que "o cobre pode ser feito com outros elementos", portanto não há possibilidade de escassez. No que diz respeito à primeira das duas previsões de Simon, a continuação de nossa atual taxa de crescimento populacional produzirá 12 pessoas por metro quadrado de terra em 774 anos, uma massa de gente equivalente à massa da Terra em dois mil anos, e uma massa de gente igual à massa do universo em seis mil anos, muito antes da previsão de Simon de sete bilhões de anos sem tais problemas. No que diz respeito à sua segunda previsão, aprendemos em nossa primeira aula de química que o cobre é um elemento, o que quer dizer que, por definição, não pode ser feito com outros elementos. Minha impressão é que, proporcionalmente, as previsões pessimistas que se mostraram incorretas, como as de Ehrlich, Harte e Holdren sobre o preço dos metais ou do Clube de Roma sobre estoques de comida, têm sido muito mais realistas à época em que foram feitas do que as duas previsões de Simon.

Basicamente, o chavão sobre algumas previsões ambientalistas que se mostraram erradas resume-se a uma queixa a respeito de alarmes falsos. Em outras esferas de nossas vidas, como os incêndios, por exemplo, adotamos uma atitude criteriosa em relação a alarmes falsos. Nossos governos locais mantêm dispendiosas brigadas de incêndio, embora em algumas cidades pequenas estas raramente sejam chamadas para apagar incêndios. Dos alarmes de incêndio feitos por telefone, muitos se revelam falsos, e muitos outros envolvem pequenos incêndios que os donos das propriedades conseguem apagar antes que os caminhões de bombeiro cheguem. Aceitamos comodamente uma certa frequência de alarmes falsos e incêndios apagados, porque compreendemos que os riscos são incertos e difíceis de avaliar quando um incêndio começa, e que um incêndio que fuja de controle pode custar caro em vidas e propriedades humanas. Nenhuma pessoa esclarecida pensaria em acabar com o corpo de bombeiros de uma cidade, seja ele constituído de profissionais de tempo integral ou voluntários, apenas porque alguns anos se passaram sem um grande incêndio. Também ninguém culparia um proprietário por ter chamado o corpo de bombeiros ao detectar um pequeno incêndio, e tê-lo apagado antes de o caminhão de bombeiros chegar. Apenas quando os alarmes falsos assumem uma proporção incomum em relação aos demais alarmes sentimos que algo está errado. Na verdade, a proporção de alarmes falsos que toleramos baseia-se em comparar subconscientemente a frequência e os custos de grandes incêndios com a frequência de custos de serviço desperdiçados com alarmes falsos. Uma frequência muito baixa de alarmes falsos mostra que muitos proprietários estão sendo cautelosos, esperando tempo demais para chamar o corpo de bombeiros e, consequentemente, perdendo suas casas.

Pelo mesmo raciocínio, devemos esperar o fato de algumas advertências dos ambientalistas se revelarem alarmes falsos. De outro modo saberíamos que nossos sistemas de advertência ambiental são demasiado conservadores. O custo de muitos bilhões de dólares provocado por muitos problemas ambientais justifica uma frequência moderada de alarmes falsos. Afora isso, a razão de os alarmes terem se revelado falsos é que frequentemente nos convenceram a adotar contramedidas bem-sucedidas. Por exemplo, é verdade que a qualidade do ar de Los Angeles hoje não é tão ruim quanto as previsões pessimistas de 50 anos atrás. Contudo, isso se deve inteiramente ao fato de Los Angeles e o estado da Califórnia terem sido levados a adotar muitas contramedidas (como padrões de emissões de veículos, certificados de *smog* e gasolina sem chumbo), e não porque as previsões iniciais fossem exageradas.

"A crise populacional está se resolvendo por si mesma porque a taxa de crescimento populacional mundial está diminuindo, de modo que a população irá se estabilizar em menos do dobro do nível atual." Embora a previsão de que a população irá se estabilizar em menos do dobro de seu nível atual possa ou não se mostrar verdadeira, atualmente ainda é uma possibilidade realista. Contudo, não podemos nos conformar com esta possibilidade por dois motivos: por muitos critérios, até mesmo a população atual do mundo está vivendo em um nível não sustentável; e, como já explicado neste capítulo, o maior perigo que enfrentamos não é apenas de a população dobrar, mas de um impacto humano muito maior caso a população do Terceiro Mundo consiga alcançar padrões de vida de Primeiro Mundo. É surpreendente ouvir certos cidadãos de Primeiro Mundo mencionarem desinteressadamente o acréscimo de "apenas" 2,5 bilhões a mais de pessoas

O MUNDO COMO UM *POLDER*

(a mais baixa estimativa que se pode prever) como se isso fosse aceitável, quando o mundo já abriga tanta gente mal nutrida e vivendo com menos de três dólares por dia.

"O mundo pode acomodar o crescimento populacional indefinidamente. Quanto mais gente, melhor, porque mais gente significa mais invenções e, no fim das contas, mais riqueza." Ambas as ideias estão associadas particularmente a Julian Simon mas foram desposadas por muitos outros, especialmente pelos economistas. A declaração sobre nossa habilidade de absorver as taxas atuais de população indefinidamente não deve ser levada a sério, porque já vimos que isso significaria 12 pessoas por metro quadrado no ano 2779. Informações sobre a saúde nacional demonstram que a alegação de que mais gente significa mais riqueza é o oposto do correto. Os 10 países com mais gente (mais de 100 milhões cada) são, em ordem decrescente de população, China, Índia, EUA, Indonésia, Brasil, Paquistão, Rússia, Japão, Bangladesh e Nigéria. Os 10 países mais ricos (PIB real *per capita*) são, em ordem descendente, Luxemburgo, Noruega, EUA, Suíça, Dinamarca, Islândia, Áustria, Canadá, Irlanda e Países Baixos. O único país em ambas as listas são os EUA.

Na verdade, os países com maior população são desproporcionalmente pobres: oito de 10 têm PIB *per capita* abaixo de oito mil dólares, e cinco abaixo de 3 mil. Os países ricos têm, proporcionalmente, pouca gente: sete dos 10 têm populações abaixo de nove milhões e dois abaixo de 500 mil. O que distingue as duas listas são taxas de crescimento populacional: todos os 10 países afluentes têm baixa taxa de crescimento populacional relativo (1% por ano ou menos), enquanto oito dos 10 países mais populosos têm taxas de crescimento populacional relativo mais altos do que qualquer dos países mais ricos, exceto dois países que alcançaram baixos índices de crescimento populacional de modos desagradáveis: a China, por ordem governamental e abortos impostos, e a Rússia, cuja população está diminuindo devido a catastróficos problemas de saúde. Assim, como um fato empírico, mais pessoas e uma taxa de crescimento maior significam mais pobreza, não mais riqueza.

*"As preocupações ambientais são luxos que só podem ser pagos por yu*ppies *do rico Primeiro Mundo, que não têm o direito de dizer aos cidadãos do Terceiro Mundo o que devem fazer."* Esta visão tenho ouvido prin-

cipalmente de *yuppies* afluentes do Primeiro Mundo que não têm experiência de Terceiro Mundo. Em todas as minhas experiências na Indonésia, Papua-Nova Guiné, África Oriental, Peru e outros países do Terceiro Mundo com problemas ambientais e populações crescentes, me impressionou o fato de seus povos saberem muito bem como estão sendo prejudicados pelo crescimento populacional, desflorestamento, sobrepesca e outros problemas. Eles sabem disso porque pagam a conta imediata, em forma de perda de madeira gratuita com a qual construir casas, grave erosão do solo e (a queixa trágica que ouço sem parar) sua incapacidade de comprar roupas, livros e pagar escola para os filhos. A floresta atrás de sua aldeia está sendo derrubada ou porque um governo corrupto ordenou que fosse derrubada apesar de seu protesto, frequentemente violento, ou porque tiveram de assinar um arrendamento com grande relutância por não ter visto outro meio de conseguir dinheiro necessário para sustentar seus filhos no ano seguinte. Meus melhores amigos no Terceiro Mundo, com família de quatro a oito filhos, lamentam não terem ouvido falar de métodos anticoncepcionais disseminados no Primeiro Mundo, dizem desejar desesperadamente tais métodos para si, mas não podem pagar para obtê-los, em parte devido à recusa do governo dos EUA de financiar planejamento familiar em seus programas de ajuda externa.

Outra visão amplamente disseminada entre gente afluente do Primeiro Mundo, mas que raramente a expressarão abertamente, é que eles estão muito bem com os seus estilos de vida, não obstante todos esses problemas ambientais, que realmente não os preocupam porque recaem principalmente sobre povos do Terceiro Mundo (embora não seja politicamente correto ser tão obtuso). Mas os ricos não estão imunes a problemas ambientais. Os presidentes das grandes empresas do Primeiro Mundo também se alimentam, bebem água, respiram ar e têm (ou tentam conceber) filhos, assim como o restante de nós. Embora possam evitar problemas de qualidade da água bebendo água mineral, é muito mais difícil evitarem se expor aos nossos mesmos problemas de qualidade de comida e ar. Vivendo em um nível desproporcionalmente alto na cadeia alimentar, em níveis nos quais as substâncias tóxicas se concentram, correm mais e não menos risco de incapacidade reprodutiva devido a ingestão ou exposição a materiais tóxicos, possivelmente contribuindo para a sua alta taxa

O MUNDO COMO UM *POLDER*

de infertilidade e a aumentada frequência com que requerem assistência médica na concepção. Além disso, uma das conclusões que vemos emergir de nossa discussão sobre reis maias, chefes da Groenlândia Nórdica e da ilha de Páscoa é que, a longo prazo, os ricos não garantirão os seus interesses (e o de seus filhos) se governarem uma sociedade em colapso e simplesmente comprarem para si mesmos o privilégio de serem os últimos a morrerem de fome. Quanto às sociedades do Primeiro Mundo como um todo, o seu consumo de recursos responde pela maior parte do consumo total mundial que deu origem aos impactos descritos no início deste capítulo. Este consumo totalmente insustentável significa que o Primeiro Mundo não pode continuar durante muito tempo do modo como está atualmente, mesmo se o Terceiro Mundo não existisse e não estivesse tentando nos alcançar.

"Se tais problemas ambientais de fato se tornarem muito sérios, isso ocorrerá no futuro distante, depois que eu morrer, e não posso levá-los a sério." O fato é que, nas taxas atuais, a maior parte ou todos os 12 conjuntos de problemas ambientais discutidos no início deste capítulo se tornarão agudos no tempo de vida dos jovens adultos de hoje. A maioria de nós considera a garantia de futuro de nossos filhos a mais alta prioridade à qual devotar nosso tempo e dinheiro. Pagamos por sua educação, comida e roupas, fazemos testamentos e pagamos seguros de vida para eles, tudo isso com o objetivo de ajudá-los a terem uma vida boa daqui a 50 anos. Não tem sentido fazer isso para nossos filhos, enquanto ao mesmo tempo minamos o mundo no qual eles viverão daqui há 50 anos.

Fui pessoalmente culpado deste comportamento paradoxal porque, tendo nascido em 1937 — antes, portanto, do nascimento de meus filhos — eu também não conseguia levar a sério qualquer evento (como o aquecimento global ou o fim das florestas pluviais) projetados para o ano 2037. Certamente estarei morto antes desse ano, e até mesmo a data 2037 me parece irreal. Contudo, quando meus filhos gêmeos nasceram em 1987, e quando minha mulher e eu começamos a passar pela habitual obsessão dos pais a respeito de escolas, seguro de vida e testamentos, dei-me conta de uma hora para outra: 2037 será o ano no qual meus filhos terão a minha idade, 50 anos! Não é um ano imaginário! Qual o sentido de fazer testamentos de propriedades para nossos filhos se o mundo estará uma porcaria?

Tendo vivido cinco anos na Europa pouco depois da Segunda Guerra Mundial, e depois tendo me casado com uma mulher de família polonesa com um ramo japonês, vi de perto o que acontece quando os pais cuidam bem de seus filhos como indivíduos mas não pensam no mundo que seus filhos viverão no futuro. Os pais de meus amigos poloneses, alemães, japoneses, russos, ingleses e iugoslavos também tinham seguro de vida, faziam testamentos e eram obcecados a respeito da educação de seus filhos, como eu e minha mulher temos feito recentemente. Alguns deles eram ricos e tinham propriedades valiosas para deixar para seus filhos. Mas não tomavam cuidado com o mundo de seus filhos, e estes caíram no desastre da Segunda Guerra Mundial. Como resultado, muitos de meus amigos europeus e japoneses que nasceram no mesmo ano que eu tiveram suas vidas prejudicadas de várias formas, como ficarem órfãos ou serem separados de um ou de ambos os pais durante a infância, serem bombardeados em suas casas, privados de oportunidades de estudo, privados dos bens de família, ou criados por pais atormentados pelas memórias de guerra e dos campos de concentração. Os cenários mais pessimistas que as crianças de hoje terão de enfrentar se nós também mexermos com o seu mundo serão diferentes, mas igualmente desagradáveis.

Isso nos deixa com dois outros chavões comuns que não consideramos: *"Há grandes diferenças entre as sociedades modernas e as antigas sociedades da ilha de Páscoa, maia e anasazi que entraram em colapso, de modo que não podemos aplicar diretamente as lições do passado."* E: *"O que eu, como indivíduo, posso fazer uma vez que o mundo está sendo moldado por forças poderosas e incontíveis de governos e grandes empresas?"* Em contraste aos chavões anteriores, que podem ser rapidamente descartados após examinados, essas duas preocupações são válidas e não podem ser descartadas. Devotarei o restante deste capítulo à primeira pergunta, e uma seção das Leituras Complementares (p. 662-667) à segunda.

Serão os paralelos entre passado e presente suficientemente próximos a ponto de os insulares de Páscoa, Henderson, bem como os anasazis, maias e nórdicos da Groenlândia poderem oferecer alguma lição para o mundo moderno? A princípio, observando as diferenças óbvias, um crítico pode se sentir tentado a objetar: "É ridículo supor que os colapsos de

O MUNDO COMO UM *POLDER*

todos esses povos antigos possa ter relevância hoje em dia, especialmente para os EUA contemporâneo. Esses povos antigos não desfrutavam das maravilhas da tecnologia moderna, que nos beneficia e nos permite resolver problemas inventando novas tecnologias que não agridam o meio ambiente. Esses antigos tiveram o azar de sofrer os efeitos de mudanças de clima. Arruinaram o seu meio ambiente fazendo coisas obviamente estúpidas, como derrubar suas florestas, explorar excessivamente as fontes espontâneas de proteína animal, erodir o solo e erguer cidades em áreas secas propensas a sofrer escassez de água. Tinham líderes tolos que não tinham livros e, portanto, não podiam aprender com a história, que os envolviam em guerras dispendiosas e desestabilizadoras, só se importavam em continuar no poder, e não prestavam atenção nos problemas que tinham em casa. Foram atropelados por imigrantes famintos desesperados, à medida que uma sociedade atrás da outra entrava em colapso, enviando enxurradas de refugiados econômicos para colher os recursos de sociedades que não estavam em colapso. Em todos esses aspectos, nós modernos somos fundamentalmente diferentes desses antigos primitivos, e nada temos a aprender com eles. Especialmente nos EUA, atualmente o país mais rico e poderoso do mundo, com o ambiente mais produtivo, líderes sábios, aliados fortes e leais e inimigos fracos e insignificantes — nenhuma dessas coisas ruins pode acontecer conosco."

Sim, é verdade que há grandes diferenças entre as situações de tais sociedades do passado e a nossa situação atual. A diferença mais óbvia é que há muito mais gente viva hoje, usando uma tecnologia muito mais capaz de impactar o meio ambiente do que a do passado. Hoje, temos mais de seis bilhões de pessoas equipadas com pesado maquinário de metal como escavadeiras e energia nuclear, enquanto a ilha de Páscoa tinha no máximo algumas dezenas de milhares de pessoas armadas com cinzéis de pedra e a força de músculos humanos. Ainda assim, os pascoenses conseguiram devastar o seu meio ambiente e levar sua sociedade ao ponto do colapso. Esta diferença aumenta em muito o risco para nós hoje em dia.

Uma segunda grande diferença deriva da globalização. Deixando esta discussão de lado até o momento de discutirmos a questão dos problemas ambientais no próprio Primeiro Mundo, limitemo-nos apenas a perguntar se as lições de colapsos do passado poderiam se aplicar em algum lugar do Terceiro Mundo atual. Primeiro pergunte a algum ecologista acadêmico encastelado em sua torre de marfim, que sabe um bocado sobre ambiente mas nunca lê jornais e não tem interesse em política, para citar os nomes de países estrangeiros que enfrentam problemas de estresse ambiental, superpopulação, ou ambos. O ecologista responderia: "Isso é moleza, é óbvio. Sua lista de países superpovoados ou ambientalmente estressados certamente deveria incluir o Afeganistão, Bangladesh, Burundi, Haiti, Indonésia, Iraque, Madagáscar, Mongólia, Nepal, Paquistão, Filipinas, Ruanda, ilhas Salomão, Somália, entre outros." (mapa, p. 594).

Então procure um político de Primeiro Mundo, que nada sabe e se importa menos ainda com problemas populacionais e ambientais, para citar os pontos mais problemáticos do mundo: países nos quais os governos já foram confrontados com tais problemas e entraram em colapso, que estão em risco de entrar em colapso, ou foram arrasados por guerras civis recentes; também peça que acrescente países que, como resultado desses problemas particulares, também estejam criando problemas para nós, países ricos do Primeiro Mundo, que possam acabar nos obrigando a fornecer ajuda externa, enfrentar imigração ilegal proveniente de lá, ou nos fazer decidir fornecer-lhes ajuda militar para lidar com rebeliões e terroristas, ou, mesmo, para onde tenhamos de enviar tropas. O político responderia: "Isso é moleza, é óbvio. Sua lista de países superpovoados ou ambientalmente estressados certamente deveria incluir o Afeganistão, Bangladesh, Burundi, Haiti, Indonésia, Iraque, Madagáscar, Mongólia, Nepal, Paquistão, Filipinas, Ruanda, ilhas Salomão, Somália, entre outros."

Que surpresa! As duas listas são muito semelhantes. A conexão entre as duas listas é transparente: são os problemas dos antigos maias, anasazis e pascoenses agindo no mundo moderno. Hoje, assim como no passado, países ambientalmente estressados, superpovoados, ou ambos, correm o risco de ficar politicamente estressados, e de seus governos caírem. Quando as pessoas estão desesperadas, subnutridas e sem esperança, culpam os seus governos, que vêem como responsáveis ou incapazes de resolver seus problemas. Tentam emigrar a qualquer custo. Brigam por terras. Matam-se uns aos outros. Dão início a guerras civis. Dão-se conta de que nada têm a perder, e tornam-se terroristas, ou apoiam e toleram o terrorismo.

Os resultados dessas conexões transparentes são genocídios como os que já eclodiram em Bangladesh, Burundi, Indonésia e Ruanda; guerras ou revoluções, como em muitos outros países da lista; pedidos e envio de tropas do Primeiro Mundo, como para o Afeganistão, Haiti, Indonésia, Iraque, Filipinas, Ruanda, ilhas Salomão e Somália; colapso do governo central, como já ocorreu na Somália e nas ilhas Salomão; e pobreza esmagadora, como em todos os países da lista. Portanto, os melhores indicadores modernos de "falências de Estado"— i.e., revoluções, mudanças violentas de regime, colapso de autoridade e genocídio — mostram ser indicadores de pressão ambiental e populacional, como alta mortalidade infantil, rápido crescimento populacional, alta percentagem da população no fim da adolescência e início da idade adulta e hordas de homens jovens desempregados sem perspectiva de emprego e maduros para serem recrutados em milícias. Tais pressões criam conflitos de falta de terras (como Ruanda), água, florestas, peixes, petróleo e minerais. Criam não apenas conflitos crônicos internos mas também imigração de refugiados políticos e econômicos, e guerras entre países quando regimes autoritários atacam nações vizinhas de modo a desviar a atenção popular do estresse interno.

Em resumo, não é uma questão aberta a debate se os colapsos de sociedades do passado têm paralelos modernos e oferecem lições para nós. Tal questão se impõe porque tais colapsos têm acontecido recentemente, e outros parecem ser iminentes. A questão verdadeira é quantos outros países passarão por isso.

Quanto aos terroristas, você pode objetar dizendo que muitos desses assassinos de políticos, homens-bomba, e terroristas do 11 de setembro eram educados e ricos em vez de incultos e desesperados. Isso é verdade, mas eles ainda dependem de uma sociedade desesperada para sustentá-los e tolerá-los. Toda sociedade tem fanáticos assassinos; os EUA produziram seu próprio Timothy McVeigh e seu próprio Theodore Kaczinski educado em Harvard. Mas sociedades bem alimentadas que oferecem boas perspectivas de emprego, como os EUA, a Finlândia e a Coreia do Sul, não oferecem amplo apoio para os seus fanáticos.

Os problemas de todos esses países ambientalmente devastados, superpovoados e distantes tornam-se nossos problemas por causa da globalização. Estamos acostumados a pensar na globalização em termos de nós, ricos habitantes do Primeiro Mundo, enviando nossas coisas boas, como a Internet e a Coca-Cola, para esses pobres e atrasados habitantes do Terceiro Mundo. Mas a globalização quer dizer mais que comunicações mundiais aperfeiçoadas, que podem levar diversas coisas em diversas direções; a globalização não se restringe a coisas boas levadas do Primeiro para o Terceiro Mundo.

Entre as coisas ruins transportadas do Primeiro Mundo para países em desenvolvimento, já mencionamos os milhões de toneladas de lixo eletrônico intencionalmente transportadas a cada ano de países industrializados para a China. Para se entender a escala mundial de transporte de lixo não intencional, considere o lixo recolhido nas praias dos pequenos atóis de Oeno e Ducie no sudeste do oceano Pacífico (veja mapa na p. 155): atóis desabitados, sem água potável, raramente visitados até mesmo por iates, e entre os pedaços de terra mais remotos do mundo, cada um deles a centenas de quilômetros até mesmo da remota e desabitada ilha Henderson. Ali, as pesquisas detectaram em média um pedaço de lixo para cada metro linear de praia, que deve ter vindo de navios ou de países asiáticos ou americanos na costa do Pacífico, a milhares de quilômetros de distância. Os itens mais comuns são sacos plásticos, boias, garrafas de vidro e de plástico (especialmente garrafas de uísque Suntory, do Japão), cordas, sapatos e lâmpadas, junto com coisas estranhas como bolas de futebol, soldadinhos e aviões de brinquedo, pedais de bicicletas e chaves de fenda.

Um exemplo mais sinistro de coisas ruins transportadas do Primeiro Mundo para os países em desenvolvimento: os mais altos níveis de contaminação por produtos químicos tóxicos e pesticidas já registrados no mundo estão entre os *inuits* (esquimós) da Groenlândia Oriental e da Sibéria, que também estão entre os lugares mais afastados das fábricas de produtos químicos de uso intensivo. Os níveis de mercúrio que têm no sangue, porém, atingem as faixas associadas à intoxicação aguda, enquanto os níveis tóxicos de PCBs (bifenilas policloradas) no leite das mães *inuits* são altos o bastante para classificar seu leite como "rejeito tóxico". Os efeitos nos bebês incluem perda de audição, desenvolvimento mental alterado e função imunológica deprimida, daí as altas taxas de infecções respiratórias e de ouvido.

Como os níveis desses produtos químicos tóxicos de nações industriais remotas das Américas e da Europa podem ser mais elevados nos *inuits* do que em americanos e europeus urbanos? É porque a base da dieta *inuit* são as baleias, focas e aves marinhas que comem peixes, moluscos, camarões, e esses produtos químicos se concentram a cada passo desta cadeia alimentar. Todos nós no Primeiro Mundo que ocasionalmente consumimos frutos do mar também estamos ingerindo esses produtos químicos, mas em quantidades menores. (Contudo, isso não quer dizer que estará seguro se parar de comer frutos do mar, porque hoje você não pode evitar ingerir tais produtos químicos não importando o que coma.)

Outros impactos negativos do Primeiro Mundo no Terceiro Mundo incluem desmatamento. As importações de madeira do Japão são hoje a principal causa de desmatamento no Terceiro Mundo tropical; e a sobrepesca praticada pelas frotas pesqueiras do Japão, Coreia, Taiwan e as intensivamente subsidiadas frotas da União Europeia que varrem os oceanos do mundo. Por outro lado, as pessoas no Terceiro Mundo podem agora, intencionalmente ou não, nos enviar suas coisas ruins: doenças como a AIDS, SARS, cólera e febre do Nilo, trazidas inadvertidamente por passageiros de aviões transcontinentais; números incontíveis de imigrantes legais e ilegais que chegam de barco, caminhão, trem, avião e a pé; terroristas; e outras consequências de problemas de Terceiro Mundo. Os EUA não são mais a isolada Fortaleza América a que alguns de nós aspiraram nos anos 1930; em vez disso, estamos estreita e irreversivelmente ligados a outros países. Os EUA são a nação que mais importa no mundo: importamos muita matéria-prima (especialmente petróleo e alguns metais raros) e muitos produtos de consumo (carros e aparelhos eletrônicos), assim como somos o país que mais importa investimentos de capital. Também somos os maiores exportadores do mundo, particularmente de alimentos e produtos manufaturados. Há muito que nossa própria sociedade decidiu se ligar ao resto do mundo.

É por isso que a instabilidade política em qualquer parte do mundo agora afeta as nossas rotas comerciais e nossos mercados e fornecedores estrangeiros. Somos tão dependentes do resto do mundo que se, 30 anos atrás, você pedisse a um político que enumerasse os países mais geopoliticamente irrelevantes para os nossos interesses por serem muito distantes, pobres e fracos, a lista certamente começaria com Afeganistão e Somália, embora posteriormente tenham sido considerados importantes o bastante para que enviássemos tropas para lá. Hoje em dia o mundo não enfrenta mais apenas o risco circunscrito de uma sociedade pascoense ou maia entrando em colapso de modo isolado, sem afetar o resto do mundo. Em vez disso, as sociedades de hoje estão tão interligadas que corremos o risco de enfrentar um colapso mundial. Tal conclusão é conhecida para qualquer investidor no mercado de ações: a instabilidade no mercado de ações dos EUA, ou a crise nos EUA pós-11 de setembro, afetou as bolsas de valores e economias do mundo inteiro, e vice-versa. Nós nos EUA (ou as pessoas afluentes dos EUA) não mais podemos continuar preservando nossos interesses à custa dos interesses dos outros.

Um bom exemplo de sociedade que está minimizando tal conflito de interesses é a Holanda, cujos cidadãos talvez apresentem o mais alto grau de conscientização ambiental e participação em organizações ambientais. Nunca compreendi por que, até que em recente viagem à Holanda lancei a questão para três amigos holandeses enquanto cruzávamos de carro o interior do país (fotos 39 e 40). Sua resposta foi inesquecível:

"Olhe ao redor. Toda essa terra que você está vendo está abaixo do nível do mar. Um quinto da área total da Holanda está abaixo do nível do mar, cerca de sete metros abaixo, porque estas eram baías rasas que conquistamos do mar cercando-as com diques e bombeando a água para fora. Temos um dito: 'Deus criou a Terra, mas nós, holandeses, criamos a Holanda.' Essas terras conquistadas do mar chamam-se 'polders'. Começamos a drená-los há quase mil anos. Hoje, ainda temos de continuar bombeando a água que gradualmente se infiltra. Para isso serviam os moinhos, para mover as bombas que drenavam os polders. Agora temos bombas a vapor, diesel e eletricidade. Em cada polder há linhas de bombas, a começar por aqueles mais longe do mar, que bombeiam a água em sequência até a última bomba do último polder finalmente bombear a água nos rios ou no mar. Nos Países Baixos, temos outra expressão: 'Você tem de saber conviver com seu inimigo, porque ele pode ser a pessoa operando a bomba vizinha no seu polder'. E estamos todos juntos nos polders. Não é o caso dos ricos viverem em segurança em cima dos diques enquanto os pobres vivem nos fundo dos polders, abaixo do nível do mar. Se os diques e as bombas falharem, todos nos afogaremos juntos. Quando uma grande tempestade e marés altas invadiram a província da Zelândia, em 1º de fevereiro de 1953, quase dois mil holandeses, ricos e pobres, morreram afogados. Juramos que nunca deixaríamos isso acontecer novamente, e todo o país pagou extremamente caro para construir um conjunto de barreiras contra as marés. Se o aquecimento global derreter o gelo polar e o nível dos oceanos subir, as consequências serão muito piores para a Holanda do que para qualquer outro país do mundo, porque muito de nossa terra já está abaixo do nível do mar. Por isso nos preocupamos tanto com nosso ambiente. Aprendemos através da história que todos vivemos no mesmo *polder*, e que nossa sobrevivência depende da sobrevivência dos outros."

A reconhecida interdependência de todos os segmentos da sociedade holandesa contrasta com as tendências atuais nos EUA, onde os ricos estão procurando se isolar cada vez mais do resto da sociedade, criando seus *polders* virtuais individuais, usando seu dinheiro para comprar serviços para si mesmos, e votando contra impostos que estenderiam esses confortos como serviços públicos para todos. Tais confortos particulares incluem viver dentro de comunidades fechadas atrás de muros e portões (foto 36), confiando mais em guardas de segurança particular do que na polícia, enviando os filhos para escolas particulares com classes pequenas em vez de enviá-los para escolas públicas pobres e superlotadas, pagando seguro--saúde ou assistência médica particular, bebendo água mineral em vez de municipal, e (no sul da Califórnia) pagando para dirigir em estradas particulares com pedágio em vez de autoestradas públicas engarrafadas. Enfatizando tal privatização, a falsa crença de que a elite pode continuar imune aos problemas da sociedade ao seu redor: a mesma atitude dos chefes da Groenlândia Nórdica que acabaram descobrindo que apenas compraram para si o privilégio de serem os últimos a morrer de fome.

Através da história da humanidade, a maioria das pessoas viveu junto às outras em pequenos *polders* virtuais. Os pascoenses compreendiam 12 clãs, dividiram seu *polder* insular em uma dúzia de territórios, e estavam isolados de todas as outras ilhas do Pacífico, mas compartilhavam a pedreira de estátuas de Rano Raraku, a pedreira de pukaos de Puna Pau, e algumas pedreiras de obsidiana. Quando a sociedade da ilha de Páscoa se desintegrou, todos os clãs se desintegraram junto, mas ninguém mais no mundo soube disso, e ninguém mais foi afetado. O *polder* do sudoeste da Polinésia consistia em três ilhas interdependentes, de modo que o declínio da sociedade de Mangareva também foi desastroso para os insulares de Pitcairn e Henderson, mas não o foi para ninguém mais. Para os antigos maias, seu *polder* consistia no máximo da península de Yucatán e áreas vizinhas. Quando as cidades maias clássicas entraram em colapso no sul de Yucatán, os refugiados podem ter alcançado o norte de Yucatán, mas certamente não a Flórida. Ao contrário, atualmente todo o nosso mundo se tornou um *polder*, de modo que os eventos ocorridos em qualquer parte também afetam os americanos. Quando a distante Somália entrou em colapso, para lá foram as tropas americanas; quando a antiga Iugoslávia e a União Soviética entraram em colapso, levas de refugiados se espalharam pela Europa e pelo resto do mundo; e quando condições alteradas de sociedade, povoamento e estilo de vida espalharam novas doenças na África e na Ásia, tais doenças se espalharam pelo mundo. O mundo inteiro é atualmente uma unidade autocontida e isolada, como foram a ilha de Tikopia e o Japão da era Tokugawa. Temos de nos dar conta, como se deram os habitantes de Tikopia e do Japão, que não há outra ilha/planeta ao qual recorrer, ou para o qual possamos exportar nossos problemas. Em vez disso, temos de aprender, como eles, a viver com nossos meios.

Iniciei esta seção reconhecendo que há importantes diferenças entre o mundo antigo e o moderno. As diferenças que mencionei — a maior população e a tecnologia mais destrutivamente poderosa, e a inter-relação entre as nações criando o risco de um colapso global — podem sugerir uma visão pessimista. Se os pascoenses não conseguiram resolver seus pequenos problemas locais, como nós, modernos, esperamos resolver nossos grandes problemas globais?

As pessoas que ficam deprimidas com tais pensamentos frequentemente me perguntam: "Jared, você é otimista ou pessimista quanto ao futuro do mundo?" Respondo: "Sou um otimista cauteloso." Com isso, quero dizer que, por um lado, reconheço a seriedade dos problemas que temos diante de nós. Se não fizermos um esforço decidido para resolvê-los, e se não formos bem-sucedidos neste esforço, o mundo como um todo enfrentará um declínio de padrão de vida, ou talvez coisa pior, nas próximas décadas. Essa a razão pela qual decidi devotar a maior parte de meus esforços profissionais nesta altura da vida para convencer as pessoas de que nossos problemas têm de ser levados a sério e que não se resolverão de

O MUNDO COMO UM *POLDER*

outro modo. Por outro lado, talvez possamos resolver nossos problemas, se escolhermos fazê-lo. Por isso minha mulher e eu decidimos ter filhos há 17 anos: porque vemos motivo para ter esperança.

Um desses motivos de esperança, realisticamente falando, é que não estamos sendo assolados por problemas insolúveis. Embora enfrentemos grandes riscos, os mais sérios não são os que estão além de nosso controle, como a possibilidade da colisão de um grande asteroide a cada 100 milhões de anos. Em vez disso, são aqueles que nós mesmos provocamos. Porque somos a causa de nossos problemas ambientais, temos controle sobre eles, e podemos escolher ou não parar de causá-los e começar a resolvê-los. O futuro está em nossas mãos. Não precisamos de novas tecnologias para resolver nossos problemas; embora elas possam fazer alguma diferença, em sua maior parte "só" precisamos de vontade política para aplicar soluções já disponíveis. É claro, este é um grande "só". Mas muitas sociedades encontraram a vontade política necessária no passado. Nossas sociedades modernas já encontraram a vontade para resolver alguns de nossos problemas e conseguiram a solução parcial de outros.

Outro motivo de esperança é a crescente conscientização ambiental do público em todo o mundo. Embora esta conscientização já estivesse entre nós há algum tempo, sua disseminação se acelerou, especialmente desde a publicação de *Primavera silenciosa* em 1962. O movimento ambiental tem recebido adesões crescentes, e age através de uma crescente diversidade de organizações eficientes, não apenas nos EUA e Europa, como também na República Dominicana e outros países em desenvolvimento. Ao mesmo tempo que o movimento ambiental está ganhando força em proporção acelerada, o mesmo acontece com as ameaças ao nosso meio ambiente. Por isso me referi anteriormente à nossa situação como estando em uma corrida de cavalo em aceleração exponencial de resultado desconhecido. Não é nem impossível e nem certo que nosso cavalo favorito ganhe a corrida.

Que escolhas devemos fazer para sermos bem-sucedidos? Há muitas escolhas específicas, das quais discutirei exemplos na seção Leituras Complementares, que cada um de nós pode fazer individualmente. Para nossa sociedade como um todo, as sociedades do passado que examinamos neste livro sugerem lições mais amplas. Dois tipos de escolha me parecem cruciais para o sucesso ou o fracasso: planejamento a longo prazo e vontade de reconsiderar antigos valores. Do mesmo modo, também podemos reconhecer o papel crucial dessas mesmas duas escolhas para o resultado de nossas vidas individuais.

Uma dessas escolhas depende da coragem de praticar raciocínio de longo prazo, e tomar decisões antecipadas firmes, corajosas, em um tempo em que os problemas se tornam perceptíveis mas antes de assumirem proporções críticas. Este tipo de tomada de decisão é o oposto da tomada de decisão reativa de curto prazo que muito frequentemente caracteriza nossos políticos eleitos — o tipo de raciocínio que meus amigos ligados à política descrevem como o "pensamento de 90 dias", i.e., concentrando-se apenas em assuntos que possam vir a irromper em crise nos próximos 90 dias. Contrastando com maus exemplos tão deprimentes, de tomada de decisão de curto prazo, estão os exemplos de corajoso pensamento de longo prazo no passado, e no mundo contemporâneo através de ONGs, empresas e governos. Entre as sociedades do passado confrontadas com o desmatamento, os chefes da ilha de Páscoa e Mangareva sucumbiram às suas preocupações imediatas, mas os xoguns da era Tokugawa, os imperadores incas, os habitantes das terras altas da Nova Guiné e os donos de terra alemães do século XVI adotaram uma visão de longo prazo e reflorestaram seus países. Os líderes chineses também promoveram reflorestamento em décadas recentes e proibiram a atividade madeireira em florestas nativas em 1998. Hoje existem muitas ONGs com o propósito específico de promover políticas ambientais de longo prazo. No mundo dos negócios as empresas americanas que permanecem bem-sucedidas durante longo tempo (p.ex., a Procter & Gamble) são as que não esperam uma crise para forçarem a reavaliação de suas políticas, mas que em vez disso procuram problemas no horizonte e agem antes da crise. Já mencionei a Royal Dutch Shell Oil Company, que tem um escritório dedicado a prever cenários para as décadas futuras.

O planejamento de longo prazo corajoso e bem-sucedido também caracteriza alguns governos e líderes políticos. Nos últimos 30 anos o esforço continuado do governo dos EUA reduziu nacionalmente os níveis de seis grandes poluentes aéreos em 25%, apesar de nosso consumo de energia e população terem crescido 40% e a quilometragem de nossos veículos ter aumentado em 150% durante essas mesmas décadas. Os governos da

Malásia, Cingapura, Taiwan e Maurício reconhecem que seu bem-estar econômico de longo prazo requer grandes investimentos em saúde pública para evitar que doenças tropicais solapem suas economias; tais investimentos mostraram ser a chave do crescimento econômico espetacular desses países recentemente. Das antigas metades do superpovoado Paquistão, a metade oriental (independente desde 1971 como Bangladesh) adotou medidas de planejamento familiar eficiente para reduzir a taxa de crescimento populacional, enquanto a metade ocidental (ainda conhecida como Paquistão) não o fez e é hoje o sexto país mais populoso do mundo. O antigo ministro do meio ambiente da Indonésia, Emil Salim, e o ex-presidente da República Dominicana, Joaquín Balaguer, dão exemplo de líderes de governo cujas preocupações com os perigos ambientais tiveram um grande impacto em seus países. Todos esses exemplos de corajoso raciocínio a longo prazo tanto no setor público quanto no privado contribuem para que eu tenha esperança.

A outra escolha crucial iluminada pelo passado envolve a coragem de tomar decisões dolorosas em relação a valores. Que valores que outrora serviram bem à nossa sociedade podem continuar a ser mantidos sob as novas alteradas circunstâncias? Quais desses valores devem ser alijados e substituídos por abordagens diferentes? A Groenlândia Nórdica recusou-se a se livrar de parte de sua identidade como sociedade europeia, cristã e pastoril, e morreu por isso. Em contraste, os insulares de Tikopia tiveram a coragem de eliminar seus porcos ecologicamente destrutivos, mesmo esses porcos sendo o único animal doméstico grande e um símbolo de prestígio nas sociedades melanésias. A Austrália está agora em processo de reavaliar sua identidade como sociedade britânica agrícola. No passado, os islandeses e muitas castas tradicionais da Índia, bem como os fazendeiros de Montana dependentes de irrigação em tempos recentes, chegaram a um acordo para subordinar os seus direitos individuais aos interesses do grupo. Assim, conseguiram administrar recursos compartilhados e evitar a tragédia do bem comum que recaiu sobre muitos outros grupos. O governo da China restringiu a tradicional liberdade de escolha reprodutiva individual, em vez de deixar os problemas populacionais saírem de controle. Em 1939, o povo da Finlândia, confrontado com um ultimato de sua poderosa vizinha, a Rússia, escolheu valorizar a liberdade acima de suas vidas, lutou com uma coragem que surpreendeu o mundo, e ganhou a aposta, mesmo tendo perdido a guerra. Quando vivi na Grã-Bretanha, entre 1958 e 1962, o povo britânico estava ajustando valores antigos baseados no ultrapassado papel da Grã-Bretanha como poder político, econômico e naval predominante. Os franceses, alemães e outros povos europeus foram ainda mais longe, subordinando à União Europeia suas soberanias nacionais pelas quais lutaram com tanto empenho.

Todas essas reavaliações de valores do passado e do presente que acabo de mencionar foram adquiridas apesar de serem extremamente difíceis. Portanto, também contribuem para a minha esperança. Podem inspirar os cidadãos modernos do Primeiro Mundo com coragem para fazerem a mais fundamental reavaliação com que nos confrontamos hoje: quanto de nossos valores tradicionais como consumidores e quanto de nosso padrão de vida de Primeiro Mundo podemos manter? Já mencionei a impossibilidade política de induzir os cidadãos do Primeiro Mundo a diminuírem o seu impacto no mundo. Mas a alternativa, de prosseguir com o impacto atual, é ainda mais impossível. Este dilema me faz lembrar a resposta de Winston Churchill às críticas à democracia: "Já foi dito que a democracia é a pior forma de governo, salvo todas as demais formas que têm sido tentadas de tempos em tempos." Nesse espírito, uma sociedade de baixo impacto é o cenário mais impossível para o nosso futuro — salvo todos os outros cenários concebíveis.

Embora não seja fácil diminuir o impacto, também não é impossível fazê-lo. Lembre-se de que o impacto é produto de dois fatores: população, multiplicado pelo impacto por pessoa. O primeiro desses dois fatores, crescimento populacional, tem declinado drasticamente em todos os países do Primeiro Mundo, e em muitos países do Terceiro Mundo — incluindo a China, Indonésia e Bangladesh, com a maior, quarta maior e nona maior população do mundo, respectivamente. O crescimento populacional intrínseco no Japão e Itália já está abaixo da taxa de substituição, de modo que suas verdadeiras populações (i.e., sem contar imigrantes) logo diminuirão. Quanto ao impacto por pessoa, o mundo nem mesmo terá de diminuir o consumo atual de produtos de madeira ou frutos do mar: tais taxas podem ser mantidas e até aumentadas, se as florestas e a pesca do mundo forem administradas adequadamente.

O MUNDO COMO UM *POLDER*

Meu último motivo de esperança é outra consequência da interdependência do mundo moderno globalizado. As sociedades do passado não tinham arqueologia nem televisão. Enquanto os pascoenses estavam ocupados desmatando as terras altas de sua ilha superpovoada para a agricultura no século XV, não tinham como saber que, a milhares de quilômetros a leste e a oeste, a Groenlândia Nórdica e o Império Khmer estavam em declínio terminal, enquanto os anasazis entraram em colapso alguns séculos antes, as sociedades maias clássicas alguns séculos antes, e a Grécia Miceniana dois mil anos antes. Hoje, porém, nos voltamos para nossos aparelhos de tevê ou rádio ou pegamos o jornal, e vemos, ouvimos ou lemos sobre o que aconteceu na Somália ou Afeganistão algumas horas antes. Nossos documentários de tevê e livros mostram em detalhes nítidos por que a ilha de Páscoa, os maias clássicos e outras sociedades do passado entraram em colapso. Portanto, temos a oportunidade de aprender com os erros de gente distante de nós no espaço e no tempo. Esta é uma oportunidade que nenhuma sociedade do passado desfrutou neste grau. Minha esperança ao escrever este livro é a de que muita gente escolha tirar proveito dessa oportunidade para fazer diferença.

POSFÁCIO

ASCENSÃO E QUEDA DE ANGKOR

Perguntas sobre Angkor • O meio ambiente de Angkor
• A ascensão de Angkor • A grande cidade • O esplendor
de sua engenharia • A decadência de Angkor

Em 2008, finalmente realizei o sonho antigo de visitar as ruínas de Angkor, uma cidade medieval do sudeste asiático, localizada numa área onde fica hoje o Camboja. Embora eu já soubesse que Angkor havia sido uma cidade grande, nenhuma leitura anterior poderia ter me preparado para constatar, em primeira mão, a realidade de sua escala colossal. Durante seu apogeu, há mais ou menos mil anos, era a maior cidade do mundo, uma das mais populosas e a capital do maior e mais poderoso império do sudeste da Ásia — o Império Khmer. Em seus templos, como o Angkor Wat, estão os maiores monumentos do mundo pré-moderno. Ao lado da Grande Muralha da China, as dimensões impressionantes de Angkor fazem dela uma das construções antigas mais fáceis de serem vistas do espaço sideral.

Mas, já no século XIX, restavam somente oito vilarejos dispersos pela área antigamente ocupada por essa vasta cidade. O Camboja de hoje é a nação mais pobre do sudeste da Ásia. Não conheço nenhum outro país moderno tão nostalgicamente identificado com a glória decrépita de seu passado arqueológico quanto o Camboja, em cuja bandeira nacional há uma imagem de Angkor. A involução de uma metrópole para uma paisagem nua, em grande parte, só com algumas aldeias espalhadas, certamente merece ser definida como colapso. Como um determinado ambiente, que no início sustentava agricultores pobres, gerou uma cidade e um império monumentais e, depois, aos poucos, voltou de novo ao pó?

Quando publiquei meu livro *Colapso*, em 2005, dediquei só quatro frases a Angkor, devido à exiguidade dos dados existentes na época para contar uma história coerente da decadência da cidade. Agora, graças a um verdadeiro dilúvio de informações recentes oriundas de pesquisas aéreas com radares, de pesquisas terrestres com escavações e estudos dos anéis das árvores, compreendemos melhor o que aconteceu, mesmo que muitas perguntas continuem sem resposta. Talvez Angkor não tenha sido um fenômeno isolado, como parece à primeira vista. Foi "apenas" o maior exemplo de um tipo de cidade que não existe atualmente, mas que em outros tempos foi comum em ambientes tropicais úmidos. Esse tipo de cidade agora pouco familiar tinha uma densidade populacional pequena, sendo muito mais espalhada do que minha cidade natal, Los Angeles, célebre por sua difusão: uma cidade com terras cultivadas e propriedades rurais situadas bem perto de palácios e templos, onde as pessoas viviam numa densidade populacional menor do que em nossas cidades modernas familiares, só asfalto e cimento, sem terras cultivadas nos seus arredores, mas que têm densidades maiores do que as paisagens estritamente rurais com uma concentração maior de habitantes. Além de Angkor, existiram outras cidades com densidades populacionais muito baixas no Sri Lanka, na Tailândia, no Vietnã e em Mianmar. Elas existiram principalmente no México e em Honduras, a terra natal dos maias, que fundaram Tikal, Copan e as outras grandes cidades maias que são os exemplos mais conhecidos desse modelo urbano agora desaparecido. Mas até mesmo Tikal, a maior cidade maia bem estudada, tinha apenas um quinto da extensão de Angkor. Todas essas cidades de pouca densidade populacional entraram em colapso antes de serem visitadas e descritas por europeus. Será que compreender o declínio de Angkor também esclareceria o colapso das terras baixas maias da era clássica, que descrevi no Capítulo 5?

Quando visitei Angkor, havia mais uma pergunta sobre sua relevância num recesso qualquer de minha mente. Infelizmente, hoje o Camboja não é famoso por seu glorioso passado antigo, mas sim por seu horrível passado recente. De 1975 a 1979, sob a ditadura paranoica de Pol Pot e de seu Khmer Vermelho, o Camboja foi o cenário do maior genocídio da história desde a Segunda Guerra Mundial, quando os cambojanos mataram mais de um milhão de seus compatriotas, algo entre 1/7 e 1/3 de toda a população do país. Embora algumas vítimas "só" tenham morrido de inanição, outras foram torturadas até o fim, ou assassinadas pelos próprios pais. Em 2008, entre meus guias cambojanos de Angkor, havia um homem que sobrevivera aos horrores de Pol Pot e que respondeu com relutância às nossas perguntas sobre o que aconteceu nessa época. Pessoas com a mais sutil possibilidade de servir para qualquer outra coisa além de trabalhar na terra — pessoas que usavam óculos, que falavam uma segunda língua além do khmer, pessoas instruídas — foram assassinadas. Numa reestruturação radical da sociedade cambojana, que eclipsou até a reconstrução da Coreia do Norte e da Albânia e que procurou fazer o relógio retroceder até a época de Angkor, as cidades foram evacuadas; o dinheiro, a religião, os mercados, a propriedade privada e as empresas foram abolidos; hospitais, escolas e lojas foram fechados; nenhum livro ou jornal podia ser publicado; e todo mundo tinha de usar preto, fazer as refeições em cozinhas comunais e cultivar arroz.

No entanto, os visitantes de hoje ficam impressionados pelo fato de os cambojanos serem um povo acolhedor, sossegado, gentil, pacífico. Como pessoas normalmente tão doces podem ter chegado ao extremo de uma selvageria tão cabal? Por baixo daquele exterior doce, muitos cambojanos deviam estar fervendo com fúria reprimida. Há alguma coisa na história do Camboja, e na sociedade mundial, que permitiu a seus habitantes construir uma cidade e um império tão poderosos e que possa nos ajudar a compreender as dificuldades e a explosão do Camboja moderno?

Várias características do ambiente em que o Império Khmer se desenvolveu são cruciais para o entendimento da ascensão e queda do império e da glória de sua capital. Em sua extensão máxima, o império controlou um terço das terras continentais do sudeste da Ásia. Embora seu núcleo central fosse a bacia do Baixo Rio Mekong, no Camboja, ele se expandiu até compreender grande parte do território dos países modernos adjacentes do Vietnã, Laos e Tailândia entre as latitudes de 9ºN e 20ºN. Como se lembram penosamente bem os norte-americanos modernos que lutaram ali durante a Guerra do Vietnã, este é um típico ambiente tropical quente, onde as temperaturas estão quase sempre acima de 21ºC, mesmo ao amanhecer da noite mais fria do mês mais frio do ano. Roupas quentes e fogo para se aquecer só são necessários muito raramente.

Os maiores desafios ambientais de Angkor eram a chuva e a água. A área tem um clima de monção, um termo que evoca imagens de chuvas torrenciais. Na verdade, o índice pluviométrico médio de Angkor é de só 14.986 milímetros, pouco superior ao da Cidade de Nova York. Comparado a alguns estudos de sítios arqueológicos que fiz na Nova Guiné, e em minha cidade natal de Los Angeles, de 100.000 milímetros e 3.810 milímetros, respectivamente, Angkor não é particularmente úmida, nem particularmente seca.

Os problemas de água de Angkor derivam do fato de as chuvas variarem de forma previsível entre as estações do ano, mas de forma imprevisível de um ano para o outro. A maior parte das chuvas cai na chamada monção de verão, de junho a novembro. Os meses de inverno, de dezembro a maio, são relativamente secos, limitando a temporada de cultivo das safras agrícolas, a menos que seja possível armazenar a água que cai durante a estação chuvosa — o que o Khmer fez realmente, como veremos. Quanto à variação entre os anos, o índice pluviométrico pode chegar a 9.652 milímetros, num extremo, e a 23.114, no outro. Essa variação enorme expunha os habitantes de Angkor aos riscos opostos de perda das safras agrícolas, ora por secas, ora por inundações, a menos que tivessem métodos para armazenar a água da chuva em anos úmidos e disponibilizá-la em anos secos e para controlar e remover rapidamente da água caída durante as estações chuvosas. Como veremos, o sistema de controle hidrográfico das águas do Khmer também deu conta desses problemas durante muitos séculos, até finalmente ficar sobrecarregado pelas variações climáticas extremas entre secas severas e inundações severas.

Ao sul de Angkor há morros baixos que nascem no litoral do golfo da Tailândia. Por causa deles, o Império Khmer concentrou-se mais no comércio interno do que no comércio marítimo, e só em 1960 o Camboja finalmente terminou seu primeiro porto marítimo no qual podiam atracar os navios transoceânicos de grande calado. Ao norte de Angkor, a cerca de 20 quilômetros, ficam os montes Kulen, tão íngremes que suas encostas sofreriam uma erosão maciça do solo se fossem desmatadas (o que também foi problema para o Império Khmer). Depois de Angkor, indo dos montes Kulen para o sul, o terreno é extremamente plano, com uma inclinação média de apenas 0,1%. Esse fato criou grandes problemas de controle do fluxo da água pelas planícies para os engenheiros do Império Khmer sediados em Angkor. E também criou grandes problemas sanitários, porque a velocidade do fluxo da água por essas planícies era muito lenta. Os rios e os canais das planícies forneciam água para beber, para cozinhar e para tomar banho, e também funcionavam como esgotos da região. Um visitante chinês a Angkor comentou a frequência dos casos de disenteria que (escreveu o visitante) eram fatais para 90% de suas vítimas.

Uma característica notável do núcleo khmer, e talvez o principal motivo para a localização da capital khmer em Angkor, é o maior lago do sudeste da Ásia, o Tonle Sap (lago Tonle), que constitui uma expansão do rio Tonle, um dos quatro braços do rio Mekong. Durante o estio, esse lago raso encolhe, ocupando uma área de 2.600 km². Mas, na estação das chuvas, o volume de água que vem do braço principal do Mekong é tão grande que o fluxo de água do estio — que corre do lago para o rio Tonle — se inverte, e a água começa a ir do rio para o lago, cuja área quadruplica para 10.300 km². Isso significa que 7.800 km² de terras planas são inundados sazonalmente por cheias naturais, ideais para o cultivo do arroz.

Um segundo benefício do lago Tonle para quem morava perto de Angkor era ele ser uma via de transporte para o rio Mekong e o mar. Uma terceira vantagem era a grande produtividade biológica do lago, capaz de manter por metro cúbico a maior concentração de peixes de água doce do mundo, graças aos sedimentos levados para o lago todo ano pelas cheias do rio Mekong. Um antigo visitante francês do lago escreveu que "Os peixes dele são tão incrivelmente abundantes que, quando a maré está muito alta, eles são literalmente esmagados pelos barcos e, muitas vezes, atrapalham o movimento dos remos". O lago responde pela maior parte da pesca do Camboja hoje, fornece a maior parte do teor proteico da alimentação de seus habitantes e é o motivo de eles responderem por um dos maiores níveis de consumo de peixe do mundo.

Embora o arroz fosse o principal gênero alimentício do khmer no passado, tanto quanto dos cambojanos modernos, grande parte das planícies cambojanas é classificada como terra de qualidade média apenas, ou ruim, para o cultivo do arroz. Os solos são compostos principalmente de areia e têm um teor baixo de nutrientes. Entre os três métodos mais usados para o cultivo do arroz no Camboja, um deles, praticado principalmente nas terras altas de áreas montanhosas, é a queimada, e depende exclusivamente da chuva que cai nos campos para aguar as plantações. O segundo método, e o mais usado, mesmo não sendo particularmente produtivo de acordo com os parâmetros chineses e japoneses, é cultivar o arroz em terreno plano inundado pela chuva. O método mais produtivo de todos, que responde à maior parte do arroz consumido pelo khmer antigo, é aquele chamado de agricultura de represa: o arroz é plantado em campos para os quais é liberada a água armazenada em reservatórios situados em pontos mais altos.

Portanto, o ambiente de Angkor oferecia algumas vantagens — principalmente aquelas associadas ao lago e à vasta área plana da bacia do Baixo Mekong. Mas também tinha seus problemas. O khmer resolveu esses problemas de forma brilhante durante muitos séculos, conseguindo assim construir uma grande cidade e um grande império, mas acabou derrotado pelos problemas.

Quem é o khmer, e como surgiu o seu império? Hoje o khmer constitui 90% da população do Camboja, e já dominava a área de Angkor no mínimo há 1.400 anos, a julgar pelas inscrições khmer preservadas em pedra. A língua khmer faz parte da família de línguas austro-asiáticas, composta de cerca de 150 idiomas falados em áreas espalhadas por uma região que vai da Índia ao Vietnã do Norte e à península Malaia e, em geral, está cercada por pessoas que falam idiomas de outras famílias linguísticas (principalmente a família sino-tibetana e a família tailandesa-kadai). Essa distribuição fragmentada sugere que as duas últimas famílias vêm invadindo terras austro-asiáticas e, na verdade, sabemos que os tailandeses e vietnamitas se expandiram em tempos históricos. A única outra língua austro-asiática além do khmer que talvez seja conhecida pela maioria dos leitores deste livro é o idioma vietnamita, um parente distante do khmer, que sofreu modificações muito mais profundas em contato com o chinês (tornando-se uma língua tonal, por exemplo) do que com o khmer.

Até bem recentemente — cerca de cinco mil anos atrás — todos os povos do sudeste tropical da Ásia eram caçadores-coletores que usavam instrumentos de pedra, assim como todos os outros povos do mundo até os primórdios da agricultura. O cultivo do arroz chegou ao Camboja vindo do sul da China em 2000 a.C., e o advento de instrumentos de ferro eficientes, por volta de 500 a.C., promoveu o aumento da produção de alimentos e uma explosão populacional. Escavações arqueológicas no Camboja revelaram a existência de cidades de tamanho modesto e pequenos reinos por volta de 200 d.C. De 245 d.C. em diante, os arquivos imperiais chineses descrevem um povo astuto e malicioso de uma terra chamada por eles de

"Funan" — que evidentemente fica no Camboja moderno —, que enviava missões comerciais ou tributos para a China, e cujos reis andavam no dorso de elefantes. Apesar desses contatos com a China, o Camboja sofreu uma influência muito maior da Índia, por meio da qual (um processo que começou por volta de 300 a.C.) chegaram o hinduísmo e o budismo, a escrita derivada do sistema brâmane do sul da Índia e o uso da língua sânscrita em textos religiosos. A primeira inscrição na língua khmer data de 611 a.C.

Nesses primeiros reinos indianizados do Camboja, o poder político estava concentrado no delta do Baixo Mekong, que dava acesso ao comércio litorâneo. Mas, por volta de 600 a.C., o poder mudou de mãos no interior, onde reinos rivais estavam construindo cidades, templos e represas surpreendentemente grandes. Em 802 a.C., os reinos independentes finalmente se unificaram sob o rei Jayavarman II, considerado o fundador do Império Khmer, que escolheu a região de Angkor para construir sua capital. Durante os cinco séculos seguintes, o império foi governado por uma sucessão de 24 reis, todos com nomes indianizados há muito tempo, como "Udayadityavarman II", "Dharamindravarman" e "Jayavarmadiparameshvara". Mais ou menos a cada 50 anos, a morte de um rei levava à disputa por seu trono, e o império desintegrava-se em vários pedaços antes de ser unificado outra vez.

Os reis suplantavam uns aos outros tomando os grandes projetos de construção pré-unificação do governante anterior e aumentando sua escala para imensos, depois para gigantescos e finalmente para colossais: todos projetos concebidos para quebrar os recordes contemporâneos. Um exemplo: o terceiro rei após a unificação, Indravarman I, inspirado pelos grandes reservatórios dos reinos anteriores à unificação, quebrou os recordes anteriores dando início à construção, cinco dias após assumir o poder, de um reservatório retangular de 3,7 quilômetros de comprimento por 0,8 quilômetro de largura, modestamente batizado em sua homenagem como Indratataka (o "Mar de Indra"). Seu sucessor, o rei Yashovarman I, construiu depois um outro reservatório retangular, oito vezes maior, com 7,56 quilômetros de comprimento por 1,76 quilômetro de largura, também modestamente batizado em sua homenagem como Yashodharatataka, ou Baray Oriental. Mais um século se passaria antes de o rei Suryavarman quebrar esse recorde por pouco, com a construção de Baray Ocidental, com 8 quilômetros de comprimento por 2,25 quilômetros de largura, uma das maiores estruturas construídas pelos seres humanos antes da era industrial moderna. Dois séculos depois, o rei Jayavarman VII, ocupado com outras construções, como a da cidade de Angkor Thom e do templo de Bayon, teve de esquecer o orgulho e associar seu nome a um novo reservatório bem modesto, o Jayatataka (o "Mar de Jaya"), que media reles 3,50 quilômetros de comprimento por 9,65 quilômetros de largura. Essas são algumas das estruturas khmer visíveis a alienígenas que estejam vendo a Terra do espaço sideral.

Ao mesmo tempo que os nomes, a escrita e a religião indianizados estavam florescendo em Angkor, a influência chinesa continuava. O khmer enviou embaixadas à corte imperial da China, que retribuiu enviando embaixadas e produtos a Angkor. Obras em litografia produzidas em Angkor mostram invenções chinesas como pontes flutuantes temporárias que usam barcaças como base e artilharia com múltiplos projéteis. Restos de porcelana das dinastias Tang e Song, e posteriores, estão espalhados por toda Angkor.

As cortes reais e as construções grandiosas de Angkor não ficavam baratas para os camponeses do império, que eram tributados em arroz e trabalho. Estima-se que a construção de Baray Ocidental custou os frutos do trabalho de 200 mil camponeses durante três anos. Um rei exigiu quatro mil concubinas, e um templo de tamanho apenas mediano tinha um quadro de mil administradores, mais de 600 dançarinos e dançarinas, 95 professores e outras pessoas de ofícios diversos, totalizando 12.640 funcionários, e todos eles tinham de ser alimentados. Depois de ver esses números pela primeira vez, comecei a ter um vislumbre de por que séculos de exploração dos camponeses cambojanos por elites extravagantes devem ter tido algo a ver com a fúria reprimida que explodiu sob Pol Pot.

Não devemos nos deixar enganar por todos esses templos, estátuas do Buda e belos reservatórios de água e concluir que os reis de Angkor foram todos grandes amantes da paz. Os khmers brigavam constantemente entre si e com os tailandeses, seus vizinhos ocidentais, com os chans, os vizinhos orientais do Vietnã do Sul, e com os vietnamitas setentrionais, do Vietnã do Norte. O império acabou conquistando não só as áreas do Camboja e do Laos modernos, como também boa parte do Vietnã do Sul e da Tailândia, e uma fatia do sudeste de Mianmar. Muitas litogravuras mostram com detalhes vívidos a artilharia, os escudos, as armaduras, os carros de guerra, a cavalaria montada em cavalos e elefantes, as batalhas da infantaria e as batalhas navais que usavam navios com croques — varas com um gancho de metal na ponta, empregada para facilitar a atracação dos barcos — e dezenas de remadores. Como a Roma Antiga, Angkor ficou cheia de espólios de guerra, entre os quais bronze, prata e ouro retirados das cidades e santuários conquistados.

A distribuição da população em sociedades urbanizadas familiares a nós é heterogênea e hierárquica. Isto é, numa determinada área, a maior parte da paisagem é usada para a agricultura ou para a indústria, e tem uma densidade populacional baixa, ao passo que uma fração muito menor da paisagem é urbana tem uma densidade alta. As áreas urbanas formam uma hierarquia, com uma metrópole no topo, abaixo da qual vêm, de acordo com seu tamanho e população, as cidades grandes, depois as médias, as pequenas, os vilarejos e aldeias, cercados por terras cultivadas que são claramente distintas daquelas da cidade.

Mas, no Império Khmer, ao menos em seu núcleo central bem-estudado, faltavam todos aqueles níveis intermediários da hierarquia: a única cidade grande era Angkor, abaixo da qual só havia pequenos centros provincianos. Naquele vasto núcleo urbano, a distinção entre áreas urbanas e rurais era pouco nítida, ou inexistente. Angkor era, portanto, uma cidade de pouca densidade populacional, onde os arrozais ficavam imediatamente depois das muralhas dos templos, e a própria cidade consistia, em grande medida, em ricos arrozais com casas de fazenda espalhadas em aglomerados e fileiras pela paisagem. A área de Angkor, de mais ou menos 1.000 km², era, por conseguinte, muito maior que a das cidades familiares de densidade alta da época pré-industrial da Eurásia, como a Tóquio do século XIX (conhecida como Edo), a Constantinopla medieval, a Bagdá do século VII, a Roma durante o Império Romano, e outras cidades europeias de antes do século XVI: todas elas tinham menos de 100 km² de área, e a maioria menos de 25 km² de área. Embora a *densidade* populacional de Angkor fosse menor do que a dessas cidades de densidade alta, sua área muitíssimo maior foi produto da *população* total de Angkor, estimada em cerca de 750 mil, próxima daquela de uma grande capital chinesa contemporânea.

Está ficando claro para os arqueólogos que essas cidades pré-industriais de baixa densidade que viviam da agricultura eram um fenômeno muito mais comum nos trópicos úmidos do que supúnhamos. A lista crescente de exemplos inclui as grandes cidades das terras baixas maias da era clássica até o século IX d.C., como Tikal e Copan; Anuradhapura e Pollonaruwa, cidades do Sri Lanka, de cerca do século IV a.C. até o século XII d.C.; Bagan, no Mianmar do século XIII; duas cidades de inimigos de Angkor, a capital cham de My Son, no Vietnã, até o século XIII, e a capital tailandesa de Sukhotai, de 1238 a.C. até 1438; e talvez também o centro javanês dos séculos IX e X em volta dos templos de Borobudur e Prambanan. Não temos nenhuma descrição feita por uma testemunha ocular europeia de qualquer dessas cidades tropicais de baixa densidade em seus respectivos apogeus, pois todas declinaram ou foram abandonadas quando os europeus começaram a explorar o mundo, por volta de 1500 d.C. É evidente que, a longo prazo, havia algo patentemente instável nesse modelo de cidade: o que seria? Voltarei a essa questão quando falar do caso de Angkor.

Apesar da falta de descrições europeias contemporâneas de Angkor, temos uma bem longa feita por um visitante chinês, o adido comercial Zhou Daguan, que passou um ano em Angkor, de 1295 a 1296 d.C., no final do governo do rei Jayavarman VIII. Por um incrível golpe de sorte, uma parte do texto de Zhou foi descoberta em Pequim no século XIX. Suas descrições detalhadas da vida cotidiana de Angkor complementam as inscrições que falam dos administradores dos templos e as descrições de cerimônias e guerras nos baixos-relevos do templo de Angkor, que constituem nossa única outra fonte de informações. Imagine o quanto compreenderíamos hoje a vida maia antiga se tivéssemos uma descrição da cidade de Tikal em seu apogeu como a que Zhou fez de Angkor! Para lhe dar uma ideia do que Zhou viu, aqui vão algumas citações de suas *Memoirs on the Customs of Cambodia*:

Sobre a arquitetura extravagantemente luxuosa: "No centro da capital há uma torre de ouro [o Bayon]... A leste dela há uma ponte de ouro, flanqueada por dois leões de ouro... de mais ou menos um *li* [0,5 quilômetro]; ao norte da ponte de ouro, há uma ponte de bronze [o Baphuon]. Ela é ainda mais alta que a torre de ouro, e uma visão maravilhosa... A 10 *li* [5 quilômetros] a leste da muralha da cidade fica o lago Oriental [Baray

Oriental]. Ele tem mais ou menos 100 *li* [50 quilômetros] de circunferência. No meio dele há um Buda reclinado com água correndo o tempo todo do seu umbigo." A descrição de Zhou foi confirmada pela descoberta espetacular de parte dessa estátua colossal do Buda em 1936, na verdade em Baray Ocidental; Zhou parece ter invertido as coordenadas de sua bússola.

Como era adido comercial, Zhou tinha um interesse especial pelo comércio entre Angkor e China. Fez uma lista das principais exportações de Angkor para a China, em ordem descrescente de preferência, onde constam: penas do martim-pescador azul-marinho, presas de elefante, chifres de rinoceronte, cera de abelha, incenso de madeiras aromáticas, cardamomo, resina, verniz, óleos medicinais e pimenta. Os principais artigos chineses importados por Angkor eram: ouro, prata, tecidos de seda, objetos de folha de flandres, bandejas envernizadas, porcelana verde-claro, mercúrio, papel e salitre para fazer pólvora.

Sobre escravos: "Se escravos jovens e fortes podem valer 100 peças de roupas, quando velhos e fracos podem ser comprados por 30 ou 40 peças. Só têm permissão de se deitar ou de se sentar no chão da casa. Para realizar suas tarefas, eles podem subir as escadas, mas só depois de se ajoelharem, encostarem a cabeça no chão e juntarem as mãos em sinal de reverência... Se cometeram alguma falta, abaixam a cabeça e recebem os golpes sem ousar fazer o menor movimento. Quando um escravo foge e é capturado, uma marca azul é tatuada no seu rosto; além disso, um colar de ferro é colocado em seu pescoço, ou algemas em seus braços e pernas."

Sobre o interrogatório e punição de criminosos: "Quando um objeto some, e são feitas acusações a alguém que nega ser o autor da contravenção, põem óleo para ferver numa panela e o suspeito é obrigado a enfiar a mão lá dentro. Se for realmente culpado, a mão cozinha até virar uma massa informe; se não for, a pele e os ossos ficam intactos. Esses são os métodos espantosos usados por esses bárbaros... [Quanto à punição de crimes graves], é cavado um buraco onde o criminoso é posto, terra e pedras são jogadas em cima dele até cobri-lo inteiramente, e pronto."

Sobre a sexualidade exuberante das cambojanas: "Um ou dois dias depois de dar à luz elas já estão aptas para a relação sexual: quando o marido não as satisfaz, é descartado. Quando o marido viaja a negócios, elas toleram sua ausência por um tempo; mas, quando ele fica ausente mais de 10 dias, a mulher pode dizer, 'Não estou morta; ninguém espera que eu durma sozinha!'. Embora seus impulsos sexuais sejam muito fortes, dizem que algumas delas são fiéis."

Zhou faz uma avaliação sumária da capacidade militar dos khmers: "Em termos gerais, esse povo não tem disciplina, nem estratégia."

Os khmers também tinham seus próprios livros. Os livros religiosos eram constituídos de folhas de palmeira nas quais faziam inscrições com um estilete, e depois as incisões eram preenchidas com um pigmento preto. Os livros laicos eram escritos com lápis de giz branco, ou com tinta preta, em folhas de papel preto ou branco, respectivamente, dobradas como sanfona. Lamentavelmente, esses materiais são perecíveis num clima quente e úmido, e todos os livros de Angkor, sem exceção, perderam-se. Só podemos imaginar o que esses livros nos teriam contado sobre a história, a sociedade, a ciência e a filosofia khmer. É como se estivéssemos tentando avaliar os gregos antigos mesmo tendo perdido todos os textos de Homero, Platão, Aristóteles, Tucídides, Heródoto, Safo e Sófocles.

Na época em que a França impôs um protetorado ao Camboja, em 1863, a maior parte de Angkor já havia sido tomada pela selva, mas os imensos templos e reservatórios de água, assim como os principais canais, ainda eram visíveis. Durante o século seguinte, enquanto os arqueólogos franceses limpavam e mapeavam a área e reconstruíam estruturas arruinadas, surgiu um debate sobre a função dos reservatórios. Na década de 1980, estudiosos ingleses e norte-americanos começaram a dar preferência à interpretação de que eles seriam decorativos e usados somente para rituais, ao passo que os estudiosos franceses (principalmente depois da publicação da obra de Bernard-Philippe Groslier) viam Angkor como uma "cidade hidráulica" que dependia dos reservatórios para irrigar os arrozais. Uma objeção de peso à visão de Groslier era que os reservatórios pareciam não ter aberturas para a água entrar e sair, e essa falta os teria tornado inúteis para distribuir a água pelos campos.

A solução dessa controvérsia teve de esperar pelo fim da guerra civil cambojana e da era Pol Pot, pelo uso de novas técnicas de mapeamento e pelo lançamento, em 2002, de um projeto conjunto de arqueólogos australianos, franceses e cambojanos. As equipes de pesquisa envolvidas são da Universidade de Sydney e da École Française d'Extrême-Orient (equipes dirigidas por Roland Fletcher e Christophe Pottier, respectivamente), em

ASCENSÃO E QUEDA DE ANGKOR

colaboração com as autoridades cambojanas que administram Angkor. Um avanço crucial foi o uso de imagens geradas por radar aéreo, pois este consegue analisar através das nuvens e detectar as variações provocadas pelas irregularidades da superfície, bem como as variações da vegetação e do grau de umidade e, por conseguinte, têm condições de reconhecer características invisíveis a observadores em terra. Depois, a essas imagens de radar foram acrescentados os dados da pesquisa feita em terra, à procura de restos de tijolos, cerâmica e outras provas diretas de estruturas fragmentadas e enterradas. As primeiras imagens de radar de Angkor, obtidas em 1994 com a nave espacial Endeavor, foram multiplicadas pela pesquisa com radar aéreo feita pela Nasa em associação com o Jet Propulsion Laboratory (JPL), depois de um trabalho intensivo com Christophe Pottier na década de 1990. Quando as imagens de radar foram combinadas com fotografias aéreas e outras imagens de pesquisa, os resultados foram um mapa de alta definição relativo a toda a área de 1.000 km^2 do complexo urbano da grande Angkor.

O mapa revela uma rede de canais cujas margens altas servem de estrada, reservatórios de todos os tamanhos, desde o baray gigantesco até pequenos tanques em cada casa, e uma bela rede de arrozais escondida abaixo da superfície de terra de nossos dias, com seus arrozais modernos. Toda a paisagem compreendida entre o norte do lago Tonle e os montes Kulen foi privada de suas florestas originais e convertida numa cidade de baixa densidade populacional, cujas terras foram dedicadas à produção de arroz, residências e templos. A partir da área central, onde ficavam os maiores templos, seis estradas, nas quais havia pontes, irradiavam-se na direção das grandes represas. Pesquisas em terra localizaram as aberturas de entrada e saída da água do baray, que o conectavam à rede de canais, procuradas há muito tempo. Além dos grandes templos célebres, como Angkor Wat, Baphuon e Bayon, havia centenas de outros templos locais menores, todos eles em cima de um monte de terra artificial em forma de quadrado com 20 metros de lado, cercados por um fosso atravessado por uma passarela construída do lado leste.

A paisagem de Angkor era dividida em três zonas, cada qual com um papel diferente no controle da água. A zona setentrional, que incluía os montes Kulen, servia para coletar a água dos rios que vinham das colinas. A zona central, que incluía o grande baray, armazenava a água coletada. A zona meridional era toda cortada por uma rede de canais que distribuíam a água pelos arrozais ou a desviavam rapidamente para o lago, dependendo das necessidades do momento. Um canal grande, cuja construção seguira a rota mais curta do Baray Ocidental até o lago, deve ter servido para escoar o excesso de água depois de chuvas torrenciais. Os canais faziam desvios em forma de ângulo reto e havia cruzamentos entre eles, características que diminuíam a velocidade do escoamento da água, reduziam a erosão nas margens dos canais, removiam sedimentos em estado de suspensão e impediam que os canais ficassem obstruídos. As datas do projeto do sistema e de suas diversas partes permitem situar sua construção entre os séculos VIII e XIV d.C., quando os rios mais a norte e a oeste passaram a ser usados para a coleta de água.

Todo o sistema indica uma engenharia de grande escala. Os rios foram desviados para correr do norte para o sul, em vez de seguirem seu curso natural original, de nordeste para sudoeste. A direção da correnteza de uma parte do rio foi invertida. Os grandes reservatórios tinham uma escala industrial moderna, e, em um deles, as margens tinham mais de 90 metros de largura por 9 metros de altura. O sistema resultante é tão complicado que só agora estamos começando a entender o seu *modus operandi*, e ainda há elementos de grande importância cuja função é um mistério. É óbvio que esse sistema foi concebido para controlar a água, não para servir apenas de elemento decorativo e de local para rituais, como supuseram inicialmente alguns arqueólogos. O objetivo mais evidente desse sistema era a administração do risco: diminuir as flutuações dos níveis de água à disposição das pessoas entre as estações e os anos, e garantir um suprimento de água adequado para o cultivo do arroz mesmo quando as chuvas das monções eram escassas ou não caíam num determinado ano. Portanto, esse sistema servia para garantir o suprimento de comida para os habitantes da capital, e é um exemplo dos outros sistemas usados em todo o império para alimentar sua população e seu poder.

No início do século XIII, o Império Khmer, sob o governo do rei Jayavarman VII, era o maior e mais poderoso Estado do sudeste da Ásia, com sua capital em Angkor. Na década de 1860, os franceses chegaram e encontraram o reino khmer pequeno e fraco, com sua capital a 225 quilômetros de Angkor, em Phnom Penh, e havia só um punhado de vilarejos na antiga área urbana de Angkor. O que aconteceu entre o início do século XIII e a década de 1860 para as coisas chegarem a esse ponto?

Um século depois de Jayavarman VII, o império passou por um lento declínio. Embora suas torres de ouro e suas cerimônias pomposas ainda impressionassem o visitante chinês Zhou Daguan em 1295-1296, a construção de grandes monumentos de pedra cessara, o último templo tradicional foi inaugurado em 1295, e a inscrição do último texto sânscrito foi feita em 1327. Algum tempo depois do início do século XV, novas capitais começaram a surgir a leste e a sul do lago Tonle, nas proximidades de Phnom Penh, e parece que os habitantes se mudaram aos poucos de Angkor. Embora um governante khmer ainda se vangloriasse, durante o século XVII, de ter recoberto novamente de ouro as torres de Angkor Wat, a área urbana de Angkor foi abandonada por volta de 1660, e o reino khmer continuou encolhendo.

Uma das causas da decadência khmer foi a presença de inimigos poderosos. A partir do século XIII, tanto os tailandeses quanto os vietnamitas pressionaram o khmer a tomar a direção sul, os primeiros na parte ocidental vindos do sul da China e os últimos na parte oriental de Angkor, e espremeram o Império Khmer com mão de ferro. Os tailandeses diziam ter capturado Angkor durante uma parte do século XV, enquanto os vietnamitas tomaram o delta do Mekong dos khmers no século XVIII.

Outra causa foi uma mudança de foco da economia khmer, que abandonou sua ênfase original na agricultura do interior para se envolver cada vez mais com o comércio marítimo ao longo do litoral do sudeste da Ásia, um comércio feito entre a China, a Índia e o núcleo do império islâmico. Esse pode ter sido o motivo da mudança da capital de Angkor, no interior, para Phnom Pehn, que tinha uma ligação mais direta com o litoral através do rio Mekong. Entretanto, mais tarde, a expansão vietnamita dificultou o envolvimento khmer com o comércio marítimo.

Um outro fator de peso que agora é necessário acrescentar ao nosso entendimento do declínio de Angkor foi uma mudança climática. Alguns estudos sobre o sistema hidrográfico parecem ter levado a conclusões aparentemente contraditórias a respeito tanto das secas quanto das inundações dos séculos XIV e XV. Por um lado, os grandes canais de Angkor que iam para o sul ficaram cheios de uma areia grossa, indício de chuvas torrenciais e grandes inundações. Por outro, os canais de saída do grande baray ficaram bloqueados, enquanto os canais de saída de Baray Oriental foram reconstruídos para ficarem mais estreitos e depois foram convertidos em canais de entrada de água (e que antes eram canais de saída), indícios de falta de água e de tentativas de manter elevados os níveis de água do reservatório. A solução dessa combinação paradoxal de inundações e secas acaba de surgir com a publicação de um estudo que compreendeu um período de 979 anos relativo às medidas de três anéis das árvores, semelhante ao estudo de três anéis que esclareceu mudanças climáticas na área de Anasazi, que discuti no Capítulo 4. Esses estudos mostram que a chuva da monção no sudeste da Ásia passou a sofrer variações muito maiores depois de 1350 d.C., com secas severas que aconteceram aproximadamente entre 1336 e 1374, e entre 1400 e 1425, e chuvas excepcionalmente torrenciais em alguns anos entre esses dois períodos de seca e imediatamente antes e depois deles. O período que vai de 1322 a 1453 contém um número desproporcional tanto de anos extremamente secos quanto de anos extremamente chuvosos do último milênio.

Agora temos condições de situar a decadência de Angkor no contexto de cinco conjuntos diferentes de fatores que apresentei no prólogo deste livro para explicar o êxito ou fracasso de uma sociedade. Em primeiro lugar, o khmer prejudicou de fato — mesmo que involuntariamente — o seu meio ambiente: desmatou a planície de Angkor e as encostas dos montes Kulen. Sem árvores para diminuir o índice pluviométrico, monções violentas erodiram o solo e carregaram sedimentos que se instalaram nos canais, e as inundações abriram buracos no canal do rio Siem Riep. Agora esse rio fica a cerca de 6 metros abaixo da superfície das terras de Angkor. Em segundo lugar, a mudança climática expôs a região de Angkor a condições tanto mais secas quanto mais úmidas do que aquelas para as quais seu sistema hidráulico havia sido projetado. Em terceiro lugar, o Império Khmer, assim como o Império Romano e os nórdicos da Groenlândia, enfrentou problemas com vizinhos hostis. Em quarto lugar, sócios comerciais amistosos desempenharam um papel ao oferecer ao Império Khmer oportunidades econômicas marítimas mais atraentes que aquelas que havia no interior, em Angkor, mas depois essas oportunidades sofreram restrições. Por fim, o Império Khmer reagiu às atrações e problemas do ambiente de Angkor envolvendo-se com um sistema de controle hidráulico cada vez maior, mais complexo e de manutenção cada vez mais difícil, para o qual não havia retorno. Todos esses cinco conjuntos de fatores interagiram entre si: a mudança climática e a erosão enfraqueceram o Império Khmer a tal ponto que ele perdeu a capacidade de resistir aos inimigos, de conseguir continuar fazendo a manutenção e o aperfeiçoamento de seu sistema de controle da água, e abandonou sua economia agrícola e passou para o comércio marítimo até que a mudança das rotas comerciais e do eixo do poder político também diminuíram a lucratividade desse comércio marítimo.

Também é possível situar o declínio do Império Khmer dentro de uma série de colapsos, dos rápidos e letais aos lentos que se arrastam indefinidamente. Num dos extremos está o Assentamento Ocidental da Groenlândia, no qual talvez todos tenham morrido num único inverno. O declínio de Angkor parece estar no extremo oposto: estendeu-se por séculos a fio, seus habitantes foram se mudando aos poucos e não há evidência de um número maciço de mortes na cidade. Mesmo assim, o resultado foi inequivocamente um colapso: vilarejos esparsos onde antes havia sido uma área metropolitana, uma área ocupada por uma cidade de nível internacional e capital do império mais poderoso da região.

Para todos nós fascinados pela glória e pelo mistério de Angkor, estes são tempos emocionantes. Conseguimos obter muitas informações detalhadas sobre a cidade na última década, informações que enriqueceram muito a investigação arqueológica do século anterior. Mas a pergunta principal continua sem resposta, e a próxima década promete ser mais emocionante. Eis aqui a minha listinha de cinco conjuntos de perguntas para as quais eu adoraria ter as respostas no ano de 2020:

De onde a população de Angkor tirou a madeira necessária para a construção civil e para usar como combustível? Os 750 mil habitantes da cidade devem ter precisado de quantidades imensas de madeira para construir casas e outras estruturas, e para fabricar carvão para cozinhar. No entanto, as florestas originais das planícies de Angkor e de grande parte dos montes Kulen foram derrubadas, mas a inteligência hesita quando se trata de imaginar que as árvores plantadas pelas pessoas em volta de suas casas teriam satisfeito as necessidades de uma população tão grande.

Como os khmers controlavam a água? Eles com certeza tinham métodos para anotar informações sobre as monções e prever os índices pluviométricos resultantes delas. Que papéis os santuários do meio do baray desempenhavam no controle da rede de canais? Como os khmers movimentavam a água pela paisagem sem bombas? O Baray Ocidental não foi *cavado no* solo, mas *construído sobre* ele, posicionado de forma inteligente, de tal modo que os canais de entrada criavam um lençol d'água vários metros acima do nível dos canais de saída. Como os engenheiros hidráulicos do Império Khmer alteravam a direção da correnteza de um canal para outro, de acordo com as necessidades? Será que os canais tinham comportas móveis?

Como funcionava aquele sistema hidráulico em sua totalidade? Ele tem muitas estruturas grandes que foram localizadas, mas cujo objetivo continua sendo uma incógnita.

Por que Angkor levou tanto tempo para recuperar seu índice populacional antigamente denso, depois que a cidade foi praticamente abandonada no século XVII? O mesmo enigma surge em relação às terras baixas meridionais dos maias, que ainda têm uma população esparsa desde a chegada de Cortés em 1524, seis ou sete séculos depois do colapso dos maias da era clássica.

Por fim, mencionei no início deste capítulo que houve um grande número de cidades de baixa densidade populacional além de Angkor nos trópicos sazonalmente úmidos de outras partes do mundo, mas que todas elas entraram em decadência antes da expansão europeia dos últimos cinco séculos. Qual foi o calcanhar de aquiles que levou Angkor e todas essas cidades a perderem sua sustentabilidade a longo prazo?

AGRADECIMENTOS

Reconheço com gratidão a grande dívida que tenho com muitas pessoas por sua contribuição neste livro. Com estes amigos e colegas, compartilhei o prazer e a excitação de explorar as ideias aqui apresentadas.

Seis amigos que leram e criticaram todo o manuscrito merecem uma medalha especial por heroísmo: Julio Betancourt, Stewart Brand, minha mulher Marie Cohen, Paul Ehrlich, Alan Grinnell e Charles Redman. A mesma medalha de heroísmo, e mais que isso, aos meus editores Wendy Wolf no Penguin Group (Nova York) e Stefan McGrath e Jon Turney na Viking Penguin (Londres), e para meus agentes John Brockman e Katinka Matson, que além de lerem todo o manuscrito me ajudaram de várias maneiras a dar forma a este livro desde a sua concepção inicial e através de todos os estágios de produção. Gretchen Daily, Larry Linden, Ivan Barkhorn e Bob Waterman leram e criticaram os capítulos conclusivos sobre o mundo moderno.

Michelle Fisher-Casey digitou diversas vezes todo o manuscrito. Boratha Yeang pesquisou livros e artigos, Ruth Mandel pesquisou fotografias e Jeffrey Ward preparou os mapas.

Apresentei muito do material deste livro a duas turmas sucessivas de universitários da Universidade da Califórnia em Los Angeles, onde dou aulas no Departamento de Geografia. Também ofereci um minicurso como visitante em um seminário de graduados no Department of Anthropological Sciences na Universidade de Stanford. Como cobaias voluntárias, esses alunos e colegas contribuíram com estimulantes visões de primeira mão.

Versoes anteriores de algum material de sete capítulos apareceram como artigos nas revistas *Discover, New York Review of Books, Harper's* e *Nature*. Em particular, o capítulo 12 (sobre a China) é uma versão expandida de um artigo que escrevi com Jianguo (Jack) Liu, que Jack esboçou, e para o qual recolheu a informação.

Também agradeço a outros amigos e colegas relacionados a cada capítulo. Eles facilitaram minhas visitas aos países onde moram, fizeram pesquisa, guiaram-me em campo, pacientemente compartilharam comigo de sua experiência, enviaram-me artigos e referências, criticaram meus esboços de capítulo, ou fizeram várias ou todas essas coisas ao mesmo tempo. Generosamente me deram muitos dias ou semanas de seu tempo. Meu débito para com eles é enorme. Incluem as seguintes pessoas, listadas por capítulo:

CAPÍTULO 1 Allen Bjergo, Marshall e Tonia e Seth Bloom, Diane Boyd, John e Pat Cook, John Day, Gary Decker, John e Jill Eliel, Emil Erhardt, Stan Falkow, Bruce Farling, Roxa French, Hank Goetz, Pam Gouse, Roy Grant, Josette Hackett, Dick e Jack Hirschy, Tim e Trudy Huls, Bob Jirsa, Rick e Frankie Laible, Jack Losensky, Land Lindbergh, Joyce McDowell, Chris Miller, Chip Pigman, Harry Poett, Steve Powell, Jack Ward Thomas, Lucy Tompkins, Pat Vaughn, Marilyn Wildee e Vern e Maria Woolsey.

CAPÍTULO 2 Jo Anne Van Tilburg, Barry Rolett, Claudio Cristino, Sonia Haoa, Chris Stevenson, Edmundo Edwards, Catherine Orliac e Patricia Vargas.

CAPÍTULO 3 Marshall Weisler.

CAPÍTULO 4 Julio Betancourt, Jeff Dean, Eric Force, Gwinn Vivian e Steven LeBlanc.

CAPÍTULO 5 David Webster, Michael Coe, Bill Turner, Mark Brenner, Richardson Gill e Richard Hansen.

CAPÍTULO 6 Gunnar Karlsson, Orri Vésteinsson, Jesse Byock, Christian Keller, Thomas McGovern, Paul Buckland, Anthony Newton e Ian Simpson.

CAPÍTULOS 7 E 8 Christian Keller, Thomas McGovern, Jette Arneborg, Georg Nygaard e Richard Alley.

CAPÍTULO 9 Simon Haberle, Patrick Kirch e Conrad Totman.

CAPÍTULO 10 René Lemarchand, David Newbury, Jean-Philippe Platteau, James Robinson e Vincent Smith.

CAPÍTULO 11 Andres Ferrer Benzo, Walter Cordero, Richard Turits, Neici Zeller, Luis Arambilet, Mario Bonetti, Luis Carvajal, Roberto e Angel Cassá, Carlos Garcia, Raimondo Gonzalez, Roberto Rodríguez Mansfield, Eleuterio Martinez, Nestor Sanchez Sr., Nestor Sanchez Jr., Ciprian Soler, Rafael Emilio Yunén, Steve Latta, James Robinson e John Terborgh.

CAPÍTULO 12 Jianguo (Jack) Liu.

CAPÍTULO 13 Tim Flannery, Alex Baynes, Patricia Feilman, Bill McIntosh, Pamela Parker, Harry Recher, Mike Young, Michael Archer, K. David Bishop, Graham

AGRADECIMENTOS

Broughton, Senator Bob Brown, Judy Clark, Peter Copley, George Ganf, Peter Gell, Stefan Hajkowicz, Bob Hill, Nalini Klopf, David Paton, Marilyn Renfrew, Prue Tucker e Keith Walker.

CAPÍTULO 14 Elinor Ostrom, Marco Janssen, Monique Borgerhoff Mulder, Jim Dewar e Michael Intrilligator.

CAPÍTULO 15 Jim Kuipers, Bruce Farling, Scott Burns, Bruce Cabarle, Jason Clay, Ned Daly, Katherine Bostick, Ford Denison, Stephen D'Esposito, Francis Grant-Suttie, Toby Kiers, Katie Miller, Michael Ross e muitas pessoas do mundo dos negócios.

CAPÍTULO 16 Rudy Drent, Kathryn Fuller, Terry Garcia, Francis Lanting, Richard Mott, Theunis Piersma, William Reilly e Russell Train.

O apoio para esses estudos foi generosamente fornecido por: W. Alton Jones Foundation, Jon Kannegaard, Michael Korney, o Eve e Harvey Masonek e Samuel F. Heyman e Eve Gruber Heyman 1981 Trust Undergraduate Research Scholars Fund, Sandra McPeak, a Alfred P. Sloan Foundation, a Summit Foundation, a Weeden Foundation e a Winslow Foundation.

LEITURAS COMPLEMENTARES

Estas sugestões de algumas referências selecionadas são para aqueles interessados em ler mais. Mais do que dedicar espaço a extensas bibliografias, preferi citar publicações recentes que fornecem ampla listagem de literatura sobre o assunto. Além disso, cito alguns livros-chaves e artigos. O nome do autor é seguido do título (em itálico), do número do volume, dos números da primeira e da última página, e do ano da publicação entre parênteses.

PRÓLOGO

Estudos comparativos influentes sobre colapsos de sociedades antigas avançadas em todo o mundo: Joseph Tainter, *The Collapse of Complex Societies* (Cambridge: Cambridge University Press, 1988); Norman Yoffee e George Cowgill, orgs., *The Collapse of Ancient States and Civilizations* (Tucson: University of Arizona Press, 1988). Livros visando especificamente impactos ambientais de sociedades do passado, ou sobre o papel de tais impactos em colapsos: Clive Ponting, *A Green History of the World: The Environment and the Collapse of Great Civilizations* (Nova York: Penguin, 1991); Charles Redman, *Human Impact on Ancient Environments* (Tucson: University of Arizona Press, 1999); D. M. Kammen, K. R. Smith, K. T. Rambo e M. A. K. Khalil, orgs., *Preindustrial Human Environmental Impacts: Are There Lessons for Global Change Science and Policy?* (*Chemosphere*, v. 29, n. 5, September 1994); e Charles Redman, Steven James, Paul Fish e J. Daniel Rogers, orgs., *The Archaeology of Global Change: The Impact of Humans on Their Environment* (Washington, D.C.: Smithsonian Books, 2004). Entre os livros discutindo o papel das mudanças de clima no contexto de estudos comparativos de sociedades do passado, há três de Brian Fagan: *Floods, Famines, and Emperors: El Niño and the Fate of Civilizations* (Nova York: Basic Books, 1999); *The Little Ice Age* (Nova York: Basic Books, 2001); e *The Long Summer: How Climate Changed Civilization* (Nova York: Basic Books, 2004).

Estudos comparativos sobre relações entre a ascensão e queda de estados: Peter Turchin, *Historical Dynamics: Why States Rise and Fall* (Princeton, N.J.: Princeton University Press, 2003); e Jack Goldstone, *Revolution and Rebellion in the Early Modern World* (Berkeley: University of California Press, 1991).

CAPÍTULO 1

História do estado de Montana: Joseph Howard, *Montana: High, Wide, and Handsome* (New Haven: Yale University Press, 1943); K. Ross Toole, *Montana: An Uncommon Land* (Norman: University of Oklahoma Press, 1959); K. Ross Toole, *20th-Century Montana: A State of Extremes* (Norman: University of Oklahoma Press, 1972); e Michael Malone, Richard Roeder e William Lang, *Montana: A History of Two Centuries,* edição revisada (Seattle: University of Washington Press, 1991). Russ Lawrence tem um livro ilustrado sobre o vale Bitterroot, *Montana's Bitterroot Valley* (Stevensville, Mont.: Stoneydale Press, 1991). Bertha Francis, *The Land of Big Snows* (Butte, Mont.: Caxton Printers, 1955), faz o registro da história da bacia do Big Hole. Thomas Power, *Lost Landscapes and Failed Economies: The Search for Value of Place* (Washington, D.C.: Island Press, 1996) e Thomas Power e Richard Barrett, *Post-Cowboy Economics: Pay and Prosperity in the New American West* (Washington, D.C.: Island Press, 2001), discutem os problemas econômicos de Montana e do oeste montanhoso dos EUA. Dois livros sobre a história e os impactos da mineração em Montana: David Stiller, *Wounding the West: Montana, Mining, and the Environment* (Lincoln: University of Nebraska Press, 2000) e Michael Malone, *The Battle for Butte: Mining and Politics on the Northern Frontier, 1864-1906* (Helena, Mont.: Montana Historical Society Press, 1981). Dois livros de Stephen Pyne sobre incêndio florestal: *Fire in America: A Cultural History of Wildland and Rural Fire* (Princeton, N.J.: Princeton University Press, 1982) e *Year of the Fires: The Story of the Great Fires of 1910* (Nova York: Viking Penguin, 2001). Um registro de incêndios no oeste dos EUA feito por dois autores, um deles morador do vale Bitterroot: Stephen Arno e Steven Allison-Bunnell, *Flames in our Forests: Disaster or Renewal?* (Washington, D.C.: Island Press, 2002). Harsh Bais et al., "Allelopathy and exotic plant invasion: from molecules and genes to species interactions" (*Science* 301: 1377-1380 [2003]) demonstra que os meios que a *Centaurea maculosa* usa para ocupar o lugar de plantas nativas inclui segregar por suas raízes uma toxina à qual a erva é imune. Impactos sobre fazendas no oeste dos EUA em geral, incluindo Montana, são discutidos por: Lynn Jacobs, *Waste of the West: Public Lands Ranching* (Tucson: Lynn Jacobs, 1991).

Informações atuais sobre problemas de Montana discutidos em meu capítulo podem ser obtidas através de websites e endereços de e-mail de organizações preocupadas com esses problemas. Seguem algumas dessas organizações e seus endereços: Bitterroot Land Trust: www.BitterRootLandTrust.org. Bitterroot Valley Chamber of Commerce: www.bvchamber.com. Friends of the Bitterroot: www.FriendsoftheBitterroot.org. Plum Creek Timber: www.plumcreek.com. Montana Weed Control Association: www.mtweed.org. Bitterroot Water Forum: brwaterforum@bitterroot.mt. Sonoran Institute: www.sonoran.org/programs/si_se. Montana Department of Labor and Industry: http://rad.dli.state.mt.us/pubs/profile.asp.

LEITURAS COMPLEMENTARES

Whirling Disease Foundation: www.whirling-disease.org. Trout Unlimited's Missoula office: montrout@montana.com. Northwest Income Indicators Project: http://niip.wsu.edu/. Center for the Rocky Mountain West: www.crmw.org/read.

CAPÍTULO 2

O leitor que busque uma visão geral sobre a ilha de Páscoa deve começar com três livros: John Flenley e Paul Bahn, *The Enigmas of Easter Island* (Nova York: Oxford University Press, 2003), atualizando Paul Bahn e John Flenley, *Easter Island, Earth Island* (Londres: Thames and Hudson, 1992); Jo Anne Van Tilburg, *Easter Island: Archaeology, Ecology and Culture* (Washington, D.C.: Smithsonian Institution Press, 1994); e Jo Anne Van Tilburg, *Among Stone Giants* (Nova York: Scribner, 2003). O último livro mencionado é uma biografia de Katherine Routledge, uma notável arqueóloga inglesa cuja visita a Páscoa entre 1914-1915 permitiu que entrevistasse insulares com memórias pessoais das últimas cerimônias em Orongo, e cuja vida foi tão colorida como um romance fantástico.

Dois outros livros recentes: Catherine e Michel Orliac, *The Silent Gods: Mysteries of Easter Island* (Londres: Thames and Hudson, 1995), uma visão curta e ilustrada; e John Loret e John Tancredi, orgs., *Easter Island: Scientific Exploration into the World's Environmental Problems in Microcosm* (Nova York: Kluwer/Plenum, 2003), 13 capítulos com os resultados de recentes expedições. Qualquer um que se torne seriamente interessado na ilha de Páscoa desejará ler dois clássicos: o relato da própria Katherine Routledge, *The Mystery of Easter Island* (Londres: Sifton Praed, 1919, reimpresso pela Adventure Unlimited Press, Kempton, Ill., 1998) e Alfred Métraux, *Ethnology of Easter Island* (Honolulu: Bishop Museum Bulletin 160, 1940, reimpresso em 1971). Eric Kjellgren, org., *Splendid Isolation: Art of Easter Island* (Nova York: Metropolitan Museum of Art, 2001) reúne dezenas de fotos, muitas em cores, de petróglifos, tábuas de rongorongo, moai kavakava, figuras com roupas de cortiça, e um cocar de penas vermelhas do tipo que deve ter inspirado o *pukao* de pedra vermelha.

Artigos de Jo Anne Van Tilburg, "Easter Island (Rapa Nui) archaeology since 1955: some thoughts on progress, problems and potential", p. 555-577, em J. M. Davidson et al., orgs., *Oceanic Culture History: Essays in Honour of Roger Green* (New Zealand Journal of Archaeology Special Publication, 1996); Jo Anne Van Tilburg e Cristián Arévalo Pakarati, "The Rapanui carvers' perspective: notes and observations on the experimental replication of monolithic sculpture (moai)", p. 280-290, em A. Herle et al., orgs., *Pacific Art Persistence, Change and Meaning* (Bathurst, Austrália: Crawford House, 2002); e Jo Anne Van Tilburg e Ted Ralston, "Megaliths and mariners: experimental archaeology on Easter Island (Rapa Nui)", em K. L. Johnson, org., *Onward and Upward! Papers in Honor of Clement W.*

Meighan (University Press of America, 2005). Os últimos dois desses três artigos descrevem estudos experimentais com o objetivo de compreender quantas pessoas eram necessárias para esculpir e transportar estátuas, e quanto tempo isso demoraria.

Muitos livros bons e acessíveis ao público em geral descrevem a colonização da Polinésia ou do Pacífico como um todo. Patrick Kirch, *On the Road of the Winds: An Archaeological History of the Pacific Islands Before European Contact* (Berkeley: University of California Press, 2000), *The Lapita Peoples: Ancestors of the Oceanic World* (Oxford: Blackwell, 1997) e *The Evolution of the Polynesian Chiefdoms* (Cambridge: Cambridge University Press, 1984); Peter Bellwood, *The Polynesians: Prehistory of an Island People,* edição revisada (Londres: Thames and Hudson, 1987); e Geoffrey Irwin, *The Prehistoric Exploration and Colonisation of the Pacific* (Cambridge: Cambridge University Press, 1992). David Lewis, *We, the Navigators* (Honolulu: University Press of Hawaii, 1972), é um relato único de técnicas de navegação tradicionais do Pacífico, por um marinheiro moderno que estudou essas técnicas embarcando em longas viagens com navegadores tradicionais sobreviventes. Patrick Kirch e Terry Hunt, orgs., *Historical Ecology in the Pacific Islands: Prehistoric Environmental and Landscape Change* (New Haven, Conn.: Yale University Press, 1997) consiste em ensaios sobre impactos ambientais humanos em outras ilhas do Pacífico afora Páscoa.

Dois livros de Thor Heyerdahl que me despertaram o interesse pela ilha de Páscoa: *The Kon-Tiki Expedition* (Londres: Allen & Unwin, 1950) e *Aku-Aku: The Secret of Easter Island* (Londres: Allen & Unwin, 1958). Uma interpretação bem diferente emerge das escavações dos arqueólogos que Heyerdahl levou para a ilha de Páscoa, como descrito em Thor Heyerdahl e E. Ferdon, Jr., orgs., *Reports of the Norwegian Archaeological Expedition to Easter Island and the East Pacific, v. 1: The Archaeology of Easter Island* (Londres: Allen & Unwin, 1961). Steven Fischer, *Glyph Breaker* (Nova York: Copernicus, 1997) e *Rongorongo: The Easter Island Script* (Oxford: Oxford University Press, 1997) descreve os esforços de Fischer para decifrar os textos rongorongo. Andrew Sharp, org., *The Journal of Jacob Roggeveen* (Londres: Oxford University Press, 1970) reproduz nas p. 89-106 a primeira descrição europeia da ilha de Páscoa.

Um mapeamento arqueológico da ilha de Páscoa é sumariado em Claudio Cristino, Patricia Vargas e R. Izaurieta, *Atlas Arqueológico de Isla de Pascua* (Santiago: Universidad de Chile, 1981). Artigos detalhados sobre a ilha de Páscoa são publicados regularmente no *Rapa Nui Journal*, pela Easter Island Foundation, que também publica conferências ocasionais sobre a ilha. Importantes coleções de ensaios são: Claudio Cristino, Patricia Vargas et al., orgs., *First International Congress, Easter Island and East Polynesia, v. 1 Archaeology* (Santiago: Universidad de Chile, 1988); Patricia Vargas Casanova, org., *Easter Island and East Polynesia Prehistory*

LEITURAS COMPLEMENTARES

(Santiago: Universidad de Chile, 1998); e Christopher Stevenson e William Ayres, orgs., *Easter Island Archaeology: Research on Early Rapanui Culture* (Los Osos, Calif.: Easter Island Foundation, 2000). Um sumário da história de contatos culturais encontra-se em: Claudio Cristino et al., *Isla de Pascua: Procesos, Alcances y Efectos de la Aculturación* (Isla de Pascua: Universidad de Chile, 1984).

David Steadman relata a sua identificação de ossos de aves e outros restos escavados na praia de Anakena em três ensaios: "Extinctions of birds in Eastern Polynesia: a review of the record, and comparisons with other Pacific Island groups" (*Journal of Archaeological Science* 16: 177-205 [1989]) e "Stratigraphy, chronology, and cultural context of an early faunal assemblage from Easter Island" (*Asian Perspectives* 33: 79-96 [1994]), ambos com Patricia Vargas e Claudio Cristino; e "Prehistoric extinctions of Pacific Island birds: biodiversity meets zooarchaeology" (*Science* 267: 1.123-1.131 [1995]). William Ayres, "Easter Island subsistence" (*Journal de la Société des Océanistes* 80: 103-124 [1985]) fornece evidência arqueológica posterior de comidas consumidas. Para a solução do mistério da palmeira da ilha de Páscoa e outras descobertas a partir de pólen em amostras de sedimentos, veja J. R. Flenley e Sarah King, "Late Quaternary pollen records from Easter Island" (*Nature* 307: 47-50 [1984]), J. Dransfield et al., "A recently extinct palm from Easter Island" (*Nature* 312: 750-752 [1984]) e J. R. Flenley et al., "The Late Quaternary vegetational and climatic history of Easter Island" (*Journal of Quaternary Science* 6: 85-115 [1991]). As identificações de Catherine Orliac são registradas em um ensaio no volume citado acima por Stevenson e Ayres, e em "Données nouvelles sur la composition de la flore de l'Ile de Pâques" (*Journal de la Société des Océanistes* 2: 23-31 [1998]). Entre os ensaios resultantes de pesquisas arqueológicas de Claudio Cristino e seus colegas estão: Christopher Stevenson e Claudio Cristino, "Residential settlement history of the Rapa Nui coastal plain (*Journal of New World Archaeology* 7: 29-38 [1986]); Daris Swindler, Andrea Drusini e Claudio Cristino, "Variation and frequency of three-rooted first permanent molars in precontact Easter Islanders: anthropological significance" (*Journal of the Polynesian Society* 106: 175-183 [1997]); e Claudio Cristino e Patricia Vargas, "Ahu Tongariki, Easter Island: chronological and socio-political significance" (*Rapa Nui Journal* 13: 67-69 [1999]).

Os ensaios de Christopher Stevenson sobre agricultura intensiva e cobertura morta lítica incluem *Archaeological Investigations on Easter Island; Maunga Tari: An Upland Agriculture Complex* (Los Osos, Calif.: Easter Island Foundation, 1995); (com Joan Wozniak e Sonia Haoa) "Prehistoric agriculture production on Easter Island (Rapa Nui), Chile" (*Antiquity* 73: 801-812 [1999]); e (com Thegn Ladefoged e Sonia Haoa) "Productive strategies in an uncertain environment: prehistoric agriculture on Easter Island" (*Rapa Nui Journal* 16: 17-22 [2002]). Christopher Stevenson, "Territorial divisions on Easter Island in the 16th century: evidence from the distribution of ceremonial architecture", p. 213-229, em T. Ladefoged e M. Graves, orgs., *Pacific Landscapes* (Los Osos, Calif.: Easter Island Foundation, 2002) define os limites territoriais dos 11 clãs tradicionais.

Dale Lightfoot, "Morphology and ecology of lithic-mulch agriculture" (*Geographical Review* 84: 172-185 [1994]) e Carleton White et al., "Water conservation through an Anasazi gardening technique" (*New Mexico Journal of Science* 38: 251-278 [1998]) fornecem evidência da função da cobertura morta lítica em outras partes do mundo. Andreas Mieth e Hans-Rudolf Bork "Diminution and degradation of environmental resources by prehistoric land use on Poike Peninsula, Easter Island (Rapa Nui)" (*Rapa Nui Journal* 17: 34-41 [2003]) discutem desmatamento e erosão na península de Poike. Karsten Haase et al., "The petrogenetic evolution of lavas from Easter Island and neighboring seamounts, near-ridge hotspot volcanoes in the S.E. Pacific" (*Journal of Petrology* 38: 785-813 [1997]) analisa as informações e composições químicas dos vulcões da ilha de Páscoa. Erika Hagelberg et al., "DNA from ancient Easter Islanders" (*Nature* 369: 25-26 [1994]) analisa o DNA extraído de 12 esqueletos pascoenses. James Brander e M. Scott Taylor, "The simple economics of Easter Island: a Ricardo--Malthus model of renewable resource use" (*American Economic Review* 38: 119-138 [1998]) dá uma visão econômica da superexploração de Páscoa.

CAPÍTULO 3

A colonização do sul da Polinésia é coberta nas fontes sobre a colonização da Polinésia como um todo que forneço nas Leituras Complementares do capítulo 2. *The Pitcairn Islands: Biogeography, Ecology and Prehistory* (Londres: Academic Press, 1995), editado por Tim Benton e Tom Spencer, é produto de uma expedição entre 1991-1992 a Pitcairn, Henderson e os atóis de coral de Oeno e Ducie. O volume compõe-se de 27 capítulos sobre a geologia, vegetação, aves (incluindo as aves extintas), peixes, invertebrados terrestres e marinhos, e impactos humanos em Henderson.

A maior parte de nossa informação sobre a colonização da Polinésia e o abandono de Pitcairn e Henderson vem de estudos de Marshall Weisler e vários colegas. Weisler fornece um relato geral de sua pesquisa em um capítulo, "Henderson Island prehistory: colonization and extinction on a remote Polynesian island", nas p. 377-404 do volume supracitado de Benton e Spencer. Dois outros ensaios de visão geral por Weisler são "The settlement of marginal Polynesia: new evidence from Henderson Island" (*Journal of Field Archaeology* 21: 83-102 [1994]) e "An archaeological survey of Mangareva: implications for regional settlement models and interaction studies" (*Man and Culture and Oceania* 12: 61-85 [1996]). Quatro ensaios por Weisler explicam como a análise química das enxós de basalto podem identificar de que ilha o basalto foi retirado, ajudando a traçarmos a

LEITURAS COMPLEMENTARES

sua rota: "Provenance studies of Polynesian basalt adzes material: a review and suggestions for improving regional databases" (*Asian Perspectives* 32: 61-83 [1993]); "Basalt Pb isotope analysis and the prehistoric settlement of Polynesia", em coautoria com Jon D. Whitehead (*Proceedings of the National Academy of Sciences,* USA 92: 1.881-1.885 [1995]); "Interisland and interarchipelago transfer of stone tools in prehistoric Polynesia", em coautoria com Patrick V. Kirch (*Proceedings of the National Academy of Sciences,* USA 93: 1.381-1.385 [1996]); e "Hard evidence for prehistoric interaction in Polynesia" (*Current Anthropology* 39: 521-532 [1998]). Três ensaios descrevem a rede comercial este e sudeste da Polinésia: Marshall Weisler e R. C. Green, "Holistic approaches to interaction studies: a Polynesian example", p. 413-453, em Martin Jones e Peter Sheppard, orgs., *Australasian Connections and New Directions* (Auckland, N.Z.: Department of Anthropology, University of Auckland, 2001); R. C. Green e Marshall Weisler, "The Mangarevan sequence and dating of the geographic expansion into Southeast Polynesia" (*Asian Perspectives* 41: 213-241 [2002]); e Marshall Weisler, "Centrality and the collapse of long-distance voyaging in East Polynesia", p. 257-273, em Michael D. Glascock, org., *Geochemical Evidence for Long-Distance Exchange* (Londres: Bergin and Garvey, 2002). Três ensaios sobre as culturas e esqueletos da ilha Henderson são: Jon G. Hather e Marshall Weisler, "Prehistoric giant swamp taro (*Cyrtosperma chamissonis)* from Henderson Island, Southeast Polynesia" (*Pacific Science* 54: 149-156 [2000]); Sara Collins e Marshall Weisler, "Human dental and skeletal remains from Henderson Island, Southeast Polynesia" (*People and Culture in Oceania* 16: 67-85 [2000]); e Vincent Stefan, Sara Collins e Marshall Weisler, "Henderson Island crania and their implication for southeastern Polynesian prehistory" (*Journal of the Polynesian Society* 111: 371-383 [2002]).

Ninguém interessado em Pitcairn e Henderson, e ninguém que ame uma grande história, deve perder o romance *Pitcairn's Island* de Charles Nordhoff e James Norman Hall (Boston: Little, Brown, 1934) — uma recriação realista das vidas e assassinatos dos amotinados do H.M.S. *Bounty* e seus companheiros polinésios na ilha de Pitcairn, depois de tomarem conta do *Bounty* e abandonarem o capitão Bligh e seus seguidores no meio do mar. Caroline Alexander, *The Bounty* (Nova York: Viking, 2003), oferece o esforço mais cabal de compreender o que realmente ocorreu.

CAPÍTULO 4

A pré-história do Sudoeste dos EUA é bem servida de livros escritos para o público em geral e bem ilustrados, frequentemente em cores. Tais livros incluem: Robert Lister e Florence Lister, *Chaco Canyon* (Albuquerque: University of New Mexico Press, 1981); Stephen Lekson, *Great Pueblo Architecture of Chaco Canyon, New Mexico* (Albuquerque: University of New Mexico Press, 1986); William Ferguson e Arthur Rohn, *Anasazi Ruins of the Southwest in Color* (Albuquerque:

University of New Mexico Press, 1987); Linda Cordell, *Ancient Pueblo Peoples* (Montreal: St. Remy Press, 1994); Stephen Plog, *Ancient Peoples of the American Southwest* (Nova York: Thames and Hudson, 1997); Linda Cordell, *Archaeology of the Southwest*, 2. ed. (San Diego: Academic Press, 1997); e David Stuart, *Anasazi America* (Albuquerque: University of New Mexico Press, 2000).

Para não serem esquecidos, há três livros ilustrados sobre a cerâmica esplendidamente decorada dos mimbres: J. J. Brody, *Mimbres Painted Pottery* (Santa Fe: School of American Research, 1997); Steven LeBlanc, *The Mimbres People: Ancient Pueblo Painters of the American Southwest* (Londres: Thames and Hudson, 1983); e Tony Berlant, Steven LeBlanc, Catherine Scott e J. J. Brody, *Mimbres Pottery: Ancient Art of the American Southwest* (Nova York: Hudson Hills Press, 1983).

Três relatos detalhados de guerra e violência entre anasazis e seus vizinhos são: Christy Turner II e Jacqueline Turner, *Man Corn: Cannibalism and Violence in the Prehistoric American Southwest* (Salt Lake City: University of Utah Press, 1999); Steven LeBlanc, *Prehistoric Warfare in the American Southwest* (Salt Lake City: University of Utah Press, 1999); e Jonathan Haas e Winifred Creamer, *Stress and Warfare Among the Kayenta Anasazi of the Thirteenth Century* A.D. (Chicago: Field Museum of Natural History, 1993).

Monografias ou livros eruditos sobre problemas específicos dos povos do Sudoeste incluem: Paul Minnis, *Social Adaptation to Food Stress: A Prehistoric Southwestern Example* (Chicago: University of Chicago Press, 1985); W. H. Wills, *Early Prehistoric Agriculture in the American Southwest* (Santa Fe: School of American Research, 1988); R. Gwinn Vivian, *The Chacoan Prehistory of the San Juan Basin* (San Diego: Academic Press, 1990); Lynne Sebastian, *The Chaco Anasazi: Sociopolitical Evolution and the Prehistoric Southwest* (Cambridge: Cambridge University Press, 1992); e Charles Redman, *People of the Tonto Rim: Archaeological Discovery in Prehistoric Arizona* (Washington, D.C.: Smithsonian Institution Press, 1993). Eric Force, R. Gwinn Vivian, Thomas Windes e Jeffrey Dean reavaliam os *arroyo* que baixaram o lençol freático do Chaco Canyon em sua monografia *Relation of "Bonito" Paleo-channel and Base-level Variations to Anasazi Occupation, Chaco Canyon, New Mexico* (Tuscon: Arizona State Museum, University of Arizona, 2002). Tudo o que você quiser saber sobre monturos de ratos silvestres encontrará em *Packrat Middens*, de Julio Betancourt, Thomas Van Devender e Paul Martin (Tucson: University of Arizona Press, 1990).

O Sudoeste também é bem-servido de volumes editados com diversos autores reunindo capítulos de muitos acadêmicos. Entre eles, David Grant Nobel, org., *New Light on Chaco Canyon* (Santa Fe: School of American Research, 1984); George Gumerman, org., *The Anasazi in a Changing Environment* (Cambridge: Cambridge University Press, 1988); Patricia Crown e W. James Judge, orgs., *Chaco and Ho-*

LEITURAS COMPLEMENTARES

hokam: *Prehistoric Regional Systems in the American Southwest* (Santa Fe: School of American Research, 1991); David Doyel, org., *Anasazi Regional Organization and the Chaco System* (Albuquerque: Maxwell Museum of Anthropology, 1992); Michael Adler, org., *The Prehistoric Pueblo World A.D. 1150-1350* (Tucson: University of Arizona Press, 1996); Jill Neitzel, org., *Great Towns and Regional Polities in the Prehistoric American Southwest and Southeast* (Dragoon, Ariz.: Amerind Foundation, 1999); Michelle Hegmon, org., *The Archaeology of Regional Interaction: Religion, Warfare, and Exchange Across the American. Southwest and Beyond* (Boulder: University Press of Colorado, 2000); e Michael Diehl e Steven LeBlanc, *Early Pit-house Villages of the Mimbres Valley and Beyond* (Cambridge, Mass.: Peabody Museum of Archaeology and Ethnology, Harvard University, 2001).

As bibliografias dos livros que citei fornecerão indicações para a literatura erudita sobre o Sudoeste. Alguns artigos particularmente relevantes para este capítulo serão agora mencionados em separado. Ensaios de Julio Betancourt e seus colegas sobre o que se pode saber de reconstruções históricas da vegetação do Chaco Canyon incluem: Julio Betancourt e Thomas Van Devender, "Holocene vegetation in Chaco Canyon, New Mexico" (*Science* 214: 656-658 [1981]); Michael Samuels e Julio Betancourt, "Modeling the long-term effects of fuelwood harvests on pinyon-juniper woodlands" (*Environmental Management* 6: 505-515 [1982]); e Julio Betancourt, Jeffrey Dean e Herbert Hull, "Prehistoric long-distance transport of construction beams, Chaco Canyon, New Mexico" (*American Antiquity* 51: 370-375 [1986]). Dois ensaios sobre mudanças no uso de madeira pelos anasazis ao longo do tempo: Timothy Kohler e Meredith Matthews, "Long-term Anasazi land use and forest production: a case study of Southwest Colorado" (*American Antiquity* 53: 537-564 [1988]); e Thomas Windes e Dabney Ford, "The Chaco wood project: the chronometric reappraisal of Pueblo Bonito" (*American Antiquity* 61: 295-310 [1996]). William Bull fornece uma boa resenha sobre as complexas origens dos *arroyos* em seu ensaio "Discontinuous ephemeral streams" (*Geomorphology* 19: 227-276 [1997]). Isótopos de estrôncio foram usados para identificar as origens de duas madeiras locais e do milho do Chaco pelos autores de dois ensaios: para madeira, Nathan English, Julio Betancourt, Jeffrey Dean e Jay Quade, "Strontium isotopes reveal distant sources of architectural timber in Chaco Canyon, New Mexico" (*Proceedings of the National Academy of Sciences,* USA 98: 11.891-11.896 [2001]); e, para o milho, Larry Benson et al., "Ancient maize from Chacoan great houses: where was it grown?" (*Proceedings of the National Academy of Sciences,* USA 100: 13.111-13.115 [2003]). R. L. Axtell et al. fornecem uma detalhada reconstrução do tamanho populacional e potencial agrícola dos anasazis kayenta do vale Long House em seu ensaio "Population growth and collapse in a multiagent model of the Kayenta Anasazi in Long House Valley" (*Proceedings of the National Academy of Sciences,* USA 99: 7.275-7.279 [2002]).

COLAPSO

CAPÍTULO 5

Três livros recentes apresentam diferentes visões do colapso maia: David Webster, *The Fall of the Ancient Maya* (Nova York: Thames and Hudson, 2002); Richardson Gill, *The Great Maya Droughts* (Albuquerque: University of New Mexico Press, 2000); e Arthur Demerest, Prudence Rice e Don Rice, orgs., *The Terminal Classic in the Maya Lowlands* (Boulder: University Press of Colorado, 2004). Webster fornece uma visão geral da sociedade e da história maia e interpreta o colapso em termos de um desencontro entre população e recursos, enquanto Gill se concentra no clima e interpreta o colapso em termos de seca, e Demerest et al. enfatizam complexas variações entre os sítios e atenua interpretações ecológicas uniformes. Volumes anteriores de vários autores fornecem diversas interpretações: T. Patrick Culbert, org., *The Classic Maya Collapse* (Albuquerque: University of New Mexico Press, 1973); e T. Patrick Culbert e D. S. Rice, orgs., *Precolumbian Population History in the Maya Lowlands* (Albuquerque: University of New Mexico Press, 1990). David Lentz, org., *Imperfect Balance: Landscape Transformation in the Precolumbian Americas* (Nova York: Columbia University Press, 2000) contém diversos capítulos relevantes sobre os maias, além de capítulos sobre outras sociedades relevantes mencionadas em outras partes deste livro, incluindo as sociedades hohokam, andina e do Mississippi.

Livros sumariando a ascensão e queda de cidades incluem: David Webster, Ann-Corinne Freter e Nancy Gonlin, *Copán: The Rise and Fall of an Ancient Maya Kingdom* (Fort Worth: Harcourt Brace, 2000); Peter Harrison, *The Lords of Tikal* (Nova York: Thames and Hudson, 1999); Stephen Houston, *Hieroglyphs and History at Dos Pilas* (Austin: University of Texas Press, 1993); e M. P. Dunning, *Lords of the Hills: Ancient Maya Settlement in the Puuc Region, Yucatán, Mexico* (Madison, Wis.: Prehistory Press, 1992). Para livros sobre a história e sociedade maia não centrados especificamente no colapso, ver especialmente: Michael Coe, *The Maya*, 6. ed. (Nova York: Thames and Hudson, 1999); Simon Martin e Nikolai Grube, *Chronicle of the Maya Kings and Queens* (Nova York: Thames and Hudson, 2000); Robert Sharer, *The Ancient Maya* (Stanford, Calif.: Stanford University Press, 1994); Linda Schele e David Freidel, *A Forest of Kings* (Nova York: William Morrow, 1990); e Linda Schele e Mary Miller, *The Blood of Kings* (Nova York: Braziller, 1986).

Dois livros clássicos de John Stephens descrevendo as suas redescobertas são *Incidents of Travel in Central America, Chiapas and Yucatan* (Nova York: Harper, 1841) e *Incidents of Travel in Yucatan* (Nova York: Harper, 1843); ambos reimpressos pela Dover Publications. Victor Wolfgang von Hagen, *Maya Explorer* (Norman: University of Oklahoma Press, 1948) combina uma biografia de John Stephens com um relato de suas descobertas.

LEITURAS COMPLEMENTARES

Inúmeros artigos e livros de B. L. Turner II discutem aspectos da intensificação agrícola e populacional maia. Incluem B. L. Turner II, "Prehistoric intensive agriculture in the Mayan lowlands" (*Science* 185: 118-124 [1974]); B. L. Turner II e Peter Harrison, "Prehistoric raised-field agriculture in the Maya lowlands" (*Science* 213: 399-405 [1981]); B. L. Turner II e Peter Harrison, *Pull-trouser Swamp: Ancient Maya Habitat, Agriculture, and Settlement in Northern Belize* (Austin: University of Texas Press, 1983); Thomas Whitmore e B. L. Turner II, "Landscapes of cultivation in Mesoamerica on the eve of the conquest" (*Annals of the Association of American Geographers* 82: 402-425 [1992]); e B. L. Turner II e K. W. Butzer "The Columbian encounter and land-use change" (*Environment* 43: 16-20 e 37-44 [1992]).

Artigos recentes descrevendo em detalhes os estudos de amostras de lagos que forneceram evidências para associações entre secas e os colapsos maias incluem: Mark Brenner et al., "Paleolimnology of the Maya lowlands: long-term perspectives on interactions among climate, environment, and humans" (*Ancient Mesoamerica* 13: 141-157 [2002]) (veja também outros artigos nas p. 79-170 e 265-345 do mesmo volume); David Hodell et al., "Solar forcing of drought frequency in the Maya lowlands" (*Science* 292: 1.367-1.370 [2001]); Jason Curtis et al., "Climate variability of the Yucatán Peninsula (Mexico) during the past 3500 years, and implications for Maya cultural evolution" (*Quaternary Research* 46: 37-47 [1996]); e David Hodell et al., "Possible role of climate in the collapse of Classic Maya civilization" (*Nature* 375: 391-394 [1995]). Dois artigos do mesmo grupo de cientistas discutindo inferência de secas a partir de sedimentos de lago especificamente da região de Petén: Michael Rosenmeier, "A 4,000-year lacustrine record of environmental change in the southern Maya lowlands, Petén, Guatemala" (*Quaternary Research* 57: 183-190 [2002]); e Jason Curtis et al., "A multi-proxy study of Holocene environmental change in the Maya lowlands of Peten, Guatemala" (*Journal of Paleolimnology* 19: 139-159 [1998]). Suplementando tais estudos de sedimentos de lago, Gerald Haug et al., "Climate and the collapse of Maya civilization" (*Science* 299: 1.731-1.735 [2003]) extrai mudanças de chuvas ano a ano através da análise de sedimentos levados pelos rios até o mar.

Ninguém interessado nos maias deve deixar de ler Mary Ellen Miller, *The Murals of Bonampak* (Princeton, N.J.: Princeton University Press, 1986), com suas belas reproduções em cores e preto e branco dos murais e suas pavorosas cenas de tortura; nem a série de volumes de Justin Kerr reproduzindo cerâmica maia, *The Maya Vase Book* (Nova York: Kerr Associates, várias datas). A fascinante história de como a escrita maia foi decifrada é relatada por Michael Coe, *Breaking the Maya Code*, 2. ed. (Nova York: Thames and Hudson, 1999) e Stephen Houston, Oswaldo Chinchilla Mazareigos e David Stuart, *The Decipherment of Ancient Maya Writing*

(Norman: University of Oklahoma, 2001). Os reservatórios de Tikal são descritos por Vernon Scarborough e Gari Gallopin, "A water storage adaptation in the Maya lowlands" (*Science* 251: 658-662 [1991]). O artigo de Lisa Lucero "The collapse of the Classic Maya: a case for the role of water control" (*American Anthropologist* 104: 814-826 [2002]) explica por que diferentes problemas de água localizados contribuíram para a não uniformidade do colapso clássico, com diferentes cidades encontrando diferentes destinos em datas diferentes. Arturo Gómez-Pompa, José Salvador Flores e Victoria Sosa, "The 'pet kot': a man-made tropical forest of the Maya" (*Interciencia* 12: 10-15 [1987]), descrevem o cultivo de árvores úteis pelos maias. Timothy Beach, "Soil catenas, tropical deforestation, and ancient and contemporary soil erosion in the Petén, Guatemala" (*Physical Geography* 19: 378-405 [1998]) mostra que os maias em algumas áreas, mas não em outras, conseguiram reduzir a erosão do solo através de terraços de cultivo. Richard Hansen et al., "Climatic and environmental variability in the rise of Maya civilization: a preliminary perspective from northern Petén" (*Ancient Mesoamerica* 13: 273-295 [2002]) apresenta um estudo multidisciplinar de uma área densamente povoada já no período pré-clássico, e fornece prova da fabricação de gesso como força motriz por trás do desflorestamento naquela região.

CAPÍTULOS 6-8

Vikings: The North Atlantic Saga, editado por William Fitzhugh e Elisabeth Ward (Washington, D.C.: Smithsonian Institution Press, 2000), é um volume de vários autores, belamente ilustrado em cores, com 31 capítulos que cobrem com detalhes a sociedade *viking,* sua expansão na Europa, e suas colônias no Atlântico Norte. Visões gerais mais breves, de um único autor, incluem: Eric Christiansen, *The Norsemen in the Viking Age* (Oxford: Blackwell, 2002), F. Donald Logan, *The Vikings in History,* 2. ed. (Nova York: Routledge, 1991) e Else Roestahl, *The Vikings* (Nova York: Penguin, 1987). Gwyn Jones, *Vikings: The North Atlantic Saga,* 2. ed. (Oxford: Oxford University Press, 1986) e G. J. Marcus, *The Conquest of the North Atlantic* (Nova York: Oxford University Press, 1981) trata especificamente das três remotas colônias *vikings* do Atlântico Norte: Islândia, Groenlândia e Vinlândia. Uma característica adicional do livro de Jones é que entre seus apêndices há traduções das sagas, incluindo o Livro dos Islandeses, as duas sagas da Vinlândia e a História de Einar Sokkason.

Dois livros recentes sumariando a história da Islândia: Jesse Byock, *Viking Age Iceland* (Nova York: Penguin Putnam, 2001), que leva a história até o fim da *commonwealth* islandesa em 1262-1264, e que se constrói a partir do livro anterior do mesmo autor, *Medieval Iceland: Society, Sagas, and Present* (Berkeley: University of California Press, 1988); e Gunnar Karlsson, *Iceland's 1100 Years: The History of a Marginal Society* (Londres: Hurst, 2000), que cobre não apenas a Idade Média como a era moderna. *Environmental Change in Iceland: Past and Present* (Dordrecht: Kluwer, 1991), editado por Judith Maizels e Chris Caseldine, é um relato mais técnico, multiautoral, da história ambiental da Islândia. Kirsten Hastrup, *Island of Anthropology: Studies in Past and Present Iceland* (Viborg: Odense University Press, 1990) reúne os ensaios antropológicos do autor sobre a Islândia. *The Sagas of Icelanders: A Selection* (Nova York: Penguin, 1997) oferece a tradução de 17 das sagas (incluindo as duas sagas da Vinlândia), extraídas de uma obra de cinco volumes *The Complete Sagas of Icelanders* (Reykjavík: Leifur Eiriksson, 1997).

Dois ensaios relacionados à mudança da paisagem da Islândia são: Andrew Dugmore et al., "Tephrochronology, environmental change and the Norse settlement of Iceland" (*Environmental Archaeology* 5: 21-34 [2000]); e Ian Simpson et al., "Crossing the thresholds. human ecology and historical patterns of landscape degradation" (*Catena* 42: 175-192 [2001]). Pelo fato de cada espécie de inseto ter hábitat e necessidades de clima específicas, Paul Buckland e seus colegas foram capazes de usar insetos preservados em sítios arqueológicos como indicadores ambientais. Seus ensaios incluem Gudrún Sveinbjarnardóttir et al. "Landscape change in Eyjafjallasveit, Southern Iceland" (*Norsk Geog. Tidsskr* 36: 75-88 [1982]); Paul Buckland et al., "Late Holocene palaeoecology at Ketilsstadir in Myrdalur, South Iceland" (*Jökull* 36: 41-55 [1986]); Paul Buckland et al., "Holt in Eyjafjallasveit, Iceland: a paleoecological study of the impact of Landnám" (*Acta Archaeologica* 61: 252-271 [1991]); Gudrún Sveinbjarnardóttir et al., "Shielings in Iceland: an archaeological and historical survey" (*Acta Archaeologica* 61: 74-96 [1991]); Paul Buckland et al., "Palaeoecological investigations at Reykholt, Western Iceland", p. 149-168, em C. D. Morris e D. I. Rackhan, orgs., *Norse and Later Settlement and Subsistence in the North Atlantic* (Glasgow: Glasgow University Press, 1992); e Paul Buckland et al., "An insect's eye-view of the Norse farm", p. 518-528, em Colleen Batey et al., orgs., *The Viking Age in Caithness, Orkney and the North Atlantic* (Edinburgh: Edinburgh University Press, 1993). A mesma abordagem para compreender mudanças ambientais a partir de insetos nas ilhas Faroe é usada por Kevin Edwards et al., "Landscapes at landnám: palynological and palaeoentomological evidence from Toftanes, Faroe Islands" (*Fródskaparrit* 46: 177-192 [1998]).

Dois livros reúnem em detalhe a informação disponível sobre a Groenlândia Nórdica: Kirsten Seaver, *The Frozen Echo: Greenland and Exploration of North America ca. A.D. 1000-1500* (Stanford, Calif.: Stanford University Press, 1996) e Finn Gad, *The History of Greenland, v. I: Earliest Times to 1700* (Montreal: McGill-Queen's University Press, 1971). Um livro posterior de Finn Gad, *The History of Greenland, v. II: 1700-1782* (Montreal: McGill-Queen's University Press, 1973), continua a história através do período da "redescoberta" da Groenlândia e da colonização dinamarquesa. Niels Lynnerup relata a sua análise dos esqueletos nórdicos da Groenlândia disponíveis, em sua monografia *The Greenland Norse: A Biologic--Anthropological Study* (Copenhagen: Commission for Scientific Research in Greenland, 1998). Duas monografias multiautorais com muitos ensaios sobre os *inuits* e seus predecessores nativos americanos na Groenlândia: Martin Appelt e Hans Christian Gullóv, orgs., *Late Dorset in High Arctic Greenland* (Copenhagen: Danish Polar Center, 1999); e Martin Appelt et al., orgs., *Identities and Cultural Contacts in the Arctic* (Copenhagen: Danish Polar Center, 2000). Uma visão particular e profunda da vida dos *inuits* da Groenlândia foi adquirida com a descoberta de seis mulheres, uma criança e um bebê que morreram e foram enterrados por volta de 1475, e cujos corpos e roupas ficaram bem-preservados devido ao clima frio e seco. Tais múmias são descritas e ilustradas em Jens Peder Hart Hansen et al., orgs., *The Greenland Mummies* (Londres: British Museum Press, 1991); a capa do livro é uma fotografia assombrosa e inesquecível do rosto do bebê de seis meses.

As duas séries mais importantes de estudos arqueológicos da Groenlândia Nórdica nos últimos 20 anos foram feitas por Thomas McGovern, Jette Arneborg e seus colegas. Entre os ensaios de McGovern: Thomas McGovern, "The Vinland adventure: a North Atlantic perspective" (*North American Archaeologist* 2: 285-308 [1981]); Thomas McGovern, "Contributions to the paleoeconomy of Norse Greenland" (*Acta Archaeologica* 54: 73-122 [1985]); Thomas McGovern et al., "Northern islands, human era, and environmental degradation: a view of social and ecological change in the medieval North Atlantic" (*Human Ecology* 16: 225-270 [1988]); Thomas McGovern, "Climate, correlation, and causation in Norse Greenland" (*Arctic Anthropology* 28: 77-100 [1991]); Thomas McGovern et al., "A vertebrate zooarchaeology of Sandnes V 51: economic change at a chieftain's farm in West Greenland" (*Arctic Anthropology* 33: 94-121 [1996]); Thomas Amorosi et al., "Raiding the landscape: human impact from the Scandinavian North Atlantic" (*Human Ecology* 25: 491-518 [1997]); e Tom Amorosi et al., "They did not live by grass alone: the politics and paleoecology of animal fodder in the North Atlantic region" (*Environmental Archaeology* 1: 41-54 [1998]). Os ensaios de Arneborg incluem: Jette Arneborg, "The Roman church in Norse Greenland" (*Acta Archaeologica* 61: 142-150 [1990]); Jette Arneborg, "Contact between Eskimos and Norsemen in Greenland: a review of the evidence", p. 23-35, em *Tvaerfaglige Vikingesymposium* (Aarhus, Denmark: Aarhus University, 1993); Jette Arneborg, "Burgundian caps, Basques and dead Norsemen at Herjolfsnaes, Greenland", p. 75-83, em *Nationalmuseets Arbejdsmark* (Copenhagen: Nationalmuseet, 1996); e Jette Arneborg et al., "Change of diet of the Greenland Vikings determined from stable carbon isotope analysis and ^{14}C dating of their bones" (*Radiocarbon* 41: 157-168 [1999]). Entre os sítios que Arneborg e seus colegas escavaram estava a notável "fazenda sob a areia", uma grande fazenda nórdica aprisionada sob uma grossa camada de areia na Colônia Ocidental; aquele

LEITURAS COMPLEMENTARES

lugar e diversos outros sítios da Groenlândia são descritos em uma monografia editada por Jette Arneborg e Hans Christian Gullóv, *Man, Culture and Environment in Ancient Greenland* (Copenhagen: Danish Polar Center, 1998). C. L. Vebaek descreve as suas escavações de 1945 a 1962 em três monografias: respectivamente as de número 14, 17 e 18 (1991, 1992 e 1993) na série *Meddelelser om Grónland, Man and Society*, Copenhagen: *The Church Topography of the Eastern Settlement and the Excavation of the Benedictine Convent at Narsarsuaq in the Uunartoq Fjord; Vatnahverfl: An Inland District of the Eastern Settlement in Greenland;* e *Narsaq: A Norse Landnáma Farm.*

Entre os ensaios individuais importantes sobre a Groenlândia Nórdica estão: Robert McGhee, "Contact between Native North Americans and the medieval Norse: a review of the evidence" (*American Antiquity* 49: 4-26 [1984]); Joel Berglund, "The decline of the Norse settlements in Greenland" (*Arctic Anthropology* 23: 109-135 [1986]); Svend Albrethsen e Christian Keller, "The use of the saeter in medieval Norse farming in Greenland" (*Arctic Anthropology* 23: 91-107 [1986]); Christian Keller, "Vikings in the West Atlantic: a model of Norse Greenlandic medieval society" (*Acta Archaeologica* 61: 126-141 [1990]); Bent Fredskild, "Agriculture in a marginal area: South Greenland from the Norse landnam to the present 1985 A.D.", p. 381-393, em Hilary Birks et al., orgs., *The Cultural Landscape: Past, Present and Future* (Cambridge: Cambridge University Press, 1988); Bent Fredskild, "Erosion and vegetational changes in South Greenland caused by agriculture" (*Geografisk Tidsskrift* 92: 14-21 [1992]); e Bjarne Jakobsen "Soil resources and soil erosion in the Norse Settlement area of Østerbygden in southern Greenland" (*Acta Borealia* 1: 56-68 [1991]).

CAPÍTULO 9

Três livros excelentes, cada um ao seu modo, que descrevem as sociedades das terras altas da Nova Guiné são: um relato histórico por Gavin Souter, *New Guinea: The Last Unknown* (Sydney: Angus and Robertson, 1964); Bob Connolly e Robin Anderson, *First Contact* (Nova York: Viking, 1987), um relato comovente dos primeiros encontros de nativos das terras altas da Nova Guiné com europeus; e Tim Flannery, *Throwim Way Leg* (Nova York: Atlantic Monthly Press, 1998), as experiências de um zoólogo com os nativos. Dois ensaios de R. Michael Bourke discutem o cultivo de casuarinas e outras práticas agrícolas que mantêm a fertilidade do solo nas terras altas da Nova Guiné: "Indigenous conservation farming practices", *Report of the Joint* ASOCON/*Commonwealth Workshop*, p. 67-71 (Jakarta: Asia Soil Conservation Network, 1991); e "Management of fallow species composition with tree planting in Papua New Guinea", *Resource Management in Asia/Pacific Working Paper* 1997/5 (Canberra: Research School of Pacific and

Asian Studies, Australia National University, 1997). Três ensaios de Simon Haberle sumariam a prova paleobotânica para reconstruir a história da silvicultura da casuarina: "Paleoenvironmental changes in the eastern highlands of Papua New Guinea" (*Archaeology in Oceania* 31: 1-11[1996]); "Dating the evidence for agricultural change in the Highlands of New Guinea: the last 2000 years" (*Australian Archaeology* n. 47: 1-19 [1998]); e S. G. Haberle, G. S. Hope e Y. de Fretes, "Environmental change in the Baliem Valley, montane Irian Jaya, Republic of Indonesia" (*Journal of Biogeography* 18: 25-40 [1991]).

Patrick Kirch e Douglas Yen descrevem o seu trabalho de campo em Tikopia na monografia *Tikopia: The Prehistory and Ecology of a Polynesia Outlier* (Honolulu: Bishop Museum Bulletin 238, 1982). Relatos posteriores de Tikopia por Kirch incluem: "Exchange systems and inter-island contact in the transformation of an island society: the Tikopia case", p. 33-41, em Patrick Kirch, org., *Island Societies: Archaeological Approaches to Evolution and Transformation* (Cambridge: Cambridge University Press, 1986); o capítulo 12 de seu livro *The Wet and the Dry* (Chicago: University of Chicago Press, 1994); "Tikopia social space revisited", p. 257-274, em J. M. Davidson et al., orgs., *Oceanic Culture History: Essays in Honour of Roger Green* (New Zealand Journal of Archaeology Special Publication, 1996); e "Microcosmic histories: island perspectives on 'global' change" (*American Anthropologist* 99: 30-42 [1997]). A série de livros de Raymond Firth sobre Tikopia começou com *We, the Tikopia* (Londres: George Allen and Unwin, 1936) e *Primitive Polynesian Economy* (Londres: George Routledge and Sons, 1939). A extinção das populações de aves durante os primeiros tempos da colonização de Tikopia são descritos por David Steadman, Dominique Pahlavin e Patrick Kirch em "Extinction, biogeography, and human exploitation of birds on Tikopia and Anuta, Polynesian outliers in the Solomon Islands" (*Bishop Museum Occasional Papers* 30: 118-153 [1990]). Para um relato sobre mudanças da população e controle populacional em Tikopia, veja W. D. Borne, Raymond Firth e James Spillius, "The population of Tikopia, 1929 and 1952" (*Population Studies* 10: 229-252 [1957]).

Meu relato sobre política florestal no Japão de Tokugawa é baseado em três livros de Conrad Totman: *The Green Archipelago: Forestry in Preindustrial Japan* (Berkeley: University of California Press, 1989); *Early Modern Japan* (Berkeley: University of California Press, 1993); e *The Lumber Industry in Early Modern Japan* (Honolulu: University of Hawaii Press, 1995). O capítulo 5 de John Richards, *The Unending Frontier: An Environmental History of the Early Modern World* (Berkeley: University of California Press, 2003) se espelha nos livros de Totman e outras fontes para discutir a silvicultura japonesa no contexto comparativo de outros estudos de caso ambiental modernos. Luke Roberts, *Mercantilism in a Japanese Domain: The Merchant Origins of Economic Nationalism in 18th-Century Tosa* (Cambridge:

LEITURAS COMPLEMENTARES

Cambridge University Press, 1998), discute a economia do domínio de um daimio que dependia muito de sua floresta. A formação e a história inicial do Japão de Tokugawa é coberta no v. 4 de *Cambridge History of Japan,* John Whitney Hall, org., *Early Modern Japan* (Cambridge: Cambridge University Press, 1991).

A mudança do desmatamento para o reflorestamento na Dinamarca, Suíça e França é explicada por Alexander Mather, "The transition from deforestation to reforestation in Europe", p. 35-52, em A. Angelsen e D. Kaimowitz, orgs., *Agriculture Technologies and Tropical Deforestation* (Nova York: CABI Publishing, 2001). Para um relato sobre reflorestamento nos Andes pelos incas, veja Alex Chepstow-Lusty e Mark Winfield, "Inca agroforestry: lessons from the past" (*Ambio* 29: 322-328 [1998]).

Relatos de sociedades rurais modernas de pequena escala autossustentáveis incluem: sobre os Alpes suíços, Robert Netting, "Of men and meadows: strategies of alpine land use" (*Anthropological Quarterly* 45: 132-144 [1972]), "What alpine peasants have in common: observations on communal tenure in a Swiss village" (*Human Ecology* 4: 135-146 [1976]) e *Balancing on an Alp* (Cambridge: Cambridge University Press, 1981); sobre sistemas de irrigação na Espanha, T. F. Glick, *Irrigation and Society in Medieval Valencia* (Cambridge, Mass.: Harvard University Press, 1970) e A. Maass e R. L. Anderson, *And the Desert Shall Rejoice: Conflict, Growth and Justice in Arid Environments* (Malabar, Fla.: Krieger, 1986); e, sobre sistemas de irrigação nas Filipinas, R. Y. Siy Jr., *Community Resource Management: Lessons from the Zanjera* (Quezon City: University of Philippines Press, 1982). Esses estudos suíços, espanhóis e filipinos são comparados no capítulo 3 do livro de Elinor Ostrom, *Governing the Commons* (Cambridge: Cambridge University Press, 1990).

Relatos de especialização ecológica no sistema de castas da Índia incluem: Madhav Gadgil e Ramachandra Guha, *This Fissured Land: An Ecological History of India* (Delhi: Oxford University Press, 1992). Dois ensaios que podem servir como exemplos de prudente administração de recursos por castas da Índia ecologicamente especializadas incluem: Madhav Gadgil e K. C. Malhotra, "Adaptive significance of the Indian castes system: an ecological perspective" (*Annals of Human Biology* 10: 465-478 [1983]); e Madhav Gadgil e Prema Iyer, "On the diversification of common-property resource use by Indian society", p. 240-255, em F. Berkes, org., *Common Property Resources: Ecology and Community-based Sustainable Development* (Londres: Belhaven, 1989).

Antes de deixar para trás estes exemplos de sucesso ou fracasso, mencionemos mais alguns exemplos de fracasso. Discuti cinco fracassos em detalhe, porque me parecem os casos mais bem compreendidos. Contudo, há muitas outras sociedades do passado, algumas delas bem conhecidas, que também devem ter superexplorado seus recursos, algumas vezes ao ponto de declínio ou colapso. Não as discuti em detalhes neste livro porque são sujeitas a mais incertezas e debates do que os casos que discuti em detalhes. Contudo, apenas para tornar o registro mais completo, mencionarei brevemente nove delas, procedendo geograficamente do Novo para o Velho Mundo: os nativos americanos das ilhas do Canal, na Califórnia, ao largo de Los Angeles, sobreexploraram sucessivamente diferentes espécies de moluscos, como mostram as conchas em seus monturos. Os monturos mais antigos contêm conchas das espécies maiores que vivem mais perto da costa e são mais fáceis de ser trazidas à tona. Com o tempo, os monturos demonstram que os exemplares dessas espécies começam a se tornar cada vez menores, até as pessoas mudarem e passarem a colher espécies menores que viviam mais longe da costa, em águas mais profundas. Novamente, os exemplares dessas espécies diminuíram com o tempo. Assim, cada espécie foi sobreexplorada até se tornar não econômico explorá-la, momento em que as pessoas se voltavam para outra espécie, que era menos desejável e mais difícil de colher. Ver Terry Jones, org., *Essays on the Prehistory of Maritime California* (Davis, Calif.: Center for Archaeological Research, 1992); e L. Mark Raab, "An optimal foraging analysis of prehistoric shellfish collecting on San Clemente Island, California" (*Journal of Ethnobiology* 12: 63-80 [1992]). Outra fonte de alimento provavelmente sobreexplorada por nativos americanos nas mesmas ilhas foi uma espécie de pato marinho chamado *Chendytes lawesi*, que devia ser fácil de matar porque não voava, e que foi exterminado após a colonização das ilhas do Canal. A indústria de abalones no sul da Califórnia atual teve destino semelhante: quando me mudei para Los Angeles em 1966, ainda era possível comprá-los no supermercado e pegá-los no litoral, mas desapareceram dos menus de Los Angeles durante meu tempo de vida aqui porque foram sobreexplorados.

Cahokia, a maior cidade nativa americana na América do Norte, erguia-se nas cercanias de St. Louis, e alguns de seus enormes túmulos sobreviveram como atração turística. Com a chegada de uma nova variedade produtiva de milho no vale do Mississippi, a cultura dos construtores de túmulos do Mississippi floresceu ali e no sudeste dos EUA. Cahokia chegou ao auge no século XIII e então entrou em colapso bem antes da chegada dos europeus. A causa do colapso de Cahokia é debatida, mas o desmatamento, a erosão e o assoreamento de lagos podem ter tido alguma importância. Veja Neal Lopinot e William Woods, "Wood exploitation and the collapse of Cahokia", p. 206-231, em C. Margaret Scarry, org., *Foraging and Farming in the Eastern Woodlands* (Gainesville: University Press of Florida, 1993); Timothy Pauketat e Thomas Emerson, orgs., *Cahokia: Domination and Ideology in the Mississippian World* (Lincoln: University of Nebraska Press, 1997); e George

LEITURAS COMPLEMENTARES

Milner, *The Cahokia Chiefdom: The Archaeology of a Mississippian Society* (Washington, D.C.: Smithsonian Institution, 1998). Em todo o sudeste dos EUA, sociedades construtoras de túmulos ascenderam e caíram; a exaustão dos nutrientes do solo pode ter tido alguma importância nestes colapsos.

A primeira sociedade em nível de estado no litoral do Peru foi a da cultura moche, famosa por sua cerâmica realista, especialmente seus vasos-retrato. A sociedade moche entrou em colapso por volta de 800 d.C., aparentemente devido a alguma combinação de eventos do El Niño, destruição de obras de irrigação por enchentes e secas (veja o livro de Brian Fagan, publicado em 1999, citado nas Leituras Complementares do Prólogo, para discussão e referência).

Um dos impérios ou horizontes culturais andinos que precederam os incas foi o império Tiahuanaco, em cujo colapso a seca deve ter tido o seu papel. Veja Alan Kolata, org., *Tiwanaku* (Oxford: Blackwell, 1993); Alan Kolata, org., *Tiwanaku and Its Hinterland: Archaeology and Paleoecology of an Andean Civilization* (Washington, D.C.: Smithsonian Institution, 1996); e Michael Binford et al., "Climate variation and the rise and fall of an Andean civilization" (*Quaternary Research* 47: 235-248 [1997]).

A Grécia Antiga passou por ciclos de problemas ambientais e recuperações, separados em intervalos de cerca de 400 anos. Em cada ciclo, a população aumentava, florestas eram derrubadas, encostas eram transformadas em terraços de cultivo para reduzir a erosão, e eram construídas represas para minimizar o assoreamento no fundo dos vales. Ao fim de cada ciclo, os terraços e as represas ficavam soterrados, e a região tinha de ser abandonada ou sofrer uma drástica diminuição de população e complexidade social, até a paisagem se recuperar suficientemente para permitir um aumento populacional posterior. Um desses colapsos coincide com a queda da Grécia Miceniana, sociedade grega que lutou a Guerra de Troia celebrada por Homero. A Grécia Miceniana tinha escrita (a escrita Linear B), mas com o colapso da sociedade miceniana tal escrita desapareceu, e a Grécia se tornou ágrafa até a volta da escrita (agora baseada no alfabeto) por volta de 800 a.C. (veja o livro de Charles Redman, de 1999, citado nas Leituras Complementares do Prólogo, para discussão e referências).

O que pensamos como civilização foi algo que começou há 10 mil anos na parte do Sudoeste Asiático conhecida como Crescente Fértil, e que abrange partes do Irã, Iraque, Síria, sudeste da Turquia, Líbano, Jordânia e Israel/Palestina modernos. O Crescente Fértil é o lugar onde nasceu a agricultura, e onde foi desenvolvido pela primeira vez a metalurgia, a escrita e as sociedades de estado. Portanto, os povos do Crescente Fértil desfrutavam de uma vantagem de milhares de anos sobre o resto do mundo. Por que, após liderar o mundo durante tanto tempo, o Crescente Fértil declinou, ao ponto de ser hoje pobre, a não ser por suas reservas de petróleo, e do nome "Crescente Fértil" parecer uma piada cruel? O Iraque pode ser tudo hoje em dia, menos líder na agricultura mundial. Muito da explicação para isso se deve ao desmatamento no ambiente de baixas precipitações do Crescente Fértil, e à salinização, que arruinou permanentemente algumas das fazendas mais antigas do mundo (veja os dois livros escritos ou editados por Charles Redman, e citados nas Leituras Complementares do Prólogo, para discussão e referências).

As ruínas monumentais mais famosas da África ao sul do equador são as do Grande Zimbábue, consistindo de um centro com amplas estruturas de pedra no que hoje é o interior de Zimbábue. O Grande Zimbábue prosperou entre os séculos XI e XV, controlando o comércio entre o interior da África e sua costa oriental. Seu declínio deve ter envolvido uma combinação de desmatamento e uma mudança de rotas comerciais. Ver David Phillipson, *African Archaeology*, 2. ed. (Cambridge: Cambridge University Press, 1993); Christopher Ehret, *The Civilizations of Africa: A History to 1800* (Charlottesville: University Press of Virginia, 2002).

As cidades mais antigas e os grandes estados do subcontinente indiano surgem no terceiro milênio a.C. no vale do Indo, atual Paquistão. Essas cidades do vale do Indo foram construídas pela civilização harapa, como é chamada hoje em dia, e cuja escrita permanece não decifrada. Costumava-se pensar que a civilização harapa foi extinta por invasões de arianos de fala indo-europeia vindos do noroeste, mas agora parece que as cidades estavam em declínio antes de tais invasões (foto 41). Secas e mudanças no curso do rio Indus podem ter tido alguma importância. Ver Gregory Possehl, *Harappan Civilization* (Warminster, England: Aris and Phillips, 1982); Michael Jansen, Maire Mulloy e Günter Urban, orgs., *Forgotten Cities of the Indus* (Mainz, Alemanha: Philipp von Zabern, 1991); e Jonathan Kenoyer, *Ancient Cities of the Indus Valley Civilization* (Karachi, Paquistão: Oxford University Press, 1998).

Finalmente, os enormes complexos de templos e reservatórios de Angkor Wat, ex-capital do Império Khmer, constituem as mais famosas ruínas e um dos maiores "mistérios" arqueológicos do Sudeste Asiático, no atual Camboja (foto 42). O declínio do Khmer pode ter envolvido o assoreamento do reservatório que fornecia água para a agricultura de arroz de irrigação intensiva. Enfraquecido, o Império Khmer foi incapaz de resistir aos seus inimigos crônicos, os tais, que no entanto fora capaz de conter quando estava no auge. Veja Michael Coe, *Angkor and the Khmer Civilization* (Londres: Thames and Hudson, 2003) e os ensaios e livros de Bernard-Philippe Groslier, citados por Coe.

CAPÍTULO 10

Se decidir consultar as fontes primárias sobre o genocídio de Ruanda e seus antecedentes que enumero a seguir, prepare-se para leituras dolorosas.

LEITURAS COMPLEMENTARES

Catharine Newbury, *The Cohesion of Oppression: Clientship and Ethnicity in Rwanda, 1860-1960* (Nova York: Columbia University Press, 1988), descreve como a sociedade de Ruanda se transformou, e como o papel dos hutus e tutsis se polarizou, de tempos pré-coloniais até a véspera da independência.

Human Rights Watch, *Leave None to Tell the Story: Genocide in Rwanda* (Nova York: Human Rights Watch, 1999), apresenta em detalhes atordoantes os antecedentes imediatos dos eventos de 1994, então faz um relato de 414 páginas das matanças e, finalmente, de suas consequências.

Philip Gourevitch, *We Wish to Inform You That Tomorrow We Will Be Killed with Our Families* (Nova York: Farrar, Straus and Giroux, 1998) é um relato do genocídio por um jornalista que entrevistou muitos sobreviventes, e que também descreve a incapacidade de outros países e da ONU de evitar as chacinas.

Meu capítulo inclui diversas citações de Gérard Prunier, *The Rwanda Crisis: History of Genocide* (Nova York: Columbia University Press, 1995), um livro de um especialista francês na África Oriental que escreve logo após o genocídio, e que reconstrói vividamente os motivos dos participantes e da intervenção do governo francês. Meu relato das matanças de hutus por hutus em Kanama é baseado nas análises do ensaio de Catherine André e Jean-Philippe Platteau, "Land relations under unbearable stress: Rwanda caught in the Malthusian trap" (*Journal of Economic Behavior and Organization* 34: 1-47 [1998]).

CAPÍTULO 11

Dois livros comparando as histórias dos dois países que compartilham a ilha de Hispaniola são: um vívido relato em inglês por Michele Wecker, *Why the Cocks Fight: Dominicans, Haitians, and the Struggle for Hispaniola* (Nova York: Hill and Wang, 1999); e uma comparação geográfica e social em espanhol por Rafael Emilio Yunén Z., *La Isla Como Es* (Santiago, República Dominicana: Universidad Católica Madre y Maestra, 1985).

Três livros de Mats Lundahl servirão como introdução à literatura sobre o Haiti: *Peasants and Poverty: A Study of Haiti* (Londres: Croom Helm, 1979); *The Haitian Economy: Man, Land, and Markets* (Londres: Croom Helm, 1983); e *Politics or Markets? Essays on Haitian Underdevelopment* (Londres: Routledge, 1992). Um estudo clássico da revolução haitiana de 1781-1803, de C. L. R. James, *The Black Jacobins*, 2. ed. (Londres: Vintage, 1963).

A história padrão da República Dominicana em língua inglesa é de Frank Moya Pons, *The Dominican Republic: A National History* (Princeton, N.J.: Markus Wiener, 1998). O mesmo autor escreveu um texto diferente em espanhol: *Manual de Historia Dominicana*, 9. ed. (Santiago, República Dominicana, 1999). Também em espanhol uma história em dois volumes de Roberto Cassá, *Historia Social y*

Económica de la República Dominicana (Santo Domingo: Editora Alfa y Omega, 1998 e 2001). A história de Marlin Clausner é centrada nas áreas rurais: *Rural Santo Domingo: Settled, Unsettled, Resettled* (Philadelphia: Temple University Press, 1973). Harry Hoetink, *The Dominican People, 1850-1900: Notes for a Historical Sociology* (Baltimore: Johns Hopkins University Press, 1982), trata do fim do século XIX. Claudio Vedovato, *Politics, Foreign Trade and Economic Development: A Study of the Dominican Republic* (Londres: Croom Helm, 1986), concentra-se nas eras Trujillo e pós-Trujillo. Dois livros fornecem uma boa introdução à era Trujillo: Howard Wiarda, *Dictatorship and Development: The Methods of Control in Trujillo's Dominican Republic* (Gainesville: University of Florida Press, 1968) e, mais recentemente, de Richard Lee Turits, *Foundations of Despotism: Peasants, the Trujillo Regime, and Modernity in Dominican History* (Palo Alto, Calif.: Stanford University Press, 2002).

Um manuscrito rastreando a história de políticas ambientais na República Dominicana, portanto especialmente relevante para este capítulo, é: Walter Cordero, "Introducción: bibliografía sobre medio ambiente y recursos naturales en la República Dominicana" (2003).

CAPÍTULO 12

A maior parte da literatura básica atualizada sobre assuntos ambientais e populacionais da China está escrita em chinês, ou na Internet, ou em ambas as formas ao mesmo tempo. Referências sobre o assunto podem ser encontradas em um artigo escrito por mim e Jianguo Liu, "China's environment in a globalizing world" (em preparação). Quanto a referências de livros e publicações em língua inglesa, o Woodrow Wilson Center, em Washington, D.C. (e-mail: chinaenv@erols.com), publica uma série de volumes anuais intitulada China Environment Series. As publicações do Banco Mundial incluem *China: Air, Land, and Water* (Washington, D.C.: The World Bank, 2001), disponível como livro ou CD-ROM. Alguns outros livros são L. R. Brown, *Who Will Feed China?* (Nova York: Norton, 1995); M. B. McElroy, C. P. Nielson e P. Lydon, orgs., *Energizing China: Reconciling Environmental Protection and Economic Growth* (Cambridge, Mass.: Harvard University Press, 1998); J. Shapiro, *Mao's War Against Nature* (Cambridge: Cambridge University Press, 2001); D. Zweig, *Internationalizing China: Domestic Interests and Global Linkages* (Ithaca, N.Y.: Cornell University Press, 2002); e Mark Elvin, *The Retreat of the Elephants: An Environmental History of China* (New Haven: Yale University Press, 2004). Para uma tradução em língua inglesa de um livro originalmente publicado em chinês, veja Qu Geping e Li Jinchang, *Population and Environment in China* (Boulder, Colo.: Lynne Rienner, 1994).

LEITURAS COMPLEMENTARES

CAPÍTULO 13

Um relato merecidamente aplaudido sobre a história antiga das colônias britânicas na Austrália, de suas origens, em 1788, até o século XIX: Robert Hughes, *The Fatal Shore: The Epic of Australia's Founding* (Nova York: Knopf, 1987). Tim Flannery, *The Future Eaters: An Ecological History of the Australasian Lands and People* (Chatsworth, New South Wales: Reed, 1994), por sua vez, começa com a chegada dos aborígines há mais de 40 mil anos e rastreia o seu impacto, bem como o dos europeus, no ambiente australiano. David Horton, *The Pure State of Nature: Sacred Cows, Destructive Myths and the Environment* (St. Leonards, New South Wales: Allen & Unwin, 2000) oferece uma perspectiva diferente da de Flannery.

Três fontes do governo fornecem relatos enciclopédicos sobre ambiente, economia e da sociedade australiana: Australian State of the Environment Committee 2001, *Australia: State of the Environment 2001* (Canberra: Department of Environment and Heritage, 2001), suplementado por relatórios no site http://www.ea.gov.au/soe/; seu predecessor, State of the Environment Advisory Committee 1996, *Australia: State of the Environment 1996* (Melbourne: CSIRO Publishing, 1996); e Dennis Trewin, *2001 Year Book Australia* (Canberra: Australian Bureau of Statistics, 2001), uma edição, comemorativa do centenário da Federação Australiana, de um livro anual publicado desde 1908.

Dois livros ilustrados por Mary E. White fornecem visões sobre os problemas ambientais australianos: *Listen... Our Land Is Crying* (East Roseville, New South Wales: Kangaroo Press, 1997) e *Running Down: Water in a Changing Land* (East Roseville, New South Wales: Kangaroo Press, 2000). O livro de Tim Flannery, "Beautiful lies: population and environment in Australia" (*Quarterly Essay* n. 9, 2003) é uma visão geral mais breve e provocante. A história dos impactos devido à salinização na Austrália é coberta por Quentin Beresford, Hugo Bekle, Harry Phillips e Jane Mulcock, *The Salinity Crisis: Landscapes, Communities and Politics* (Crawley, Western Australia: University of Western Australia Press, 2001). Andrew Campbell, *Landcare: Communities Shaping the Land and the Future* (St. Leonards, New South Wales: Allen & Unwin, 1994), descreve um importante movimento de massa para melhorar a administração de terras na Austrália rural.

CAPÍTULO 14

Além das perguntas de meus alunos na UCLA, o livro de Joseph Tainter's *The Collapses of Complex Societies* (Cambridge: Cambridge University Press, 1988) fornece um ponto de partida para este capítulo, definindo claramente por que a incapacidade de uma sociedade em resolver seus problemas ambientais levanta um enigma que clama por explicação. Thomas McGovern et al., "Northern islands, human error, and environmental degradation: a view of social and ecological change in the medieval North Atlantic" (*Human Ecology* 16: 225-270 [1988]), traçam uma sequência de razões pelas quais a Groenlândia Nórdica não percebeu ou solucionou os seus próprios problemas ambientais. A sequência de razões que forneço neste capítulo se sobrepõe parcialmente a McGovern et al., cujo modelo deve ser consultado por qualquer um interessado em desvendar este enigma.

Elinor Ostrom e seus colegas estudaram a tragédia do bem comum (aliás, dos recursos comunitários), usando tanto a pesquisa comparativa quanto jogos experimentais para identificar as condições sob as quais os consumidores estão mais propensos a reconhecer seus interesses comuns e implementar um sistema de quotas efetivo. Os livros de Ostrom incluem: Elinor Ostrom, *Governing the Commons: The Evolution of Institutions for Collective Action* (Cambridge: Cambridge University Press, 1990); e Elinor Ostrom, Roy Gardner e James Walker, *Rules, Games, and Common-Pool Resources* (Ann Arbor: University of Michigan Press, 1994). Seus artigos mais recentes incluem: Elinor Ostrom, "Coping with tragedies of the commons", *Annual Reviews of Political Science* 2: 493-535 (1999); Elinor Ostrom et al., "Revisiting the commons: local lessons, global challenges", *Science* 284: 278-282 (1999); e Thomas Dietz, Elinor Ostrom e Paul Stern, "The struggle to govern the commons", *Science* 302: 1.907-1.912 (2003).

O livro de Barbara Tuchman, *The March of Folly: From Troy to Vietnam* (Nova York: Ballantine Books, 1984), cobre as decisões desastrosas durante o período de tempo que ela define no título do livro, também refletindo, entre Troia e o Vietnã, sobre as loucuras do imperador asteca Montezuma, a queda de Espanha cristã para os muçulmanos, a precipitação da Revolução Americana pelos ingleses, e outros atos autodestrutivos. Charles Mackay, *Extraordinary Popular Delusions and the Madness of Crowds* (Nova York: Barnes and Noble, 1993, reedição da edição original de 1852), cobre uma gama ainda mais ampla de loucuras do que o faz Tuchman, incluindo (apenas para apontar alguns) a ilusão da South Sea* na Inglaterra do século XVIII, a tulipomania na Holanda do século XVII, as profecias do Juízo Final, as Cruzadas, a caça às bruxas, a crença em fantasmas e relíquias sagradas, os duelos e os decretos reais sobre tamanho de cabelos, barbas e bigodes. O livro de Irving Janis, *Groupthink* (Boston: Houghton Mifflin, 1983, 2. ed. rev.) explora a sutil dinâmica de grupo que contribuiu para o sucesso ou fracasso de deliberações envolvendo recentes presidentes dos EUA e seus conselheiros. Os casos de estudo de Janis são a invasão da baía dos Porcos, de 1961, a travessia americana do paralelo 38, na Coreia em 1950, a falta de preparo dos EUA para o ataque japonês de

---

* A "bolha" da South Sea Company, fundada para administrar o comércio com a América do Sul, incluindo o tráfico de escravos para as colônias espanholas da Costa do Pacífico, faliu arruinando muitos investidores. (*N. do Rev. Téc.*)

LEITURAS COMPLEMENTARES

1941 em Pearl Harbor, a escalada da Guerra do Vietnã de 1964 a 1967, a Crise dos Mísseis de Cuba de 1962, e a adoção do Plano Marshall em 1947.

O clássico e frequentemente citado artigo de Garrett Hardin, "The tragedy of the commons", foi publicado em *Science* 162: 1.243-1.248 (1968). Mancur Olson aplica a metáfora de bandidos estacionários e bandidos errantes aos déspotas chineses e outros agentes de extorsão em "Dictatorship, democracy, and development" (*American Political Science Review* 87: 567-576 [1993]). Os efeitos do investimento prévio são explicados por Hal Arkes e Peter Ayton, "The sunk cost and Concorde effects: are humans less rational than lower animals?" (*Psychological Bulletin* 125: 591-600 [1999]) e por Marco Janssen et al., "Sunk-cost effects and vulnerability to collapse in ancient societies" (*Current Anthropology* 44: 722-728 [2003]).

CAPÍTULO 15

Dois livros sobre a história da indústria de petróleo e sobre cenários para o seu futuro são: Kenneth Deffeyes, *Hubbert's Peak: The Impending World Oil Shortage* (Princeton, N.J.: Princeton University Press, 2001); e Paul Roberts, *The End of Oil* (Boston: Houghton Mifflin, 2004). Para uma perspectiva sobre a indústria, um bom lugar para começar seriam os websites das maiores empresas de petróleo, como a ChevronTexaco: www.chevrontexaco.com.

Publicações repletas de informação sobre o estado da indústria de mineração foram produzidas por uma iniciativa chamada "Mining, Minerals, and Sustainable Development", resultado de uma parceria apoiada por grandes empresas de mineração. Duas dessas publicações são: *Breaking New Ground: Mining, Minerals and Sustainable Development* (Londres: Earthscan, 2002); e Alistair MacDonald, *Industry in Transition: A Profile of the North American Mining Sector* (Winnipeg: International Institute for Sustainable Development, 2002). Outras fontes repletas de informação são as publicações do Mineral Policy Center, em Washington, D.C., recentemente renomeado Earthworks (www.mineralpolicy.org). Alguns livros sobre questões ambientais levantadas por empresas de mineração: Duane Smith, *Mining America: The Industry and the Environment, 1800-1980* (Boulder: University Press of Colorado, 1993); Thomas Power, *Lost Landscapes and Failed Economies: The Search for a Value of Place* (Washington, D.C.: Island Press, 1996); Jerrold Marcus, org., *Mining Environmental Handbook: Effects of Mining on the Environment and American Environmental Controls on Mining* (Londres: Imperial College Press, 1997); e Al Gedicks, *Resource Rebels: Native Challenges to Mining and Oil Corporations* (Cambridge, Mass.: South End Press, 2001). Dois livros descrevendo o colapso da mineração de cobre na ilha de Bougainvile, desencadeado em parte por seus impactos ambientais são: M. O'Callaghan, *Enemies Within: Papua New Guinea, Australia, and the Sandline Crisis: The Inside Story*

(Sydney: Doubleday, 1999); e Donald Denoon, *Getting Under the Skin: The Bougainville Copper Agreement and Creation of the Panguna Mine* (Melbourne: Melbourne University Press, 2000).

Informações sobre certificação de florestas podem ser obtidas no website do Forest Stewardship Council: www.fscus.org. Para uma comparação entre a certificação de floresta pelo FSC com outros tipos de certificação de florestas, veja Saskia Ozinga, *Behind the Logs: An Environmental and Social Assessment of Forest Certification Schemes* (Moreton-in-Marsh, UK: Fern, 2001). Dois livros sobre história do desflorestamento são: John Perlin, *A Forest Journey: The Role of Wood in the Development of Civilization* (Nova York: Norton, 1989); e Michael Williams, *Deforesting the Earth: From Prehistory to Global Crisis* (Chicago: University of Chicago Press, 2003).

Informações sobre certificação de pesca podem ser obtidas do website do Marine Stewardship Council: www.msc.org. Howard M. Johnson (www.hmj.com) produz uma série chamada *Annual Report on the United States Seafood Industry* (Jacksonville, Ore.: Howard Johnson, anualmente). A aquicultura de camarão e salmão é tratada em dois capítulos de Jason Clay, *World Agriculture and the Environment: A Commodity-by-Commodity Guide to Impacts and Practices* (Washington, D.C.: Island Press, 2004). Quatro livros a respeito de sobrepesca de peixes em geral ou de espécies de peixe específicas são: Mark Kurlansky, *Cod: A Biography of the Fish That Changed the World* (Nova York: Walker, 1997); Suzanne Ludicello, Michael Weber e Robert Wreland, *Fish, Markets, and Fishermen: The Economics of Overfishing* (Washington, D.C.: Island Press, 1999); David Montgomery, *King of Fish: The Thousand-Year Run of Salmon* (Nova York: Westview, 2003); e Daniel Pauly e Jay Maclean, *In a Perfect Ocean* (Washington, D.C.: Island Press, 2003). Um artigo sobre sobrepesca: Jeremy Jackson et al., "Historical overfishing and the recent collapse of coastal ecosystems" (*Science* 293: 629-638 [2001]). A descoberta que o salmão de aquicultura contém maiores concentrações de contaminação tóxica do que o salmão selvagem foi registrada em: Ronald Hits et al., "Global assessment of organic contaminates in farmed salmon" (*Science* 303: 226-229 [2004]).

Seria impossível compreender as práticas ambientais de grandes empresas sem primeiro compreender as realidades do que as empresas devem fazer para sobreviver em um mundo de negócios extremamente competitivo. Três livros muito lidos sobre o assunto são: Thomas Peters e Robert Waterman Jr., *In Search of Excellence: Lessons from Americas Best-Run Companies* (Nova York: HarperCollins, 1982, republicado em 2004); Robert Waterman Jr., *The Renewal Factor: How the Best Get and Keep the Competitive Edge* (Toronto: Bantam Books, 1987); e Robert Waterman Jr., *Adhocracy: The Power to Change* (Nova York: Norton, 1990).

LEITURAS COMPLEMENTARES

Livros que discutem as circunstâncias sob as quais as empresas podem ser ambientalmente construtivas em vez de destrutivas incluem: Tedd Saunders e Loretta McGovern, *The Bottom Line of Green Is Black: Strategies for Creating Profitable and Environmentally Sound Businesses* (San Francisco: HarperSanFrancisco, 1993); e Jem Bendell, org., *Terms for Endearment: Business NGOs and Sustainable Development* (Sheffield, UK: Greenleaf, 2000).

CAPÍTULO 16

Alguns livros, publicados desde 2001, que fornecem uma visão geral sobre os atuais problemas ambientais e uma introdução à literatura mais ampla sobre este assunto incluem: Stuart Pimm, *The World According to Pimm: A Scientist Audits the Earth* (Nova York: McGraw-Hill, 2001); três livros de Lester Brown: *Eco-economy: Building an Economy for the Earth* (Nova York: Norton, 2001), *Plan B: Rescuing a Planet Under Stress and Civilization in Trouble* (Nova York: Norton, 2003) e *State of the World* (Nova York: Norton, publicado anualmente desde 1984); Edward Wilson, *The Future of Life* (Nova York: Knopf, 2002); Gretchen Daily e Katherine Ellison, *The New Economy of Nature: The Quest to Make Conservation Profitable* (Washington, D.C.: Island Press, 2002); David Lorey, org., *Global Environmental Challenges of the Twenty-first Century: Resources, Consumption, and Sustainable Solutions* (Wilmington, Del.: Scholarly Resources, 2003); Paul Ehrlich e Anne Ehrlich, *One with Nineveh: Politics, Consumption, and the Human Future* (Washington, D.C.: Island Press, 2004); e James Speth, *Red Sky at Morning: America and the Crisis of the Global Environment* (New Haven: Yale University Press, 2004).

As Leituras Complementares do capítulo 15 fornecem referência a problemas de desmatamento, sobrepesca e petróleo. Vaclav Smil, *Energy at the Crossroads: Global Perspectives and Uncertainties* (Cambridge, Mass.: MIT Press, 2003), oferece um relato não apenas sobre petróleo, carvão e gás, mas também sobre outras formas de produção de energia. A crise da biodiversidade e a destruição de hábitat é discutida em: John Terborgh, *Where Have All the Birds Gone?* (Princeton, N.J.: Princeton University Press, 1989) e *Requiem for Nature* (Washington, D.C.: Island Press, 1999); David Quammen, *Song of the Dodo* (Nova York: Scribner, 1997); e Marjorie Reaka-Kudla et al., orgs., *Biodiversity 2: Understanding and Protecting Our Biological Resources* (Washington, D.C.: Joseph Henry Press, 1997).

Alguns artigos recentes sobre destruição de recifes de coral são: T. P. Hughes, "Climate change, human impacts, and the resilience of coral reefs" (*Science* 301: 929-933 [2003]); J. M. Pandolfi et al., "Global trajectories of the long-term decline of coral reef ecosystems" (*Science* 301: 955-958 [2003]); e D. R. Bellwood et al., "Confronting the coral reef crisis" (*Nature* 429: 827-833 [2004]).

Livros sobre problemas de solo incluem o clássico de Vernon Gill Carter e Tom Dale, *Topsoil and Civilization,* ed. revisada (Norman: University of Oklahoma Press, 1974) e Keith Wiebe, org., *Land Quality, Agricultural Productivity, and Food Security: Biophysical Processes and Economic Choices at Local, Regional, and Global Levels* (Cheltenham, UK: Edward Elgar, 2003). Artigos oferecendo diferentes perspectivas sobre problemas de solo são: David Pimentel et al., "Environmental and economic costs of soil erosion and conservation benefits" (*Science* 267: 1.117-1.123 [1995]); Stanley Trimble e Pierre Crosson, "U.S. soil erosion rates – myth and reality" (*Science* 289: 248-250 [2000]); e um grupo de oito artigos de diversos autores, publicados em *Science* 304: 1.613-1.637 (2004).

Para assuntos que digam respeito ao suprimento de água mundial, veja os relatórios de Peter Gleick publicados a cada dois anos: p.ex., Peter Gleick, *The World's Water, 1998-1999: The Biennial Report on Freshwater Resources* (Washington, D.C.: Island Press, 2000). Vernon Scarborough, *The Flow of Power: Ancient Water Systems and Landscapes* (Santa Fe: School of American Research, 2003), compara soluções para problemas de água em sociedades antigas ao redor do mundo.

Um relatório global sobre a fração de energia solar utilizada pela fotossíntese das plantas (chamada "produção primária líquida") é oferecido por Peter Vitousek et al., "Human domination of Earth's ecosystems" (*Science* 277: 494-499 [1997]) e atualizada e dividida em regiões por Mark Imhoff et al. "Global patterns in human consumption of net primary production" (*Nature* 429: 870-873 [2004]).

Efeitos de produtos químicos tóxicos sobre seres vivos, incluindo seres humanos, são sumariados em: Theo Colborn, Dianne Dumanoski e John Peterson Myers, *Our Stolen Future* (Nova York: Plume, 1997). Um exemplo específico de alto custo econômico de impactos tóxicos e outros impactos em todo um ecossistema é o relatório sobre a baía de Chesapeake: Tom Horton e William Eichbaum, *Turning the Tide: Saving the Chesapeake Bay* (Washington, D.C.: Island Press, 1991).

Entre os livros que oferecem bons relatos sobre aquecimento global e mudança de clima estão: Steven Schneider, *Laboratory Earth: The Planetary Gamble We Can't Afford to Lose* (Nova York: Basic Books, 1997); Michael Glantz, *Currents of Change: Impacts of El Niño and La Niña on Climate and Society,* 2. ed. (Cambridge: Cambridge University Press, 2001); e Spencer Weart, *The Discovery of Global Warming* (Cambridge, Mass.: Harvard University Press, 2003).

Três clássicos em meio à imensa literatura sobre população humana são: Paul Ehrlich, *The Population Bomb* (Nova York: Ballantine Books, 1968); Paul Ehrlich e Anne Ehrlich, *The Population Explosion* (Nova York: Simon & Schuster, 1990); e Joel Cohen, *How Many People Can the Earth Support?* (Nova York: Norton, 1995).

LEITURAS COMPLEMENTARES

Para situar minha apreciação sobre problemas ambientais e populacionais de minha cidade, Los Angeles, em um contexto mais amplo, veja um esforço correspondente em forma de livro para todos os EUA: The Heinz Center, *The State of the Nation's Ecosystems: Measuring the Lands, Waters, and Living Resources of the United States* (Nova York: Cambridge University Press, 2002).

Leitores interessados em maiores detalhes sobre o descrédito sobre as preocupações ambientalistas que listei como chavões podem consultar Björn Lomborg, *The Skeptical Environmentalist* (Cambridge: Cambridge University Press, 2001). Para respostas mais extensas para chavões, veja Paul Ehrlich e Anne Ehrlich, *Betrayal of Science and Reason* (Washington; D.C.: Island Press, 1996). O estudo sobre o Clube de Roma discutido nesta seção do meu capítulo é de Donella Meadows et al., *The Limits to Growth* (Nova York. Universe Books, 1972), atualizado por Donella Meadows, Jorgen Randers e Dennis Meadows, *The Limits to Growth: The 30-Year Update* (White River Junction, Vt.: Chelsea Green, 2004). Sobre o assunto de decidir se há poucos ou muitos alarmes falsos, ver S. W. Pacala et al., "False alarm over environmental false alarms" (*Science* 301: 1.187-1.188 [2003]).

Referências sobre as conexões entre problemas populacionais e ambientais por um lado e instabilidade política por outro, incluem: o website do Population Action International, www.population action.org; Richard Cincotta, Robert Engelman e Daniele Anastasion, *The Security Demographic: Population and Civil Conflict after the Cold War* (Washington, D.C.: Population Action International, 2004); o anuário *The Environmental Change and Security Project Report* publicado pelo Woodrow Wilson Center (website www.wilson.org/ecsp); e Thomas Homer-Dixon, "Environmental scarcities and violent conflict: evidence from cases" (*International Security* 19: 5-40 [1994]).

Finalmente, os leitores curiosos sobre o lixo que chega aos remotos atóis de Oeno e Ducie no sudeste do oceano Pacífico, afora as dúzias de garrafas de uísque Suntory, devem consultar as três tabelas em T. C. Benton, "From castaways to throwaways: marine litter in the Pitcairn Islands" (*Biological Journal of the Linnean Society* 56: 415-422 [1995]).

Para todos os 12 conjuntos de problemas ambientais que sumariei no início do capítulo 16, já existem muitos livros excelentes discutindo como os governos e organizações podem enfrentá-los. Mas ainda resta a pergunta que muitos se fazem: o que *eu*, como indivíduo, posso fazer? Se você é rico, obviamente pode fazer muito: por exemplo, Bill e Melinda Gates decidiram dedicar bilhões de dólares a problemas urgentes de saúde pública em todo o mundo. Se você está em uma posição de poder, pode usar esta posição: por exemplo, o presidente George W. Bush dos EUA, e o presidente Joaquín Balaguer, da República Dominicana, usaram sua posição para influenciar decisivamente, embora de modo distinto, as agendas ambientais de seus respectivos países. Contudo, a vasta maioria de nós que não tem essa riqueza e poder tende a se sentir desamparado e desesperançado em face do poder avassalador dos governos e das grandes empresas. Há alguma possibilidade de um pobre indivíduo que não é nem CEO de empresa nem líder político fazer alguma diferença?

Sim, existe meia dúzia de tipos de ações que frequentemente se mostram efetivas. Mas é preciso dizer logo de início que um indivíduo não deve esperar fazer diferença a partir de uma única ação, ou mesmo através de uma série de ações a serem completadas em três semanas. Em vez disso, se você realmente quiser fazer uma diferença, planeje se comprometer com uma política consistente de ações durante toda a vida.

Em uma democracia, a ação mais simples e barata é votar. Algumas eleições, disputadas por candidatos com agendas ambientais muito diferentes, são resolvidas por diferenças de votos ridiculamente pequenas. Um exemplo foi a eleição presidencial dos EUA em 2000, decidida por algumas centenas de votos no estado da Flórida. Além de votar, descubra o endereço de seu deputado eleito e perca algum tempo todo mês deixando-o conhecer seus pontos de vista sobre assuntos ambientais específicos. Se os deputados não ouvirem seus eleitores, concluirão que os eleitores não estão interessados no ambiente.

A seguir, você pode reconsiderar o que você, como consumidor, deve ou não comprar. As grandes empresas têm como objetivo ganhar dinheiro. Tendem a parar de produzir produtos que o público não compra, e fabricar e promover produtos que o público compra. A razão para um número cada vez maior de madeireiras estarem adotando práticas sustentáveis é que a demanda do consumidor por produtos de madeira certificados pelo Forest Stewardship Council excede a oferta. É claro, é mais fácil influenciar as empresas em seu próprio país, mas no mundo globalizado de hoje o consumidor tem aumentado a sua habilidade de influenciar empresas e políticos estrangeiros. Um bom exemplo é o colapso das políticas de governo da minoria branca e de *apartheid* na África do Sul entre 1989 e 1994, como resultado do boicote econômico da África do Sul por consumidores e investidores estrangeiros, levando a um inédito esvaziamento econômico de empresas estrangeiras, fundos de pensão pública e governos. Durante minhas diversas viagens à África do Sul nos anos 1980, o estado sul-africano pareceu-me tão irrevogavelmente comprometido com o *apartheid* que nunca imaginei que fosse recuar, mas recuou.

Outro modo pelo qual os consumidores podem influenciar as políticas das grandes empresas, além de comprar ou deixar de comprar seus produtos, é chamar a atenção do público para as políticas e produtos da empresa. Um conjunto de exemplos foram as campanhas contra crueldade contra animais que levou grandes casas de moda, como Bill Blass, Calvin Klein e Oleg Cassini, a renun-

LEITURAS COMPLEMENTARES

ciarem publicamente ao uso de peles de animais. Outro exemplo envolve os ativistas que ajudaram a convencer a maior empresa de produtos de madeira, a Home Depot, a se comprometer a não comprar madeira de florestas ameaçadas e dar preferência a produtos florestais certificados. A mudança de política da Home Depot me surpreendeu muito: eu supunha que os consumidores ativistas não tinham a menor chance ao tentarem influenciar uma empresa tão poderosa.

A maioria dos exemplos de ativismo de consumidor envolveu tentar embaraçar publicamente uma empresa por fazer algo errado, e esta abordagem única é infeliz, porque deu aos ambientalistas a reputação de serem barulhentos, deprimentes, chatos e negativos. Os consumidores ativistas também poderiam influenciar tomando iniciativas para louvar empresas de cujas políticas gostassem. No capítulo 15 mencionei empresas que de fato estão fazendo coisas desejadas por consumidores ambientalistas, mas tais empresas receberam muito menos louvor por suas boas ações do que censura pelas más. A maioria de nós está familiarizada com a fábula de Esopo sobre a competição entre o vento e o sol para persuadir um homem a tirar o casaco: depois que o vento soprou forte e falhou, o sol brilhou e conseguiu. Os consumidores podiam fazer mais uso da moral desta fábula, porque as grandes empresas que adotam políticas ambientais sabem que é pouco provável serem acreditadas se louvarem suas próprias políticas para um público cínico; a empresa precisa de ajuda externa para se tornar reconhecida por seus esforços. Entre as muitas grandes empresas que recentemente se beneficiaram de comentários públicos favoráveis estão a ChevronTexaco e a Boise Cascade, elogiadas pela administração ambiental de seu campo de petróleo em Kutubu e pela decisão de abolir produtos de florestas de administração não sustentável, respectivamente. Além de castigarem a "dúzia suja" os ativistas podiam também louvar "os dez incríveis".

Os consumidores que desejem influenciar as grandes empresas comprando ou recusando-se a comprar seus produtos, ou embaraçando-as ou criticando-as, precisam aprender quais elos na cadeia de negócios são mais sensíveis à influência do público, e também quais elos estão em melhor posição para influenciar outros elos. Empresas que vendem diretamente para o consumidor, ou cujas marcas estão à venda para o consumidor, são muito mais sensíveis que empresas que vendem para outras empresas e cujos produtos chegam ao público sem uma marca de origem. Empresas de varejo que, que por si sós ou como parte de um grande grupo de compradores, compram muita ou toda a produção de certa empresa em particular estão em muito melhor condição de influenciar esse produtor do que um consumidor. Mencionei diversos exemplos no capítulo 15, e muitos outros exemplos podem ser acrescentados.

Por exemplo, se você aprova ou não o modo como algumas empresas internacionais de petróleo administram seus campos de petróleo, faz sentido comprar, boicotar, elogiar ou fazer piquete nos postos de gasolina dessas empresas. Se você admira as práticas de mineração de titânio na Austrália, e não gosta das práticas de mineração de ouro na ilha Lihir, não perca tempo fantasiando que você possa ter alguma influência sobre essas empresas de mineração; em vez disso, volte a sua atenção para a DuPont, Tiffany e Wal-Mart, que são grandes varejistas de tintas à base de titânio e joias de ouro, respectivamente. Não elogie ou condene as empresas madeireiras sem produtos de varejo facilmente rastreáveis; deixe que o Home Depot, Lowe's, B & Q, e outros gigantes do varejo influenciem as madeireiras. Da mesma forma, os varejistas de frutos do mar como a Unilever (através de suas várias marcas) e a Whole Foods são aqueles que devem se preocupar em comprar frutos do mar; eles, não você, podem influenciar a indústria de pesca. A Wal-Mart é a maior varejista de comestíveis do mundo; eles e outros varejistas podem virtualmente ditar práticas agrícolas aos fazendeiros; você não pode ditar para os fazendeiros, mas tem influência sobre a Wal-Mart. Se quiser saber onde na cadeia de negócios você como consumidor tem influência, há agora organizações como a Mineral Policy Center/Earthworks, o Forest Stewardship Council e o Marine Stewardship Council, que podem fornecer a resposta para muitos setores de negócios. (Para o endereço de seus websites, veja Leituras Complementares do capítulo 15.)

É claro que você como um único eleitor e consumidor não mudará o resultado de uma eleição ou influenciará a Wal-Mart. Mas qualquer indivíduo pode multiplicar o seu poder falando com outras pessoas que também votam e compram. Pode começar com seus pais, filhos e amigos. Este foi um fator significativo para que as empresas de petróleo internacionais começassem a mudar sua posição de indiferença ambiental para a de rígidas salvaguardas ambientais. Muitos empregados valiosos se queixavam ou mudavam de emprego porque amigos, conhecidos e seus próprios filhos e esposas os faziam se sentir envergonhados por causa das práticas dos seus empregadores. A maioria dos CEOs, incluindo Bill Gates, têm filhos e esposa, e eu sei de muitos que mudaram as políticas ambientais de sua empresa como resultado da pressão de seus filhos ou esposas, que por sua vez foram influenciados por amigos. Embora poucos de nós conheçamos pessoalmente Bill Gates ou George Bush, um número surpreendente de pessoas descobre que os colegas de seus filhos na escola e seus próprios amigos incluem filhos, amigos e parentes de pessoas influentes, que podem se preocupar em como são vistos por seus filhos, amigos e parentes. Um exemplo foi a pressão das irmãs de Joaquín Balaguer, que devem ter fortalecido a preocupação do presidente com o meio ambiente da República Dominicana. As eleições presidenciais de 2000 na verdade foram decididas por um único voto na decisão da Suprema Corte dos EUA sobre a contestação dos votos da Flórida: 5 a 4. Mas todos os nove juízes da Suprema Corte tinham filhos, esposas e parentes ou amigos que ajudaram a formar a sua opinião.

Aqueles de nós que são religiosos podem multiplicar nosso poder desenvolvendo apoio em nossa igreja, sinagoga ou mesquita. Foram as igrejas que levaram ao movimento de direitos civis, e alguns líderes religiosos também têm falado em prol do ambiente, embora não muitos até agora. Contudo, existe muito potencial para se angariar apoio religioso, porque as pessoas seguem mais facilmente as sugestões de seus líderes religiosos do que as de historiadores e cientistas, e porque há fortes razões religiosas para se levar o meio ambiente a sério. Membros de congregações podem lembrar aos seus pares e seus líderes (padres, ministros, rabinos etc.) da santidade da ordem da Criação, de metáforas bíblicas para manter a natureza fértil e produtiva, e das implicações do conceito de administração que todas as religiões reconhecem.

Um indivíduo que queira se beneficiar diretamente de suas ações pode considerar investir tempo e esforço melhorando o meio ambiente onde vive. Um exemplo é o Teller Wildlife Refuge, no vale Bitterroot, em Montana, uma organização pequena, privada, não lucrativa, devotada à preservação e à restauração do hábitat do vale Bitterroot. Embora o fundador da organização, Otto Teller, fosse rico, os amigos que o sensibilizaram para assuntos ambientais não o eram, nem a maioria das pessoas que se oferecem para ajudar o Teller Refuge hoje em dia. Em benefício de si mesmas (na verdade, de qualquer um que habite ou visite o vale Bitterroot), continuam a desfrutar da bela paisagem e boa pesca, que de outro modo já teria sido eliminada por loteamentos. Tais exemplos podem se multiplicar indefinidamente: quase toda área local tem seu próprio grupo de moradores, associações de proprietários ou outras organizações como estas.

Cuidar do seu próprio meio ambiente rende outro benefício afora tornar a sua vida mais agradável. Também serve de exemplo para os outros, tanto em seu país quanto no exterior. As organizações ambientais locais tendem a estar em contato frequente entre si, trocando ideias e inspirações. Quando marcava entrevistas com residentes de Montana associados ao Teller Wildlife Refuge e à Blackfoot Initiative, uma das limitações de seus horários devia-se às viagens que faziam para aconselhar outras iniciativas locais em Montana e estados vizinhos. Da mesma forma, quando os americanos dizem ao povo da China ou de outros países o que os chineses (na opinião dos americanos) deveriam estar fazendo para si mesmos e para o resto do mundo, nossa mensagem tende a cair em ouvidos não receptivos devido à nossa própria e bem sabida iniquidade ambiental. Teríamos mais êxito em persuadir gente de outros países a adotar políticas ambientais boas para o resto da humanidade (incluindo a nós mesmos) se fôssemos vistos mais vezes perseguindo tais políticas.

Finalmente, cada um de vocês que tiver algum dinheiro para gastar, pode multiplicar o seu impacto fazendo uma doação a alguma organização que promova políticas de seu agrado. Há organizações em quantidade para todos os gostos: Ducks Unlimited para os interessados em patos; Trout Unlimited, para os que gostam de pescar; Zero Population Growth, para aqueles preocupados com problemas populacionais; Seacology, para os interessados em ilhas, e assim por diante. Todas essas organizações ambientais operam com baixos orçamentos, e muitas operam mal cobrindo as despesas, de modo que pequenas somas de dinheiro fazem uma grande diferença. Isso se aplica até mesmo às maiores e mais ricas organizações ambientais. Por exemplo, o World Wildlife Fund é uma das três maiores e mais ricas organizações ambientais do mundo, e está ativa em mais países do que qualquer outra. O orçamento anual da maior filial do WWF, a dos EUA, está em cerca de 100 milhões de dólares por ano, que parece muita coisa até se pensar que este dinheiro tem de financiar programas em mais de 100 países, cobrindo todas as espécies de animais e plantas e todos os hábitats terrestres e marinhos. Este orçamento não apenas tem de cobrir grandes projetos (um programa de 400 milhões e dólares de 10 anos para triplicar a área de hábitat protegido na Bacia Amazônica), como também uma multidão de projetos menores sobre espécies individuais. Antes de pensar que sua pequena doação é insignificante para uma organização tão grande, considere que uma doação de apenas algumas centenas de dólares já basta para pagar um patrulheiro de parque treinado, equipado com GPS (Global Positioning Software), aparelho portátil de localização por satélite, para rastrear populações de primatas na bacia do Congo cujo *status* de conservação seria de outro modo desconhecido. Considere também que algumas organizações ambientais são altamente alavancadas e usam doações particulares para atrair fundos futuros do World Bank, governos e agências de auxílio em uma base de dólar por dólar. Por exemplo, o projeto do WWF na Bacia Amazônica é alavancado por um fator a mais de 6 por 1, de modo que a sua contribuição de 300 dólares acaba injetando quase dois mil dólares no projeto.

É claro, menciono esses números do WWF apenas porque é a organização cujo orçamento me é mais familiar, e não para recomendá-lo em vez de tantas outras igualmente sólidas organizações ambientais com diferentes objetivos. Tais exemplos de como os esforços de indivíduos fazem a diferença podem ser multiplicados indefinidamente.

ÍNDICE

aborígines australianos, 372, 466-467
Adenauer, Konrad, 526
África, escravos da, 402-403
África do Sul, 569-570
África Oriental, população da, 377-379
Agência de Proteção Ambiental, 59, 545
agricultura:
    adubação, 342
    cobertura morta lítica, 130
    culturas rotativas, 342
    e clima, 176-177, 203-204
    e crescimento populacional, 222, 378-379
    e desmatamento, 139-140, 201-202, 216-217, 458-459, 565, 582
    e falta de comida, 19
    e gases do efeito estufa, 497, 589
    e problemas malthusianos, 378, 387, 395, 606-607
    e salinização, 68-71, 459, 470, 481-482, 496, 507, 585, 600
    e seca, 72, 190-191, 438, 441-442, 479
    e terra, veja terra
    economia agrícola, 81-84, 94-95, 97-98, 494-496
    em sociedades estratificadas, 203
    itinerante, 201-202
    irrigação para, veja irrigação
    plantas e ervas daninhas, 78-79, 479-480, 600
    plantio flexível, 70-71
    pousio, 70
água:
    aquíferos, 72, 436, 586
    de derretimento, 76
    desertificação, 437, 441, 451, 459
    dessalinização da, 482, 487, 586
    destruição de pantanais, 582
    e aquecimento global, 589-590, 600
    e represas, 74-75, 486-488
    e seca, 213-214
    em poços, 71, 75, 200
    gerenciamento de, 19, 181, 201, 215
    infiltração salina, 69-70; veja também salinização

interrupções de curso de rios, 436
    para irrigação, veja irrigação
    plâncton na, 435
    pressão osmótica de, 69
    qualidade da, 75-76, 541, 543-544, 582, 599
    reservatórios, 201
    sobrealocada, 73
    temperaturas da, 487, 583
    uso da, 586
ainos, 364
Alcoa, 550
Aloysius (pseud.), 561-563
Amarelo, rio, China, 431, 436, 438, 450
Amundsen, Roald, 335
Anaconda Copper Mining Company, 55, 58-59, 551, 553, 555
anasazis, 171-194
    absorvidos por outras sociedades, 172
    agricultura dos, 175-177, 179-181, 522-523
    arquitetura dos, 184-188
    canibalismo dos, 188-190
    Chaco Canyon, 171-172, 179-194, 505
    desaparecimento da cultura dos, 171-172, 179, 183-184, 190-194
    gerenciamento da água, 181
    kayenta, 172, 188, 191-192
    mapa, 178
    Mesa Verde, 171-172, 176, 192-193
    monturos de ratos silvestres, estudos de, 181-184
    população, 177, 179, 184-188
    rede de suprimento regional, 184-188, 193
    sobrevivência, 193
    sociedade complexa dos, 179, 187-189, 193-194
Anatólia, 180
André, Catherine, 387-388, 390, 392-394
Angkor Wat, 18, 30, 38
Antártida, expedição belga à, 169
Antei, Miyazaki, 367
Anuta, ilha de, 348-349
aquecimento global, 72, 444, 497, 508-509, 560, 589-590, 595, 600
aquicultura, 450, 489, 576, 583

COLAPSO

aquíferos, 72, 436
ar, qualidade do, 76, 588-590, 599, 610, 624
arco, 55, 57-59, 551, 555
Arquipélago havaiano, 147-148, 155
Ártico:
 caçando no, 268
 mudanças climáticas no, 332
 sociedades desaparecidas, 268-269, 312
aruaques, índios, 402
ASARCO (American Smelting and Refining
 Company), 56-57, 547
astecas, 203, 205, 212
atividade madeireira, *veja* florestas
Austrália, 453-497
 aborígines na, 372, 466-467
 agricultura na, 456-461, 471-474, 476-477,
 477-482, 490-497
 Calperum Station, 492-493
 cangurus na, 468, 470, 493
 chuva na, 459-461, 476-477, 480-481
 Cinturão do Trigo, 480, 482
 clima na, 453, 459-461, 481
 colonização da, 344
 comércio com, 453, 461-462, 473-474, 484,
 494
 cultura de algodão na, 483, 496
 degradação de terras na, 476-483, 489-490,
 492-493
 desmatamento na, 457-458, 470-471, 477-
 478, 480, 483-485, 489
 Dia de Anzac, dia de, 472
 e a Nova Guiné, 344
 economia da, 453-454, 474, 494-495
 espécies introduzidas na, 469-470, 483-
 485, 488-489, 493, 503-504, 522
 fazenda Kanyaka, 476
 fragilidade ecológica da, 453, 489
 gerenciamento de baixo para cima na, 373,
 493-497
 Grande Barreira de Coral, 477-478, 495
 identidade cultural britânica da, 31, 236,
 301, 453, 467-473, 517
 imigração na, 444, 464-466, 475-476
 impacto humano na, 453, 476-491
 mapa, 462
 mineração na, 453, 473-474, 558
 Parque Nacional Kakadu, 479
 pastagem de ovelhas na, 458, 467-469, 471,
 473, 476-478, 495
 pesca na, 458, 483-488, 576
 plantas e ervas daninhas na, 479-480, 488
 população da, 453, 464, 475-476
 Potter Foundation, 493

problemas da água da, 455, 459-461, 481-
 483, 487-489, 496
problemas de distâncias da, 455, 461, 463,
 489
propriedade de terras na, 470-471, 477-
 478, 492
secas na, 463-464, 479
sinais de esperança e mudança na, 489-497
terras na, 455-461, 467, 470-471, 476-483,
 495-496
valores de terra na, 471-472
Australian Landscape Trust, 493
autocatálise, 228

Baffin, ilha de, 253, 312
Balaguer, Joaquín, 407, 410, 413-420, 423,
 452, 525, 625
Bangladesh, 395, 616, 626
bárbaros, Roma atacada por, 29-30
Bardarson, Ivar, 235, 326-328
Beck, J. Warren, 126
besouro asiático de chifre longo, 444
Betancourt, Julio, 182
BHP, empresa de mineração, 543, 550
Big Hole, bacia do, 47-72
biodiversidade, perdas de, 584-585, 601
Bismarck, arquipélago de, 114
Bitterroot, rio, como "fluxo interrompido", 76
Bitterroot Stock Farm, 53, 86
Bjergo, Allen, 83, 88
bórax, mineração de, 557
Bornéu, atividade madeireira ilegal, 563
Bosch, Juan, 413
Bougainville, mina de cobre, 535, 542, 557
BP (British Petroleum), 58, 555
Buffalo Creek, mina de carvão, 542, 554
Burundi:
 genocídio em, 379-380, 384, 395-396, 616
 independência do, 381

caça:
 doença da atrofia crônica (DAC), 77-78
 e extinção, 168
 sobrecaça, 19, 136
Cadeia Mesoatlântica, 241
cahokia, colapso de, 18
Califórnia meridional, 597-601, 621
camada de ozônio, destruição da, 444, 589,
 604
Canadá:
 atividade madeireira no, 61, 93, 571
 colônias no, 312
 Expedição Franklin ao, 335

ÍNDICE

inuits no, 312-313, 317, 335
   nativos americanos no, 312, 317
Canela y Lázaro, Miguel, 411
canibalismo:
   de Donner Party, 171
   dos anasazis, 188-190
   e a guerra, 188
   em Mangareva, 167, 169
   em Pitcairn, 169
   na ilha de Páscoa, 140, 143
   no cerco de Leningrado, 189
   objeções dos antropólogos ao, 189
carbono
   análises de isótopos de, 279
   reservatório de, 560
Carson, Rachel, 588
carvão, mineração de, 553-554, 558, 586
Catherwood, Frederick, 195-196
CFCs (clorofluorcarbonetos), 443-444, 603-
   604
Chardón, Carlos, 412
Chevron Corporation, 529-540, 542, 557, 578
Chevron Niugini, 529, 539
ChevronTexaco, 529, 555, 558
Chicago Zoological Society, 493
Chile:
   e ilha de Páscoa, 144
   importações de madeira do, 414, 569
   mineração no, 551
   palma de vinho do, 133
   pesca no, 572
China, 429-452
   agricultura, 436-437, 440, 450
   alimentos na, 433, 437, 572
   comércio, 429, 439, 446, 448
   conexão global da, 442-447
   controle populacional na, 431-433, 448,
      452, 526, 611
   crescimento econômico da, 429, 431, 433-
      434, 442, 445-447, 450
   desastres naturais na, 441-442
   desenvolvimento da China Ocidental, 440
   desmatamento na, 430, 434-435, 437-438,
      441-442, 445, 449
   diversidade de espécies na, 429, 439-440,
      444-445, 451
   emigração da, 444
   geografia da, 430-431, 448
   Grande Salto para a Frente, 435, 448
   investimento estrangeiro na, 442-443
   Jogos Olímpicos na, 450
   líderes militares na, 514
   mapa, 432

metas de Primeiro Mundo da, 430, 446-
   447, 450
mudança de clima na, 438
população da, 429-431, 433, 437, 446, 626
prados na, 438
problemas ambientais da, 429-430, 433-
   452, 617-618
problemas de saúde na, 441
programa Do Grão ao Verde (Grain-to-
   -Green), 451
projeto de distribuição de água na, 440
projetos de desenvolvimento na, 439-440,
   448, 450-451
propriedade de terra nas, 450
repensando a questão ambiental, 447-452
Revolução Cultural na, 435, 448
tomada de decisão de cima para baixo na,
   452
unidade política na, 448, 452
valores culturais da, 516-518
Churchill, Winston, 420-626
ciclo das águas, 441-442, 582
Clark Fork, rio, 58-59
clima, mudança de, 22, 27-30
   e incêndios florestais, 64-65
   no aquecimento global, 589-590
   no estudo de anéis de crescimento das
      árvores, 174-175
Clube de Roma, 608-609
Colorado, mineração no, 545
Colorado, rio, desvio do, 600
Colombo, Cristóvão, 172, 193, 197, 229, 251,
   254, 334, 402
Cook, capitão James, 113, 140-143, 465
Cook, John, 47, 64, 82, 86, 91, 98, 102
comida, distribuição de, 607-608
Comunidade Econômica Europeia (CEE), 526
Conferência sobre Ambiente Humano das
   Nações Unidas, 447
controle de população, 348, 352-354, 610-611,
   624
Controvérsia da Derrubada Geral (Montana),
   62
Cortés, Hernán, 215
Crescente Fértil, 69, 222
crescimento populacional, 19
   autocatalítico, 228
   e complexidade da sociedade, 179, 187-188
   e recursos disponíveis, 216-217, 222, 572,
      587, 590-593, 610-611, 617
   problemas malthusianos do, 216-217, 378-
      379, 387, 395, 606-607
Crescimento Populacional Zero, 353, 364, 591

COLAPSO

Creta Minoica, colapso da, 18
Crise dos Mísseis de Cuba, 525
cristianismo, exclusividade do, 235
Cristino, Claudio, 106, 116, 118-119, 125, 131, 142-143
Cuba, 425-426

Daly, Marcus, 53
Däniken, Erich von, 111, 113, 126-127
David and Lucille Packard Foundation, 575
Davis, John, 329
dendrocronologia (estudo de anéis de crescimento das árvores), 173-175
Departamento de Caça e Pesca do Alasca, 576
Derr, Ken, 537
desertificação, 437, 441, 451, 459
desmatamento, 19, 31, 582
  consequências para a sociedade, 138-143, 303-306, 560-561
  da ilha de Páscoa, 132-134, 137-138, 145-151
  da Nova Guiné, 343-345, 347, 445
  derrubada geral, 61-62, 560-562, 563-564
  do Japão, 361-363, 369-370, 510, 525
  e agricultura, 139-140, 201-202, 217, 458-459, 565, 582
  e arrendamento de direitos da atividade madeireira, 561-564
  e erosão, 68-69, 139-140, 216-217, 304-305, 437-438, 514
  e extinção de florestas, 565
  e seca, 438, 441-442
  em Montana, 61-68
  entre os maias, 209-210, 216-217, 504-505
  estudos comparativos do, 35-36
  exportando para outras nações, 364, 445
  licença social para operar, 564-565
  na Austrália, 457-458, 470-471, 477-478, 480, 483-485, 489
  na China, 430, 434-435, 437-438, 441-442, 445, 449
  na Groenlândia Nórdica, 303-308, 324
  no sudoeste dos EUA, 181, 183-184, 188, 193
  pensamento a longo prazo, 624-625
  regulamentação governamental, 564
doença da atrofia crônica (DAC), 77-78
doença do rodopio, 77
doença "holandesa" do olmo, 444, 589
Donner Party, canibalismo, 171
dorsets, 226, 312-314, 317-319
DuPont, empresa, 553, 558, 569, 604
Duvalier, François "Papa Doc", 407, 410
Duvalier, Jean-Claude "Baby Doc", 407

ecocídio, 18, 22-23
educação, 86-88, 501, 627
Edwards, Edmundo, 118, 119
efeito estufa, gases do, 497, 589, 595
Egede, Hans, 330
Egito, pirâmides do, 130
Ehrlich, Paul, 608-609
El Niño, 146, 345
El Niño Oscilação Sul (ENOS), 460-461
Eliel, família, 47, 88
empresas, *veja* grandes empresas
energia solar, 605
English, Nathan, 184-186
Enron Corporation, 515
era das explorações, 334
era Tokugawa, *veja* Japão
Erhardt, Emil, 80, 86, 88, 90
Erik, o Vermelho, 233, 235, 252-253, 255, 259, 271-272, 277, 282, 286
Eriksson, Leif, 235
Eriksson, Thorvald, 255
erosão:
  causas da, 68-69, 139-140, 304-305, 309-310, 437-438, 460-461, 514, 585
  consequências da, 19, 217, 308-311, 441-442, 445, 478-479
  controle da, 249-251
  e sedimentação de rios, 76
Escandinávia:
  agricultura na, 222, 230-232
  combustível na, 305-306
  comércio, 227, 234, 255
  crescimento populacional na, 222
  ferro do pântano na, 306
  navegação na, 222-223
  Peste Negra (praga) na, 325
  relatos escritos da, 262
  religião na, 234-235
  unificação da, 248, 325
  vantagens naturais na, 222
  viking, veja vikings
espécies introduzidas *vs.* nativas, 19, 76-79, 439-441, 444-445, 522, 589, 600
eutrofização, 434-435, 450, 584
Expedição Franklin, 335
Exxon Valdez, 533, 549, 554-555, 578, 588

Falconbridge, mina de ferro/níquel de, 421
Falkow, Stan, 45, 47, 49, 85, 90, 102
Faroe, ilhas, 220, 236, 239-241
  colônia *viking* em, 226, 229, 234, 240
  religião nas, 234, 240
ferrugem do castanheiro americano, 444, 589

688

ÍNDICE

fertilizante, excesso de, 76, 496
Firth, Raymond, 348-349, 352-354, 356
Fischer, Steven, 144, 165
Flenley, John, 133-134, 137-139, 145-146
florestas:
    combustível em, 62, 65-66, 92-93, 522
    como hábitat, 560-561, 582
    como recursos renováveis, 559-561, 563-564, 566
    conexão ecológica direta de, 560-562, 582
    consumo de produtos de, 565
    declínio de, 563, 582
    densidade de árvores em, 66
    esgotamento de, *veja* desmatamento
    funções das, 560-561
    gerenciamento de, 62, 92-93, 357, 365-369, 566, 599-600
    indústria madeireira, 559-572
    resistentes ao fogo, 65-66
    valor de, 560-561
fome, 140, 169, 301, 606
fontes de energia, 586-587, 605-606
Food and Drug Administration, 578
Ford, Henry, 577
Forest Stewardship Council (FSC), 561, 565-572
    certificação do, 566-568, 571-572
    critérios do, 565-566
    e cadeia de custódia, 567-568, 571-572
    e padrão verde de construção, 570
    efetividade do, 569-572
    missão do, 565
    sobre Home Depot, 568-570
fotossíntese, 587
França, na Segunda Guerra Mundial, 506
Fraser, Malcolm, 475
French, Roxa, 75
Frobisher, Martin, 329

Galápagos, ilhas, 135
Galactic Resources, mineração, 545
Galti, Snaebjörn, 271
Gardar, catedral de, 16, 298-300, 331, 596
Gardar, fazenda, Groenlândia, 15-17, 278, 284-289, 331-332, 596
gás natural, 538, 586
geleiras, recuo de, 72, 456, 505-506
General Mining Act (1872), 552
geneticamente modificado (GM), alimento, 607
gerenciamento ambiental:
    abordagem de baixo para cima, 338-340
    abordagem de cima para baixo, 338-340

abordagens mistas, 411
através da exportação de exaustão de recursos, 364
com tecnologia, 602-605
como preocupação do Primeiro Mundo, 611-613
convenção do meio ambiente do Rio, 414
e a economia, 601-602
e os níveis populacionais, 610-611, 626-627
e valores, 625-626
erros de previsão, 608-610
esperança no, 622-625, 627
importância do, 593-597
melhorando condições de, 607-608
mudando para outros recursos, 604-606
objeções à linha de pensamento única, 601-614
para o futuro, 613-614
passado *vs.* presente, 614-622
gerenciamento ambiental de baixo para cima, 338
    Austrália, 372-373, 493-497
    e a tragédia do bem comum, 512-514
    inuits, 372-373
    Nova Guiné, 340-341, 346
    sudoeste dos Estados Unidos, 372-373
    Tikopia, 340, 348, 356
gerenciamento ambiental de cima para baixo, 338-340
    China, 452
    e a tragédia do bem comum, 513
    era Tokugawa no Japão, 340, 357-358, 363-372, 525
    Império Inca, 372
    República Dominicana, 414-415
Gill, Richardson, 213-215
Glacier Nacional Park, 72
globalização, 615-616
    competição na, 457, 473, 484, 494, 564
    e imigração, 426
    e parceiros comerciais, 154, 170, 325
    e problemas ambientais, 429-430, 442-447, 617-618
    influências recíprocas na, 442-443, 617-622, 627
Goetz, Hank, 91
Goyder, G. W., 476
Grande Zimbábue, colapso do, 18
grandes empresas, 527-579
    e a opinião pública, 547, 558-559, 571, 478
    em extração de recursos, 527-528, 559-560
    indústria de mineração, 540-559
    indústria madeireira, 559-572

COLAPSO

indústria pesqueira, 559-560, 572-577
indústria petroleira, 528-540
indústria química, 587-588
motivo de lucro das, 56-57, 63-64, 528, 532-533, 563-565, 578-579
planejamento a longo prazo nas, 625
poluição intensiva, 443
regulamentação das, 577-579
reputação de não ambientalistas das, 32-34
responsabilidade dos acionistas, 58, 577-578
Grasberg-Ertsberg, mina, 543
Great Northern Railroad, 63
Grécia, 30, 222
Grécia Miceniana, 18, 30, 627
Green, Roger, 116
Groenlândia:
autossuficiência na, 522
clima na, 240, 262-269, 287, 310, 333, 521
colônias escandinavas na, 271-272; *veja também* Groenlândia Nórdica
colonização dinamarquesa na, 322, 323-324, 333-334, 372
dorsets na, 226, 312-314
estudos de amostras de gelo da, 266-269
exploradores ingleses na, 329
ferro na, 304
fiordes na, 264, 267, 276, 186-287, 288
inuits na, 220-221, 261, 310, 321-322, 522
meio ambiente da, 260, 269-271, 310-311, 333
pastagem de ovelhas na, 310-311, 333-334
pesca na, 280-282
populações modernas da, 261
relatos escritos sobre a, 262
religião na, 235-236, 296-300
terra da, 308-311, 333
Groenlândia Nórdica, 259-301, 303-336
abandono da, 219-220, 236, 256, 260-261, 317-318, 324-332
agricultura na, 270, 272-287, 301, 310-311, 324, 331, 333, 335
caça na, 268, 270-271, 277-280, 282-283, 286-287, 293-296, 301, 314-315, 323, 333-336, 504
carência de ferro na, 304-308
clima na, 262-269, 287-288, 324-325, 331
colônia *viking* na, 227-229, 251
colonização da, 271-272
combustível na, 305-306
comércio, 249-250, 256, 293-298, 325, 328, 330-331, 334-335
comida na, 277-282, 284-287, 333-334
corte de turfa, 305-306, 308-311, 324

costumes funerários na, 299-301, 325-326, 328
declínio da, 324-332, 515, 518, 522
desmatamento na, 303-308, 324
Erik, o Vermelho, na, 233, 235, 252, 259, 271-286
economia integrada da, 282-288
escassez de árvores nas, 232, 298, 305
espécies nativas da, 269-271
estratificação social na, 292, 299, 334-335
eurocentrismo na, 293-301, 325, 335
fazenda Sandnes, 285-286, 288
fome na, 301
Gardar, catedral de, 16, 298-300, 331, 596
Gardar, fazenda, 15-17, 278, 284-289, 331-332, 596
Hvalsey, igreja, 260-261, 263 297, 300, 330
inuits na, 221, 261, 268-272, 293, 301, 308, 311-312, 318-324, 335
isolamento da, 268-269
meio ambiente na, 221, 262-265, 269-271, 303-311
população da, 256, 272, 287
qualidade da terra na, 308-311, 324, 335
religião na, 234-236, 296-300
sobrevivência da, 261-262, 272, 288, 333-335
sociedade conservadora na, 292-293
violência na, 289-292
guerra, 19
canibalismo na, 188
falsa analogia na, 505-506
Guilherme, o Conquistador, 227

Haakonsson, Haakon, rei da Noruega, 296
hábitat, destruição de, 19, 560-561, 582-583
Habyarimana, general, 381-382
Haiti:
agricultura do, 403-404, 408
cooperação com a República Dominicana, 427-428
distribuição de riqueza no, 398, 409-410
Duvalier no, 407, 410
economia do, 398, 404-405, 408-410, 424
emigração do, 407, 426-427
escravidão no, 403-405, 409
fronteira com a República Dominicana, 397-398, 426-427
futuro do, 425-428
idioma e cultura nativos do, 404-405, 409
independência do, 404
Índice de Desenvolvimento Humano, 407
instabilidade política no, 404-408

ÍNDICE

mapa, 399
ocupação militar dos EUA do, 405
parques nacionais no, 400-401
pobreza no, 398, 410, 424-425
população do, 398, 403-404, 407, 409, 425
problemas ambientais do, 397-398, 408-410
Haoa, Sergio Rapu, 129, 133
Haoa, Sonia, 129, 142
Harald Dente Azul, rei da Noruega, 234
harapa, 18, 30
Harte, John, 608-609
Heaven's Gate, seita 169
Henderson, ilha, 157-161
    colapso da, 169-170
    determinação da, 154
    e ilha de Páscoa, 115
    impacto humano na, 168-170
    isolamento da, 154, 169
    população da, 158-159, 161, 164, 167
    sobrevivência na, 159-161, 166-169
    sócios comerciais da, 154, 161-166, 170
herbicidas, 451, 496, 588
Heyerdahl, Thor, 110-111, 113, 124, 130-131, 133
Hideyoshi, Toyotomi, 358-362
Hirschy, família, 37, 47, 49, 61, 68, 82, 102
Hispaniola, 397-428
    clima, 408
    colônia francesa em, 403-404, 409
    conquista espanhola, 402-403, 409-410
    desmatamento em, 397-398, 409-411, 420-421
    e comércio de escravos, 402-403
    mapa, 399
    nativos americanos em, 402-403
    plantações de açúcar na, 402-403, 405
    veja também República Dominicana; Haiti
H.M.S. *Bounty*, 153-154, 157, 167, 169
hohokam, sociedade, 176-177, 187, 192
Holdren, John, 608-609
Home Depot, lojas, 568-570, 578
Honduras, 216, 414
hopi, *pueblo*, 172, 179
Hotu Matu'a (chefe de Páscoa), 116
Huls, família, 16, 81-82, 91, 96-98
Huls, fazenda, Montana, 15-17, 96-98
hutus, 381-386, 393, 395

Idades do Gelo, 28, 238, 243, 348
Ieyasu, Tokugawa, 358-359, 361
inuits:
    caçadores, 270-271, 293, 313-318, 320-323, 333, 335

caiaques dos, 315, 321-323
combustível dos, 305-306
comércio com, 319-323
cultura e tecnologia, 314-318, 319-320
dieta dos, 618
e a Expedição Franklin, 335
e os *dorsets*, 226, 312-314, 317-319
e os escandinavos, 318-324, 335
e substâncias químicas tóxicas, 618
expansão dos, 268-269, 311-312, 317
na Groenlândia, 220-221, 261, 266-272, 301, 308, 310-311, 325, 335, 522
sequestro de, 329
sobrevivência dos, 311-314, 332-334, 522
Império Acádio, 214
Império Khmer, queda do, 30
Império Romano, queda do, 29-30
incas:
    conquista espanhola do, 308
    estruturas de pedra do, 130
    gerenciamento de cima para baixo no, 372
    gerenciamento florestal no, 524
    integração regional do, 212
    provisão de comida do, 205
incêndios florestais, 62, 64-68, 582, 609
    causas de, 64-67
    custos de, 68
    e qualidade da terra, 68-69
    e qualidade do ar, 76
    papel natural de, 65-66
    prevenção de, 68, 522
    supressão de, 65-68
Índia, sistema de castas da, 373
Índice de Desenvolvimento Humano, 407
Indonésia, 419, 616
    ditadura militar na, 539
    empresa de petróleo Pertamina na, 529, 539-540
    mineração ilegal na, 563
    população da, 626
indústria madeireira, *veja* florestas
indústria petroleira, 528-540, 586
    desastres, 533-534, 538, 554, 558
    e a opinião pública, 534-537, 558
    gás natural, 538
    Kutubu, campo de petróleo, 529, 532, 535-539, 542
    na ilha Salawati, 528-529, 540
    navios-tanque de casco duplo, 538
    perspectiva de longo prazo da, 534
    Point Arguello, 536
    regulamentação governamental, 535-536
    tecnologia da, 538

indústria química, 587-588
indústrias de poluição intensiva (IPIs), 443
infiltração salina, 69-71
irrigação:
    direitos da água para, 72-73, 513
    e salinização, 71, 437, 459, 480-482
    estratégias dos anasazis para, 175-177, 179
    rios desviados para, 77, 119, 483, 586, 600
Islândia, 220-221, 241-251
    agricultura da, 242, 249, 273
    colônia *viking* na, 226, 229, 244-245, 249-250
    combustível na, 305-306
    comércio, 250, 296
    dano ecológico na, 241, 245-246
    desmatamento da, 26, 245-249
    domínio dinamarquês na, 247
    ferro na, 307
    história política da, 247-248, 250-251
    meio ambiente da, 26, 241-244, 249-250, 310
    pesca na, 572
    relatos escritos sobre a, 252-253
    religião na, 234-235, 297
    sobrevivência na, 219-220, 247, 249-251
    sociedade conservadora da, 246-247, 293
    terras da, 26, 240, 242-246, 249-251, 308, 505-506
    tomada de decisão comunitária na, 246-247, 250-251

Janis, Irving, 520, 524
Japão, 357-372
    ainos, 364
    caça e pesca, 364
    comércio, 359, 364, 371, 484, 619
    desmatamento, 361-363, 369-370, 510, 525
    gerenciamento de cima para baixo no, 339, 357-358, 363-372
    gerenciamento florestal no, 358, 365-369, 372
    guerras civis em, 358-359
    incêndio Meireki, 361, 363-364, 371
    isolamento do, 360
    mineração no, 541
    na era Tokugawa, 358-372
    Pearl Harbor, ataque a, 515
    população do, 357-358, 363-364, 591, 626
    religião no, 358-360
    vantagens sociais, 369-371
    xogum, 358-367, 371, 525
Jirsa, Bob, 63
Juan Fernández, ilhas, 135

Kaczinski, Theodore, 617
Keller, Christian, 260, 263-264, 276, 306, 311, 315
Kennedy, John F., 520, 524-526
Kikori, rio, 529
King, Sarah, 134, 137
Kirch, Patrick, 337, 354
Kutubu, campo de petróleo, 529, 532, 535-539, 542

Laible, Rick, 61, 83-84, 91-93, 102
Landa, bispo Diego de, 197, 206
lapitas, 114, 355
Laxness, Halldór, 248
LEED (Leadership in Energy and Environmental Design), 570
Lei da Água Limpa, 62
Lei das Espécies Ameaçadas, 62
lençol freático, 192, 200
Leningrado, cerco de, 189
Lewis e Clark, expedição de, 52, 72
Lihir, ilha, mina de ouro em, 542
Lindbergh, Land, 91
Lindisfarne, ilha, 223, 228
Linha Goyder, 476-477
Linha Maginot, 506
lítica, cobertura morta, 120
Los Angeles, 597-601, 610
Louisiana, aquisição da, 403
Love Canal, 588
luz solar:
    como fonte de energia, 586-587
    e gases do efeito estufa, 589

Maclean, Norman, 59
Magalhães, Fernando de, 145
maias, 195-218
    agricultura, 201-205
    calendário de conta longa dos, 206, 211-212
    cenotes (desabamentos naturais de terreno), 200, 211, 215
    Chichén Itzá, 200, 211-212
    ciclos de poder, 211
    colapso social, 197, 199, 208, 210-218, 515, 621-622
    conquista européia dos, 197, 211
    Copán, 208-212
    desmatamento pelos, 209-210, 216-217, 504-505
    dieta, 201
    e clima, 203-204
    e culturas mesoamericanas, 205-206

ÍNDICE

e secas, 213-214, 505
gerenciamento de águas, 201, 215
guerra dos, 204-205, 212-213, 217
lições dos, 216
mapa, 198
Mayapán, 211
período clássico dos, 207-208, 212, 215-216
população, 171, 202, 205-206, 207-208, 210, 212-213, 215-216
registros escritos dos, 197
sociedade complexa dos, 203, 207-208
Tikal, 211
Makatea, ilha, 148, 150
mal, origens do, 394
Malásia, desmatamento na, 445
Malthus, Thomas, 216, 378-379
malthusianos, problemas, 216-217, 378-379, 387, 395-396, 606-607
Mangaia, ilha, 337, 3399
Mangareva, ilha, 154-166
colapso da, 167-170
colonização de, 154-157
comércio, 154, 160-166, 168-170
e ilha de Páscoa, 115-116
estrutura social de, 123
estruturas de pedra de, 126
habitabilidade de, 160-161
idioma de, 113, 115, 165
impacto humano em, 167-169
padrão de vida de, 154, 170
mar do Norte, petróleo/gás no, 537, 554
Marine Stewardship Council (MSC), 574-576
Marquesas, ilhas:
e ilhas periféricas, 155, 166, 168-169
estrutura social das, 123-124, 128-129
estruturas de pedra das, 126
idioma das, 165
McDonald's, 235, 578
McGovern, Thomas, 261, 280, 306
McIntosh, Bill, 470, 491-492
McVeigh, Timothy, 617
mesoamericanos, 205-206
Mesopotâmia, 69, 214, 507
metano, 71, 589
método de experiência natural, 34-37
Miller, Chris, 89
Milltown, represa, Montana, 58-59
mimbres, sociedades, 171-172, 177, 187, 192
mineração:
atitudes públicas em relação à, 547, 551-553, 558-559, 569
bórax, 557
e qualidade da água, 541, 543-544, 547, 559

em Montana, 52, 54-61, 80-81, 511, 544-545, 547, 553-557, 577, 588
escória, 541-542
extração de metais, 540-559
fatores econômicos, 548-551
indústria de carvão, 553-554, 558, 586
licença social para operar, 557, 564
método de lixiviação em pilha com cianeto, 56, 60, 541, 544
na Austrália, 453, 473-474, 558
na Nova Guiné, 535, 542-543
no Colorado, 545
no Japão, 541
pedidos de falência, 544, 547, 557, 559
platina/paládio, 556
regulamentação, 552-554, 559, 577
resíduos minerais em, 541
resíduos tóxicos, 54-61, 540-545, 552-553
titânio, 558
títulos de seguro, 546
Mineração de Minerais e Desenvolvimento Sustentado, projeto de, 557
Montana, 45-102
agricultura em, 51-53, 68-71, 81-84
água em, 71-76, 513
atitudes antigovernamentais em, 68, 87-91
caçando em, 53, 77-79
clima de, 63, 508
como estudo de caso ideal, 49-51, 100-102
escolas em, 86-88
espécies nativas e estrangeiras em, 76-79, 522
fazenda Huls, 15-17, 96-98
florestas em, 61-68, 81
gerenciamento de baixo para cima em, 338-339
história econômica de, 52-54, 79-80, 100-101, 517
história de Cook, 98-100
história de Falkow, 45, 47
história de Laible, 91-93
história de Pigman, 93-96
história do autor, 47, 49
impostos em, 86-87
mapa, 48
milícias em, 89-91
mineração em, 52, 54-61, 81, 511, 544-545, 547, 553-557, 577, 588
pesca em, 53, 76-77
polarização em, 80-88
população em, 49-50, 75, 84-87, 93, 95
problemas ambientais de, 50-51, 54, 100-102

COLAPSO

qualidade de vida em, 90-91
terra de, 68-71
Montana Land Reliance, 87
monturos de ratos silvestres, estudos de,
181-184
mosca-do-mediterrâneo, 600
Mulloy, William, 131

nativos americanos:
como escravos, 402-403
dizimados por doença, 402
dorsets, 226, 312-314, 317-319
em Montana, 52, 544
exploração de, 334-335
inuits, veja inuits
mesoamericanos, 205-206
na Vinlândia, 229, 255-257, 313
no Canadá, 312, 317
no sudoeste dos EUA, 175-194; *veja também* anasazis
sociedades em extinção, 192-194
tainos, 402-403
navajos, 191
Nettles, Bill, 556
Nevada, minas de ouro em, 546-547, 553
Nordrseta, campo de caça, 294-295, 297-298, 301, 313-314, 323, 334-335
Norfolk, ilha, 112, 157
Noruega, *veja* Escandinávia
Nova Guiné, 340-348
agricultura na, 340-343
colonização da, 344
crescimento populacional na, 347-348
desmatamento na, 343-345, 347, 445
domesticação de plantas na, 341
e El Niño, 345
e território da Austrália, 344
gerenciamento de baixo para cima, 338-339, 346
governo da, 346
indicador de espécie da, 532
Kutubu, campo de petróleo, 529, 532, 535-539, 542
mineração na, 535, 542-543
precipitação de cinza vulcânica na, 345-346
silvicultura na, 343-347
suprimento de madeira na, 343-344, 347
Nova Zelândia maori, 204
nutrientes, reciclagem de, 585
Nygaard, Georg, 280

Ogowila, tefra de, 345-346
Oil Search Limited, 529

Ok Tedi, mina de cobre, 542-543
Olaf I, rei da Noruega, 234
Olaf, o Plácido, rei da Noruega, 255
Olafsson, Thorstein, 328-329
olmecas, 130, 206
O'Reilly, David, 537
Ord River Scheme, Austrália, 488, 490
Organização Mundial do Comércio (OMC), 430, 445, 448-450
Orkney, ilhas, 39, 220, 234, 236-239, 241, 249, 372
Orliac, Catherine, 134-135, 137-138, 146
ovelhas:
e incêndios florestais, 66
e produção de lã, 473, 495
sobrepastejo por, 144, 310, 334, 458, 468, 471, 476-479
"Ozimandias" (Shelley), 17

Pa Nukumara, 353
Pacífico, ilhas do:
desaparecimento de sociedades nas, 236-238, 337
desmatamento das, 147-151
expansão polinésia pelas, 113-116, 121, 135, 155-157, 229, 356
produção de comida sustentável nas, 350
Pacífico, oceano:
Andesita, linha da, 149
mapa, 108-109
transporte de lixo para, 618
Países Baixos, *polders* nos, 620-621
palinologia (análise de pólen), 133, 265-266
Panguna, mina de cobre, 542, 557
Papua-Nova Guiné, *veja* Nova Guiné
Páscoa, ilha de, 105-152
agricultura na, 119-122, 132, 139-140
aves da, 135-136, 139, 146, 151
choques europeus na, 143-144
clãs, chefes e cidadãos da, 122-124, 140-141, 621
como metáfora, 152
cordas da, 132
cremação na, 137
declínio e colapso da, 138-143
desmatamento da, 132-134, 137-138, 145-151
dieta da, 117-118, 129, 132, 135-136, 139-140
e a Polinésia, 113-116, 155
e mudanças climáticas, 146
estátuas da, 105-107, 110-111, 115, 123-132, 134, 141-142, 151-152

694

ÍNDICE

geografia da, 111-113
guerra civil na, 141
história da, 113-117
insurreições de escravos na, 118, 144-145
isolamento da, 128, 151-152
mapa, 108-109
pastagem de ovelhas na, 144
pedreira de Rano Raraku, 105-107, 110-111, 123, 125-130
pesquisas botânicas na, 132-133
população da, 107, 117-119, 140-141
praia de Anakena, 117
ratos na, 136-137, 139, 589
rongo-rongo, sistema de escrita, 144
PCBs, 588, 618
Peary, Robert, 335
Pegasus Gold Inc., 60, 544-545
Pensilvânia, florestas na, 571
Pequena Idade do Gelo, 28-29, 245, 250, 269, 325
Pérez Rancier, Juan Bautista, 411
Período Quente Medieval, 269
Perry, Matthew, 360
Pertamina, empresa de petróleo, 529, 539-540
pesca, 559-560, 572-577
aquicultura, 450, 489, 576, 583
cadeia de custódia em, 576
captura não intencional, 574
certificação, 576-577
com dinamite e cianeto, 574, 583
e a doença do rodopio, 77
e a tragédia do bem comum, 573, 583
e espécie exótica, 588-589
e espécies extintas, 573
e hábitats marinhos, 574
e mineração, 542-543
e o Marine Stewardship Council, 574-576
e qualidade da água, 582
e saúde do estoque, 575-576
em Montana, 53, 76-77
Fundo de Pesca Sustentável, 575
na Austrália, 461, 483-488, 576
na Califórnia, 601
na Groenlândia, 280-282
no Japão, 364
pescando com rede de arrasto, 583
problemas de gerenciamento, 572-573
proteína fornecida pela, 583
sobrepesca, 19, 77, 485-487, 573-574, 583
subsídios perversos à, 573
sustentável, 573-577
Peters, Thomas, 537
Phelps-Dodge Corporation, 551, 553

pictos, 238-239
Pigman, Chip, 91, 93-96
Piper Alpha, plataforma de petróleo, 533, 578
Pitcairn, ilha, 154-157
colapso da, 169-170
colonização da, 154
e ilha de Páscoa, 115
estruturas de pedra na, 126
evacuação de, 157
H.M.S. *Bounty*, sobreviventes na, 153-154, 157, 167, 169
impacto humano na, 167-170
isolamento da, 154, 168-170
mapas, 108-109, 155
população da, 156, 161, 164, 167
sócios comerciais da, 154, 161-166, 168-170
plantas e ervas daninhas, 68, 76, 78-79, 479-480, 488-489, 600
Platteau, Jean-Philippe, 387-388, 390, 393-394
Plum Creek, empresa madeireira, 63-64
Point Arguello, campo de petróleo, 536
polders, 620-621
Polinésia:
antepassados, 114
cerâmica estilo lapita, 114
colonização da, 116-117
cordas da, 132
dieta dos, 135-136
divisões sociais na, 122-123
estruturas de pedra da, 126-128
expansão colonizadora, 113-117, 121, 135, 155-157, 229, 354-355
impacto humano na, 167
navegação entre ilhas na, 116
plantas da, 134
sudeste, *veja* sudeste da Polinésia
Powell, Steve, 82, 88, 90-91
problemas ambientais, 12 tipos principais de, 18-19, 22, 581-597
Procter & Gamble, 624
Proposição 187, Califórnia, 599
proteína, fontes de, 583
Prunier, Gérard, 394, 396

Rainforest Action Network, 569
recifes de coral, 477-478, 495, 582
Redford, Robert, 59
rejeitos tóxicos, em indústria de mineração, 54-61, 540-545, 552-553
Relatório Bolle (1970), 62
Rennell, ilha, 150, 352
Represa das Três Gargantas, China, 439
represas, 74-75, 487-488

695

República Dominicana:
  agricultura da, 408, 414, 421
  Balaguer na, 407, 410, 413-420, 423, 525, 625
  clima da, 408
  consumismo na, 422, 424
  cooperação entre o Haiti e, 427-428
  economia da, 398, 400, 404-410, 417, 424
  emigração da, 407, 422, 426-427
  Falconbridge, mina de ferro/níquel de, 421
  fronteira com o Haiti, 397-398, 426-427
  gerenciamento ambiental de cima para baixo na, 414-415
  gerenciamento florestal na, 410-423
  grupos de imigrantes na, 404-405, 409
  guerra civil na, 307
  impacto humano *per capita* na, 422
  instabilidade política na, 404-408
  mapa, 399
  movimento ecológico de baixo para cima na, 423
  mudança socioeconômica na, 425
  ocupação militar dos EUA, 405, 407
  ONGs em, 415, 423
  parques nacionais na, 400-401, 412, 414-417, 422-423
  perspectivas futuras, 423-428
  população da, 398, 403-404, 422
  problemas ambientais da, 397-398, 410-412, 418-423
  Trujillo, 405-408, 410- 412-413, 415-417, 419-420, 425, 427, 515
  Vedado del Yaque, 411-412
Revolução Verde, 606-608
Rio Tinto, empresa de mineração, 550, 553, 557
Roggeveen, Jacob, 107, 110, 116, 132, 137, 141, 145
Rolett, Barry, 36, 38, 112, 120, 142, 144, 147, 151
Royal Dutch Shell Oil Company, 534, 624
Ruanda, 377-396
  agricultura em, 386-389
  colapso em, 22, 396, 515
  crise econômica em, 395
  desigualdade em, 388-390, 393, 396
  desmatamento e erosão em, 387
  disputas de terra em, 390-392
  escassez em, 387
  genocídio em, 379-380, 382-386, 393-396, 616-617
  guerras civis em, 381-382
  hutus e tutsis em, 381-386, 393, 395
  independência de, 381
  Kanama, comuna, 387-390, 392-393
  problemas ambientais em, 381, 396
  população em, 377-379, 386-388, 393-396, 519
  twas em, 384
  violência e crime em, 391-393
Rússia, população da, 611

Salawati, ilha, 528-529, 540
Salim, Emil, 625
salinização, 19
  e agricultura, 68-71, 459, 470, 481-483, 495-496, 507, 585, 600
  e dessalinização, 482, 487, 586
  e irrigação, 71, 437, 459, 480-482
  e mudança de clima, 461
  e qualidade da água, 481-483
  processos de, 68-71
  terra seca, 477-482, 483
Salomão, ilhas:
  atividade madeireira ilegal nas, 563
  colapso das, 616-617
  governo colonial britânico das, 354-355
San Nicolas, ilha de, 169
Santa Barbara, vazamento de óleo no canal, 533
Schwab, Charles, 50, 53, 86
Scientific Certification Systems, 566
seca, 72, 190-191, 216-217, 438, 441-442, 463-464, 479, 505
Segunda Guerra Mundial, 506, 515, 526, 614
Selling, Olof, 133-134
Serviço Florestal dos EUA, 62, 65-68, 74-75
Shetland, ilhas, 220, 234, 236-237, 239, 241, 249, 280, 307, 371
silvicultura:
  na Austrália, 457-458
  na Nova Guiné, 343-347
  no Japão, 367-396
Simon, Julian, 509, 611
sistema fluvial Murray/Darling, Austrália, 482-483, 486-488, 490-491, 493
SmartWood, 566
Smyrill, John Arnason, 286
sobrepastejo, 68, 310, 334, 458, 468, 471, 476-479
sociedades:
  estudos arqueológicos de, 253-254, 310
  estudos comparativos de, 34-37
  estudos de amostras de gelo de, 266-269
  estudos de anéis de árvores, 173-175
  estudos de monturos de ratos silvestres, 181-184

respostas de, 27, 30-32
Sokkason, Einar, 289-291, 297
solo:
  acidificação/alcalinização, 585
  adubação, 342
  e atividade de geleiras, 456, 505-506
  e pesca, 458, 582
  e turfa cortada, 305-306, 308-311
  elevação de crosta, 456
  em Montana, 68-71
  minhocas, 437, 585
  na Austrália, 455-461, 467, 471, 476-483,
    495-496
  na Groenlândia, 308-311, 334
  na Islândia, 26, 240, 242-246, 249-251, 308,
    505-506
  perda de, *veja* erosão
  precipitação de cinza vulcânica, 345-346,
    456, 506
  redução de nutriente, 19, 217, 507, 585-586
  salinização do, *veja* salinização
Somália, colapso da, 19, 22, 616-617, 622
Stamford Bridge, batalha de, 227, 229
Steadman, David, 117, 135, 143
Stephens, John, 195-196
Stevenson, Chris, 118-119, 121, 132, 138
Stiller, David, 57
Stillwater, empresa de mineração, 556-557
Stonehenge, 130
substâncias químicas tóxicas, 22, 69, 76, 587-
  588, 618
sudeste da Polinésia, 153-170
  colapso no, 166-170, 621-622
  comércio entre ilhas, 160-166, 168-170
  habitabilidade do, 154-155, 160-161
  Henderson, 157-161
  impacto humano no, 167
  Mangareva, 154-166
  Pitcairn, 154-157
sudoeste dos EUA:
  agricultura no, 172, 175-177, 179
  anasazis no, 171-172, 179-194
  canibalismo no, 188-190
  clima seco do, 180, 184, 190-191
  culturas em extinção, 172, 190-194
  desmatamento no, 181, 183-184, 188, 193
  estudos pré-históricos do, 172-175, 182-184
  formação de *arroyos*, 181, 193
  gerenciamento da água no, 181
  gerenciamento de cima para baixo no, 372
  moradia no, 180, 184-188
  primeiros humanos no, 175
"sunk-cost effect", 516

tabus alimentares, 281-282
tainos, 402-403
Tainter, Joseph, 503-503, 510, 523
Taiti, 126, 144-145, 155
Tambora, erupção do, 28
tecnologia, 602-605, 614-615
  efeitos colaterais da, 603-605, 622
  indústrias de poluição intensiva (IPIs), 443
  na indústria petroleira, 538
Teller Wildlife Refuge, 49, 87, 338-339, 372
Tembec, empresa madeireira, 569, 571
Teotihuacán, 130, 205, 208
Terceiro Mundo:
  crescimento populacional no, 591
  custos de derrubadas no, 588
  distribuição de comida para o, 606-607
  doença no, 618
  e florestas, 560-561, 564
  e pesca, 572
  emigração do, 592, 596, 598
  explorados pelas nações do Primeiro Mun-
    do, 484, 611-613, 619
  impacto *per capita* no, 591-592
  metas de Primeiro Mundo no, 450, 592-
    593, 598, 610
  problemas ambientais do, 454
  sociedades em colapso, 19-22
terra:
  preços de, 84-87, 90, 93, 471-472
  propriedade de, 356, 450, 470-471, 477,
    492
  subdivisão de, 73-74
Terra Nova, 251-252, 327
terrorismo, 616-617
The Nature Conservancy, 423
Thomas, Jack Ward, 61
Tiahuanaco, queda de, 18, 214
Tibito, tefra de, 345
Tiffany & Co., 557-558, 569, 578
Tikopia, ilha, 348-357
  clãs em, 356
  colonização de, 354-355
  densidade de população de, 348, 352
  economia sustentável de, 337, 354-357
  florestas, 350-351
  gerenciamento de baixo para cima, 340,
    348, 356
  gerenciamento populacional em, 352-354
  isolamento de, 26, 348-349, 356-357
  lapitas em, 355
  produção de comida em, 350-352
  propriedade de terra em, 356
Tin Cup, represa, Montana, 74

tomada de decisão em grupo:
   amnésia da paisagem na, 508-509
   comportamento irracional na, 516-521
   comportamento racional na, 510-516, 528
   conflito de valores na, 516-516, 625-626
   e a tragédia do bem comum, 512-514
   em sociedades complexas, 502
   enfoque a curto prazo na, 519, 624
   falsas analogias na, 505-506
   fracasso da, 501-503
   incapacidade de perceber um problema, 506-510
   incapacidade de prever um problema, 503-506
   incapacidade de resolver um problema, 510-516
   lógica de ação coletiva, 512
   negação psicológica na, 520-521
   normalidade deslizante, 508-509
   por administração a distância, 507
   psicologia da multidão na, 519-520
   soluções fracassadas na, 521-522
   sucesso na, 523-526
Tonga, ilha, 31, 114, 126, 148, 337-339, 355, 370
Totman, Conrad, 365
tragédia do bem comum, 25, 512-514, 573, 583
Trout Unlimited, 556
Trujillo, Rafael, 405-408, 410- 412-413, 415-417, 419-420, 425, 427, 515
Tuamotu, arquipélago de, 114, 148, 150, 165-166, 168
Tuchman, Barbara, 515-517
Tucídides, 331
turfa, corte de, 305-306, 308-311
tutsis, 381-386, 393, 395

Ulfsson, Gunnbjörn, 271
União Européia, 593, 619, 626
União Soviética, colapso da, 608
Unilever, 574, 578
Union Carbide, Bhopal, 533, 578
Union Oil, vazamento de óleo pela, 533

valores:
   conflitos de, 516-516, 625-626
   deterioração de, 22
   moral, 579

na solução de problemas, 31, 625-626
Van Devender, Thomas, 183
Van Tilburg, Jo Anne, 118, 124, 130-132, 142
varangianos, 226
Vargas, Patricia, 117-118, 143
Venezuela, gás natural da, 414
vikings, 219-257
   agricultura dos, 230-232
   aparecimento dos, 223
   colônias do Atlântico Norte dos, 36, 219-221, 226, 229-230, 235-241, 244-245, 249-250, 251-255, 505
   como salteadores, 223, 226-229, 230, 234
   desmatamento por, 305
   estudos arqueológicos sobre os, 253-254, 310
   estudos comparativos, 36
   ferro usado pelos, 232
   legado cultural dos, 229-230
   mapa do Atlântico Norte, 224-225
   ondas de expansão dos, 227-229, 233-234
   relatos escritos dos, 252-253
   religião dos, 234-236
   sistema social dos, 233
Vinlândia:
   abandono da, 219, 229, 236, 254-257
   colônia *viking* na, 226-227, 251-257
   populações indígenas da, 255-256, 313
   recursos naturais da, 254-255
vizinhos hostis, 27, 29-30

Waterman, Robert Jr., 537
Webster, David, 208, 216
Weisler, Marshall, 154, 158-162, 165, 168
Wisconsin, indústria de caça de, 78
Woolsey, Vern, 71, 73
World Wildlife Fund (WWF), 32, 530-531, 574
Wyoming, extração de metano em, 71

yahi, índios, 170
Yang Tsé, rio, China, 431, 436, 438-439
Yellowstone, Parque Nacional, 67
Yen, Douglas, 354
Young, Mike, 470

zapotecas, escrita dos, 206
Zortman-Landusky, mina, 60, 544-545
zuni, *pueblo*, 172, 179

CRÉDITOS DAS ILUSTRAÇÕES

Fotos 1, 2 e 3: © Michael Kareck; foto 4: cortesia de Earthworks/Lighthawk; foto 5: cortesia de Chris Donnan, © Easter Island Statue Project, Cotsen Institute of Archaeology, ucla; fotos 6 e 7: fotografias de David C. Ochsner, © Easter Island Statue Project; foto 8: fotografia de Jo Anne Van Tilburg, © Easter Island Statue Project; foto 9: Jim Wark/Air Photo North America; foto 10: Nancy Carter/North Wind Picture Archives; foto 11: cortesia do National Park Service, foto de Dave Six; fotos 12 e 13: © Steve MacAulay; foto 14: © 2000 Bonampak Documentation Project, cortesia de Mary Miller, pintura de Heather Hunt com Leonard Ashby; foto 15: © Jon Vidar Sigurdsson/ Nordic Photos; foto 16: © Bill Bachmann/Danita Delimont.com; foto 17: © Irene Owsley; foto 18: © Staffan Widstrand; foto 19: Spencer Collection, nla.pic.an2270347, National Library of Australia; foto 20: © Jon Arnold/DanitaDelimont.com; fotos 21 e 22: Corinne Dufka; foto 23: un/dpi; foto 24: AP Photo/Daniel Morel; foto 25: Reuters/Bobby VIP/Landov; foto 26: cortesia de George Leung, University of Massachusetts Dartmouth; foto 27: Reuters/Landov; foto 28: © John P. Baker; foto 29: © G. R. "Dick" Roberts/National Science Image Library, Nova Zelândia; foto 30: National Archives of Australia, A1200, L44186; foto 31: cortesia do Dr. Kerry Britton/usda Forest Service; foto 32: Cecil Stoughton, White House/John Fitzgerald Kennedy Library, Boston; foto 33: AP Photo/Dave Cauklin; foto 34: © Pablo Bartholomew/Getty Images; foto 35: C. Mayhew & R. Simmon (nasa/gsfc), noaa/ngdc, dmsp Digital Archive; foto 36: cortesia de faac usa; foto 37: Jim Wark/Air Photo North America; foto 38: © David R. Frazier Photolibrary, Inc.; foto 39: © Getty Images; foto 40: © Alex J. de Haan; foto 41: © Ancient Art and Architecture/DanitaDelimont.com; foto 42: Reuters/Chor Sokunthea/Landov.

Este livro foi composto na tipografia Minion Pro,
em corpo 11/14, e impresso em papel off-set
75g/m² no Sistema Digital Instant Duplex
da Divisão Gráfica da Distribuidora Record.